GUIDE **DELACHAUX** DES **ARBRES D'EUROPE**

Édition originale :
Titre : *Collins Tree Guide*

Édition française :

ISBN : 978-2-603-02771-4
Dépôt légal : septembre 2020
Réimpression : février 2024
Impression : GPS Group (Slovénie)

Traduction : Odile Koenig
Préparation et suivi éditorial : Dédicace, Villeneuve-d'Ascq
Mise en pages : Nord Compo, Villeneuve-d'Ascq
Couverture : Fabienne Gabaude

OWEN **JOHNSON**, DAVID **MORE**

GUIDE **DELACHAUX** DES **ARBRES** **D'EUROPE**

DELACHAUX
ET NIESTLÉ

SOMMAIRE

Pour identifier un arbre

Utilisez les clés de détermination établies à partir de la forme des feuilles (p. 14) et des rameaux hivernaux (p. 9), ou encore la clé de détermination des conifères (p. 12). Vous pouvez aussi feuilleter le livre et observer les différentes illustrations jusqu'à ce que vous tombiez sur celle qui vous semble la plus proche de votre arbre. Le texte vous orientera alors vers d'autres espèces aux caractéristiques similaires.
Les genres principaux sont introduits par un paragraphe intitulé « Critères de distinction » : cette liste résume les points particuliers utiles à la détermination.

Description des espèces

Symboles utilisés

Espèce clé (pour les genres importants) : les formes les plus communes ou les plus caractéristiques auxquelles sont comparées toutes les autres.

L'arbre est (plus ou moins) persistant.

Les feuilles et les bourgeons foliaires sont opposés (ou par 3) sur les pousses terminales. (Ils sont solitaires chez tous les arbres qui n'affichent pas cette icône.)

L'arbre est en partie toxique. (La toxicité de beaucoup d'arbres rares présentés dans ce livre est inconnue.)

La plupart des descriptions comprennent les détails suivants :

- Nom commun le plus utilisé.
- Nom scientifique courant.
- Autres noms communs et scientifiques entre parenthèses au début de la première ligne de la description.
- Distribution géographique naturelle.
- Date de la première introduction connue d'une espèce en Europe (souvent en Grande-Bretagne), de l'apparition d'un hybride ou de la création d'un cultivar. (Certaines dates sont parfois approximatives.)
- La fréquence (à l'état sauvage pour les espèces indigènes ou subspontanées ; dans les zones plantées – parcs, jardins, rues, etc. – pour les autres) : *très commun* et *commun* (arbres présents en nombre important dans les zones boisées ou dans beaucoup de jardins) ; fréquent (arbres présents en petit nombre dans la plupart des jardins ou des parcs) ; *disséminé* (arbres présents en certains points de la région considérée) ; *peu répandu* (quelques spécimens dans des parcs et des jardins bien fournis, souvent publics, mais plus rares dans les jardins privés) ; *rare* (arbres limités à quelques stations au sein de la région considérée ou aux parcs et jardins les plus riches) ; *très rare* et *collections* (spécimens en nombre très faible).
- Nom de la famille scientifique (généralement en -acées), inclus dans la description de l'espèce si l'arbre est le premier à être décrit dans une nouvelle famille et si la famille n'est pas suffisamment importante pour justifier un paragraphe introductif. Les familles sont traitées successivement au fil des pages, suivant l'ordre probable d'évolution.
- L'ASPECT de l'arbre (les caractères distinctifs sont *en italique*). **Silhouette.** La hauteur indiquée correspond à celle du plus haut spécimen observé dans les îles Britanniques (d'où l'auteur est originaire). **Écorce.** D'un arbre adulte sauf mention contraire. **Rameaux.** Couleur et aspect le premier hiver (la plupart sont verts au début). **Bourgeons.** Couleur et aspect (des bourgeons foliaires sauf mention contraire) durant l'hiver. **Feuilles.** Sachez qu'il est toujours possible de trouver des feuilles dont la taille excède les dimensions mentionnées. (La base de la feuille se situe du côté du pétiole.) **Fleurs** et **Fruits** (ou **Cônes**).
- ESPÈCES VOISINES – Cette rubrique renvoie à des arbres pouvant prêter à confusion et présentés ailleurs dans le livre.
- CULTIVARS – Cultivars (mais aussi parfois sous-espèces et variétés) largement cultivés ou facilement identifiables.
- AUTRES ARBRES – Formes apparentées plus rares (souvent non illustrées).

Illustrations

Les illustrations représentent les feuilles, les fleurs et les fruits de la plupart des espèces et des cultivars. Il s'agit de formes « typiques » : il est impossible d'illustrer la variabilité potentielle de chaque arbre (mais elle est décrite). Vous trouverez également le portrait de nombreux arbres. Cependant, comme la silhouette d'un arbre dépend fortement de son environnement, ne les considérez pas comme un élément caractéristique.

Ce livre a été conçu pour accompagner sur le terrain toute personne désireuse d'observer les arbres dans la campagne, les parcs et les jardins d'Europe non méditerranéenne.

Le précédent ouvrage du même type avait été publié par Alan Mitchell aux éditions Elsevier Bordas en 1977, sous le titre *Le Multiguide nature de tous les arbres de nos forêts* (version anglaise originale : 1974). C'était le premier guide regroupant tous les arbres susceptibles d'être observés en dehors des collections. Au cours des trente dernières années, deux facteurs ont rendu nécessaire une mise à jour. Les pépiniéristes et jardineries proposent un nombre toujours croissant d'arbres, tandis que leur recensement sur le terrain continue de révéler des raretés poussant dans les endroits les plus inattendus. Ce guide aborde maintenant près de 1 600 taxons (groupe d'organismes dans une classification) et, pour rester simple à utiliser, une place importante a été réservée aux illustrations. Nous avons préféré inclure les arbres qu'il est possible de trouver, même rarement, dans les jardins ordinaires, plutôt que d'autres peut-être plus attrayants, mais confinés à des collections importantes où, avec de la chance, ils seront correctement étiquetés. Les conifères, passés de mode au cours de la seconde moitié du XXe siècle, constituent une exception : ils offrent de nos jours une moins grande diversité qu'il y a trente ans, mais nous avons conservé la sélection complète d'Alan Mitchell, en partie dans l'espoir de réveiller l'intérêt pour ces arbres fascinants. Nous avons traité toutes les espèces importantes natives de toutes les régions d'Europe. Les sélections fruitières et les introductions insuffisamment rustiques ont été exclues.

Le choix des espèces à inclure dans un guide des arbres est difficile, pas seulement à cause du nombre d'espèces et de cultivars – au moins 6 000 – présents dans les collections européennes, mais aussi parce que le concept « arbre » manque de précision. « Oiseau » est un terme scientifique précis, mais le mot « arbre » est utilisé pour qualifier une plante au sein de la gamme évolutive qui va des fougères aux palmiers. La famille du hêtre (Fagacées) regroupe des plantes pour lesquelles les similitudes observées dans la structure de la fleur évoquent une parenté proche ; toutes sont des arbres. Mais la famille du rosier (Rosacées) renferme un mélange de plantes herbacées, d'arbustes et d'arbres (les cerisiers, par exemple), tandis que les Scrofulariacées (la famille de la scrofulaire) se composent essentiellement de plantes herbacées et d'un seul genre composé d'arbres : *Paulownia*. Pour les besoins de cet ouvrage, le mot « arbre » désigne toute plante atteignant communément 3 m de haut sur un tronc de 20 cm de diamètre au moins. Les règles ont été assouplies pour inclure certaines plantes indigènes communes (cornouiller sanguin, bourdaine), qui répondent rarement à ces critères, et pour exclure de nombreux *Rhododendron*, *Pieris*, etc., qui peuvent développer une telle silhouette avec le temps mais dont il n'existe que de rares exemplaires âgés.

Nous avons souhaité conserver l'esprit du guide d'Alan Mitchell et lui avons emprunté plusieurs descriptions que nous n'aurions pas mieux rédigées. Dans la mesure du possible, nous avons continué à mettre l'accent sur les éléments (écorce, port, rameaux ou feuilles) qui permettent une identification tout au long de l'année, plutôt que sur les fleurs et les fruits qui, tout en offrant des critères souvent plus distinctifs, ne sont observables que durant une période limitée. Beaucoup d'arbres exotiques ont été aussi largement cultivés jusqu'à maintenant dans un nombre limité de clones, ce qui nous a permis de considérer comme distinctifs certains caractères de l'écorce et du port qui seraient moins fiables à l'état sauvage (ou sur des spécimens d'arboretum collectés dans la nature). Nous avons limité au strict minimum l'utilisation de termes botaniques.

L'observation des arbres

L'observation des arbres est un passe-temps passionnant mais sûrement pas aussi pratiqué qu'il le mérite. Bien que les arbres soient des organismes de grandes dimensions, il est facile de passer à côté sans les voir – peut-être parce que le regard est attiré par les mouvements des petits oiseaux ou concentré sur le sol à la recherche d'herbes rares. Leur impact sur notre environnement est aussi important que celui des paysages ou du climat, et, de la même manière, c'est seulement quand nous regardons de vieilles photographies ou découvrons les effets dévastateurs d'une tempête que nous le réalisons vraiment. Ce n'est qu'en 1989 que l'éminent botaniste Francis Rose découvrit que l'un des arbres qui poussait – en gros bosquets sauvages – sur les escarpements dans le sud des Downs était le tilleul à grandes feuilles, très rare à l'état sauvage dans les îles Britanniques ; à la même époque, l'identification de vieux cormiers sur des falaises près de Cardiff permit d'ajouter une nouvelle espèce à la liste des plantes indigènes en Grande-Bretagne. Une espèce tout à fait nouvelle, *Zelkova sicula*, fut découverte sous la forme d'une colonie de 200 arbres dans le sud-est de la Sicile en 1991. Il existe également en de nombreux endroits d'anciens arboretums abandonnés où subsistent des arbres rares, dressant leur silhouette de manière incongrue en bordure d'une banlieue, dans un terrain vague à l'arrière d'un bâtiment industriel ou dans un petit bois encombré. La plupart des cimetières et des parcs publics possèdent au moins un arbre plus rare que la plupart des passants ne peuvent se l'imaginer.

Apprendre à reconnaître les arbres est une démarche qui évolue en permanence. Les premiers pas sont les plus difficiles : une fois que vous saurez distinguer un charme d'un hêtre, vous pourrez commencer à remarquer des arbres similaires qui présentent clairement des différences et vous serez aussi capables de déterminer si l'arbre est une espèce rare de charme ou s'il représente un nouveau groupe. Le cerveau humain occulte généralement ce qui n'est pas familier : il peut être profitable de passer du temps à observer chaque arbre d'un cimetière, par exemple – même les plus petits dans le coin des arbrisseaux ; cela peut vous permettre d'identifier une espèce que vous n'aviez auparavant jamais consciemment remarquée et, par la suite, de la reconnaître au premier coup d'œil.

L'hiver est la saison la moins propice à l'identification des arbres : sans feuilles ni fleurs, les feuillus offrent bien peu d'indices et il est facile de manquer une espèce rare. L'automne est une période favorable car les teintes des feuillages exacerbent les différences et il est possible de ramasser les feuilles (hors d'atteinte en été) tombées sur le sol. (Les feuilles qui mettent longtemps à se décomposer, comme celles de l'alisier torminal, peuvent être déplacées par le vent durant l'hiver et il est nécessaire de rechercher d'autres traces de feuillage.) Le printemps, quand les bourgeons ont éclos mais que les feuilles ne sont pas encore déployées, est une période délicate mais c'est le seul créneau pour identifier certains arbres à fleurs.

Les jumelles peuvent rendre de précieux services (les feuilles sont parfois trop hautes pour permettre l'observation de détails depuis le sol, comme la dentelure des feuilles ou les cônes de sapin). Une loupe (× 10) peut également révéler la présence de poils minuscules ou de glandes sur les feuilles ou les rameaux.

Les arboretums bien étiquetés restent les endroits les plus appropriés pour apprendre à connaître les arbres les moins communs, bien que l'étiquetage des arbres soit parfois incorrect, dans de nombreux parcs publics par exemple.

Dans ce livre, l'accent a été mis sur les façons les plus concrètes et les plus sûres de différencier des arbres : les bourgeons sont-ils, par exemple, alternes ou opposés ? les feuilles sont-elles duveteuses au revers ? Cette technique du « oui ou non » conduit elle-même à la description, mais vous devriez rapidement être capable de vous tenir à la grille d'un cimetière ou de regarder par la fenêtre d'un train et d'identifier tous les arbres passant dans votre champ de vision, simplement à partir de subtiles variations de couleur, de texture et de port.

Avant d'atteindre cette étape, vous aurez à étudier des critères de distinction plus rigoureux, qui peuvent varier d'un genre à l'autre. Une liste complète donnerait :

- **Silhouette** – Les branches sont-elles retombantes, dressées ou étalées en plateaux ? L'arbre paraît-il devoir atteindre une grande hauteur ?
- **Écorce** – Est-elle rugueuse ou lisse (à quel âge/diamètre) ? Quelle est sa couleur ? (Dans les atmosphères pures ou humides, l'écorce est parfois recouverte de mousses, de lichens ou d'algues vertes et orange.) Observez-vous un point de greffe ? (Une discontinuité horizontale révélant qu'un pépiniériste a inséré un greffon d'un clone ou d'une espèce difficile à propager par semis sur un porte-greffe facile à multiplier. Un fil de fer placé autour du tronc et s'y trouvant enserré du fait de sa croissance en largeur peut provoquer une cicatrice semblable à un point de greffe.)
- **Rameaux** – Sont-ils poilus, marqués de sillons, ou verruqueux ? Quelle est leur couleur ? (Les poils sont parfois minuscules et translucides. Le meilleur moyen de les localiser est de tenir un échantillon sur un fond sombre à proximité d'une source de lumière ; en captant la lumière, les poils forment un halo autour du rameau.) Remarquez-vous une odeur particulière lorsque vous grattez le bois ? Les feuilles/bourgeons foliaires sont-ils opposés ou disposés individuellement ?
- **Bourgeons** – Quelle forme ont-ils ? Sont-ils poilus ? Possèdent-ils des écailles protectrices et si oui, de quelle couleur ?
- **Feuilles** – Quelles dimensions ont-elles ? (Choisissez une feuille de taille moyenne ayant fini sa croissance ; laissez de côté les formats extrêmes.) Quelle est leur forme ? Les bords sont-ils lobés ou dentés ? Notez la présence éventuelle de poils : dessus, dessous, le long des nervures, sur le pétiole, ou en touffes dessous à l'angle des nervures ? Le revers des feuilles présente souvent plus d'indices que la face supérieure : de quelle couleur est-il ? les nervures y sont-elles très saillantes ?
- **Fleurs et fruits** – Par leurs aspects divers et nettement caractéristiques, ce sont les parties de l'arbre les plus précieuses pour l'identification. C'est grâce à eux que vous pourrez souvent faire la distinction entre les familles et les genres scientifiques, bien qu'ils ne soient pas toujours observables sur le terrain.

Autres lectures

Votre apprentissage ne s'achèvera pas quand vous serez devenu un familier des arbres présentés dans ce livre. Voici quelques ouvrages qui vous permettront d'enrichir encore vos connaissances : *Guide des arbres et arbustes d'Europe*, d'Archibald Quartier et Pierrette Bauer-Bovet, Delachaux & Niestlé ; *Photo-Guide des arbres d'Europe*, même éditeur ; *Le Guide des arbres et arbustes de France*, de Maurice Dupérat, Sélection du Reader's Digest, 1999…

NOMS BOTANIQUES

Il est toujours préférable d'apprendre les noms scientifiques des plantes plutôt que leurs noms communs qui peuvent varier d'une région à l'autre. L'orme de Sibérie, par exemple, désigne *Ulmus pumila*, mais aussi parfois *Zelkova carpinifolia* (un « faux orme » en fait).

Écrit en italique, le nom scientifique se compose de deux parties principales : le nom du genre suivi du nom de l'espèce : *Quercus* (jamais *quercus*) est le nom utilisé pour un groupe d'arbres apparentés communément appelés « chênes ». *Quercus robur* (jamais *Robur*) est une espèce distincte, le chêne pédonculé. Pour être complet, il faudrait écrire ce nom sous la forme *Quercus robur* L., le « L » désignant l'autorité scientifique qui a publié ce nom : ici, le célèbre botaniste suédois du XVIIIe siècle, Carl von Linné, latinisé en « Linnaeus ». La convention est antérieure aux théories de Darwin sur l'évolution : toute nomenclature est finalement un moyen pratique mais artificiel de prendre en compte l'évolution constante de la génétique.

Les hybrides entre deux espèces sont repérés par la lettre « × » : *Quercus × rosacea* est l'hybride de *Quercus robur* et *Quercus petraea* (le chêne sessile), mais le nom légitime serait *Quercus petraea × robur*. Les hybrides stables, fertiles, comme *Sorbus hybrida*, finissent généralement par perdre leur « × ». Si deux arbres appartenant à des genres différents s'hybrident, on crée un nouveau nom générique précédé de « × » : *× Crataemespilus grandiflora*, par exemple, est l'hybride entre *Crataegus laevigata* (l'aubépine à deux styles) et *Mespilus germanica* (le néflier commun). Certains hybrides se produisent lorsque des matériaux génétiques fusionnent dans un processus spontané de greffe, créant une « chimère » : pour ces arbres, on utilise le signe « + ». *Aesculus + dallimorrei* résulte de la fusion des tissus du marronnier d'Inde *(Aesculus hippocastanum)* et du marronnier jaune *(Aesculus flava)*, avec des cellules des deux entités coexistant dans la même plante. *+ Laburnocytisus adamii* est une chimère intergénérique, le cytise (*Laburnum anagyroides*) ayant fusionné avec le genêt pourpre *(Cytisus purpureus)*. Certains genres (*Sorbus*, par exemple) sont en partie divisés non pas en espèces mais en micro-espèces dont les individus sont autofertiles et produisent des plantules avec très peu de variation génétique.

Un troisième nom botanique est parfois utilisé pour distinguer différentes formes au sein d'une même espèce – soit une sous-espèce (ssp.), soit une variété (var.) ; la variété suggère plus une différence dans l'aspect que dans l'habitat. Le pin de Corse est *Pinus nigra* ssp. *laricio*, le pin noir d'Autriche *Pinus nigra* ssp. *nigra*. Il existe une troisième catégorie, la forme (f.), qui désigne une population de « sports » : les érables sycomores dont les feuilles présentent un revers pourpre – fréquents à l'état spontané – sont appelés Acer *pseudoplatanus* f. *purpureum*.

Le « cultivar » correspond à un clone particulier ou une plante individuelle multipliée de manière végétative ; son nom n'est jamais écrit en italique. Par contre, il s'écrit avec une majuscule et entre simples guillemets (*ou* parfois précédé de « cv. ») : *Malus domestica* 'Granny Smith' ou *Malus domestica* cv. Granny Smith. Les pépiniéristes qui nomment leurs cultivars utilisent traditionnellement des noms pseudo-scientifiques ('Pendula' pour les arbres pleureurs, par exemple). Depuis 1959, il est recommandé de choisir un nom dans la langue vernaculaire (*Gleditsia triacanthos* 'Sunburst', par exemple). Souvent, les noms de cultivars servent à désigner des « variants » (groupes de clones aux caractéristiques similaires) : *Populus nigra* 'Italica' est utilisé pour des peupliers d'Italie aux formes diverses.

La répartition des familles et des genres ne répond pas à des lois écrites, mais les règles pour la dénomination des espèces sont précises : le nom correct est le premier à avoir été publié dans un journal réputé décrivant sans ambiguïté une espèce présumée. Le nom spécifique d'une plante doit être différent de son nom générique, alors que le contraire est possible pour un animal (par exemple, *Troglodytes troglodytes*, le troglodyte mignon). Les noms changent pour trois raisons : la redécouverte d'une nouvelle description ayant été publiée antérieurement ; un nom existant que l'on estime désigner des arbres d'une autre espèce ; ou l'établissement de nouvelles notions sur les parentés au sein d'une famille nécessitant l'usage d'un nom générique différent pour un des arbres de cette famille.

L'orthographe est parfois importante : *Acer maximoviczii* est un érable jaspé rare ; *Acer maximoviczianum* est l'érable de Nikko, très différent. *Acer pensylvanicum* (« de Pennsylvanie ») est orthographié de la sorte à cause d'une erreur d'impression dans la première description qu'en fit Linnaeus ; par contre, son *Stewartia* (nommé en l'honneur de John Stuart, comte de Bute) est souvent « corrigé » en *Stuartia*. Les noms d'espèces devraient s'accorder (comme les adjectifs latins) avec le genre du nom générique – mais comme les botanistes sont rarement des latinistes, il subsiste souvent des confusions non résolues entre, par exemple, *europaeus* et *europaea*.

RAMEAUX HIVERNAUX DES ARBRES FACILEMENT RECONNAISSABLES

L'écorce et le port offrent souvent plus d'indices pour identifier les arbres adultes en hiver, mais ils ne peuvent pas être utilisés pour les jeunes arbres. Sur les vieux arbres, la plupart des rameaux ont une croissance lente aboutissant à une surface noueuse et à une disposition des bourgeons plus congestionnée que nettement opposée ou alterne. Les illustrations montrent des rameaux terminaux dont la croissance est rapide, mais leurs formes ont été normalisées.

Bourgeons opposés

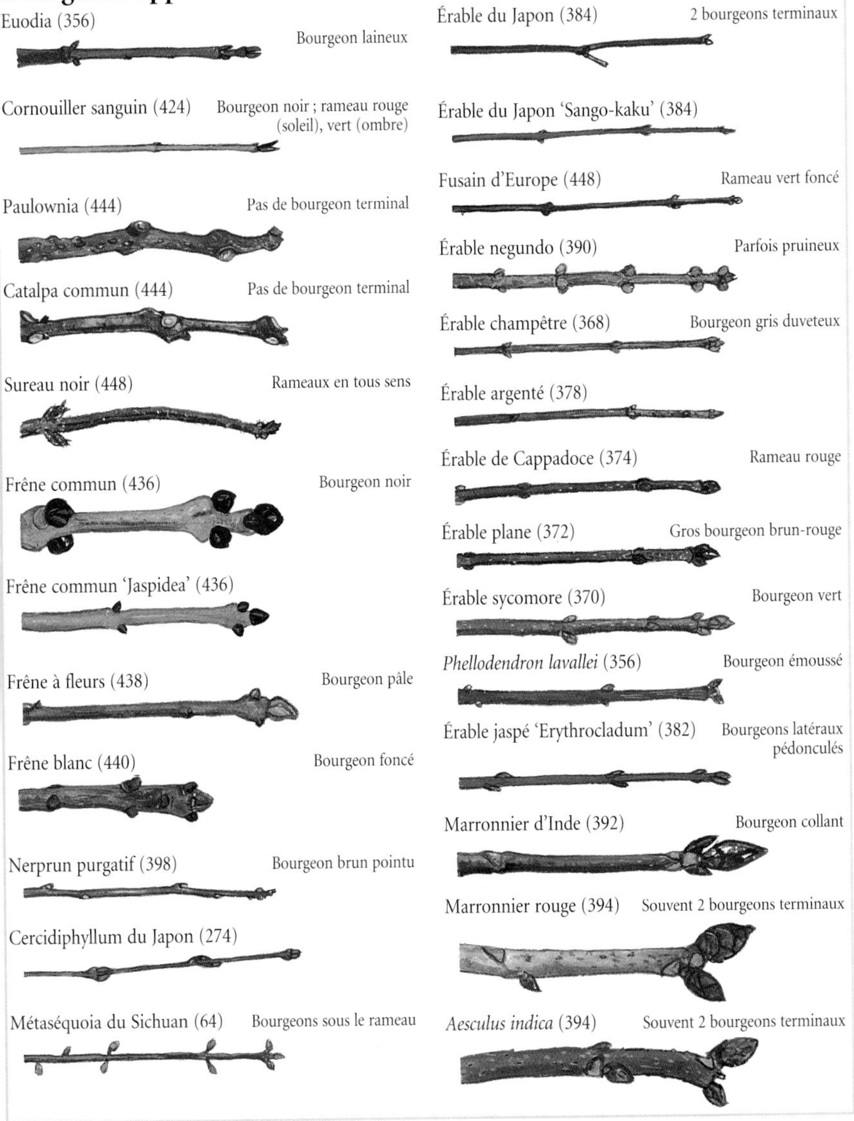

Euodia (356) — Bourgeon laineux

Cornouiller sanguin (424) — Bourgeon noir ; rameau rouge (soleil), vert (ombre)

Paulownia (444) — Pas de bourgeon terminal

Catalpa commun (444) — Pas de bourgeon terminal

Sureau noir (448) — Rameaux en tous sens

Frêne commun (436) — Bourgeon noir

Frêne commun 'Jaspidea' (436)

Frêne à fleurs (438) — Bourgeon pâle

Frêne blanc (440) — Bourgeon foncé

Nerprun purgatif (398) — Bourgeon brun pointu

Cercidiphyllum du Japon (274)

Métaséquoia du Sichuan (64) — Bourgeons sous le rameau

Érable du Japon (384) — 2 bourgeons terminaux

Érable du Japon 'Sango-kaku' (384)

Fusain d'Europe (448) — Rameau vert foncé

Érable negundo (390) — Parfois pruineux

Érable champêtre (368) — Bourgeon gris duveteux

Érable argenté (378)

Érable de Cappadoce (374) — Rameau rouge

Érable plane (372) — Gros bourgeon brun-rouge

Érable sycomore (370) — Bourgeon vert

Phellodendron lavallei (356) — Bourgeon émoussé

Érable jaspé 'Erythrocladum' (382) — Bourgeons latéraux pédonculés

Marronnier d'Inde (392) — Bourgeon collant

Marronnier rouge (394) — Souvent 2 bourgeons terminaux

Aesculus indica (394) — Souvent 2 bourgeons terminaux

Bourgeons alternes

Ptérocarya du Caucase (p.172) — Bourgeon pédonculé

Bourdaine (398) — Bourgeon roux laineux. Raies blanches sur le rameau.

Sumac de Virginie (360) — Rameau velouté ; bourgeon sans écailles

Mélèze d'Europe (94) — Bourgeon plus large que haut

Mélèze du Japon (96) — Rameau légèrement pruineux

Cyprès chauve (64)

Tulipier de Virginie (272) — Bourgeon en pagaie

Platane commun (280) — Bourgeon cornu

Aliboufier du Japon (434) — Bourgeon poilu

Noyer commun (178) — Bourgeon obtus

Noyer noir (178) — Bourgeon obtus gris poilu

Saules : rameaux courbés, lisses, et bourgeons à une écaille

Saule gris (168) — Rameau finement poilu

Saule marsault (168) — Rameau rouge (soleil), gris/vert (ombre)

Saule daphné (168) — Rameau légèrement pruineux

Saule pleureur (168) — Rameau jaune vif

Saule fragile (166) — Rameau orange terne

Saule à écorce rouge (164) — Rameau orange vif

Saule blanc (164) — Rameau finement poilu

Saule argenté (164) — Rameau blanc laineux

Saule argenté var. *coerulea* (164) — Rameau pourpré poilu

Osier blanc (170) — Bourgeons soyeux, serrés

Chênes : groupe de bourgeons au bout du rameau

Chêne pédonculé (216)

Chêne de Hongrie (226) — Nombreuses écailles lâches

Chêne rouge d'Amérique (234) — Bourgeon pointu couronné de poils

Chêne chevelu (218) — Bourgeon avec de longs filaments

Aulnes : souvent des bourgeons latéraux pédonculés

Aulne glutineux (190) — Bourgeon en forme de massue

Aulne blanc (192) — Rameau poilu

Aulne de Corse (192) — Rameau plus ou moins pruineux

Bourgeons à 2 ou 3 écailles seulement

Châtaignier (212) — Pas de bourgeon terminal plus gros

Tilleul à petites feuilles (400) — Pas de bourgeon terminal plus gros

Tilleul à grandes feuilles (400) — Bourgeon à 3 écailles poilues

Tilleul du Caucase (402) — Rameau vert (ombre), orangé (soleil)

Tilleul argenté (404) — Laine grise

Cytise (350) — Bourgeon blanc soyeux

Peuplier blanc (150) — Poils argentés, bourgeon pointu

Peuplier grisard (150) — Poils argentés éphémères

Bouleaux : bourgeons pointus sur rameaux fins

Bouleau pubescent (182) — Rameau souvent poilu

Bouleau verruqueux (182) — Verrues blanches sur le rameau

Bouleau à canots (184) — Verrues blanches sur le rameau

Charme (194) — Bourgeon apprimé, pointu

Amelanchier lamarckii (320) — Bourgeon petit, fuselé

Hêtre commun (204) — Bourgeon très fuselé, écarté

Bourgeons, de petits et arrondis à longs et pointus

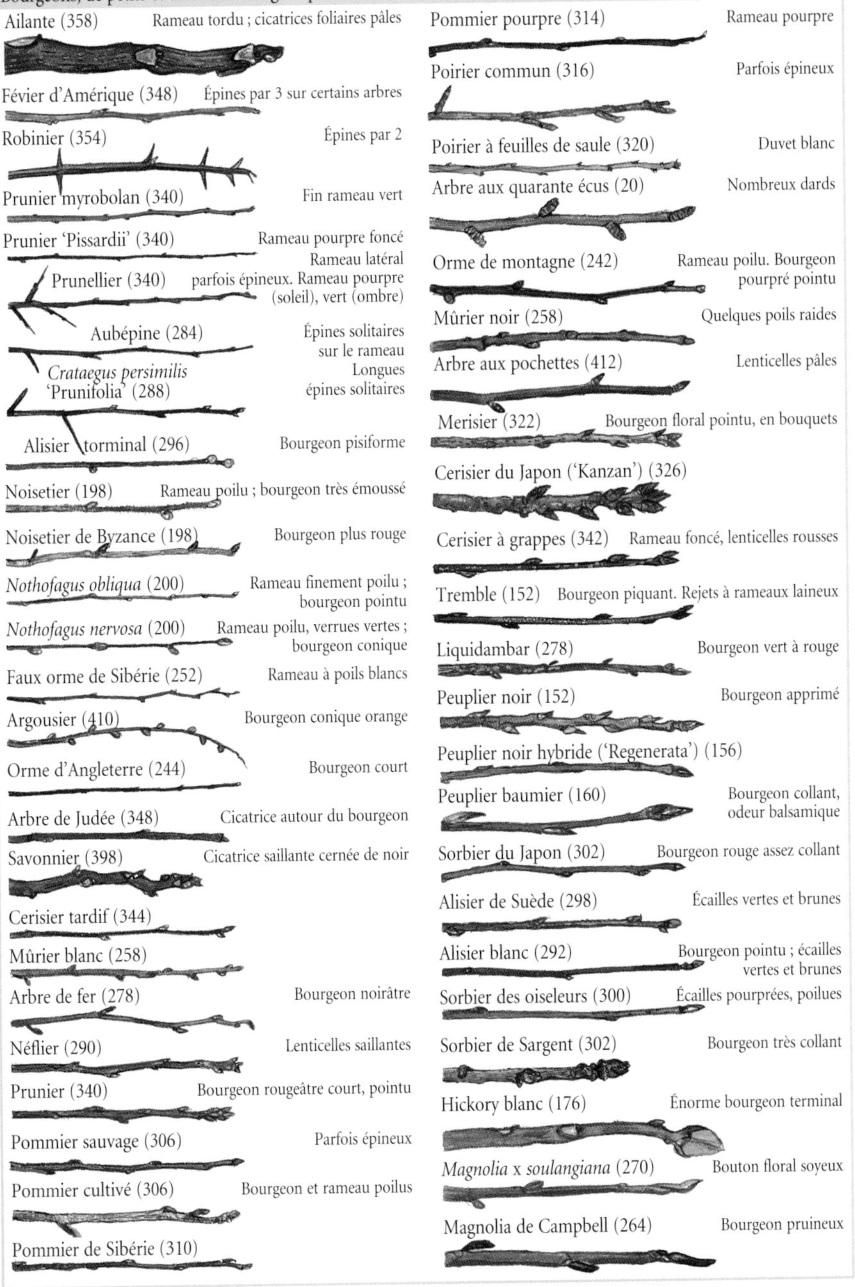

Ailante (358) Rameau tordu ; cicatrices foliaires pâles

Févier d'Amérique (348) Épines par 3 sur certains arbres

Robinier (354) Épines par 2

Prunier myrobolan (340) Fin rameau vert

Prunier 'Pissardii' (340) Rameau pourpre foncé

Prunellier (340) Rameau latéral parfois épineux. Rameau pourpre (soleil), vert (ombre)

Aubépine (284) Épines solitaires sur le rameau

Crataegus persimilis 'Prunifolia' (288) Longues épines solitaires

Alisier torminal (296) Bourgeon pisiforme

Noisetier (198) Rameau poilu ; bourgeon très émoussé

Noisetier de Byzance (198) Bourgeon plus rouge

Nothofagus obliqua (200) Rameau finement poilu ; bourgeon pointu

Nothofagus nervosa (200) Rameau poilu, verrues vertes ; bourgeon conique

Faux orme de Sibérie (252) Rameau à poils blancs

Argousier (410) Bourgeon conique orange

Orme d'Angleterre (244) Bourgeon court

Arbre de Judée (348) Cicatrice autour du bourgeon

Savonnier (398) Cicatrice saillante cernée de noir

Cerisier tardif (344)

Mûrier blanc (258)

Arbre de fer (278) Bourgeon noirâtre

Néflier (290) Lenticelles saillantes

Prunier (340) Bourgeon rougeâtre court, pointu

Pommier sauvage (306) Parfois épineux

Pommier cultivé (306) Bourgeon et rameau poilus

Pommier de Sibérie (310)

Pommier pourpre (314) Rameau pourpre

Poirier commun (316) Parfois épineux

Poirier à feuilles de saule (320) Duvet blanc

Arbre aux quarante écus (20) Nombreux dards

Orme de montagne (242) Rameau poilu. Bourgeon pourpré pointu

Mûrier noir (258) Quelques poils raides

Arbre aux pochettes (412) Lenticelles pâles

Merisier (322) Bourgeon floral pointu, en bouquets

Cerisier du Japon ('Kanzan') (326)

Cerisier à grappes (342) Rameau foncé, lenticelles rousses

Tremble (152) Bourgeon piquant. Rejets à rameaux laineux

Liquidambar (278) Bourgeon vert à rouge

Peuplier noir (152) Bourgeon apprimé

Peuplier noir hybride ('Regenerata') (156)

Peuplier baumier (160) Bourgeon collant, odeur balsamique

Sorbier du Japon (302) Bourgeon rouge assez collant

Alisier de Suède (298) Écailles vertes et brunes

Alisier blanc (292) Bourgeon pointu ; écailles vertes et brunes

Sorbier des oiseleurs (300) Écailles pourprées, poilues

Sorbier de Sargent (302) Bourgeon très collant

Hickory blanc (176) Énorme bourgeon terminal

Magnolia x *soulangiana* (270) Bouton floral soyeux

Magnolia de Campbell (264) Bourgeon pruineux

CONIFÈRES

Feuilles larges

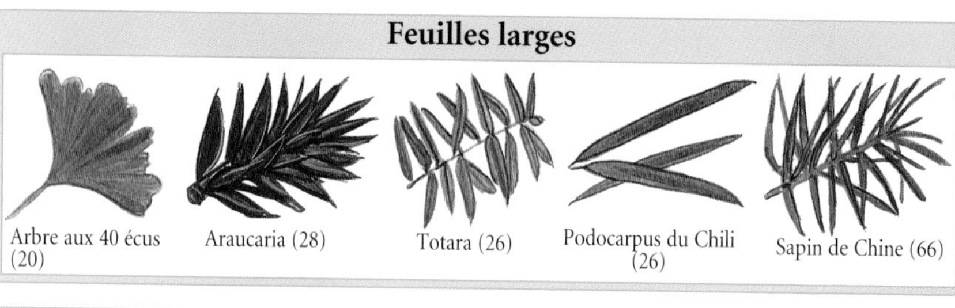

Feuilles très courtes ou en écailles

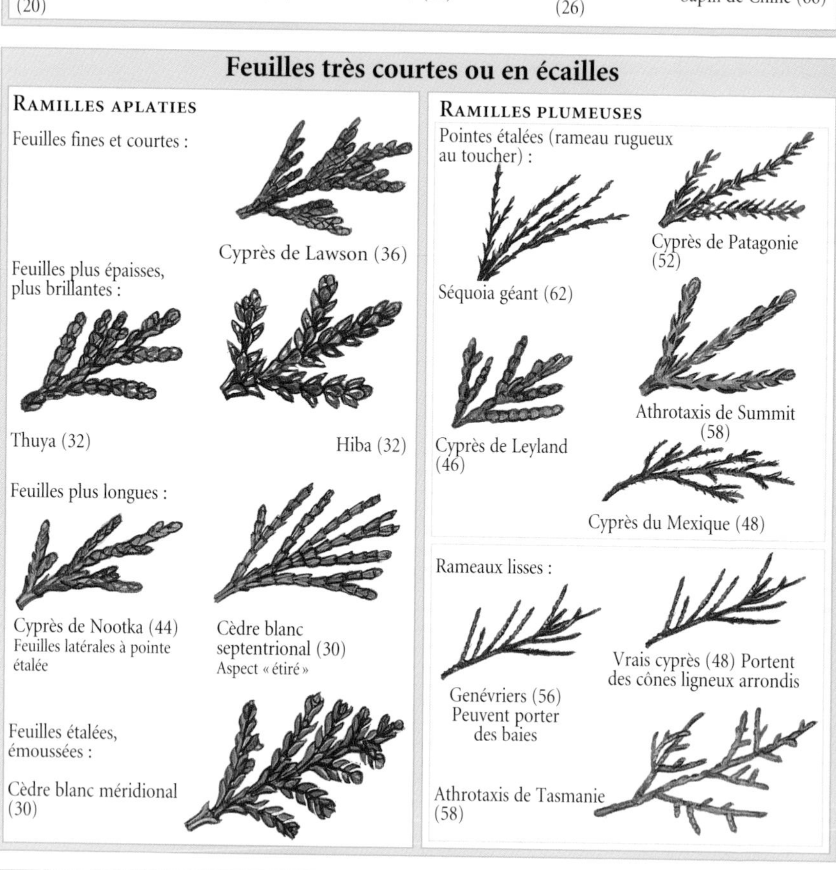

Écailles et longues aiguilles étroites mélangées

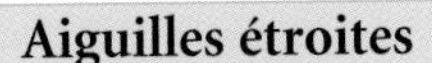

Aiguilles étroites

En rosettes (sur les rameaux anciens) de 10 à 50

Persistantes

Cèdres (90)

Caduques

Mélèzes (94)

Mélèze doré (98)

En faisceaux de 2 à 8

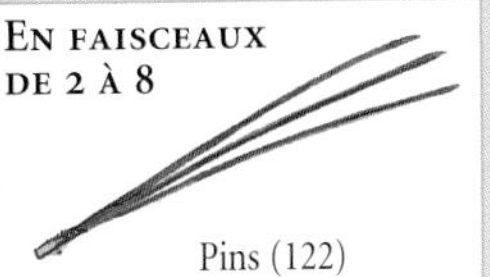

Pins (122)

En verticilles rayonnants

Pin parasol du Japon (66)

En verticilles de 3

Genévriers (54)

Solitaires le long des rameaux

Rameau (visible) vite ligneux, grisâtre/brunâtre

Feuilles souples, caduques

Rameaux latéraux et bourgeons opposés :

Métaséquoia du Sichuan (64)

Rameaux latéraux et bourgeons alternes :

Cyprès chauve (64)

Feuilles dures, persistantes

Rameau avec des « picots » à chaque feuille :

Épicéas (100)

Pétiole inséré sur un disque arrondi :

Sapins (66)

Pétiole parallèle au rameau :

Tsugas (116)
Tsuga des montagnes (118)

Autres :

Douglas (120)
(minuscule disque à la base)

Rameau vert pendant un an, ou caché par les feuilles

Feuilles disposées en rangs de chaque côté du rameau

Revers des feuilles vert légèrement jaunâtre :

Ifs (22)

Revers des feuilles rayé de blanc ou blanc-vert *feuilles très piquantes :*

Torreya (24)

feuilles très coriaces :

Céphalotaxus (24)

feuilles assez souples :

If aux prunes (26)

Feuilles disposées irrégulièrement autour du rameau

If du Prince Albert (26)

Totara (26)

Feuilles disposées régulièrement autour du rameau

Base des feuilles large

Cryptoméria du Japon (60)

Athrotaxis de Summit (58)

Athrotaxis du Roi William (58)

Pin de Norfolk (28)

Base des feuilles étroite

Genévriers (54)

Cultivars du cyprès de Sawara (42)

Cryptoméria du Japon 'Elegans' (60)

FORMES DES FEUILLES CHEZ LES FEUILLUS

Cette clé illustrée concerne plus particulièrement les arbres dont l'appartenance à une famille et la place dans ce livre ne sont pas évidentes. Beaucoup d'érables ont la même forme de feuille découpée en lobes radiants que l'érable sycomore et beaucoup de chênes ont des lobes latéraux comme le chêne pédonculé : ils ne sont donc pas représentés. Les descriptions des arbres dont les feuilles sont illustrées ici orienteront également vos recherches vers toutes les formes voisines.

Le contraste de taille entre les feuilles a été réduit. Dans chaque section, la progression va des très petites feuilles jusqu'aux très grandes.

- Feuilles triangulaires à cordiformes à la base (plus larges très près de la base) : p. 14.
- Feuilles lobées : p. 15. (Les lobes sont des saillies au bord des feuilles mesurant plus de 1 cm de profondeur ou inférieures à 20 en nombre.)
- Feuilles ovales à lancéolées persistantes : p. 16. (Les feuilles persistantes sont coriaces et/ou brillantes et persistent sur l'arbre toute l'année.)
- Feuilles ovales à lancéolées caduques, dentées : p. 17.
- Feuilles ovales à lancéolées caduques, entières : p. 18.
- Autres formes : p. 18.
- Feuilles composées : p. 19. (Les folioles séparées forment un motif régulier ; le rachis ne porte pas de bourgeons et ne se développe pas en rameau.)

Feuilles triangulaires à cordiformes

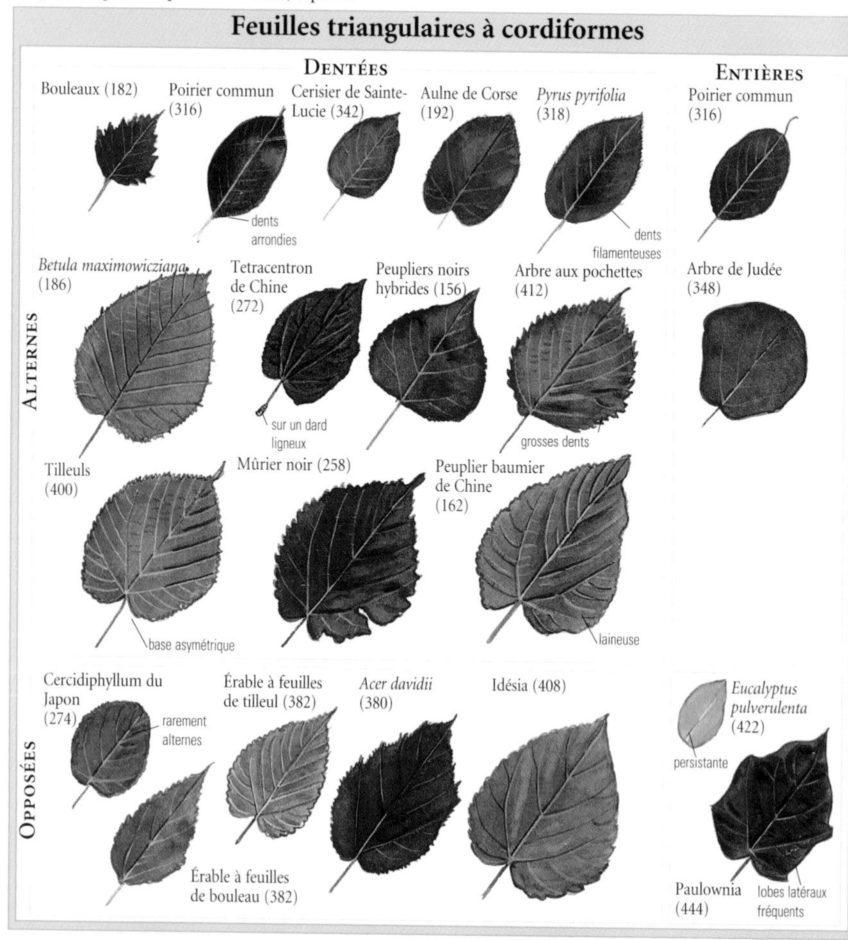

Feuilles lobées

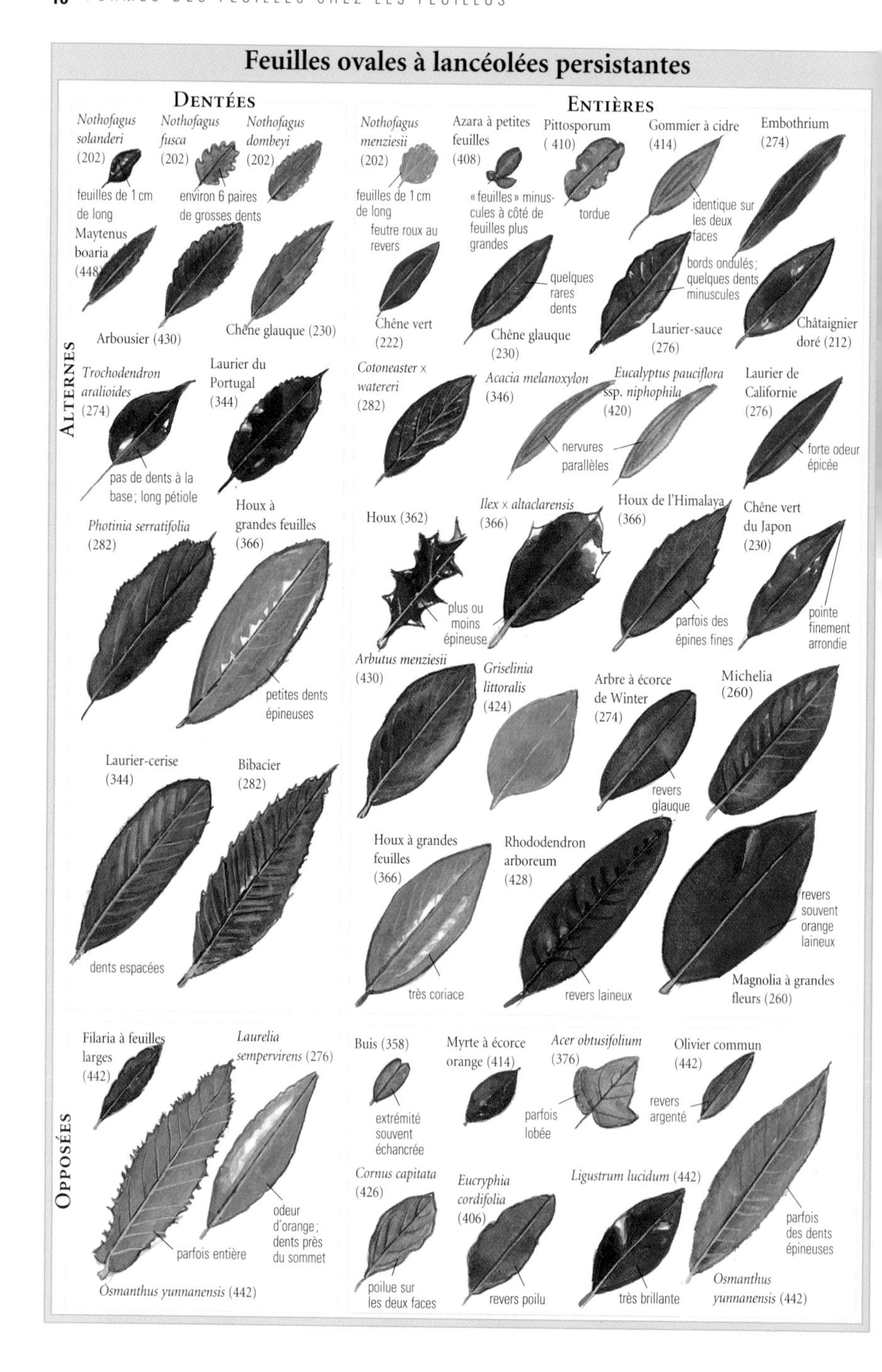
Feuilles ovales à lancéolées persistantes
Dentées
Entières
Alternes
Nothofagus solanderi (202)
feuilles de 1 cm de long
Nothofagus fusca (202)
environ 6 paires de grosses dents
Nothofagus dombeyi (202)
Maytenus boaria (448)
Arbousier (430)
Chêne glauque (230)
Nothofagus menziesii (202)
feuilles de 1 cm de long
feutre roux au revers
Azara à petites feuilles (408)
« feuilles » minuscules à côté de feuilles plus grandes
Pittosporum (410)
tordue
Gommier à cidre (414)
identique sur les deux faces
Embothrium (274)
Chêne vert (222)
quelques rares dents
Chêne glauque (230)
bords ondulés ; quelques dents minuscules
Laurier-sauce (276)
Châtaignier doré (212)
Trochodendron aralioides (274)
pas de dents à la base ; long pétiole
Laurier du Portugal (344)
Cotoneaster × watereri (282)
Acacia melanoxylon (346)
Eucalyptus pauciflora ssp. niphophila (420)
nervures parallèles
Laurier de Californie (276)
forte odeur épicée
Photinia serratifolia (282)
Houx à grandes feuilles (366)
petites dents épineuses
Houx (362)
plus ou moins épineuse
Ilex × altaclarensis (366)
Houx de l'Himalaya (366)
parfois des épines fines
Chêne vert du Japon (230)
pointe finement arrondie
Arbutus menziesii (430)
Griselinia littoralis (424)
Arbre à écorce de Winter (274)
revers glauque
Michelia (260)
Laurier-cerise (344)
Bibacier (282)
dents espacées
Houx à grandes feuilles (366)
très coriace
Rhododendron arboreum (428)
revers laineux
revers souvent orange laineux
Magnolia à grandes fleurs (260)
Opposées
Filaria à feuilles larges (442)
Laurelia sempervirens (276)
odeur d'orange ; dents près du sommet
parfois entière
Osmanthus yunnanensis (442)
Buis (358)
extrémité souvent échancrée
Myrte à écorce orange (414)
Acer obtusifolium (376)
parfois lobée
Olivier commun (442)
revers argenté
Cornus capitata (426)
poilue sur les deux faces
Eucryphia cordifolia (406)
revers poilu
Ligustrum lucidum (442)
très brillante
parfois des dents épineuses
Osmanthus yunnanensis (442)

Feuilles ovales à lancéolées caduques, dentées

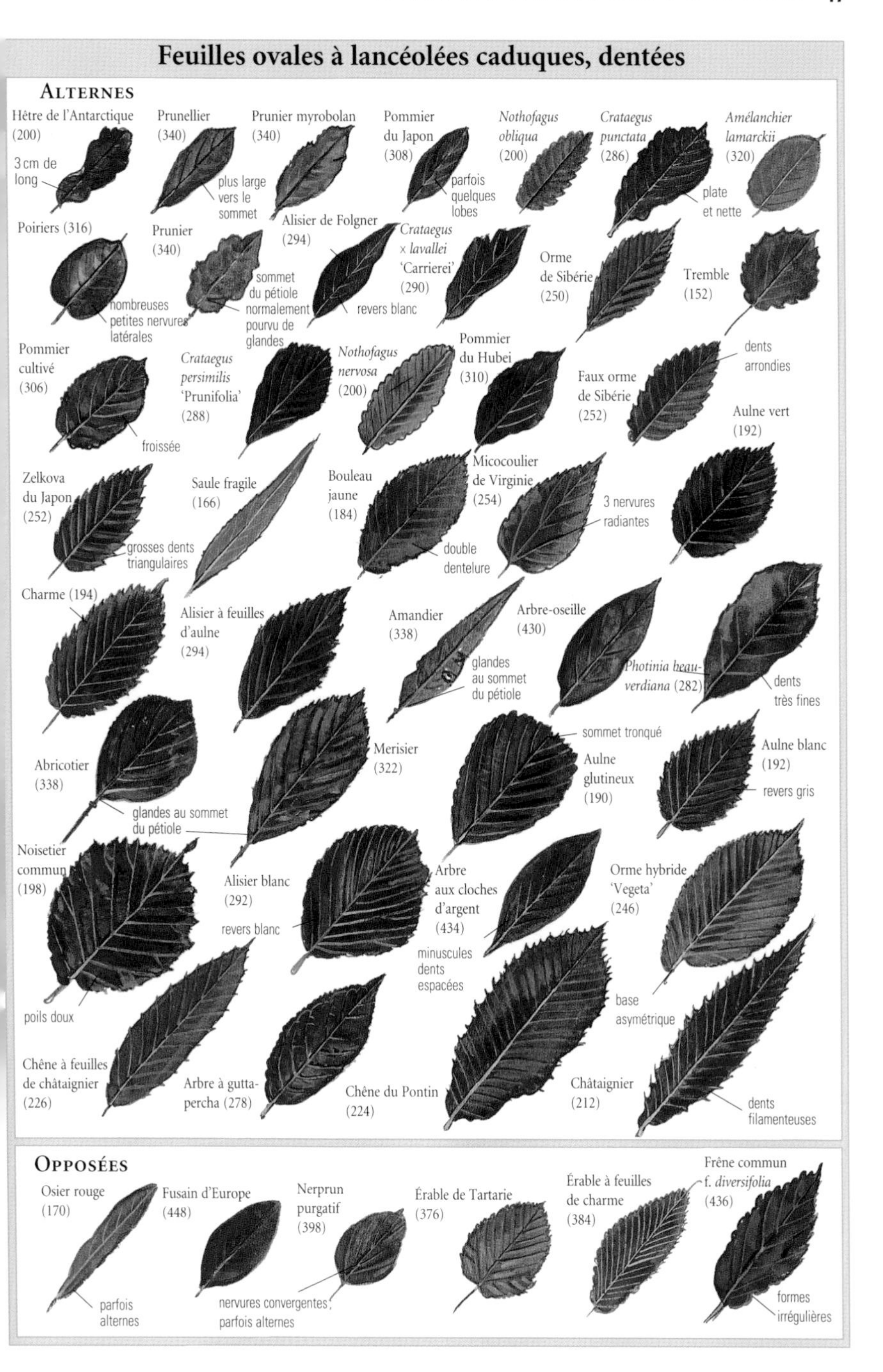

Feuilles ovales à lancéolées caduques, entières

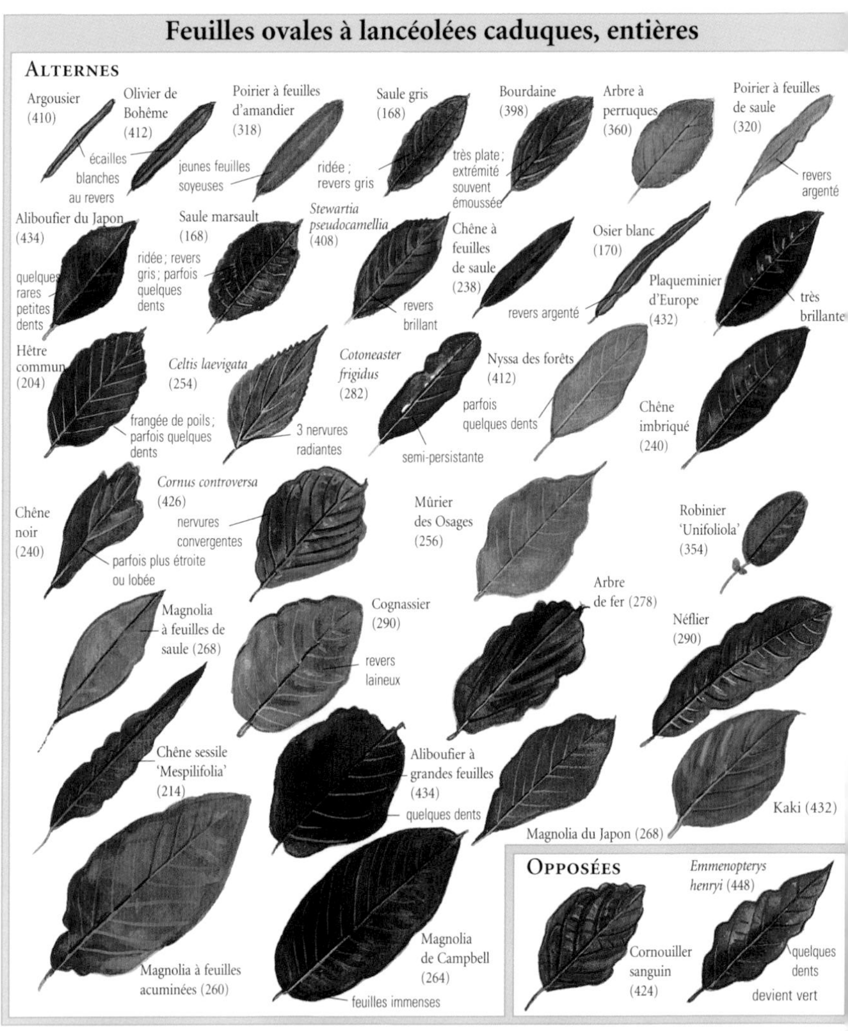

Autres formes

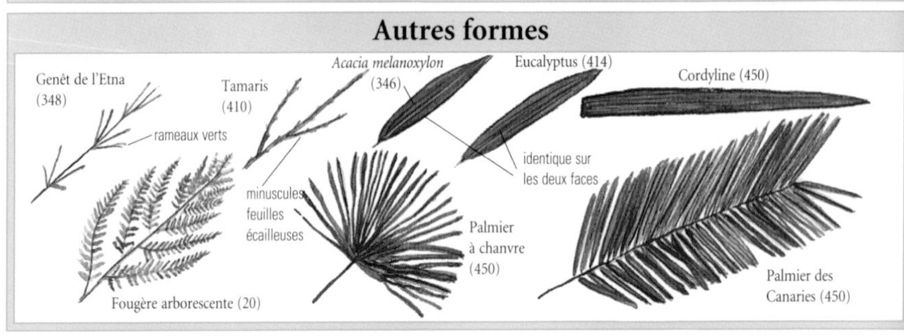

Feuilles composées

La fougère arborescente commune et l'arbre aux quarante écus sont deux des arbres cultivés les plus anciens. Plus de 300 espèces de fougères arborescentes poussent dans les zones fraîches et humides des régions tropicales. Le tronc (jusqu'à 25 m de haut), ou stipe, résulte d'une accumulation de fibres au sommet duquel se développent les frondes ; il émet des racines aériennes qui puisent l'humidité atmosphérique. La famille des Ginkgoacées, dominante durant le mésozoïque, ne renferme plus qu'une seule espèce.

Fougère arborescente commune

Dicksonia antarctica

L'espèce la plus rustique (SE Australie, Tasmanie). Régions douces et humides d'Europe où, au bout de 150 ans, les sujets atteignent 5 à 6 m de haut et se ressèment spontanément. On plante maintenant plus souvent dans les petits jardins et certains parcs publics des sujets de grand développement, généralement prélevés dans les zones d'exploitation des forêts tropicales humides.
ASPECT – **Feuilles.** Jusqu'à 2 m ; vertes dessous.
Autres arbres. *Cyathea dealbata* (Nouvelle-Zélande), en climat doux : frondes *argentées au revers* sur un stipe fin (20 cm).

Arbre aux quarante écus *Ginkgo biloba*

(Arbre aux pagodes) Province de Chekiang, Chine, 1758. Fréquent dans les parcs et grands jardins.
ASPECT – **Silhouette.** Irrégulière et hérissée de rameaux courts ; élancée avec quelques petites branches horizontales sur un tronc légèrement incliné ou sur des ramifications étroitement divergentes depuis le bas ; jusqu'à 28 m. **Écorce.** Brun-gris, subéreuse, se fissurant avec l'âge ; les anneaux de croissance ainsi mis à nu forment parfois un beau motif argenté ; les spécimens âgés développent des protubérances typiques des arbres chinois anciens. **Rameaux.** Brillants, gris. **Bourgeons.** Aplatis mais pointus, verts à rouges. **Feuilles.** *En éventail*, 9 × 7 cm ; alternes le long de rameaux vigoureux et verticillées au sommet de rameaux courts ; vert tendre, jaune d'or en fin d'automne ; échancrure apicale variable, généralement plus profonde chez les jeunes sujets. **Fleurs.** Arbres soit mâles soit femelles ; chatons mâles jaunes, 2 à 4 cm, en bouquets, à la fin du printemps ; fleurs femelles en petites cupules de 4 mm, par 2 sur des pédoncules de 4 cm ; fruits ovoïdes, jaunes, à maturité en automne, sentant très mauvais (il est recommandé de planter des sujets mâles) ; la graine blanche, consommée grillée, est très prisée en Chine.
ESPÈCES VOISINES – Mélèze doré (p. 98), en hiver : couronne plus symétrique, largement conique, et écorce en plaques carrées. Certains spécimens de poirier commun (p. 316) : couronne dense également hérissée, avec des rameaux courts, mais écorce noirâtre.
CULTIVARS – 'Variegata', très rare, tout comme 'Pendula', une forme pleureuse basse. Il existe des formes à port étroit et dressé, plantées en alignement, principalement aux États-Unis où elles sont prisées pour leur résistance à la chaleur ('Sentry' ; 'Fastigiata').

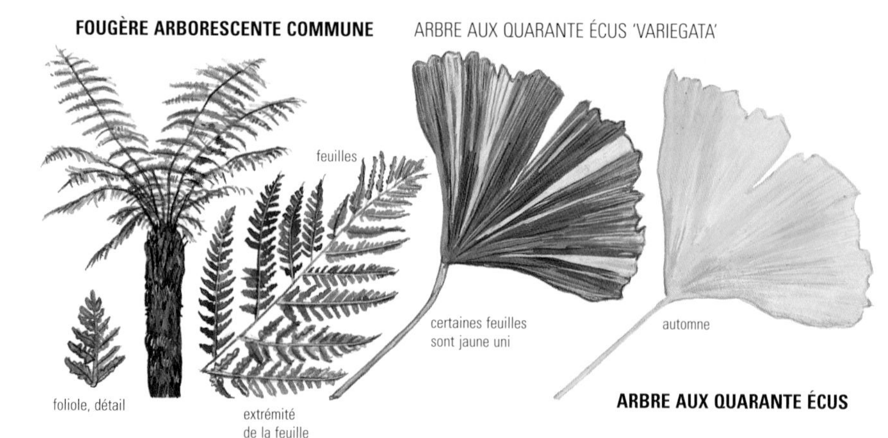

feuilles
ARBRE AUX QUARANTE ÉCUS
rameau hivernal
plantule
fruit
graine
vieil arbre
forme fastigiée
écorce

Les ifs (6 espèces similaires) et arbres apparentés produisent des fruits rouges semblables à des baies (arilles). (Famille : Taxacées.)

Critères de distinction : Ifs à Podocarpus

- Écorce
- Feuilles : Taille ? Coloris au revers ? Extrémité épineuse ? Courbées (vers le haut, vers le bas) ?

If commun *Taxus baccata*

Europe, Asie mineure, N Afrique. Pousse isolé dans les bois et les haies sur des sols riches, parfois en bosquets denses sur des escarpements calcaires, mais souvent supprimé en raison de sa toxicité pour le bétail ; abondamment planté dans les parcs et jardins. Une des plus grandes longévités au monde : plus de 2 000 ans dans certains cimetières de Grande-Bretagne et de France.

ASPECT – **Silhouette.** Vite large, mais avec une cime souvent effilée ; jusqu'à 25 m ; sombre et dense. **Écorce.** Écailleuse ; grise, pourprée et rougeâtre, parfois joliment colorée. **Rameaux.** *Verts pendant 3 ans ;* bourgeons verts *arrondis* de 2 mm. **Feuilles.** 30 × 3 mm, courbées vers le bas, en rangs aplatis de chaque côté des rameaux latéraux mais disposées en spirale le long des rameaux principaux ; courtement acuminées ; gris-vert *jaunâtre* mat dessous ; extrêmement toxiques. **Fleurs.** (presque toujours dioïque) Fleurs mâles libérant des nuages de pollen jaune au début du printemps. **Fruits.** Arilles rouges à maturité, en début d'automne ; la chair qui entoure la graine mortelle est douceâtre.

ESPÈCES VOISINES – If aux prunes et if du Prince Albert (p. 26). *Torreya* et *Cephalotaxus* (p. 24) : feuilles plus grandes et plus rigides. *Sequoia sempervirens* (p. 62) : feuilles écailleuses embrassant les rameaux. Le revers des feuilles légèrement jaunâtre chez les ifs les distingue des autres arbres aux jeunes rameaux verts.

CULTIVARS – 'Adpressa' (1828 ou 1838), rare : feuilles larges *deux fois plus courtes*, gris bleuté foncé mat ; femelle. 'Adpressa Variegata' ('Adpressa Aurea' ; 1866) : feuilles bordées de jaune.

If doré, f. *aurea*, fréquent dans les jardins : jeunes feuilles bordées de jaune. 'Dovastoniana' (1776), peu répandu : feuillage *pendant sur de grandes branches basses ;* femelle. 'Dovastonii Aurea', rare et petit : jeunes feuilles bordées de jaune.

'Lutea' ('Fructu-Luteo' ; 1817), très rare mais très décoratif : fruits *jaunes*.

If d'Irlande, 'Fastigiata' ('Stricta', 'Hibernica'), commun ; *érigé*, plus ou moins étroit ; feuilles noirâtres tout autour de *tous* les rameaux (*cf. Céphalotaxus* du Japon fastigié, p. 24, et Totara, p. 26) ; normalement femelle. 'Fastigiata Aurea', fréquent ; mâle ; feuilles bordées de jaune. 'Standishii' (forme femelle correspondante ; 1908), peu répandu : dense et très coloré, croissance lente.

AUTRES ARBRES – *T.* × *media* 'Hicksii', issu d'un croisement avec l'if du Japon (1900 ; jusqu'à 9 m) : ressemble à l'if d'Irlande ; femelle, à gros fruits ; feuilles *jaunâtres* dessous, terminées par une courte *épine* assez souple ; silhouette moins nette. (Céphalotaxus du Japon fastigié, p. 24 : feuilles plus grandes, à revers blanchâtre.)

If du Japon, *T. cuspidata* (Japon, Corée, Mandchourie ; 1855), collections : beaucoup plus rustique que l'if commun ; bourgeons plus gros (4 mm) et *bruns ;* feuilles plus rigides (terminées par une *épine de 1 mm* – *cf.* Céphalotaxus du Japon, p. 24) et à *revers jaune brunâtre* sombre ; la plupart *dressées presque à la verticale ;* pieds femelles portant de nombreux fruits *en bouquets*.

If de Chine, *T. mairei* (1908), collections (souvent sous le nom de *T. celebica*) : feuilles fines, *éparses, jaunâtres*, courbées vers l'arrière, de part et d'autre du rameau qui vire au *brun au bout d'un an ;* fruits *restant verts*.

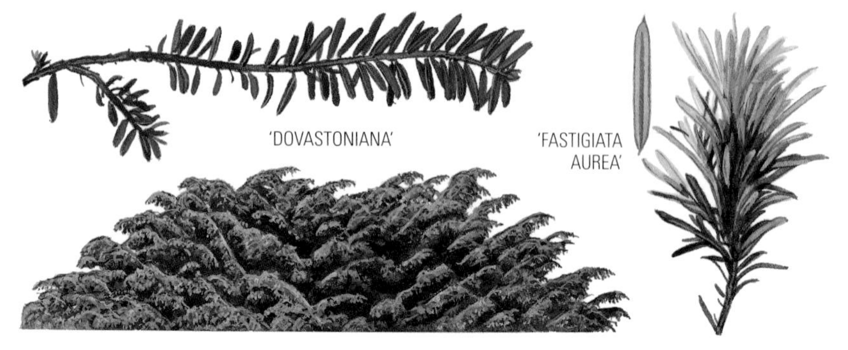

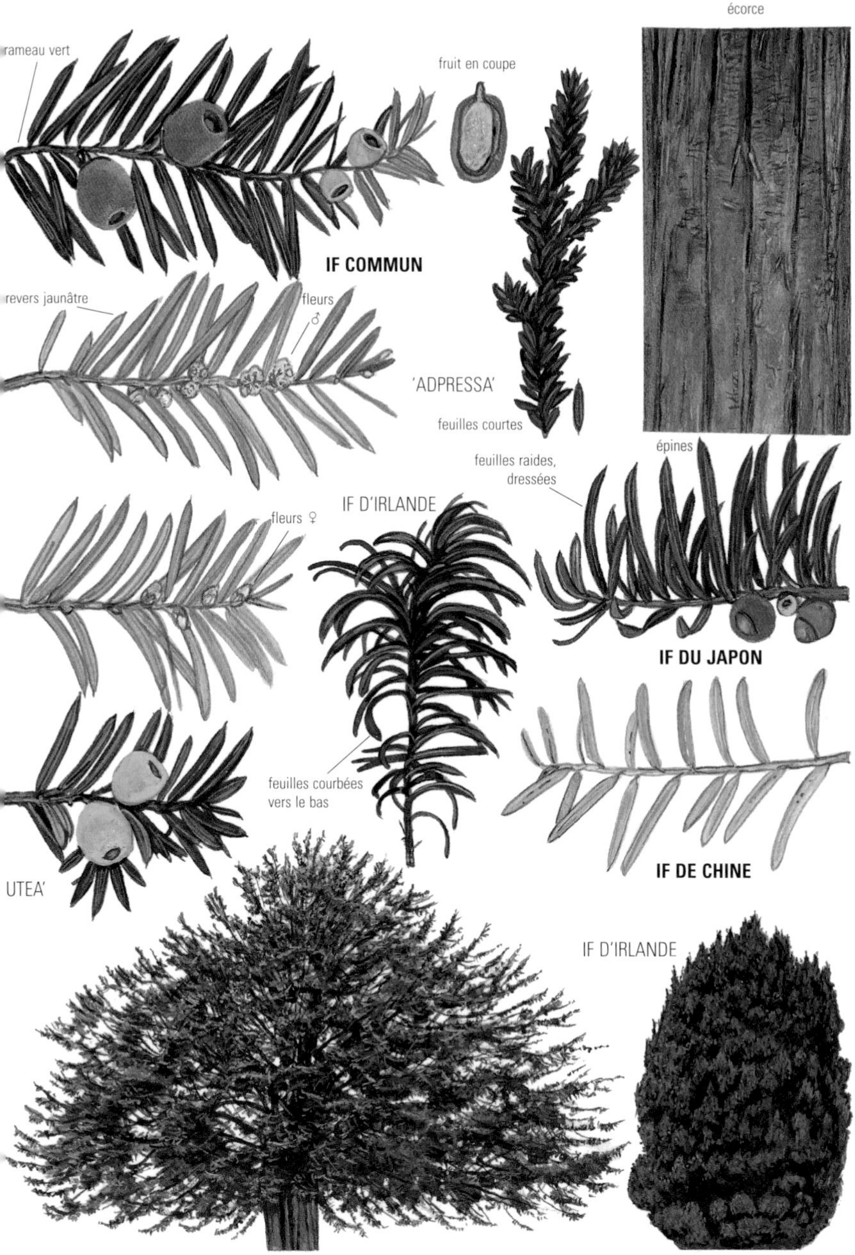

écorce

rameau vert

fruit en coupe

IF COMMUN

revers jaunâtre

fleurs ♂

'ADPRESSA'

feuilles courtes

épines

feuilles raides, dressées

IF D'IRLANDE

fleurs ♀

IF DU JAPON

feuilles courbées vers le bas

IF DE CHINE

UTEA'

IF D'IRLANDE

IF COMMUN

Muscadier de Californie

Torreya californica

Espèce apparentée aux ifs, mais plus grande. Rare à l'état spontané. 1851. Dans certains grands jardins en climat doux et humide.
ASPECT – **Silhouette.** *En flèche*, large, ouverte, vert tendre, jusqu'à 22 m ; branches horizontales, *verticillées ;* s'incline généralement avec l'âge. **Écorce.** Gris à rouge pâle ; minces crêtes aplaties. **Bourgeons.** Finement *effilés.* **Feuilles.** En rangs réguliers ; 40 × 3 mm, *rigides et épineuses ; vert olive ;* généralement *2 raies blanchâtres* au revers ; odeur de sauge. **Fruits.** 4 cm (pieds femelles ; maturation en 2 ans), ressemblant vaguement à une noix muscade.
ESPÈCES VOISINES – Les *Cephalotaxus* (ci-dessous) : plus buissonnants ; feuilles plus tendres, vert plus brillant ; écorce plus écailleuse. Totaras (p. 26) : feuilles trapues, en tous sens. Sapin de Santa Lucia (p. 88) : bourgeons de 1 cm ; jeunes rameaux brun-rouge avant 4 mois.

Torreya du Japon

Torreya nucifera

1764. Collections.
ASPECT – **Silhouette.** Arbre plus petit (jusqu' 13 m), généralement plus élancé. **Écorce.** Roug plus foncé ; crêtes fibreuses plus entrecroisées **Bourgeons.** *Émoussés*, sur des rameaux vert virant au *roux brillant* la troisième année. **Feuilles** *30 × 2,5 mm seulement ;* vert brillant ; revers *apla* marqué de 2 raies blanchâtres ; plus parallèles e *courbées vers le bas* – légèrement vers le haut che *T. californica* (*cf.* Céphalotaxus de Chine). **Fruits** La noix renferme une huile utilisée en cuisine a Japon.
Autres arbres. *T. grandis* (S et E Chine, 1855), collections : port étalé ; feuilles plus molles, *san odeur*, sur des rameaux *gris* après 3 ans.

Les céphalotaxus (7 espèces) sont de vrais conifères (les fleurs ont deux ovules), bien que leur feuilles et leurs fruits ressemblent à ceux des Torreyas. *(Famille : Céphalotaxées.)*

Céphalotaxus du Japon

Cephalotaxus harringtonia

(Pin japonais à queue de vache ; inclut var. *drupacea*) Japon, Corée, N Chine. 1829. Rare.
ASPECT – **Silhouette.** Couronne étalée et dense, souvent sur un tronc droit ; jusqu'à 9 m. **Feuilles.** Plus petites et plus ternes que chez *C. fortunei* (5 à 8 cm) ; souvent *dressées en V au-dessus du rameau ;* d'un vert plus ou moins pâle et rayées de blanc au revers ; épine courte mais souple.
ESPÈCE VOISINE – If du Japon (p. 22) : feuilles plus courtes, brun-jaune au revers.
CULTIVARS – 'Fastigiata' (1861 ; Corée), rare (jardins et cimetières) : *même silhouette que l'if d'Irlande* (p. 22) ; feuilles courbées vers le bas, tout autour de rameaux dressés peu ramifiés, *beaucoup plus grandes* (60 × 4 mm) ; *7 m de haut seulement.*

Céphalotaxus de Chine

Cephalotaxus fortunei

E et centre de la Chine. 1848. Peu fréquent (grand jardins).
ASPECT – **Silhouette.** Comme un if commun minc et *étalé* (max. 10 m). Feuilles immenses. **Écorce.** Vit pelucheuse, en longs lambeaux écailleux brun rouge. **Rameaux.** Verts pendant 3 ans. **Bourgeons** Arrondis. **Feuilles.** Souvent *8 cm*, légèrement courbées vers le bas, en rangs de chaque côté du rameau *souples*, effilées mais sans épine ; vert moyen, *vernissées*, avec 2 raies blanchâtres au revers. **Fleurs.** Espèce dioïque. **Fruits.** En grappes de 3 à 5, 20 mm de long gris bleuté brillant puis brun-rouge.
ESPÈCE VOISINE – Podocarpus du Chili (p. 26) : le seul conifère pleinement rustique avec des feuille vernissées plus longues.

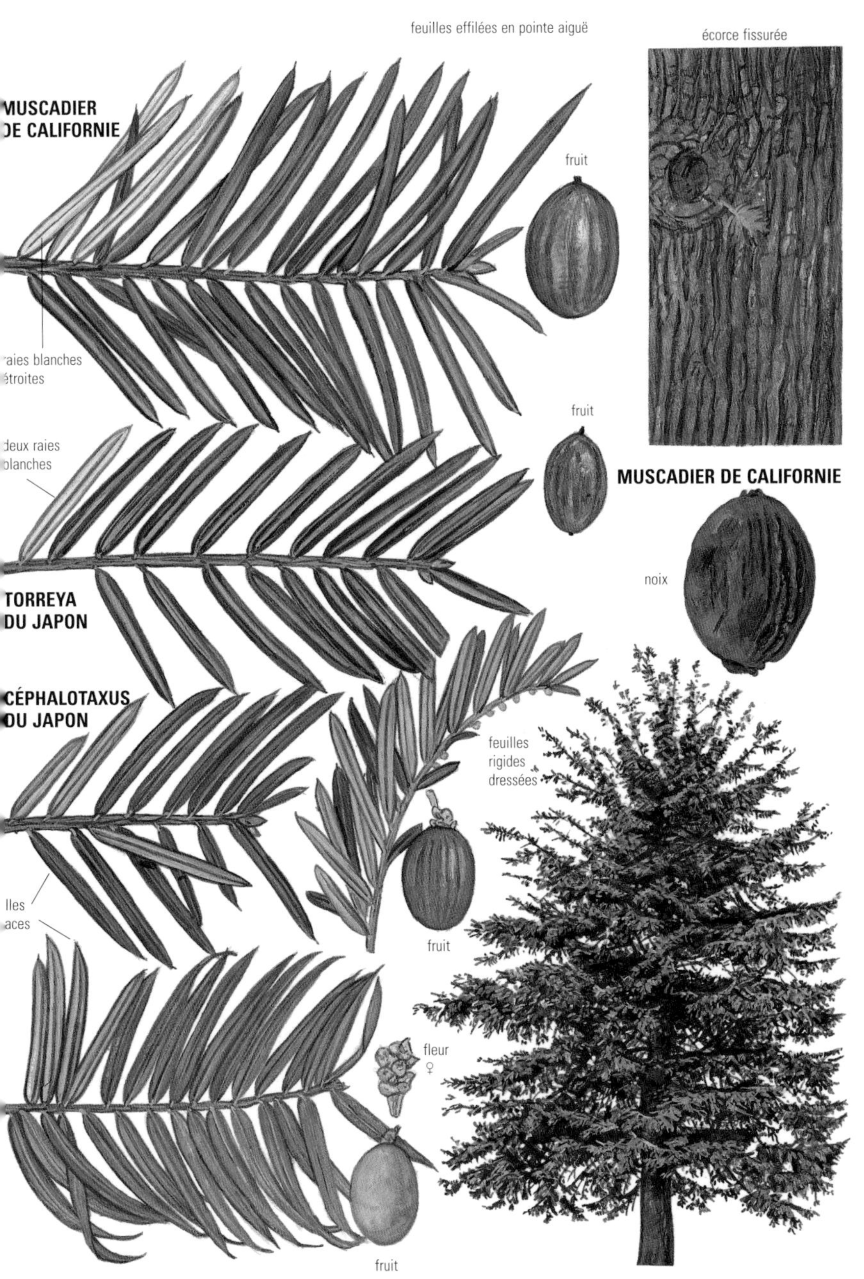
feuilles effilées en pointe aiguë
écorce fissurée
MUSCADIER DE CALIFORNIE
fruit
raies blanches étroites
fruit
deux raies blanches
MUSCADIER DE CALIFORNIE
noix
TORREYA DU JAPON
CÉPHALOTAXUS DU JAPON
feuilles rigides dressées
fruit
fleur ♀
fruit
CÉPHALOTAXUS DE CHINE
MUSCADIER DE CALIFORNIE

La famille des Podocarpacées compte près de 130 grands conifères, généralement tropicaux.

If aux prunes *Prumnopitys andina*

(*Podocarpus andinus*) S Andes centrales. 1860. Peu répandu ; parcs et jardins en climat doux.
ASPECT – **Silhouette.** Souvent à plusieurs troncs, dense (moins touffue dans les régions sèches) et hérissée ; puis étalée, jusqu'à 20 m (mais pas pleureuse) ; vert très *bleuté*. **Écorce.** *Lisse, gris-noir.* **Rameaux.** Verts pendant 2 ans. **Feuilles.** 25 × 2 mm ; assez *serrées en tous sens sur le dessus du rameau* ; souples ; 2 larges raies grisâtres au revers. **Fleurs.** Espèce généralement dioïque ; « prunes » vertes comestibles rares en Europe.
ESPÈCES VOISINES – If commun (p. 22). If du Prince Albert (ci-dessous) : feuilles plus coriaces, à revers plus blanc, écorce rouge. Podocarpus du Chili : feuilles plus larges et écorce pelucheuse.

Totara *Podocarpus totara*

Conifère géant de Nouvelle-Zélande. Plantes jaunâtres aux feuilles éparses ; quelques sujets vigoureux çà et là, dans des grands parcs en climat doux.
ASPECT – **Écorce.** Brune, en lambeaux fibreux et pelucheux. **Feuilles.** 25 × 4 mm, *raides*, épineuses, vert-jaune dessous, *tout autour du rameau* ; parfois en rangs grossièrement aplatis.
ESPÈCES VOISINES – *Torreya* (p. 24) : plus élancés, feuilles disposées plus régulièrement. If d'Irlande (p. 22). Désespoir du singe, jeunes sujets (p. 28). Sapin de Chine (p. 66) : feuilles plus bleutées embrassantes à la base.
AUTRES ARBRES – Totara du Chili, *P. nubigenus* (S Andes centrales, 1847), collections : plus joli, avec un feuillage plus dense, vif, légèrement bleuté ; *raies blanchâtres au revers.* *Lagarostrobus franklinii* (*Dacrydium franklinii* Tasmanie), apparenté bien que très différent feuillage fin et lisse en ramilles pendantes rappellan le cyprès.

Podocarpus du Chili *Podocarpus salignus*

Chili. 1853. Peu répandu ; jardins en climat doux et humide.
ASPECT – **Silhouette.** Souvent sur plusieurs troncs lâche et chatoyante, jusqu'à 20 m ; clairsemée en situation sèche ou ombrée. **Écorce.** Orangée pelant en lambeaux verticaux. **Feuilles.** Grandes (*jusqu'à 12 × 1 cm*), épaisses, brillantes, en rangs aplatis ; jaunâtres dessous.
ESPÈCES VOISINES *Agathis australis* (p. 28) : feuilles opposées. *Acacia melanoxylon* (p. 346) : plus grand « phyllodes » à nervures parallèles.

If du Prince Albert *Saxegothaea conspicua*

S Andes centrales. 1847. Rare ; en climat doux.
ASPECT – **Silhouette.** Dense et foncé (jusqu'à 15 m), silhouette assez pleureuse ; parfois buissonnante. **Écorce.** *Comme celle de l'if :* s'écaillant dans des rouges et pourpres. **Rameaux.** Pourprés au soleil (verts à l'ombre pendant 3 à 4 ans). **Feuilles.** 20 × 2 mm, en rangs *irréguliers* ; courbées, dures, pointues ; *raies blanches au revers.* **Fruits.** « Cônes » de 1 cm.
ESPÈCES VOISINES – If commun (p. 22) : revers vert jaunâtre ; écorce et feuilles (vues du dessus) similaires induisent souvent en erreur. If aux prunes (ci-dessus) : feuilles plus tendres, gris bleuté dessous ; écorce grise lisse. Tsugas (p. 116) : jeunes rameaux bruns à 4 mois.

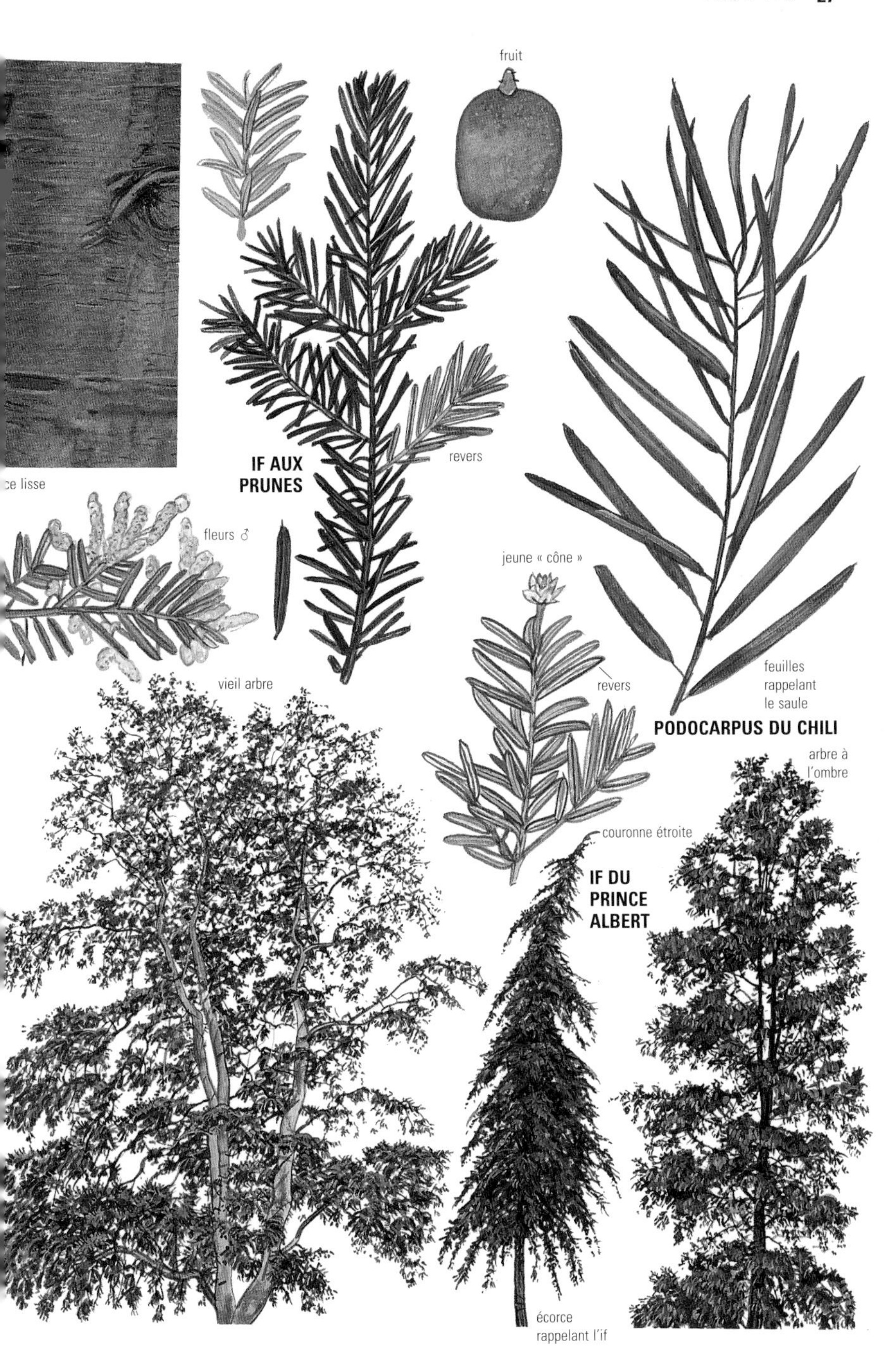
fruit
ce lisse
IF AUX
PRUNES
revers
fleurs ♂
jeune « cône »
revers
feuilles
rappelant
le saule
PODOCARPUS DU CHILI
vieil arbre
arbre à
l'ombre
couronne étroite
IF DU
PRINCE
ALBERT
écorce
rappelant l'if

Les Araucariacées forment une petite famille de « fossiles vivants ».

Désespoir du singe *Araucaria araucana*

(Araucaria du Chili ; *A. imbricata*). Lorsqu'on servit au chasseur de plantes écossais Archibald Menzies de curieuses noix lors d'un banquet à Valparaiso, en 1792, on suppose qu'il en a glissé 5 dans sa poche pour les faire germer. Le désespoir du singe fit sensation et il semble qu'il y ait maintenant une plus grande diversité génétique dans les jardins européens que dans les fragiles peuplements résiduels des Andes (tous sur des versants de volcans endormis). Occasionnel dans les jardins, il vit plus longtemps sous les climats pluvieux ; il se ressème parfois. Son allure facilement reconnaissable laisse souvent penser qu'il est plus commun.

ASPECT – **Silhouette.** Largeur variable ; tronc droit (très rarement fourchu) ; jusqu'à 30 m ; les verticilles de branches (laissant des cicatrices visibles sur le tronc) ne poussent pas tous les ans : la croissance peut s'arrêter en hiver à n'importe quel stade – un verticille représente en moyenne 18 mois de croissance. **Feuilles.** 4 × 2 cm ; coriaces, épineuses ; les arbres brisés accidentellement rejettent, avec une pousse parfois sinueuse et des feuilles plus petites (*cf.* Totara, p. 26). **Fleurs.** Espèce presque toujours dioïque. **Cônes femelles.** 15 cm de diamètre, mûrissant en 2 ans et s'ouvrant encore sur l'arbre ; les noix comestibles sont meilleures grillées.

AUTRE ARBRE – *A. angustifolia* (SE Brésil, Argentine), collections : feuilles éparses, plus tendres et plus fines.

Pin de Norfolk *Araucaria heterophylla*

(*A. excelsa*) Île de Norfolk (Pacifique Sud), largement cultivé dans les régions tropicales ou en pots. Commun en région méditerranéenne, il existe un exemplaire de 30 m en Europe du Nord, à Tresco dans les îles Scilly.

ASPECT – **Silhouette.** Une pagode parfaite jusqu'aux grandes hauteurs. **Écorce.** Écailleuse. **Rameaux.** Disposés sur un plan incliné vers le haut. **Feuilles juvéniles.** Semblables à celles du cryptoméria du Japon (p. 60), mais plus arrondies, rigides et foncées, à l'aspect un peu artificiel. **Feuilles adultes.** Beaucoup plus courtes ; seulement sur les sujets âgés.

Bunya-bunya *Araucaria bidwillii*

(Araucaria d'Australie) Queensland, Australie. Rare.

ASPECT – **Silhouette.** Conique lâche. **Feuilles.** Larges (20 × 8 mm ; *cf.* Totara, p. 26), en *paires opposées bien espacées.* **Cônes.** (pieds femelles seulement) Jusqu'à 5 kg, renfermant des graines comestibles.

AUTRE ARBRE – Dans la même famille, *Agathis australis*, un géant de Nouvelle-Zélande où il atteint 90 m (cultivé en Europe depuis 1823 ; quelques petits exemplaires de collection) : tronc droit et gris ; feuilles beaucoup plus longues (80 × 17 mm) et vert vif, évoquant presque un feuillu, rose bronze quand elles sortent.

BUNYA-BUNYA

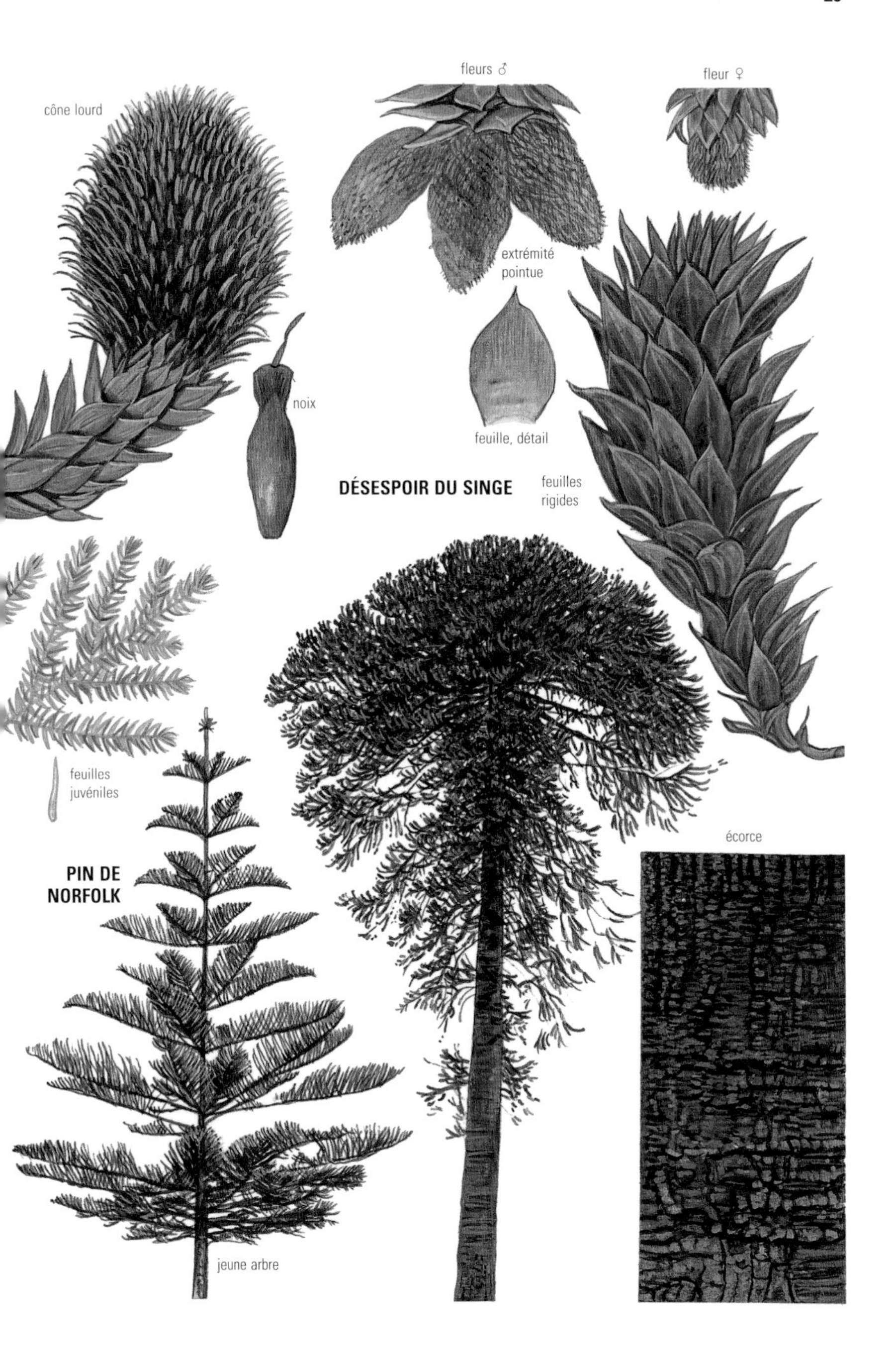
fleurs ♂
fleur ♀
cône lourd
extrémité pointue
noix
feuille, détail
DÉSESPOIR DU SINGE
feuilles rigides
feuilles juvéniles
PIN DE NORFOLK
écorce
jeune arbre

CYPRÈS & LIBOCÈDRES

La famille des Cupressacées renferme la plupart des arbres connus sous le nom de « cyprès » Les feuilles adultes, minuscules et écailleuses, forment des ramilles ; les feuilles juvéniles, persis tantes chez certains faux cyprès et genévriers, sont des aiguilles étalées, courtes, disposées pa paires – plus fines et plus droites que celles du cryptoméria du Japon (p. 60). Les ramilles son planes ou plumeuses (en volume).

Critères de distinction : cyprès et apparentés

- Silhouette : Pleureuse ou non ?
- Feuilles : Ramilles planes ou plumeuses ? Aromatiques ? Vernissées ? Taches ou raies blanches (surtout au revers) ? Extrémité (pointue, étalée) ?
- Cônes ou baies : Dimensions ? Couleur ?

Clé des espèces

Cèdre blanc. (ci-dessous) : ramilles planes (écailles latérales longues). **Thuya géant de Californie.** (p. 32) : ramilles planes (larges, lisses). **Cyprès de Lawson.** (p. 36) : ramilles planes (plus fines, presque lisses). **Cyprès 'Squarrosa'.** (p. 42) : ramilles assez plumeuses de feuilles juvéniles douces. **Cyprès de Leyland.** (p. 46) : ramilles assez plumeuses (écailles à pointe longue). **Cyprès de Monterey.** (p. 48) : ramilles plumeuses (très lisses). **Genévrier commun.** (p. 54) : ramilles plumeuses de feuilles juvéniles aciculaires. **Genévrier de Chine.** (p. 56) : ramilles plumeuses (écailles filiformes arrondies et quelques feuilles juvéniles aciculaires).

Cèdre blanc *Calocedrus decurrens*

(*Libocedrus decurrens*) Oregon à Californie du Sud. 1853. Peu répandu.

Aspect – **Silhouette.** *Colonne étroite* plus ou moins large selon le climat – branches plutôt dressées sur les îles Britanniques, plutôt étalées sur le continent jusqu'à 40 m. **Écorce.** Brun-rouge foncé ; longue plaques enroulées ou spongieuses. **Feuilles.** E ramilles dressées ; les latérales à fine extrémité poin tue (en partie incurvée si bien que les ramilles n sont pas piquantes) ; plus longues que chez la plu part des « cyprès », donnant aux rameaux large (3 mm) un aspect *étiré* ; vert foncé mat ; *pas a marques blanches au revers* ; odeur de cirage. **Cône** 25 mm, à 6 écailles, jaunes puis orangés.

Espèces voisines – Faux cyprès (pp. 36-44) ramilles plus fines, feuilles plus courtes. Cyprès d Nootka (p. 44) : feuillage pendant. Cyprès d Lawson 'Erecta' (p. 36) : similaire à distance (plu ovoïde). Thuya de Chine (p. 34) et thuya géant d Californie 'Fastigiata' (p. 32).

Cultivars – 'Aureovariegata' (1904), à croissanc lente : *feuillage taché de jaune.*

Libocèdre du Chili *Austrocedrus chilensis*

(*Libocedrus chilensis*) S Andes centrales. 1847 Collections en climat doux.

Aspect – **Silhouette.** En colonne, *jusqu'à 15 m seulement* ; vert sauge tendre. **Écorce.** Plus gris que celle du cèdre blanc ; *petites* écailles. **Feuilles** Odeur de champignon ; *larges marques blanche dessous, et souvent dessus* (*cf.* cyprès de Patagonie p. 52) ; feuilles latérales à extrémité incurvé saillante mais *émoussée* (*cf.* cyprès de Hinoki p. 40). **Cônes.** 4 écailles seulement (rares e Europe du Nord).

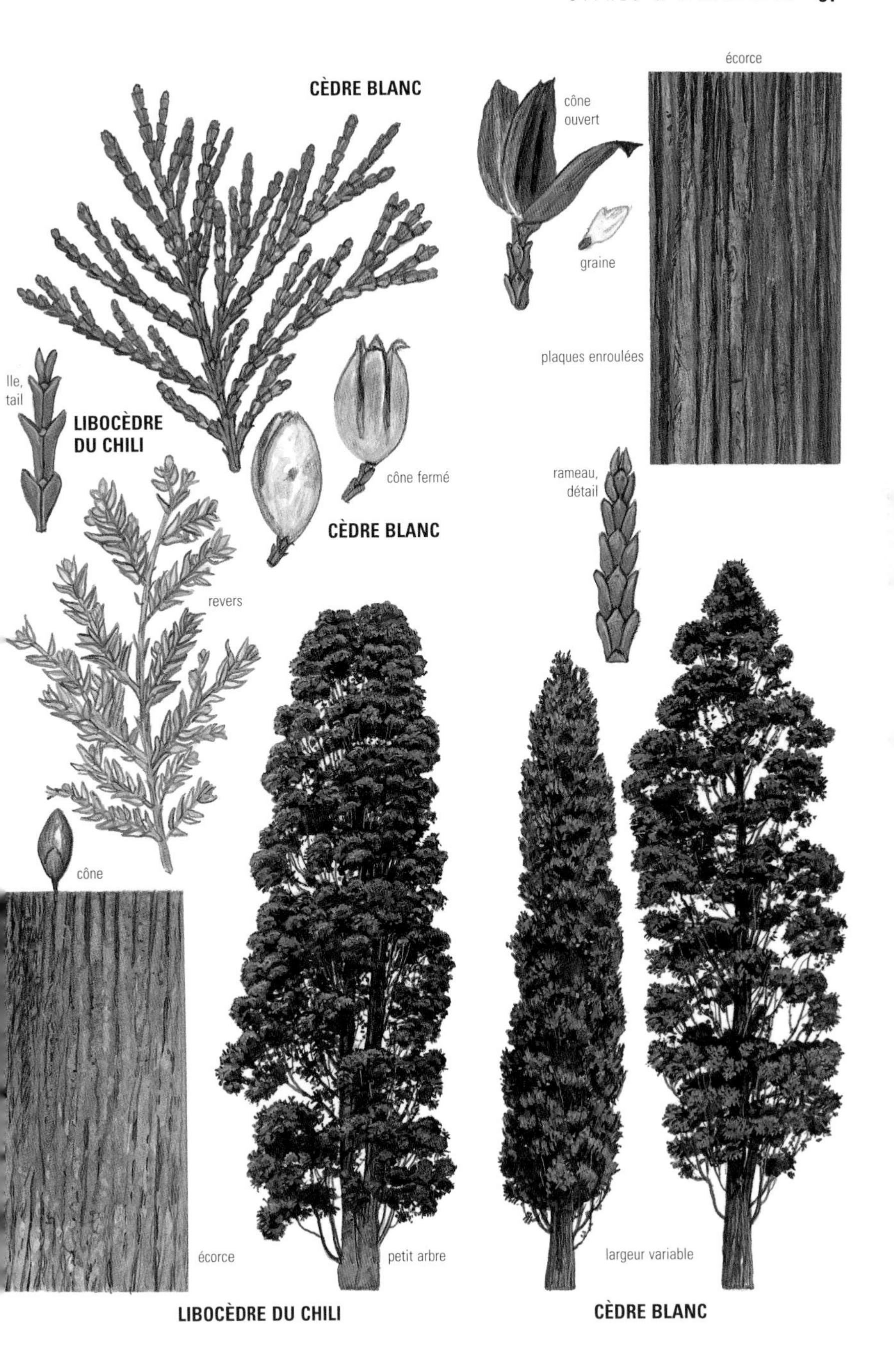
CÈDRE BLANC
cône ouvert
écorce
graine
plaques enroulées
lle,
tail
LIBOCÈDRE DU CHILI
cône fermé
CÈDRE BLANC
rameau, détail
revers
cône
écorce
petit arbre
largeur variable
LIBOCÈDRE DU CHILI
CÈDRE BLANC

Hiba

Thujopsis dolabrata

Essence forestière importante au Japon. 1853. Peu répandu mais plus fréquent sous un climat humide. **Aspect – Silhouette.** Conique large, jusqu'à 25 m, ou cylindrique à branches étagées. **Écorce.** Rouge/grise ; bandelettes fibreuses. **Feuilles.** Ramilles planes de *5 mm de large ;* convexes et *vert très brillant* dessus ; large raie *blanc mat* courb dessous.

Espèces voisines – Libocèdre du Chili (p. 30 cyprès de Patagonie (p. 52). Thuya de Co (p. 34) : rameaux beaucoup plus fins.

Cultivars – 'Variegata' : forme instable à pous panachées de crème. 'Aurea' (1866) très rare : jau vif.

Bien que de la même famille que les cyprès, les arbres du genre Thuja *ont des ramilles plan d'écailles serrées, bien nettes et aromatiques ; l'extrémité des écailles est courbée et non piquan Les cônes ovoïdes sont dressés. Parfois dénommé* arbor vitae *(« arbre de vie »). Le feuillage thuya géant de Californie (riche en vitamine C) est utilisé en infusion pour traiter le scorb (en grande quantité, les feuilles sont toxiques et allergisantes). (Famille : Cupressacées.)*

Thuya géant de Californie

Thuja plicata 

(*T. lobbii ; T. gigantea*) NO Amérique du Nord (sur les versants balayés par les vents) ; les cimes se brisent régulièrement mais la base du tronc peut survivre plusieurs millénaires. 1853. Très commun dans les parcs et jardins et en haies (moins dans les régions sèches ou polluées) ; quelques plantations forestières ; se ressème spontanément.

Aspect – Silhouette. Pyramidale à base large et flèche dressée ; parfois fourchu ou avec des troncs secondaires résultant du marcottage des branches basses ; *plus grand* que les espèces similaires : jusqu'à 45 m. **Écorce.** Brun-rouge foncé ; cannelée, tendre et fibreuse ; parfois plus grise. **Feuilles.** En ramilles retombantes, épaisses, assez *brillantes* ; vert olive foncé (légèrement teinté de bronze en hiver), avec des raies vert-blanc à jaunâtre terne au revers ; un *fort arôme fruité d'ananas* se dégage autour de l'arbre par temps chaud.

Espèces voisines – Thuyas du Canada et du Japo (p. 34). Cyprès de Lawson (p. 36) : rameaux pl fins, plus ternes ; odeur aigre de persil. Cyprès Nootka (p. 44) et de Leyland (p. 46) : rameaux même largeur, mais ternes et foncés ; extrémité d feuilles étalée avec une odeur plus aigre. Hiba (c dessus) : feuilles beaucoup plus grandes, pl brillantes.

Cultivars – 'Zebrina' (1868), commun : *jaune pâ* chaque ramille marquée de *zébrures* jaune-blan jaune-vert et vertes ; plusieurs clones donnant u arbre élevé (jusqu'à 28 m) ou plus trapu, mais tr décoratif (comme 'Irish Gold').

'Aurea', peu répandu : feuillage uniformémen doré (*cf.* thuya du Canada 'Lutea', p. 34 'Semperaurescens', très rare : plus vert, brillan 'Wintergold', assez rare : ramilles dorées à le extrémité.

'Fastigiata' (1867), peu fréquent : ramilles foncé *bien dressées* ; silhouette conique *étroite* (bien qu les branches basses s'enracinent fréquemment).

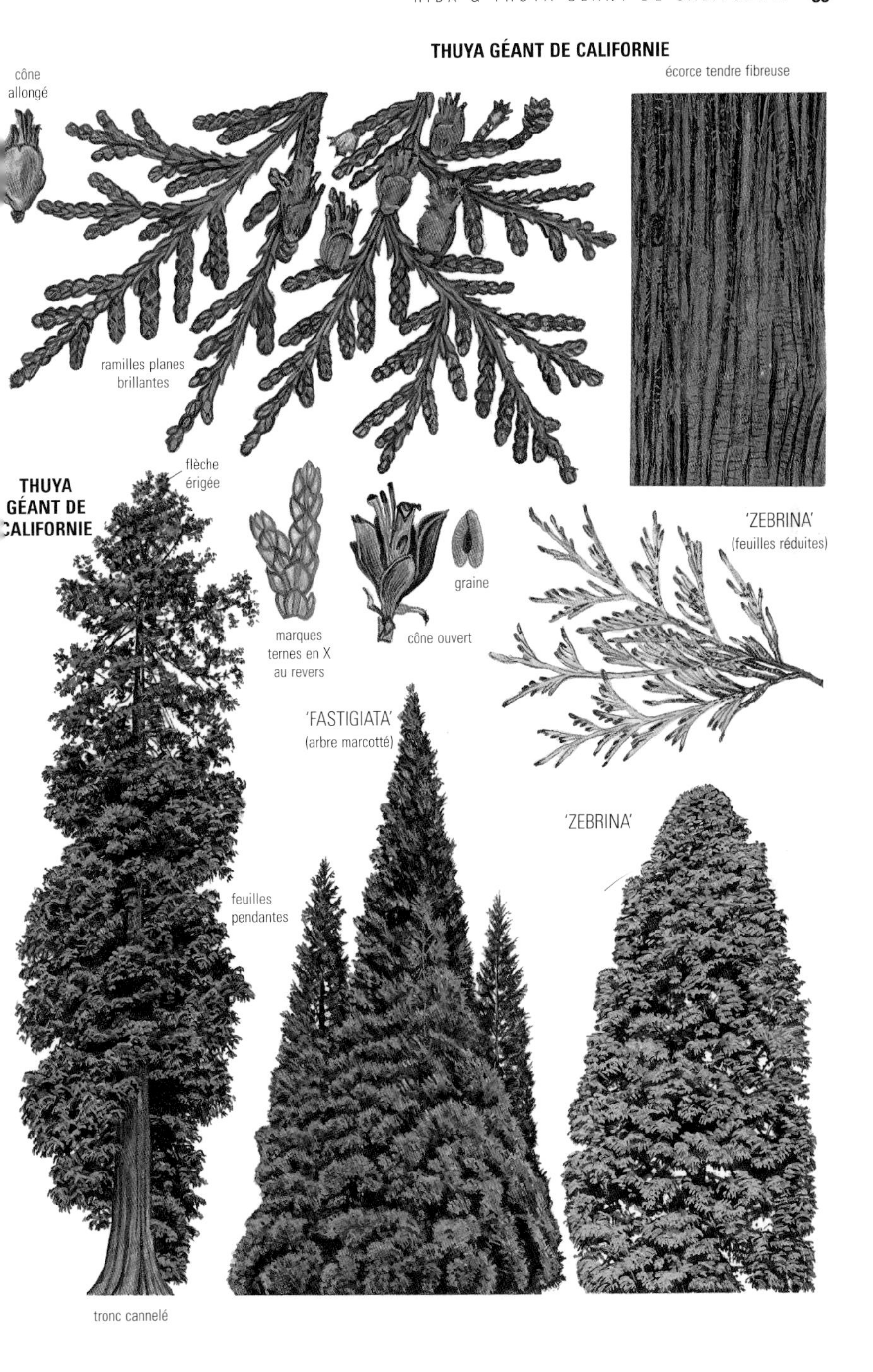
THUYA GÉANT DE CALIFORNIE
écorce tendre fibreuse
cône allongé
ramilles planes brillantes
THUYA GÉANT DE CALIFORNIE
flèche érigée
marques ternes en X au revers
cône ouvert
graine
'ZEBRINA'
(feuilles réduites)
'FASTIGIATA'
(arbre marcotté)
'ZEBRINA'
feuilles pendantes
tronc cannelé

Thuya du Canada *Thuya occidentalis*

(Cèdre blanc) Le pendant du thuya géant de Californie sur la côte Est. Plus rustique mais beaucoup plus petit. Probablement le premier arbre américain en Grande-Bretagne (1536 ?). Assez commun.
Aspect – Silhouette. Similaire au thuya géant de Californie, bien plus rabougri ; jusqu'à 15 m. **Écorce.** Souvent plus grise ; crêtes plus serrées (parfois pelucheuses). **Feuilles.** Ramilles plus fines, odeur plus forte (pomme), souvent jaunâtres ; revers *uniformément jaunâtre, sans marques blan- ches.* **Cônes.** Abondants, teintant de jaune toute la couronne.
Cultivars – Nombreux : robustes et souvent plus décoratifs.
'Holmstrup' (1951), assez commun : *en forme de pyramide arrondie* (jusqu'à 9 m) ; ramilles serrées, souvent *dressées* (*cf.* thuya de Chine 'Elegantis-sima', ci-dessous), *vert brillant.*
'Spiralis' (1923), plus rare : colonne étroite (jusqu'à 15 m) ; ramilles foncées, planes, légèrement courbées, disposées en spirale sur les branches. (Un arbre plus sombre, plus haut, beaucoup moins gracieux que le cyprès de Hinoki 'Nana Gracilis', p. 40.)
'Lutea' (1870), rare : silhouette conique jaune uniforme ; petites ramilles (pas de marques blanches au revers ; *cf.* thuya géant de Californie 'Aurea', p. 32).
'Ellwangeriana Aurea' (1895), rare : conique, vieil or (jusqu'à 7 m) ; ramilles fortement ascendantes – une version géante et moins orangée de la variété naine commune 'Rheingold'.

Thuya du Japon *Thuja standishii*

Japon. 1860. Rare.
Aspect – Silhouette. Ressemble à un thuya géant de Californie trapu (jusqu'à 24 m) encore en bonne forme, mais plus joli et plus fin. **Écorce.** Crêtes plus dures, certaines *rose cramoisi.* **Feuilles.** *Mate* ramilles plus *rugueuses* dessus ; fines raies gris-bla au revers ; les ramilles courtes, retombantes, ass écartées, *couvrent la couronne comme des tuiles.*
Autres arbres – Certaines collections abritent d hybrides avec le thuya géant de Californie.

Thuya de Corée *Thuja koraiensis*

Corée, N Chine. 1918. Collections.
Aspect – Silhouette. Élancée, branches courbées leur extrémité. **Feuilles.** Filiformes, plus fines qu celles du Hiba (p. 32), *presque entièrement arge tées* dessous.

Thuya de Chine *Platycladus orientalis*

(Thuya d'Orient ; *Thuja orientalis*) Chine. 175 Un conifère à part, appréciant les endroits chauc et secs et les sols calcaires ; très rustique bien qu présent en région tropicale. Assez fréquent dans l parcs et vieux jardins, en particulier dans les cime tières de campagne ; rarement naturalisé.
Aspect – Silhouette. *Ovoïde,* jusqu'à 15 m branches légèrement sinueuses sur un tronc cour brun-gris. **Feuilles.** *Sans odeur ;* ramilles plane relativement dressées, de *couleur identique sur l deux faces* ; pousses plus fines et plus ternes qu celles des autres thuyas.
Espèces voisines – Cyprès de Lawson 'Erect (p. 36) : arbre plus grand, à odeur de persil ; feuill latérales finement pointues. Thuya du Canad 'Holmstrup' (ci-dessus).
Cultivar – 'Elegantissima', feuillage aux extrémit jaune vif en été, vert-jaune en hiver ; fréquent dar les rocailles et les cimetières ; jusqu'à 10 m ; po plus « frisé » que le thuya du Canad 'Ellwangeriana Aurea' – comme un corail géant.

THUYA DU CANADA 'AUREA'

plus sain que l'espèce type

THUYA DE CORÉE

THUYA DE CHINE 'ELEGANTISSIMA'

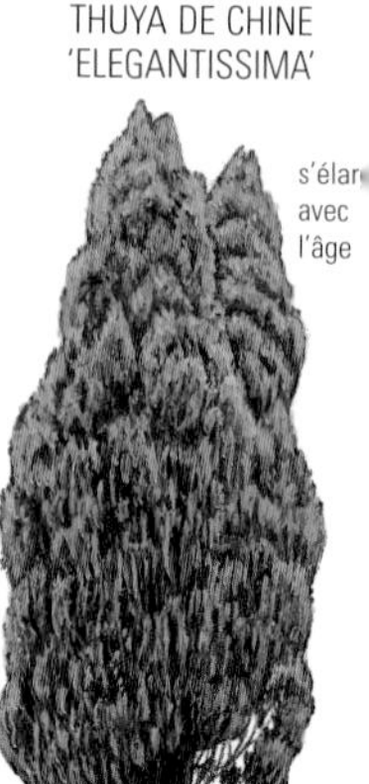

THUYA DU CANADA
cône ouvert
revers blanc brillant
écorce du thuya de Chine
cône
THUYA DE CORÉE
feuille, détail
crochets
cône fermé
cônes terminaux
THUYA DU CANADA
THUYA DE CHINE
THUYA DU JAPON
ramilles pendantes
'SPIRALIS'
vert des deux côtés
feuille, détail
rameaux en U
feuille, détail
cônes
vieil arbre
écorce
THUYA DU JAPON
THUYA DE CHINE

Cyprès de Lawson

Chamaecyparis lawsoniana

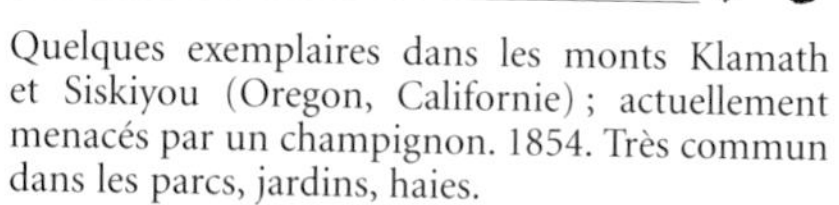

Quelques exemplaires dans les monts Klamath et Siskiyou (Oregon, Californie) ; actuellement menacés par un champignon. 1854. Très commun dans les parcs, jardins, haies.

Aspect – Silhouette. En colonne dense (jusqu'à 42 m) ; ouverte et creuse en situation sèche ; tronc souvent ramifié ; *flèche inclinée* et ramilles pendantes. **Écorce.** Rougeâtre et pourprée, *spongieuse ;* se fissure avec l'âge mais *jamais en spirale.* **Feuilles.** ramilles filiformes de 1,8 mm de large ; feuilles latérales *finement* pointues mais non piquantes, blanc grisé dessous le long des jointures ; *glande translucide* au centre des feuilles terminales ; odeur un peu aigre de *persil.* **Cônes.** Abondants, de la taille d'un pois, mûrissant en 1 an.

Espèces voisines – Cyprès de Nootka (p. 44) : feuilles latérales plus longues, à pointe plus longue. Cyprès de Sawara (p. 42) et de Formose (p. 44) : feuilles latérales à pointe plus étalée. Cyprès blanc (p. 44) : petites ramilles ; feuillage plus fin. Cyprès de Hinoki (p. 40) : feuilles latérales émoussées. Thuyas (pp. 32-35) : pousses plus larges, plus lisses.

Cultivars – Arbre constant dans la nature mais qui a produit plus de « sports » que les autres espèces après son introduction en Europe. Ceux qui ont des feuillages aberrants *conservent l'odeur de persil.* Avec l'âge, les coloris ont tendance à s'estomper et les ports deviennent moins prononcés.

Les cultivars panachés comprennent notamment 'Albospica' (pousses marquées de blanc), 'Versicolor' (mouchetures jaunes et blanches) 'Albomaculata' (grand ; grosses taches jaun ivoire). Aucun n'est commun.

Les cultivars érigés comprennent 'Erecta Viridi ('Erecta'), issu du premier lot de graines envoyé e Grande-Bretagne : fréquent ; jusqu'à 35 m ; *ovoïd* et dense (d'abord pointu puis plus aplati) ; ver vif ; ramilles dressées (parfois retombantes à leu extrémités) ; feuilles légèrement plus grandes qu le type mais bien plus courtes que chez le cèdr blanc (p. 30) ; *cf.* thuya de Chine (p. 34 'Kilmacurragh' (1951), rare : en *colonne étroit* 'Allumii' (1890), fréquent : jusqu'à 30 m mais sou vent moins ; ramilles gris bleuté. 'Fraseri' (1893) conique, vert terne, plus dense (*cf.* 'Youngii', ci dessous, et 'Green Spire'). 'Columnaris' (1940 commun : bien plus étroit que 'Allumii' ; ramille plus lâches ; croissance rapide (jusqu'à 22 m) ; so port *dégénère brutalement* à 8 m. 'Grayswoo Pillar' (1960) : légèrement plus bleuté. 'Gree Spire' ('Green Pillar' ; 1947) : feuillage *vert jau nâtre ;* forme conique *étroite.*

Les cultivars pleureurs comprennent 'Filiformis (1878), spectaculaire mais rare (*ramilles filiformes* et 'Pendula Vera', très rare (*petites branches pendante* comme les ramilles).

Les cultivars au feuillage aberrant comprennent 'Intertexta' (1869), peu répandu : *rameaux épais* e *nettement espacés*, en grandes ramilles ; jusqu' 30 m ; souvent fourchu. 'Filifera', très rare rameaux espacés *très fins.* 'Youngii' (1874), rare ramilles *horizontales courbées vers le haut ;* feuillag *épais*, vert vif ; conique, jusqu'à 25 m.

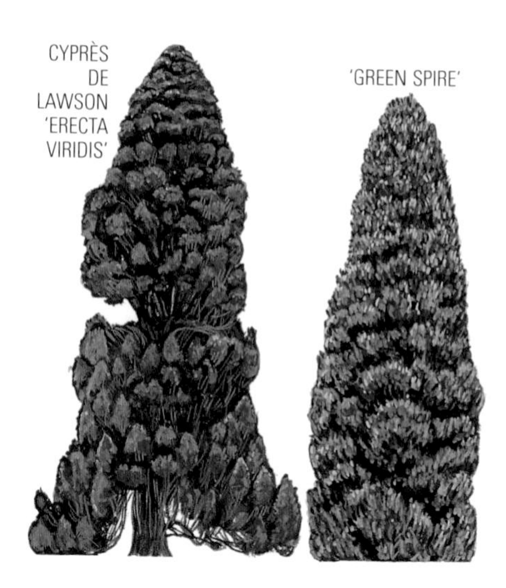

CYPRÈS DE LAWSON

écorce

fleurs ♂

feuille, détail

odeur de persil

jeune cône, détail

'INTERTEXTA'

'FILIFORMIS'

'ALBOSPICA'

cône

cône ouvert

feuillage pendant

feuillage filiforme

'ALLUMII'

'ALLUMII'

'COLUMNARIS'

'FILIFORMIS'

CYPRÈS DE LAWSON

CULTIVARS DE CYPRÈS DE LAWSON

Cultivars à feuillage aberrant (suite) – 'Wisselii' (1888), peu répandu : *ramilles dressées bleu-gris foncé*, se couvrant de fleurs mâles cramoisies au printemps ; jusqu'à 30 m. (Ses ramilles plumeuses sont similaires à celles des vrais cyprès ; *cf.* cyprès de Hinoki 'Lycopodioides', p. 40.)

Parmi les cultivars à feuillage semi-juvénile : 'Elwoodii' (1929), commun : colonne dense, sombre, pointue, jusqu'à 12 m ; feuilles à pointes étalées de 2 mm. 'Ellwood's Gold' (ramilles gris-noir bordées de jaune en été) et 'Ellwood's White' (nombreuses taches jaune crème) : aussi communs mais plus nains. 'Fletcheri' (1913), commun : jusqu'à 17 m ; feuillage *gris plus pâle et plus plumeux*, pointes des feuilles de 3 mm. 'Pottenii' (1900), commun : ramilles *petites, dressées puis retombantes ;* en colonne *dense*. 'New Silver', très rare : similaire mais bleu argenté.

Les cultivars à feuillage doré sont plus colorés en plein soleil ; le côté au nord est vert pâle terne. 'Lane' (1938), le plus commun : courtes ramilles aplaties, *horizontales*, à extrémité jaune vif *retombante ;* colonne *trapue*, *régulière* et très *dense ;* jusqu'à 20 m en forêt mais souvent semi-naine. 'Smithii' (1898) : plus vigoureux ; ramilles plus longues, moins denses et moins régulières. 'Lutea' (1870) : jusqu'à 22 m ; ramilles *retombantes comme le type* mais plus courtes ; jaune doré au soleil ; colonne étroite, irrégulière ; les branches basses peuvent muter et ressembler à 'Lane'. 'Winston Churchill' (1945) : plus *conique* que 'Lutea' mais irrégulier, jusqu'à 15 m ; ramilles dorées, certaines retombantes mais beaucoup relativement dressée sous des *angles divers*. 'Lemon Queen' : clone plu récent, vif et plus net. 'Grayswood Gold', spectacu laire mais assez rare : ramilles jaune pâle, *dressée très fines ;* forme nettement *ovoïde*. 'Stewarti (1920), commun : grand arbre en *cône arron* (jusqu'à 25 m) ; longues ramilles, *fines*, régulière ment *ascendantes*, jaunes et *retombantes* à leu extrémité ; moins vif et moins *touffu* que 'Lan 'Hillieri' (1920), décoratif mais rare : colonn *étroite ;* ramilles courtes et denses, certaines *hori zontales* à extrémité retombante, d'autres *diverse ment inclinées*. 'Golden King' (1931), rare vigoureux ; *grandes ramilles lâches et épineuses*, pen dantes à leur extrémité ; feuillage jaune foncé 'Westermannii' (1880), rare : grand et ouvert ramilles *vert-jaune pâle et terne*, très pendantes.

Certains cultivars ont des jeunes pousses jaune qui virent au gris. 'Naberi' (1929), rare : *coniqu dense ;* feuillage turquoise pâle à l'ombre, jaun foncé au soleil – les zones panachées rappellent l thuya géant de Californie 'Zebrina' (p. 32). 'Silve Queen' (1883), peu répandu : même forme que l type mais en beaucoup plus terne. 'Elegantissima (1920), rare : ramilles pendantes, très pâles.

Les cultivars nettement gris bleuté comprennent 'Pembury Blue' (commun dans les petits jardins) colonne trapue ; ramilles courtes, *serrées*, gris tur quoise vif. 'Triomf van Boskoop' (1890) : *grand grandes* ramilles retombantes gris-bleu ; colon naire à conique, sur un *tronc* souvent *unique*. (Voi aussi 'Allumii, etc., p. 36.)

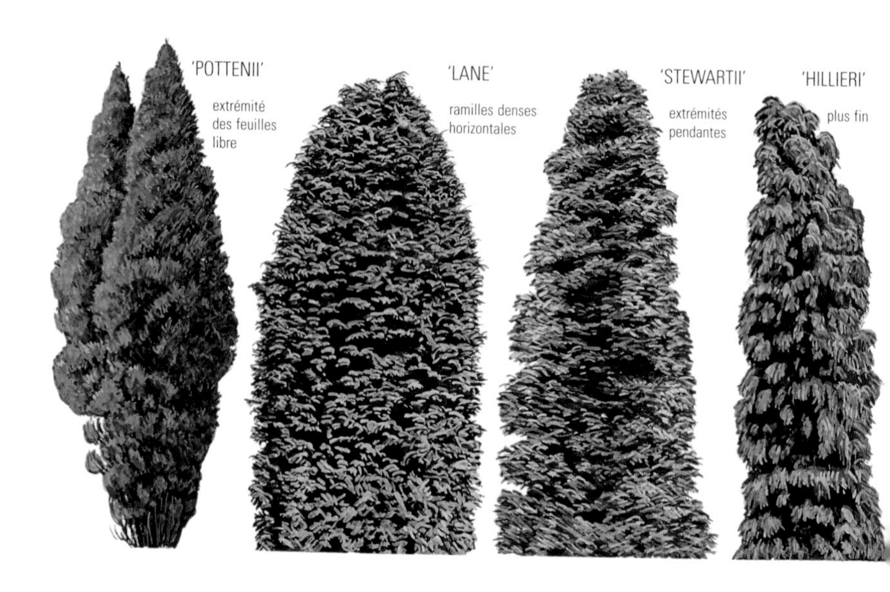

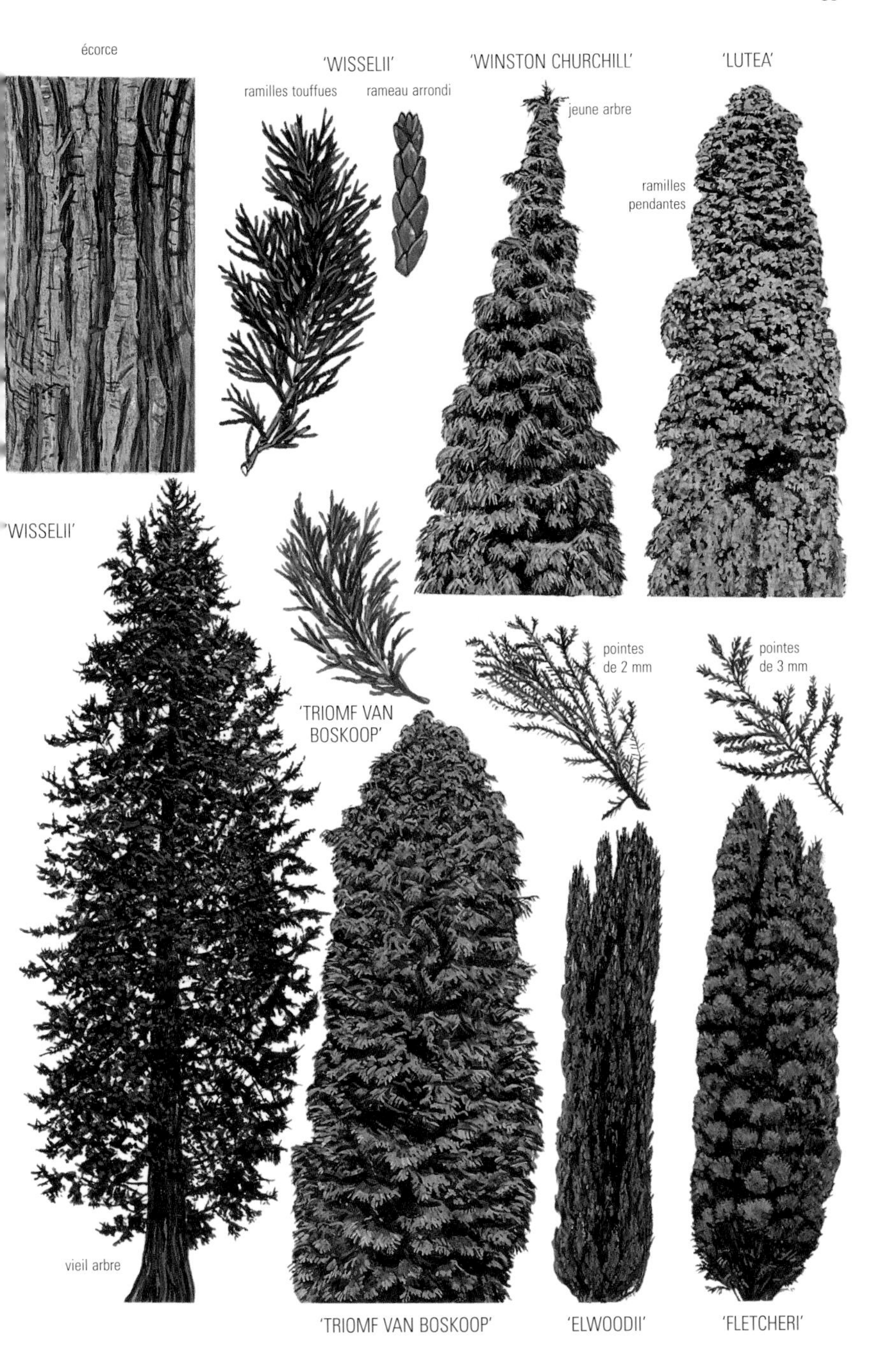
écorce
'WISSELII'
ramilles touffues
rameau arrondi
'WINSTON CHURCHILL'
jeune arbre
'LUTEA'
ramilles pendantes
'WISSELII'
'TRIOMF VAN BOSKOOP'
pointes de 2 mm
pointes de 3 mm
vieil arbre
'TRIOMF VAN BOSKOOP'
'ELWOODII'
'FLETCHERI'

Cyprès de Hinoki *Chamaecyparis obtusa*

Centre et S Japon – une des principales essences forestières du pays. Le nom japonais signifie « arbre de feu » – en forêt, les arbres brûlent facilement, rien que, dit-on, sous l'effet du frottement des branches dans le vent. Introduit après l'ouverture du Japon à l'Occident, en 1861 ; çà et là dans les grands jardins. Apprécie le climat océanique, de même que ses nombreux cultivars.

ASPECT – **Silhouette.** Plus ou moins touffue, sur un tronc unique, généralement droit (jusqu'à 25 m) ; feuillage vert vif souvent en amas concentrés sur des branches tourmentées – *dans le style japonais* – entre lesquels le tronc reste visible. **Écorce.** Rougeâtre, douce et assez fibreuse, ou fissurée en plaques verticales. **Feuilles** Ramilles en éventail, vert vif mais mates ; feuilles latérales *émoussées ;* revers teinté de blanc aux jointures ; *douce* odeur d'eucalyptus quand on les froisse.

ESPÈCES VOISINES – Thuyas (pp. 32-34) : pousses plus larges, jamais aussi mates, ramilles en éventail horizontales. Libocèdre du Chili (p. 30) : feuilles latérales saillantes, émoussées. Vrais cyprès et genévriers (pp. 48-58) : ramilles plumeuses lisses. Les autres faux cyprès ont des feuilles latérales finement pointues.

CULTIVARS – Tous ont des écailles émoussées et le même arôme léger. 'Crippsi' (1901) : un des cyprès dorés les plus vifs et les plus fréquents, jusqu'à 20 m ; les jeunes pousses jaune pâle et le réseau de branches horizontales rendent son identification facile de loin.

'Aurea' : clone ancien aux ramilles plus pendante et bien plus ternes (même au soleil) ; guère répandu.

'Tetragona Aurea' (1876), assez commun : ramilles *plumeuses très serrées, jaune vif, émoussées* ; vendu à l'instar de beaucoup de cyprès comme un conifère nain, il peut croître de 10 cm par an, si bien que des sujets âgés de 140 ans atteignent de nos jours 15 m de haut. Le feuillage dense et plumeux peut faire penser à un vrai cyprès ou à un genévrier, mais le cyprès de Monterey doré (p. 48) a des ramilles pointues, plus longues et plus ébouriffées et le genévrier de Chine doré (p. 56) est plus nettement conique, avec des touffes de longues feuilles juvéniles.

'Nana Gracilis' (1874), à croissance lente, commun dans les rocailles : feuillage *vert foncé brillant*, en ramilles ascendantes, crispées, *comme du corail ;* couronne sphérique irrégulière sur un tronc droit ; jusqu'à 12 m (*cf.* thuya du Canada 'Holmstrup', p. 34).

'Chabo-yadori' (1970), assez rare : croissance lente ; conique, vert vif, à tiges droites ; réseaux de branches horizontales plus denses que le type.

'Lycopodioides' (1861, Japon) : *ramilles plumeuses et hautes*, grisâtres, au curieux feuillage moussu ; jusqu'à 20 m, mais peu fourni. Ressemble au cyprès de Lawson 'Wisselii' (plus grand et plus fourni, ramilles plumeuses plus sombres, plus crispées ; p. 38).

'Filicoides' (1861, Japon), rare : feuillage similaire mais vert ; ramilles éparses, étroites et denses, *horizontales, à extrémité retombante.*

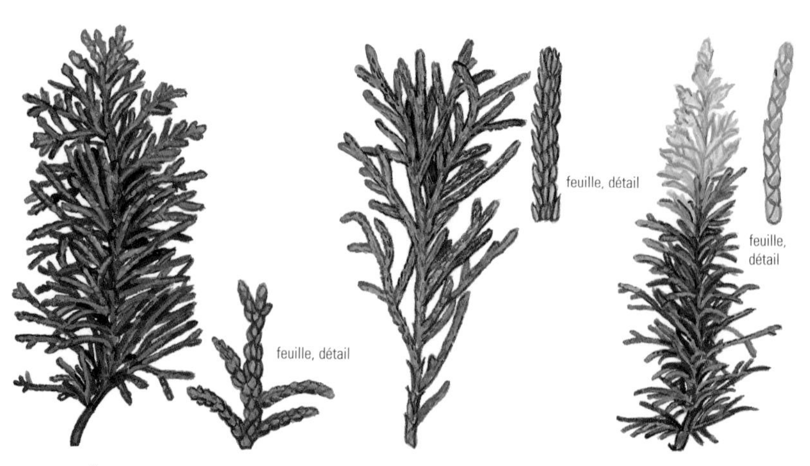

CYPRÈS DE HINOKI 'FILICOIDES'   'LYCOPODIOIDES'   'TETRAGONA AUREA'

'CRIPPSII'
feuille, détail
CYPRÈS DE HINOKI
écorce
jeunes cônes
cône
revers
'CRIPPSII'
'LYCOPODIOIDES'
CYPRÈS DE HINOKI

CYPRÈS DE SAWARA

Cyprès de Sawara *Chamaecyparis pisifera*

Autre géant du Japon. Aussi fréquent que le cyprès de Hinoki (p. 40), mais d'allure très différente.
Aspect – Silhouette. Un peu *creuse par endroits et ouverte*, généralement sur un tronc unique mais légèrement sinueux ; particulièrement dégarnie en climat sec. **Écorce.** Plus douce et plus fibreuse que celle des autres faux cyprès ; gris-rouge. **Feuilles.** Ramilles assez fines, vert moyen, légèrement pendantes ; écailles supérieures, inférieures et latérales *de même longueur*, à fine *pointe étalée ;* base blanche au revers ; odeur de résine âcre.
Espèces voisines – Cyprès de Formose (p. 44) : très proche mais *pas de blanc* au revers. Cyprès de Lawson (p. 36) : plus touffu ; pointes des écailles latérales à peine étalées, très fines. Cyprès de Nootka (p. 44) : écailles latérales plus longues et droites, pas de blanc dessous. Cyprès blanc (p. 44) : ramilles plus fines.
Cultivars – Nombreux et très divers :
'Aurea' (1861, Japon), peu courant : même feuillage que le type ; jeunes pousses *jaunes* verdissant en été.
'Filifera' (1861, Japon), peu commun : *ramilles filiformes pendantes* alternant avec des petites ramilles en bouquets ; souvent à troncs multiples ; jusqu'à 20 m.
'Filifera Aurea' (1889), commun dans les petits jardins (*cf.* cyprès de Monterey 'Coneybeari', p. 48) : *jaune brillant*, avec les ramilles filiformes de 'Filifera'.
'Plumosa' (1861, Japon), assez fréquent, surtou dans les cimetières : feuillage semi-juvénil piquant ; pointes des feuilles de 3 mm ; ramille ascendantes légèrement plumeuses et courbées généralement en colonne inclinée sur plusieur troncs ; feuillage *très dense*, contrairement au type conservant les feuilles mortes ; jusqu'à 25 m (i existe des formes semi-naines telles que 'Plumosa Compressa').
'Plumosa Aurea', assez fréquent : vert-jaune, pâlissant avec l'âge et redevenant vert par morceaux ; 'Plumosa Aurea Compacta' est une forme semi-naine.

'Squarrosa' (1843, Japon), assez fréquent : ramilles plumeuses de longues (6 mm) feuilles juvéniles, douces, disposées par deux, bleutées (larges raies grises au revers), se détachant joliment sur l'*écorce orangée ;* sur un ou plusieurs troncs droits, jusqu'à 25 m. (Le genévrier commun, p. 54, et le genévrier de Meyer, p. 56, ont des ramilles dressées d'aiguilles beaucoup plus dures et sont buissonnants ; le cryptoméria du Japon 'Elegans', p. 60, a des aiguilles douces alternes *2 fois plus longues* et un port étalé.)
'Boulevard' (1934), très commun : *semi-nain* (jusqu'à 6 m) ; feuilles gris bleuté légèrement plus longues, en ramilles pendantes ; extrémités virant au bronze en hiver ; se dégarnit avec l'âge.
'Squarrosa Sulphurea', peu fréquent : *jeunes feuilles* crème pâle virant au même gris-bleu.

CYPRÈS DE SAWARA 'FILIFERA AUREA'

'PLUMOSA'

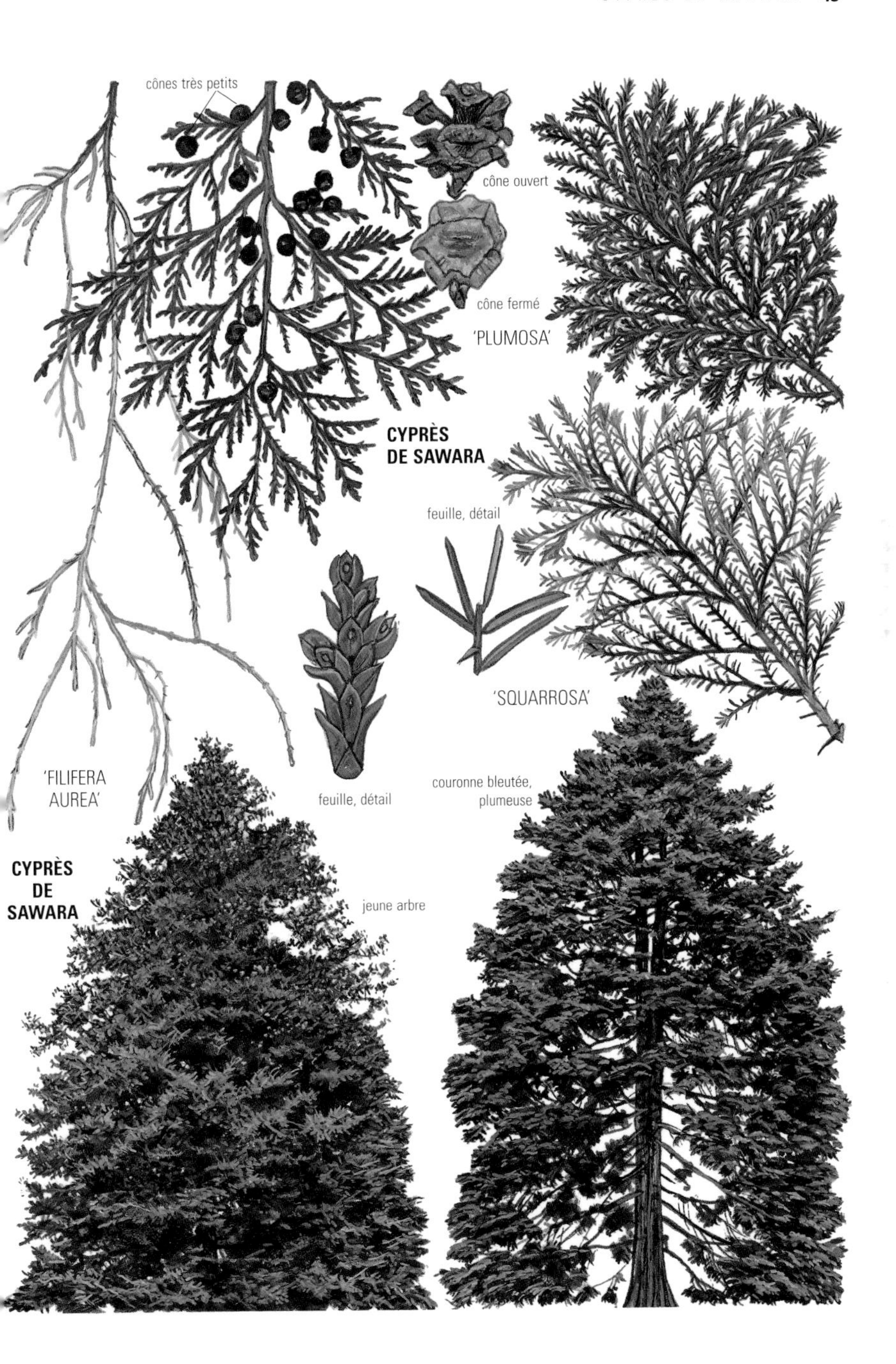
cônes très petits
cône ouvert
cône fermé
'PLUMOSA'
CYPRÈS
DE SAWARA
feuille, détail
'SQUARROSA'
'FILIFERA
AUREA'
feuille, détail
couronne bleutée,
plumeuse
CYPRÈS
DE
SAWARA
jeune arbre

Cyprès de Formose

Chamaecyparis formosensis

(Béniki du Japon) 1910. Arbre géant mais ne dépassant pas 18 m en Europe. Rare.
ASPECT – **Silhouette.** Branches typiquement courbées vers le haut en forme de U large. **Feuilles.** Comme celles du cyprès de Sawara (p. 42), mais *sans marques blanches* dessous ; virant au bronze en hiver ; odeur *anisée, de varech.*

Cyprès blanc

Chamaecyparis thyoides

Le faux cyprès de la côte Est des États-Unis – un hôte des marais, robuste et rustique, mais ne dépassant pas 15 m en Europe. 1736. Rare.
ASPECT – **Silhouette.** Souvent *très élancée*, en colonne touffue ; gris foncé ('Glauca') ou jaunâtre. **Écorce.** brunâtre foncée, se desquamant en lambeaux longs et étroits. **Feuilles.** *Plus petites* que celles des autres faux cyprès (1,2 mm) ; ramilles plus courtes, en éventail, à l'aspect un peu mité et dégageant une odeur de gingembre ; écailles latérales à pointe fine et étalée, marquées de blanc au revers.
ESPÈCES VOISINES – Cyprès de Sawara (p. 42) : écorce plus rouge, couronne ouverte, feuillage plus grand. Genévrier de Virginie (p. 56) et cyprès de Goa (p. 48) : mêmes silhouette et feuillage fin, mais ramilles plumeuses.
CULTIVARS – 'Variegata' (1831), collections : feuillage panaché de jaune.

Cyprès de Nootka

Xanthocyparis nootkatensis

(*Chamaecyparis/Cupressus nootkatensis*) Un arbre de très grande longévité dans les forêts montagneuses du NO Amérique du Nord ; pas aussi grand en Europe. Peu répandu ; préfère les climats pluvieux. Ramilles planes comme *Chamaecyparis* mais cônes mettant 2 ans à mûrir.
ASPECT – **Silhouette.** Souvent nettement conique jusqu'à 30 m ; fréquemment sur plusieurs troncs ; *extérieur de la couronne* formé de *ramilles denses, foncées, ternes, très pendantes ;* intérieur creux et ouvert *laissant voir le ciel.* **Écorce.** Rouge-gris ; fines crêtes fibreuses. **Feuilles.** Semblables à celles du thuya géant de Californie (p. 32), mais mates ; pointe des écailles latérales droites (3 mm) légèrement étalée, donnant des ramilles *rêches lorsqu'on les caresse à rebrousse-poil ; pas de marques blanches* sur le revers jaunâtre (*cf.* cèdre blanc, p. 30, et cyprès de Formose, ci-dessus) ; forte odeur d'huile. **Cônes.** *9 mm*, vert-pourpre, puis brun-rouge la deuxième année.
ESPÈCES VOISINES – Cyprès de Leyland (p. 46) : ramilles aplaties, *moins pendantes ; colonne dense à l'intérieur.* Cyprès de Sawara (p. 42) et de Formose (ci-dessus) : écailles latérales pointues mais beaucoup plus fines ; ramilles moins épaisses et moins pendantes. Cyprès de Lawson (p. 36) : grandes écailles des jeunes arbres vigoureux un peu argentées dessous, et jamais aussi longues ou pointues.
CULTIVARS – 'Pendula' (1884), peu répandu : feuillage en *rideaux* sur quelques branches *grêles.*
'Lutea' ('Aurea' ; 1891), rare : *jeunes pousses jaunes,* verdissant en hiver.
'Argenteovariegata' (1873), très rare : feuillage marqué de quelques grosses *taches crème.*
AUTRE ARBRE – Le cyprès de l'Himalaya, *Cupressus cashmeriana*, est le seul vrai cyprès avec des ramilles aplaties similaires, aux écailles longuement pointues (cônes de 18 mm, mûrissant en 2 ans) – peu rustique et très rare à l'extérieur ; *feuillage turquoise clair retombant de manière spectaculaire.*

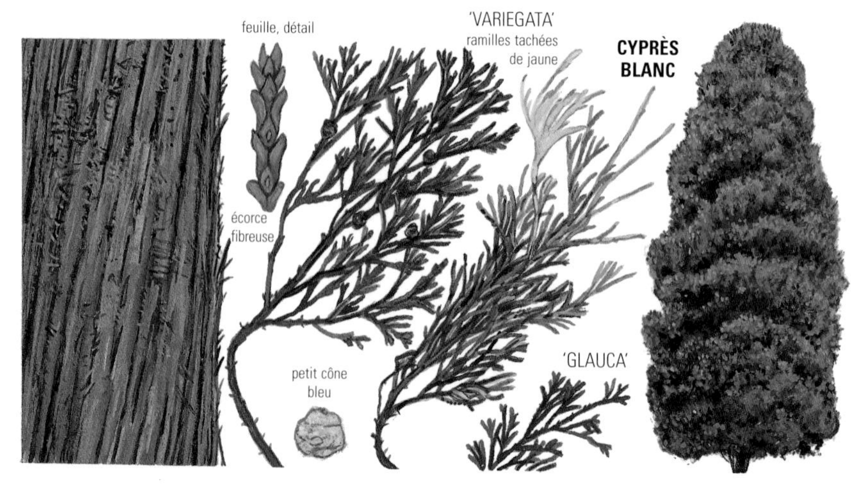

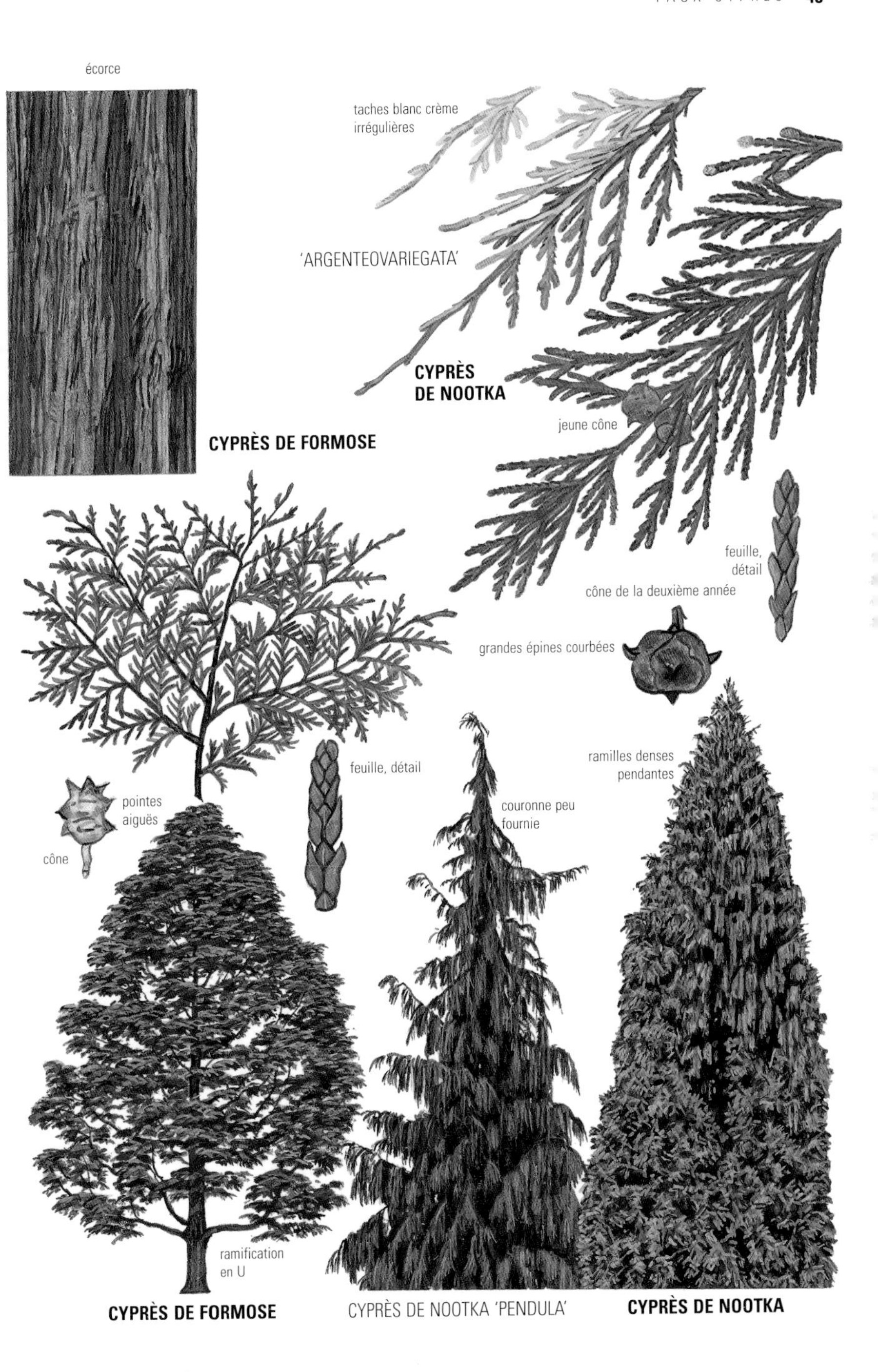
écorce
taches blanc crème irrégulières
'ARGENTEOVARIEGATA'
CYPRÈS DE NOOTKA
jeune cône
CYPRÈS DE FORMOSE
feuille, détail
cône de la deuxième année
grandes épines courbées
ramilles denses pendantes
feuille, détail
couronne peu fournie
pointes aiguës
cône
ramification en U
CYPRÈS DE FORMOSE
CYPRÈS DE NOOTKA 'PENDULA'
CYPRÈS DE NOOTKA

Cyprès de Leyland

× *Cupressocyparis leylandii* 

(*Cupressus* × *leylandii*) Le cyprès de Leyland – l'arbre ornemental à la fois *le plus planté* et le plus détesté – est issu de croisements entre diverses espèces de *Chamaecyparis* et de *Cupressus* ; apparu pour la première fois, semble-t-il, à Rostrevor vers 1870. Le clone 'Rostrevor' reste rare. L'hybride 'Haggerston Grey' (1888, parc de Leighton), facile à multiplier, est issu du croisement entre un cyprès de Monterey et un cyprès de Nootka.

Aspect – **Silhouette.** *Colonne très dense*, généralement garnie jusqu'à la base et s'effilant en une pointe légèrement inclinée, peu fournie ; vert sombre ; atteint rapidement 30 m. **Écorce.** Gris-rouge sombre ; légères fissures verticales et entrecroisées. **Feuilles.** Ramilles assez plumeuses – sur deux ou plusieurs plans *à angle droit ;* écailles de 3 mm, pointues à leur extrémité, droites, sans marques blanches au revers. **Fleurs.** Souvent *absentes*, bien que 'Leighton Green' (ci-dessous) produise parfois des masses de fleurs mâles jaunes en été et des cônes bruns de 2 cm.

Espèces voisines – Cyprès de Goa (p. 48) : feuillage plumeux plus fin. Cyprès de l'Himalaya (p. 52).

Cultivars – 'Leighton Green' (1911) : ramilles *plus aplaties* (*cf.* cyprès de Nootka, p. 44) ; arbre au feuillage vert vif difficile à multiplier et de ce fait assez rare.

'Naylor's Blue' (même ascendance que 'Leighton Green'), rare : feuillage *gris-bleu foncé, doux*, en ramilles assez plumeuses ; couronne plus irrégulière.

'Stapehill' ('Stapehill 20' ; 1940), peu répandu perd son feuillage brun au centre, d'où une couronne ouverte avec un aspect mité pas toujours heureux ; réputé pour réussir en sol calcaire.

'Castlewellan Gold' (1962) : issu du croisement entre un cyprès de Nootka et un cyprès de Monterey doré – succès assuré pour le premier cyprès de Leyland jaunâtre : *conique trapu*, ramilles plumeuses aux extrémités dorées au printemps et en été, puis *vert olive terne*.

'Robinson's Gold' (1962), rare : aussi mat, mais en *colonne étroite*, avec des *ramilles planes ;* difficile à multiplier.

'Golconda' (1977 ; sport de 'Haggerston Grey' – avec sa silhouette), rare : l'un des *plus brillants* parmi les cyprès dorés. 'Harlequin' (1975) : nombreuses taches jaune pâle de 1 à 10 cm ; 'Silver Dust' (1960) : pousses blanches de 1 à 5 cm assez peu nombreuses.

Autres arbres – × *C. notabilis* (*Cupressus* × *notabilis*) est un hybride entre le cyprès de Nootka et le cyprès glabre (1956 ; parc de Leighton), collections : forme conique ouverte ; écorce cloquée, dure, *gris-pourpre ;* belles ramilles plumeuses, pendantes, plutôt *gris-turquoise*, structurées comme celles du cyprès de Leyland (*cf.* cyprès de l'Himalaya, p. 44).

× *C. ovensii* (*Cupressus* × *ovensii*) provient d'un croisement entre un cyprès de Nootka et un cyprès de Goa (1961, arboretum de Westonbirt), collections : couronne colonnaire ouverte ; ramilles aplaties identiques à celles du cyprès de Nootka mais à odeur citronnée.

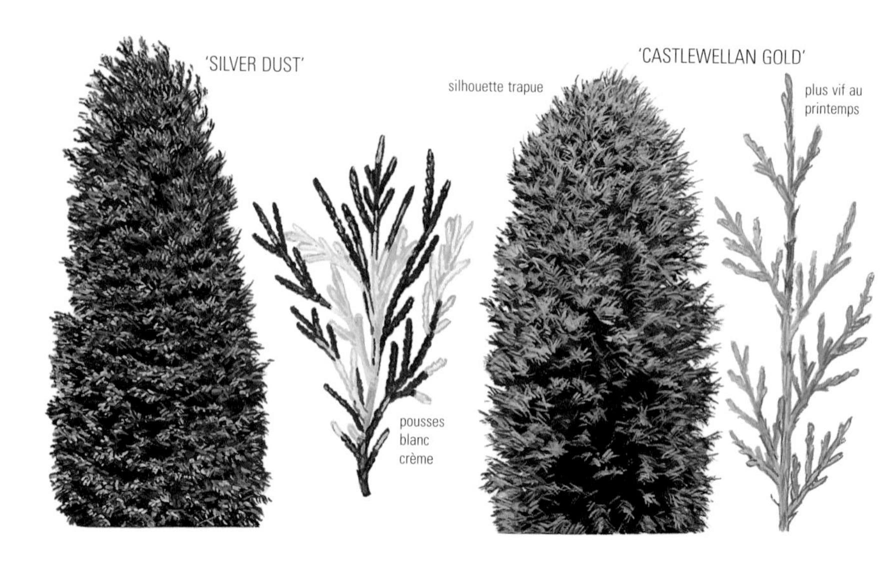

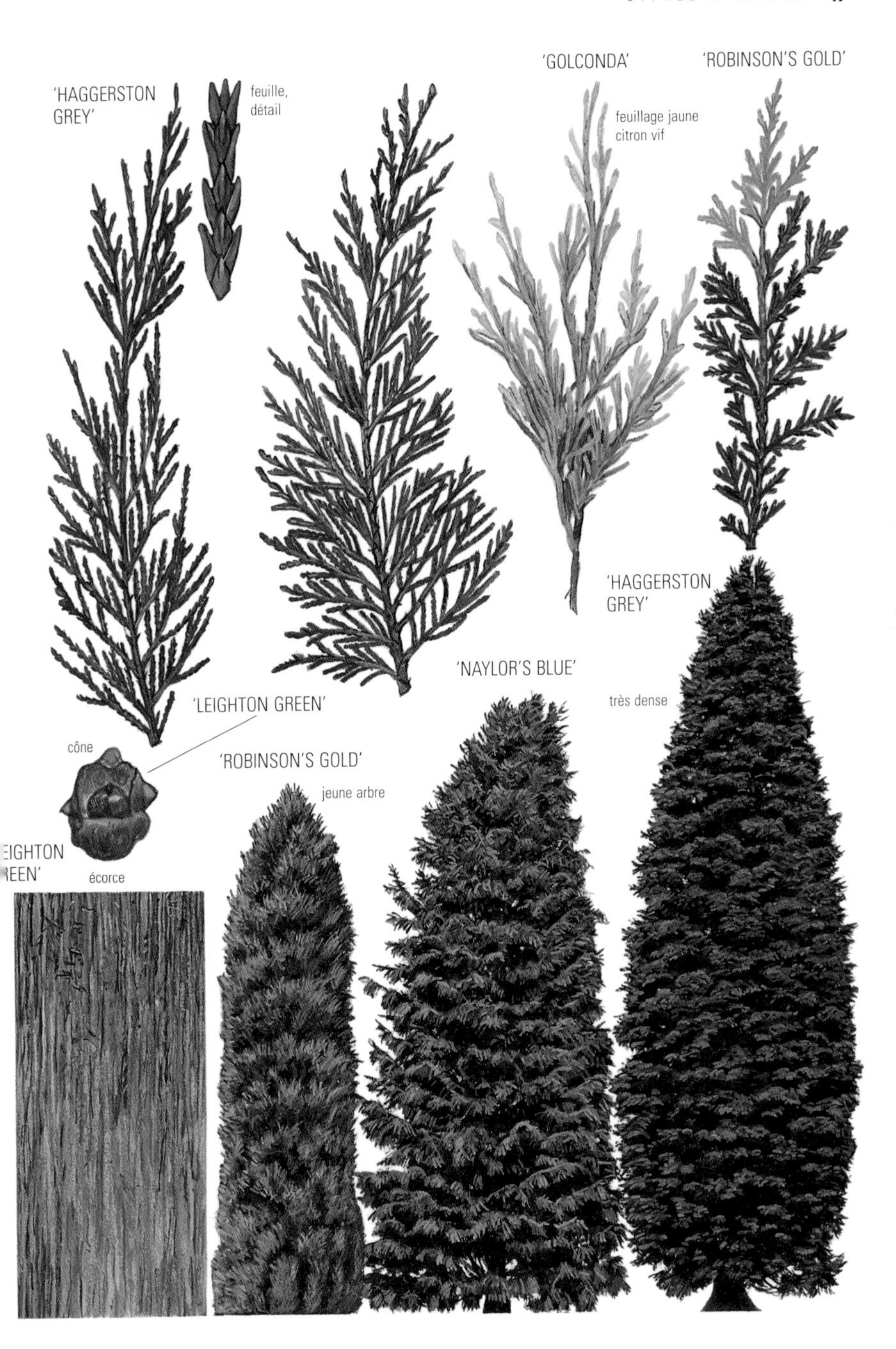
'HAGGERSTON GREY'
feuille, détail
'GOLCONDA'
feuillage jaune citron vif
'ROBINSON'S GOLD'
'HAGGERSTON GREY'
'NAYLOR'S BLUE'
très dense
'LEIGHTON GREEN'
cône
'ROBINSON'S GOLD'
jeune arbre
écorce

Les « vrais cyprès » (20 espèces) ont des cônes plus grands – mûrissant généralement en 2 ans – que ceux du genre Chamaecyparis. *Le feuillage des espèces les plus communes est disposé en ramilles plumeuses et les feuilles sont souvent émoussées. (Famille : Cupressacées.)*

Cyprès de Monterey *Cupressus microcarpa*

(Cyprès de Lambert) Californie (deux colonies sur des falaises venteuses) ; tolère très bien les embruns. Moins commun à l'intérieur des terres. Autrefois fréquent dans les haies, plus rare maintenant.

ASPECT – **Silhouette.** Typiquement en tonneau, sur plusieurs branches issues d'un *tronc court ;* souvent très large en bord de mer ou analogue à un cèdre du Liban ; sensible au dépérissement (chancre à *Corinium*) ; *jusqu'à 40 m : de vigoureux bouquets de feuillage dressés* permettent de le distinguer des autres cyprès et genévriers. **Écorce.** Brun-gris ; fissures fibreuses entrecroisées. **Feuilles.** Ramilles plumeuses vert sombre garnies d'écailles apprimées ; pointes minuscules à peine perceptibles ; pas de marques blanches ; forte odeur de citron. **Cônes.** Brillants, 3 cm, écailles à bord finement ondulé ; *peu nombreux* sauf sur les arbres dépérissants.

ESPÈCES VOISINES – Cyprès d'Italie et de l'Arizona (p. 50) ; cyprès de l'Himalaya et de Californie (p. 52) ; genévrier de Virginie (p. 56). Tous ont des ramilles plumeuses, douces, mais ils sont plus étroits et poussent plus lentement.

CULTIVARS – 'Lutea' (1892) : ramilles vert tilleul très légèrement piquantes ; réussit particulièrement bien en bord de mer.

'Goldcrest' (1946), le plus courant parmi les nouveaux clones *jaune vif : en colonne étroite,* souvent *inclinée,* quand il est jeune ; s'élargit avec l'âge ; ramilles denses et dressées, souvent *tordues comme sous l'effet du vent ;* les jeunes plantes en pot portent de nombreuses aiguilles juvéniles de 5 mm, douces.

'Donard Gold' (1935), rare : légèrement plus terne et plus large, avec des ramilles moins dressées.

'Coneybeari', rare (*cf.* cyprès de Sawara 'Filifera Aurea', p. 42) : grand buisson large aux *ramilles filiformes pendantes, jaune mat.*

'Fastigiata', rare (*cf.* cyprès d'Italie, p. 50) : *très étroit,* en colonne nette mais sinueuse, ouverte au sommet.

Cyprès du Mexique *Cupressus lindleyi*

(Souvent assimilé au cyprès de Goa, *C. lusitanica* ; Portugal, vers 1634.) Centre et S Mexique ; Guatemala. Peu répandu ; pour climat doux.

ASPECT – **Silhouette.** *Colonne assez dense* jusqu'à un certain âge mais désordonnée, *hirsute,* sur un *tronc droit ;* jusqu'à 30 m. **Écorce.** Gris cuivré, fibreuse. **Feuilles.** *Extrémités aiguës, étalées (mais très fines)* (contrairement aux autres vrais cyprès aux ramilles plumeuses) ; plus ou moins grisées (mais sans marques blanches) ; presque sans odeur. **Cônes.** 15 mm de large seulement ; une pointe sur chaque écaille.

ESPÈCES VOISINES – Cyprès de Leyland (p. 46) : ramilles sombres, plus fermes et plus touffues ; écorce mate ; tronc rarement aussi net. Cyprès de l'Himalaya (p. 52).

CULTIVARS – 'Glauca Pendula' : *ramilles plumeuses pendantes,* gris bleuté ; colonnaire ou étalé ; spectaculaire ; peut-être la forme la plus plantée de nos jours.

AUTRE ARBRE – Cyprès de Bentham, *C. benthamii* (NE Mexique, 1838 ; souvent considéré comme une variété), collections en climat doux : feuillage vert brillant en ramilles *plus aplaties, en forme de fougère,* sur des rameaux *sinueux* ; extrémité des écailles *à peine étalées.* (Couronne plus hérissée et tronc plus robuste que les faux cyprès ou le cyprès de l'Himalaya.)

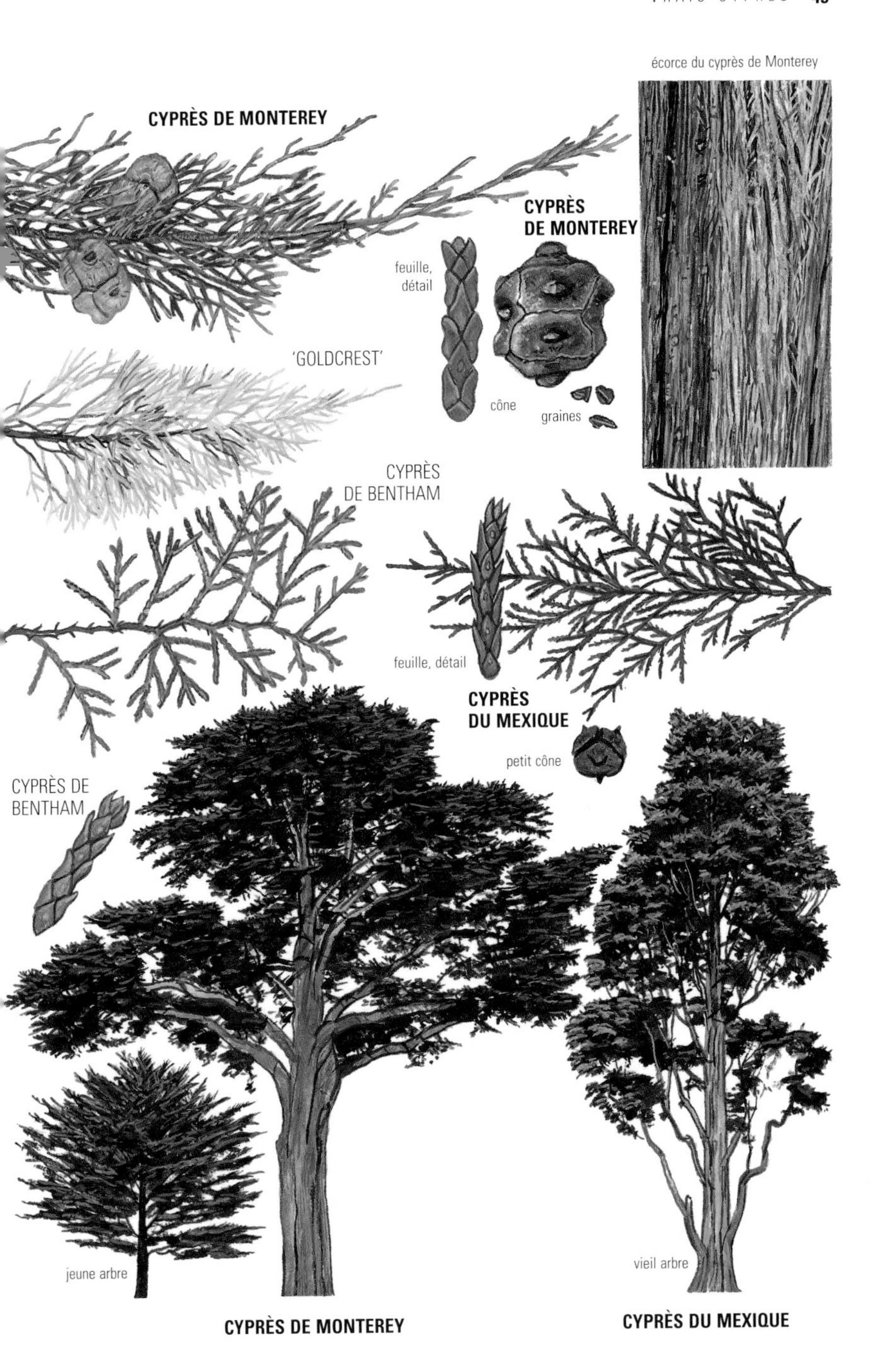

écorce du cyprès de Monterey
CYPRÈS DE MONTEREY
CYPRÈS
DE MONTEREY
feuille,
détail
cône
graines
'GOLDCREST'
CYPRÈS
DE BENTHAM
feuille, détail
CYPRÈS
DU MEXIQUE
petit cône
CYPRÈS DE
BENTHAM
jeune arbre
vieil arbre
CYPRÈS DE MONTEREY
CYPRÈS DU MEXIQUE

Cyprès d'Italie *Cupressus sempervirens*

(Cyprès de Provence) De E Méditerranée à l'Iran, mais depuis longtemps cultivé plus au nord et à l'ouest : l'arbre par excellence des paysages méditerranéens. Peu répandu dans le reste de l'Europe : parcs et jardins, cimetières, dans les régions au climat le plus doux.
ASPECT – **Silhouette.** Familière, comme celle de f. *stricta* (colonnaire plus ou moins dense, branches dressées, jusqu'à 24 m) ou moins connue, comme celle de var. *horizontalis* (irrégulière, branches étalées, aussi large que haute) ; vert noirâtre ou grisâtre. **Écorce.** Légèrement fissurée, fibreuse, brun-gris. **Feuilles.** Ramilles plumeuses, touffues ; écailles foncées à pointes apprimées, sans marques blanches ; légère odeur de résine, à peine perceptible. **Cônes.** 3 cm, *gris* mat ; écailles à *pointe émoussée ; constellant la couronne foncée* pendant 1 an.
ESPÈCES VOISINES – Cyprès de Monterey (p. 48). Le cyprès de Monterey 'Fastigiata', rare, et la forme étalée du cyprès d'Italie sont délicats à identifier. Cyprès d'Italie : cônes gris bosselés plus abondants, ramilles *effilées*. Cyprès de Monterey : ramilles plus vigoureuses et plus « en volume », légèrement *arrondies* au sommet. En l'absence de feuillage juvénile, le genévrier de Virginie (p. 56) ressemble à la variété étalée du cyprès d'Italie, mais son feuillage sent le savon et il n'a *pas de cônes*. Le genévrier de Chine (p. 56) a des rameaux plus épais. Le cyprès glabre a des cônes plus petits.
CULTIVARS – 'Swane's Golden' : croissance lente, très rare. 'Green Pencil' : clone récent de f. *stricta*, extrêmement resserré. Seuls le cyprès du Tibet, *C. gigantea*, tout aussi rare, et le genévrier 'Skyrocket' (p. 58 ; pas de cônes) sont aussi étroits.

Cyprès de l'Arizona *Cupressus arizonica*

Arizona, SO Texas et N Mexique. 1882. Peu répandu.
ASPECT – **Silhouette.** Colonne étroite. **Écorce.** Fibreuse, brun-gris. **Feuilles.** Grisâtres (parfois avec une tache centrale blanche) en ramilles plumeuses lisses. **Cônes.** 2 cm ; pointe rigide centrale sur chaque écaille.
ESPÈCES VOISINES – Se distingue du cyprès d'Italie (ci-dessus) par des petits cônes, des branches légèrement horizontales et une couronne grise moins lisse. (Le cyprès de Californie, p. 52, a des feuilles vert *foncé*.)

Cyprès glabre *Cupressus arizonica* var. *glabra*

(*C. glabra*) Centre Arizona. 1907. De plus en plus fréquent dans les parcs et jardins, même petits.
ASPECT – **Silhouette.** Conique, devenant plus effilée ou ovoïde avec l'âge ; jusqu'à 22 m ; couronne à l'allure bosselée. **Écorce.** Décorative, se desquame en petites plaques circulaires lisses, dans les tons pourpres et rouges. **Feuilles.** Écailles apprimées en ramilles plumeuses gris pâle, souvent marquées d'une *tache centrale blanche de résine séchée.* **Fleurs mâles.** Nombreuses, jaunes, tout l'hiver. **Cônes.** 2 cm, persistant plusieurs années.
ESPÈCES VOISINES – Cyprès de Guadalupe et apparentés (p. 52).
CULTIVARS – 'Pyramidalis' (1928), le plus commun : forme régulière ; tache blanche sur *presque toutes les feuilles* ; 'Hodgins' : parfois plus étroit. 'Aurea' : jeunes feuilles *jaunes* virant lentement au gris pâle – assez rare mais saisissant.

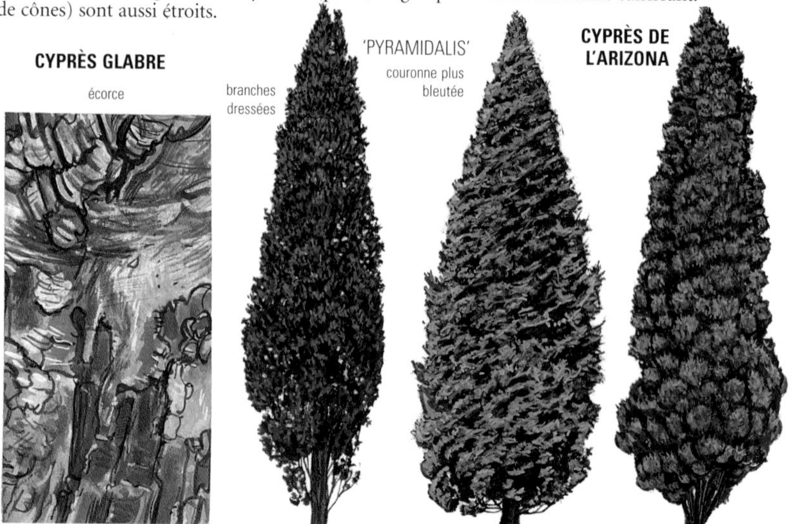

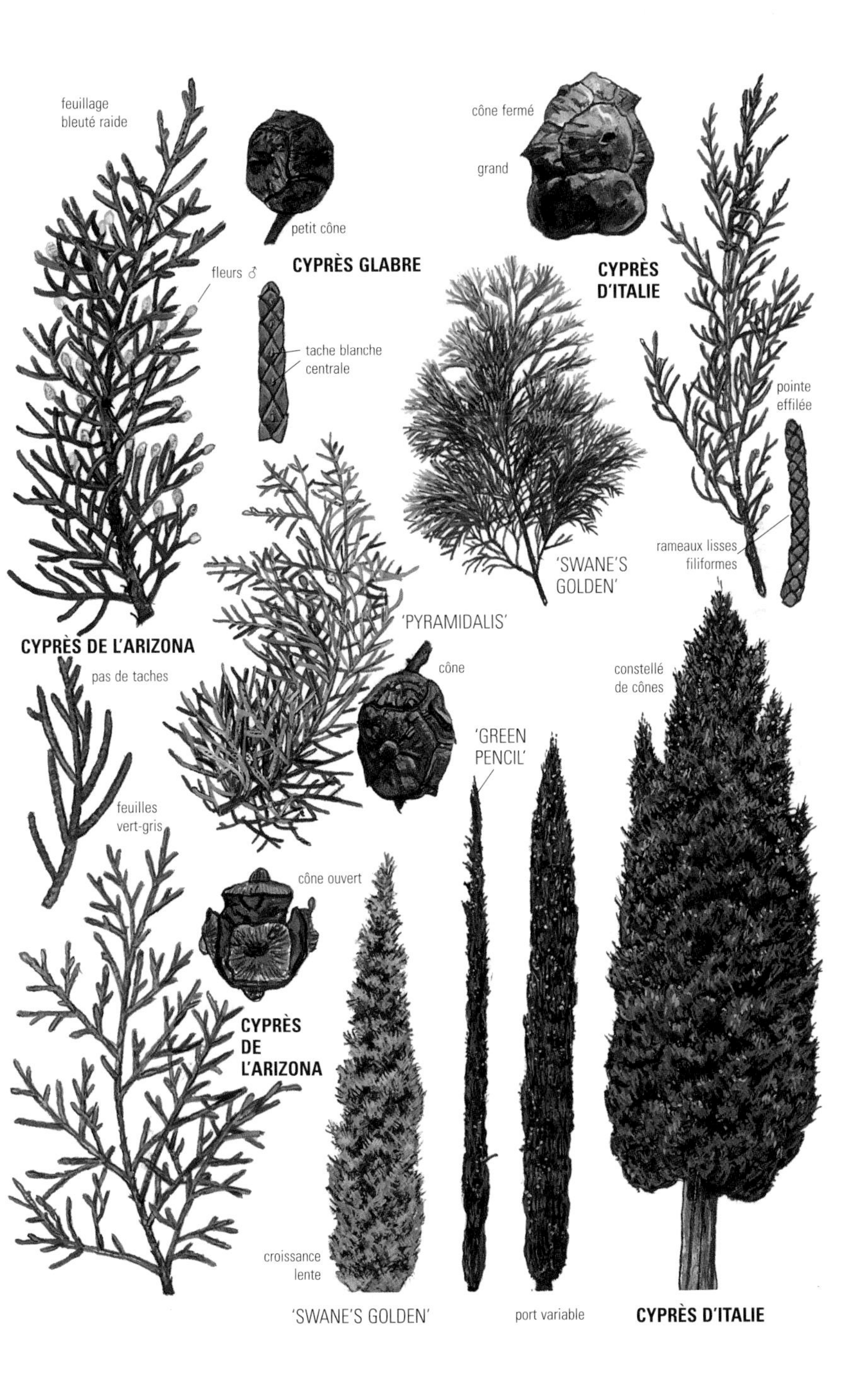
feuillage
bleuté raide
petit cône
CYPRÈS GLABRE
fleurs ♂
tache blanche
centrale
cône fermé
grand
CYPRÈS
D'ITALIE
pointe
effilée
rameaux lisses
filiformes
'SWANE'S
GOLDEN'
CYPRÈS DE L'ARIZONA
'PYRAMIDALIS'
pas de taches
cône
constellé
de cônes
'GREEN
PENCIL'
feuilles
vert-gris
cône ouvert
CYPRÈS
DE
L'ARIZONA
croissance
lente
'SWANE'S GOLDEN'
port variable
CYPRÈS D'ITALIE

Cyprès de Guadalupe
Cupressus guadalupensis

Île de Guadalupe, Mexique. 1880. Un des quelques vrais cyprès du Nouveau Monde ; peuplements sauvages faibles et menacés ; limité à quelques jardins botaniques en Europe, sous climat doux.
ASPECT – **Écorce.** Superbe ; plus rouge et plus lisse que celle du cyprès glabre (p. 50). **Feuilles.** *Vert d'eau ;* rameaux filiformes et raides, lisses, en ramilles plumeuses avec des tronçons non ramifiés ; faiblement aromatiques.
ESPÈCE VOISINE – Cyprès glabre (p. 50) : l'arbre le plus fréquemment planté dans ce groupe.
AUTRES ARBRES – Tout aussi rares, le cyprès de Cuyamaca, *C. stephensonii* (Californie), à écorce pourprée et feuilles tachées de blanc, et le cyprès de Tecate, *C. forbesii* (Californie), au feuillage vert plus pâle. Cyprès de Californie, *C. goveniana var. goveniana*, confiné à deux zones boisées près de Monterey (1848) : colonne dense, jusqu'à 20 m ; longues ramilles étroites, *noirâtres*, piquantes ; rameaux disposés *presque à angle droit* (évoquant *l'ajonc*) ; écailles apprimées, certaines tachées de résine, *à odeur de citron ;* écorce gris foncé terne s'exfoliant en fines bandelettes ; *petits* cônes (15 mm) axillaires, avec une pointe rigide sur chaque écaille.

Cyprès de l'Himalaya *Cupressus torulosa*

O Himalaya (espèces très proches jusqu'en Chine orientale). 1824. Rare.
ASPECT – **Silhouette.** Colonne souvent dense aux ramilles fines et relativement planes de feuillage vert jaunâtre *pendant, assez peu fourni.* **Écorce.** Brun chocolat ou brun grisâtre ; *très fibreuse.* **Feuilles.** Minuscules pointes incurvées (bien plus fines que celles du cyprès du Mexique, p. 48), sans marques blanches ; odeur d'herbe. **Cônes.** Petits (14 mm), bosselés.
ESPÈCES VOISINES – Cyprès de Bentham (p. 48) : ramilles moins pendantes ; faible odeur de résine. Cyprès de Formose (p. 44).
CULTIVAR – var. *corneyana* (*C. corneyana*), rare : feuillage plus terne, plus « en volume » ; extrémité des rameaux vrillée.

Cyprès de Patagonie *Fitzroya cupressoides*

(Alerge ; *F. patagonica*) S Andes centrales. 1849. Rare ; pour climat doux. Espèce ornementale dans O et le midi de la France.
ASPECT – **Silhouette.** Branches lourdes, irrégulières ; jusqu'à 20 m. **Écorce.** Rougeâtre ; profondément fissurée. **Feuilles.** Ramilles plumeuses *pendantes* ; écailles vert-bleu foncé, en verticilles de 3 (*cf.* certains genévriers), *émoussées ;* raies blanches sur chaque face. **Fleurs.** Espèce dioïque. **Cônes.** 6 mm, abondants (9 écailles, groupés par 3).
ESPÈCES VOISINES – Libocèdre du Chili (p. 30) : ramilles aplaties. Athrotaxis de Summit (p. 58).

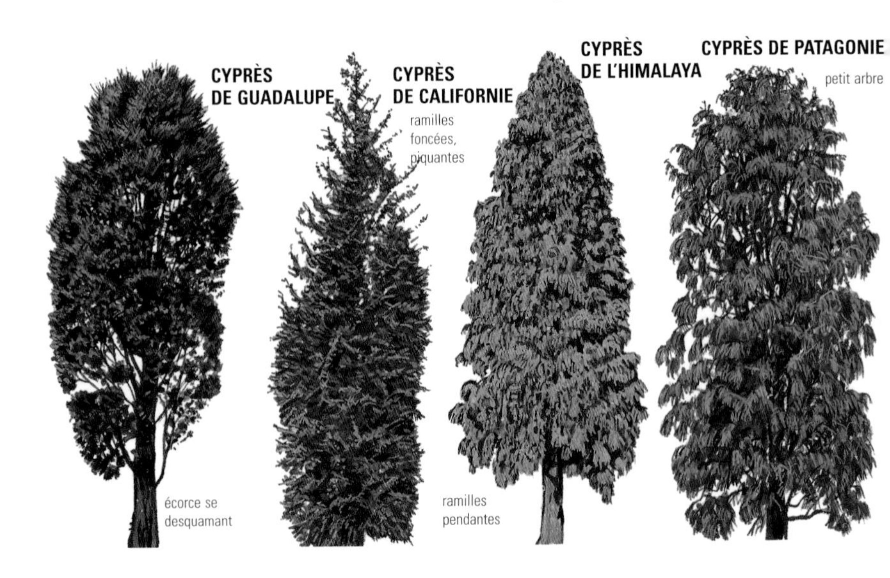

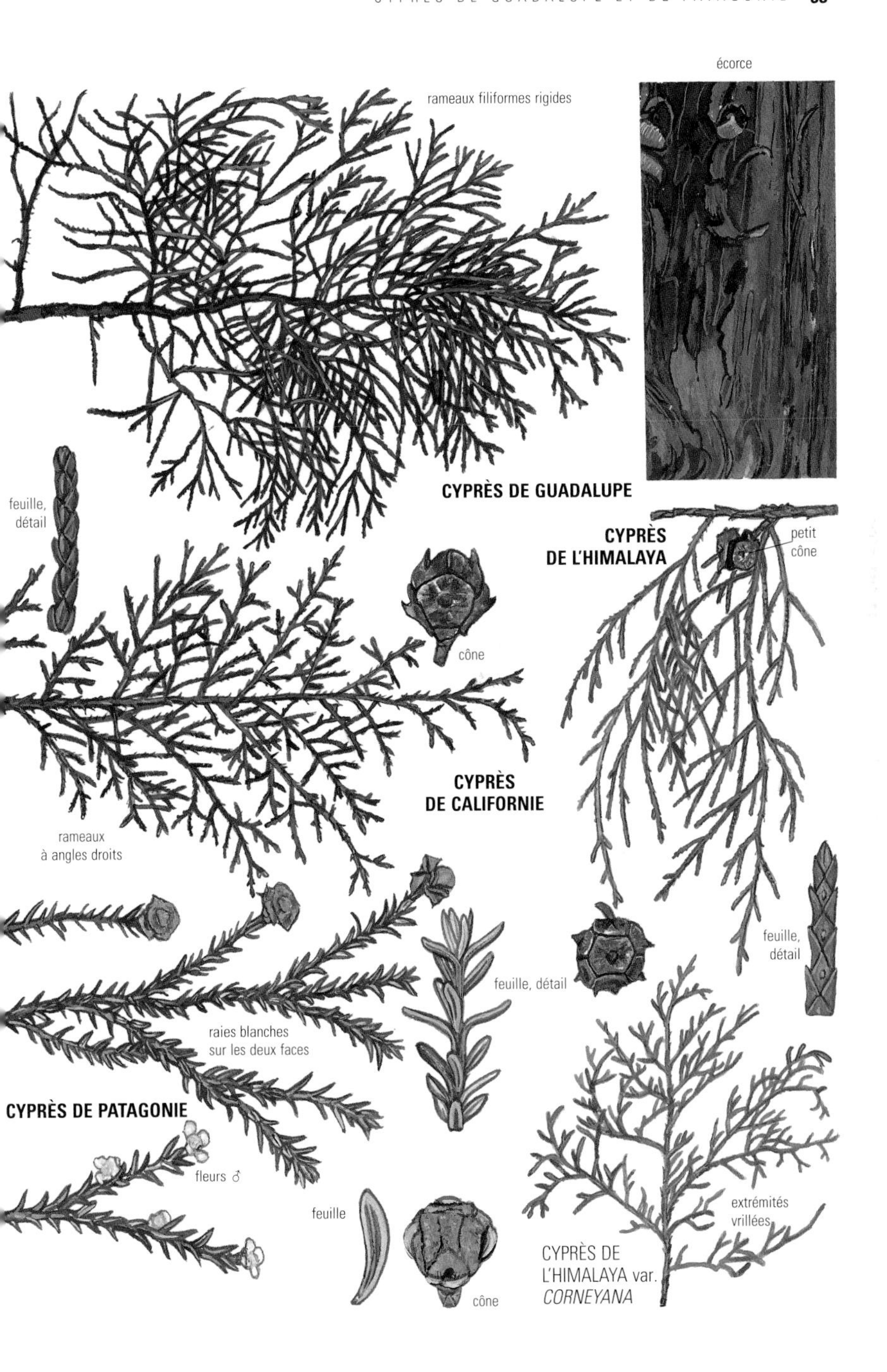
écorce
rameaux filiformes rigides
CYPRÈS DE GUADALUPE
feuille, détail
CYPRÈS DE L'HIMALAYA
petit cône
cône
CYPRÈS DE CALIFORNIE
rameaux à angles droits
feuille, détail
feuille, détail
raies blanches sur les deux faces
CYPRÈS DE PATAGONIE
fleurs ♂
feuille
cône
extrémités vrillées
CYPRÈS DE L'HIMALAYA var. *CORNEYANA*

GENÉVRIERS

Beaucoup de genévriers sont buissonnants. Ce sont les seuls membres de leur famille à port des baies (résultant de la fusion des écailles charnues du cône). La plupart conservent des feuill juvéniles – aciculaires, pointues, souvent groupées par 3 et disposées sur plusieurs plans ; le base étroite ne masque pas les rameaux bruns. (Famille : Cupressacées.)

Genévrier commun *Juniperus communis*

Le seul conifère originaire à la fois d'Eurasie et d'Amérique du Nord (présent jusqu'au cercle arctique) ; également N Afrique. Espèce commune en France, sur une grande partie du territoire.

ASPECT – **Silhouette.** Arbrisseau grisâtre, jusqu'à 8 m, parfois bas et large, à plusieurs sommets. **Écorce.** Brun-gris ; très fibreuse et pelucheuse. **Feuilles.** Toutes juvéniles ; jusqu'à 1 cm, avec *une bande blanche* sur la face interne concave ; par 3 sur des rameaux brun-rouge (au bout de 1 an) ; odeur de pomme. **Fruits.** Baies, 7 mm, noires à maturité (en 3 ans) renfermant 1 à 3 graines (servent à aromatiser le gin).

ESPÈCES VOISINES – Genévrier de Syrie (ci-dessous) : feuilles bien plus longues. Genévriers de Corée (ci-dessous) et de Meyer (p. 56) : ramilles pendantes. Taiwania (p. 60) : aiguilles à base *embrassante.* Cyprès de Sawara 'Squarrosa' (p. 42) : feuilles plus douces (*par 2*).

CULTIVARS – Genévrier d'Irlande, 'Stricta' ('Hibernica' ; 1838) : silhouette grise, étroite, à branches *et pousses* ascendantes ; jusqu'à 8 m. Genévrier de Suède (f. *suecica*) : extrémité des pousses *retombante.* 'Oblonga Pendula' : pousses pendantes ; feuilles deux fois plus longues, *à peine marquées de blanc* sur la face interne (*cf.* genévrier de Corée).

AUTRES ARBRES – Genévrier oxycèdre ou cade, *J. oxycedrus* (de S Europe à l'Iran) : feuilles de 10 25 mm, souvent marquées de 2 raies grises sur face interne ; baies de *6 à 15 mm, généralemen brunâtres,* mûrissant en 2 ans.

Genévrier de Syrie *Juniperus drupacea*

(*Arceuthos drupaceae*) De S Grèce à N Syrie. 1854. Rar

ASPECT – **Silhouette.** *Colonnaire,* dense et cha toyante, *jusqu'à 20 m.* **Feuilles.** Toutes juvéniles longues (2 cm), *rigides ;* vert *vif* avec 2 bande blanches sur la face interne concave ; la base *descen sur la pousse verte,* contrairement aux autres gené vriers. **Fruits.** Baies brun foncé ou violacé, jusqu' 2,5 mm (sur les arbres sauvages).

Genévrier de Corée *Juniperus rigida*

Japon, Corée, N Chine. 1861. Rare.

ASPECT – **Silhouette.** Pas rigide, souvent affaissé et asymétrique, jusqu'à 15 m ; feuillage assez épars *jaunâtre,* pendant. **Écorce.** Brun terne ; se desqua mant en bandelettes pelucheuses. **Feuilles.** Toute juvéniles ; rigides mais *douces,* groupées par 3 e verticilles *espacés ;* jusqu'à 2 cm ; 2 raies étroite blanchâtres entourant une *rainure* centrale sur l face interne ; odeur d'herbe. **Fruits.** Abondants su les pieds femelles ; 8 mm, pourpres à maturité.

ESPÈCE VOISINE – Genévrier de l'Himalaya (p. 56) feuilles plus denses.

GENÉVRIER DE CORÉE
ramilles pendantes
GENÉVRIER COMMUN
sommets coniques
GENÉVRIER DE SUÈDE
extrémités retombantes
GENÉVRIER D'IRLANDE
très étroit

GENÉVRIER DE SYRIE
raies étroites bleutées sur la face interne
GENÉVRIER DE CORÉE
fruit
feuilles douces par 3
feuilles plus grandes que les autres genévriers
2 raies blanches sur la face supérieure
fruit immature (bleu-noir à maturité)
GENÉVRIER COMMUN
feuilles par 3
1 bande blanche sur la face interne
fruits mûrissant en 3 ans
feuilles gris-vert
extrémités pendantes
plus ou moins étroit
'OBLONGA PENDULA'
GENÉVRIER DE SYRIE

Genévrier de l'Himalaya *Juniperus recurva*

De l'Afghanistan à O Chine. 1830. Peu répandu.
ASPECT – Silhouette. Ramilles pendantes ; grisâtre avec beaucoup de feuillage mort roussâtre ; jusqu'à 15 m. **Écorce.** Pelucheuse ; brun-gris. **Feuilles.** Toutes juvéniles, verticillées par 3, *très serrées, vers l'avant ;* 5 à 8 mm (jusqu'à 10 mm pour var. *coxii*) ; 1 raie argentée sur la face interne.
ESPÈCE VOISINE – Genévrier de Corée (p. 54) : longues feuilles souples.

Genévrier de Meyer *Juniperus squamata* 'Meyeri'

Chine. 1914. Très répandu.
ASPECT – Silhouette. Ramilles *bleu foncé*, arquées, comme des *plumets d'herbe de la pampa* ; jusqu'à 8 m. **Écorce.** Très pelucheuse ; brune. **Feuilles.** Juvéniles, denses, 8 mm, épineuses ; 2 raies blanc bleuté sur la face interne.

Genévrier de Chine *Juniperus chinensis* 

Chine, Japon. 1804. Assez commun. Des *touffes de feuillage juvénile* peuvent persister à la *base* des ramilles garnies d'écailles adultes.
ASPECT – Silhouette. Colonnaire étroite ou ovoïde ; jusqu'à 20 m ; troncs parfois fusionnés. **Écorce.** Brun-gris ; bandelettes fibreuses, tordues. **Feuilles juvéniles.** Jusqu'à 1 cm, pointues, rigides, gris-bleu à l'intérieur ; par 2 ou 3. **Feuilles adultes.** Comme celles des cyprès, à *marge pâle ;* rameaux lisses *assez épais* (1,8 mm) ; odeur forte. **Fleurs.** Espèce dioïque ; fleurs mâles jaunes, abondante en hiver. **Fruits.** Baies de *6 à 8 mm*, virant du blan châtre au brun foncé en *2 ans*.
ESPÈCES VOISINES – Genévrier de Virginie (ci dessous). Sans feuillage juvénile, arbre plus bossel que les cyprès de Monterey (p. 48) et d'Itali (p. 50), *sans cônes ligneux*.
CULTIVARS – 'Aurea' (1855), peu répandu : nette ment conique, jusqu'à 14 m ; mâle (donc san baies) mais bien moins piquant que le cyprès d Monterey 'Goldcrest' (p. 48).
'Kaizuka', rare : pas de feuillage juvénile ; clon femelle très fructifère ; large et peu attrayant longues *ramilles dressées, peu fournies, tordues.*
'Keteleeri', très rare : forme *pyramidale dense, gri sâtre ;* pas de feuillage juvénile mais des baie abondantes.

Genévrier de Virginie *Juniperus virginiana*

(Genévrier aux crayons) De l'Ontario à la Floride 1664. Peu répandu.
ASPECT – Silhouette. Arbre sombre, jusqu'à 22 m colonnaire ou étalé ; facile à confondre avec l genévrier de Chine. **Feuilles juvéniles.** *Toujour par 2, souvent à l'extrémité des pousses*, mais par fois absentes. **Feuilles adultes.** À *pointe* apprimée minuscule ; en *fins* rameaux (1,2 mm) ; odeur de *savon.* **Fleurs.** Espèce dioïque. **Fruits.** Baies gris bleu de *4 à 6 mm seulement*, mûrissant en *1 an.*
CULTIVARS – 'Canaertii' (1868), rare : colonne dense *vert vif ;* pas de feuillage juvénile ; clone femelle aux belles baies pourpres (deux fois plus petites que celle du genévrier de Chine 'Keteleerii').

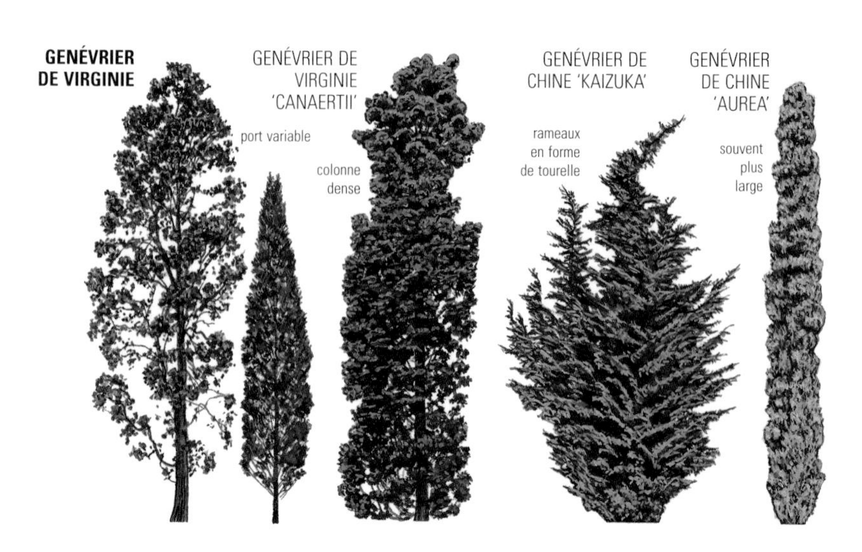

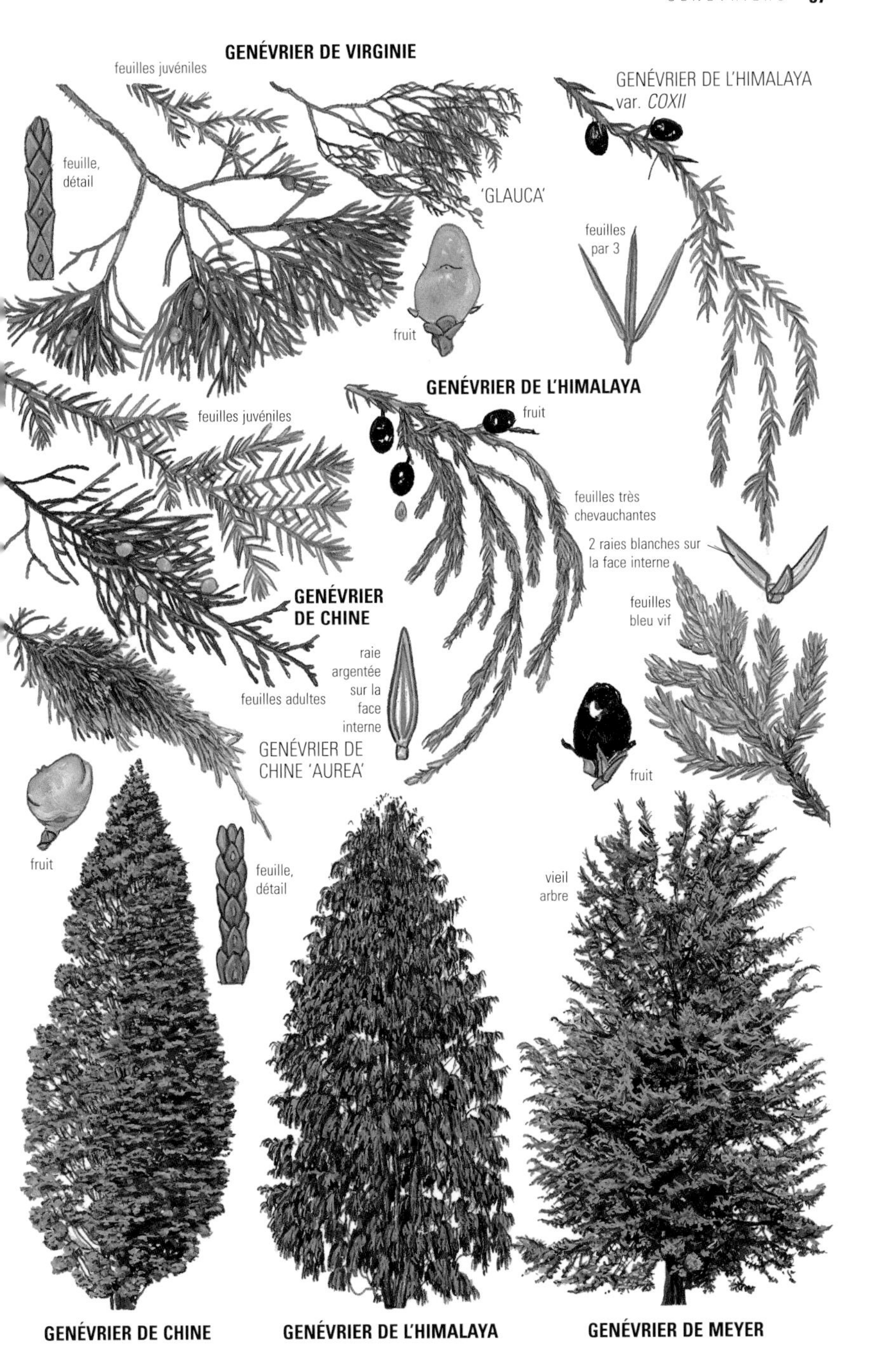
GENÉVRIER DE VIRGINIE
feuilles juvéniles
feuille, détail
'GLAUCA'
fruit
GENÉVRIER DE L'HIMALAYA var. COXII
feuilles par 3
GENÉVRIER DE L'HIMALAYA
fruit
feuilles juvéniles
feuilles très chevauchantes
2 raies blanches sur la face interne
feuilles bleu vif
GENÉVRIER DE CHINE
raie argentée sur la face interne
feuilles adultes
GENÉVRIER DE CHINE 'AUREA'
fruit
fruit
feuille, détail
vieil arbre
GENÉVRIER DE CHINE
GENÉVRIER DE L'HIMALAYA
GENÉVRIER DE MEYER

CULTIVARS DE GENÉVRIER DE VIRGINIE (SUITE) – 'Glauca', assez rare, femelle ; feuillage adulte gris, doux ; port ramassé, étroit (*cf.* cyprès blanc, p. 44). 'Springbank', similaire mais beaucoup plus commun et semi-nain : conique, ouvert ; feuillage adulte gris pâle ; mâle.
AUTRES ARBRES – *J. scopulorum* (montagnes Rocheuses), rare : arbre très similaire dont les baies mûrissent en *2 ans* (*cf.* genévrier de Chine, p. 56). Son cultivar 'Skyrocket' est beaucoup plus commun : *colonne très étroite* (jusqu'à 9 × 0,5 m), avec des ramilles bleutées dressées, *filandreuses* (*cf.* cyprès d'Italie, p. 50).
Genévrier à l'encens, *J. thurifera* (Espagne, Alpes françaises et N Afrique) : feuillage très fin, à *forte odeur d'encens*, souvent *intermédiaire entre les stades juvénile et adulte* ; baies grisées pu[...] pourpres, 8 mm.
J. excelsa (S Balkans au Turkménistan, 1806) rameaux filiformes très fins (moins de 1 mm [...] large), restant aussi parfois intermédiaires entre l[...] stades juvénile et adulte ; fleurs mâles et femell[...] sur la plupart des plantes ; baies de 1 cm, bru[...] pourpre à maturité.
J. phoenicea (Europe méditerranéenne, N Afriqu[...] Canaries) : feuillage adulte vert plus vif ; rameau[...] parfois aussi larges que ceux du genévrier [...] Chine ; sujets adultes conservant peu ou pas [...] feuillage juvénile et portant à la fois des fleu[...] mâles et femelles ; baies de 8 à 14 mm, *brun-roug[...]* renfermant jusqu'à 9 graines.

Les Taxodiacées regroupent 17 conifères primitifs, souvent géants, à l'écorce rouge spongieus[...] Il subsiste quelques peuplements épars dans les montagnes des deux hémisphères.

Athrotaxis de Summit *Athrotaxis laxifolia*

La moins rare des 3 espèces. O Tasmanie. Intermédiaire, mais sans signe manifeste d'hybridation.
ASPECT – **Silhouette.** Largement conique, ouverte ; jusqu'à 20 m. **Écorce.** Brun-rouge ; profondément fissurée, pelucheuse. **Cônes.** 2 cm, abondants. **Feuilles.** Similaires à celles du cèdre du Japon (p. 60), mais bien plus courtes (4 mm, libres) et plus largement effilées, plates et rigides, à pointe *courbée ;* vertes sur les *deux faces* (quelques petites marques blanchâtres) ; jeunes pousses *jaunes.*
ESPÈCES VOISINES – Cyprès de Patagonie (p. 52) : feuilles plus émoussées, fortement marquées de blanc sur les deux faces. Séquoia géant (p. 62).

Athrotaxis du Roi William *Athrotaxis selaginoides*

O Tasmanie. 1857. Très rare ; moins rustique que l'athrotaxis de Summit.
ASPECT – **Silhouette.** Largement conique, trapue ; facile à confondre avec le cèdre du Japon (p. 60[...] **Feuilles.** Plus longues que celles de l'athrotaxis [...] Summit (*8 mm, libres*), mais plus plates, pl[...] rigides et plus courbées que celles du cèdre d[...] Japon ; larges à la base puis effilées ; raies d'u[...] *blanc plus vif* sur la face interne ; vert brillant de[...]sus.
ESPÈCES VOISINES – Genévriers (pp. 54-58) [...] aiguilles droites, fines, groupées par 3 ; jamais d[...] tronc épais et droit. Pin de Norfolk (p. 28[...] Taiwania (p. 60).

Athrotaxis de Tasmanie *Athrotaxis cupressoides*

O Tasmanie ; le moins rustique et le plus rare e[...] Europe du Nord.
ASPECT – **Silhouette.** Généralement conique ma[...] très ouverte. **Écorce.** Finement écailleuse. **Feuille[...]** Écailles apprimées comme un vrai cyprès (seule l[...] pointe est libre) mais reconnaissable à ses *rameau[...] épais verticillés par 3* et bien espacés.

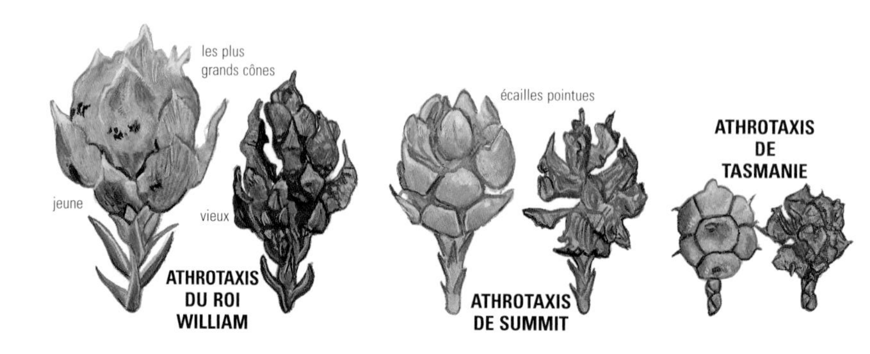

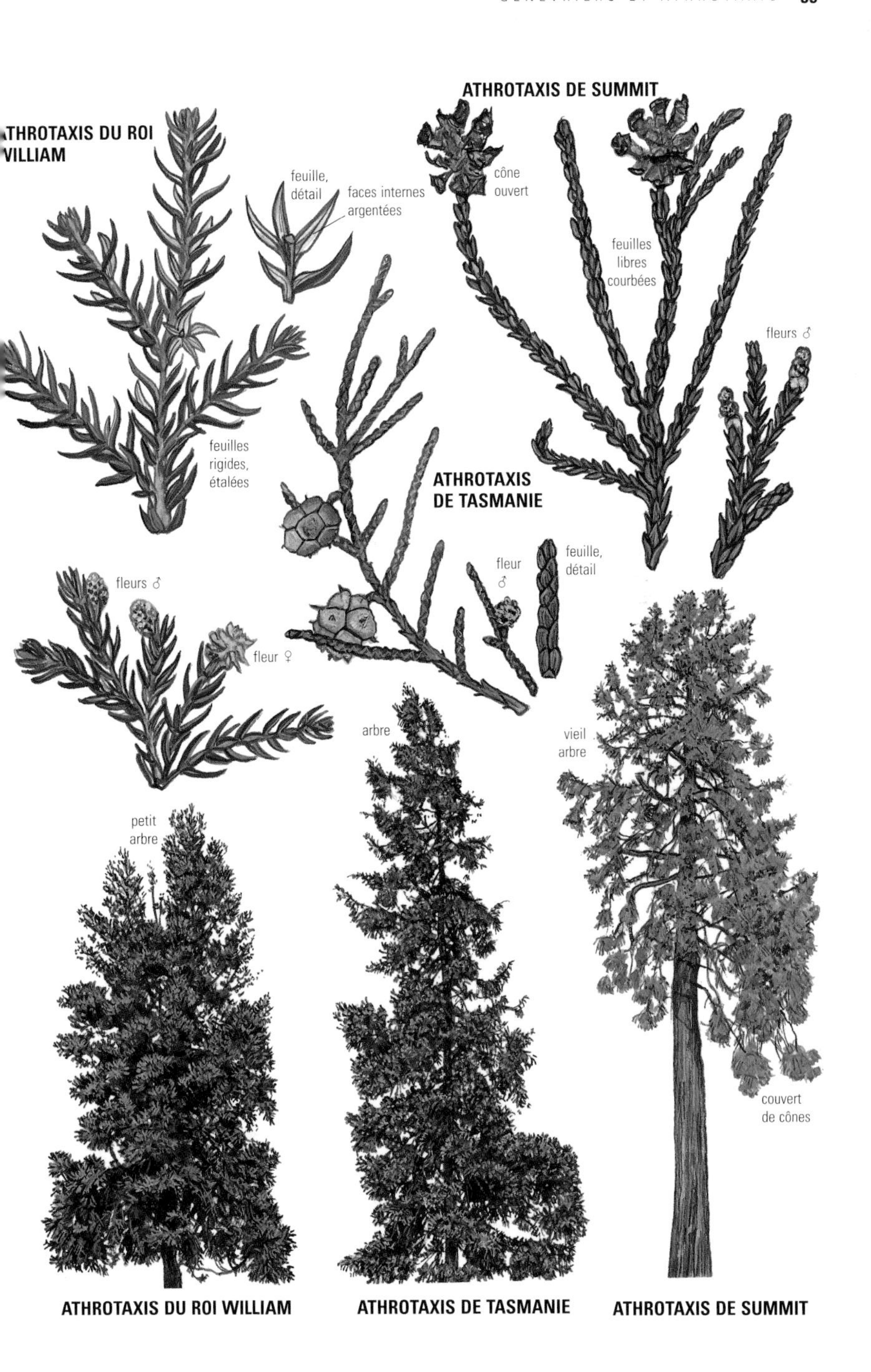

ATHROTAXIS DU ROI WILLIAM

ATHROTAXIS DE TASMANIE

ATHROTAXIS DE SUMMIT

Cryptoméria du Japon

Cryptomeria japonica

Arbre géant des montagnes du Japon. Assez peu répandu ; rare en climat sec ou froid ; quelques plantations forestières.

Aspect – **Silhouette.** Conique sur un tronc droit, jusqu'à 40 m (parfois fourchu) ; feuillage assez *irrégulier*, vert intense. **Écorce.** Brun orangé ; fibreuse, douce ; fissures plus plates et larges que celles du séquoia géant (p. 62) ; tronc cylindrique pouvant présenter de grosses protubérances mamelonnées. **Feuilles.** *Légèrement courbées*, 10 à 15 mm, disposées tout autour du rameau pendant, avec une large base couvrante ; quadrangulaires, les deux faces internes marquées de raies gris-vert. **Cônes.** 2 cm, abondants sur certains arbres, absents sur d'autres.

Espèces voisines – Athrotaxis du Roi William (p. 58) : très proche. Taiwania (ci-dessous) ; pin de Norfolk (p. 28).

Cultivars – Cryptoméria de Chine (var. *sinensis* ; S Chine), parfois considéré comme une espèce à part (*C. fortunei ;* 1842), plus rare : feuilles légèrement plus longues en ramilles vert pâle, *douces, ébouriffées, légèrement pendantes.*

'Lobbii' (1853) : feuilles particulièrement courtes en *touffes* denses ; couronne étroite et raide, au sommet en touffe.

'Elegans' (1861) : buisson touffu, large et étalé, mais parfois arbre à tronc unique pouvant atteindre 20 m ; feuillage gris bleuté foncé, *brun pourpré* en hiver, contrastant avec l'écorce orangé brillant ; feuilles juvéniles bien espacées, 2 cm, fines et *douces*, arrondies et courbées. Port et aiguilles longues peuvent faire penser au genévrier de Corée (p. 54), mais celui-ci a des ramilles per dantes vertes. Le cyprès de Sawara 'Squarros (p. 42) a un port dressé avec des aiguilles bien plu courtes en *paires opposées.*

'Compacta', peu répandu : couronne vert tendr arrondie au sommet, *très compacte ;* jusqu'à 15 n

'Aurescens', très rare : jeunes pousses jaunâtre

'Sekkan-sugi' : jaune crème au printemps.

'Cristata' (1901), très rare : assez étroit ; feuillag insolite, avec de nombreuses *touffes très dense fasciées.*

'Spiralis' (1860), rare : feuilles *tordues* disposée autour du rameau ; jusqu'à 20 m mais générale ment nain.

'Viminalis' ('Araucarioides', 'Dacrydioides 'Lycopodioides'), très rare : curiosité de la natur avec de nombreux rameaux longs et *non ramifiés* jusqu'à 20 m.

Taiwania

Taiwania cryptomerioides

Taiwan, S Chine et N Myanmar. Espèce menacé atteignant 60 m sur le mont Morrison (Taiwan 1920. Encore très rare (climat doux).

Aspect – **Silhouette.** Conique, étroite, bien nette feuillage vert grisé pâle joliment pendant sur de branches tournées vers le haut ; jusqu'à 20 m **Écorce.** Gris-rouge pâle ; fibreuse, finement sillon née. **Feuilles juvéniles.** Similaires à celles d feuillage adulte du cryptoméria du Japon (ci-des sus), mais très épineuses, souvent droites et plu longues, avec une large raie blanc bleuté su chaque face. (Feuilles adultes – et fleurs – encor jamais observées en Europe.)

Espèces voisines – Athrotaxis du Roi William (p. 58) ; pin de Norfolk (p. 28).

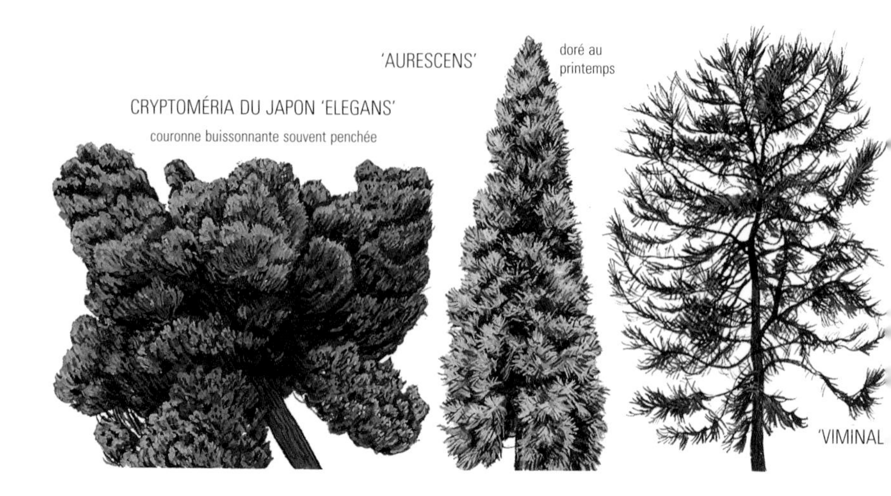

CRYPTOMÉRIA DE CHINE
ramilles lâches, lumeuses
'CRISTATA'
'VIMINALIS'
écorce
feuilles courbées vers l'avant
CRYPTOMÉRIA DU JAPON
rameaux en forme de serpent
feuille, détail
cône
'LOBBII'
feuillage en touffes denses
été
'ELEGANS'
pointes aiguës
brun pourpré en hiver
raies blanches sur chaque face
écorce qui s'exfolie
TAIWANIA
CRYPTOMÉRIA DU JAPON

Séquoia sempervirent

Sequoia sempervirens

(*Taxodium sempervirens*) Le plus grand arbre du monde. Confiné à la bande côtière embrumée de l'Oregon jusqu'au sud de Monterey, Californie. 1843. Commun dans les parcs et grands jardins ; rare dans les régions sèches ou ventées. Contrairement à la plupart des conifères, il rejette facilement et les souches d'arbres abattus peuvent produire plusieurs nouveaux arbres.

ASPECT – **Silhouette.** Colonnaire, souvent large, ouverte, se creusant et s'aplatissant au sommet avec l'âge ; jusqu'à 45 m en zone abritée ; brunit les hivers secs, sans conséquence ultérieure. **Écorce.** Rousse, profondément spongieuse. **Feuilles.** *Grandes écailles radiantes* sur les jeunes rameaux, pointues ; aiguilles des rameaux latéraux semblables à celles de l'if, en rangs aplatis, droites, rigides ; jusqu'à 2 cm mais *progressivement plus courtes* à la base et au sommet des rameaux ; 2 raies blanches dessous. **Cônes.** 2 cm, discrets.

ESPÈCES VOISINES – If commun (p. 22). Les ifs apparentés ont des aiguilles plus grandes ou sans raies blanches au revers – et pas de feuilles écailleuses au sommet des pousses.

CULTIVARS – 'Adpressa' ('Albo-spica' ; 1867), assez rare : petites feuilles courtes (*cf.* if commun 'Adpressa', p. 22), rayées de blanc dessus ; jeunes pousses entièrement gris crème ; jusqu'à 22 m.
'Cantab', rare : feuilles bien *plus larges, gris très bleuté ;* d'abord présenté (1951) comme un arbre nain prostré, émet toutefois facilement des pousses verticales aussi vigoureuses que le type (jusqu'à 20 m).

Séquoia géant

Sequoiadendron giganteum

(Wellingtonia, mammouth ; *Sequoia gigantea*) Autre « fossile vivant » de Californie (quelques bosquets dans la Sierra Nevada) ; « Général Shermann » serait le plus grand arbre du monde bien qu'on ait découvert en 2000 un séquoia sempervirent de dimensions similaires. 1853. Jusqu'à 52 m. Assez fréquent (hormis dans les régions très sèches ou polluées) ; redoute les embruns. Pas de plantations forestières : c'est un bois tendre sans intérêt.

ASPECT – **Silhouette.** Conique dense, vert bleuté foncé, aux branches légères, *descendantes* à l'extrémité relevée ; port plus colonnaire avec l'âge ; les vents violents provoquent de la casse mais mettent rarement l'arbre à terre. **Écorce.** Rouge foncé, épaisse et spongieuse (une protection contre les feux de forêt) ; durcit et s'assombrit avec le temps ; base du tronc presque toujours *très évasée*. **Feuilles.** Petites écailles radiales en fins rameaux de 4 mm de large ; odeur d'anis ; pas de marques blanches ; extrémité parfois recourbée *vers l'extérieur,* contrairement à l'athrotaxis de Summit (p. 58) ou au cyprès de Patagonie (p. 52). **Cônes.** Décevants ; 4 cm.

ESPÈCE VOISINE – Athrotaxis de Summit (p. 58).

CULTIVARS – 'Pendulum' (1863), rare : port pleureur ; tronc souvent incliné (jusqu'à 30 m) ; grosses branches longues garnies de rameaux et de pousses pendantes.
'Aureum' (1856), très rare : *jaune terne.*
'Pygmaeum' (1891), rare : dense et *nain.*

écorce

2 raies
blanches
au revers
écorce
SÉQUOIA
SEMPERVIRENT
feuille,
détail
cône ouvert
SÉQUOIA GÉANT
souvent frappé
par la foudre
pointes fines
aiguës
cône
ouvert
branches plus
légères
graines
conique quand
il est jeune
augmentation rapide
de la circonférence
SÉQUOIA SEMPERVIRENT
SÉQUOIA GÉANT

Cyprès chauve *Taxodium distichum*

(Cyprès de la Louisiane) Du Texas au New Jersey. Assez peu répandu dans les régions chaudes. Dans les sols gorgés d'eau, l'arbre s'adapte en émettant des « racines respiratoires », les pneumatophores, d'où l'idée qu'il a besoin d'eau. En fait, il pousse plus vite dans un sol bien drainé et prospère sur les sols sableux. Vit longtemps, sain, rarement déraciné par le vent même si troncs et branches cassent facilement : un ou deux exemplaires britanniques sont probablement des « originaux » de 1640.

ASPECT – **Silhouette.** Très variable en Europe : conique arrondie, solide, dense, sur un tronc *sinueux ;* ou large avec des branches lourdes, souvent inclinée ; ou ouverte et irrégulière, avec des touffes de rameaux lâches, horizontaux ; ou avec des branches retombantes bien espacées ; jusqu'à 35 m ; conifère *à feuillage caduc*, dénudé jusqu'à la fin du printemps, puis vert tendre, et brun-roux foncé en fin d'automne. **Écorce.** Gris orangé pâle, légèrement fissurée, fibreuse. **Feuilles.** Disposées en spirale sur les rameaux principaux et à l'extrémité des pousses, avec une courte pointe libre ; 2 cm, disposées en deux rangs aplatis sur les courts rameaux latéraux *alternes* – qui tombent en automne ; rayées de gris au revers et bien plus douces et d'un vert plus tendre que celles du séquoia sempervirent (p. 62). **Fleurs.** Espèce souvent dioïque ; chatons mâles, jusqu'à 20 cm, bien en évidence en hiver après un été chaud, puis libérant leur pollen au milieu du printemps. **Cônes.** 3 cm, mûrissant en 1 an.

ESPÈCES VOISINES – Métaséquoia du Sichuan (ci-dessous). En hiver, écorce plus douce, moins anguleuse que celle des mélèzes (pp. 94-98) et ramilles moins piquantes.

AUTRES ARBRES – Cyprès de Virginie, var. *imbricatum* (*T. ascendens* ; de la Virginie à la Louisiane assez rare : arbre plus petit, moins rustique, jusqu 22 m ; rameaux latéraux *dressés à la verticale*, ve pâle, *tous densément garnis de feuilles de 8 mm disposées en spirale* ; extrémité des pousses *incline* en fin d'été chez f. *nutans*, une forme étroitemer colonnaire.

Métaséquoia du Sichuan

Metasequoia glyptostroboides

SO Chine ; un géant en péril à l'état sauvage ; s découverte ne date que de 1941. Si l'on continu toujours à découvrir de nouveaux genres de con fères, le métaséquoia reste unique par sa popula rité immédiate en Europe, sa propagation facile partir de boutures et son aisance à pousser sous le climats plus chauds. Maintenant fréquent sau dans les petits jardins.

ASPECT – **Silhouette.** Conique et dense, sur un *tron droit* (très rarement fourchu), plus sinueux e situation exposée ; jusqu'à 30 m ; dans les zone sèches dégagées, la partie inférieure du tron devient souvent extrêmement évasée et *convolutée* feuillaison plus précoce que chez le cyprès chauve teintes automnales similaires (mais plus précoces) **Écorce.** Rouge *plus foncé* que celle du cyprès chauv et plus spongieuse. **Feuilles.** Comparables à celle du cyprès chauve, mais rameaux latéraux (d même que bourgeons hivernaux axillaires e feuilles individuelles) disposés en *paires opposées* feuilles plus longues (3 cm) et plus larges, d'un ver plus intense, vert-gris au revers. **Fleurs.** Rares en Europe du Nord.

CULTIVAR – 'Gold Rush' (Japon, 2000) : *feuillag jaune, doux.*

MÉTASÉQUOIA DU SICHUAN

CYPRÈS CHAUVE var. *IMBRICATUM*

CYPRÈS CHAUVE

Sapin de Chine *Cunninghamia lanceolata*

(*C. sinensis*) De S et O Chine à N Vietnam. Assez rare : grands jardins en climat doux. Un « original » de 1804 (cultivé en serre, dans un pot, pendant 15 ans) existe encore dans le Surrey.
ASPECT – **Silhouette.** Conique, grêle, ou à plusieurs troncs ; jusqu'à 28 m ; s'aplatissant au sommet avec l'âge ; parfois rejets vigoureux à la base ; couronne dense, conservant les feuilles mortes brun-rouge ; tronc cylindrique s'effilant un peu plus à chaque étage de branches. **Écorce.** Brun orangé, contrastant avec le feuillage vert pâle, brillant ; fines crêtes fibreuses. **Feuilles.** 50 × 4 mm, effilées, embrassantes ; disposées tout autour du rameau mais plus ou moins tordues pour former deux rangs ; larges raies blanchâtres dessous et parfois deux lignes blanches étroites dessus, près de la base.
CULTIVAR – 'Glauca' : feuillage bleu métallique, très chatoyant.

AUTRE ARBRE – *C. konishii* (Taiwan, 1918), rare feuilles plus petites (30 × 3 mm), raides tout autour du rameau ; raies grises sur les deux faces.

Pin parasol du Japon *Sciadopitys verticillata*

Une autre curiosité au feuillage insolite ; rare et menacé au Japon ; généralement classé dans sa famille propre (Sciadopitacées). 1853. Très peu répandu ; préfère les climats pluvieux. Son allure rappelle étrangement celle du podocarpus du Chili (p. 26). (Le pin pignon, p. 130, est aussi appelé pin parasol.)
ASPECT – **Silhouette.** Conique, dense, sauf en cas de tronc fourchu. **Écorce.** Brun-pourpre ; légères fissures verticales. **Feuilles.** (en fait des paires de feuilles fusionnées) Jusqu'à 12 cm de long, en verticilles annuels ; protubérances squamiformes sombres le long des rameaux brun-gris.

Les Pinacées constituent une famille de conifères à aiguilles, dont les rameaux deviennent rapidement ligneux et brunâtres. Les aiguilles des sapins s'insèrent sur le rameau lisse par un petit disque ; la plupart poussent en Europe du Nord mais tolèrent mal l'air sec ou la pollution.

Critères de distinction : sapins

- Silhouette : Largeur du sommet chez l'arbre adulte ?
- Écorce : Rugueuse ou écailleuse ? Grise, noire, orange ? Présence d'anneaux autour des cicatrices des branches ?
- Tronc : Est-il cannelé ?
- Rameaux : Poilus ou non ? Quelle couleur ? Orange, blancs, verdâtres ou pourpres ?
- Bourgeons : Longueur ? Sont-ils résineux ? Couleur ?
- Feuilles : Disposition autour des rameaux ? Selon quel angle ? Sont-elles courbées, échancrées, arrondies, épineuses ? Marquées ou rayées de blanc (en particulier dessus ; avec quelle intensité ?) ?
- Cônes : Les bractées se prolongent-elles au-dessus de chaque écaille ?

Clé des espèces

(Les feuilles sont disposées plus à plat à l'ombre et se dressent toujours au-dessus des rameaux fertiles au sommet de l'arbre.)
Sapin de Vancouver (p. 74) ; feuilles en *rangs aplatis* de chaque côté du rameau (non florifère). **Sapin noble** (p. 88) : feuilles *relevées en brosse* au-dessus du rameau. **Sapin du Caucase** (p. 70) : feuilles droites, *couvrant le rameau dessus mais très peu dessous.* **Sapin de Nikko** (p. 86) : feuilles droites, en plusieurs rangs au-dessus du rameau mais *séparées en V.* **Sapin de Forrest** (p. 82) : feuilles dirigées vers l'avant, *tout autour du rameau (mais un peu plus au-dessus).* **Sapin de Grèce** (p. 76) : feuilles presque perpendiculaires, *tout autour du rameau.*

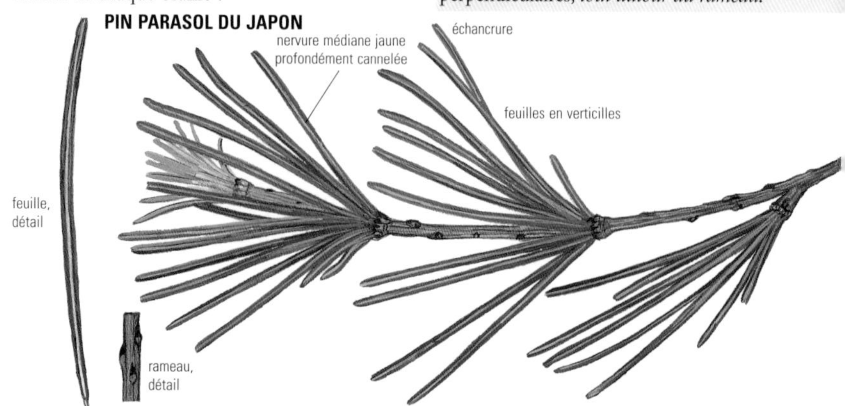

PIN PARASOL DU JAPON
écorce
feuilles souples
mais pointues
écorce
revers
SAPIN DE CHINE
fleurs ♂
cône
graines
cône
petite épine
jeune arbre
fleurs
♀
parfois grêle
SAPIN DE CHINE
PIN PARASOL DU JAPON

Sapin argenté *Abies alba*

(Sapin commun, sapin pectiné) France et Corse, Pyrénées, Alpes, montagnes du sud des Balkans. Introduit en Grande-Bretagne en 1603. Commun dans les parcs, plus rare en forêt. Ce sapin n'est plus utilisé en industrie forestière car en climat océanique doux, il est devenu très sensible aux attaques d'un puceron, *Adelges nordmannianae*.
ASPECT – **Silhouette.** Conique régulière au début, avec la flèche rarement brisée ; les vieux arbres présentent un tronc dénudé droit ou légèrement sinueux, et un sommet *large* ; couronne *foncée*, terne, souvent peu fournie ; peut atteindre 50 m de haut, même plus. **Écorce.** Teintée de gris ; vite craquelée en petites plaques carrées ; parfois plus écailleuse que les autres sapins et pouvant évoquer un épicéa ; tronc souvent garni de chicots. **Rameaux.** Généralement gris chamois *terne* ; couverts de minuscules poils épars brun foncé. **Bourgeons.** Brun-rouge, *à peine résineux*. **Feuilles.** 2 à 3 cm ; extrémité arrondie ou (comme les feuilles de la plupart des sapins sur les rameaux stériles) nettement échancrées ; insérées à 30° environ, en rangs à peu près aplatis, sur les branches basses ombragées (*cf.* sapin de Vancouver, p. 74 – mais *bien plus courtes*) ; courbées et disposées en brosse sur le dessus des rameaux fertiles (comme toutes les feuilles du sapin du Caucase, p. 70). **Cônes.** En haut des vieux arbres ; bruns ; bractées des écailles saillantes (6 à 7 mm) et courbées vers le bas ; se désarticulant sur l'arbre comme tous les cônes de sapin, donc peu utiles pour l'identification.
ESPÈCES VOISINES – Sapin de Vancouver (p. 74) : aiguilles plus longues en rangs très aplatis. Sapin du Caucase (p. 70) : feuilles toujours en brosse au-dessus du rameau et d'un blanc plus vif au revers ; plus fourni et plus brillant, avec une écorce moins écailleuse. Sapin du Roi Boris (ci-dessous).
CULTIVAR – 'Columnaris' : *branches fortement ascendantes.*
AUTRE ARBRE – Sapin de Sicile, *A. nebrodensis* : un des arbres les plus rares au monde (on en dénombrait 21 exemplaires dans les années 1970, sur le mont Scalone ; des mesures de protection ont permis une certaine régénération et on en trouve dans diverses collections en Europe, où il atteint jusqu'à 17 m) : bourgeons brun-rouge avec *beaucoup de résine blanche* ; feuilles (épineuses sur les rameaux vigoureux) courbées vers le bas et disposées en brosse sur tous les rameaux.

Sapin du Roi Boris *Abies borisii-regis*

S Bulgarie et NE Grèce. 1883. Rare.
ASPECT – **Silhouette.** Arbre robuste, vigoureux. **Écorce.** Gris foncé ; plaques carrées rugueuses. **Rameaux.** Avec des *poils plus denses, brun plus pâle* que chez le sapin argenté. **Feuilles.** Plus perpendiculaires, en plusieurs rangs très serrés ; *plus étroites* et brillantes, rarement échancrées ; parfois une tache blanche dessus, près de la pointe (*cf.* sapins de Cilicie et de Bornmüller, p. 70). **Cônes.** Bractées étalées.
ESPÈCES VOISINES – Sapin de Grèce var. *graeca* (p. 76) : rameaux glabres. Sapin rouge (p. 74) : feuilles généralement échancrées et silhouette plus élancée.

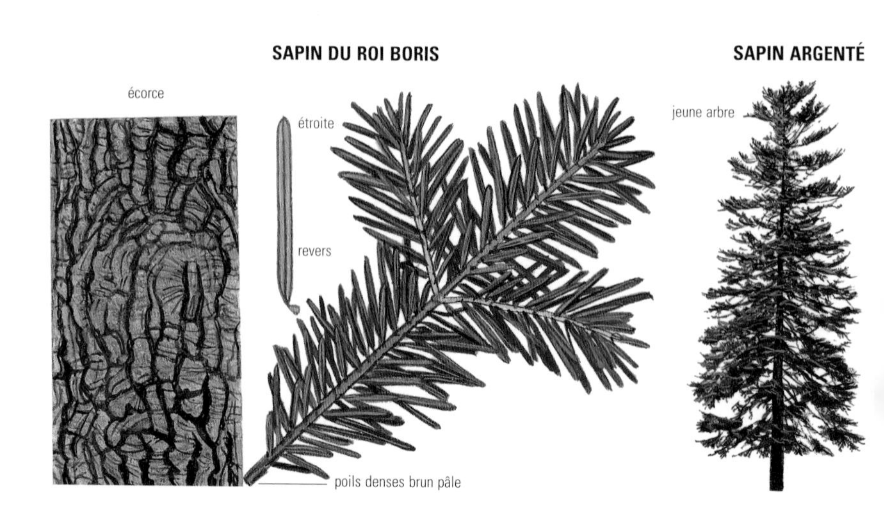

SAPIN ARGENTÉ

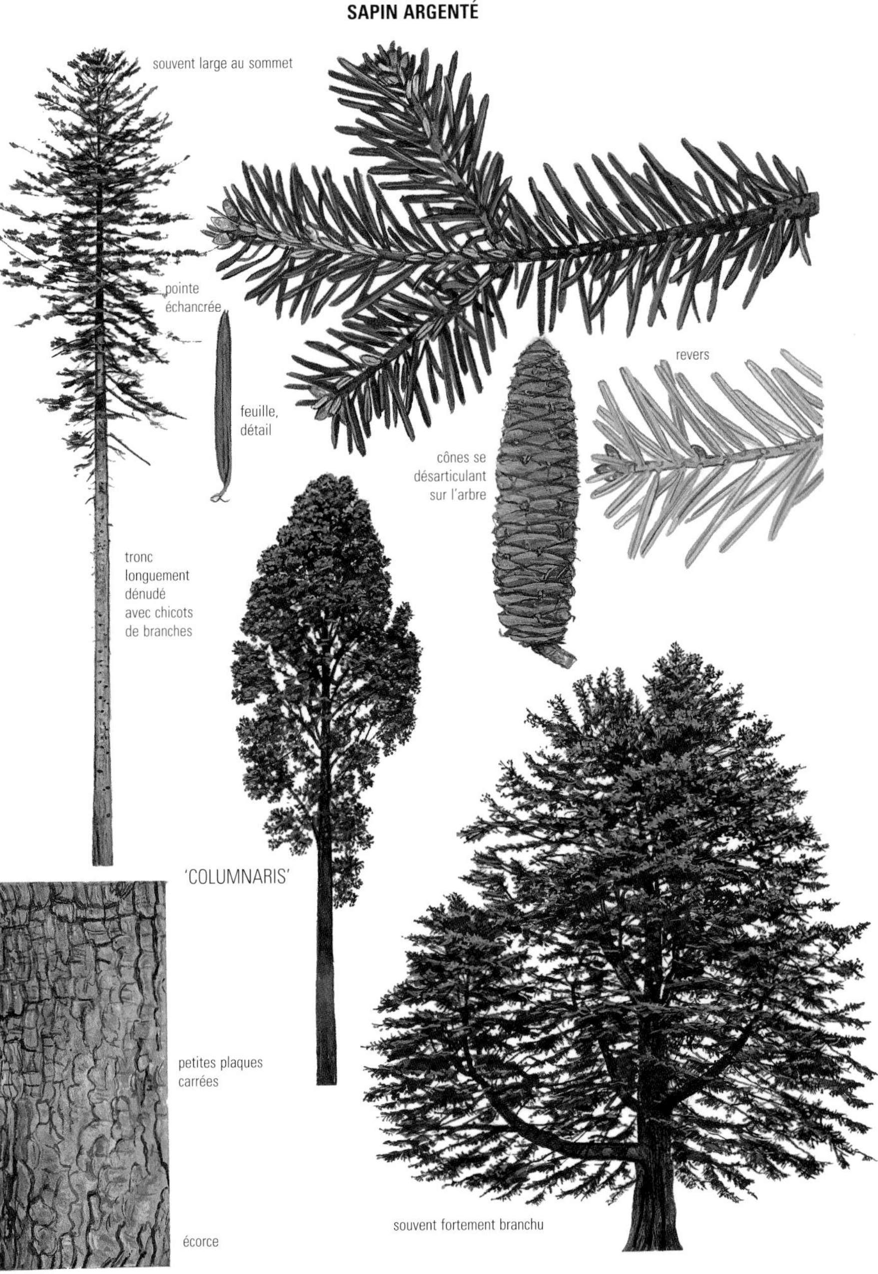

SAPIN ARGENTÉ

SAPIN DU ROI BORIS

SAPINS (ASIE OCCIDENTALE)

Sapin du Caucase *Abies nordmanniana*

(Sapin de Nordmann) NE Turquie et O Caucase ; le plus grand arbre d'Europe (jusqu'à 70 m dans ces régions). 1848. Peu répandu ; plus fréquent au nord et à l'ouest. Prisé comme sapin de Noël car ses aiguilles ne tombent pas (elles peuvent persister pendant 25 ans !).
ASPECT – **Silhouette.** Étroite, dense ; plus colonnaire avec l'âge ; jusqu'à 50 m ; presque toujours avec *un tronc droit jusqu'au sommet.* **Écorce.** Grise ; se fissurant en plaques carrées avec l'âge. **Rameaux** Brun-gris verdâtre ; poils sombres épars. **Bourgeons.** Brun pâle, non résineux. **Feuilles.** Vert brillant ; insérées à 30°, disposées en brosse sur la plupart des rameaux (mais avec un vide au milieu sur ceux ombragés et chétifs), généralement échancrées au sommet ; raies blanches au revers ; légère odeur fruitée. **Cônes.** Écailles à bractées saillantes et réfléchies sur 2 cm.
ESPÈCES VOISINES – Sapin de Veitch (p. 72) : le moins rare des nombreux petits sapins aux feuilles droites disposées plutôt vers l'avant et toutes en brosse sur le dessus du rameau. Les autres sont les sapins de Bornmüller et de Cilicie (ci-dessous), le sapin rouge (p. 74), le sapin de Mandchourie (p. 84), le sapin Pindrow (p. 80), le sapin de Farges (p. 82), le sapin écailleux (p. 86) – tous des arbres de collection. Sapin de Douglas vert (p. 120) : même disposition des feuilles, mais bourgeons effilés et feuilles bien plus fines et douces. Sapin argenté (p. 68) : feuilles en rangs plus aplatis ; arbre plus rugueux, sombre et écailleux.
CULTIVARS – var. *equi-trojani* (*A. equi-trojani*), hôte du mont Ida (O Turquie), proche du sapin de Bornmüller : bourgeons légèrement résineux ; feuilles vert-jaune brillant sur des rameaux *brun-jaune clair* (*cf.* sapin de Cilicie), parfois marquées de blanc vers la pointe.

Sapin de Bornmüller *Abies bornmuelleriana*

N Turquie – forme de transition entre les sapins du Caucase et de Grèce. Très rare.
ASPECT – **Silhouette.** Souvent large, robuste, jusqu'à 35 m. **Écorce.** Noir pourpré, plus largement craquelée que celle du sapin du Caucase. **Rameaux.** *Brun-rouge brillant*, glabres. **Feuilles.** Plus longues, redressées, souvent nettement séparées sur le dessus du rameau ; 2 fines raies argentées sur la face supérieure vers la base ou en une *tache unique à la pointe.*
ESPÈCES VOISINES – Sapin de Cilicie (ci-dessous) : écorce plus pâle et rameaux brun plus pâle (parfois poilus). Sapin de Numidie (p. 80), sapin écailleux et sapin de Corée (p. 86) : feuilles également tachées de blanc vers la pointe, mais plus courtes, plus perpendiculaires au rameau. Sapin de l'île Sakhaline (p. 72) : feuilles très fines. Sapin noble (p. 88) et sapin de l'Arizona (p. 78) : raie(s) blanche(s) sur le dessus des feuilles incurvées ; feuillage glauque.

Sapin de Cilicie *Abies cilicica*

De SE Turquie à la Syrie. 1855. Collections.
ASPECT – Diffère du sapin du Caucase par : **Écorce.** Plus lisse, grise, avec des anneaux noirs *bien marqués* autour des cicatrices laissées par les branches tombées (*cf.* sapin de Veitch, p. 72 ; sapin de Maries, p. 74 ; sapin noble, p. 88). **Rameaux.** Presque glabres et typiquement *brun doré* (*cf.* var. *equi-trojani*, ci-dessus). **Feuilles.** Plus espacées ; odeur de persil ; légèrement argentées sur le dessus près de la pointe *rarement échancrée.* **Cônes.** *Bractées non apparentes.*

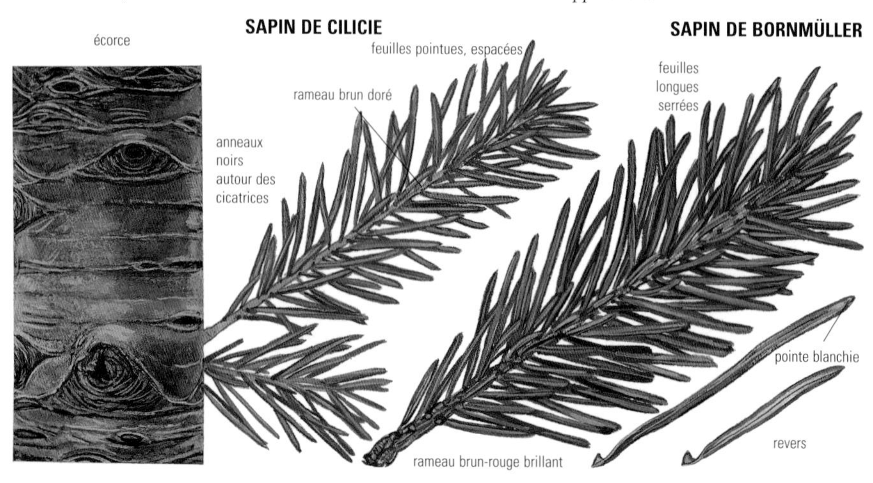

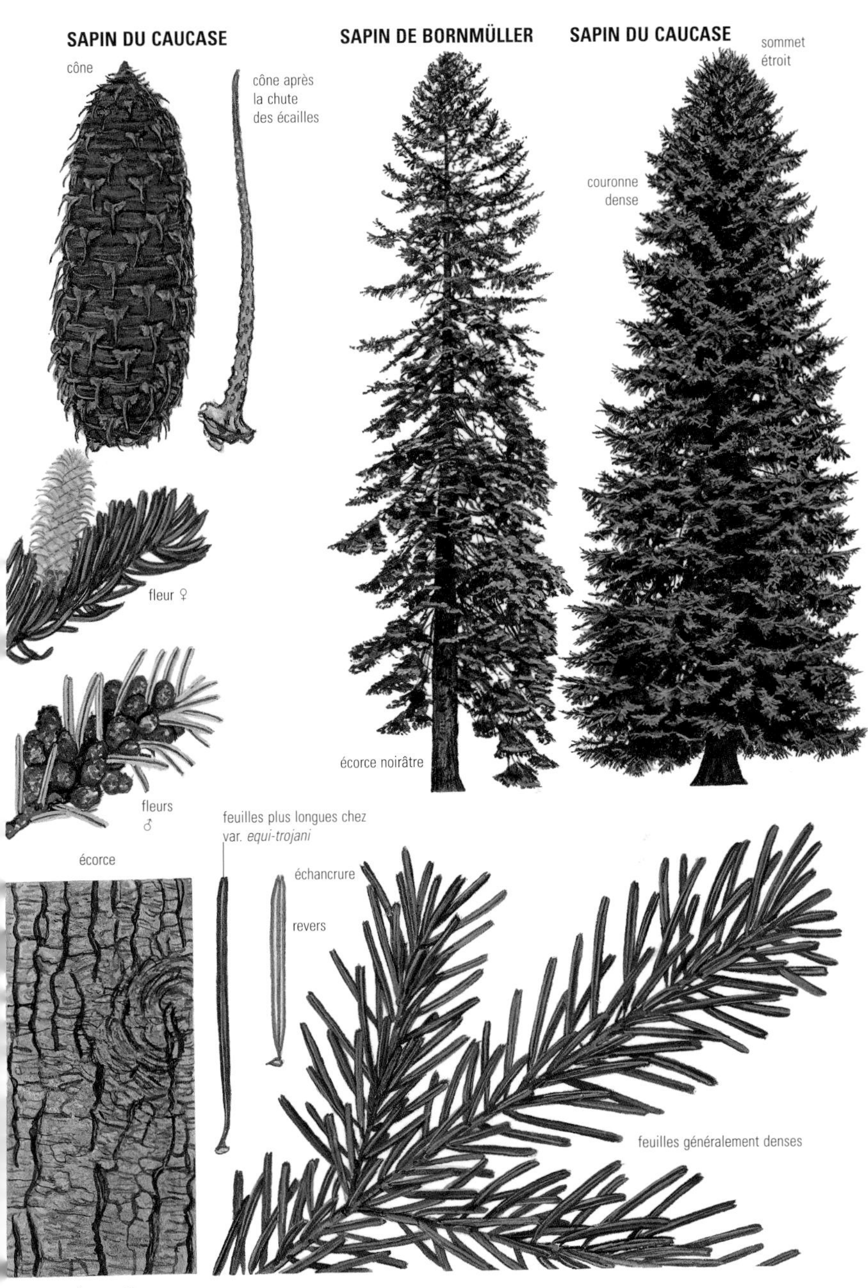

SAPIN DU CAUCASE

Sapin de Veitch *Abies veitchii*

Japon. 1879. Assez rare.
Aspect – Silhouette. Étroitement conique, jusqu'à 28 m ; extrémité des branches relevées montrant le revers argenté des feuilles ; couronne plus creuse et dégarnie si l'air est sec. **Écorce.** Grise (souvent pâle) ; finement écailleuse ou verruqueuse, se fissurant en plaques carrées à la base avec l'âge ; gros troncs *cannelés, avec des trous* sous les branches. **Rameaux.** Gris chamois pâle ; finement poilus. **Bourgeons.** *Pourpre-rouge, résineux.* **Feuilles.** Vert sombre assez brillant (*cf.* sapin de Forrest, p. 82), à raies blanches au revers et forte odeur de résine ; toutes disposées en brosse sur le dessus du rameau (pointant vers l'avant à 45°) et *brusquement plus courtes* dans sa partie terminale ; extrémité des feuilles *large* et échancrée (sur les rameaux stériles). **Cônes.** Petits (6 cm) et abondants dans le haut de l'arbre ; pourpre-bleu (rarement verts) à maturité ; bractées *saillantes sur 2 à 3 mm.*
Espèces voisines – Sapins de Sibérie orientale, de l'île Sakhaline et de Sibérie (ci-dessous). Sapin du Caucase (p. 70) : tronc se fissurant rapidement en plaques carrées ; cônes et bourgeons brun terne. Sapin rouge (p. 74) : plus proche.

Sapin de Sibérie orientale *Abies nephrolepis*

N Chine, E Sibérie et Corée. 1908. Petit arbre assez semblable au sapin de Veitch (ci-dessus). Rare.
Aspect – Silhouette. Conique dense et trapue, jusqu'à 15 m ; branches courtes. **Écorce.** Gris rosé terne, verruqueuse ; tronc peu cannelé. **Rameaux.** Fauves, brillants, très finement poilus. **Feuilles.** *Vert-gris terne,* plus étroites et moins vivement rayées de blanc dessous que celles du sapin de Veitch ; odeur de peinture ; rameau commençant *à s'effiler à mi-longueur.* **Cônes.** Pourpres ou (f. *chlorocarpa*) verts à maturité ; bractées saillantes dressées.

Sapin de l'île Sakhaline *Abies sachalinensis*

N Japon, île Sakhaline et Kouriles. 1879. Rare. Proche du sapin de Veitch.
Aspect – Silhouette. Typiquement conique étroite, jusqu'à 20 m. **Écorce.** Brun grisé ou noirâtre ; lisse mais striée de lenticelles brun-rouge ; porte souvent des rejets (*cf.* sapin Min, p. 84). **Rameaux.** Plus brillants que ceux du sapin de Veitch ; légèrement *côtelés* et finement poilus. **Bourgeons.** Débourrent très tôt dans l'ouest de l'Europe. **Feuilles.** Très *denses, douces et fines* (30 × 1 mm ; *cf.* douglas vert, p. 120) ; *vert pré pendant 1 an,* avec une minuscule tache argentée dessus vers la pointe ; raies blanches au revers moins vives que chez le sapin de Veitch ; odeur de bois de cèdre. **Cônes.** Bractées saillantes étalées.
Espèces voisines – Sapin de Sibérie (ci-dessous) ; sapin de Mandchourie (p. 84) : feuilles moins étroitement pointues, plus dressées sur le rameau lisse.

Sapin de Sibérie *Abies sibirica*

N Russie, Sibérie. Arbre de la taïga poussant jusqu'au cercle arctique, adapté aux hivers longs et aux printemps soudains. Rare ailleurs.
Aspect – Semblable au sapin de l'île Sakhaline (ci-dessus) sauf : **Rameaux.** *Couleur miel* et poils blancs souvent denses. **Bourgeons.** Brun-jaune ; parfois en amas englués de résine blanche. **Feuilles.** Vert *jaunâtre ;* forte odeur de résine. **Cônes.** Bractées *non saillantes.*

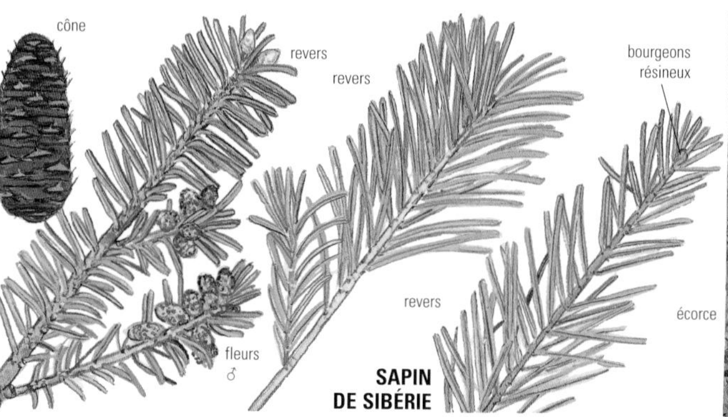

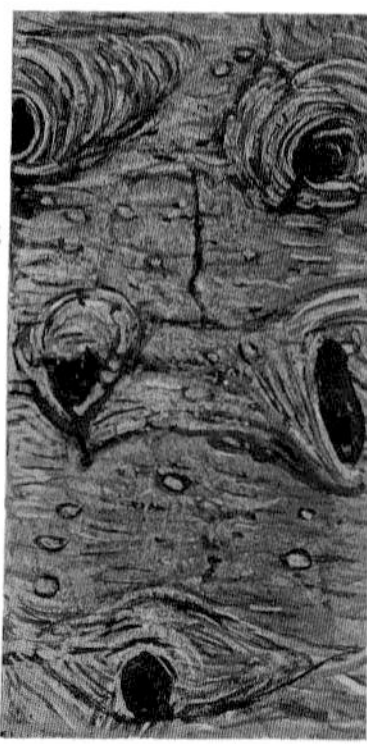

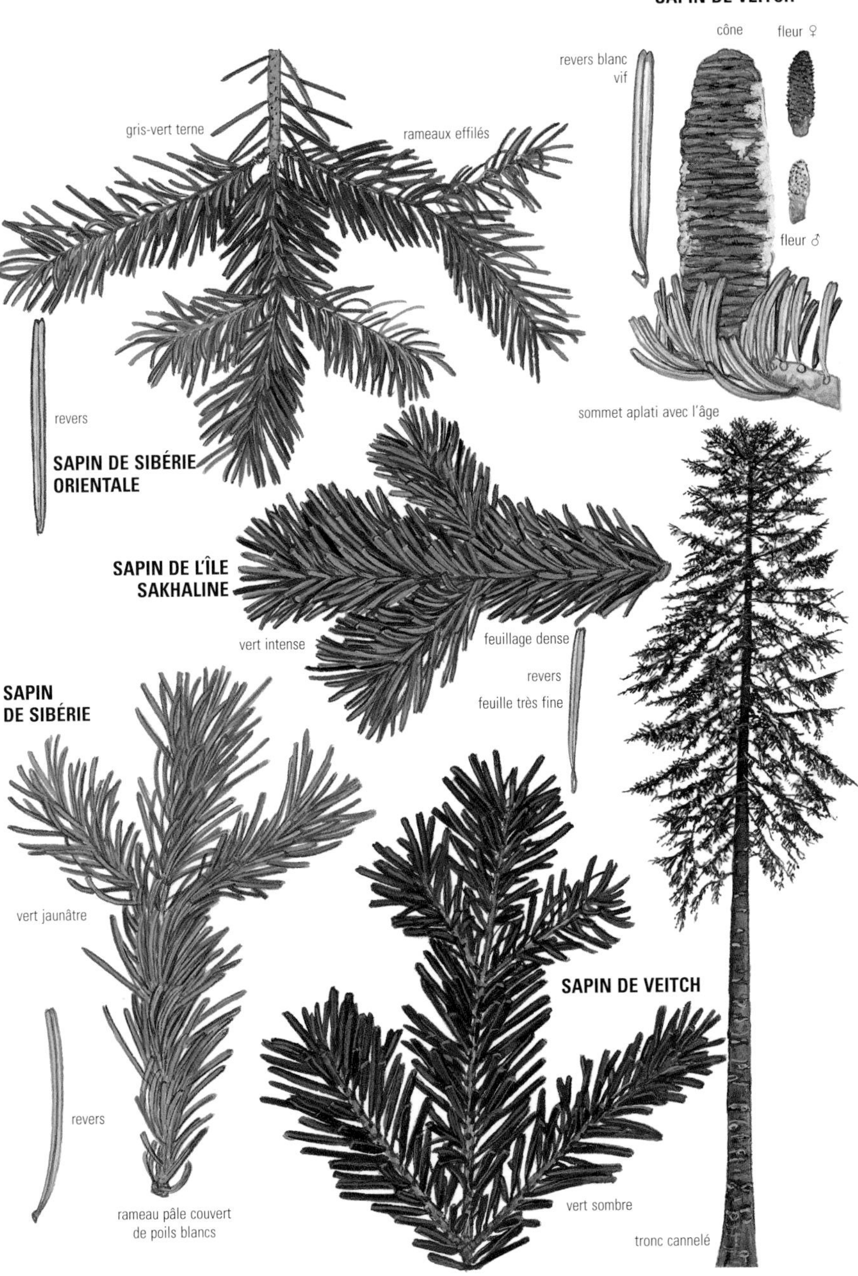
SAPIN DE VEITCH
cône
fleur ♀
revers blanc vif
fleur ♂
gris-vert terne
rameaux effilés
revers
SAPIN DE SIBÉRIE ORIENTALE
sommet aplati avec l'âge
SAPIN DE L'ÎLE SAKHALINE
vert intense
feuillage dense
revers
feuille très fine
SAPIN DE SIBÉRIE
vert jaunâtre
revers
rameau pâle couvert de poils blancs
SAPIN DE VEITCH
vert sombre
tronc cannelé

Sapin rouge *Abies amabilis*

De S Alaska à N Californie. 1830. Rare. Absent des régions sèches.
Aspect – **Silhouette.** Conique, élancée et vert sombre en situation favorable ; jusqu'à 40 m. **Écorce.** Grise ; légèrement subéreuse, marquée horizontalement de boursouflures blanches de résine ; peu fissurée. **Rameaux.** Fins, gris orangé ; poils courts, *abondants*. **Bourgeons.** Semblables à des *petites perles grises* (3 mm ; *cf.* sapin de Vancouver, ci-dessous). **Feuilles.** Jusqu'à 3 cm, brillantes, généralement échancrées ; raies blanc vif au revers ; disposées toutes en brosse sur le dessus de la plupart des rameaux (très peu dessous), mais plus aplaties et évasées que chez les autres sapins similaires, donnant des ramilles *larges, peu épaisses* ; odeur de *mandarine* (*cf.* sapin de Vancouver). **Cônes.** Pourprés à maturité ; bractées non saillantes.
Espèces voisines – Sapin de Maries (ci-dessous). Sapins du Caucase (p. 70) et de Veitch (p. 72) : rameaux plus épais, moins poilus et feuilles pointant plus vers l'avant et plus dressées. Sapin du Roi Boris (p. 68) : rameaux poilus, feuilles à bout arrondi et couronne large. Sapin de Sibérie (p. 72) : rameaux brun pâle, feuilles fines. Sapin de Smith (p. 82) : feuilles disposées tout autour du rameau.

Sapin de Maries *Abies mariesii*

Centre du Japon. 1879. Rare. Jusqu'à 20 m.
Aspect – Diffère du sapin rouge (ci-dessus) par : **Écorce.** Gris argenté, *tachetée* de lenticelles noirâtres ; anneaux autour des cicatrices laissées par les branches (*cf.* sapin de Cilicie, p. 70). **Rameaux.** Rose orangé plus vif, *très poilus*. **Bourgeons.** Également semblables à des perles mais devenant *cramoisi* vif en fin de printemps. **Feuilles.** *Plus courtes* (2 cm), pointant plus vers l'avant et moins aplaties, ou courbées vers le haut (d'où un rameau ***plus étroit***) ; odeur de *gingembre*.
Espèces voisines – Sapin de Smith (p. 82) : feuilles disposées tout autour du rameau. Sapin du Roi Boris (p. 68).

Sapin de Vancouver *Abies grandis*

(Sapin géant) De Vancouver à la Californie. 1832. Rare dans les régions sèches. Un sapin vigoureux en climat océanique, pouvant atteindre 62 m.
Aspect – **Silhouette.** D'abord étroitement conique, puis large et colonnaire ; si la cime se casse, de nombreuses nouvelles pousses apparaissent au sommet, proches les unes des autres. **Écorce.** Gris argenté ou pourpré, se fissurant avec l'âge en plaques rectangulaires. **Rameaux.** *Vert olive* brunâtre (orangé grisâtre terne la deuxième année). **Bourgeons.** Semblables à de *minuscules* perles grises (2 mm). **Feuilles.** Longues (25 à 30 mm) et disposées nettement plus à plat que celles des autres sapins (mais courbées sur les rameaux fertiles) ; raies blanches étroites au revers ; agréable odeur de mandarine. **Cônes.** Petits (8 cm) et dressés, sur les vieux arbres ; bractées non saillantes.
Espèces voisines – Sapin de Low (p. 76) : écorce fissurée noirâtre, plus rugueuse ; rameaux orangé plus vif la deuxième année. Sapin argenté (p. 68) : feuilles également disposées à plat mais bien plus courtes ; arbre plus sombre, plus écailleux ; rameaux gris-brun, bourgeons plus gros et bractées saillantes. Les rameaux verdâtres et les feuilles disposées en rangs rappellent les torreyas (p. 24 ; aiguilles jamais échancrées). Sapin de l'Himalaya (p. 80) : feuilles longues disposées en multiples rangs horizontaux.

SAPIN DE MARIES

rameau rose orangé, très poilu

SAPIN DE VANCOUVER

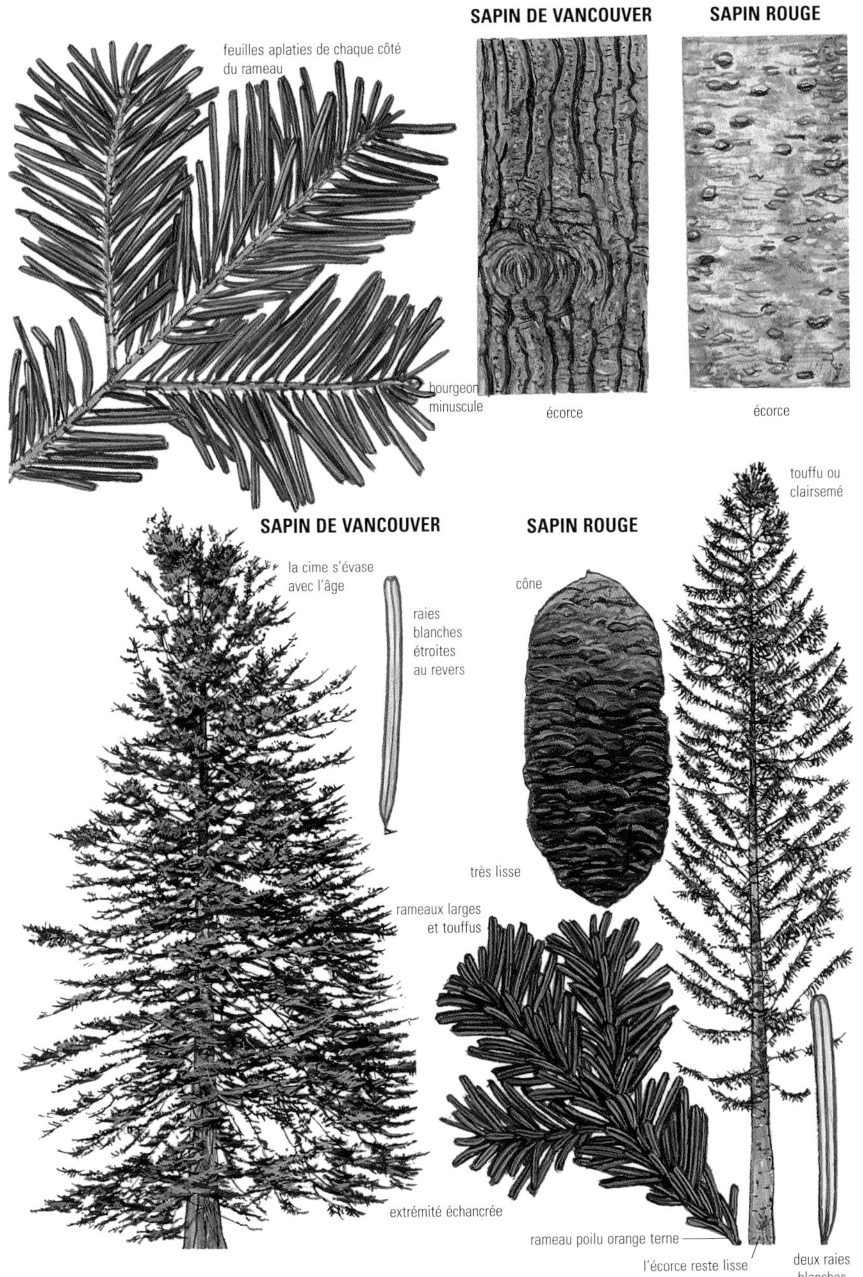
SAPIN DE VANCOUVER
SAPIN ROUGE
feuilles aplaties de chaque côté du rameau
bourgeon minuscule
écorce
écorce
touffu ou clairsemé
SAPIN DE VANCOUVER
SAPIN ROUGE
la cime s'évase avec l'âge
cône
raies blanches étroites au revers
très lisse
rameaux larges et touffus
extrémité échancrée
rameau poilu orange terne
l'écorce reste lisse
deux raies blanches au revers

Sapin blanc du Colorado *Abies concolor*

De l'Utah à N Mexique. 1873. Rare ; grands jardins.
Aspect – **Silhouette.** Conique, ouverte. **Écorce.** Gris foncé ; lisse. **Feuilles.** Grises, épaisses, toutes courbées verticalement sur le dessus du rameau ; rappelant un peu celles du sapin noble (p. 88) mais bien *plus longues* (5 cm) et *plus éparses* ; odeur de citronnelle. **Cônes.** Bractées non saillantes.
Cultivars – Sapin bleu du Colorado (f. *violacea*), peu répandu, parcs et jardins : *feuillage très gris* ; nettement conique, très décoratif quand il est jeune. 'Candicans' : feuilles gris argenté pâle. 'Wattezii' : feuilles *crème* quand elles sortent, puis gris-bleu.

Sapin de Low *Abies concolor* var. *lowiania*

(*A. lowiana*) Oregon, Californie ; forme de transition entre l'espèce type et le sapin de Vancouver (p. 74). 1851. Peu répandu ; grands jardins.
Aspect – **Silhouette.** D'abord gracieusement conique, surtout dans la zone N. S'arrondissant au sommet avec l'âge (les arbres bien abrités restent élancés) ; jusqu'à 53 m. **Écorce.** Fissurée et subéreuse ; vite plus rugueuse que celle des autres sapins ; noirâtre dans la zone N (presque comme le douglas vert, p. 120). **Feuilles.** Semblables à celles du sapin de Vancouver (p. 74) dans la zone N ; plus grises dans la zone S, étalées de chaque côté du rameau et courbées vers le haut à 45°, mais pas aussi verticales que celles de l'espèce type.
Espèces voisines – Sapin de Vancouver (p. 74). Les arbres de la zone nord diffèrent par leur écorce et leurs rameaux orangé plus vif la deuxième année. Les arbres de la zone sud ressemblent plus au sapin blanc du Colorado (ci-dessus) ou au sapin noble (p. 88), mais ont des feuilles plus longues, moins glauques, pas toutes disposées sur le dessus du rameau.

Sapin de Grèce *Abies cephalonica*

Dans les montagnes de Grèce. 1824. Très peu répandu. Tolère bien les climats secs, mais souffre des gelées tardives.
Aspect – **Silhouette.** Conique, mais pas longtemps ; *branches basses massives* et tronc bosselé, souvent déjeté, forment une couronne large, ouverte, assez hérissée ; jusqu'à 40 m. **Écorce.** Gris terne ; se fissurant rapidement en plaques carrées très bosselées. **Rameaux.** Vigoureux, glabres, brun pâle brillant ; souvent peu visibles sous les disques des feuilles. **Feuilles.** *Raides, disposées radialement tout autour du rameau* (un peu plus au-dessus) ; 2 à 3 cm ; vert brillant dessus avec *2 étroites* raies blanchâtres au revers, coriaces, *épineuses* ; odeur balsamique ; angle d'insertion plus large que chez le sapin argenté (p. 68). **Cônes.** Abondants au sommet des vieux arbres ; 15 cm ; bractées saillantes pendantes.
Espèces voisines – Sapin d'Espagne (p. 78), le plus proche parmi les sapins aux feuilles disposées tout autour du rameau : feuilles plus courtes, arrondies, rayées ou tachetées de blanc dessus. *Abies × vilmorinii*, hybride entre le sapin d'Espagne et le sapin de Grèce : feuilles plus épaisses, plus espacées ; raies vert pâle terne dessous. Sapin Min (p. 84) : disposition radiale moins nette des feuilles ; écorce différente. Sapins de Numidie (p. 80) et de Corée (p. 86) : feuilles courtes, *émoussées*, tout autour du rameau. Sapin noble (p. 88) : feuilles plus ou moins courbées vers le haut.
Cultivar – *A. cephalonica* var. *graeca* (var. *apollinis*, pas toujours distinctes), plus fréquente en Grèce mais moins en Europe du Nord : souvent très colonnaire ; feuilles plus serrées, non épineuses ; répartition moins homogène autour du rameau ; le feuillage rappelle celui du sapin du Roi Boris (p. 68), mais les rameaux sont *glabres*.

SAPIN DE GRÈCE

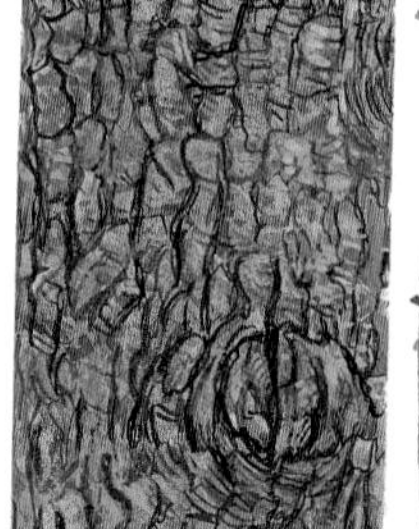

SAPIN DE GRÈCE var. *GRAECA*

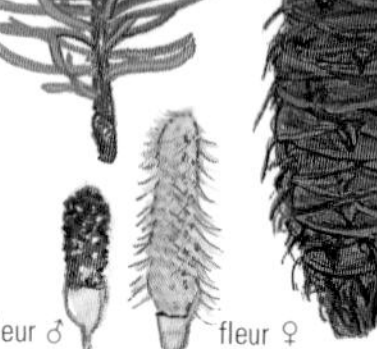

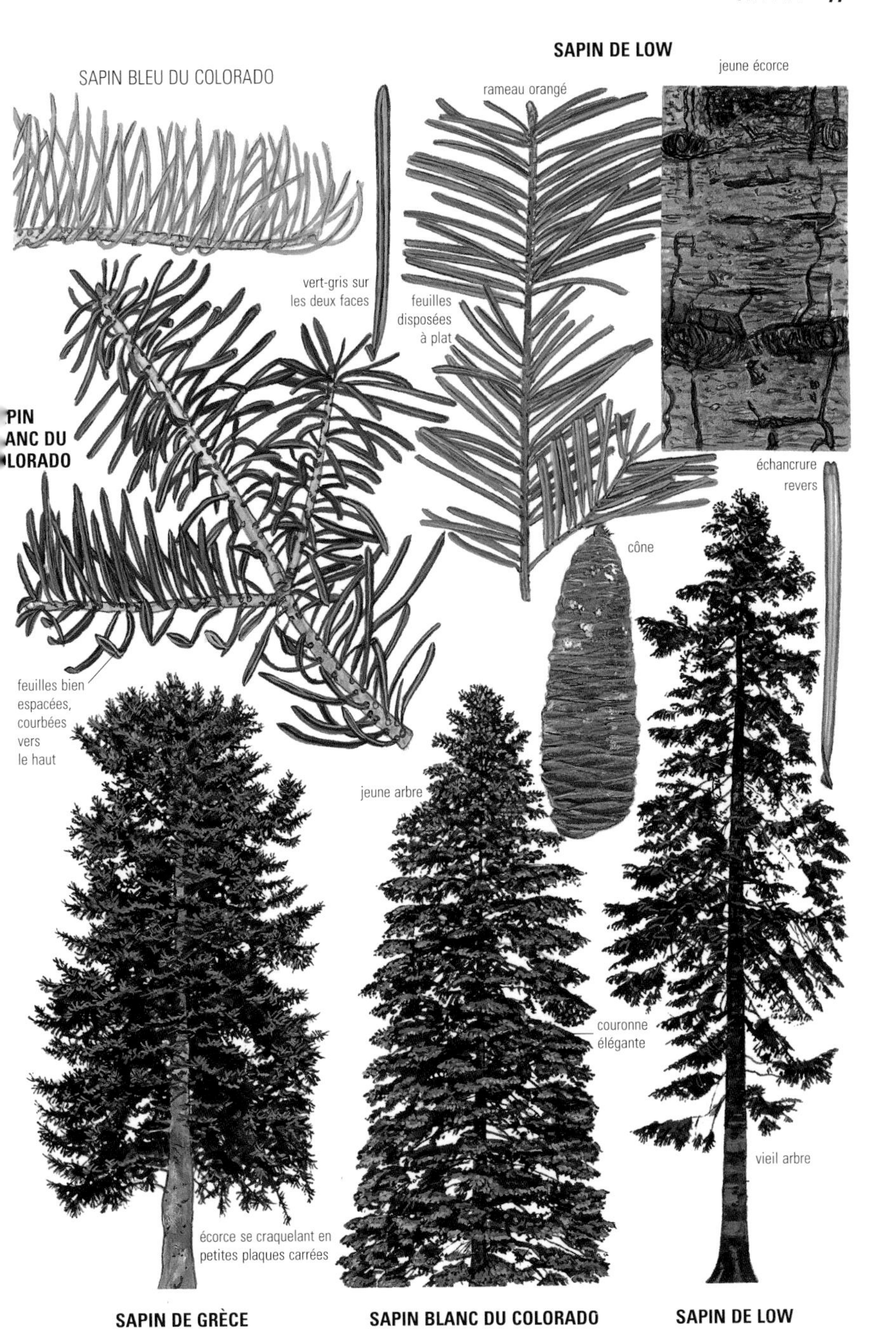

SAPIN DE GRÈCE

SAPIN BLANC DU COLORADO

SAPIN DE LOW

Sapin de l'Arizona

Abies lasiocarpa var. arizonica

(*Abies bifolia* var. *arizonica*) De l'Arizona au Colorado. 1903. Un bel arbre *bleu foncé* appréciant surtout les climats frais et humides ; grands jardins.
ASPECT – **Silhouette.** Conique, dense et étroite ; jusqu'à 20 m ; parfois fourchue mais avec les sommets proches. **Écorce.** Pâle, *épaisse et subéreuse.* **Rameaux.** Brun-gris clair, finement velus. **Feuilles.** Dressées sur les rameaux, presque à la verticale (*cf.* sapin noble, p. 88) ; fines, arrondies au sommet, grisâtres ; 1 raie médiane blanche dessus et 2 raies blanches au revers ; odeur balsamique. **Cônes.** Bractées non saillantes.
ESPÈCES VOISINES – Sapin écailleux (p. 86) : feuilles gris plus foncé, plus perpendiculaires ; écorce très différente. Sapin bleu du Colorado (p. 76) : feuilles plus longues, plus éparses, uniformément grises.
CULTIVARS – 'Compacta' : semi-nain ; feuilles disposées tout autour du rameau ; très rare.
Le sapin des montagnes, l'espèce type, produit une couronne conique élancée, très étroite, lui permettant de résister au poids de la neige dans les hautes montagnes de l'ouest de l'Amérique du Nord : écorce *grise*, verruqueuse ; feuilles plus vertes avec des raies grises *brisées* dessus.
AUTRE ARBRE – Le sapin de Formose, *A. kawakamii* (des hautes montagnes de l'île ; 1929 ; arbre de collection dense mais largement conique) : écorce liégeuse mais se desquamant en lambeaux plus fins ; feuilles fines, rigides, disposées sur 2 ou plusieurs rangs (*cf.* sapin de l'Himalaya, p. 80) de chaque côté du rameau brun pâle brillant, poilu, *presque aussi épais que les feuilles de la rangée supérieure sont longues* ; bractées non saillantes.

Sapin d'Espagne

Abies pinsapo

S Espagne, sur les versants ombragés de quelques sommets montagneux au-dessus de Ronda. 1839. Accepte assez bien les conditions sèches et les sols calcaires.
ASPECT – **Silhouette.** Conique, jusqu'à 30 m, puis moins ordonnée avec l'âge, dense par endroits, creuse à d'autres ; *grisâtre* – bleu pâle sur les sélections greffées ('Glauca'). **Écorce.** Gris foncé, se fissurant en petites plaques anguleuses. **Rameaux.** Brun verdâtre. **Feuilles.** Serrées, disposées tout autour du rameau (légèrement séparées dessous sur les jeunes arbres ou les rameaux à l'ombre) *perpendiculairement à lui ou légèrement recourbées vers l'arrière* ; courtes (15 mm), épaisses et raides, avec une extrémité émoussée et de larges *raies grises sur chaque face* (un peu plus blanches dessous chez 'Glauca'). **Cônes** Nombreux au sommet des vieux arbres, vert vif durant l'été ; bractées non saillantes.
ESPÈCES VOISINES – Sapin de Numidie (p. 80) : arbre sombre aux feuilles plus larges, à raies bien plus blanches dessous que dessus. Sapin de Grèce (p. 76) : feuilles plus longues, plus pointues, vertes dessus et étroitement rayées de blanc dessous. Sapin noble (p. 88) : aspect similaire de loin ; conserve une écorce plus argentée, aux plaques moins carrées ; rameaux de feuilles plus longues, plus ou moins courbées vers le haut.
AUTRES ARBRES – *A.* × *vilmorinii* : hybride artificiel avec le sapin de Grèce (Paris, 1867), collections : arbre sombre, *ouvert, hérissé* ; feuilles légèrement plus longues (25 mm), bien plus éparses et pointues, vert foncé dessus et rayées de vert pâle dessous.

ABIES × VILMORINII
SAPIN D'ESPAGNE
feuilles perpendiculaires au rameau
écorce
fleur ♂
deux raies grises sur chaque face
large disque
feuilles largement espacées
revers
gris-bleu variable
feuilles raides émoussées
sommet effilé
SAPIN D'ESPAGNE
cône
SAPIN DES MONTAGNES
revers
deux raies blanches
vieil arbre
arbre sauvage
SAPIN DES MONTAGNES
cône
fleurs ♂
fleur ♀

Sapin de Numidie *Abies numidica*

(Sapin d'Algérie, sapin de Kabylie) mont Babor, Algérie. 1862. Assez rare, mais résistant bien à la sécheresse et au calcaire.

ASPECT – **Silhouette.** Conique, robuste, puis en colonne compacte, jusqu'à 35 m ; vert sombre. **Écorce.** Gris rosé, se fissurant en plaques *arrondies*. **Feuilles.** Courtes (jusqu'à 2 cm), épaisses, coriaces ; *serrées, disposées radialement tout autour du rameau* glabre, brun brillant ; *extrémité arrondie* ; vert-bleu foncé ; rayées de gris dessus ou tachées de blanc près du sommet ; raies blanc *plus vif* au revers. **Cônes.** Au sommet des vieux arbres ; vert pâle à maturité ; bractées non saillantes.

ESPÈCES VOISINES – Sapin d'Espagne (p. 78) : écorce gris foncé ; couronne ouverte, creuse ; raies du même gris sur les deux faces. Sapin de Corée (p. 86) : petit, conique, se couvrant rapidement de cônes pourpres ; feuilles souvent échancrées, très blanches dessous. Sapin écailleux (p. 86) : feuilles nettement séparées sous le rameau ; écorce papyracée. Sapin de Grèce (p. 76) : feuilles bien plus longues, plus espacées, généralement pointues.

Sapin de l'Himalaya *Abies spectabilis*

(*A. webbiana, A. brevifolia*) Himalaya, à haute altitude. 1822. Rare. Apprécie les climats humides.

ASPECT – **Silhouette.** Typiquement large et irrégulière, avec des branches lourdes émettant facilement des rejets ; jusqu'à 30 m. **Écorce.** Se fissurant tôt pour un sapin, en plaques écailleuses gris rosé. **Rameaux.** Rougeâtres, très vigoureux ; poils sombres dans les *sillons profonds*. **Feuilles.** Très longues (jusqu'à 6 cm ; *cf.* sapin Pindrow, ci-dessous ; sapin de Santa Lucia, p. 88) ; profondément rainurées dessus et rayées de blanc dessous ; pointe émoussée, échancrée ou bifide ; courbées vers le bas en plusieurs *rangs serrés* de chaque côté du rameau. **Cônes.** Bractées à peine saillantes.

ESPÈCES VOISINES – Sapin de Nikko (p. 86) : écorce plus lisse ; feuilles bien plus petites ; rameau brun-blanc. Sapin de Farges (p. 82) : rameaux souvent pourpres et raies plus étroites et plus ternes au revers. Sapin de Faber (p. 82) : écorce similaire mais feuilles plus courtes et rameaux plus poilus.

Sapin Pindrow *Abies pindrow*

O Himalaya, à des altitudes moins élevées que le sapin de l'Himalaya. 1837. Rare.

ASPECT – **Silhouette.** Étroitement conique, moins régulière avec l'âge ; jusqu'à 35 m. **Écorce.** Gris terne ; sillonnée mais pas en plaques. **Rameaux.** Gris rosé pâle, *très vigoureux* ; lisses et glabres. **Bourgeons.** Gros et rouges, blanchis par la résine. **Feuilles.** *Longues* et fines (60 × 2 mm), disposées sur le dessus du rameau et courbées *vers l'avant et latéralement*, formant des rangs de chaque côté ; raies gris verdâtre au revers ; généralement bifides (*cf.* sapin Momi du Japon, p. 84). **Cônes.** Bractées non saillantes.

ESPÈCES VOISINES – Sapin de l'Himalaya (ci-dessus). Sapin de Farges (p. 82) : rameaux plus foncés, souvent *pourpres*, finement poilus dans les *sillons peu marqués* ; feuilles plus droites, séparées sur le dessus du rameau. Sapin de Low (p. 76) : feuilles courbées vers le haut, rameaux fins et écorce anguleuse. Sapin de Mandchourie (p. 84) : feuilles plus petites, fines, plus dressées, non bifides. Autres sapins aux feuilles sur le dessus du rameau (*cf.* sapin du Caucase, p. 70) : feuilles ne dépassant pas 4 cm.

AUTRE ARBRE – *A. gamblei* (*A. pindrow* var. *brevifolia*), rare : feuilles plus courtes, arrondies, avec une raie blanchâtre dessus, disposées radialement autour du rameau rougeâtre, plus foncé (*cf.* sapin de Forrest, p. 82).

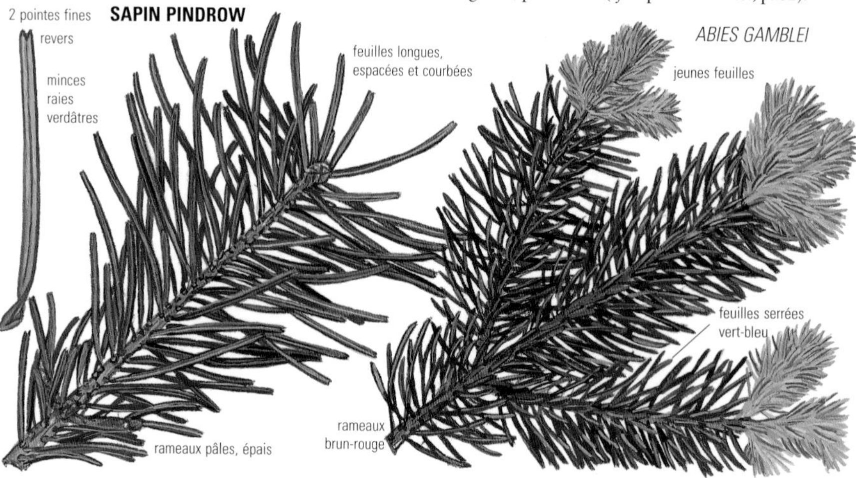

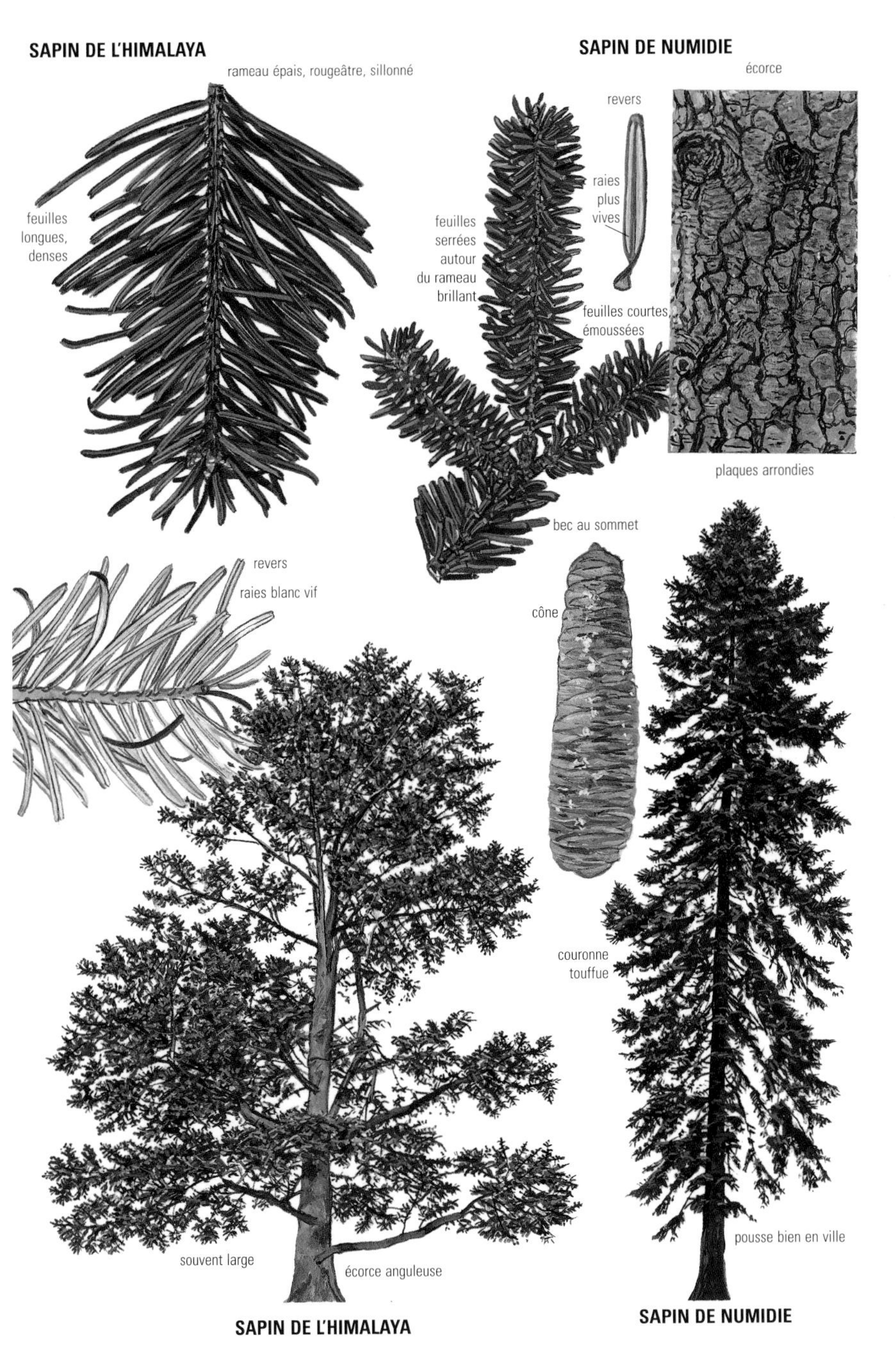
SAPIN DE L'HIMALAYA
rameau épais, rougeâtre, sillonné
feuilles longues, denses
revers
raies blanc vif
SAPIN DE NUMIDIE
écorce
revers
raies plus vives
feuilles serrées autour du rameau brillant
feuilles courtes, émoussées
plaques arrondies
bec au sommet
cône
couronne touffue
souvent large
écorce anguleuse
pousse bien en ville
SAPIN DE L'HIMALAYA
SAPIN DE NUMIDIE

Sapin de Farges *Abies fargesii*

(Comprenant *A. sutchuenensis*) O Chine. 1901. Assez rare.
Aspect – Silhouette. Étroitement conique, jusqu'à 24 m (parfois buissonnante en Europe). **Écorce.** Gris rosé, finement écailleuse. **Rameaux.** *Pourpres* (rarement plus orangés), puis brun chocolat ; parfois finement poilus mais jamais sillonnés. **Feuilles.** Vert *jaunâtre* foncé, brillantes ; entièrement séparées sous le rameau et plus ou moins dessus ; raies blanc terne au revers. **Cônes.** Bractées épineuses saillantes.
Espèces voisines – Sapin de Forrest (ci-dessous) : feuilles plus bleues, tout autour du rameau orangé. Sapin de Faber (ci-dessous) : écorce bien plus fissurée. Sapin de l'Himalaya (p. 80).

Sapin de Forrest *Abies forrestii*

(*A. delavayi* var. *forestii*) NO Yunnan (Chine). 1910. Fait partie d'un groupe de sapins des montagnes de SO Chine, très proches et souvent confondus. Peu répandu.
Aspect – Silhouette. Robuste, conique et le restant dans les zones humides ; jusqu'à 28 m ; beau feuillage luxuriant. **Écorce.** Grise, lisse ; se craquelant en plaques larges, rarement écailleuses. **Rameaux.** *Rouge orangé intense*, légèrement rugueux. **Feuilles.** Vert-bleu foncé légèrement brillant, jusqu'à 40 mm ; disposées *tout autour du rameau* sauf à l'ombre, mais plus densément au-dessus ; raies d'un blanc *éclatant* au revers ; odeur d'orange. **Cônes.** Fréquents même sur les jeunes arbres (voir sapin de Corée, p. 86) – d'un beau bleu pourpré à maturité ; bractées à pointe épineuse saillante.
Espèces voisines – Sapin de Farges (ci-dessus) : rameaux plus pourprés et feuilles vert-jaune foncé, nettement séparées sous le rameau. *A. gamblei* (p. 80) : feuilles d'un vert plus clair, plus ternes en dessous. Sapin de Veitch (p. 72) et sapin rouge (p. 74) : feuilles également foncées dessus et rayées de blanc éclatant au revers, mais nettement séparées sous les rameaux, sauf sous les plus vigoureux d'entre eux.
Cultivars – Sapin de Smith, var. *smithii* (*A. delavayi* var. *smithii, A. georgii, A. delavayi* var. *georgii* ; Yunnan ; 1923) : arbre variable à écorce plus brune *se craquelant rapidement (cf. sapin de l'Himalaya, p. 80) ; rameaux rouge orangé densément couverts de poils courts* (*cf.* sapin de Maries, p. 74) ; feuilles plus courtes, grisées.

Sapin de Faber *Abies fabri*

(*A. delavayi var. fabri*) O Sichuan (Chine). 1903. Rare ; variable.
Aspect – Silhouette. Conique large. **Écorce.** Se craquelant rapidement. **Rameaux.** Bruns à pourprés, pâles, brillants ; parfois poilus. **Feuilles.** Séparées sous et (étroitement) sur le rameau ; *bords enroulés vers le bas*. **Cônes.** Bractées à pointe épineuse saillante.
Espèces voisines – Sapin de l'Himalaya (p. 80) : feuilles plus grandes. Sapin de Farges (ci-dessus) : écorce plus grise, plus lisse. Chez les autres sapins à feuillage similaire, presque toutes les feuilles sont disposées sur le dessus du rameau – voir sapin du Caucase (p. 70).
Cultivar – ssp. *minensis* (*A. minensis ; A. faxoniana, A. delavayi* var. *faxoniana* ; NO Sichuan ; 1911) : rameaux *couleur miel*, sillonnés ; poils dans les sillons ou absents ; feuilles à *bords presque plats* ; raies au revers plus ternes ; parfois tache blanche dessus, près de la pointe.

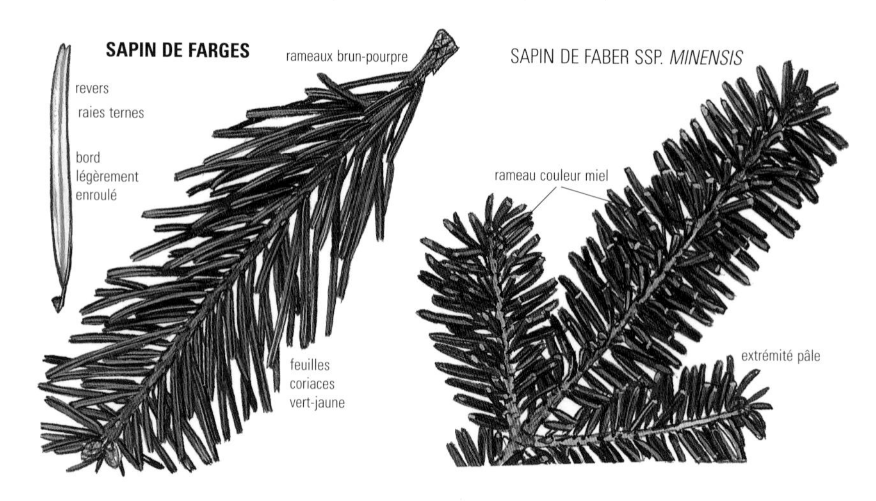

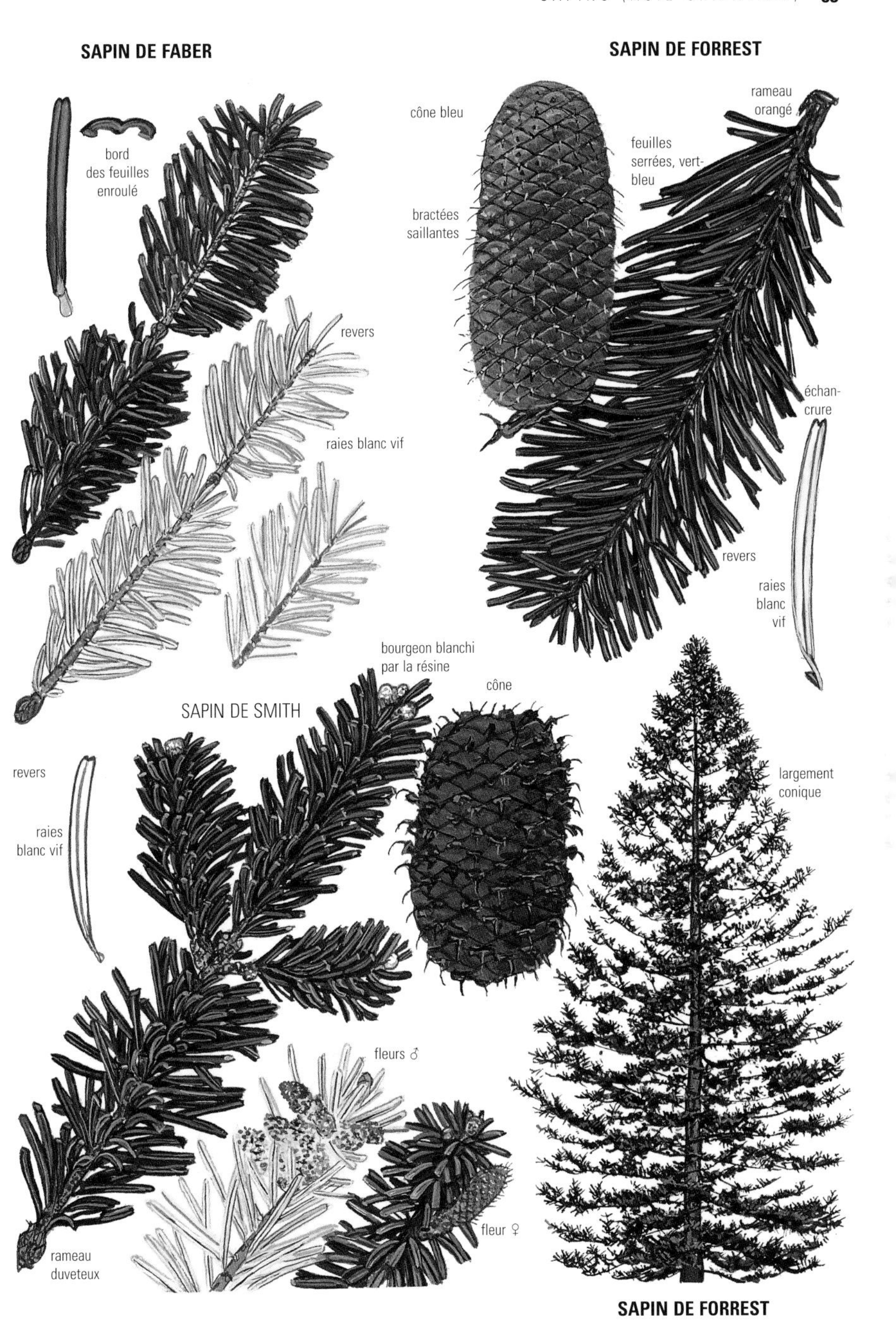
SAPIN DE FABER
bord
des feuilles
enroulé
revers
raies blanc vif
SAPIN DE FORREST
cône bleu
rameau
orangé
feuilles
serrées, vert-
bleu
bractées
saillantes
échan-
crure
revers
raies
blanc
vif
bourgeon blanchi
par la résine
cône
SAPIN DE SMITH
revers
raies
blanc vif
largement
conique
fleurs ♂
fleur ♀
rameau
duveteux
SAPIN DE FORREST

Sapin de Mandchourie *Abies holophylla*

Mandchourie, E Russie et Corée. 1908. Collections.
ASPECT – **Silhouette.** Conique ouverte, jusqu'à 20 m. **Écorce.** Gris orangé ou rosé pâle ; finement écailleuse. **Rameaux.** Vigoureux et glabres, légèrement côtelés, *ocre rosé* brillant. **Bourgeons.** *Gros et globuleux*, brun rougeâtre pâle. **Feuilles.** Vert brillant ; *fines* et assez longues (35 × 1 mm), comme celles du sapin de l'île Sakhaline (p. 72) mais plus raides, pointues (*presque jamais échancrées* ; *cf.* douglas à grands cônes, p. 120), et *dressées* presque à la verticale sur le dessus du rameau ; raies jaunâtres ternes, étroites, au revers. **Cônes.** Vert-jaune à maturité ; bractées non saillantes.
ESPÈCES VOISINES – *A. gamblei* (p. 80) : feuilles émoussées, disposées tout autour du rameau ; cônes pourpres. Sapin écailleux (p. 86) : feuilles plus courtes, grisâtres ; écorce plus grossière. Sapin des montagnes (p. 78) : raies plus vives au revers des feuilles, à peine marquées dessus.

Sapin Momi du Japon *Abies firma*

(A. bifida) S Japon. 1861. Rare.
ASPECT – **Silhouette.** Largement conique, robuste, jusqu'à 30 m ; branches légères régulièrement étagées. **Écorce.** Gris rosé ; finement écailleuse et verruqueuse avec l'âge, avec quelques plaques allongées vers la base. **Rameaux.** Brun pâle, sillonnés ; poils épars. **Feuilles.** Disposées radialement de chaque côté du rameau, laissant un vide en V au-dessus ; jaunâtres ; *épaisses, larges et coriaces* (30 × 4 mm), plus longues sur les jeunes arbres ; échancrées ou (sur les jeunes) bifides ; raies grises très légères au revers et tache blanchâtre dessus près de la pointe ; *très étroites à la base*, laissant filtrer la lumière le long du rameau. **Cônes.** Vert-jaune à maturité ; bractées saillantes (3 à 4 mm).
ESPÈCES VOISINES – Sapin de Nikko (p. 86) : similaire mais rameaux plus pâles et feuilles plus fines, rayées de blanc vif au revers. Sapin Min (ci-dessous).
AUTRE ARBRE – *A. chensiensis* ssp. *salouenensis* (de E Inde à SO Chine ; 1907), rare : plus étroit ; feuilles aussi coriaces mais d'un vert souvent plus profond, *les plus longues* de tous les sapins (feuilles latérales jusqu'à 8 cm ; bien plus courtes sur les rangs supérieurs) ; rameaux ocre brillant et toujours *glabres* ; cônes à bractées non saillantes.

Sapin Min *Abies recurvata*

O Sichuan, Chine. 1910. Collections.
ASPECT – **Silhouette.** Étroite, avec des petites branches régulières ; jusqu'à 22 m. **Écorce.** Brun gris, orangé ou rosé ; *écailleuse, à petits rouleaux papyracés* (plus fins que ceux du sapin écailleux, p. 86) et légèrement fissurée vers la base ; rejette fréquemment du tronc (*cf.* sapin de l'île Sakhaline, p. 72). **Rameaux.** Gris rosâtre ou orangé *brillant* (souvent très pâle) ; glabres. **Feuilles.** Assez larges, étrécies à la base, vert pâle dessous, comme celle du sapin Momi du Japon, mais plus petites (jusqu'à 22 mm, plus effilées vers le sommet) ; disposées radialement autour des rameaux grêles, mais très peu dessous ; sur les rameaux vigoureux, celles du dessus sont *dressées ou courbées vers l'arrière* (*cf.* sapin d'Espagne, p. 78). **Cônes.** Pourprés ; bractées non saillantes.
ESPÈCES VOISINES – Sapin Momi du Japon (ci-dessus) ; sapin de Nikko (p. 86). Sapin de Grèce var. *gracaea* (p. 76) et son hybride, × *vilmorinii* (p. 78) : écorce grise bosselée, rameaux plus ternes moins visibles et feuilles plus raides, plus pointues.

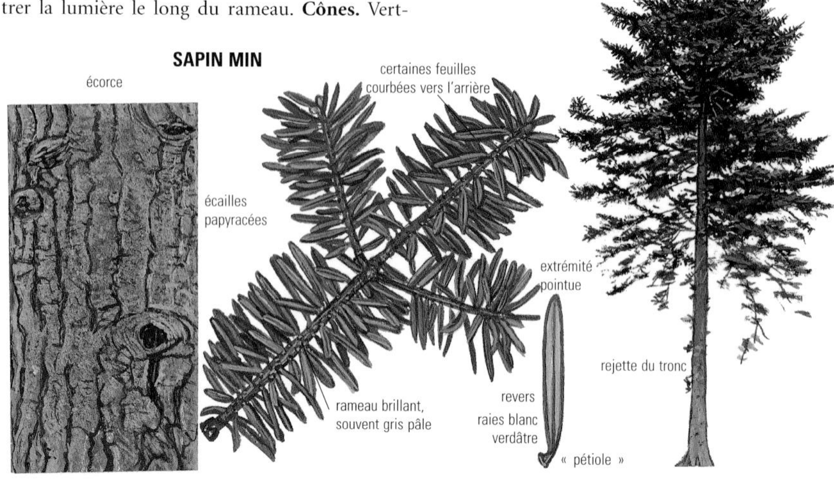

écorce sur vieil arbre
en forme de batte
revers
raies ternes
rameau brun pâle
silhouette large
feuilles vert-jaune
SAPIN MOMI
SAPIN MOMI
fleurs ♂
fleur ♀
ône vert jaune pâle
pas d'échancrure
feuille, détail
feuilles fines dressées sur le rameau
branches basses retombant au sol
revers
raies jaunâtres
écorce finement écailleuse
SAPIN DE MANDCHOURIE

Sapin de Nikko *Abies homolepis*

(*A. brachyphylla*) S Japon. 1861. Très peu répandu. Tolère bien la sécheresse et la pollution.
ASPECT – **Silhouette.** Largement conique, robuste et hérissée, puis colonnaire, avec des branches légères remontant un peu ; jusqu'à 35 m ; rejette parfois du tronc. **Écorce.** Teintée de rose saumoné et finement écailleuse ; puis grise, prenant un aspect liégeux et craquelé. **Rameaux.** Brun pâle *brillant*, même *blancs*, sillonnés en *plaques*. **Feuilles.** *Bien séparées sur le dessus de la plupart des rameaux* – peu ou pas dessous ; *rigides*, formant un *angle très large* avec le rameau ; généralement échancrées au sommet ; raies blanc *vif* dessous. **Fleurs.** Abondantes. **Cônes.** Épars mais pas confinés au sommet de l'arbre ; violets puis bruns ; bractées non saillantes.
ESPÈCES VOISINES – Sapin Momi du Japon et sapin Min (p. 84) : feuilles plus larges à peine rayées de blanc dessous. Sapin de l'Himalaya (p. 80) : feuilles plus longues, arquées ; rameaux plus rouges ; écorce pelucheuse. Sapin de Corée (ci-dessous) : nombreux cônes pourpres ; feuilles disposées tout autour du rameau. Sapins de Faber et de Farges (p. 82) : feuilles dirigées plus vers l'avant.

Sapin de Corée *Abies koreana*

Corée. 1913. *Le sapin le plus commun* dans les petits jardins, apprécié pour ses cônes décoratifs.
ASPECT – **Silhouette.** Conique régulière, parfois trapue ou *buissonnante* ; jusqu'à 15 m. **Rameaux.** Gris rosé pâle, légèrement poilus. **Feuilles.** *Courtes* (12 à 18 mm), disposées perpendiculairement autour de la plupart des rameaux – un peu moins dessous et certaines sur le dessus recourbées vers l'arrière, généralement échancrées ; raies blanc brillant dessous, presque *fusionnées* ; souvent tachées de blanc dessus vers l'extrémité. **Cônes.** Abondants même sur les jeunes arbres ; ovoïdes, bleu pourpré puis bruns à maturité ; bractées saillantes brun doré.
ESPÈCES VOISINES – Sapin écailleux (ci-dessous) ; sapin de Nikko (ci-dessus). Sapin de Numidie (p. 80) : arbre sombre, vigoureux, touffu ; feuilles plus serrées sur un rameau brun-vert, glabre.

Sapin écailleux *Abies squamata*

O Sichuan, Chine. 1910. Collections.
ASPECT – **Silhouette.** Conique, raide, jusqu'à 15 m. **Écorce.** Rapidement pelucheuse, formant de *gros rouleaux papyracés orange rosé.* **Rameaux.** Pourprés, mats (*cf.* sapin de Farges, p. 82). **Feuilles.** Vert-*gris*, disposées presque à la verticale sur le dessus du rameau (aucune dessous), recourbées ; courtes (jusqu'à 25 mm), raides et effilées ; larges raies blanchâtres au revers ; ligne ou tache blanche dessus. **Cônes.** Violets à maturité ; bractées saillantes réfléchies.
ESPÈCES VOISINES – Sapins d'Espagne (p. 78) et de Numidie (p. 80) : feuilles disposées tout autour du rameau. Sapin blanc du Colorado (p. 76) : feuilles longues, espacées, de la même couleur sur les deux faces. Sapin de Mandchourie (p. 84) : feuilles très fines, vert vif dessus. Sapin Min (p. 84) : rouleaux papyracés bien plus fins. Sapin des montagnes (p. 78).

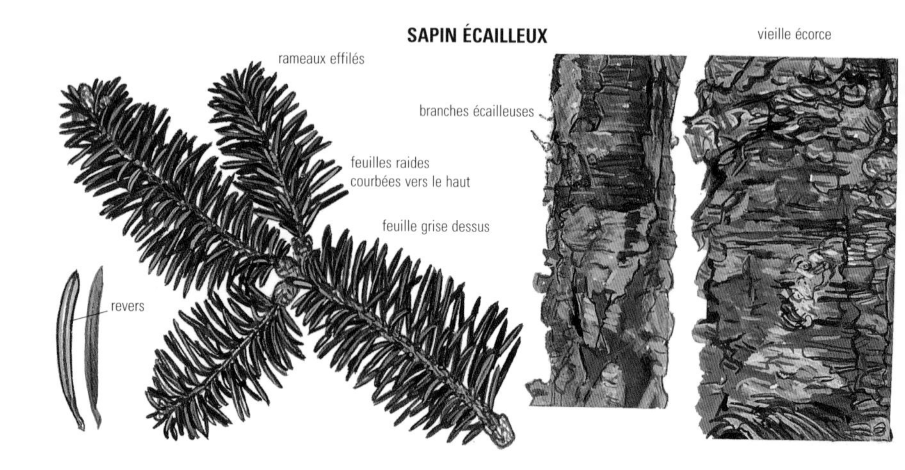

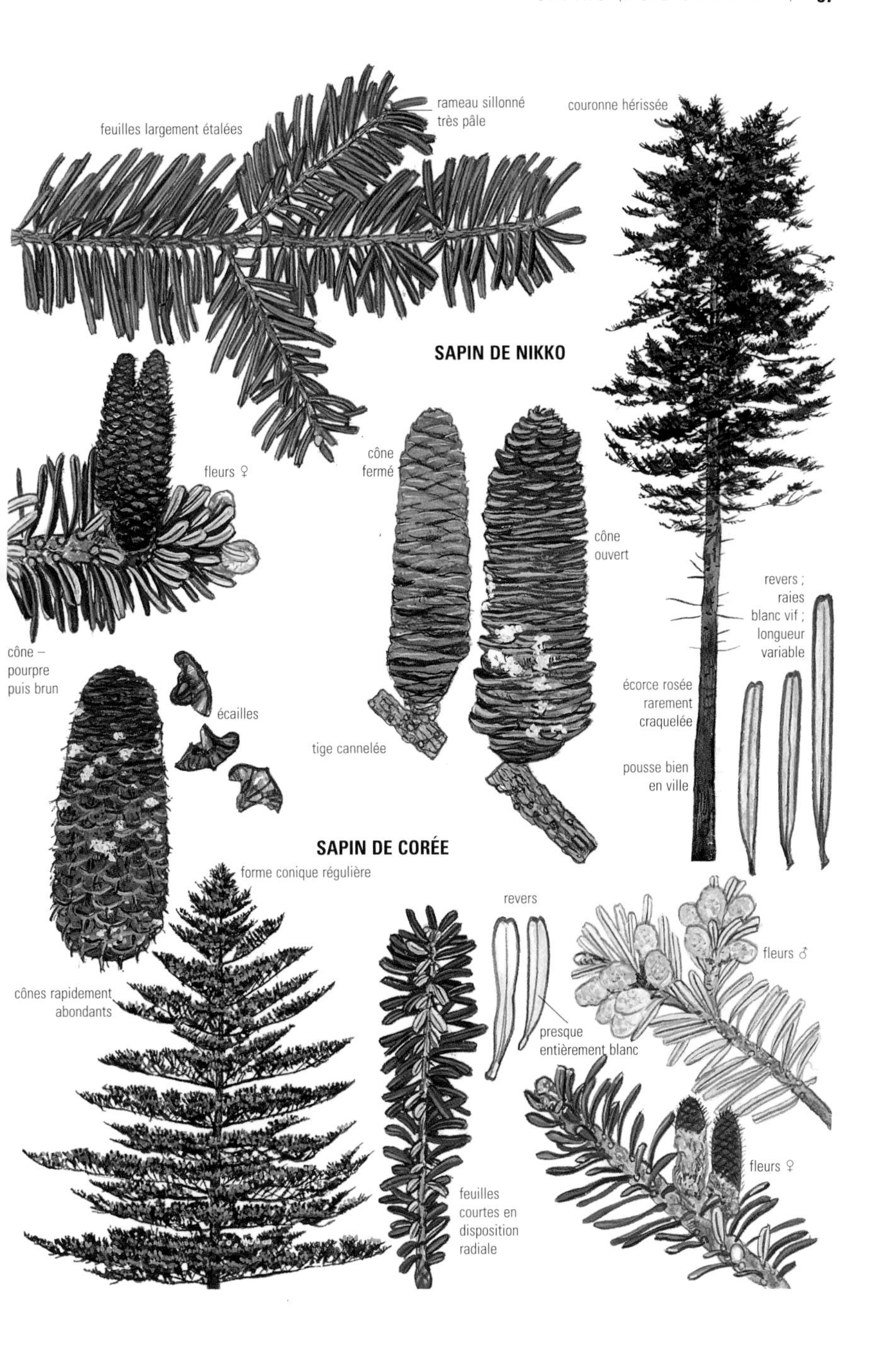

feuilles largement étalées
rameau sillonné très pâle
couronne hérissée
SAPIN DE NIKKO
fleurs ♀
cône fermé
cône ouvert
revers ; raies blanc vif ; longueur variable
cône – pourpre puis brun
écailles
tige cannelée
écorce rosée rarement craquelée
pousse bien en ville
SAPIN DE CORÉE
forme conique régulière
revers
fleurs ♂
cônes rapidement abondants
presque entièrement blanc
fleurs ♀
feuilles courtes en disposition radiale

Sapin noble *Abies procera*

(*A. nobilis*) NO États-Unis. 1830. Peu répandu ; très rare en plantations forestières ; ne vit pas longtemps et rare dans les régions sèches.
ASPECT – **Silhouette.** Conique hérissée, puis colonnaire dense (plus clairsemée en situation ombragée ou sèche) ; jusqu'à 50 m à l'abri ; tronc peu effilé. **Écorce.** Gris pourpré ou *argenté ;* légèrement craquelée ; chez certains arbres, sillons rugueux avec l'âge. **Rameaux.** Orangé pâle, poilus, mais à peine visibles sous les feuilles très serrées ; celles-ci sortent parallèles au rameau avant de *se redresser*, et leur extrémité est arrondie (rarement échancrée). **Feuilles.** Toujours *grises ;* très argentées chez certains cultivars ('Glauca') ; fines, sillonnées dessus et aplaties – impossible de les *rouler entre le pouce et l'index* ; 2 fines lignes grises dessus et 2 raies blanchâtres dessous ; légère odeur d'oignon. **Cônes.** Brun-pourpre puis brun doré à maturité ; bractées vertes pendantes ; *très gros* (jusqu'à 25 cm) ; disposés au sommet de l'arbre même sur les plus petits.
ESPÈCES VOISINES – Sapin rouge de Californie (ci-dessous) : écorce plus subéreuse ; feuilles plus fines, presque *rondes.* Sapin blanc du Colorado (p. 76) : feuilles plus longues, très *éparses*, de la même couleur sur les deux faces. Sapin de l'Arizona (p. 78) : petit arbre aux feuilles plus aplaties, plus éparses ; écorce subéreuse. Sapin d'Espagne (p. 78) : feuilles radiantes raides ; écorce se craquelant en carrés. Sapins de Mandchourie (p. 84) et de Sicile (p. 68) : feuilles également courbées vers le haut.

Sapin rouge de Californie *Abies magnifica*

Oregon et Californie. 1851. (À ne pas confondre avec le sapin rouge, *A. amabilis*, très différent p. 74.) Rare : a besoin d'une situation abritée et de beaucoup d'humidité. La teinte rouge typique de l'écorce est rarement observée en Europe.
ASPECT – Le même que celui du sapin noble. **Silhouette.** Conique, dense et étroite, jusqu'à 45 m ; tronc craquelé, subéreux, portant des *cicatrices noires annulaires* ; branches disposées en *verticilles réguliers.* **Feuilles.** Plus longues, fines, éparses et souples que celles du sapin noble ; *suffisamment arrondies pour qu'on puisse les rouler entre les doigts.* **Cônes.** Bractées normalement *non saillantes.*

Sapin de Santa Lucia *Abies bracteata*

(*A. venusta*) Montagnes de Santa Lucia, Californie. 1853. Rare.
ASPECT – Un sapin différent des autres, bien que pouvant rappeler le sapin de Low (p. 76) au premier regard. **Silhouette.** Conique avec une cime effilée ; feuillage sombre assez pendant ; jusqu'à 40 m. **Écorce.** Noir-pourpre ; ridée puis se craquelant en carrés. **Rameaux.** Lisses, verdâtres. **Bourgeons.** Semblables à ceux du hêtre : *étroits, pointus et 2 fois plus longs* que ceux des autres sapins (2 cm) ; brun pâle. **Feuilles.** Longues (50 mm), séparées sous le rameau (quelques-unes au-dessus), rigides et *épineuses ;* raies blanc vif au revers. **Cônes.** Bractées *longuement épineuses* ; rares en Europe.
ESPÈCES VOISINES – Épicéas (pp. 100-115) : bourgeons pointus et feuilles piquantes mais aucune aussi grande. Muscadier de Californie (p. 24) ; douglas à grands cônes (p. 120).

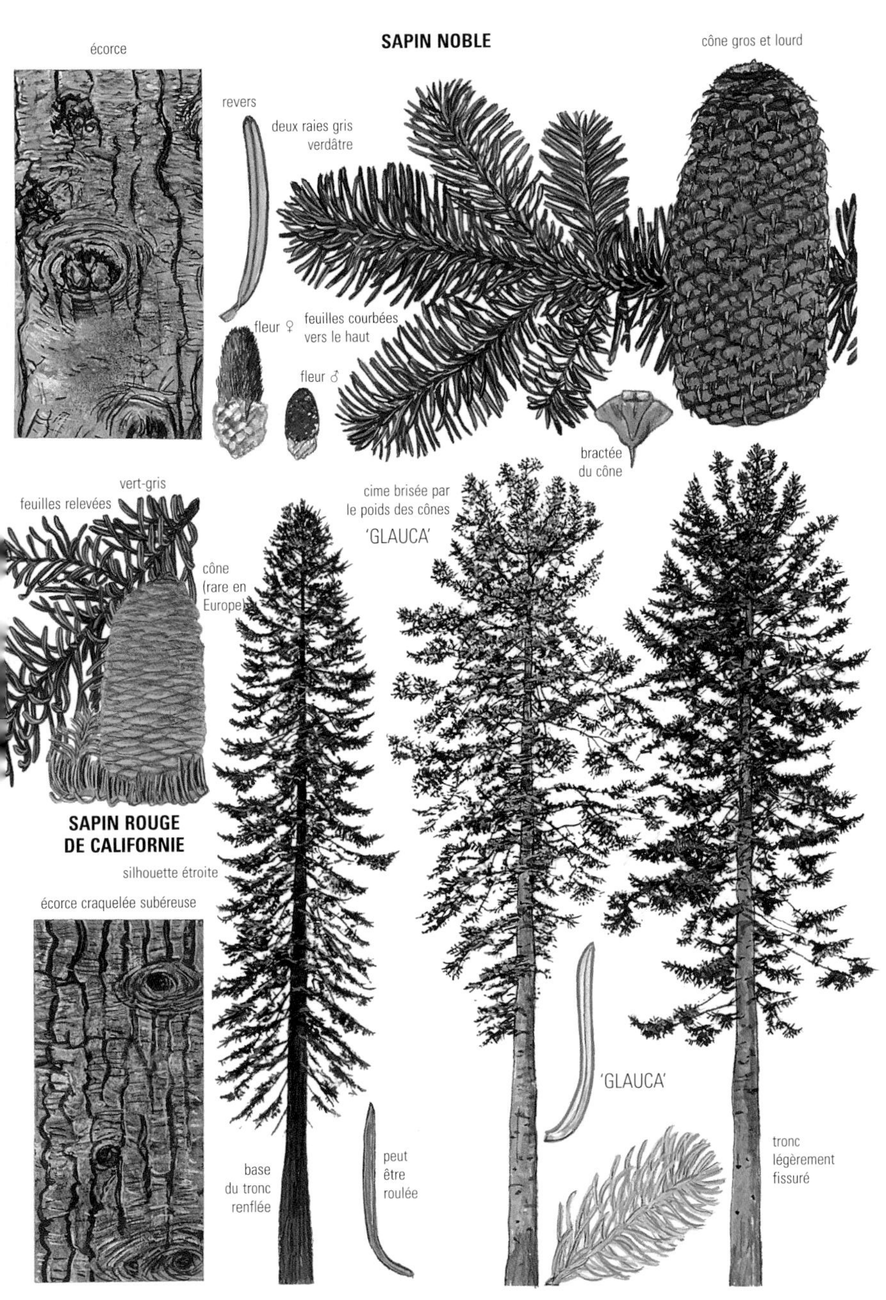
SAPIN NOBLE
écorce
revers
deux raies gris verdâtre
cône gros et lourd
fleur ♀
feuilles courbées vers le haut
fleur ♂
bractée du cône
vert-gris
feuilles relevées
cône (rare en Europe)
cime brisée par le poids des cônes
'GLAUCA'
SAPIN ROUGE DE CALIFORNIE
silhouette étroite
écorce craquelée subéreuse
'GLAUCA'
base du tronc renflée
peut être roulée
tronc légèrement fissuré
SAPIN ROUGE DE CALIFORNIE
SAPIN NOBLE

Les cèdres (4 espèces) portent leurs feuilles en spirale sur les rameaux vigoureux et en rosette de 10 à 60 sur les rameaux latéraux épais et très courts (dards). Le pollen est libéré tard en automne. (Famille : Pinacées.)

Critères de distinction : cèdres

- Silhouette (en particulier l'extrémité des branches)
- Feuilles : Longueur ? Extrémité translucide ?
- Cônes : Forme du sommet ?

Cèdre du Liban *Cedrus libani* 

Liban, du nord jusqu'aux monts Taurus. Depuis 1740, l'ornement par excellence des pelouses des belles demeures de Grande-Bretagne. Vieux arbres encore assez fréquents ; actuellement peu planté car considéré comme une espèce au développement très lent. En fait, c'est un arbre très vigoureux.

ASPECT – **Silhouette.** Les grands *plateaux réguliers de feuillage* se développent avec l'âge en situation dégagée ; jeunes arbres plutôt coniques ; en forêt, long tronc droit et sommet aplati ; jusqu'à 42 m ; arbre vert sombre, ou parfois très grisé et aussi vif que beaucoup de cèdres bleus de l'Atlas (p. 92). **Écorce.** *Brun*-noir, ridée et craquelée. **Rameaux.** Finement duveteux (moins que le cèdre de l'Atlas, p. 92, et souvent dans les sillons). **Feuilles.** Environ 25 mm, rigides ; courte pointe verte *sauf à son extrême sommet, translucide.* **Cônes.** En forme de tonneau, *sans creux au sommet*, plus effilés que ceux du cèdre de l'Atlas.

ESPÈCES VOISINES – Autres cèdres. Cèdre de l'Atla (p. 92) : écorce plus grise ; pas de larges plateau de feuillage ; feuilles plus courtes (jusqu'à 20 mm en rosette) à pointe épineuse translucide ; somme du cône en creux. Déodar (p. 92) : feuilles plu longues (30 à 35 mm), plus douces ; jeune pousses plus pendantes. Cèdre de Chypre (ci dessous) : feuilles beaucoup plus courtes à l'âge adulte.

CULTIVARS – 'Aurea', très rare : forme chétive au feuillage jaune (*cf.* cèdre doré de l'Atlas, p. 92) 'Glauca', rare : sélection *bleu intense.*

Cèdre de Chypre *Cedrus brevifolia*

(*C. libani* var. *brevifolia*) Monts Tripylos, O Chypre 1879. Arbre relativement *petit* (jusqu'à 23 m). Collections.

ASPECT – **Silhouette.** À peu près conique ; vert bleuté ou vif ; parfois assez pleureuse. **Écorce.** *Gris moyen.* **Feuilles.** Sur les vieux arbres, *très courtes* (7 à 15 mm), plus petites que celles des autres cèdres – bien que les cèdres de l'Atlas maladifs aient également des feuilles courtes ; les jeunes arbres vigoureux (avec des feuilles de 25 mm et pas de cônes) sont plus difficiles à identifier. **Cônes.** Fins (environ 7 × 4 cm), *en forme de citron* – avec un sommet en bec.

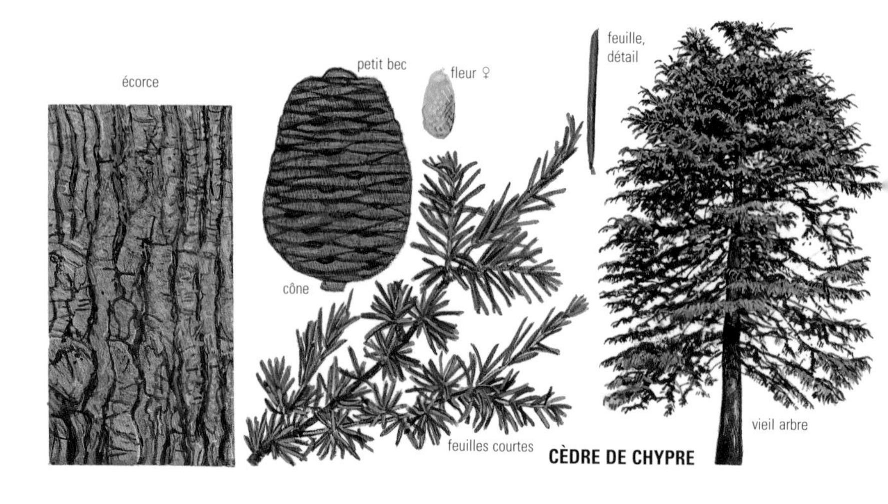

CÈDRE DE CHYPRE

CÈDRE DU LIBAN

Cèdre de l'Atlas *Cedrus atlantica*

(Cèdre d'Algérie ; *Cedrus libani* var. *atlantica*) Montagnes de l'Atlas, Algérie et Maroc. 1841. L'espèce type est assez peu répandue.

Aspect – Silhouette. D'abord conique, puis large avec une cime aplatie, *étroite ;* jusqu'à 38 m ; feuillage en amas *hérissés*, souvent *redressés, jamais aussi grands* ni aplatis que chez le cèdre du Liban ; jeunes pousses légèrement ascendantes ; feuillage noirâtre à vert vif, ou tendant vers le gris. **Écorce.** Généralement plus grise que celle du cèdre du Liban, se craquelant souvent en plaques serrées. **Rameaux.** Poils courts, denses, noirâtres. **Feuilles.** Courtes (*jusqu'à 20 mm en rosettes*) ; petite épine *translucide* à l'extrémité. **Cônes.** En forme de tonneau, avec un *sommet en creux*.

Espèces voisines – Cèdres du Liban et de Chypre (p. 90).

Cultivars – 'Fastigiata' (1890), rare : branches et rameaux (gris foncé) fortement ascendants. 'Glauca Fastigiata', très rare : plus bleu mais plus hérissé et moins étroit.

Cèdre bleu de l'Atlas *Cedrus atlantica* f. *glauca*

Sélections des plus gris des cèdres sauvages de l'Atlas (à partir de 1845). Très fréquent dans les jardins, grands et petits (où il pousse avec une alarmante vigueur).

Aspect – Comme le cèdre de l'Atlas (ci-dessus) mais d'un *bleu gris éclatant* – plus pâle que les autres cèdres, se teintant de rose lorsqu'il libère son pollen en octobre.

Espèces voisines – Épicéa bleu du Colorado (p. 114) et sapin blanc du Colorado (p. 76) : parfois aussi éclatants mais feuilles jamais en rosettes.

Cultivars – 'Aurea', rare : *jeunes pousses jaune clair virant au bleu-gris dans l'année.*

'Glauca Pendula' (1900) : entièrement voûté ; branches et feuillage gris argenté *pendant en rideau* ; spectaculaire, mais rare et difficile à faire pousser.

Déodar *Cedrus deodara*

(Cèdre de l'Himalaya) O Himalaya où il atteint 80 m. 1831. Très fréquent dans les grandes propriétés.

Aspect – Silhouette. Souvent un tronc très droit et une couronne conique à l'âge adulte ; plus rarement, branches basses lourdes et feuillage en grands plateaux comme un cèdre du Liban, ou troncs multiples ; généralement *vert vif ;* parfois jaunâtre ; parfois très sombre ou gris ; flèche *penchée* (*cf.* tsuga de Californie, p. 116) et pousses retombantes à l'extrémité des branches – moins net sur les vieux arbres. **Écorce.** Comme celle du cèdre du Liban (p. 90) ; parfois plus écailleuse et plus pourpre. **Rameaux.** *Densément* poilus. **Feuilles.** *Longues, assez souples*, jusqu'à 50 mm sur les rameaux longs et 35 mm sur les dards ; fines lignes grises et extrémité translucide. **Cônes.** Semblables à ceux du cèdre du Liban, mais souvent *absents*, même sur les vieux arbres.

Espèce voisine – Cèdre du Liban (p. 90) : feuilles plus courtes, plus rigides ; rameaux jamais aussi pendants.

Cultivars – 'Aurea', peu répandu : jeune feuillage *doré*.

'Pendula', rare : trapu et *très pleureur*.

DÉODAR
feuille, détail
cône au sommet aplati
extrémité
des rameaux
retombante
CÈDRE DE L'ATLAS
cime étroite
extrémité des rameaux
redressée
feuille, détail :
pointe translucide
'FASTIGIATA'
branches ascendantes
sommet en creux
cône
écorce
feuille,
détail
CÈDRE DE L'ATLAS
CÈDRE BLEU DE L'ATLAS

Les mélèzes (10 espèces) ont des aiguilles caduques, disposées radialement autour des longs rameaux à l'extrémité des branches et en rosettes sur des rameaux courts (dards) sur le bois plus ancien. Le feuillage est vert tendre en été et jaune en automne. L'observation des cônes tombés sur le sol est le meilleur moyen de différencier les espèces. (Famille : Pinacées.)

Critères de distinction : mélèzes

- Rameaux : Poilus ou non ? Couleur ?
- Cônes : Grosseur ? Bractées visibles ? Couleur à maturité ?
- Écailles des cônes : Nombre ? Droites ou courbées ? Poilues ou non ?

Mélèze d'Europe *Larix decidua*

(Mélèze commun ; *L. europaea*) Alpes ; variétés dans les montagnes des Tatras, monts des Sudètes et la plaine polonaise. Essence forestière ; localement abondante. Rarement naturalisé. Bois dur et résistant au pourrissement.

ASPECT – **Silhouette.** Conique ; tronc droit sur les plus beaux sujets poussant en situation abritée, jusqu'à 45 m ; souvent large et pleine de caractère dans les endroits secs ou venteux ; rameaux fins *pendant* sous les branches ; *blonde* en hiver : plus fine et hérissée que celle du ginkgo (p. 20) ou du cyprès chauve (p. 64). **Écorce.** Brun rosé ; largement fissurée avec des crêtes écailleuses, souvent entrecroisées. **Rameaux.** *Ambre* ou rosé pâle, glabres et sans pruine. **Bourgeons.** En forme de *petite bosse arrondie.* **Feuilles.** Moins de 1 mm de large ; vert vif ; 2 raies pâles dessous. **Fleurs femelles.** Rouge rubis au milieu du printemps parmi les nouvelles feuilles vert vif. **Cônes.** Vite bruns ; ovoïdes (25 à 40 × 20 à 25 mm à maturité) ; écailles *pas ou à peine courbées.*

ESPÈCES VOISINES – Mélèzes du Japon et hybride (p. 96) : rameaux plus rouges ; feuilles plus larges et plus foncées ; cônes sans écailles courbées. Mélèzes de Sibérie (ci-dessous) et de Dahurie (p. 96) : rameaux poilus. Mélèze tamarack (p. 98) : feuilles plus petites, écorce plus lisse ; cônes encore plus petits que ceux du mélèze de Pologne (ci-dessous), avec peu d'écailles. Mélèzes d'Amérique et du Sikkim (p. 98) : cônes à longues bractées saillantes. Mélèze doré (p. 98) : trapu, avec des feuilles bien plus épaisses.

CULTIVARS – 'Pendula', rare : large, avec des rameaux exagérément pendants. (Le mélèze du Japon, p. 96, et *L.* × *pendula*, p. 98, ont des cultivars pleureurs spectaculaires, encore plus rares.)

Mélèze de Pologne, ssp. *polonica* (1920), très différent : écorce brune plus anguleuse ; silhouette souvent plus stricte ; rameaux très fins, blond cendré ; *petits cônes* (jusqu'à 20 mm) à écailles légèrement incurvées.

Mélèze de Sibérie *Larix sibirica*

(*L. russica*) N et E de la Russie. 1806. Collections.

ASPECT – **Silhouette.** Tristement buissonnante en climat océanique. (Habitué à des hivers longs et des printemps soudains, l'arbre émet pendant les redoux hivernaux de jeunes pousses qui subissent les gelées ultérieures.) **Rameaux.** Chamois pâle, *d'abord poilus.* **Feuilles.** Plus de 1 mm de large. **Cônes.** *Écailles très finement poilues*, légèrement courbées.

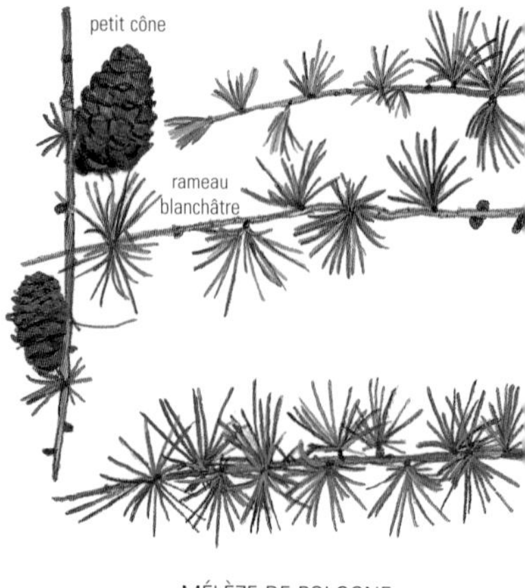

MÉLÈZE DE POLOGNE

MÉLÈZE D'EUROPE
écorce
fleur ♂
fleur cramoisie
♀
écailles droites
rameau couleur
paille
écaille du cône
avec les graines
vieux
cône
feuille,
détail
bourgeons non résineux
jeune pousse :
feuilles solitaires
cône légèrement
poilu
MÉLÈZE DE SIBÉRIE
feuilles vert
bleuté
cônes
abondants
couronne
étroite
silhouette élancée
(en climat continental)
tronc
sinueux
hiver
MÉLÈZE DE SIBÉRIE
MÉLÈZE DE POLOGNE
MÉLÈZE D'EUROPE

Mélèze du Japon *Larix kaempferi*

(*L. leptolepis*) Japon. 1861. Assez rare dans les jardins ; planté en forêt dans de nombreux endroits en Europe. Rustique mais sensible aux gelées printanières.

ASPECT – **Silhouette.** Conique, souvent plus large que celle du mélèze d'Europe ; jusqu'à 40 m ; *brun orangé* en hiver. **Écorce.** Brun-gris rougeâtre ou pourpré ; généralement plus pelucheuse que celle du mélèze d'Europe. **Rameaux.** Gris pourpré, brun ou orangé *sombre ;* couvert d'une *pruine blanche cireuse.* **Bourgeons.** Petites bosses *résineuses.* **Feuilles.** 1 mm de large ; vert *foncé* ; 2 larges raies grises dessous. **Cônes.** Presque *sphériques*, 30 mm ; écailles *courbées vers l'extérieur*, comme les pétales d'une petite rose momifiée.

ESPÈCES VOISINES – Mélèze d'Europe (p. 94) : rameaux blonds, feuilles vert vif plus fines ; écailles non courbées. L'hybride entre les deux espèces, ci-dessous, est intermédiaire avec le mélèze du Japon. Le feuillage et l'aspect général de la plupart des mélèzes sont très similaires et les espèces exotiques plantées dans les jardins sont difficiles à identifier.

Mélèze hybride *Larix × eurolepis*

Hybride spontané entre les mélèzes d'Europe et du Japon, découvert en Écosse. Enregistré en 1904. Assez rare dans les jardins, mais apprécié pour les plantations forestières.

ASPECT – **Silhouette.** Généralement droite et souvent élancée ; jusqu'à 40 m. **Écorce.** Brun rougeâtre ; assez semblable à celle du mélèze du Japon. **Rameaux.** Orange pâle, brun pâle ou rougeâtre ; peu pruineux. **Bourgeons.** Non résineux. **Feuilles.** Souvent plus longues que celles des parents (50 mm) ; vert intense dessus. **Cônes.** Ovoïdes et *grands*, jusqu'à 40 × 25 mm ; écailles *légèrement arquées vers l'extérieur mais à bords non recourbés.* Les arbres plantés en forêt tendent souvent vers le mélèze du Japon, avec des cônes plus petits et des écailles plus incurvées, ce qui rend l'identification difficile.

Mélèze de Dahurie *Larix gmelinii*

(*L. dahurica*) E Sibérie, NE Chine. 1827. Collections.

ASPECT – **Silhouette.** Généralement trapue en Europe occidentale ; branches larges sur un tronc penché ; feuillage vert profond en masses pendantes. **Rameaux.** Brun rougeâtre ou jaunâtre ; parfois poilus. **Feuilles.** Très *fines* (0,6 mm de large), vert vif ; raies étroites blanchâtres au revers. **Cônes.** Rouges ou pourprés en été, puis brun brillant à maturité ; plus trapus que ceux du mélèze d'Europe (22 × 18 mm), à écailles légèrement courbées vers l'extérieur.

CULTIVARS – *L. gmelinii* var. *japonica* (S Sakhaline, E Russie et îles Kouriles, mais pas au Japon), rare : rameaux rougeâtres, densément mais finement poilus ; feuilles plus courtes (2 cm) à raies plus vives au revers ; petits cônes (2 cm ; 18 à 25 écailles seulement). *L. gmelinii* var. *principis-rupprechtii* (Corée, Mandchourie) : cônes semblables à ceux du mélèze d'Europe ; rameaux (glabres) légèrement pruineux ; feuilles plus fines.

ESPÈCES VOISINES – Mélèze de Sibérie (p. 94) : rameau plus pâle ; écailles droites, poilues. Mélèze tamarack (p. 98) : cônes minuscules, avec moins d'écailles ; écorce plus lisse et pousses tordues.

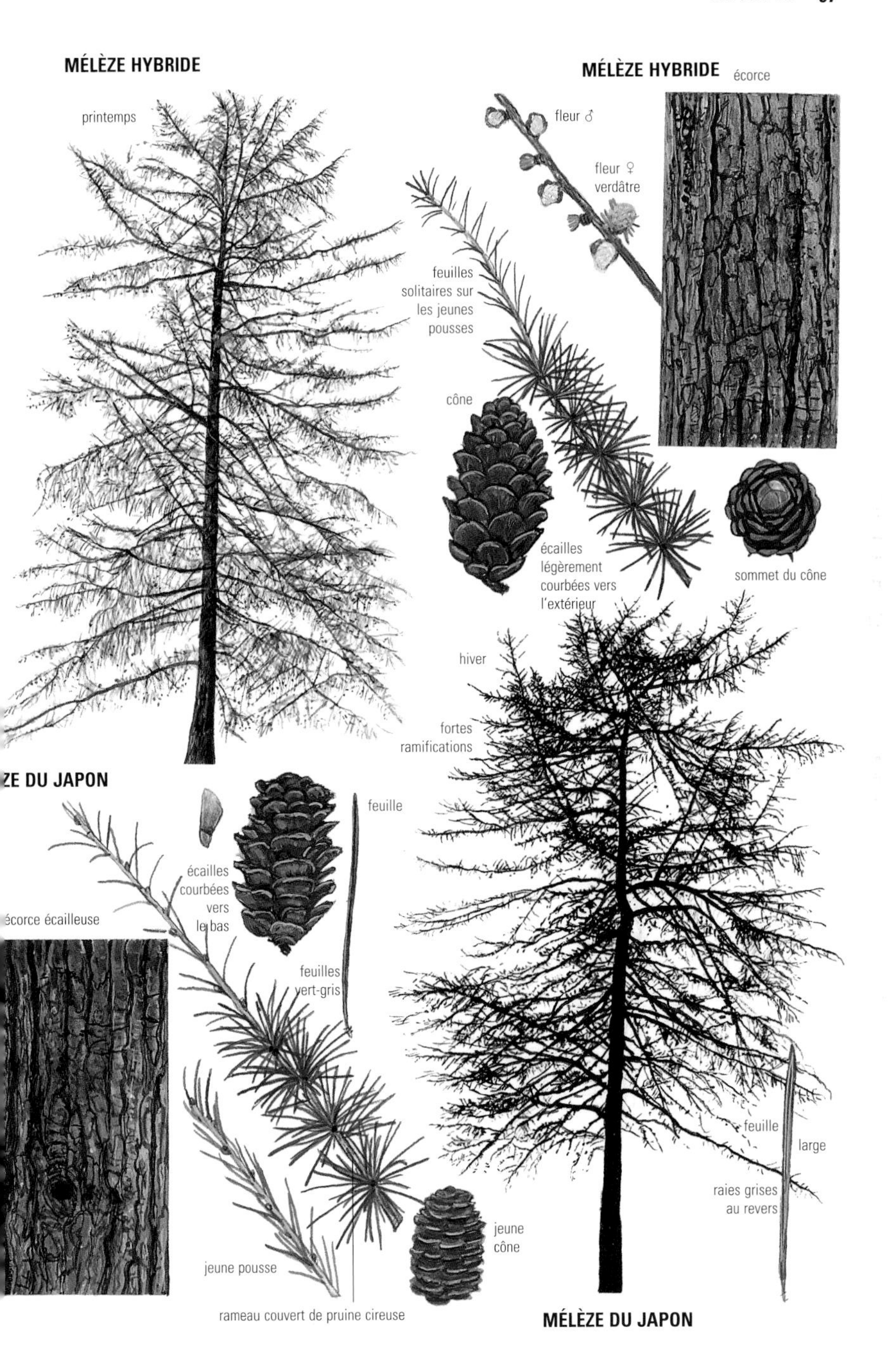
MÉLÈZE HYBRIDE
printemps
MÉLÈZE HYBRIDE
écorce
fleur ♂
fleur ♀
verdâtre
feuilles
solitaires sur
les jeunes
pousses
cône
écailles
légèrement
courbées vers
l'extérieur
sommet du cône
hiver
fortes
ramifications
ZE DU JAPON
feuille
écailles
courbées
vers
le bas
écorce écailleuse
feuilles
vert-gris
feuille
large
raies grises
au revers
jeune
cône
jeune pousse
rameau couvert de pruine cireuse
MÉLÈZE DU JAPON

MÉLÈZES ; MÉLÈZE DORÉ

Mélèze tamarack *Larix lariciana*

De l'Alaska à la Nouvelle-Angleterre. 1739. Très rare.
ASPECT – **Silhouette.** Élancée, ouverte, jusqu'à 20 m ; petites branches tortueuses aux rameaux *tordus*. **Écorce.** Rosâtre ; *finement* écailleuse. **Rameaux.** Brun orangé, couverts de pruine rose ; fins. **Bourgeons.** Résineux. **Feuilles.** Très étroites (0,8 mm) et sombres ; raies grises dessous. **Cônes.** *Très petits* (jusqu'à 20 mm) ; *15 à 20 écailles seulement* (*cf.* mélèze de Dahurie, p. 96) ; rouges, pourpres ou (rarement) jaunes quand ils mûrissent.
AUTRES ARBRES – *L.* × *pendula* (hybride supposé avec le mélèze d'Europe), rare : arbre trapu, jusqu'à 28 m ; écorce pourprée *finement* écailleuse ; rameaux pendants ; cônes semblables à ceux du mélèze d'Europe mais plus petits (25 mm) et *pourpres* à maturité. Son clone 'Repens' pousse à l'horizontale – l'original à Henham Hall, dans le Suffolk, recouvre une pergola de 18 m de long.

Mélèze d'Amérique *Larix occidentalis*

NO Amérique du Nord. 1881. C'est le plus grand des mélèzes (jusqu'à 80 m), mais il n'a jamais cette vigueur naturelle en Europe.
ASPECT – **Silhouette.** Semblable à celle du mélèze d'Europe ; jusqu'à 33 m, mais souvent moins. **Écorce.** Très proche de celle du mélèze d'Europe. **Rameaux.** Brun orangé pâle. **Feuilles.** Vert vif, plutôt triangulaires en coupe. **Cônes.** Très distincts : 40 mm de haut ; *longues bractées épineuses, droites*, pointant vers le bas (*cf.* mélèze du Sikkim, ci-dessous).

Mélèze du Sikkim *Larix griffithiana*

(*L. griffithii*) E Himalaya et Tibet. 1848. Collections.
ASPECT – **Silhouette.** Arbre peu fourni, jusqu'à 20 m. **Rameaux.** *Vigoureux, orangés*, finement poilus, pendants. **Feuilles.** Grandes, brillantes. **Cônes.** Typiquement *allongés, cylindriques* (5 à 10 cm) ; *bractées saillantes arquées.*
AUTRE ARBRE – *L. potaninii* (O Chine ; 1904), rare : grands cônes (jusqu'à 5 cm) à bractées saillantes *redressées à la verticale* (*cf.* mélèze d'Amérique, ci-dessus) ; feuilles fines et *vert doré* sur des rameaux brun terne.

Mélèze doré *Pseudolarix amabilis*

(*Chrysolarix amabilis*) SE Chine. 1853. Apparenté aux sapins mais ressemblant beaucoup à un mélèze. Rare.
ASPECT – **Silhouette.** Largement conique ; *longues branches horizontales* ; jusqu'à 22 m avec chaleur et humidité. **Écorce.** Gris-brun, se fissurant en longues bandes écailleuses. **Bourgeons.** Minuscules (3 mm) comme ceux des mélèzes mais légèrement *pointus*. **Feuilles.** Tout autour des jeunes pousses et en rosettes denses sur les *dards massifs courbés*, épaissis au sommet ; bien plus grandes, épaisses (50 × 3 mm) et d'un vert plus foncé ou glauque que celles des mélèzes. **Cônes.** 70 × 45 mm, se désarticulant sur l'arbre ; *écailles saillantes, triangulaires*, épaisses.
ESPÈCE VOISINE – En hiver, ginkgo (p. 20) : bourgeons plus gros (5 mm) et écorce moins écailleuse.

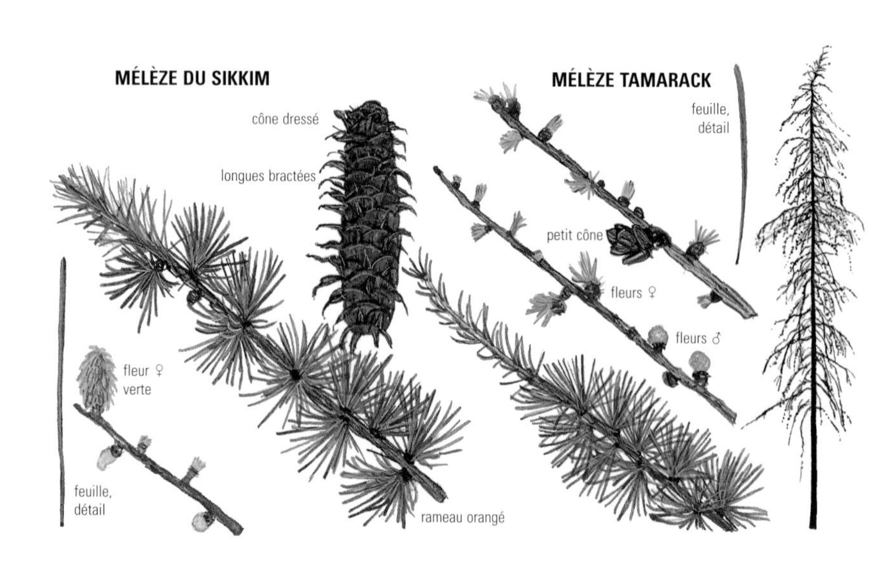

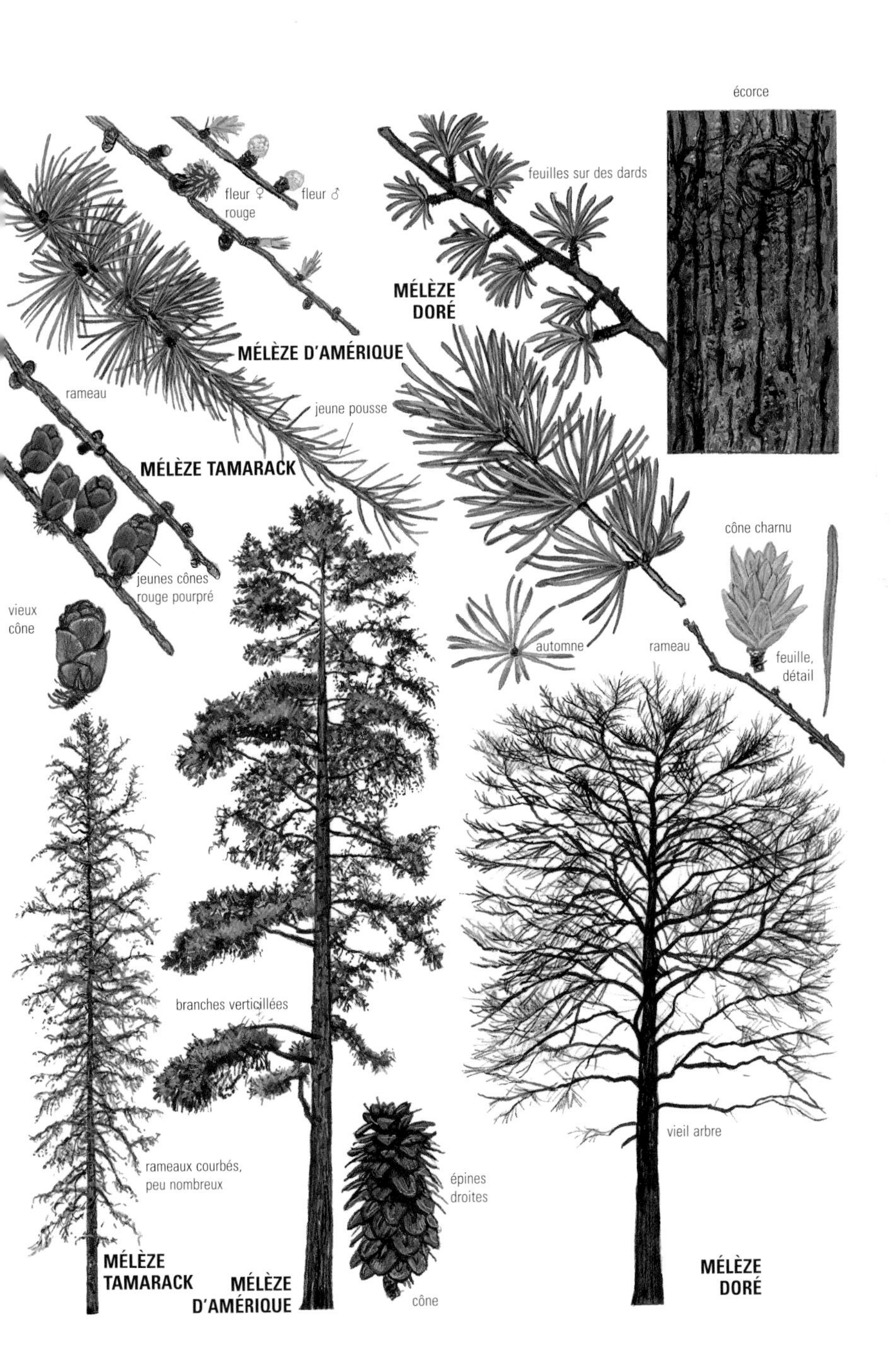

écorce
feuilles sur des dards
fleur ♀
rouge
fleur ♂
MÉLÈZE
DORÉ
MÉLÈZE D'AMÉRIQUE
rameau
jeune pousse
MÉLÈZE TAMARACK
jeunes cônes
rouge pourpré
vieux
cône
cône charnu
automne
rameau
feuille,
détail
branches verticillées
vieil arbre
rameaux courbés,
peu nombreux
épines
droites
MÉLÈZE
TAMARACK
MÉLÈZE
D'AMÉRIQUE
cône
MÉLÈZE
DORÉ

Les épicéas (40 espèces environ) se caractérisent par une écorce mince, écailleuse, des aiguilles piquantes et des rameaux sillonnés, hérissés de petits picots ligneux sur lesquels sont attachées les aiguilles. Les cônes sont pendants et tombent généralement à maturité. (Famille : Pinacées.)

Critères de distinction : épicéas

- Silhouette : Largeur ? Port pleureur ?
- Écorce : Plus ou moins pelucheuse ?
- Rameaux : Poilus ? Couleur ?
- Feuilles : Disposition autour du rameau ? Plus ou moins aplaties ? Raies blanches et sur quelle face ?

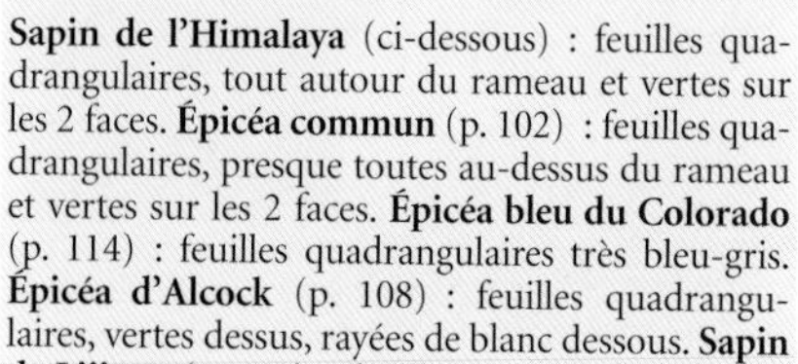

Clé des espèces

Sapin de l'Himalaya (ci-dessous) : feuilles quadrangulaires, tout autour du rameau et vertes sur les 2 faces. **Épicéa commun** (p. 102) : feuilles quadrangulaires, presque toutes au-dessus du rameau et vertes sur les 2 faces. **Épicéa bleu du Colorado** (p. 114) : feuilles quadrangulaires très bleu-gris. **Épicéa d'Alcock** (p. 108) : feuilles quadrangulaires, vertes dessus, rayées de blanc dessous. **Sapin de Lijiang** (p. 110) : feuilles à section losangique aplatie. **Sapin de Sitka** (p. 106) : feuilles bien plus aplaties.

Sapin de l'Himalaya *Picea smithiana*

(*P. morinda*) O Himalaya, sur les versants secs. 1818. Très peu répandu.

ASPECT – **Silhouette.** Conique puis colonnaire ; max. 38 m ; feuillage *pendant* (moins que sapin de Brewer). **Écorce.** Gris pourpré ; craquelée, écailles arrondies. **Rameaux.** Crème, glabres. **Bourgeons.** Brun pourpre, max. 8 mm. **Feuilles.** *Plus longues que les autres épicéas* (40 mm), *fines* et pointues, *tout autour* du rameau ; quadrangulaires, vert foncé sur chaque face. **Cônes.** 14 cm, effilés ; écailles à bord lisse.

ESPÈCES VOISINES – Sapin de Brewer (ci-dessous) : feuilles *aplaties*, rameaux poilus. Certains épicéas communs (p. 102) ('Virgata', 'Pendula') ont des feuilles disposées tout autour du rameau (vigoureux, *orangé*), mais dépassant rarement 25 mm. Épicéas de Chine (p. 112) et du Colorado (p. 114), sapin à queue de tigre (p. 112) et sapinette noire (p. 104) : beaucoup de feuilles disposées sous le rameau, mais bien plus courtes et raides.

AUTRES ARBRES – Épicéa de Schrenk, *P. schrenkiana* (Kirghizie ; Tien Shan), rare : jusqu'à 20 m ; *touffu mais non pleureur* ; bourgeons brun brillant ; feuilles plus courtes (35 mm), plus épaisses et à pointe plus courte, plus éparses sous le rameau (*cf.* épicéa de Chine, p. 112, aux feuilles épineuses de 20 mm).

Sapin de Brewer *Picea breweriana*

Quelques sommets montagneux à la frontière Oregon-Californie. 1897. Peu répandu.

ASPECT – **Silhouette.** Conique trapue, jusqu'à 20 m ; cime dense et hérissée ; nombreuses branches fines garnies de *rideaux* de feuillage sombre ; se creuse ou se déforme souvent avec l'âge. **Écorce.** Noir-rouge, se craquelant en écailles circulaires lisses, assez grandes. **Rameaux.** Brun-rose, finement *poilus*. **Feuilles.** *Aplaties*, 30 mm ; vert sombre, avec 2 raies blanches étroites au revers ; disposées tout autour du rameau. **Cônes.** 11 cm, effilés à la base ; fins, souvent courbés.

ESPÈCE VOISINE – Sapin de l'Himalaya (ci-dessus). Aucun épicéa à feuilles aplaties n'est semblable.

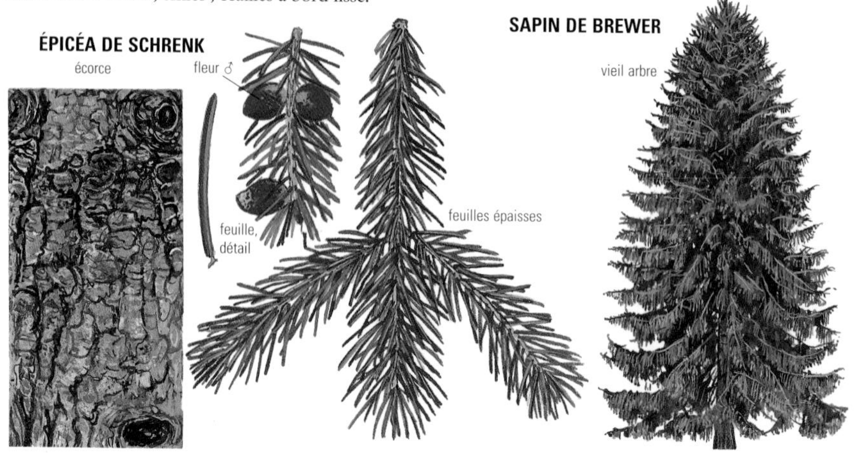

SAPIN DE BREWER
SAPIN DE L'HIMALAYA
écorce
rameau crème pâle, glabre
aplatie
rameaux poilus brun rosé
jeune pousse
feuille
fine, arrondie
jeune cône
cône ouvert
non pleureur
jeune arbre
rameaux courts pendants
vieil arbre
feuillage en rideaux
ÉPICÉA DE SCHRENK
SAPIN DE BREWER
SAPIN DE L'HIMALAYA

Épicéa commun *Picea abies*

(Sapin de Norvège, pesse ; *P. excelsa*) Europe, de la Scandinavie méridionale aux montagnes humides et froides des Alpes et des Balkans, se mêlant à l'est au sapin de Sibérie. Commun dans les régions à climat humide. Le sapin de Noël traditionnel.

ASPECT – **Silhouette.** Conique régulière, étroite en forêt ; rameaux parfois pleureurs ('Pendula') ; jamais large au sommet ; jusqu'à 68 m ; feuillage dense sauf sur les sujets maladifs, vert foncé ; base des branches curieusement renflée sur certains arbres ('Tuberculata'). **Écorce.** Brun-gris cuivré pendant 50 à 80 ans, s'écaillant finement ; puis pourpre ou grise, se craquelant en petites plaques arrondies. **Rameaux.** *Orange* terne foncé, généralement glabres. **Feuilles.** Assez courtes (15 à 25 mm), *vert foncé*, légèrement rayées de blanc sur les 4 faces ; raides et pointues ; disposées sur les côtés et au-dessus du rameau ; odeur forte. **Cônes.** Longs (jusqu'à 20 cm), fins ; écailles fragiles et sommet dentelé.

ESPÈCES VOISINES – Épicéas de Sibérie (ci-dessous) et de Koyama (p. 104), et sapinette rouge (p. 104). Moins proches : sapin à queue de tigre (p. 112), épicéa du Colorado (p. 114) et épicéa de Chine (p. 112) : feuilles épineuses, plus épaisses, certaines sous le rameau. Sapinette d'Orient (p. 108) : feuilles courtes, à extrémité arrondie. Épicéa de Wilson (p. 106) : feuilles fines sur des rameaux blancs ; épicéa d'Alcock (p. 108) : raies blanc vif sur les 2 faces. Sapinette noire (p. 104) : feuilles bleutées courtes sur des rameaux poilus.

CULTIVARS – Certains cultivars nains ('Clanbrassiliana' par exemple) évoluent lentement vers de petits arbres.
'Pyramidata', rare : dense et étroit ; branches raides et plusieurs flèches serrées.
Sapin à serpents, 'Virgata', très rare : longues feuilles tout autour de rameaux non ramifiés ; assez laid.
'Inversa', encore plus rare : curiosité aux branches pleureuses appliquées le long du tronc.
'Aurea', rare (*cf.* sapinette d'Orient 'Aurea', p. 108) : jeunes pousses d'un jaune éclatant se détachant sur le fond vert sombre.
'Albospica' ('Argenteospica'), très rare mais spectaculaire : jeunes pousses *blanc pur* virant doucement au vert.

AUTRE ARBRE – *P. alpestris*, espèce relique du SE Suisse : écorce gris plus pâle, rameaux duveteux, et feuilles plus courtes, plus grises, disposées plus régulièrement autour du rameau.

Épicéa de Sibérie *Picea obovata*

N Russie. 1908. Collections. Souvent buissonnant. Il existe des formes hybrides avec l'épicéa commun (*P. × fennica*) en Finlande, Norvège et N Russie.

ASPECT – Diffère de l'épicéa commun par : **Rameaux.** Plus pâles, plus ternes, généralement poilus. **Feuilles.** Les latérales souvent orientées vers le dessous du rameau ; 1 feuille dressée près du bourgeon axillaire. **Cônes.** *Plus petits* (5 à 11 cm) ; écailles ligneuses non dentées.

ESPÈCES VOISINES – Épicéa de Wilson (p. 106) ; sapinette rouge (p. 104).

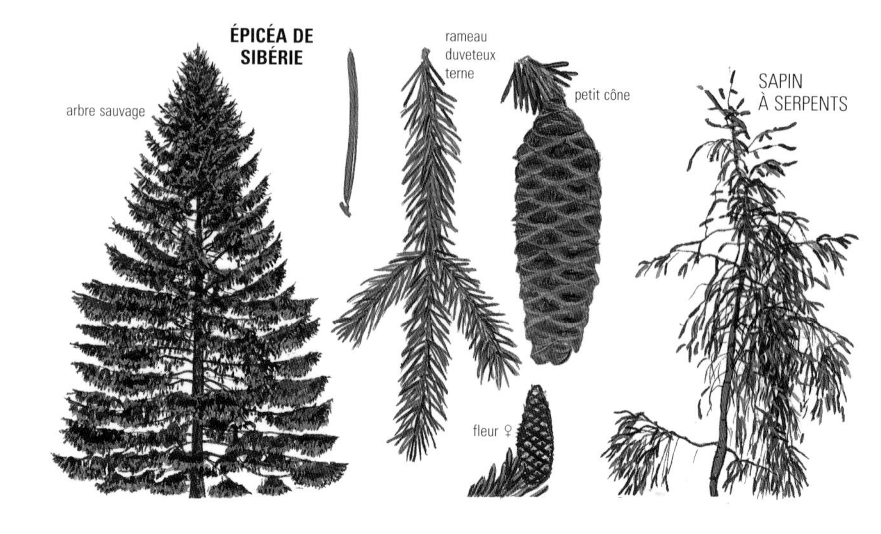

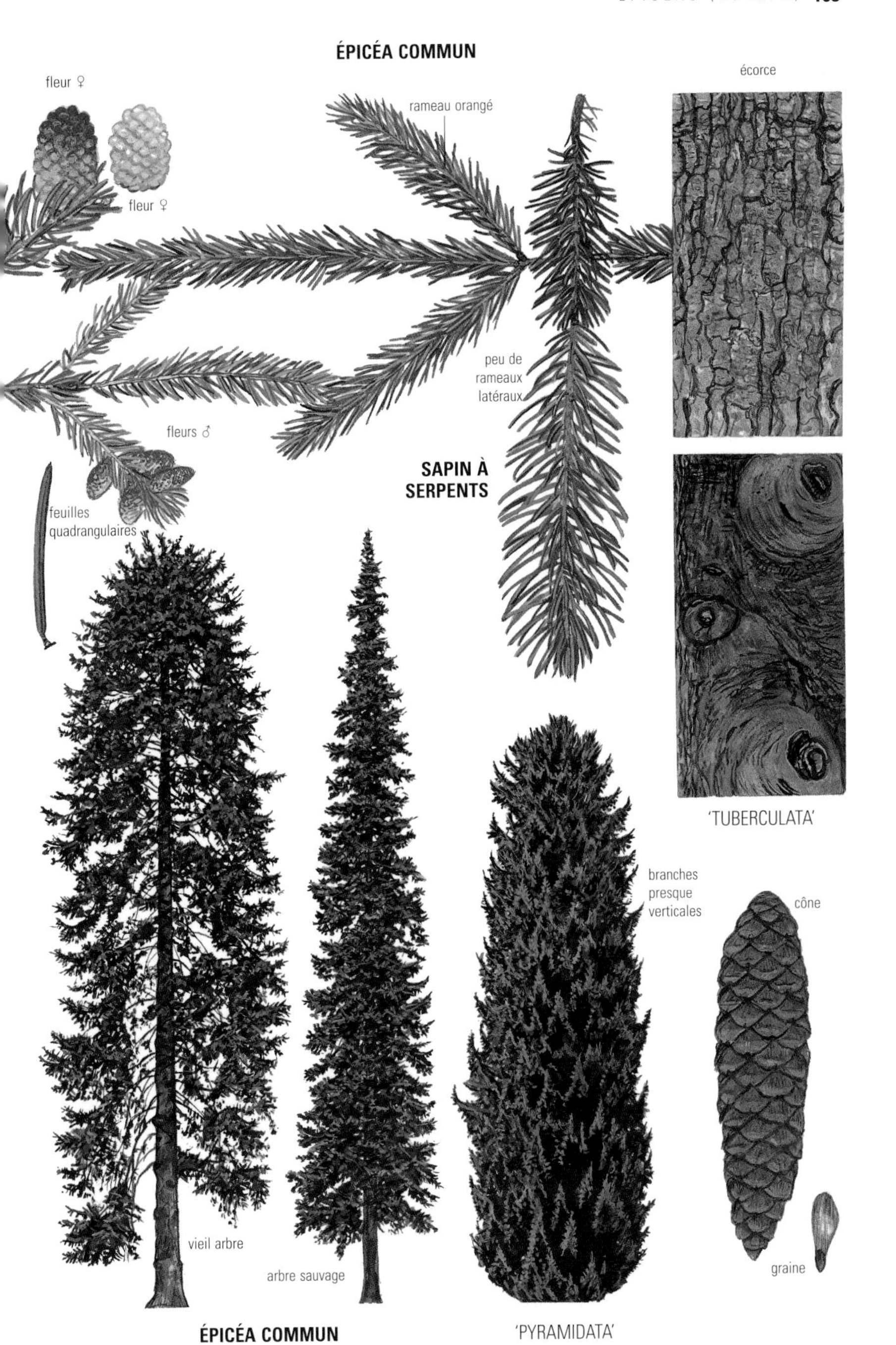
ÉPICÉA COMMUN
fleur ♀
fleur ♀
rameau orangé
écorce
peu de
rameaux
latéraux
fleurs ♂
SAPIN À
SERPENTS
feuilles
quadrangulaires
'TUBERCULATA'
branches
presque
verticales
cône
vieil arbre
arbre sauvage
graine
ÉPICÉA COMMUN
'PYRAMIDATA'

Sapinette noire *Picea mariana*

(Épinette noire ; *P. nigra*) Amérique du Nord – abondant de l'Alaska (à la limite de la toundra) jusqu'aux montagnes de Virginie. 1700. Rare.
Aspect – **Silhouette.** Conique *dense* et souvent étroite ; jusqu'à 20 m ; bleu-gris ; les branches basses s'enracinent facilement. **Écorce.** Foncée et pourprée ; assez finement écailleuse. **Rameaux.** Brun rosé, généralement *poilus*. **Feuilles.** Courtes (jusqu'à 15 mm), fines et souples ; *tout autour des rameaux* (mais davantage au-dessus) ; quadrangulaires ; raies bleu pâle dessous ; odeur de citron. **Cônes.** *Minuscules* (20 à 35 mm) ; abondants même sur les jeunes arbres ; pourpres, puis brun-rouge brillant ; persistant parfois 30 ans sur l'arbre ; écailles légèrement dentelées.
Espèces voisines – Sapinette blanche (p. 114) : extrémités des feuilles toutes *au-dessus du rameau brillant*. Sapinette rouge (ci-dessous) : feuilles plus vertes, bien séparées sous le rameau. Épicéa du Sikkim (p. 112) : feuilles également autour du rameau mais *aplaties*. Épicéa d'Alcock (p. 108) et sapin de Lijiang (p. 110) : raies blanches bien plus vives sur les 2 faces inférieures des feuilles, celles-ci bien séparées sous le rameau (le sapin de l'île Sakhaline, p. 108, proche, a des rameaux *orange* plus vif). Épicéa de Chine (p. 112) : couronne large et peu fournie, écorce à pelures papyracées et feuilles plus raides. Sapinette d'Orient (p. 108) : feuilles encore plus courtes, vert vif sur chaque face.

Sapinette rouge *Picea rubens*

(Épinette rouge ; *P. rubra*) Nouvelle-Écosse et Nouvelle-Angleterre. Collections.
Aspect – **Silhouette.** Conique dense et étroite, à cime effilée ; jusqu'à 28 m. **Écorce.** Brunâtre foncé ; écailleuse puis craquelée. **Rameaux.** Plus ou moins *poilus*, orangé pâle. **Feuilles.** Courtes (jusqu'à 15 mm), fines, quadrangulaires ou arrondies ; séparées sous le rameau et souvent *redressées ;* vert vif, brillant. **Cônes.** Petits (jusqu'à 5 cm) ; écailles peu ou pas dentées.
Espèces voisines – Épicéas commun et de Sibérie (p. 102). Épicéa de Koyama (ci-dessous) : rameaux moins poilus ; feuilles plus épaisses, plus raides et plus grises. Sapinette d'Orient (p. 108) : feuilles plus courtes, émoussées. Sapinette noire (ci-dessus) : feuilles plus grises, tout autour du rameau.

Épicéa de Koyama *Picea koyamai*

Japon. 1914. Rare. Collections.
Aspect – **Silhouette.** Conique dense, jusqu'à 22 m. **Écorce.** Brun-gris pourpré, s'exfoliant en bandes verticales. **Rameaux.** Orange, légèrement poilus dans les sillons. **Bourgeons.** Gros et pointus (8 mm), *blanchis par la résine.* **Feuilles.** Assez raides et souvent brusquement acuminées, jusqu'à 18 mm, mais plus courtes au sommet et à la base du rameau ; bien séparées sous le rameau et *orientées régulièrement à 45° vers l'avant* au-dessus ; quadrangulaires et plus ou moins grisées sur chaque face ; forte odeur, comme les feuilles de chrysanthème. **Cônes.** Jusqu'à 10 cm ; écailles ligneuses finement dentées.
Espèces voisines – Épicéa commun (p. 102) : feuilles plus courtes, plus souples, vert plus vif ; bourgeons peu résineux. Épicéa de Chine (p. 112) : feuilles plus raides, largement étalées ; écorce à l'aspect papyracé.

SAPINETTE NOIRE

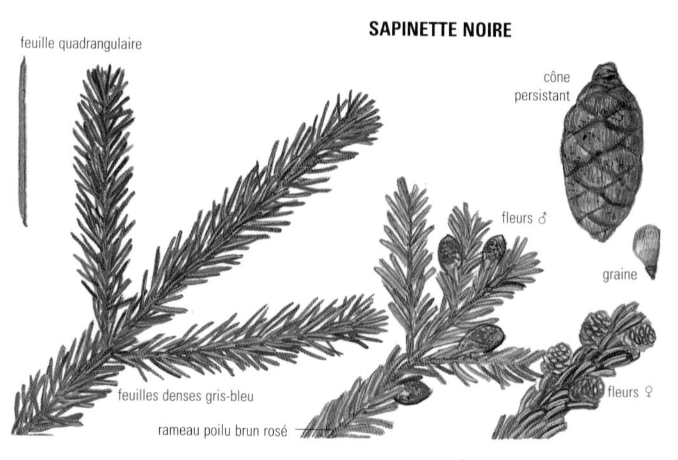

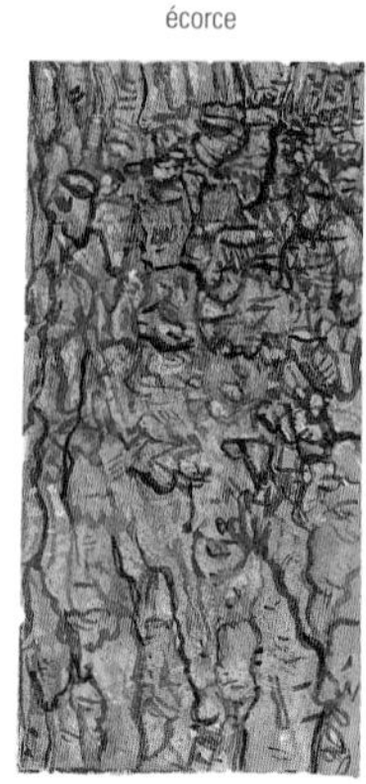

cône
rameau poilu
rameau
écaille
couronne
hérissée
feuilles courbées
vers le haut
SAPINETTE
ROUGE
feuille
fleur ♂
quadran-
gulaire
graine
fleur ♀
couronne
dense étroite
revers – 2 raies
gris-bleu
rameaux
effilés
au sommet
ÉPICÉA DE KOYAMA
gros
bourgeons
feuilles épineuses
rigides
branches basses
balayant le sol
feuille
SAPINETTE ROUGE
cône
quadran-
gulaire
écailles
striées
fleurs ♂
arbre sauvage
ÉPICÉA DE KOYAMA
fleur ♀
SAPINETTE NOIRE

Épicéa de Wilson *Picea wilsonii*

(*P. watsoniana*) N Chine. 1901. Collections.
Aspect – **Silhouette.** Largement conique et ouverte, avec branches horizontales et *rejets* (fréquents) sur le tronc ; jusqu'à 20 m. **Écorce.** Rose-gris ; fines écailles parfois papyracées. **Rameaux.** *Blanchâtres*, très sillonnés, glabres. **Feuilles.** Quadrangulaires (mais faciles à rouler), *très fines*, vert brillant, jusqu'à 16 mm ; aucune sous le rameau. **Cônes.** Jusqu'à 8 cm ; écailles ligneuses.
Espèce voisine – Épicéa de Sibérie (p. 102) : rameau plus foncé, parfois poilu ; feuilles plus larges.

Sapin de Sitka *Picea sitchensis*

De l'Alaska à N Californie (bande côtière). 1831. Abondants dans les forêts de Grande-Bretagne. Craint les climats secs, où il jaunit et reste trapu.
Aspect – **Silhouette.** Conique large et ouverte ; feuillage épars, gris bleuté terne ; jusqu'à 60 m en Écosse. **Écorce.** Très gris pourpré, s'écaillant rapidement. **Rameaux.** Brun blanchâtre, glabres. **Feuilles.** Très *aplaties* ; 2 raies blanc bleuté vif au revers, lignes plus étroites dessus ; rigides et très épineuses ; jusqu'à 30 mm ; *feuilles latérales perpendiculaires au rameau, contrastant* avec celles du dessus fermement appliquées et dirigées vers l'avant ; peu de feuilles dessous. **Cônes.** Courts, jusqu'à 10 cm ; écailles fines à bord denté.
Espèces voisines – Sapin de l'île Yeso (p. 110), très proche. Sapin de Sargent et épicéa de Lijiang (p. 110), épicéa du Sikkim (p. 112), sapin de Brewer (p. 100) et épicéa de Serbie (ci-dessous). Sapinette blanche (p. 114) : écorce et feuillage similaires, mais plus petit, avec des feuilles quadrangulaires courbées vers le haut.

Épicéa de Serbie *Picea omorika*

(Sapin de Serbie) Vallée de la Drina, Serbie/Bosnie-Herzégovine. 1889. Fréquent dans les parcs et dans les jardins. Tolère bien la sécheresse. Rarement en forêt.
Aspect – **Silhouette.** Conique régulière, *très étroite*, jusqu'à 30 m ; rameaux pendants sur des branches pendantes redressées à leur extrémité ; vert bleuté, la pointe retroussée des rameaux argentée par le revers des feuilles. **Écorce.** Brun-rouge, se craquelant en grosses plaques arrondies. **Rameaux.** Brun pâle, *très poilus.* **Feuilles.** Jusqu'à 22 mm ; *larges et aplaties, brusquement biseautées* à leur extrémité ; 2 raies blanches au revers ; largement étalées de chaque côté du rameau et souvent appliquées dessus. **Cônes.** 6 cm environ ; écailles finement dentées et tachées de résine ; même sur les tout jeunes arbres.
Espèces voisines – Épicéa de Lijiang (p. 110) : feuilles moins aplaties, plus courtes et plus fines. Sapin de l'île Yeso (p. 110) : rameau glabre et feuilles pointues, plus fines.

ÉPICÉA DE WILSON

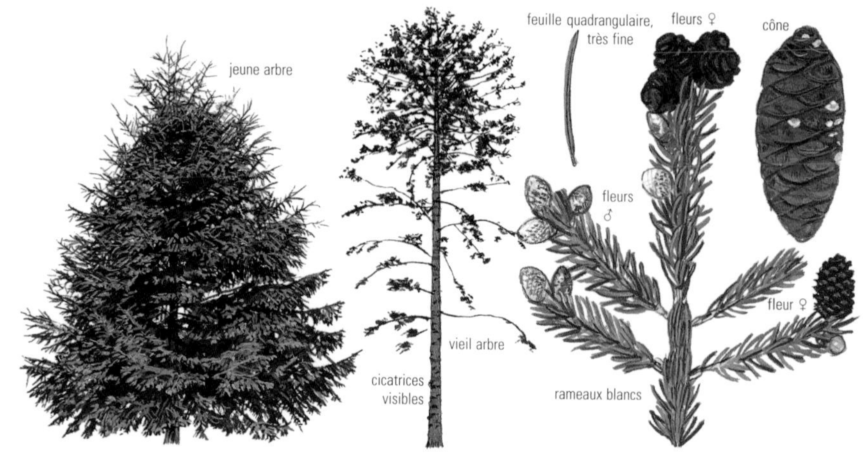

ÉPICÉA DE SERBIE

SAPIN DE SITKA

Sapinette d'Orient *Picea orientalis*

Caucase et NE Anatolie. 1839. Peu répandu. Résiste bien à la sécheresse.

Aspect – **Silhouette.** Conique régulière, puis colonnaire avec l'âge, dense ; cime hérissée de nombreuses jeunes pousses ; aspect sain, vert mat foncé ; jusqu'à 40 m. **Écorce.** Brun rosé ; s'exfoliant finement puis se craquelant en plaques arrondies. **Rameaux.** Brun pâle ; densément *poilus* dans les sillons. **Feuilles.** *Les plus courtes de tous les épicéas* (6 à 12 mm) ; quadrangulaires, à *bout nettement arrondi* sur les vieux arbres ; vertes sur chaque face ; très peu sous le rameau, celles du dessus plutôt appliquées. **Cônes.** Petits (7 cm) ; courbés et tachés de résine.

Espèces voisines – Épicéa commun (p. 102) : aspect similaire mais feuilles pointues bien plus longues. Sapinette rouge (p. 104) : feuilles pointues plus longues et couronne jaunâtre. Sapin de Lijiang (p. 110) : feuilles un peu plus aplaties, plus grises dessous. Épicéa de Serbie (p. 106) : feuilles aplaties ; 2 larges raies blanches au revers.

Cultivars – 'Aurea', rare (*cf.* épicéa commun 'Aurea', p. 102) : jeunes pousses dorées se détachant sur le feuillage vert sombre plus ancien. 'Gracilis', rare : croissance lente ; petit arbre extrêmement *dense*.

Autre arbre – *P. maximowiczii* (Japon, 1865), collections : rameaux orange plus vif, peu poilus, et feuilles assez longues (10 à 13 mm) (*cf.* épicéa commun ; écorce d'un rouge orangé plus profond).

Épicéa d'Alcock *Picea alcoquiana*

(*P. bicolor*) Honshu, Japon. 1861. Rare.

Aspect – **Silhouette.** Très *fortement* et largement conique, jusqu'à 25 m ; longues branches légèrement ascendantes ; feuillage gris-vert aggloméré en paquets entre lesquels passe le jour. **Écorce.** Gris-brun, se craquelant en plaques assez carrées (*cf.* sapin de l'île Yeso, p. 110) – moins écailleuse que celle des autres épicéas. **Rameaux.** Vigoureux, orange blanchâtre et généralement glabres. **Feuilles.** Quadrangulaires ; 2 larges raies blanches sur les 2 faces inférieures ; vert bleuté dessus ; jusqu'à 18 mm ; séparées sous le rameau et généralement courbées sur le dessus. **Cônes.** Jusqu'à 12 cm ; bord des écailles fin et souvent très courbé (*cf.* épicéa de Sargent, p. 110).

Espèces voisines – Sapin de l'île Yeso (p. 110) : arbre similaire mais à feuilles aplaties ; silhouette plus régulière et cônes plus petits. Sapin de Lijiang (p. 110) et sapinette noire (p. 104) : rameaux poilus, foncés, mats. Épicéa de Chine (p. 112) : écorce d'aspect papyracé ; feuilles plus raides du même gris sur les 4 faces. Sapinette blanche (p. 114) : feuilles courtes (12 mm), grisées sur chaque face.

Autres arbres – Sapin de l'île Sakhaline, *P. glehnii* (île Sakhaline et N japon, 1877), collections : jusqu'à 24 m ; feuilles également bicolores (mais plus bleutées), plus courtes (10 à 15 mm) ; rameaux *orange plus vif*, généralement densément poilus ; écorce très écailleuse, d'un brun pourpré intense ; cônes de 6 cm seulement ; rappelle la sapinette noire (p. 104) mais les rameaux sont généralement plus rouges et plus vifs.

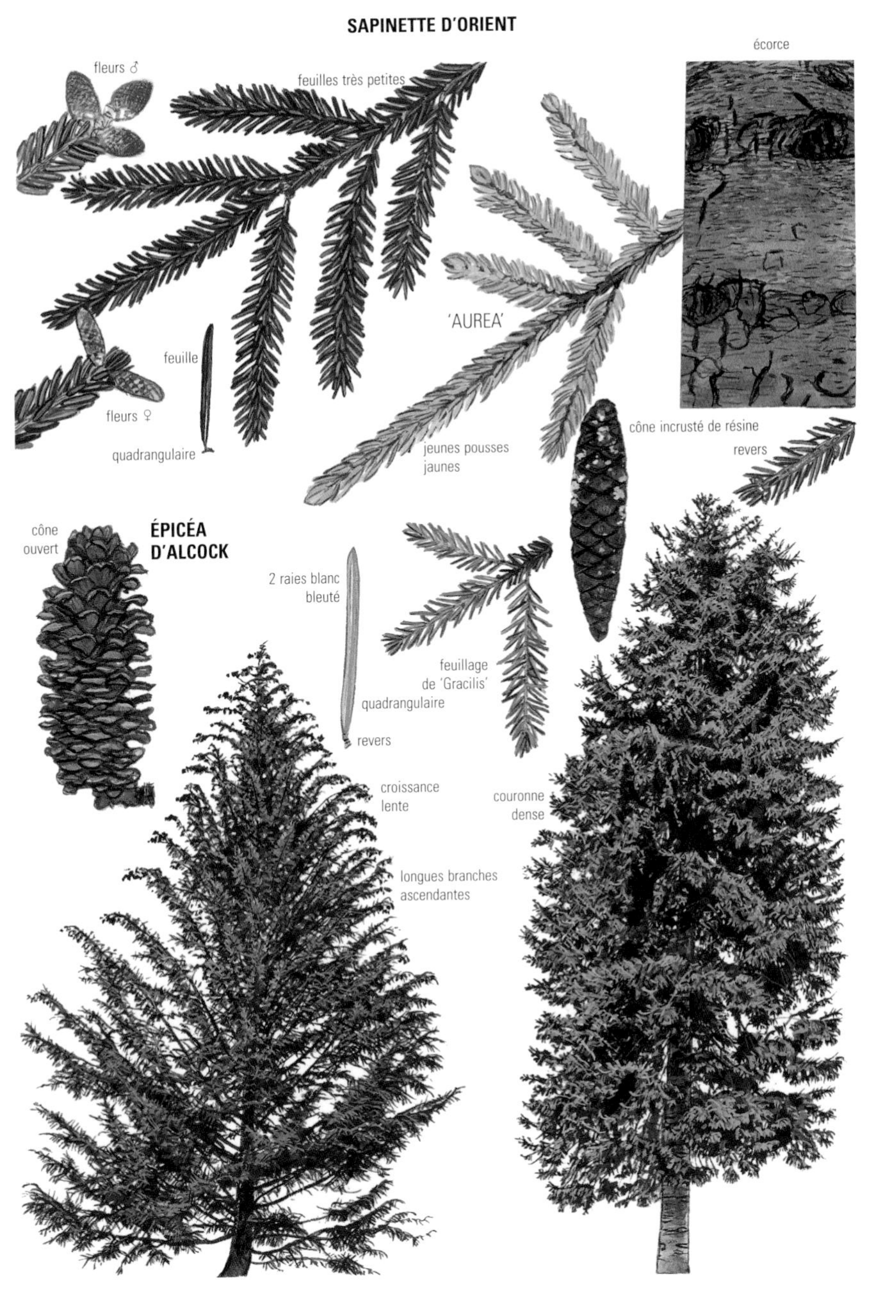

ÉPICÉA D'ALCOCK

SAPINETTE D'ORIENT

Sapin de Lijiang *Picea likiangensis*

SO Chine, SE Tibet. 1910. Peu fréquent.
ASPECT – **Silhouette.** Conique, ouverte ; jusqu'à 25 m. **Écorce.** Gris pâle ; écailleuse. **Rameaux.** Brun gris pâle, finement poilus en général. **Feuilles.** À section *losangique aplatie* ; vert bleuté dessus (gris argenté vif chez certains arbres du Yunnan) ; 2 raies grises ou blanches dessous ; courtes (16 mm), à extrémité nettement biseautée ; quelques-unes sous le rameau, celles du dessus très serrées, appliquées et *orientées vers l'avant puis sur les côtés.* **Fleurs mâles.** Nombreuses ; cramoisies puis jaunies par le pollen. **Cônes.** Pourpre-rouge, puis brun pâle à maturité ; jusqu'à 12 cm ; écailles fines à bord ondulé.
ESPÈCES VOISINES – Épicéa de Serbie (p. 106) : feuilles plus longues, plus larges. Épicéa d'Alcock (p. 108) : feuilles quadrangulaires, redressées. Sapinette noire (p. 104) : feuilles plus courtes tout autour du rameau. Épicéa de Sargent (ci-dessous) : très proche, mais raies blanches au revers souvent fusionnées.
AUTRE ARBRE – *P. purpurea* (*P. likiangensis* var. *purpurea* ; SO Chine, 1910), collections : écorce plus *orange ;* couronne plus dense, *vert vif,* avec plusieurs branches *redressées* concurrentes au sommet ; feuilles plus courtes, plus appliquées (6 à 15 mm) ; raies gris plus terne au revers ; cônes plus petits (jusqu'à 5 cm), pourpre bleuté en été.

Sapin de l'île Yeso
Picea jezoensis ssp. *hondoensis*

Honshu, Japon. 1879. Peu répandu. (Souvent étiqueté sous le nom de l'espèce, commune dans E Asie mais rare en Europe où elle est peu attrayante.)
ASPECT – **Silhouette.** Largement conique, max. 30 m ; branches assez horizontales. **Écorce.** Grise ; se craquelant en plaques rectangulaires. *Moins écailleuse* que les autres épicéas. **Rameaux.** Vigoureux, glabres ; ambre pâle. **Feuilles.** Vert intense, *aplaties* ; larges raies blanches dessous ; séparées sous le rameau et *étalées dessus* ; raides, pointues ; 15 mm. **Cônes.** 5 cm ; fines écailles à 2-3 dents.
ESPÈCES VOISINES – Sapin de Sitka (p. 106) : feuilles plus longues, plus raides ; rang inférieur *perpendiculaire* au rameau. Épicéa d'Alcock (p. 108) : feuilles quadrangulaires. Épicéa de Sargent (ci-dessous) : feuilles entièrement blanches dessous et plus appliquées sur le dessus du rameau. Autres épicéas à feuilles aplaties : rameaux poilus plus mats, plus foncés.

Épicéa de Sargent *Picea brachytyla*

O Chine, Haut-Myanmar. 1901. Assez rare.
ASPECT – **Silhouette.** Conique ouverte puis colonnaire ; port assez pleureur ; aspect pâle lié au revers argenté des feuilles. **Écorce.** Gris brun ; se craquelant en plaques arrondies. **Rameaux.** Blanchâtres, glabres, *très fins* ; peu sillonnés. **Feuilles.** *Aplaties*, à pointe étroite, vert clair dessus ; *2 raies blanc brillant souvent fusionnées* au revers ; max. 20 mm ; aucune sous le rameau, mais celles du dessus *appliquées*, leur extrémité pointant vers le bas. **Cônes.** Effilés, un peu courbés ; écailles ligneuses au bord souvent recourbé. (*Cf.* épicéa d'Alcock, p. 108.)
ESPÈCES VOISINES – Épicéa du Sikkim (p. 112) : feuilles autour du rameau. Sapin de l'île Yeso (ci-dessus) : raies blanches séparées au revers des feuilles.

SAPIN DE L'ÎLE YESO

PICEA PURPUREA

SAPIN DE LIJIANG

Épicéa du Sikkim *Picea spinulosa*

(*P. morindoides*) Sikkim, Bhoutan et NE Inde. 1878. Rare.
Aspect – Silhouette. Très ouverte, colonnaire, jusqu'à 28 m ; feuillage relativement pendant ; jeunes arbres (plus coniques) parfois très argentés. **Écorce.** Gris pâle ; écailleuse, en plaques circulaires, ou parfois fissurée. **Rameaux.** Blanchâtres ; plus épais que ceux de l'épicéa de Sargent (p. 110). **Bourgeons.** Plus gros (7 mm). **Feuilles.** *Aplaties, fines* et étroitement pointues, jusqu'à 25 mm ; *tout autour du rameau*, bien qu'un peu plus dessus ; toutes dirigées vers l'avant ; gris-vert dessus ; *larges raies blanches* au revers, rarement fusionnées. **Cônes.** 7 à 11 cm ; écailles fines mais ligneuses, dentées.
Espèces voisines – Épicéa de Sargent (p. 110) : même revers blanc vif mais feuilles plus larges, nettement séparées sous le rameau comme chez les autres épicéas à feuilles aplaties, hormis le sapin de Brewer. Autres épicéas très bleus (p. 114) : feuilles quadrangulaires et port bien plus dense et hérissé.

Sapin à queue de tigre *Picea torano*

(*P. polita*) Japon. 1861. Peu répandu ; collections.
Aspect – Silhouette. Conique irrégulière et hérissée, avec beaucoup de bois mort, paraissant *vert jaunâtre sombre* à distance ; jusqu'à 28 m mais souvent moins. **Écorce.** Pourpre-gris brunâtre ; grandes écailles irrégulières, rugueuses. **Rameaux.** Vigoureux, brun blanchâtre, glabres, à picots particulièrement saillants. **Bourgeons.** Châtain brillant, *jusqu'à 12 mm de long.* **Feuilles.** Bien espacées et étalées tout autour du rameau (un peu plus sur le dessus), laissant passer le jour, d'où l'aspect « tigré » du rameau feuillu ; mais le nom japonais (*tora-no-o*) fait référence au risque que l'on prend en voulant les saisir – férocement épineuses, *elles piquent douloureusement* même avec une *approche délicate* ; *épaisses* (quadrangulaires), courbées et rigides ; 20 mm environ. **Cônes.** Trapus (jusqu'à 12 × 5 cm) ; écailles minces, ligneuses, finement dentées et ondulées.
Espèces voisines – Sapin du Colorado (p. 114) : arbre gris à vert sombre ; écorce plus écailleuse ; feuilles courbées vers le haut, moins rigides. Épicéa de Chine (ci-dessous) : écorce papyracée ; feuilles grisâtres moins courbées, moins épineuses.

Épicéa de Chine *Picea asperata*

O Chine. 1910. Rare ; collections.
Aspect – Silhouette. Large et conique, peu fournie, avec des trous entre les branches ascendantes au feuillage dense ; jusqu'à 20 m. **Écorce.** *Gris-mauve* (parfois plus brune) ; généralement pelucheuse, avec de longues écailles fines et recourbées. **Rameaux.** Vigoureux et pâles ; nettement sillonnés ; picots généralement poilus. **Bourgeons.** Gros et pointus (10 mm). **Feuilles.** 10 à 18 mm ; quadrangulaires et rigides ; vert bleuté ; fines raies grises sur chaque face ; certaines étalées sous le rameau, mais la plupart dressées sur le dessus. **Cônes.** Jusqu'à 12 cm ; écailles finement ligneuses.
Espèces voisines – Épicéa bleu du Colorado (p. 114) : arbre plus étroit ; écorce finement écailleuse ; feuilles courbées vers le haut, un peu plus longues. Épicéa d'Alcock (p. 108) : couronne également large et creuse, mais écorce non papyracée ; raies grises sur les faces inférieures seulement. Sapin à queue de tigre (ci-dessus) : feuilles très raides. Sapinette blanche (p. 114) : feuilles plus douces.

SAPIN À QUEUE DE TIGRE

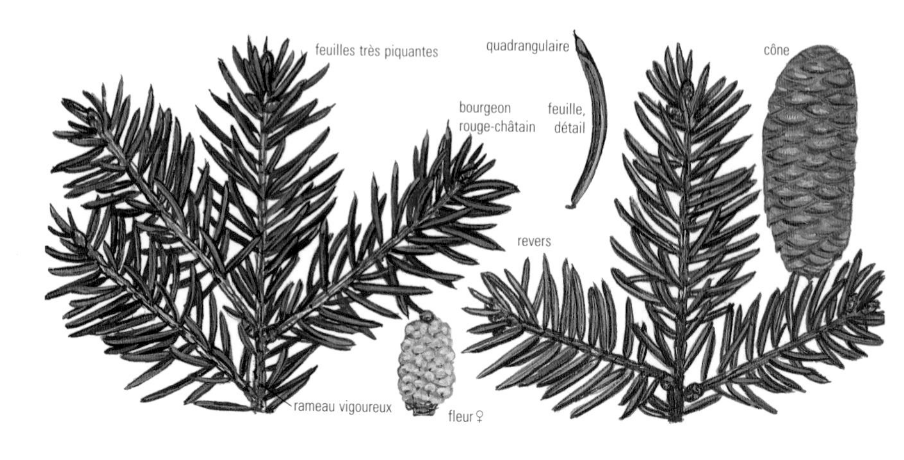

ÉPICÉA DE CHINE

ÉPICÉA DU SIKKIM

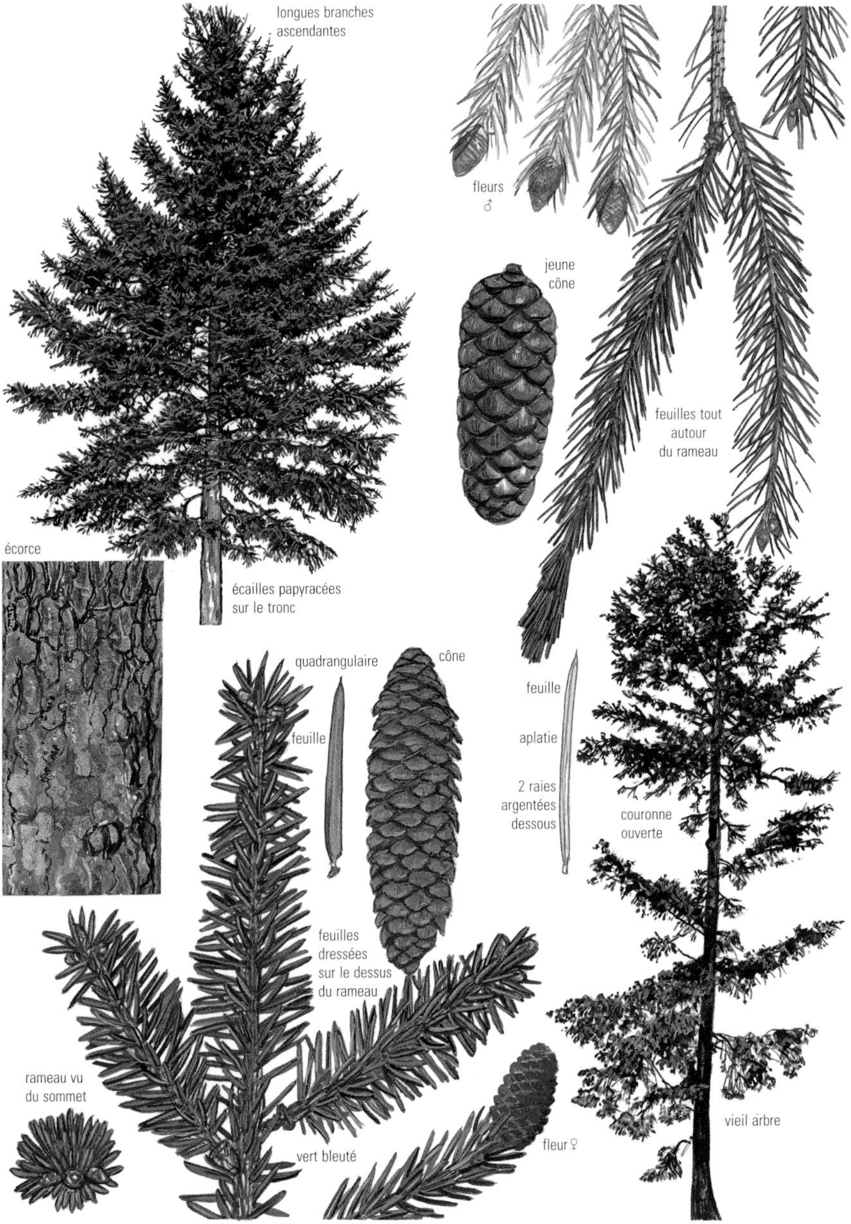

longues branches ascendantes

fleurs ♂

jeune cône

feuilles tout autour du rameau

écorce

écailles papyracées sur le tronc

quadrangulaire

cône

feuille

feuille

aplatie

2 raies argentées dessous

couronne ouverte

feuilles dressées sur le dessus du rameau

rameau vu du sommet

vieil arbre

fleur ♀

vert bleuté

ÉPICÉA DE CHINE

ÉPICÉA DU SIKKIM

Épicéa bleu du Colorado

Picea pungens f. *glauca*

États-Unis (montagnes Rocheuses). Commun dans les petits jardins (souvent des sélections naines). Jusqu'à 28 m dans les collections. L'espèce type (1862 ; feuilles foncées, vertes à grisâtres) est confinée aux grands jardins.

ASPECT – **Silhouette.** Conique à colonnaire ; dense et étroite ; très hérissée. **Écorce.** Pourpré foncé ; écailles grossières ou *fissures écailleuses*. **Rameaux.** Brun pâle, brillants et glabres. **Feuilles.** Bleu argenté vif lié à la présence de bandes blanchâtres sur les 4 faces ; étalées tout autour du rameau (plus nombreuses sur le dessus) ; la plupart *courbées* vers l'avant et le haut ; jusqu'à 20 mm ; raides et piquantes. **Cônes.** Jusqu'à 12 cm ; écailles fines, ondulées.

ESPÈCES VOISINES – Sapin bleu de l'Arizona (ci-dessous). Sapinette blanche (ci-dessous) : feuilles plus courtes (13 mm). Sapinette noire (p. 104) : feuilles bien plus courtes ; rameaux poilus. Épicéa de Chine (p. 112) : feuilles plus courtes, couronne plus large et écorce pelucheuse. Épicéa d'Alcock (p. 108) : arbre large, plus sombre ; raies blanches seulement sur le dessous des feuilles. Sapin de Sitka (p. 106) : raies blanches au revers de feuilles très aplaties ; arbre plus grand. Cèdre bleu de l'Atlas (p. 92) : le seul conifère commun aux feuilles aussi intensément argentées ; aiguilles pour la plupart en rosettes.

CULTIVARS – Parmi les sélections argentées : 'Moerheimii' (1912 ; rameaux plus pâles ; feuilles jusqu'à 30 mm), 'Hoopsii' (1958 ; le plus vif de tous ; croissance très lente) et 'Koster' ('Kosteriana' ; les descendants de 10 arbres sélectionnés en 1908).

Sapin bleu de l'Arizona

Picea engelmanii f. *glauca*

O Amérique du Nord. 1809 ? Rare. (L'espèce type a un feuillage plus vert ; collections.)

ASPECT – Très proche de l'épicéa bleu du Colorado. **Silhouette.** *Régulière*, dense, légèrement pleureuse ; max. 30 m. **Écorce.** *Légèrement* écailleuse, rose-gris (parfois orange et finement *lamellée*). **Rameaux.** Rosés ; *poilus* sur et près des picots. **Feuilles.** *Plus souples*, bien séparées sous le rameau (plus longues – 20 mm – que celles de la sapinette blanche).

AUTRE ARBRE – *P.* × *hurstii* (hybride présumé avec l'épicéa du Colorado), collections : rameaux glabres rougeâtre pâle ; feuilles plus éparses, courbées vers le haut, souples ; écorce aux fines écailles pourpre-rouge.

Sapinette blanche

Picea glauca

(Épinette blanche, sapin du Canada ; *P. alba*) N Amérique du Nord ; peu commun.

ASPECT – **Silhouette.** Conique, pas très fournie ; jusqu'à 28 m ; gris terne pâle. **Écorce.** Gris pourpré, développant de grandes plaques arrondies. **Rameaux.** Blanc rosé brillant, généralement glabres. **Feuilles.** *Courtes* (10 à 16 mm), serrées, *toutes courbées vers le haut ;* quadrangulaires et striées de blanc sur chaque face. **Cônes.** Petits (jusqu'à 6 cm) ; écailles arrondies, papyracées, lisses.

ESPÈCES PROCHES Sapinette noire (p. 104) : rameaux poilus rougeâtres. Épicéa de Chine (p. 112) et épicéa bleu du Colorado (ci-dessus) : feuilles plus épineuses.

AUTRE ARBRE – *P.* × *lutzii :* hybride spontané avec le sapin de Sitka (p. 106) ; dans certaines collections depuis 1962 (il en existe des plantations en Islande).

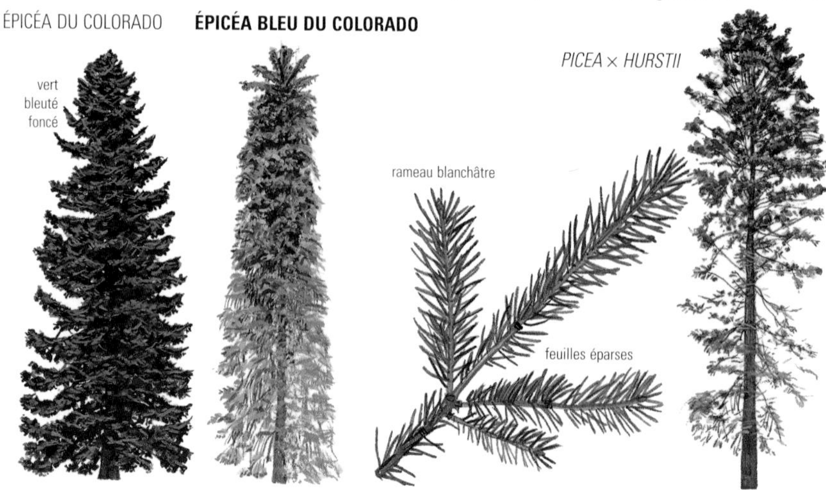

SAPINETTE BLANCHE

SAPIN BLEU DE L'ARIZONA ÉPICÉA BLEU DU COLORADO

SAPINETTE BLANCHE

SAPIN BLEU DE L'ARIZONA

ÉPICÉA BLEU DU COLORADO

Les tsugas (10 espèces) ressemblent à des épicéas lisses, non écailleux (avec des cônes plus petits). Leurs feuilles aplaties, souvent argentées, ont des pétioles fins parallèles au rameau. (Famille : Pinacées.)

Critères de distinction : tsugas

- Silhouette ?
- Rameaux : Poilus ? Couleur ?
- Feuilles : Échancrées ? Finement dentées ? Largeur ? Raies blanches ou grises ? Ordonnées en rangs ou non ? Inversées à l'extrémité du rameau ?

Tsuga de Californie *Tsuga heterophylla*

(*T. albertiana*) NO Amérique du Nord. 1851. Localement abondant loin des zones sèches ou polluées. Essence forestière fréquente.

ASPECT – **Silhouette.** Tronc typiquement droit (rarement fourchu), cannelé avec l'âge ; couronne conique étroite, jusqu'à 50 m en situation abritée ; flèche inclinée (cf. déodar, p. 92) ; *feuillage vert vif pendant en éventail.* **Écorce.** Brun foncé, semblable à celle d'un cèdre mais à crêtes plus rugueuses. **Rameaux.** Brun café ; longs poils frisés. **Feuilles.** 6 à 22 mm, les plus courtes au sommet ; les plus larges (2 mm) *au milieu ;* 2 raies blanc vif au revers ; odeur de ciguë. **Cônes.** Pendants à l'extrémité des rameaux, jusqu'à 25 mm.

ESPÈCES VOISINES – Pruche du Canada (voir ci-dessous). Tsuga du Yunnan (p. 118) : le plus proche parmi les petites espèces – feuilles plus pâles, avec raies blanches plus larges au revers, pas de feuilles étalées sur le dessus du rameau. Tsuga de Chine (p. 118) : feuilles plus pâles *à peine blanches dessous.* Tsuga de Caroline (p. 118) : feuilles fines ; rameau *brillant,* plus foncé, poilu dans les sillons. Tsuga de l'Himalaya (p. 118) : feuilles raides plus longues, étalées sur le dessus du rameau. Tsuga du Japon (p. 118) : feuilles tronquées, *échancrées.* Tsuga des montagnes (p. 118) : feuilles *grisâtres tout autour.* Douglas 'Fretsii' (p. 120) : feuilles de même longueur, sur un rameau pourpre à vert.

Pruche du Canada *Tsuga canadensis*

E Amérique du Nord, jusqu'en Alabama. 1736. Peu répandu.

ASPECT – **Silhouette.** Large, conique irrégulière, jusqu'à 30 m ; flèche légèrement inclinée ; tronc *sinueux ou très fourchu.* **Écorce.** Plus grise et plus fissurée que celle du tsuga de Californie. **Feuilles.** Comme celles du tsuga de Californie, mais souvent *plus larges à la base,* avec un rang de feuilles très courtes *inversées à l'extrémité de chaque rameau* (montrant ainsi leur revers argenté) ; odeur de citron. **Cônes.** Petits (18 mm).

ESPÈCES VOISINES – Tsuga de Californie (ci-dessus). Les autres espèces à port buissonnant (cf. tsuga de Caroline, p. 118) n'ont pas la rangée de feuilles inversées.

CULTIVARS – 'Pendula', assez rare : forme un splendide dôme de feuillage dense retombant. Formes de faible développement : 'Fremdii' (feuilles serrées, brillantes, sombres, 9 mm), 'Taxifolia' (longues feuilles serrées à l'extrémité des rameaux) et 'Aurea' (jaune et compacte). 'Microphylla' : feuilles très petites (6 mm) ; 'Macrophylla' : grandes feuilles.

PRUCHE DU CANADA

TSUGA DE CALIFORNIE

Tsuga de Caroline *Tsuga caroliniana*

Appalaches, États-Unis. 1886. Collections.
Aspect – Silhouette. Souvent buissonnante ; jusqu'à 13 m. **Rameaux.** Orangés ; sillons poilus. **Feuilles.** Souvent disposées au hasard, à angles *obtus ; fines, à bords parallèles et pointe arrondie* ; raies blanc vif dessous ; odeur de citron ; *non finement dentées* contrairement aux autres tsugas américains.
Espèces voisines – Tsuga de Californie (p. 116) : feuilles plus larges. Tsugas de Chine et du Yunnan (ci-dessous).

Tsuga de Chine *Tsuga chinensis*

Centre et O Chine. 1900. Collections.
Aspect – Silhouette. Jusqu'à 20 m ; souvent densément buissonnant. **Feuilles.** Semblables à celles du tsuga de Californie (p. 116), mais vert brillant plus jaune dessus et *raies vert pâle dessous* ; finement dentées vers l'extrémité ou pas du tout ; insérées à 30-40° sur le rameau.
Espèce voisine – Tsuga du Yunnan : revers blanc.

Tsuga du Japon méridional *Tsuga sieboldii*

1861. Rare ; collections.
Aspect – Silhouette. Large ; souvent buissonnante ; jusqu'à 22 m. **Écorce.** Grise ; se craquelant en carrés avec l'âge. **Rameaux.** *Chamois brillant, glabres.* **Feuilles.** Larges, jusqu'à 20 mm ; *extrémités bien échancrées* ; larges raies blanc *terne* dessous ; non dentées.
Autre arbre – Tsuga du Japon septentrional, *T. diversifolia* (1861), plus rare : écorce plus orange, plus pâle ; rameaux *orange* (très finement poilus au départ) ; feuilles plus nettement parallèles ; *raies plus blanches* au revers (cf. sapin de Corée, p. 86).

Tsuga de l'Himalaya *Tsuga dumosa*

Himalaya à N Vietnam. 1838. Rare. A besoin d'une situation humide et abritée.
Aspect – Silhouette. Jusqu'à 28 m (mais croissance très lente) ; tronc sinueux, parfois plusieurs ; port pleureur. **Écorce.** Semblable à celle d'un mélèze : fissures larges, écailleuses. **Rameaux.** Brun blanchâtre ; poils *épars*. **Feuilles.** *Rigides*, longues et foncées ; *jusqu'à 30 mm ; en rangs sur le dessus du rameau ;* raies larges et brillantes au revers.
Autre arbre – Tsuga du Yunnan, *T. yunnanensis* (O Chine, 1908) : feuilles (en rangs assez aplatis) plus proches de celles du tsuga de Californie (p. 116), mais plus longues, plus pâles et d'un blanc plus vif au revers ; extrémité finement échancrée.

Tsuga des montagnes *Hesperopeuce mertensiana*

(Tsuga de Mertens ; *Tsuga mertensiana*) NO Amérique du Nord. 1854. La disposition irrégulière des feuilles rappelle celle des vrais tsugas, tandis que les cônes évoquent plutôt ceux des épicéas. Assez rare ; prisé pour son port svelte et sa couleur.
Aspect – Silhouette. Conique élancée, parfois penchée ou fourchue ; *feuillage retombant en étages distincts.* **Écorce.** Écailleuse et rugueuse ; brun chocolat contrastant avec les *feuilles gris* foncé. **Rameaux.** Brun pâle, brillants ; poils longs épars. **Feuilles.** *Disposées irrégulièrement de chaque côté du rameau* ; jusqu'à 20 mm ; étroites, épaisses et *grises sur chaque face.* **Cônes.** *Jusqu'à 8 cm* ; fines écailles duveteuses.
Cultivar – Tsuga de Jeffrey, var. *jeffreyi* (*Tsuga × jeffreyi*), collections : jusqu'à 18 m ; feuilles plus petites, plus éparses et plus aplaties, *vert jaunâtre sur chaque face.*

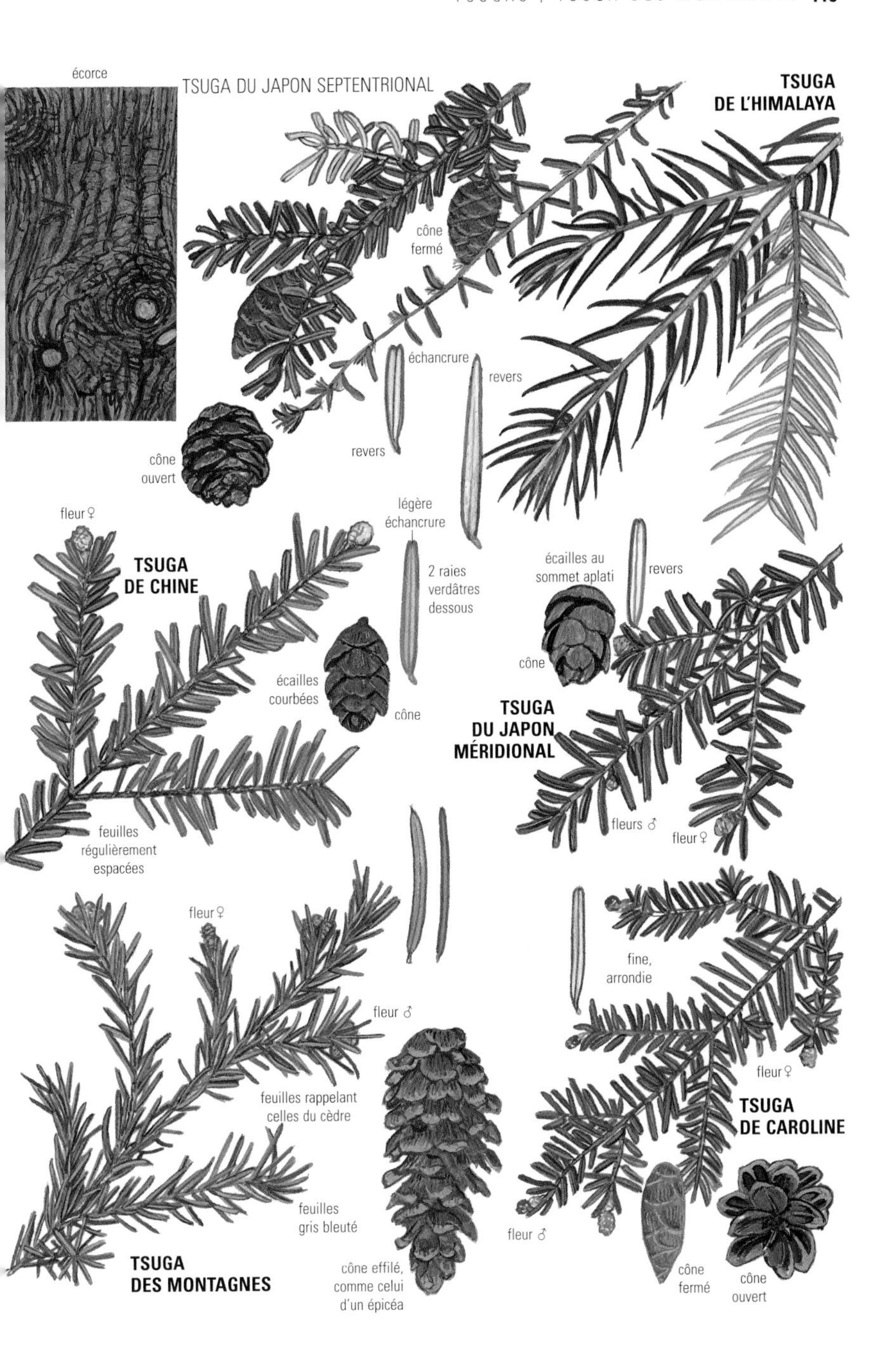
écorce
TSUGA DU JAPON SEPTENTRIONAL
TSUGA DE L'HIMALAYA
cône fermé
échancrure
revers
revers
cône ouvert
légère échancrure
fleur ♀
TSUGA DE CHINE
2 raies verdâtres dessous
écailles au sommet aplati
revers
cône
écailles courbées
cône
TSUGA DU JAPON MÉRIDIONAL
feuilles régulièrement espacées
fleurs ♂
fleur ♀
fleur ♀
fine, arrondie
fleur ♂
fleur ♀
feuilles rappelant celles du cèdre
TSUGA DE CAROLINE
feuilles gris bleuté
fleur ♂
TSUGA DES MONTAGNES
cône effilé, comme celui d'un épicéa
cône fermé
cône ouvert

Les douglas (5 espèces) ont un feuillage qui ressemble à celui des sapins (mais les disques minuscules ne sont réellement visibles que lorsqu'on arrache la feuille). Leurs bourgeons sont coniques et longs. (Famille : Pinacées.)

Douglas vert *Pseudotsuga menziesii*

(Sapin de Douglas ; *P. taxifolia, P. douglasii*) O Amérique du Nord. 1827. Autrefois le plus grand conifère du monde (dans sa forme côtière), avec des arbres de 120 m – maintenant tous abattus pour leur bois. Fréquent loin des zones sèches ou polluées ; atteint 62 m en Europe, dans les montagnes écossaises et galloises.

ASPECT – **Silhouette.** Conique en situation abritée, sur un tronc droit et élancé ; flèche facilement brisée par le vent, devenant souvent large et lourde sur les vieux arbres ; port parfois pleureur ; vert sombre ou occasionnellement gris-vert. **Écorce.** Grise et lisse sur les jeunes arbres puis avec de larges fissures orange, et enfin *pourpre gris ou noir* et *massivement anguleuse* (cf. sapin de Low, p. 76). **Rameaux.** Fins, brun-gris, finement poilus. **Bourgeons.** Très *fins*, brun pâle, fuselés comme ceux du hêtre. **Feuilles.** *Douces, souples et fines*, jusqu'à 3 cm, avec une extrémité *étroitement arrondie* ; raies vert-blanc étroites au revers ; disposées tout autour du rameau, bien que peu nombreuses dessous ; odeur forte et fruitée. **Cônes.** Pendants à maturité ; 6 cm ; *bractées à 3 dents*, 15 mm de long, *pointant vers le sommet*, mais se détachant rapidement.

CULTIVARS – Douglas bleu, var. *glauca* (E montagnes Rocheuses, 1876) : moins souffreteux que l'espèce dans les zones de plaine ; arbre gris à noirâtre, élancé, légèrement branchu ; jusqu'à 30 m ; écorce *gris fauve* foncé, *écailleuse* et peu fissurée ; feuilles plus épaisses, moins odorantes, souvent grisâtres dessus, avec des raies plus grises dessous ; cônes petits, à bractées *étalées à l'horizontale* – le critère distinctif le plus fiable car certains arbres de l'espèce peuvent être très bleutés.
'Fretsii', collections : semi-nain ; feuilles *larges, très courtes* (10 × 3 mm), vivement rayées de blanc au revers ; 'Brevifolia', collections : feuilles *courtes* mais plus fines, certaines *courbées vers l'arrière.*
'Stairii', très rare : jeunes pousses *jaune pâle.*

AUTRES ARBRES – Douglas à grands cônes, *P. macrocarpa* (SO Californie, NO Mexique ; 1910), collections : bourgeons plus rouges ; feuilles plus longues (30 à 50 mm), courbées, *longuement pointues* (cf. sapin de l'Himalaya, p. 100) et moins aromatiques ; grands cônes (jusqu'à 18 cm), jamais observés en Europe.
Tsuga du Japon, *P. japonica* (SE Japon ; 1910), rare : silhouette peu fournie, jusqu'à 15 m ; écorce grise se craquelant rapidement en *plaques écailleuses serrées ;* rameaux *glabres ;* feuilles tout autour du rameau, échancrées à leur extrémité et peu odorantes.

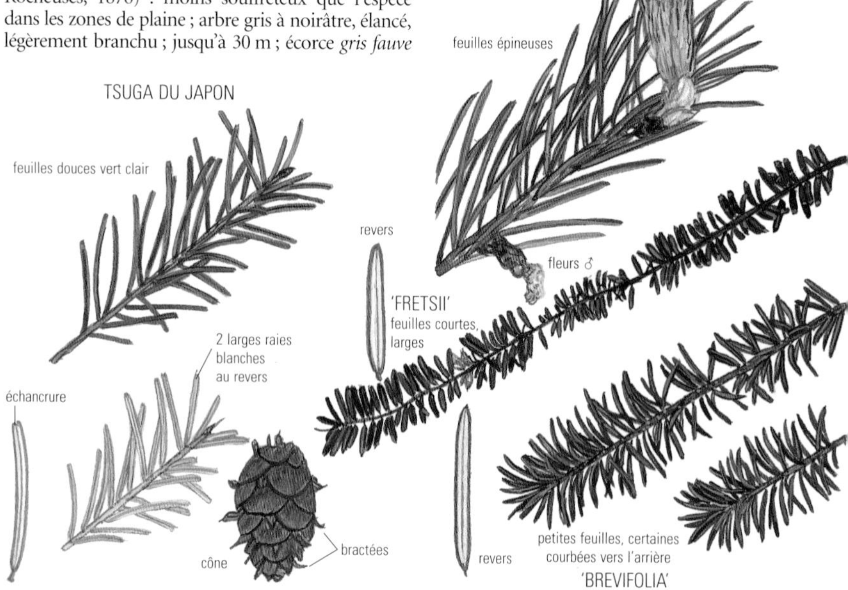

DOUGLAS VERT
écorce
revers
bourgeon fuselé
bractées pointant vers l'avant
bractées pointant vers l'avant
fleurs ♀
disque basal
cône ouvert
graine
fleurs ♂
DOUGLAS BLEU
plus ou moins gris bleuté
bractées courbées vers l'arrière
feuillage dense pendant
plantule
vieil arbre isolé
cône

Les pins ont des feuilles adultes normalement divisées en faisceaux de 2 à 8 aiguilles ; le nombre d'aiguilles par faisceau est le meilleur critère d'identification pour ces arbres. Les aiguilles sont entourées d'une gaine membraneuse et les feuilles juvéniles (baliveaux, rejets) ne sont pas divisées. Les cônes sont généralement ligneux, mais plus proches de ceux des épicéas chez les pins à feuillage souple. (Famille : Pinacées.)

Critères de distinction : pins

- Silhouette ? Écorce ?
- Bourgeons (aiguilles par 2) : Extrémité des écailles libre ? Courbés vers l'extérieur ?
- Rameaux (aiguilles par 5) : Couleur ? Pruineux ? Poilus ?
- Feuilles : Par 2, 3, 5 ou en combinaisons ? Longueur ? Tordues (aiguilles par 2) ? Pendantes, dentées, rayées de blanc (aiguilles par 5) ?
- Cônes : Grosseur ? Épineux ? Écailles (aiguilles par 5) courbées vers l'intérieur ou vers l'extérieur ?

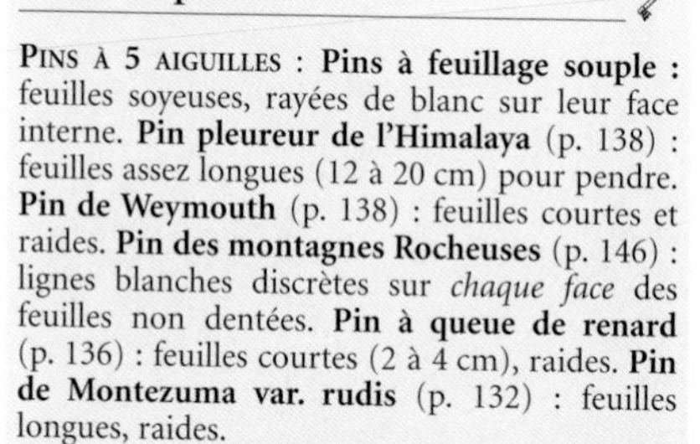

Clé des espèces

Pins à 5 aiguilles : Pins à feuillage souple : feuilles soyeuses, rayées de blanc sur leur face interne. **Pin pleureur de l'Himalaya** (p. 138) : feuilles assez longues (12 à 20 cm) pour pendre. **Pin de Weymouth** (p. 138) : feuilles courtes et raides. **Pin des montagnes Rocheuses** (p. 146) : lignes blanches discrètes sur *chaque face* des feuilles non dentées. **Pin à queue de renard** (p. 136) : feuilles courtes (2 à 4 cm), raides. **Pin de Montezuma var. rudis** (p. 132) : feuilles longues, raides.
Pins à 3 aiguilles : Pin jaune des montagnes Rocheuses (p. 146) : feuilles longues, raides. **Pin de Monterey** (p. 144) : feuilles plus courtes, plus fines, vives. **Pin Napoléon** (p. 148) : feuilles courtes, raides. **Pin du Mexique** (p. 148) : feuilles fines, pendantes.
Pins à 2 aiguilles : Pin sylvestre (ci-dessous) : feuilles courtes souvent grisées. **Pin lodgepole** (p. 126) : feuilles courtes vert sombre. **Pin de Corse** (p. 124) : feuilles longues, bourgeons à écailles apprimées. **Pin maritime** (p. 132) : feuilles longues ; bourgeons à écailles courbées.

Pin sylvestre *Pinus sylvestris*

(Pin d'Écosse, pin rouge du nord) Europe (de l'Espagne au Caucase ; de la Laponie à la Sibérie). En France : Vosges, Alsace, Jura, Alpes, Massif Central et Pyrénées. Essence forestière importante. Chétif et jaunâtre sur calcaire. Beau contraste entre le feuillage gris-vert et l'écorce rose orangé. Il existe de nombreuses races.

Aspect – **Silhouette.** Conique dans les plantations et chez la variété balte var. *rigensis* ; arrondie et vite pittoresque chez les arbres isolés (en particulier var. *scotica*) ; jusqu'à 40 m. **Écorce.** Écailles gris-rouge au début ; avec l'âge, *rose orangé et finement squameuse* dans la partie supérieure de l'arbre, avec des grosses plaques mauves à surface papyracée dans la partie basse, ou parfois des crêtes rugueuses pourpres. **Rameaux.** Brun-vert clair, glabres. **Bourgeons.** Écailles blanches libres au sommet. **Feuilles.** Par 2, courtes (5 à 7 cm), *plus épaisses et souvent plus tordues* que celles des autres pins à 2 aiguilles, sauf le pin lodgepole (p. 126) ; *gris-bleu* pâle chez var. *scotica ;* sombres et très courtes chez var. *engadinensis* (Alpes) et var. *lapponica* (N Scandinavie). **Cônes.** Minces, 5 à 8 cm.

Espèces voisines – Pin rouge du Japon (p. 142) : feuilles plus longues, vert plus vif, droites. Pin rouge (p. 128) et pin rouge de Chine (p. 142) : écorce parfois rouge dans le haut (la partie supérieure) mais feuilles plus longues (10 à 15 cm), droites. Beaucoup de pins ont des feuilles aussi courtes mais vert plus foncé, et une écorce gris terne (voir pin lodgepole, p. 126). Pin maritime (p. 132) et pin pignon (p. 130) : feuilles longues et écorce distincte.

Cultivars – 'Aurea', rare : feuilles jaune pâle en hiver ; jeunes pousses grises.
'Fastigiata', rare : très fin, avec des branches dressées.
'Watereri', assez rare : aiguilles courtes très serrées, sur des branches tortueuses ; forme un dôme pittoresque à l'aspect de bonsaï ; 15 m à terme.

PIN SYLVESTRE

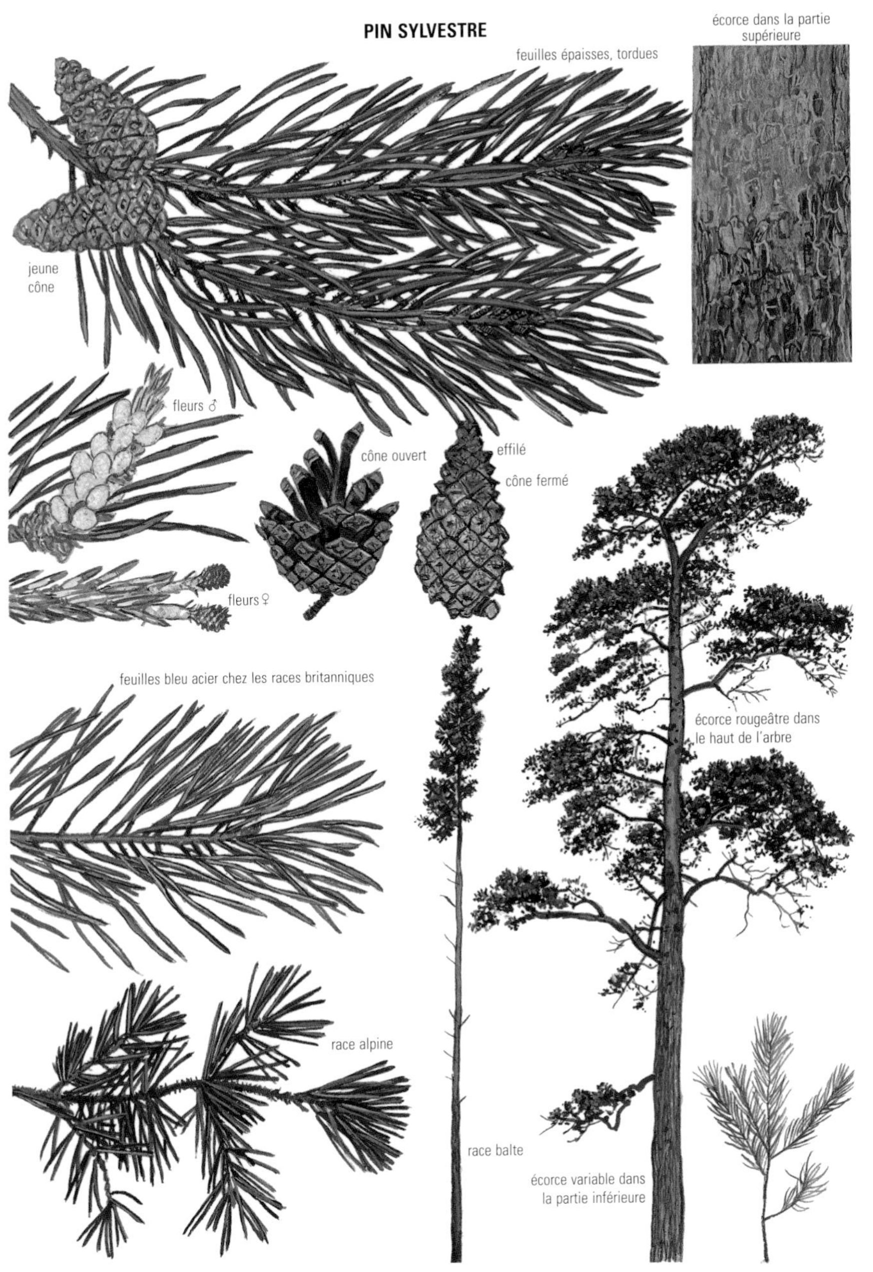

Pin de Corse *Pinus nigra* ssp. *laricio*

(Pin laricio, pin de Calabre ; *P. n.* var. *maritima*/var. *corsicana*) Corse, Calabre, Sicile. 1759. Introduit dans diverses régions de France. Fréquent : forêts, brise-vent, parcs.
ASPECT – **Silhouette.** Tronc généralement *droit et simple* jusqu'au sommet (45 m) ; branches horizontales légères garnies d'un feuillage vert-gris, doux, jamais très dense. **Écorce.** *Gris*-mauve ; grandes plaques finement écailleuses et larges fissures. **Rameaux.** Vigoureux, brun-jaune pâle. **Bourgeons.** Pas d'extrémité libre. **Feuilles.** Par 2 ; 12 à 18 cm, assez tordues, fines, grisâtres. **Cônes.** Coniques, jusqu'à 8 cm ; brun-gris terne.
ESPÈCES VOISINES – Pin noir d'Autriche (ci-dessous) : aspect différent mais il existe des formes intermédiaires difficiles à identifier. Pin rouge (p. 128) : un des plus proches. Pin rouge de Chine (p. 142) : couronne basse, en dôme. Pin de Californie (p. 128) : écorce très rugueuse. Pin maritime (p. 132) : écorce rougeâtre en plaques denses sur un tronc sinueux ; feuilles plus raides ; écailles des bourgeons libres. Pin jaune des montagnes Rocheuses (p. 146) : feuilles plus longues, *par 3* ; port plus raide.

Pin noir d'Autriche *Pinus nigra* ssp. *nigra*

(*P. n.* var. *austriaca*) S Autriche à centre Italie et Balkans. 1835. Introduit en France en diverses régions. Très commun : parcs, brise-vent. Tolère le climat maritime et les sols calcaires.
ASPECT – **Silhouette.** Tronc haut mais *rarement tout à fait vertical* ; noueux, avec des *branches lourdes* ; couronne plus large et tronc souvent fourchu près de la base chez les sujets isolés ; jusqu'à 43 m ; *feuillage dense, en touffes, vert sombre.* **Écorce.** *Plus foncée* que celle du pin de Corse ; plaques squameuses. **Bourgeons.** Écailles très fines, libres mais collées par la résine. **Feuilles.** Plus courtes (8 à 14 cm) et épaisses que celles du pin de Corse. **Cônes.** Semblables à ceux du pin de Corse.
ESPÈCES VOISINES – Pin noir du Japon (p. 142) : couronne peu fournie ; feuilles ne dépassant pas 11 cm ; bourgeons à écailles libres. Pin des Balkans (p. 134) : écorce grise plus fine ; feuilles jusqu'à 9 cm ; jeunes cônes indigo.

Pin de Crimée *Pinus nigra* ssp. *pallasiana*

Crimée et (var. *caramanica*) Turquie, Chypre, Grèce et Macédoine. 1790. Peu répandu.
ASPECT – **Silhouette.** Tronc droit se divisant souvent entre 2 et 10 m en *branches verticales serrées* ; cime souvent aplatie ; jusqu'à 42 m ; feuillage *légèrement plus dense et plus foncé* que celui du pin de Corse. **Écorce.** Semblable à celle du pin de Corse, légèrement nuancée de *jaune*. **Feuilles.** 12 à 16 cm, légèrement grises. **Cônes.** Grands (jusqu'à 10 cm), *bosselés ;* écailles ridées, pâles.

Pin de Salzmann *Pinus nigra* ssp. *salzamannii*

(*P. n.* var. *cebennensis*) S France à centre Espagne. 1834. Le nom « *salzmannii* » est parfois utilisé pour désigner toutes les formes occidentales. Collections.
ASPECT – **Silhouette.** Typiquement basse, large ; jusqu'à 25 m ; feuillage sombre, assez dense, sur des branches *retombantes.* **Écorce.** Pourprée ; souvent pelucheuse. **Rameaux.** *Orange vif* (brun-jaune chez les autres sous-espèces). **Feuilles.** *Fines* (160 × 1 mm), *non piquantes.* **Cônes.** Brun pourpré ; *écailles aplaties.*

PIN DE CORSE

PIN DE CRIMÉE

PIN NOIR D'AUTRICHE

PIN DE CRIMÉE

Pin lodgepole

Pinus contorta ssp. *latifolia*

Montagnes Rocheuses (O Alaska à Colorado). 1854. Rare dans les jardins.
ASPECT – **Silhouette.** Conique régulière, étroite, ouverte ; jusqu'à 28 m ; petites branches ascendantes ; tronc souvent fourchu. **Écorce.** Brun-rouge, *finement écailleuse* ; parfois légèrement craquelée en surface. **Rameaux.** Brun-vert, glabres, brillants. **Bourgeons.** Écailles apprimées, enduites de résine. **Feuilles.** Par 2 ; 6 à 10 cm, *larges* et vrillées ; vert foncé brillant ; gaine de 5 mm de long environ. **Cônes.** Petits et fins (50 × 25 mm) ; minuscule aiguillon sur chaque écaille.
ESPÈCES VOISINES – Les pins suivants ont des aiguilles courtes, par 2, vert vif ou vert sombre : pins rouge et noir du Japon (p. 142) : écorce rose orangé dans le haut de l'arbre et rameaux brun doré pour le pin noir du Japon ; pin du Canada et *Pinus virginiana* (p. 128) : aiguilles très courtes (3 à 5 cm) ; pin d'Alep (p. 130) : couronne ouverte et écorce vite écailleuse ; pin de montagne et pin des Balkans (p. 134) : écorce grise plus lisse et jeunes cônes indigo ; formes alpines et scandinaves du pin sylvestre (p. 122). Le pin de montagne est le plus proche : écorce plus grise, feuilles rigides, plus droites, plus sombres, conservant plusieurs années leurs gaines de 8 mm de long, écailles « allongées » à la base du cône. Pin noir d'Autriche (p. 124) : feuilles plus longues (8 à 14 cm).
AUTRES ARBRES – *P. echinata* (de New York au Texas ; 1739), collections : feuilles courtes (5 à 9 cm) ; rameaux *pruineux blanc bleuté* puis orange, *s'exfoliant* la deuxième année ; aiguilles généralement par 2, mais *parfois par 3* (cf. pin du Yunnan, p. 142) ; écorce plus grossière ; *nombreux rejets* sur les branches (comme chez le pin rigide, p. 144).

Pin des dunes *Pinus contorta* ssp. *contorta*

(Pin maritime de l'Alaska) De S Alaska à N Californie. 1855. Peu répandu.
ASPECT – **Silhouette.** Dense, souvent buissonnante mais pouvant atteindre 32 m, s'arrondissant avec l'âge ; vert sombre vif ; rameaux parfois tordus. **Écorce.** Brun-noir, vite couverte de très petites *plaques carrées.* **Bourgeons.** Souvent *vrillés* lorsqu'ils s'allongent au printemps. **Feuilles.** Plus courtes (4 à 6 cm), plus denses et plus apprimées que celles du pin lodgepole.
ESPÈCES VOISINES – Pin du Canada (p. 128) : cônes pointant vers l'avant. *P. virginiana* (p. 128) : couronne jaunâtre, plus ouverte. Pin de montagne (p. 134) : feuilles plus sombres, plus longues ; écorce grisâtre, plus écailleuse.
AUTRE ARBRE – ssp. *bolanderi* (Californie) : feuilles plus fines (sans canal résinifère – jamais de tache blanche quand on les casse en deux).

Pin de Murray

Pinus contorta ssp. *murrayana*

Washington à N Mexique, O des montagnes Rocheuses. 1853. Introduit en Bretagne et sur le littoral aquitain. Rare.
ASPECT – **Silhouette.** Conique dense. **Écorce.** Brun rosé, très superficiellement écailleuse. **Feuilles.** Courtes (5 à 8 cm), *larges et rigides*, vert jaunâtre foncé, retombant leur deuxième année. **Cônes.** Normalement *pendants à maturité.*

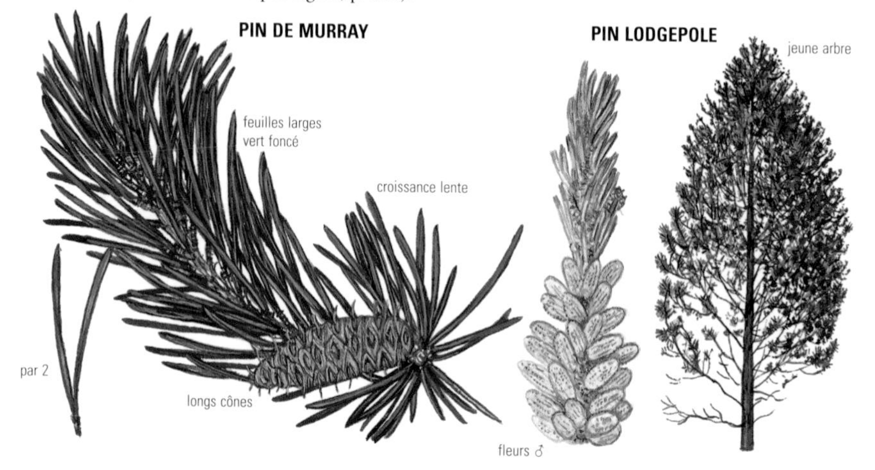

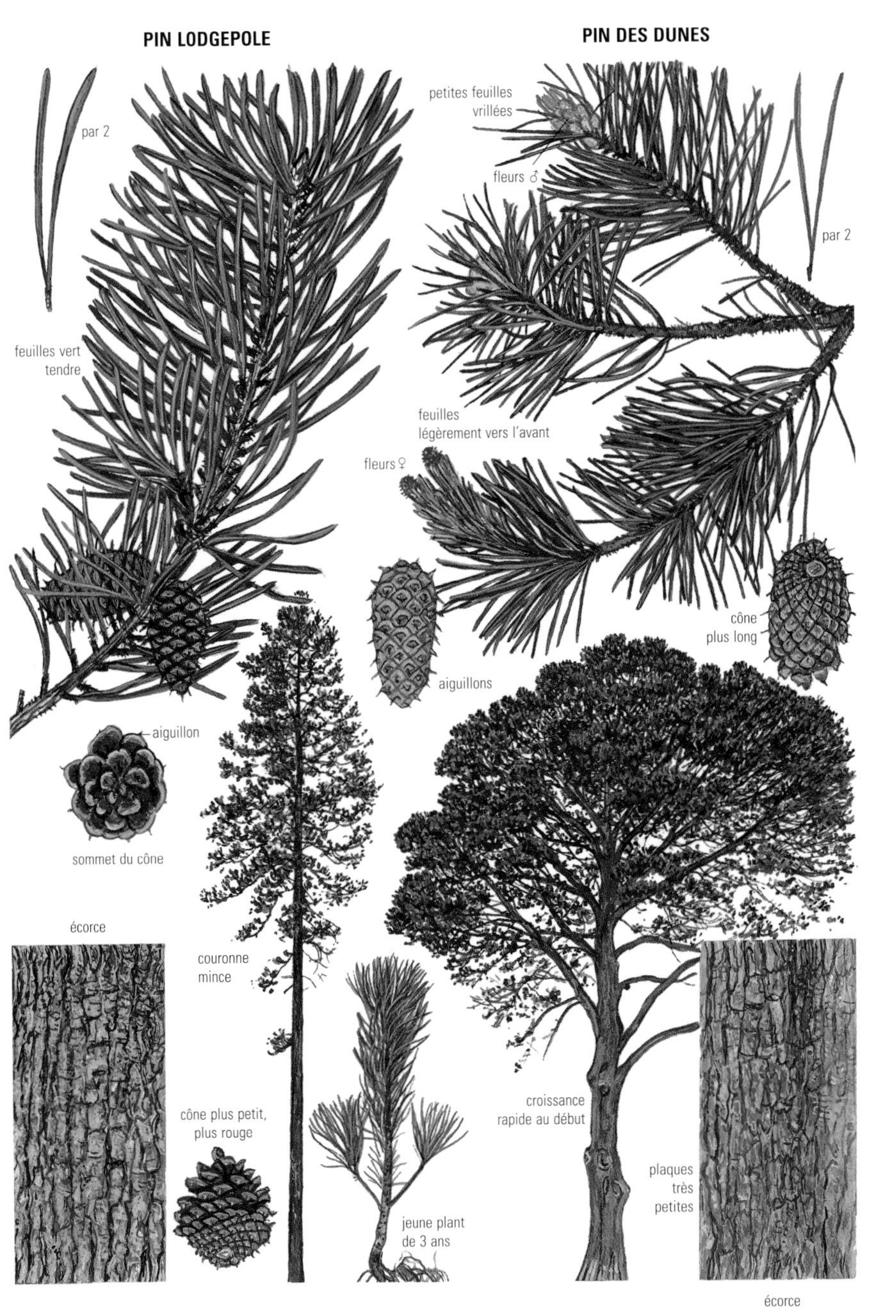
PIN LODGEPOLE
PIN DES DUNES
par 2
feuilles vert tendre
petites feuilles vrillées
fleurs ♂
par 2
feuilles légèrement vers l'avant
fleurs ♀
cône plus long
aiguillons
aiguillon
sommet du cône
écorce
couronne mince
cône plus petit, plus rouge
jeune plant de 3 ans
croissance rapide au début
plaques très petites
écorce
PIN LODGEPOLE
PIN DES DUNES

Pin de Californie *Pinus muricata*

(*P. remorata*) Californie (colonies isolées). 1846. Peu répandu. Quelques essais en plantation – il peut pousser de 2,5 m en un an. Bonne résistance au climat côtier.
ASPECT – **Silhouette.** Chez les arbres du nord de la zone géographique (var. *borealis*), bleutée et densément conique, jusqu'à 30 m, puis arrondie et penchée ; chez ceux du sud (var. *muricata*), en forme de dôme bas, pittoresque, gris-vert foncé, avec des branches tortueuses sur un tronc souvent très court et un *feuillage moins net* que celui du pin de Monterey. **Écorce.** Noirâtre ; fissures souvent très rugueuses. **Bourgeons.** Rougeâtres, enduits de résine blanche ; écailles apprimées. **Feuilles.** *Par 2* ; 8 à 15 cm ; *raides* et courbées. **Cônes.** Larges et persistants, comme ceux du pin de Monterey mais avec un petit *aiguillon* sur chaque écaille ; parfois enfouis *en masse* dans les branches.
ESPÈCES VOISINES – Pin de Monterey : feuilles par 3 (sauf chez les formes des îles mexicaines). Pin noir du Japon (p. 142) : couronne peu fournie, pas en dôme. Pin maritime (p. 132) : bourgeons à écailles courbées ; feuilles similaires, plus longues. Pin aux grands cônes (p. 148) : ressemble à un jeune var. *borealis*, mais aiguilles par 3.

Pin rouge *Pinus resinosa*

NE Amérique du Nord. 1756. Collections.
ASPECT – **Silhouette.** Conique étroite, peu fournie, jusqu'à 20 m ; puis en forme de dôme. **Écorce.** Pourprée ; *fines écailles rose orangé* (moins confinées au sommet de l'arbre comme chez le pin sylvestre ; cf. pin de Corée, p. 134). **Rameaux.** Vigoureux ; *orange*. **Bourgeons.** Gros, châtains ; écailles apprimées. **Feuilles.** Droites, foncées et jaunâtres ; par 2 ; 10 à 15 cm ; *émettant un claquement net quand on les plie* ; forte odeur de citron.
ESPÈCES VOISINES – Pin de Corse (p. 124) : arbre vigoureux aux feuilles plus souples et à l'écorce plus terne. Pin jaune des montagnes Rocheuses (p. 146) : aiguilles par 3. Pin rouge de Chine (p. 142) : couronne rapidement plus large.

Pin du Canada *Pinus banksiana*

(*P. divaricata*) Canada et NE États-Unis. Rare en Europe.
ASPECT – **Silhouette.** Irrégulièrement arrondie, jusqu'à 16 m, ou buissonnante ; couronne efflanquée avec un feuillage épars, formant des saillies. **Écorce.** Brun-gris ; fissures verticales peu profondes. **Feuilles.** Très courtes (3 à 4 cm), larges et tordues ; jaunâtres. **Cônes.** Persistants, avec de minuscules aiguillons et un sommet effilé, penché ; pointant *vers l'extrémité du rameau* (cf. pin de Calabre, p. 130) ou perpendiculaire à lui.
ESPÈCES VOISINES – Pin des dunes (p. 126) : écorce à plaques carrées, couronne dense et cônes pointant toujours un peu vers l'arrière. Pin de montagne (p. 143) : feuilles vert sombre plus longues (6 cm) et cônes pointant vers l'arrière.
AUTRE ARBRE – *P. virginiana* (de New York à l'Alabama ; 1739), plus rare : *très large* et souvent buissonnant, jusqu'à 11 m ; feuillage souvent *vert-jaune*, terne ; rameaux couverts de *pruine violette au départ* (pourpre plus mat après 3 ans) ; feuilles très larges et souvent plus courtes (35 mm) ; cônes pointant un peu vers l'arrière, avec un poil raide sur chaque écaille.

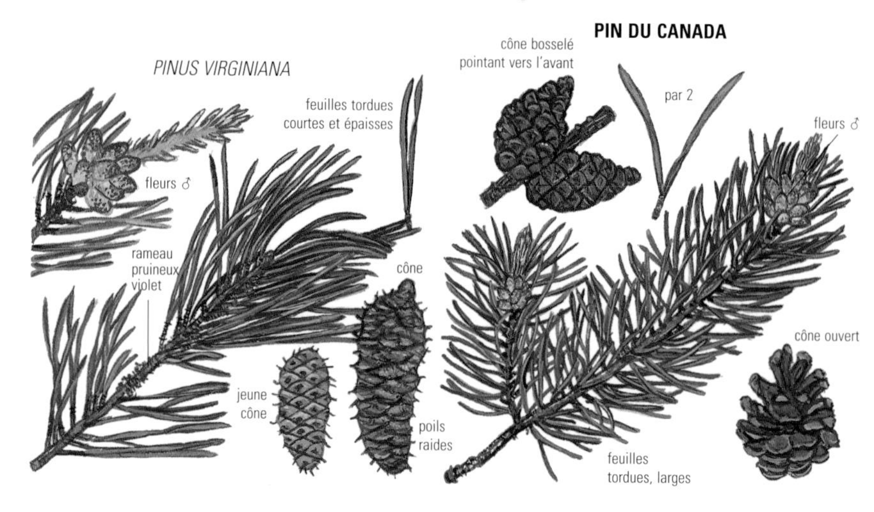

PIN ROUGE

rameaux orange

feuilles en verticilles

par 2

cône fermé

cône ouvert

claque quand on la plie

branches supérieures rouges

couronne irrégulière, parfois large

fleurs ♀

écorce semblable à celle du pin sylvestre

PIN DE CALIFORNIE

écorce

par 2

aiguillon pointu

cônes

fleurs ♀

cônes enfouis dans les branches

fleurs ♂

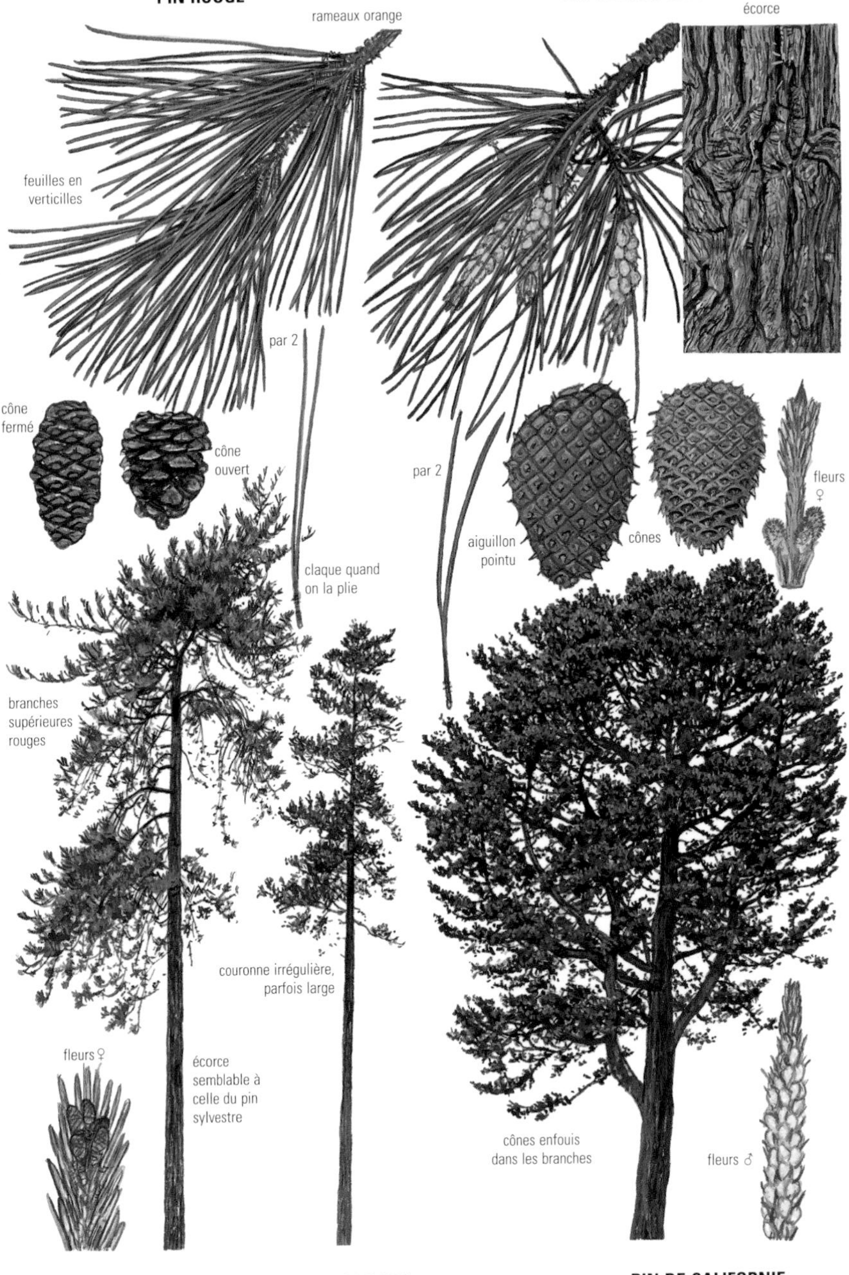

PIN ROUGE

PIN DU CANADA

PIN DE CALIFORNIE

Pin pignon *Pinus pinea*

(Pin parasol – aucune parenté avec le pin parasol du Japon, p. 66). Europe méditerranéenne ; Turquie (côtes de la mer Noire). Peu répandu en dehors du pourtour méditerranéen. Les jeunes plants, comme ceux du pin d'Alep, conservent des feuilles solitaires pendant 4 à 6 ans (cf. pin monophylle, p. 144).

Aspect – **Silhouette.** Nombreuses flèches concurrentes à partir de 5 m ; couronne assez ouverte, terne et rameuse à l'ombre, mais *en forme de parasol* large et dense au soleil (jusqu'à 20 m), avec des branches disposées radialement sur un tronc souvent court. **Écorce.** Profondément fissurée dès le début puis développant de *grandes* plaques pourpre orangé crispées, aplaties ; souvent plus sombre, plus grise et plus finement fissurée dans le nord de l'Europe. **Rameaux.** Vert orangé. **Bourgeons.** Extrémité des écailles libre, courbée ; englués de filaments de résine argentée (cf. pin maritime, p. 132). **Feuilles.** Par 2, assez distantes, jusqu'à 16 cm ; droites, raides, gris-vert foncé ; odeur d'oignon. **Cônes.** 10 cm, *très larges, globuleux ;* graines comestibles (pignes, pignons).

Espèces voisines – Pin maritime (p. 132) : plus grand, sur un tronc sinueux souvent plus long ; feuilles plus longues, plus pâles ; cônes plus fins. Pins d'Alep et de Calabre (ci-dessous) : écorce plus écailleuse ; couronne ouverte ou conique ; feuilles plus fines, vert plus vif. Pin sylvestre (p. 122) : arbre très différent mais la confusion est possible avec les pins pignons poussant dans le nord de l'Europe et développant une couronne mince et peu touffue ; cependant les nombreuses branches radiantes sont caractéristiques.

Pin d'Alep *Pinus halepensis*

(Pin de Jérusalem) Bassin méditerranéen. Très résistant à la sécheresse. Collections en dehors de la région méditerranéenne.

Aspect – **Silhouette.** D'abord conique ouverte, souvent fourchue, avec de jeunes pousses hérissées de courtes aiguilles serrées contre le rameau ; puis large, jusqu'à 20 m, mais à l'aspect dentelé et jamais très dense. **Écorce.** Écailleuse, avec des fissures verticales ; brun orangé grisâtre. **Rameaux.** Fins, restant lisses ; gris légèrement pruineux. **Bourgeons.** Non résineux ; extrémité des écailles libre, mais souvent droite. **Feuilles.** Par 2 (rarement par 3), droites, fines, 6 à 11 cm ; *vert clair vif ;* odeur d'herbe. **Cônes.** *Petits*, fins (7 à 12 cm) ; ne pointant jamais vers l'avant.

Espèces voisines – Pin de Calabre (ci-dessous) ; pin pignon (ci-dessus). Pin rouge du Japon (p. 142) : couronne plus dense et écorce papyracée orange. Pin du Canada (p. 128) : plus rabougri et feuilles tordues, bien plus courtes.

Pin de Calabre *Pinus brutia*

(*Pinus halepensis* var. *brutia*) De la Grèce orientale au Liban, Turquie, Crimée ; naturalisé plus à l'ouest (y compris la Calabre). 1836. Collections.

Aspect – **Silhouette.** Comme le pin d'Alep, avec un feuillage légèrement plus foncé, plus dense. **Écorce.** Comme le pin d'Alep. **Rameaux.** Vigoureux, brun-vert, constellés de *cicatrices foliaires après 2 ans.* **Feuilles.** Plus longues que celles du pin d'Alep (15 cm). **Cônes.** Pointant vers l'avant (cf. pin du Canada, p. 128) ou perpendiculaires au rameau.

Espèces voisines – Pin maritime (p. 132) : écorce plus parcheminée, feuilles robustes, couronne très arrondie. Pin rouge de Chine (p. 142) : couronne plus raide, en dôme.

PIN DE CALABRE

écorce

fleur ♂

cônes pointant vers l'avant du rameau

branches tortueuses

vieil arbre

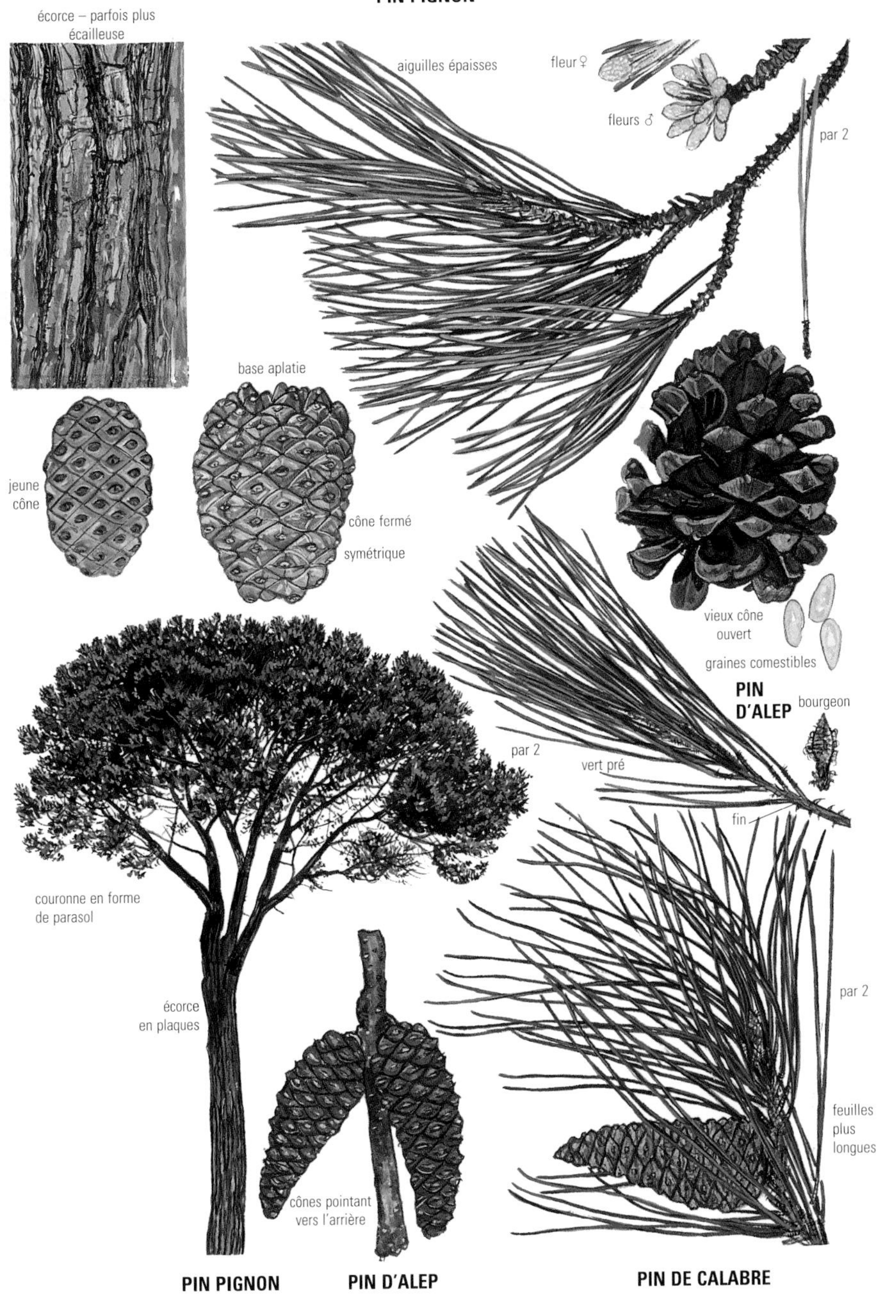
PIN PIGNON
écorce – parfois plus écailleuse
aiguilles épaisses
fleur ♀
fleurs ♂
par 2
base aplatie
jeune cône
cône fermé
symétrique
vieux cône ouvert
graines comestibles
PIN D'ALEP
bourgeon
par 2
vert pré
fin
couronne en forme de parasol
écorce en plaques
cônes pointant vers l'arrière
par 2
feuilles plus longues
PIN PIGNON
PIN D'ALEP
PIN DE CALABRE

Pin maritime *Pinus pinaster* 

(Pin des Landes ; *P. maritima*) Côtes méditerranéennes du Portugal à la Grèce, et Maroc. Arbre forestier du sud-ouest de la France ; produit la térébenthine et la colophane.

ASPECT – **Silhouette.** Ouverte, verticillée et souvent penchée ; avec l'âge, arrondie, sur un tronc haut et sinueux, jusqu'à 30 m – comme le pin sylvestre (p. 122), mais bien plus ouverte ; grisâtre. **Écorce.** Vite pourprée et profondément fissurée ; sur les vieux arbres, petites *plaques pourpre orangé aplaties* et fissures noires, parcheminées. **Rameaux.** Vigoureux, brun-vert pâle. **Bourgeons.** Écailles du sommet courbées et engluées de filaments de résine (cf. pin pignon, p. 130). **Feuilles.** Par 2, éparses, *longues* (12 à 25 cm), *raides et robustes ; gris-vert pâle.* **Cônes.** Persistants ; *fins,* 10 cm, *brun brillant ;* souvent ramassés pour la décoration.

ESPÈCES VOISINES – Pin pignon (p. 130) : écorce plus écailleuse ou en plaques allongées, couronne à flèches multiples, cônes larges. Pin de Californie (p. 128) : tronc plus sombre, plus rugueux, cônes épineux, bourgeons à écailles apprimées. Les écailles courbées au sommet des bourgeons permettent de le distinguer du pin de Corse (p. 124), le plus commun des pins à 2 aiguilles aux longues feuilles grisâtres. Les autres rares pins ayant de longues aiguilles et des bourgeons à écailles libres sont le pin de Calabre (p. 130), à l'écorce écailleuse et aux cônes pointant vers l'avant, et les pins noir et rouge du Japon, ainsi que le pin rouge de Chine (p. 142).

Pin de Montezuma rudis *Pinus rudis* 

(*P. montezumae* var. *rudis*) Centre et N Mexique. Rare ; dans les grands jardins en climat doux. Souvent cultivé sous le nom de *P. montezumae.*

ASPECT – **Silhouette.** En dôme large dès le jeune âge ; densément couvert *d'énormes touffes de feuillage gris ;* jusqu'à 25 m. **Écorce.** Noirâtre, en plaques rugueuses. **Rameaux.** Vigoureux ; bruns avec une légère pruine pourprée (cf. pin de Jeffrey, p. 146). **Bourgeons.** 15 mm environ. **Feuilles.** Par 5 ; 10 à 16 cm dans la nature, mais *jusqu'à 30 cm* sur les vieux arbres de Grande-Bretagne ; fines mais raides ; lignes blanches *sur chaque face ;* odeur de citron. **Cônes.** Jusqu'à 12 cm ; minuscule aiguillon pendant sur chaque écaille.

ESPÈCES VOISINES – Pin aux grands cônes (p. 148) : feuilles également longues et bleues, mais par 3. *P. engelmannii* (p. 146). Pin à écorce blanche (p. 136) : feuilles bien plus courtes.

AUTRES ARBRES – Les espèces suivantes (collections) font également partie de ce groupe de pins originaires du Mexique.

Pin de Montezuma, *P. montezumae* (S jusqu'au Guatemala) : rameaux plus verts, couronne plus ouverte de *feuilles vert vif pendantes* (jusqu'à 25 cm), par 5 (certaines par 4 ou 6) ; légère odeur *d'oignon.*

P. pseudostrobus (1839 ; S jusqu'au Guatemala) : feuilles fines pendantes (cf. pin du Mexique, p. 148), de 18 à 30 cm, par 5 sur des rameaux *couverts de pruine grise ;* écorce plus grise, d'abord lisse.

Pin de Durango, *P. durangensis* (1962) : aiguilles pendantes gris clair jusqu'à 40 cm (cf. *P. engelmannii,* p. 146), par 5 sur des rameaux *couverts de pruine blanche.*

Pin de Hartweg, *P. hartwegii* (S jusqu'au Guatemala et au Salvador, 1839) : arbre peu fourni, plus étroit, jaunâtre, jusqu'à 23 m ; feuilles *par 3, 4 ou 5 sur le même rameau* (cf. *P. engelmannii,* p. 146), de 9 à 15 cm seulement, fines mais raides ; cônes *pourpres,* noirâtres à maturité.

PIN MARITIME

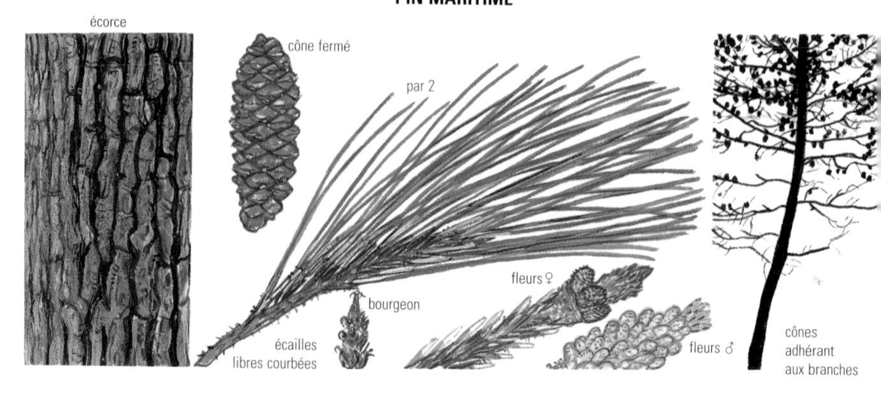

PIN DE MONTEZUMA RUDIS

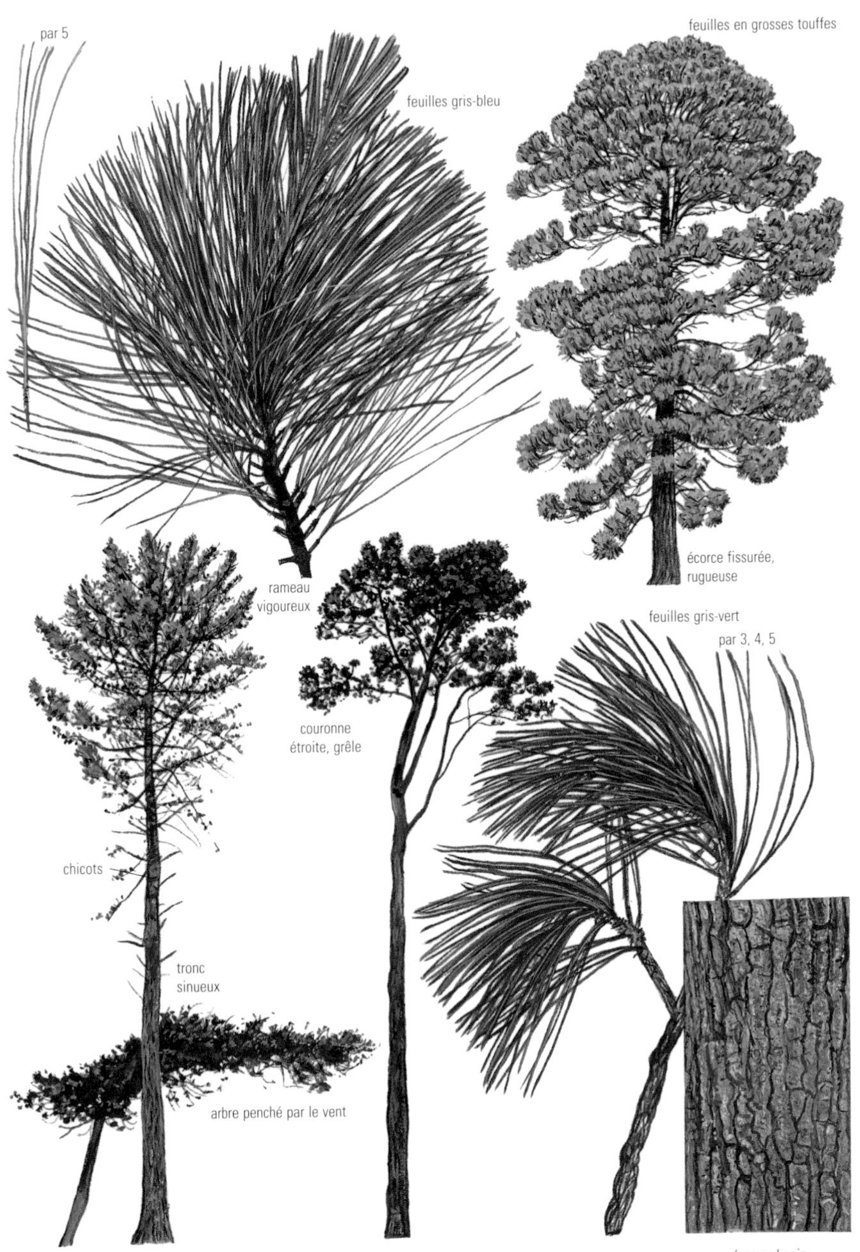

PIN MARITIME

PIN DE HARTWEG

Arolle

Pinus cembra

(Pin cembro) Alpes et Carpates. 1746. Assez fréquent : grands parcs.
ASPECT – **Silhouette.** Conique à colonnaire dense avec de courtes branches horizontales ; puis large ou penchée avec l'âge (jusqu'à 30 m). **Écorce.** Brun-gris foncé ; se craquelant vite en plaques écailleuses. **Rameaux.** *Bruns, très poilus.* **Feuilles.** Par 5, serrées ; *courtes* (8 cm) et presque droites ; face interne blanc bleuté. **Cônes.** Trapus, jusqu'à 8 cm ; grosses écailles triangulaires encore fermées quand ils tombent.
ESPÈCES VOISINES – Pin de Corée (ci-dessous). Pin à queue de renard (p. 136) : feuilles courtes, denses et foncées, marquées de fines lignes blanches *sur chaque face.* Pin de Macédoine (p. 138) : feuilles plus soyeuses sur des rameaux glabres. Pin à sucre de Lambert (p. 140) et pin blanc de l'ouest (p. 146) : rameaux à poils rougeâtres *plus courts*, assez denses ; aiguilles lâches, plus longues.

Pin de Corée

Pinus koraiensis

NE Asie ; Japon. 1861. Collections.
ASPECT – **Silhouette.** Conique, jusqu'à 20 m ; touffes désordonnées de feuillage en masses légères et aplaties sur des branches horizontales issues d'un tronc fin et droit (cf. pin d'Armand, p. 142). **Écorce.** *Écailles papyracées roses et grises* (plus ternes qu'au sommet du pin sylvestre, p. 122 ; cf. pin rouge, p. 128). **Feuilles.** Proches de celles de l'arolle ; aiguilles un peu plus longues, plus lâches et moins pointues ; libèrent 3 gouttes de résine et non 2 quand on les coupe. **Cônes.** Similaires à ceux de l'arolle mais plus grands (12 cm).

Pin des Balkans

Pinus heldreichii

(Pin de Bosnie ; comprend aussi *P. leucodermis*) Balkans ; Calabre. 1890. Peu répandu.
ASPECT – **Silhouette.** Conique régulière, *vert noirâtre*, jusqu'à 25 m. **Écorce.** Gris cendré ; se craquelant lentement en plaques carrées nettes, superficielles. **Rameaux.** *Couverts de pruine grise*, puis *brun-gris pâle.* **Bourgeons.** Grands (15 à 25 mm) ; châtains, *à pointe longue ;* écailles fines apprimées. **Feuilles.** Par 2 ; 6 à 9 cm ; raides, serrées, vers l'avant. **Cônes.** *Indigo* puis orangés.
ESPÈCES VOISINES – Pin de montagne (ci-dessous). Pin lodgepole (p. 126) : feuilles plus jaunes, écorce écailleuse, bourgeons à pointe courte ; rameaux non pruineux. Pin noir d'Autriche (p. 124) : feuilles plus longues, écorce rugueuse et rameaux foncés. Pin noir du Japon (p. 142) : conique, peu fourni.

Pin de montagne

Pinus mugo

(*P. montana ; P. mughus*) De l'Espagne aux Balkans. 1779. Cultivars nains dans les petits jardins ; jusqu'à 20 m dans certaines collections (entre autres ssp. *uncinata* ou *P. uncinata*).
ASPECT – **Silhouette.** Souvent à troncs multiples ; ouverte, peu dense ; parfois conique chez ssp. *uncinata.* **Écorce.** Gris rosé à noirâtre, *finement* écailleuse. **Rameaux.** Brun orangé brillant. **Bourgeons.** À pointe courte ; extrémité des écailles enduite de résine. **Feuilles.** 4 à 6 cm, raides, droites ; gris-vert foncé ; gaines de 8 mm. **Cônes.** Écailles crochues (mais pas épineuses) chez ssp. *uncinata*, celles de la base *orientées vers le bas ;* avec une bosse centrale chez l'espèce type.
ESPÈCES VOISINES – Pin des Balkans (ci-dessus). Pin lodgepole (p. 126). Pin du Canada (p. 128) : feuilles plus courtes, plus jaunes, et cônes pointant vers l'avant.

PIN DE MONTAGNE

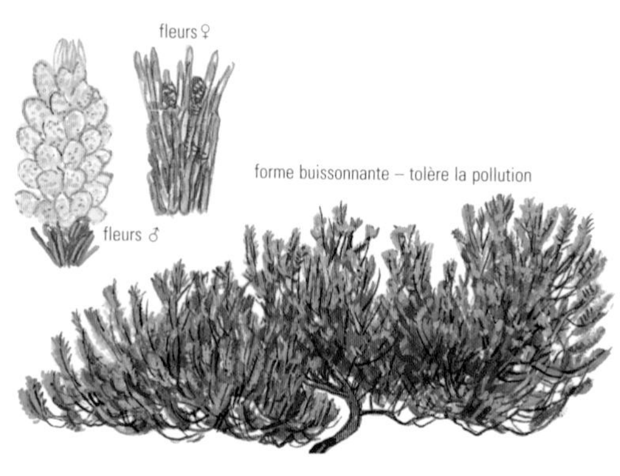

PIN DES BALKANS
par 2
écorce
feuilles en verticilles denses
pointe
longue
bourgeon
rameau couvert de poils
denses bruns
par 5
fleurs ♀
fleurs ♂
cône fermé
par 5
cône ouvert
pourpre
bleuté
AROLLE
fleurs
♂
cône trapu
pruine
pourpre
graine
couronne conique
ouverte
couronne
colonnaire
branches horizontales
écailles papyracées rosâtres
couronne souvent
conique régulière
écorce grise
craquelée
AROLLE
PIN DE CORÉE
PIN DES BALKANS

Pin à cône épineux des montagnes Rocheuses
Pinus aristata

O Colorado, N Arizona et N Nouveau-Mexique. 1863. Rare. Un arbre de très grande longévité : le climat froid et sec des montagnes où il vit est défavorable à de nombreux parasites et champignons pathogènes.
ASPECT – **Silhouette.** Étroite et hérissée, jusqu'à 12 m ; croissance très lente. **Rameaux.** Couverts de poils orangés, peu ramifiés. **Feuilles.** Par 5, *très courtes* (2 à 4 cm), courbées, *couvrant densément* le rameau pendant près de 30 ans ; raies blanches sur les faces internes ; non dentées ; *se tachant de résine blanche, comme des pellicules,* quand le canal résinifère superficiel se brise (généralement la deuxième année). **Cônes.** Avec des épines horizontales de 5 mm.
ESPÈCE VOISINE – Arolle (p. 134).

Pin à cône épineux
Pinus longaeva

E Californie, S Nevada et centre Utah. Une des plus grandes longévités, jusqu'à 4 900 ans (peut être dépassé par *Lagarostrobus franklinii*, p. 26, et par l'if de Fortingall à Tayside, Écosse). Réintroduit en Europe depuis 1972.
ASPECT – Diffère du pin à cône épineux des Montagnes Rocheuses (ci-dessus) par : **Feuilles.** *En grande partie non tachées* (*cf.* pin à queue de renard). **Cônes.** Avec plus d'épines fines *se brisant rapidement.*

Pin à queue de renard
Pinus balfouriana

Californie, centre de la Sierra Nevada. 1852. Collections.
ASPECT – Diffère du pin à cône épineux des Montagnes Rocheuses (ci-dessus) par : **Silhouette.** Plus vigoureuse, jusqu'à 20 m. **Feuilles.** *Non tachées*, plus pointues ; odeur sucrée de marmelade. **Rameaux.** Moins duveteux. **Cônes.** Plus longs (9 à 13 cm) ; seulement des *petits aiguillons* sur les écailles.

Pin à écorce blanche
Pinus albicaulis

O Amérique du Nord. 1852 ; réintroduit en 1900. Collections.
ASPECT – **Silhouette.** Buissonnante ; croissance lente. **Écorce.** Gris-blanc sur les vieux arbres sauvages. **Rameaux.** Brun-jaune, *glabres.* **Feuilles.** Par 5 ; 3 à 6 cm, très denses ; vert foncé brillant ; fines lignes blanches *sur chaque face ;* non finement dentées, contrairement aux feuilles des autres pins communs à 5 aiguilles (mais comme celles des pins à cône épineux et à queue de renard, ci-dessus, et du pin des Montagnes Rocheuses, p. 146) – elles n'accrochent pas quand on les fait glisser entre le pouce et l'index. **Cônes.** 4 à 8 cm ; écailles souples encore fermées quand ils tombent (*cf.* arolle, p. 134).

Pin à cône en tubercule
Pinus attenuata

(*P. tuberculata*) SO Oregon ; Californie ; NO Mexique. 1847. Collections.
ASPECT – **Silhouette.** *Ouverte, avec de longues branches ;* jusqu'à 24 m ; souvent ornée de verticilles persistants de longs cônes. **Écorce.** Rosâtre, écailleuse, légèrement fissurée. **Feuilles.** *Par 3*, fines, 10 à 18 cm, assez raides ; *vert pâle.* **Cônes.** *Fins*, jusqu'à 18 cm ; écailles pointues très proéminentes.
ESPÈCES VOISINES – Pin rigide (p. 144) : feuilles plus courtes, couronne plus dense, petits cônes. Pin de Monterey (p. 144) : également à cônes persistants et aiguilles par 3, mais couronne haute et dense, et écorce très rugueuse.

PIN À CÔNE ÉPINEUX

vieil arbre sauvage

jeune arbre

PIN À CÔNE ÉPINEUX DES MONTAGNES ROCHEUSES

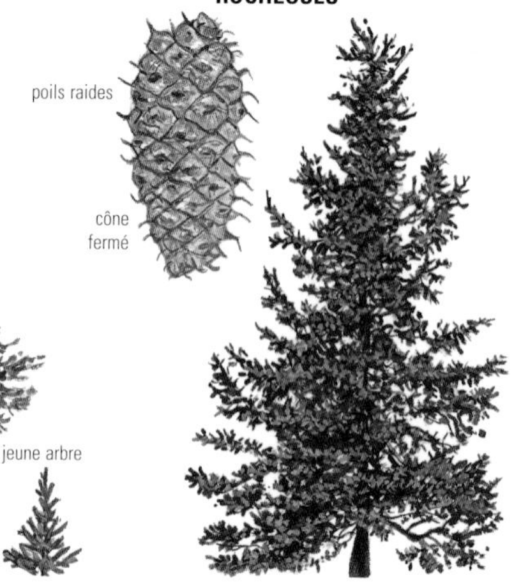

PIN À CÔNE EN TUBERCULE
écailles pointues
vieux cône
jeune cône vert
fleurs ♀
par 3
PIN À QUEUE DE RENARD
feuilles gris-vert
par 5
cône ouvert
bourgeon
cônes persistant plusieurs années
PIN À CÔNE ÉPINEUX DES MONTAGNES ROCHEUSES
gouttelettes de résine sur les feuilles
couronne mince, ouverte
par 5
bourgeon
cône, première année
cône fermé
lignes blanches sur chaque face
par 5
branches sinueuses
bourgeon
rameau glabre
PIN À ÉCORCE BLANCHE
PIN À CÔNE EN TUBERCULE
PIN À QUEUE DE RENARD

PINS À FEUILLAGE SOUPLE

Pin pleureur de l'Himalaya *Pinus wallichiana*

(*P. excelsa*, *P. griffithii*) Himalaya. 1823. Assez fréquent.
ASPECT – **Silhouette.** Conique *ouverte*, puis large et brisée ou penchée ; jusqu'à 32 m. **Écorce.** Gris orangé ou pourpré ; *crêtes écailleuses.* **Rameaux.** Vert-gris, glabres ; légère pruine *gris violacé.* **Feuilles.** Soyeuses, gris-vert ; par 5 ; lignes blanches sur les faces internes ; très fines, 10 à 20 cm – *assez longues pour pendre, la plupart des extrémités se trouvant sous le niveau du rameau.* **Cônes.** Longs (10 à 30 cm) ; quelques petites écailles basales courbées, les autres *droites.*
ESPÈCES VOISINES – Pin de Weymouth (ci-dessous). Pin blanc du Mexique (p. 140) : rameaux duveteux, sans pruine. Pin hybride de Holford (p. 140) : similaire. Pin d'Armand (p. 142) : plus ouvert, cônes trapus. Pin de Montezuma (p. 132) : feuilles de la même couleur sur chaque face. Pin du Mexique (p. 148) : aiguilles par 3.

Pin de Weymouth *Pinus strobus*

(Pin blanc du Canada) E Amérique du Nord. Peu répandu dans les jardins. Naturalisé en France (Centre, Nord-Est).
ASPECT – **Silhouette.** Conique, vite large ou brisée ; jusqu'à 42 m ; branches aux rameaux *largement aplatis,* couverts d'un *feuillage moutonné.* **Écorce.** Lisse, gris foncé puis avec des crêtes rugueuses *noires* peu saillantes, ou plus rouge (*cf.* écorce de la base du tronc du pin sylvestre, p. 122). **Rameaux.** Fins, verts ; petite touffe de poils éphémère derrière chaque faisceau de feuilles. **Feuilles.** Par 5 ; lignes blanches sur les faces internes ; 8 à 12 cm ; fines mais assez courtes pour se tenir *presque droites autour du rameau* (orientées vers l'avant). **Cônes.** 10 à 15 cm, rarement 20 cm ou plus, *fins ;* quelques *petites écailles basales souvent recourbées.*
ESPÈCES VOISINES – Pin de Macédoine. Les autres pins à feuillage souple ayant des aiguilles courtes – pin à sucre de Lambert (p. 140), pin blanc de l'ouest (p. 146), arolle et pin de Corée (p. 134) – ont des rameaux aux poils denses rougeâtres. Pin blanc du Japon (p. 142) : feuilles *vrillées.* Pin d'Armand (p. 142) : cônes larges et aiguilles éparses. Pin des montagnes Rocheuses et pin blanc de l'ouest (p. 146) : feuilles de la même couleur sur chaque face.
CULTIVARS – 'Contorta' (feuilles denses, courbées, sur des rameaux *tortillés*), 'Fastigiata' (branches *fortement ascendantes,* silhouette conique étroite), et 'Pendula' (petites branches *pendantes*), tous assez rares.

Pin de Macédoine *Pinus peuce*

SO Balkans. 1864. Peu répandu.
ASPECT – **Silhouette.** *Dense* et souvent colonnaire sur un beau tronc ; feuillage foncé, légèrement *hérissé* (*cf.* pin des montagnes Rocheuses, p. 146), non tabulaire ; jusqu'à 41 m. **Écorce.** Noirâtre ; se craquelant plus vite en *cercles ou carrés* que celle du pin de Weymouth ; puis avec des crêtes rugueuses. **Rameaux.** Vert tendre (rarement pruineux comme ceux du pin pleureur de l'Himalaya, ci-dessus), *glabres.* **Feuilles.** Comme celles du pin de Weymouth. **Cônes.** Jusqu'à 15 cm ; *toutes les écailles* légèrement courbées vers l'intérieur.

PIN DE WEYMOUTH

PIN DE MACÉDOINE

Pin blanc du Mexique *Pinus ayacahuite*

S Mexique à Honduras. 1840. Le plus rustique de tous les pins du Mexique à feuilles souples.
ASPECT – **Silhouette.** Largement conique, robuste, jusqu'à 28 m ; branches inférieures horizontales, sinueuses. **Écorce.** Brun gris ou pourpre, se craquelant en *carrés* (*cf.* pin de Macédoine, p. 138, et pin d'Armand, p. 142). **Rameaux.** Verdâtres, sans pruine ; poils chamois très *fins*. **Feuilles.** Par 5 ; lignes blanc vif sur les faces internes ; assez longues (12 à 18 cm), pendantes et joliment soyeuses. **Cônes.** Magnifiques mais traîtreusement résineux ; 20 à 45 cm, longuement effilés ; écailles basales *fortement courbées vers l'extérieur ;* chez var. *veitchii* (centre du Mexique), *toutes les écailles* sont allongées et recourbées vers l'extérieur.
ESPÈCES VOISINES – Pin hybride de Holford (ci-dessous). Pin pleureur de l'Himalaya (p. 138) : rameaux glabres et peu ou pas d'écailles courbées. Pin d'Armand (p. 142) : couronne plus éparse, rameaux glabres et cônes trapus. Les autres pins à 5 aiguilles communs ont des feuilles plus courtes et plus raides, généralement plus serrées (*cf.* pin pleureur de l'Himalaya).

Pin hybride de Holford *Pinus × holfordiana*

Hybride né du croisement entre un pin blanc du Mexique (var. *veitchii*) et un pin pleureur de l'Himalaya (p. 138) à l'arboretum de Westonbirt (Gloucestershire) en 1904, identifié lors de la formation des premiers cônes en 1932. Distinction avec les parents pas toujours possible.
ASPECT – **Silhouette.** *Vigoureusement* conique, ou large ; fortes branches émergeant parfois de la base ; dense mais longue et ouverte au sommet ; jusqu'à 36 m. **Écorce.** Avec des crêtes écailleuses ou des plaques carrées pourpre *orangé* (*cf.* pin du Mexique p. 148). **Rameaux.** Comme ceux du pin blanc du Mexique – sans pruine. **Feuilles.** Longues, bleutées, pendantes : comme celles du pin pleureur de l'Himalaya. **Cônes.** *Gros et assez larges*, jusqu'à 30 cm ; seules les petites écailles basales sont courbées vers l'extérieur.

Pin à sucre de Lambert *Pinus lambertiana*

O États-Unis. Le pin le plus grand du monde. La sève sucrée suinte spontanément des vieux arbres sauvages. Malheureusement sensible à la rouille vésiculeuse (*Cronartium ribicola*). 1827. Collections.
ASPECT – **Silhouette.** Assez semblable à celle du pin de Weymouth (p. 138), avec une couronne plus nette et plus sombre. **Écorce.** Se craquelle rapidement en *petits* carrés noirâtres. **Rameaux.** Verts, *couverts de poils brun-rouge courts et fins ;* forte odeur de citron. **Feuilles.** 10 cm environ, d'abord appliquées contre le jeune rameau puis étalées. **Cônes.** Immenses (jusqu'à 45 cm) ; rarement observés en Europe du Nord.
ESPÈCES VOISINES – Pin blanc de l'ouest (p. 146) : plus ouvert ; rameaux plus bruns ; bourgeons plus pointus ; production de cônes précoce et abondante. Pin blanc du Mexique (ci-dessus) : feuilles étalées plus longues, sur un rameau *très finement* poilu. Arolle (p. 134) : feuilles plus courtes et plus raides (8 cm) ; poils des rameaux plus denses et plus longs.

PIN BLANC DU MEXIQUE

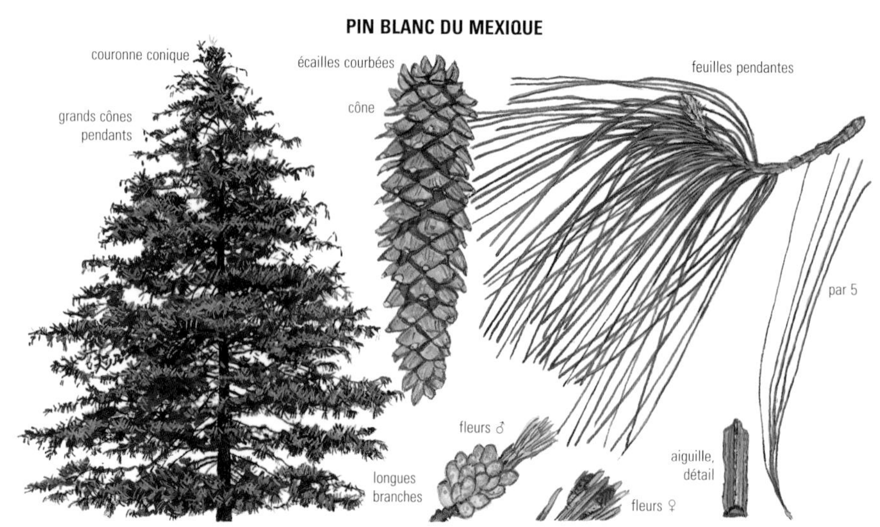

PIN À SUCRE DE LAMBERT

PIN HYBRIDE DE HOLFORD

PIN HYBRIDE DE HOLFORD

PINS (ASIE ORIENTALE)

Pin d'Armand *Pinus armandii*

Chine, N Myanmar, Taiwan. 1897. Collections.
ASPECT – Silhouette. *Largement conique et ouverte*, jusqu'à 25 m ; branches horizontales. **Écorce.** Grise ; en grandes plaques carrées. **Rameaux.** Sans pruine, *glabres*. **Feuilles.** 12 à 14 cm ; droites et vert pré ou pendantes et bleutées selon l'origine géographique. **Cônes.** *En forme de tonneau*, jusqu'à 20 cm ; écailles épaisses et courbées vers l'intérieur (*cf.* Arolle, p. 134).

Pin blanc du Japon *Pinus parviflora*

Japon. 1861. Peu répandu. Certains cultivars nains courants dans les jardins.
ASPECT – Silhouette. Souvent très étalée, avec des masses *aplaties et pittoresques* de feuillage *gris*, dense, pour les arbres plantés dans les jardins japonais ; colonnaire et plus hirsute, jusqu'à 20 m, pour les arbres sauvages. **Écorce.** *Gris-mauve pâle* ; grandes écailles courbées. **Rameaux.** Brun-blanc ; poils très fins. **Feuilles.** Par 5, *courtes* (4 à 8 cm) et *très tordues* (*cf.* pin sylvestre, p. 122) ; faces internes striées de blanc bleuté ; faces externes glauques. **Cônes.** Petits (6 cm), en forme de tonneau.
ESPÈCES VOISINES – Arolle (p. 134) ; pin à écorce blanche (p. 136).

Pin rouge de Chine *Pinus tabuliformis*

(*P. sinensis*) N Chine. 1862. Collections.
ASPECT – Silhouette. *Souvent large ;* branches horizontales et feuillage dense, hérissé. **Écorce.** Comme celle du pin de Corse (p. 124) mais avec des écailles rouge orangé terne plus fines sur les branches. **Bourgeons.** Brun soutenu, quelques écailles libres. **Feuilles.** Par deux, d'un gris-vert brillant, de 9 à 15 cm.
ESPÈCES VOISINES – Pin rouge du Japon (ci-dessous) ; Pin de Calabre (p. 130) ; pin rouge (p. 128).
AUTRE ARBRE – Pin du Yunnan, *P. yunnanensis* (O Chine, 1909) : feuilles généralement *par 3*, jusqu'à 20 cm, pendant avec élégance ; peut évoquer le pin du Mexique (p. 148), mais son feuillage plus épais est d'un vert plus profond et son écorce écailleuse rougeâtre foncé est plus terne.

Pin rouge du Japon *Pinus densiflora*

Japon, Corée, NE Chine et E Russie. 1861. Assez rare.
ASPECT – Silhouette. Dôme hérissé, jusqu'à 20 m ; peut être confondu avec le pin sylvestre (p. 122). **Écorce.** *Rose orangé vif dans le haut de l'arbre*, ce qui le distingue du pin rouge de Chine (ci-dessus), du pin d'Alep et du pin pignon (p. 130), et du pin noir du Japon (ci-dessous). **Feuilles.** *Fines*, droites, plus éparses que celles du pin sylvestre ; *vert brillant ;* 8 à 12 cm. **Cônes.** Petits (5 cm) ; plus persistants que ceux du pin sylvestre.
ESPÈCES VOISINES – Pin rouge (p. 128) : feuilles jusqu'à 15 cm et couronne mince, raide.

Pin noir du Japon *Pinus thunbergii*

Japon, Corée (zones côtières). 1861. Rare.
ASPECT – Silhouette. *Peu fournie* et dès son jeune âge ; branches espacées, *sans orientation précise ;* noirâtre ; jusqu'à 25 m. **Écorce.** Gris pourpré ; fissures entrelacées, rugueuses. **Bourgeons.** *Blancs*, à écailles libres, fines (*cf.* pin maritime, p. 132). **Feuilles.** Par 2, rigides et *épineuses ;* 7 à 12 cm. **Fleurs.** Abondantes. **Cônes.** Petits (5 cm) ; quelques grandes écailles assez spongieuses ; *jusqu'à 50 par bouquet* sur certains arbres.
ESPÈCES VOISINES – Pin noir d'Autriche (p. 124) ; pins des Balkans et de montagne (p. 134) ; pin des dunes (p. 126) ; pin rouge du Japon (ci-dessus).

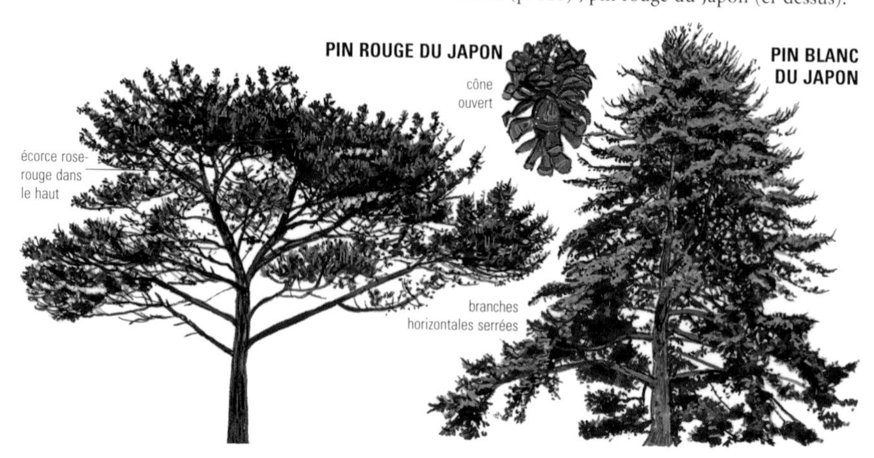

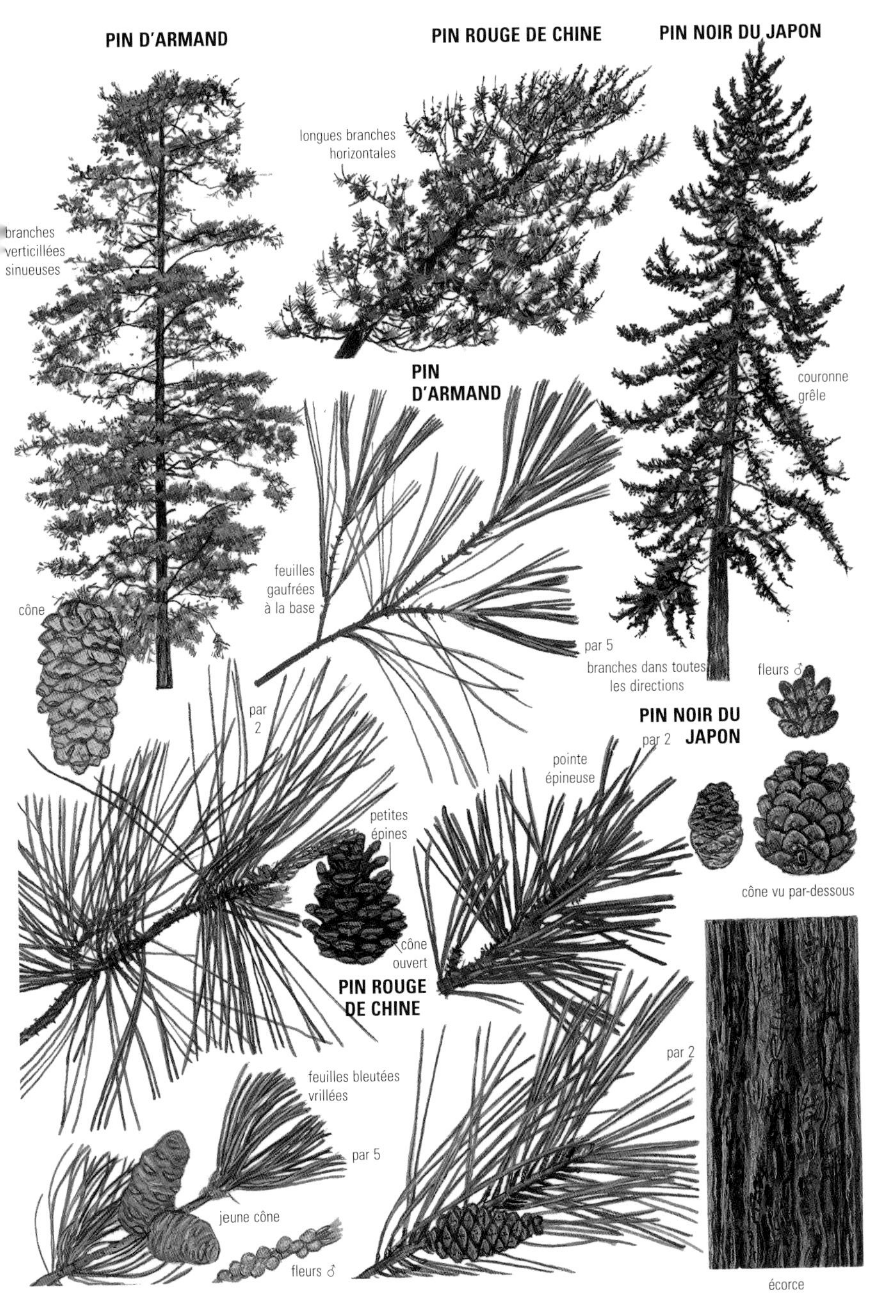

PIN BLANC DU JAPON

PIN ROUGE DU JAPON

PIN NOIR DU JAPON

Pin de Monterey *Pinus radiata* 

Ce pin pousse sur trois falaises aux alentours de Monterey, Californie. 1833. Fréquent dans les régions au climat doux, en particulier près du littoral où il résiste bien aux embruns. Quelques plantations forestières (commun en Nouvelle-Zélande où il a pu atteindre 60 m en 41 ans).

ASPECT – **Silhouette.** D'abord conique et hérissée, puis en forme de *dôme dense* et parfois très large, sur des branches épaisses, tordues ; jusqu'à 45 m ; tronc parfois long et droit, mais plus souvent court et tordu ; aiguilles vert vif formant *des masses* très foncées mais brillantes. **Écorce.** Grise, puis noir pourpré et formant des *fissures très rugueuses* avec l'âge. **Feuilles.** Par 3 (mais par 2 chez var. *binata*, de l'île Guadalupe, et var. *cedrosensis*, de l'île Cedros, Mexique) ; 10 à 16 cm, très fines et inclinées. **Cônes.** Trapus, ovoïdes ; épine minuscule sur chaque écaille ; persistant en abondance sur l'arbre, en verticilles, et ne s'ouvrant qu'à l'occasion de feux de forêt.

ESPÈCES VOISINES – Pin de Californie (p. 128) : pin *à 2 aiguilles* avec une écorce et une couronne très similaires mais des feuilles plus raides et plus bleutées et des cônes très épineux. Les autres pins à 3 aiguilles au feuillage proche sont le pin à cône en tubercule (p. 136), le pin rigide (ci-dessous), le pin du Yunnan (p. 142), aux feuilles plus épaisses, et le pin du Mexique (p. 148), au feuillage pendant vert pré. Pin Napoléon (p. 148) : feuilles de 8 cm et écorce unique.

AUTRE ARBRE – Pin à l'encens, *P. taeda* (du New Jersey au Texas, 1713), collections : même forme en dôme ; écorce moins rugueuse ; rameaux plus brillants et brun plus pâle ; cônes très épineux ; feuilles fines, plus grises et moins éparses.

Pin rigide *Pinus rigida*

(Pitchpin septentrional) E Amérique du Nord. 1743. Rare. Collections.

ASPECT – **Silhouette.** Irrégulière, souvent large ; branches courbées couvertes de cônes ; *nombreux rejets* sur le tronc. **Écorce.** Brun foncé ; crêtes anguleuses jamais aussi saillantes que chez le pin de Monterey. **Feuilles.** Par 3 ; 7 à 14 cm, assez raides ; gris-vert terne. **Cônes.** 3 à 8 cm, à écailles épineuses.

ESPÈCES VOISINES – Pin à cône en tubercule (p. 136). Pin Napoléon (p. 148) : feuilles plus courtes ; écorce différente.

AUTRE ARBRE – *P. greggii* (Mexique, 1905), collections : feuilles d'un vert plus vif, appliquées sur le rameau blanchâtre ; écorce plus pâle ; cônes à épines minuscules ; couronne plus raide et branches ascendantes ; pas de rejets.

Pin monophylle *Pinus monophylla*

SO États-Unis. La source principale des « pinyons » américains. 1848. Collections.

ASPECT – **Silhouette.** Arbre dense, buissonnant mais joliment bleuté. **Écorce.** Pourpre noirâtre, en carrés rugueux. **Feuilles.** 5 cm, solitaires (quelques-unes se scindent en deux la deuxième année) ; arrondies (même forme que celle obtenue en accolant les aiguilles d'un même faisceau chez les pins à plus de 2 aiguilles par faisceau) ; lignes blanches tout autour.

ESPÈCES VOISINES – Jeunes plants de pin pignon, de pin d'Alep et de pin de Calabre (p. 130).

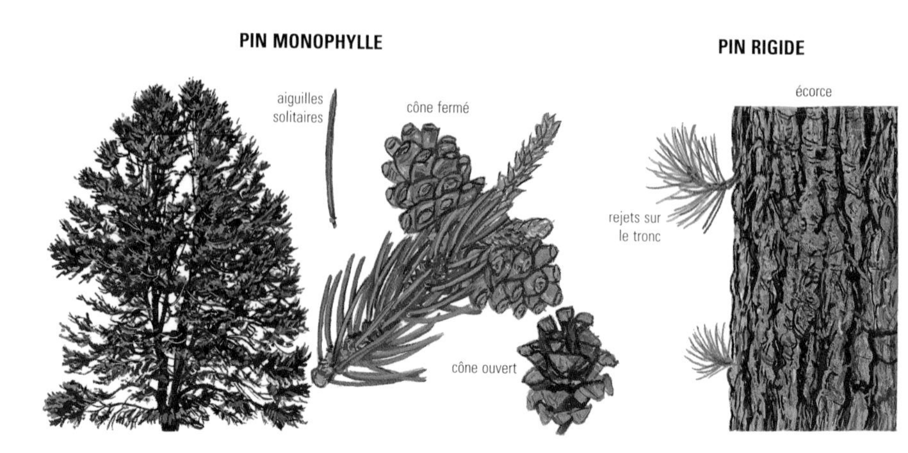

PIN RIGIDE
PIN DE MONTEREY
écorce
feuilles épaisses vrillées
fleurs ♂
fleurs ♀
cône dissymétrique
couronne irrégulière
par 3
couronne foncée en dôme
branches cassées
par 3
fleurs ♀
cône fermé
épine recourbée
rejets feuillés
fleurs ♂
écorce pourprée anguleuse
PIN RIGIDE
PIN DE MONTEREY

Pin blanc de l'ouest *Pinus monticola*

Montagnes Rocheuses. 1831. Peu répandu ; très sensible à la rouille vésiculeuse (voir p. 140).
ASPECT – **Silhouette.** Assez semblable à celle du pin de Weymouth (p. 138) : conique, gris-vert, jusqu'à 40 m. **Écorce.** Plus lisse que celle du pin de Weymouth ; grise. **Rameaux.** Première année : vert brunâtre avec des *poils rouille fins et denses* (*cf.* pin à sucre de Lambert, p. 140). **Feuilles.** Par 5 ; 11 cm ; fines et légèrement pendantes ; légères lignes blanches sur les faces internes et externes. **Cônes.** *Abondants ;* fins, jusqu'à 30 cm ; écailles basales très courbées vers l'arrière.
ESPÈCES VOISINES – Pin des montagnes Rocheuses (ci-dessous) ; pin blanc du Mexique (p. 140).

Pin des montagnes Rocheuses *Pinus flexilis*

(*P. reflexa*) O Amérique du Nord. 1851. Collections.
ASPECT – **Silhouette.** Large, sombre et dense, jusqu'à 20 m ; *particulièrement hérissée* de rameaux saillants (jeunes feuilles apprimées). **Rameaux.** Verts ; fins poils bruns ; parfois souples et pouvant former *des nœuds.* **Feuilles.** Différentes des pins à 5 aiguilles analogues (voir pin de Weymouth, p. 138) : foncées ; lignes blanches très fines *sur chaque face ;* 6 à 12 cm ; *non dentées* (n'accrochent pas quand on les passe entre le pouce et l'index). **Cônes.** *Courts (jusqu'à 12 cm).*
ESPÈCES VOISINES – Pin à écorce blanche (p. 136) : feuilles plus grises, plus courtes et plus denses. Pin blanc de l'ouest (ci-dessus) : feuilles *dentées.*

Pin jaune des montagnes Rocheuses *Pinus ponderosa*

O montagnes Rocheuses. 1827. Peu répandu.
ASPECT – **Silhouette.** *Conique peu épaisse,* souvent grande (40 m) ; parfois irrégulière ou arrondie, mais toujours assez élancée. **Écorce.** Semblable au pin de Corse (p. 124), puis fissurée, rouge noirâtre ou brunâtre. **Rameaux.** Vert à orange brillant. **Bourgeons.** Brun-rouge, résineux, jusqu'à 5 cm avant le printemps. **Feuilles.** Par 3, longues (12-22 cm) et raides, *comme un hérisson de ramoneur.* **Cônes.** *Jusqu'à 15 cm* ; minuscule épine sur chaque écaille.
ESPÈCES VOISINES – Pin de Jeffrey et pin aux grands cônes (p. 148) : distinction difficile sans les cônes. Feuillage vite hors d'atteinte ; écorce souvent plus lisse chez le pin de Jeffrey, plus anguleuse chez le pin aux grands cônes. Pin de *Hartweg* (p. 132) : forme plus grossière ; quelques feuilles par 4 ou 5.
AUTRES ARBRES – *P. engelmannii* (Mexique, 1962) : aiguilles grises fermes mais assez longues pour retomber (*jusqu'à 40 cm*) ; par 3, 4 ou 5 sur rameau brun-rouge épais (*cf.* pin de Montezuma rudis, p. 132).

Pin de Jeffrey *Pinus jeffreyi*

De S Oregon à N Mexique. 1853. Peu répandu.
ASPECT – Diffère du pin jaune des montagnes Rocheuses par : **Écorce.** Noirâtre, peu anguleuse ; en été, *odeur citronnée.* **Rameaux.** Pruine bleutée. **Bourgeons.** Non résineux. **Feuilles.** Plus bleues, souvent *très éparses.* **Cônes.** *Plus grands* (25 cm) ; épines vers l'arrière.
ESPÈCE VOISINE – Pin aux grands cônes (p. 148) : cônes immenses avec des crochets vers l'avant.

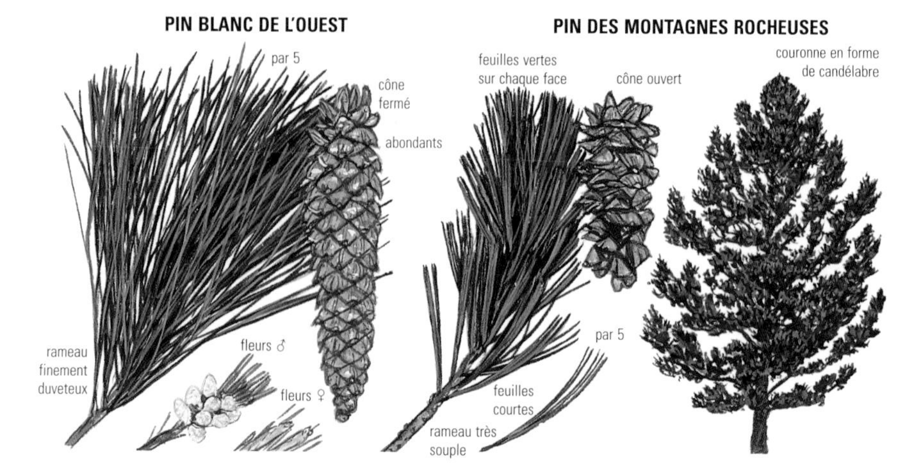

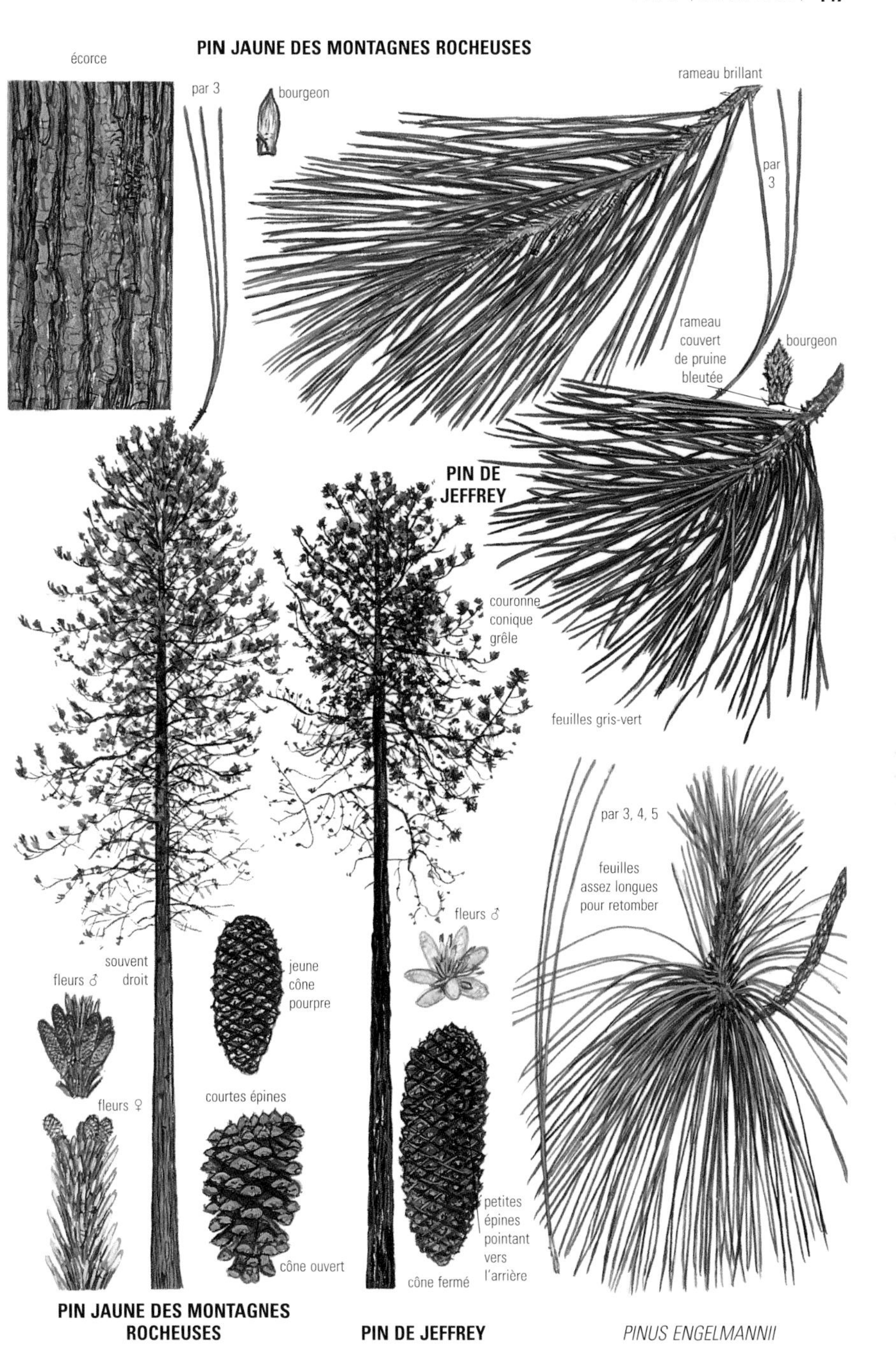

PIN JAUNE DES MONTAGNES ROCHEUSES

PIN DE JEFFREY

PINUS ENGELMANNII

Pin aux grands cônes *Pinus coulteri*

De S Californie à NO Mexique. 1832. Très peu répandu ; grands jardins sous climat doux.
ASPECT – **Silhouette.** Largement conique, sur un tronc parfois fourchu ; feuillage vert bleuté en « hérissons de ramoneur », pas très fourni ; arbre extrêmement vigoureux, jusqu'à 30 m, mais de faible longévité. **Écorce.** Noirâtre, vite *profondément* craquelée ; proche de celle du pin de Monterey (p. 144) et sans l'odeur citronnée de celle du pin de Jeffrey (p. 146). **Rameaux.** Vigoureux, souvent couverts de pruine mauve. **Bourgeons.** Grands, orange, pouvant atteindre 5 cm au printemps. **Feuilles.** Par 3, longues et raides, jusqu'à 30 cm. **Cônes.** Jusqu'à 35 cm ; *gros crochets orientés vers l'avant* sur les écailles ; pendants à maturité.
ESPÈCES VOISINES – Pin de Jeffrey (p. 146) : similaire mais plus élancé ; cônes plus petits avec des petites épines pointant vers l'arrière. Pin jaune des montagnes Rocheuses (p. 146) : écorce moins rugueuse, souvent rougeâtre, silhouette plus stricte et petits cônes. *P. engelmannii* (p. 146) : rameaux rugueux, sans pruine ; feuilles souvent par 5. Pin de Montezuma rudis (p. 132) : couronne en dôme large ; aiguilles par 5 ; le pin de Hartweg (apparenté) est plus proche.
AUTRE ARBRE – *P. sabiniana* (Californie, 1832), collections : arbre conique *particulièrement peu fourni* ; cônes plus petits (15 à 20 cm) à épines orientées vers l'arrière ; même odeur citronnée que le pin de Jeffrey (p. 146) ; graines comestibles.

Pin Napoléon *Pinus bungeana*

N Chine. 1846. Très décoratif par son écorce unique qui forme progressivement de minces écailles dans des tons de *blanc, roux et bleu*. Il ne faut pas se fier aux jeunes plants à l'écorce gris terne, pâle.
ASPECT – **Silhouette.** Généralement buissonnante, avec des extrémités touffues ; jusqu'à 14 m. **Bourgeons.** Placés *à 5 mm des feuilles terminales ;* écailles courbées vers l'extérieur. **Feuilles.** Par 3, *éparses*, jusqu'à 8 cm ; vert foncé vif ; lignes blanches *légères* sur chaque face.
ESPÈCE VOISINE – Pin de montagne (p. 134) : pin à 2 aiguilles dont l'écorce reste gris terne.

Pin du Mexique *Pinus patula*

E Mexique. 1837. Peu répandu. Craint les fortes gelées.
ASPECT – **Silhouette.** Souvent plusieurs troncs ; branches basses horizontales ; jusqu'à 20 m. **Écorce.** *Orange*, finement écailleuse, puis plus terne et largement fissurée. **Feuilles.** Par 3, jusqu'à 25 cm, très fines et *retombant par-dessus le rameau blanchâtre comme la crinière d'un cheval ; vert pré chatoyant pâle* à bleuté. **Cônes.** Persistants, coniques, longs, ligneux et brun vif ; jusqu'à 10 cm.
ESPÈCES VOISINES – Pin du Yunnan (p. 142) : couronne plus foncée. Peut évoquer un pin à feuillage souple à 5 aiguilles, mais aucun n'offre ce contraste entre les feuilles vert pré et l'écorce orange. Pin de Montezuma rudis (p. 132) : longues feuilles pendantes vert vif, mais aiguilles par 4 à 6.

PIN NAPOLÉON

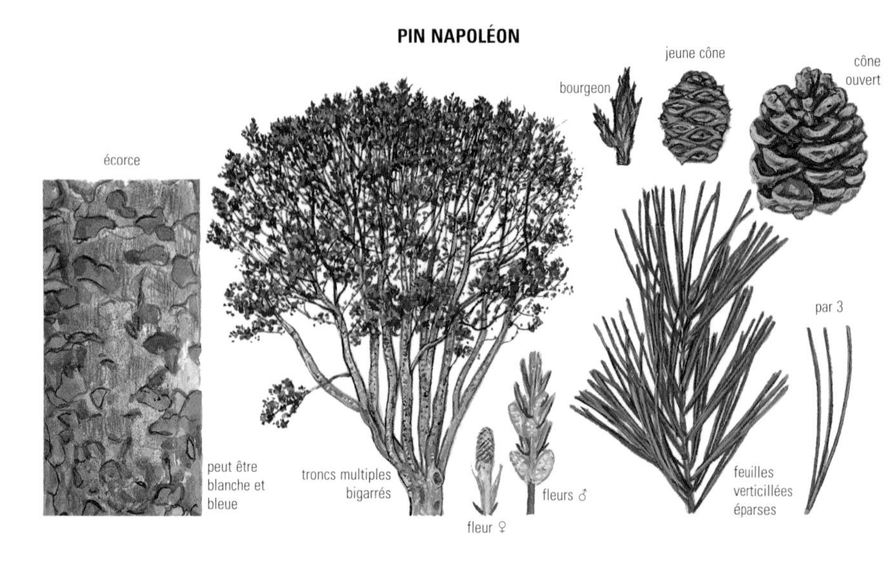

PIN AUX GRANDS CÔNES

PIN DU MEXIQUE

PIN AUX GRANDS CÔNES

PIN DU MEXIQUE

Les arbres et les arbustes de la famille des Salicacées sont presque toujours dioïques. Leurs minuscules graines aux poils soyeux sont dispersées par le vent. Toutes les espèces apprécient les terres riches, humides. Les peupliers (35 espèces) ont des bourgeons très pointus avec de nombreuses écailles et de longs chatons dont la pollinisation est assurée par le vent.

Critères de distinction : peupliers

- Écorce : Plus ou moins rugueuse ?
- Rameaux : Dressés ou retombants ?
- Pétioles : Avec des glandes au sommet ? Poilus ?
- Chatons (mâles ou femelles) ?

Clé des espèces

Peuplier blanc (ci-dessous) : feuilles lobées au revers blanc duveteux. **Tremble** (p. 152) : feuilles presque rondes, vertes dessous. **Jeunes plants de tremble** : petites feuilles triangulaires au revers duveteux. **Peuplier 'Balsam Spire'** (p. 160) : feuilles au revers blanc et lisse. **Peuplier noir** (p. 152) : feuilles triangulaires, vertes dessous. **Peuplier baumier de Chine** (p. 162) : grandes feuilles très duveteuses.

Peuplier blanc *Populus alba*

(Peuplier de Hollande, ypréau ; *P. nivea*) O et centre Eurasie, Tunisie. Fréquent. L'arbre le plus blanc de nos campagnes.
ASPECT – **Silhouette.** Jamais droite ; rameuse et drageonnante ; branches rebelles *légères* ; jusqu'à 28 m. **Écorce.** D'abord gris pâle, piquetée de lignes de losanges (*cf.* tremble, p. 152 ; saule gris, p. 168) ; chez les vieux arbres, branches blanc crème sur un tronc noir, rugueux. **Rameaux.** *Duvet blanc persistant en hiver.* **Bourgeons.** Trapus, blancs laineux. **Feuilles.** Duveteuses quand elles sortent, puis gris-vert foncé brillant dessus et *toujours duveteuses au revers* ; assez profondément lobées sur les rameaux vigoureux, presque arrondies sur les plus grêles (*cf.* peuplier grisard).
CULTIVARS – 'Pyramidalis' (Turkménistan, 1872) : *même silhouette que le peuplier d'Italie*, puis en entonnoir étroit avec des *rameaux dressés* ; plus vigoureux ; écorce du haut de l'arbre d'un blanc crème plus vif ; rameaux glabres avant l'automne ; feuilles plus grandes, plus lobées, vite brillantes dessus ; femelle (chatons verts au printemps). 'Raket' ('Rocket' ; 1956), rare : silhouette conique et *rameaux étalés*.

Peuplier grisard *Populus canescens*

(*P. × canescens*) Centre Europe – hybride fixé entre le peuplier blanc et le tremble. Fréquent ; naturalisé.
ASPECT – **Silhouette.** *Branches élevées, massives ; jusqu'à 40 m* ; feuillage gris-vert *foncé*, dense ; branches supérieures retombantes. **Écorce.** Comme celle du peuplier blanc ; vite très rugueuse à la base. **Rameaux.** *Gris-rouge* ; duvet blanc *tendant à disparaître* en hiver. **Feuilles.** Arrondies, légèrement lobées ; lobes plus marqués sur les rameaux vigoureux ; d'abord gris crème, duveteuses, puis presque glabres en été, les plus jeunes encore duveteuses au revers. **Fleurs.** La plupart des arbres sont mâles : chatons gris pourpré de 4 cm au début du printemps.
ESPÈCE VOISINE – Peuplier blanc (ci-dessus). Peut être pris pour un très grand tremble (p. 152) mais s'en distingue par les jeunes feuilles blanc duveteux.
CULTIVAR – 'Macrophylla', très rare : feuilles très *grandes*, jusqu'à 15 cm de large.

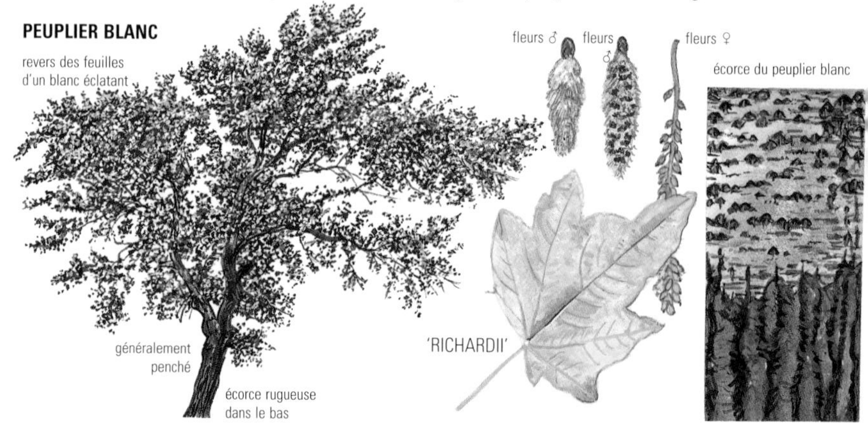

PEUPLIER BLANC

obée
ur les pousses
igoureuses

duvet blanc
dense

petites feuilles
légèrement lobées

revers blanc vif
au début

PEUPLIER GRISARD

dents arrondies

quelques feuilles lobées

blanchâtre
dessous au début

PEUPLIER
GRISARD
'MACROPHYLLA'

branches
supérieures
retombantes

grosses
branches

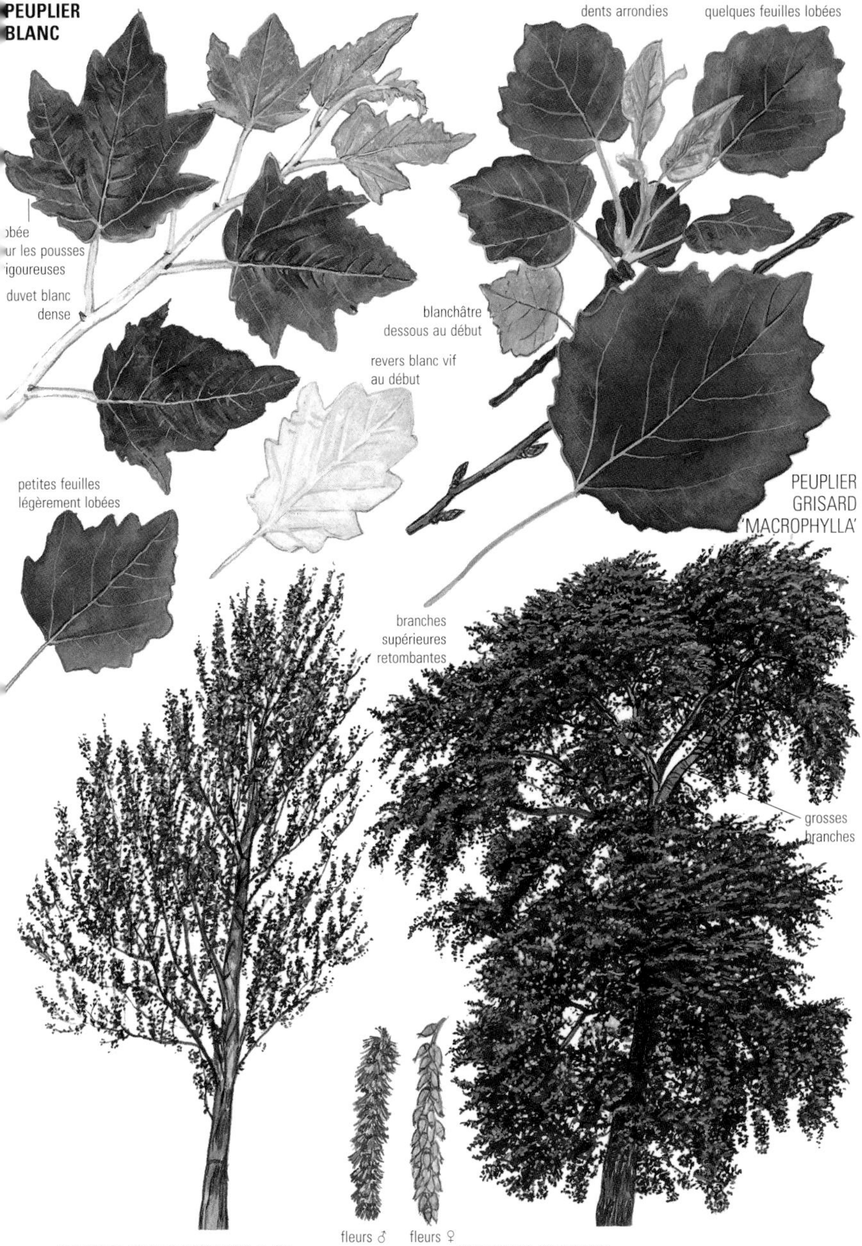

PEUPLIER BLANC 'PYRAMIDALIS'

fleurs ♂

fleurs ♀

PEUPLIER GRISARD

Tremble *Populus tremula*

O Eurasie ; Algérie. Fréquent en lisière des bois et dans les zones de recolonisation forestière.

Aspect – **Silhouette.** *Élancée*, jusqu'à 30 m mais souvent moins ; vert tendre ; grêle et hérissée de chatons en hiver ; tronc haut et *petites* branches relativement perpendiculaires ; faible longévité. **Écorce.** Crème, striée de petits losanges noirs (*cf.* peuplier blanc, p. 150 ; saule gris, p. 168) ; puis grise et rugueuse à la base. **Rameaux.** Brun brillant sur l'arbre adulte. **Bourgeons.** Longuement pointus, *piquants* (comme ceux du cerisier à grappes, p. 346, mais donnant vite *de courts rameaux latéraux perpendiculaires*). **Feuilles.** *Arrondies*, s'agitant à la moindre brise, d'abord cuivrées et duveteuses puis *vite glabres* ; bord ondulé à dents émoussées (*cf.* peuplier grisard, p. 150). **Rejets.** Feuilles triangulaires vertes, duveteuses, sur des tiges veloutées ; feuillage adulte à partir de 2 m.

Cultivars – Tremble pleureur, 'Pendula' : branches retombantes assez raides ; 'Erecta' : branches *très ascendantes* sur un tronc droit ; peu courants.

Peuplier de Berlin *Populus × berolinensis*

Hybride entre le peuplier d'Italie et *P. laurifolia* (un peuplier baumier asiatique à feuilles étroites). 1800. Collections.

Aspect – **Silhouette.** Étroitement arrondie, jusqu'à 30 m ; branches dressées sur un tronc souvent haut, émettant des rejets ; feuillage assez dense. **Écorce.** Brun-gris ; crêtes entrecroisées, assez rugueuses. **Feuilles.** *En forme de losange* (ou arrondie à la base), jusqu'à 12 cm ; gris-vert pâle dessous et finement poilues au début.

Espèces voisines – *P. simonii* (p. 162) ; *P. × generosa* (p. 158) ; 'Androscoggin' (p. 162).

Peuplier noir *Populus nigra* ssp. *betulifolia*

NO Europe. Autrefois assez fréquent dans les vallées ; nombreuses races hybrides liées au développement de la populiculture.

Aspect – **Silhouette.** Large et imposante, jusqu'à 38 m ; tronc normalement court, presque toujours penché ; branches lourdes, arquées, avec de *nombreux petits broussins* et des *amas de rameaux dressés* ; couronne d'un vert plus intense et *bien plus feuillue* que celle des hybrides (p. 156) ; branches érigées gris plus pâle et couronne plus ouverte chez certains arbres (hybrides accidentels avec les peupliers d'Italie ?). **Écorce.** *Brun* grisâtre (parfois presque noire) ; fissures courtes et profondes autour des broussins et des chicots. **Rameaux.** *Ambre*, noueux ; longs bourgeons gris orangé. **Feuilles.** *Petites* (7 cm), nettement pointues ; *pas de glandes à la base* ; *poils fins et minuscules* sur les jeunes rameaux (verts), feuilles et pétioles (*cf.* hybrides 'Robusta', p. 156, et 'Florence Biondi', p. 158), disparaissant avant l'automne ; odeur balsamique au printemps (mais plus légère que chez les peupliers baumiers, p. 160). **Fleurs.** Chatons mâles rouges au milieu du printemps ; chatons femelles verts libérant leurs graines en *mai-juin*.

Espèces voisines – Ses cultivars (p. 154). Peuplier régénéré (p. 156).

PEUPLIER NOIR

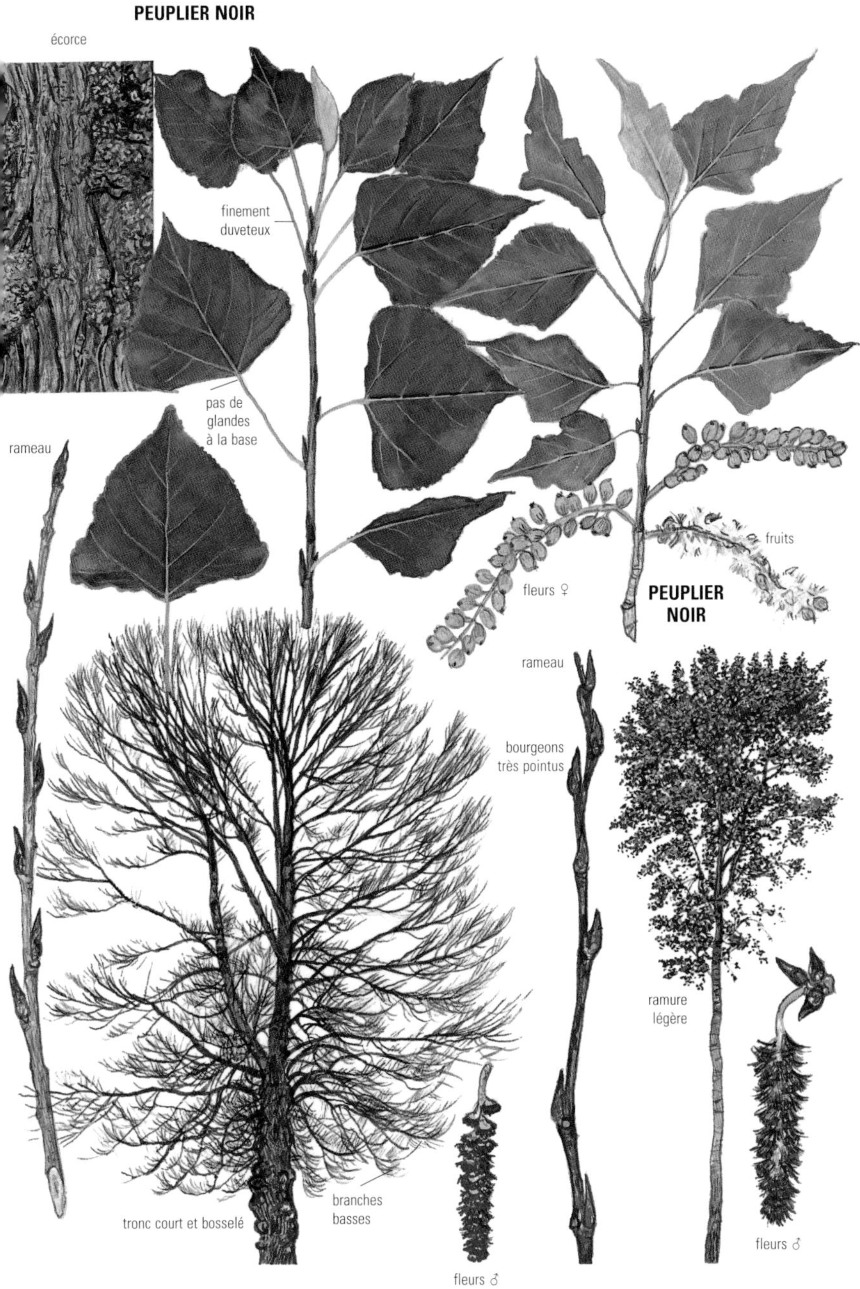

PEUPLIER NOIR

TREMBLE

Peuplier d'Italie *Populus nigra* 'Italica'

Probablement un sport d'une race asiatique de *P. nigra* (voir p. 152). 1758. Fréquent.
ASPECT – **Silhouette.** Branches verticales plus étroitement serrées que chez les autres peupliers sauf 'Serotina de Selys' (p. 158) ; jusqu'à 38 m. **Écorce.** *Brun* grisâtre, moyennement anguleuse et se bosselant avec l'âge. **Rameaux.** *Brun jaunâtre ; glabres dès le début.* **Feuilles.** *Petites, longuement pointues,* glabres, en masses assez denses. **Fleurs.** *Clone mâle* : chatons rouges au milieu du printemps.
CULTIVARS – 'Elegans' : particulièrement étroit et peu fourni.
'Lombardy Gold' (1974, Surrey), très rare : trapu (jusqu'à 12 m) ; feuillage doré.
'Plantierensis' (1884, Metz ; hybride entre le peuplier d'Italie et le peuplier noir, p. 152), localement commun : *jeunes pousses finement poilues* jusqu'à l'automne ; légèrement plus large et feuillu sous climat maritime que les peupliers d'Italie typiques ; *nombreux* petits broussins sur les grosses branches comme chez le peuplier noir ; odeur balsamique plus forte en été (mais pas autant que chez les peupliers baumiers, p. 160) ; il existe des clones mâles et femelles.

Peuplier d'Italie femelle *Populus nigra* 'Foemina'

('Gigantea') Un autre hybride du peuplier d'Italie.
ASPECT – **Silhouette.** En forme *d'entonnoir étroit,* jusqu'à 32 m ; branches plus lourdes divergean au sommet. **Écorce.** Brun-gris plus pâle que l peuplier d'Italie. **Feuilles.** Glabres dès le début légèrement plus grandes et *plus éparses.* **Fleur** Chatons *verts* libérant des nuées de fruits coton neux en mai.
ESPÈCE VOISINE – Peuplier blanc 'Pyramidali (p. 150) : même allure ; écorce pâle également.

Populus nigra 'Vereecke

Clone mâle sélectionné en Hollande au milieu d XXe siècle. Rare.
ASPECT – **Silhouette.** Tronc droit ; *branches légère émergeant à 60°* en couronne étroite, ouverte ; jus qu'à 30 m ; jeunes pousses non duveteuses.
ESPÈCES VOISINES – 'Eugenei' et 'Robusta' (p. 156).

Peuplier noir 'Afghanica' *Populus nigra* 'Afghanica

('Thevestina') Clone femelle originaire d'Asie principalement planté dans le sud de l'Europe.
ASPECT – **Silhouette.** Semblable à celle du peuplie d'Italie. **Écorce.** *Blanc vif* (*cf.* peuplier blan 'Pyramidalis') sur les branches, foncée et fissurée la base. **Feuilles.** Plus arrondies que celles de formes occidentales.

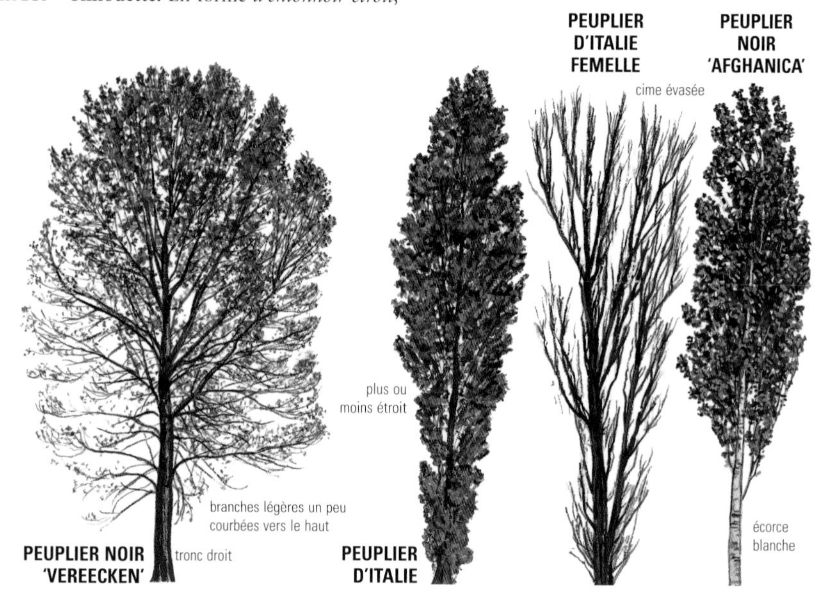

PEUPLIER D'ITALIE

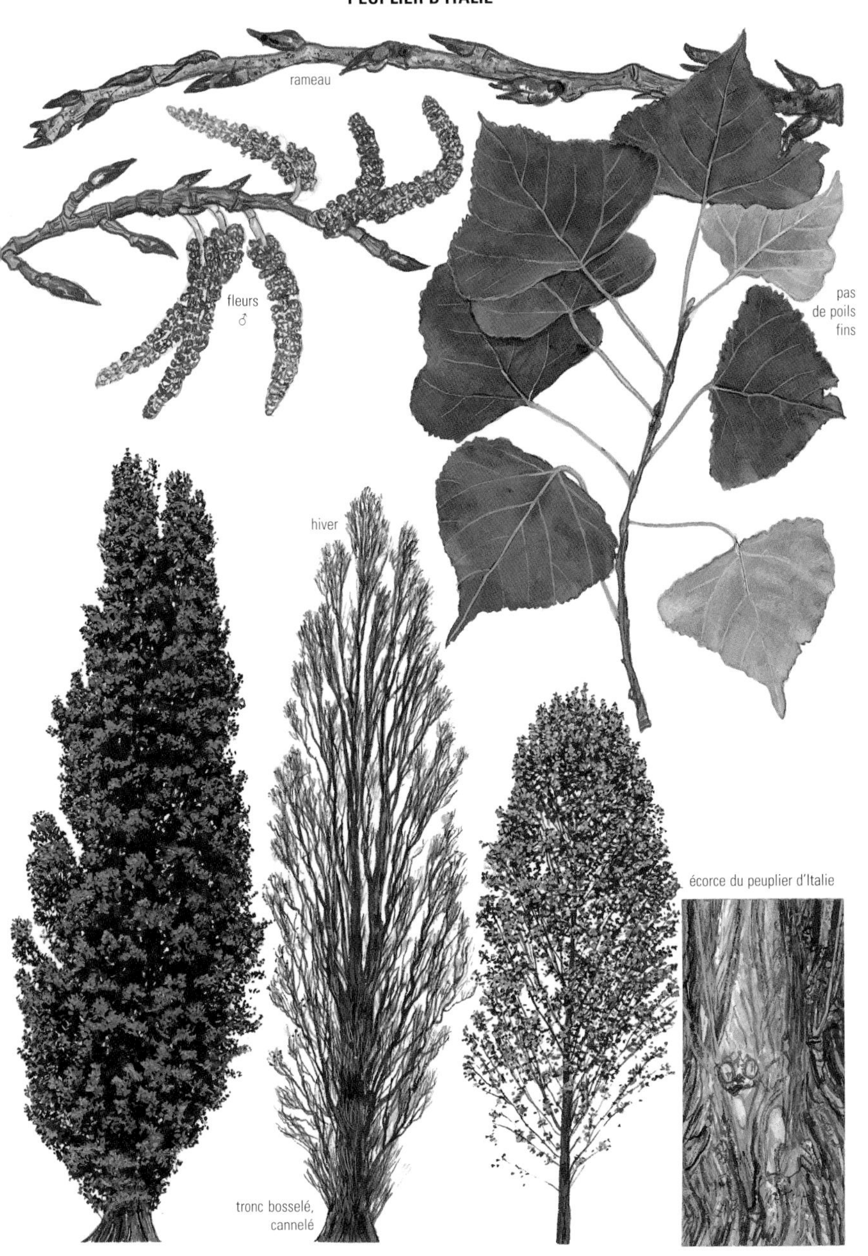

PEUPLIER NOIR 'PLANTIERENSIS'

'LOMBARDY GOLD'

Peuplier euraméricain *Populus × canadensis*

(Peuplier du Canada, peuplier noir hybride ; *P. × euramericana*) Les croisements entre le peuplier noir européen (p. 152) et le peuplier américain *P. deltoides* ont été fréquents depuis 1750. Les clones obtenus, très vigoureux, ont été largement plantés en Europe. L'aspect général est beaucoup plus proche de celui du parent américain : tous développent une écorce *plus grise*, assez *régulièrement* fissurée (avec des sillons profonds) et une couronne *légère* de feuilles bruissantes, vert métallique dessus et *vert* moyen dessous, *entre lesquelles le ciel reste souvent visible*. Les feuilles de l'extrémité des pousses sont très triangulaires, les anciennes plus cunéiformes à la base ; elles sont plus grandes (comme celles des autres peupliers) au sommet de la couronne d'où elles tombent tard en automne. Les jeunes feuilles sont frangées de poils fins et souvent pourvues de *1 à 3 petites glandes* au sommet du pétiole. Les rameaux hivernaux *gris* jaunâtre portent des bourgeons étroits et pointus, de 1 cm. La détermination du sexe est le meilleur moyen d'identifier les différents clones communs. Les plants femelles produisent de fins chatons vert-jaune au printemps puis libèrent vers la mi-été des nuées de graines cotonneuses (en mai-juin pour le peuplier noir) ; les plants mâles portent des gros chatons rouges au début du printemps.

'Robusta' (1895) est actuellement le clone le plus commun dans les plantations et les brise-vent ; c'est aussi le plus distinct et l'un des plus ornementaux.
ASPECT – **Silhouette.** À peu près *conique*, avec des branches dressées régulièrement étagées (la distance entre les étages correspond à la croissance de l'été et peut atteindre 2,2 m) ; tronc droit, assez fin, rarement fourchu ; jusqu'à 40 m ; les vieux arbres poussant à découvert ont des branches dressées relativement *légères*, partant parfois de très bas. **Écorce.** Fissures *moins profondes*, plus courtes que la plupart des autres clones ; gris plus pâle et plus brun. **Rameaux.** Très finement poilus au départ. **Feuilles.** Assez *grandes* (10 cm) ; sortent au *milieu du printemps, rouge cuivré pâle* puis vite vert profond ; pétioles duveteux au début (*cf.* 'Florence Biondi' et peuplier noir, p. 152). **Fleurs.** Clone *mâle*.
ESPÈCES VOISINES – 'Eugenei' (ci-dessous). 'Balsam Spire' (p. 160) : également conique et commun, mais avec une écorce gris foncé plus lisse et des feuilles plus grandes, *blanches* au revers.

'Heidemij' est un clone mâle similaire avec une écorce grise légèrement plus foncée et des pétioles particulièrement longs et aplatis.

'Regenerata' ('Railway Poplar'). Apparu vers 1800 le clone 'Marilandica' a subi de nombreux croisements avec 'Serotina' donnant une descendance complexe de clones difficiles à distinguer les uns des autres et regroupés sous le nom de « peupliers régénérés » ('Regenerata'). Tous sont des *clones femelles* libérant leurs nuées de fruits cotonneux de juin à août (certains arbres sont à part cela très semblables au peuplier d'Italie *mâle*, p. 158). Contrairement aux autres peupliers hybrides, ils supportent bien les situations exposées et sont localement abondants en zone côtière.
ASPECT – **Silhouette.** Plus en forme de dôme dense que les autres clones ; jusqu'à 40 m ; tronc rarement tout à fait droit, souvent fourchu dès la base plutôt conique dans les plantations serrées grosses branches *ascendantes puis arquées*, portant de fins rameaux *pendants* ; feuillage vert pré **Écorce.** Grise, souvent pâle ou verdâtre ; fissures profondes, assez tortueuses ; parfois quelques broussins et souvent beaucoup de rejets. **Feuilles.** Éparses mais *groupées en bouquets dispersés* ; sortent tard, glabres et jaune brunâtre.
ESPÈCES VOISINES – Peuplier noir d'Italie et 'Florence Biondi' (p. 158) ; peuplier noir (p. 152) ; *P. × generosa* (p. 158).

'Eugenei' (Metz, 1832) a probablement pour parent le peuplier d'Italie. Quelques plantations sinon rare.
ASPECT – **Silhouette.** *Colonnaire* sur un *tronc haut généralement droit* ; branches légères mais *étalées* jusqu'à 42 m. **Écorce.** Gris foncé. **Feuilles.** *Petites* généralement effilées à la base, assez éparses ; se déploient brun pâle, assez tard. **Fleurs.** Clone *mâle*.

'Gelrica' ; quelques plantations.
ASPECT – **Silhouette.** Plus large que celle de 'Eugenei' (ci-dessus), mais similaire par ses petites feuilles très éparses ; tronc et grosses branches bien dégagés, les plus petites branches *gris argenté* (comme parfois chez 'Robusta') ; jusqu'à 30 m. **Feuilles.** Une plus grande proportion de feuilles cordiformes à la base, sur des pétioles teintés de rouge ; sortent assez tard, dans un ton cuivré pâle. **Fleurs.** Généralement mâle ; il existe un variant femelle.

'EUGENEI'
vieux « peuplier régénéré » ('MARILANDICA' ?)
graines
blanches
cotonneuses
branches
légères
orizontales
effilée à la base sur
les jeunes pousses
beau tronc
fruits
glandes
à la base
grande feuille
feuillage
dense
jeune arbre
jeune arbre
tronc couvert de chicots et de rejets
'ROBUSTA'
'REGENERATA'

'Florence Biondi' ('OP226'). Hybride très vigoureux à tronc droit, sélectionné en 1950. Encore peu répandu.
ASPECT – **Silhouette.** Plus nette et gracieuse que celle de 'Regenerata' (p. 156) ; feuillage foncé très épars ; plus dense au centre du fait de la présence de rejets sur les grosses branches ascendantes. **Feuilles.** Pétioles finement *duveteux* au début (*cf.* 'Robusta', p. 156). **Fleurs.** Clone *femelle.*

'I-78' ('Casale 78'). Autre clone *femelle* récent, encore peu répandu.
ASPECT – **Silhouette.** Aussi droite que 'Florence Biondi', vigoureuse et légère, mais sans rejets sur les branches. **Feuilles.** Pétioles non duveteux.

Peuplier noir d'Italie, 'Serotina' (France, 1750). Figure dans beaucoup de guides comme « commun » ; mais les peupliers noirs hybrides ne vivent pas longtemps et comme ce clone-ci a été peu planté au cours du XXe siècle, il n'est plus très fréquent.
ASPECT – **Silhouette.** Tronc long, rarement droit, portant d'immenses branches *dégagées, courbées vers l'intérieur* ; rameaux assez épais et ascendants ; jusqu'à 45 m. **Écorce.** Gris moyen à foncé, formant rapidement de longues fissures très profondes, assez *régulières.* **Feuilles.** Se déploient *très tard*, dans un ton *brun cuivré pâle* ; *vert d'eau* foncé en été ; éparses mais disposées régulièrement. **Fleurs.** Clone *mâle.*
ESPÈCES VOISINES – 'Regenerata' et 'Eugenei' (p. 156).

Peuplier doré, 'Serotina Aurea' (Gand, 1871) – peut produire des pousses vertes par endroits. (Faciles à obtenir à partir de boutures, les peupliers sont rarement greffés et la plupart des peupliers dorés ne peuvent pas être identifiés de novembre à juin.)
ASPECT – **Silhouette.** En dôme, rameuse, comme 'Regenerata' (p. 156) ; le plus grand arbre à feuillage doré, max. 30 m. **Feuilles.** Très tardives, brun pâle, puis *jaune acide* et enfin vert tendre.

'Serotina de Selys' ('Serotina Erecta', 1818). Clone mâle rare.
ASPECT – **Silhouette.** Au premier regard, comme celle d'un peuplier d'Italie inhabituellement pointu, au feuillage épars ; jusqu'à 37 m. **Écorce.** *Grise*, comme chez 'Serotina' (assez noirâtre et étroitement fissurée vers le bas). **Feuilles.** Plus grandes et brillantes que celles du peuplier d'Italie, vert d'eau ; 1 à 3 glandes basales ; feuillaison brun cuivré pâle *très tardive*, comme 'Serotina'.

Populus × *generosa*

Hybride entre le peuplier américain (p. 156) et le peuplier baumier (p. 160). 1912, jardins de Kew. Peu répandu.
ASPECT – **Silhouette.** Au premier regard, comme celle d'un 'Regenerata' (p. 156) en petite forme, noueuse, souvent penchée et chancreuse ; jusqu'à 40 m. **Écorce.** Gris pâle, *moins profondément fissurée.* **Feuilles.** Plus grandes, un peu plus denses, jusqu'à 20 cm ; *vert blanchâtre pâle au revers* dans un réseau de nervures vertes ; toujours 2 ou 3 glandes au sommet du pétiole.
CULTIVARS – 'Beaupré' et 'Boelare', sélections belges récentes à grandes feuilles et tronc *droit, lisse, pâle* ; très vigoureux mais encore confinés aux collections et carrés d'essais.
ESPÈCES VOISINES – 'Rochester' et 'Oxford' (p. 162).

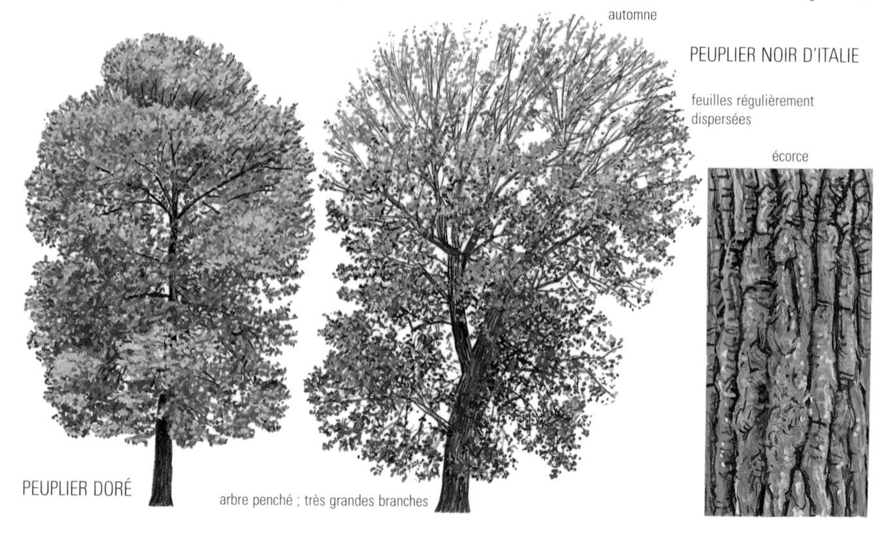

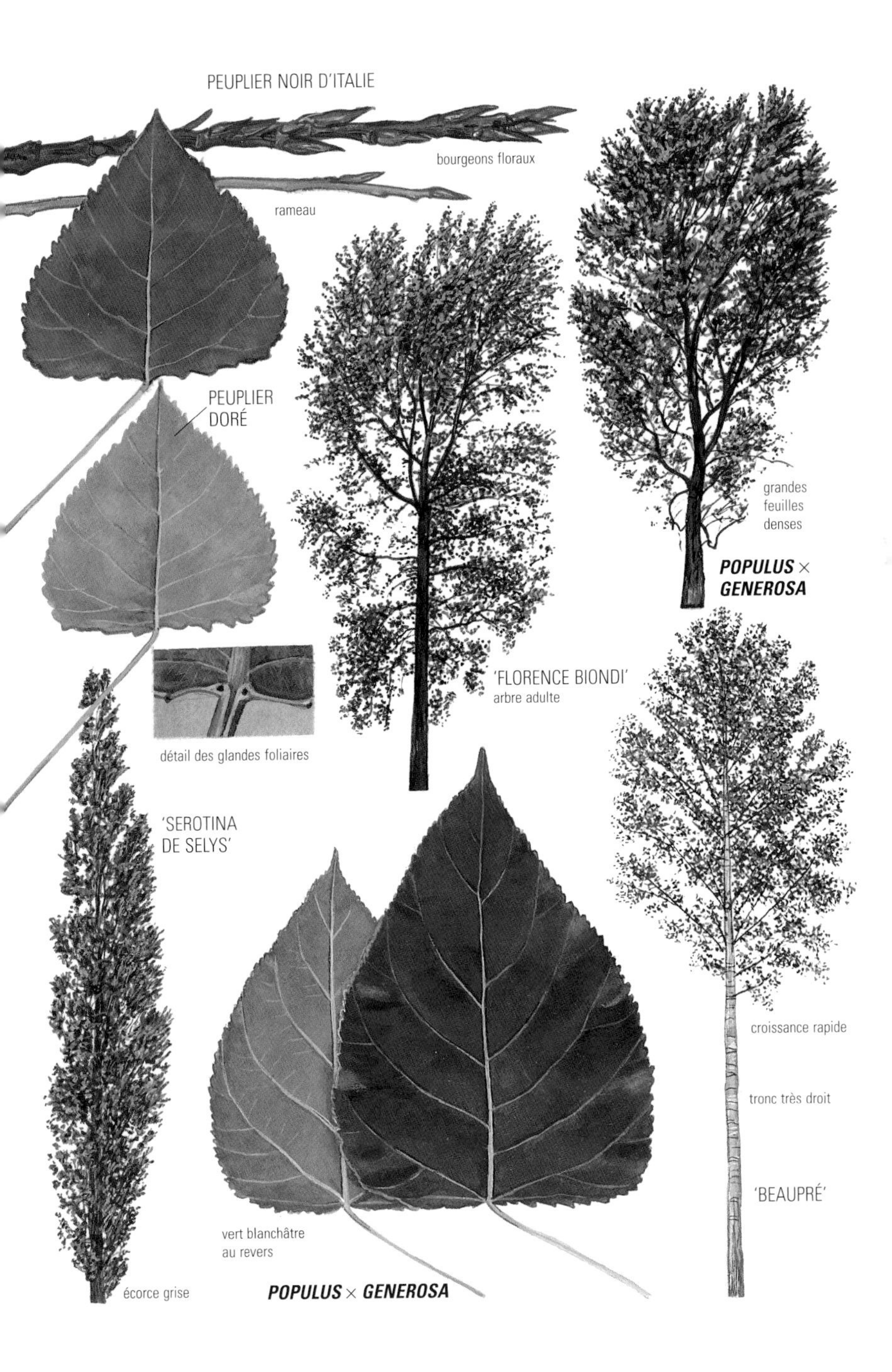
PEUPLIER NOIR D'ITALIE
bourgeons floraux
rameau
PEUPLIER DORÉ
détail des glandes foliaires
'FLORENCE BIONDI'
arbre adulte
grandes feuilles denses
POPULUS × GENEROSA
'SEROTINA DE SELYS'
croissance rapide
tronc très droit
'BEAUPRÉ'
vert blanchâtre au revers
écorce grise
POPULUS × GENEROSA

Peuplier baumier *Populus trichocarpa*

O Amérique du Nord. L'un des plus grands feuillus du monde (jusqu'à 70 m). 1892. Sensible au chancre bactérien (*Aplanobacter populi*), ne vivant pas longtemps et largement remplacé de nos jours par ses hybrides (ci-dessous). L'odeur sucrée des bourgeons résineux, forte chez tous les peupliers baumiers, *emplit l'air* au printemps.
ASPECT – **Silhouette.** Étroite, jusqu'à 42 m, avec des branches ascendantes, fragiles ; tronc avec de nombreux rejets, finissant par pencher avec l'âge ; rameaux *densément garnis* d'un feuillage épais et brillant. **Écorce.** Argentée ou brun pâle ; crêtes serrées peu saillantes. **Rameaux.** Brun-rouge, glabres ; légèrement *anguleux* au début. **Bourgeons.** Longs, pointus et collants. **Feuilles.** Triangulaires ou ovales cordiformes, 10 à 25 cm de long ; *blanc huileux au revers dans un fin réseau de nervures vertes* mais vite glabres ; feuillaison *précoce*, vert acide ; jaunes en début d'automne. **Fruits.** S'ouvrant en 3 segments (arbres femelles).
ESPÈCES VOISINES – *P.* × *generosa* (p. 158) ; Doronoki (p. 162).
CULTIVAR – 'Fritzi Pauley' (États-Unis) : résistant au chancre, très vigoureux ; *tronc droit (mais avec des rejets)* et branches légères assez *horizontales* ; écorce *brune*, vite écailleuse ; clone mâle.
AUTRE ARBRE – *P. balsamifera* (*P. tacamahaca* ; E Amérique du Nord, 1689) : rejette abondamment de souche ; jeunes pousses arrondies ; feuilles à peine dentées, quelques poils persistants au revers ; fruits s'ouvrant en deux segments, pas trois (arbres femelles).

Peuplier 'Balsam Spire' *Populus* 'Balsam Spire'

('TT32') L'élite de toute une série d'hybrides artificiels entre *P. balsamifera* et *P. trichocarpa*. Maintenant très fréquent : plantations, brise-vent, parcs. Généralement résistant au chancre.
ASPECT – **Silhouette.** D'abord *conique* dense ; tronc droit rarement fourchu ; branches légères *fortement ascendantes* formant un *éventail hirsute* au sommet des vieux arbres (jusqu'à 35 m). **Écorce.** *Noir argenté, lisse* pendant de nombreuses années, puis finement fissurée. **Feuilles.** Arrondies, foncées dessus, plutôt courtes (mais jusqu'à 30 cm sur les pousses terminales vigoureuses). **Fleurs.** Clone *femelle* libérant ses fruits en plein été.
ESPÈCES VOISINES – 'Robusta' (p. 156) : conique moins dense, à feuillaison tardive rouge cuivré ; faible odeur balsamique. 'Fritzi Pauley' (ci-dessus). 'Androscoggin' (p. 162).

Peuplier de l'Ontario *Populus* × *jackii* 'Aurora'

(*P. candicans* 'Aurora') 1920. Maintenant fréquent. Le seul peuplier panaché.
ASPECT – **Silhouette.** À peu près conique, noueuse, fragile, très chancreuse ; jusqu'à 20 m ; clone femelle. **Écorce.** *Gris pâle*, légèrement fissurée. **Feuilles.** Revers *moins blanc* que chez le peuplier baumier, sur des pétioles finement *duveteux* ; vert foncé au printemps ; grandes feuilles de l'extrémité des pousses *panachées de – ou uniformément – crème*. (Les arbres qui sont revenus au type à feuillage vert sont plus bas et plus densément feuillus que *P.* × *generosa*, p. 158.)

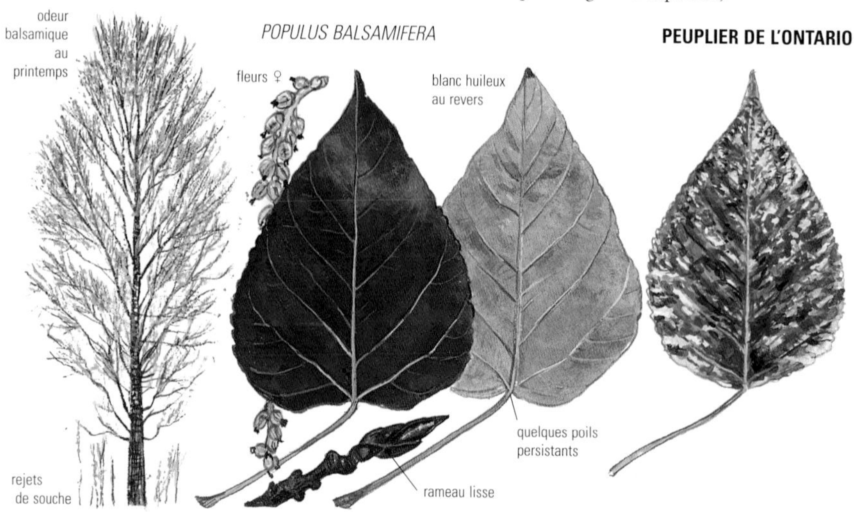

PEUPLIER 'BALSAM SPIRE'

'FRITZI PAULEY'

PEUPLIER 'BALSAM SPIRE'

PEUPLIER BAUMIER

Populus simonii

(*P. przewalskii*) N Chine. 1862. Rare mais prisé pour son gracieux *port pleureur* et son odeur balsamique.
Aspect – **Silhouette.** Tronc souvent oblique, généralement chancreux, avec des rejets ; rameaux fins et pendants sur des branches principales ascendantes ; jusqu'à 20 m. **Rameaux.** Anguleux, glabres. **Feuilles.** En forme de *losange* étroit (*plus large dans leur partie supérieure*) ; revers blanc-vert et glabre ; taille très variable – jusqu'à 12 cm, beaucoup *ne dépassant pas 5 cm* – sur un pétiole de *1 à 2 cm* ; feuillaison précoce.
Espèce voisine – Peuplier de Berlin (p. 152) : plus feuillu, plus vigoureux et plus raide ; ses feuilles sont généralement plus larges dans leur partie inférieure.
Cultivar – 'Fastigiata' : grossièrement colonnaire, avec les branches fines encore retombantes.
Autre arbre – *P.* × *acuminata* (O Amérique du Nord), collections : également pleureur ; feuilles losangiques de *taille plus uniforme, vert brillant dessous.*

Doronoki *Populus maximowiczii*

NE Asie, Japon. 1918. Rare.
Aspect – **Silhouette.** En dôme ; souvent basse. **Écorce.** Très grise ; crêtes assez plates. **Feuilles.** Denses et *horizontales*, se déployant très tôt ; arrondies (légèrement losangiques sur les pousses vigoureuses) ; *pointe courte, brusquement inclinée sur le côté* (*cf.* saule marsault, p. 168) ; vert blanchâtre dessous ; *finement poilues des deux côtés sur les nervures saillantes*, du moins au début. **Fleurs.** Profusion spectaculaire de chatons.
Autres arbres – Les hybrides issus du doronoki et sélectionnés dans le Maine en 1934 ont hérité de la forme caractéristique de la feuille (bien que plus triangulaire sur les pousses vigoureuses). Parmi eux, *P.* 'Androscoggin' (parent mâle peuplier baumier, p. 160 ; *droit* et plus ouvert), *P.* 'Oxford' (parent mâle peuplier de Berlin, p. 152 ; femelle ; dense et irrégulièrement dressé) et *P.* 'Rochester' (parent mâle peuplier noir 'Plantierensis', p. 154 ; légèrement plus ouvert, plus haut).

Peuplier baumier de Chine *Populus lasiocarpa*

Centre et O Chine. 1900. Assez rare.
Aspect – **Silhouette.** Grêle ; quelques branches horizontales sur un tronc généralement droit ; jusqu'à 25 m. **Écorce.** Vite *pelucheuse* ; crêtes grises, écailleuses. **Rameaux.** Épais ; *duvet fauve* persistant plusieurs années. **Feuilles.** *Immenses, cordiformes, laineuses au revers* ; jusqu'à 35 cm ; nervures rouges ou rosées, poilues ; pétioles teintés de rouge. **Fleurs.** Contrairement aux autres peupliers, le clone le plus commun porte des chatons (jusqu'à 20 cm de long) avec des fleurs mâles et des fleurs femelles ; il est autofertile.
Espèces voisines – Autres arbres aux feuilles géantes cordiformes : tilleul d'Amérique (p. 402) ; idésia (p. 408).
Cultivar – var. *thibetica* (*P. szechuanica* ; *P. violascens*) : moins spectaculaire ; rameaux vite glabres ; poils sous les feuilles vite confinés aux nervures principales.

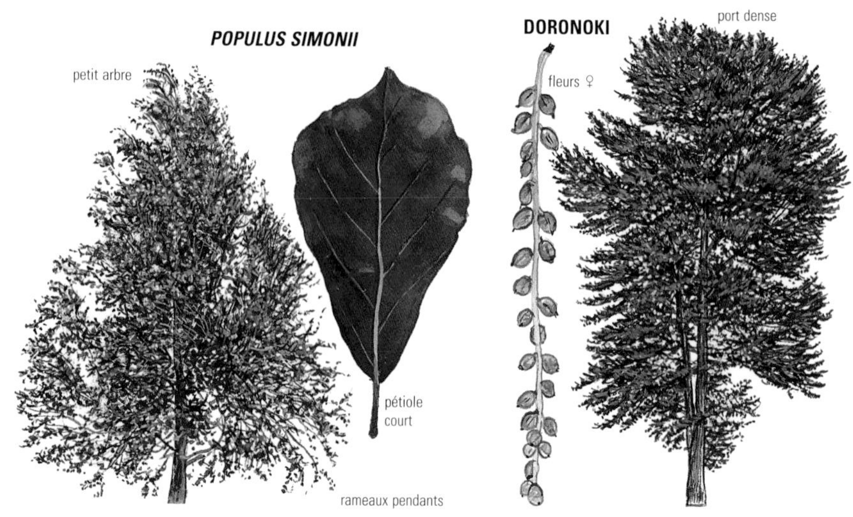

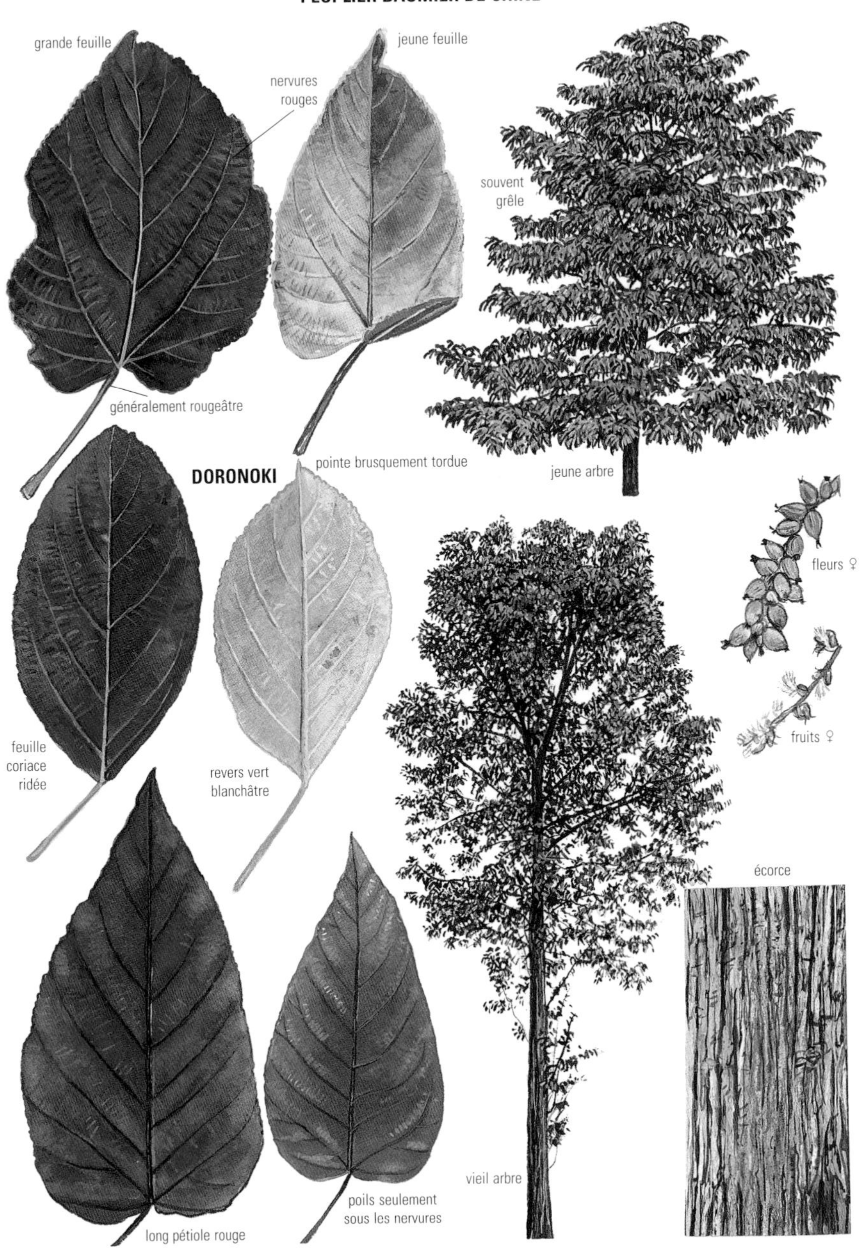

PEUPLIER BAUMIER DE CHINE VAR. *THIBETICA*

PEUPLIER BAUMIER DE CHINE

Les saules (400 espèces, de l'arbre jusqu'au sous-arbrisseau prostré) poussent sur tous les continents sauf l'Australie et l'Antarctique. Leurs bourgeons ont une écaille aplatie, lisse ; les rameaux dessinent une courbe régulière et se terminent par une pointe avortée. Les chatons femelles, courts, attirent les insectes pollinisateurs. (Famille : Salicacées.)

Critères de distinction : saules

- Silhouette/taille ?
- Rameaux/jeune écorce : Couleur ?
- Feuilles : Revers duveteux ? Largeur ? Brillantes ?

Clé des espèces

Saule blanc (ci-dessous) et **saule fragile** (p. 166) : arbres hauts ; feuilles étroites lancéolées. **Saule pleureur** (p. 168) ; similaire ; port pleureur. **Saules gris et marsault** (p. 168) : feuilles ovales au revers gris duveteux. **Saule-laurier** (p. 166) : feuilles glabres, largement lancéolées. **Osier blanc** (p. 170) : buissonnant ; feuilles très étroites.

Saule blanc *Salix alba*

(Vivier) Europe ; O Asie, N Afrique. Localement abondant, généralement sur les berges des rivières, grands étangs et fossés de drainage ; forme sauvage rarement plantée.

ASPECT – **Silhouette.** Tronc court et penché portant de grosses branches *ascendantes* ; fins rameaux *pendants* ; jusqu'à 30 m ; grisâtre en été et brun-gris terne en hiver ; souvent étêté. **Écorce.** *Gris* foncé ; crêtes rugueuses entrecroisées. **Rameaux.** Très fins, gris ; poilus la première année. **Bourgeons.** Fins, aplatis, soyeux. **Feuilles.** D'abord soyeuses dessus, puis conservant *un duvet argenté au revers et quelques poils dessus* (chez les formes sauvages) ; 8 cm environ.

ESPÈCES VOISINES – Saule fragile (p. 166) ; poirier à feuilles de saule (p. 320) ; olivier de Bohême (p. 412).

CULTIVARS – Saule argenté, var. *sericea* (var. *argentea*) : feuilles *restant soyeuses dessus* ; jusqu'à 25 m ; *rameaux non pendants.*

var. *coerulea* : pousse avec vigueur dans les sols humides, jusqu'à 30 m ; son bois est utilisé pour fabriquer les battes de cricket ; tronc presque *droit* mais pouvant se diviser assez bas en grosses branches ascendantes ; couronne à peu près *conique* ; rameaux *rouge pourpré* foncé (avec un fin duvet gris) ; feuilles *presque glabres en fin d'été* mais gris bleuté au revers ; *femelle* – chatons verts au printemps libérant rapidement des graines duveteuses.

Saules à écorce rouge, 'Britzensis' et 'Chermesina', fréquents dans les parcs : jusqu'à 28 m ; rameaux *orange brillant* (brun-jaune vers le printemps ; *cf.* 'Basfordiana', p. 166) ; arbre éclatant sous le soleil hivernal ; écorce plus brune que le type ; conique au départ, avec des rameaux toujours *dressés et incurvés* ; feuilles *vite presque glabres*, mais gris bleuté dessous ; couronne *jaune grisâtre* pâle en été ; arbres mâles – courts chatons dorés au début du printemps. (Le clone femelle 'Cardinal' est bien plus rare.)

Saule doré (var. *vitellina*) : nom parfois utilisé pour les saules à écorce colorée mais il se réfère plus précisément à des clones (maintenant rares) aux rameaux *jaune clair*.

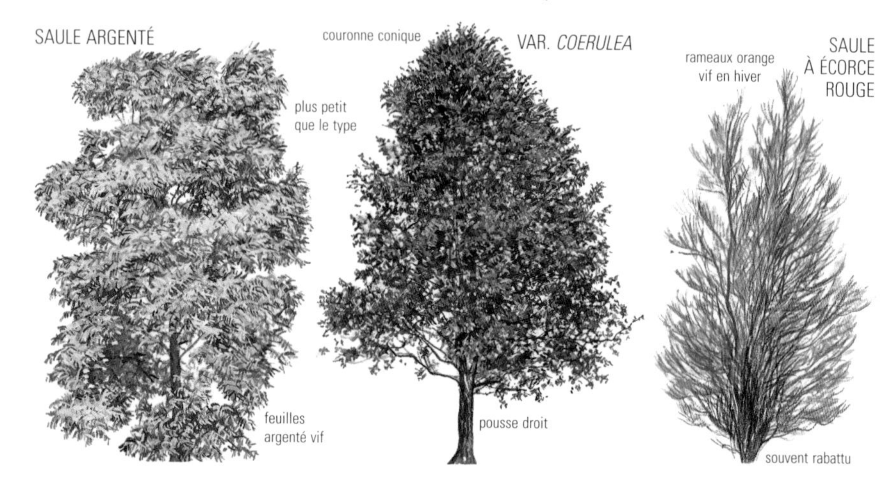

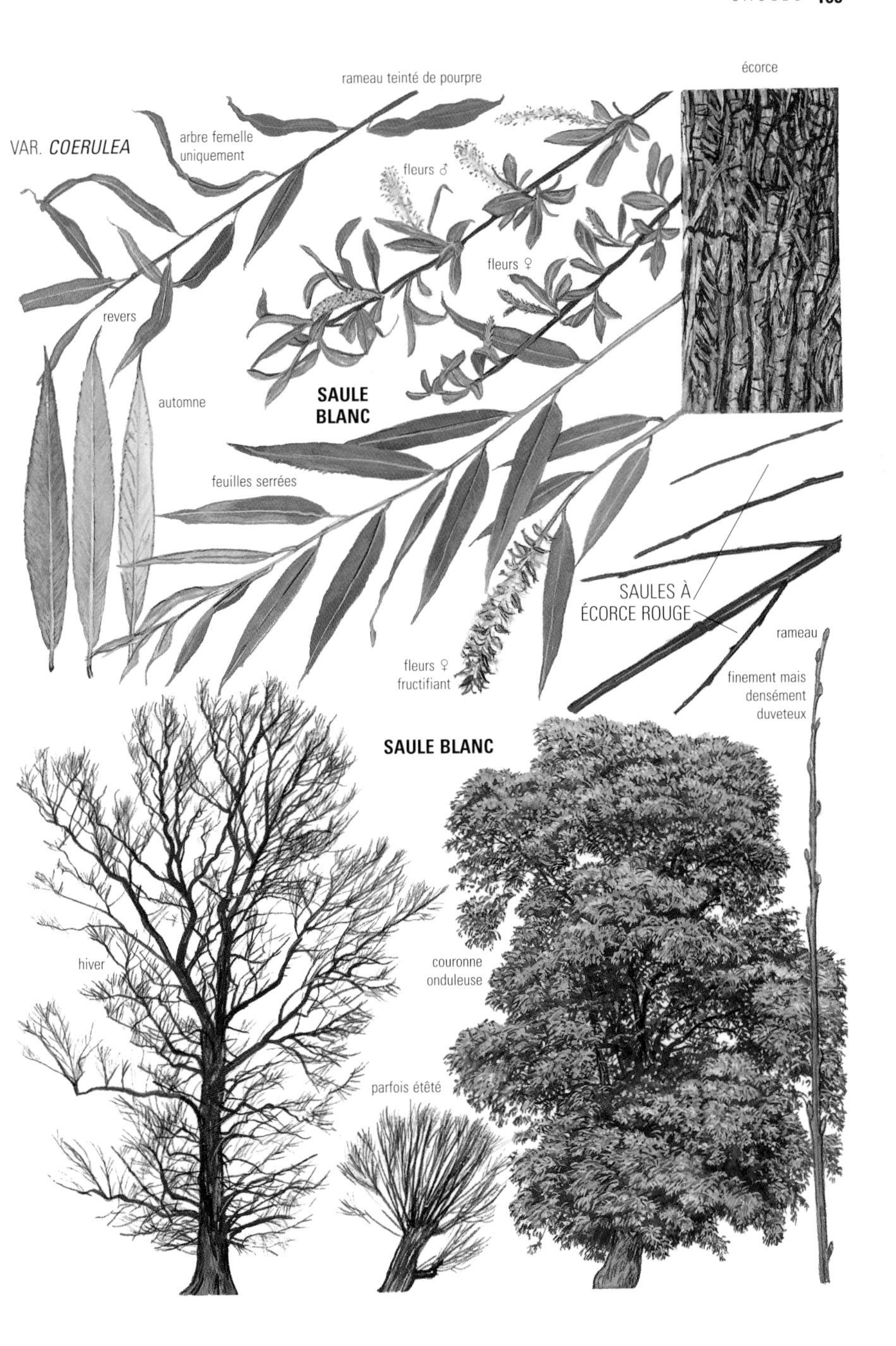
rameau teinté de pourpre
écorce
VAR. COERULEA
arbre femelle uniquement
fleurs ♂
fleurs ♀
revers
automne
SAULE BLANC
feuilles serrées
SAULES À ÉCORCE ROUGE
rameau
fleurs ♀ fructifiant
finement mais densément duveteux
SAULE BLANC
hiver
couronne onduleuse
parfois étêté

Saule fragile *Salix fragilis*

(Saule cassant) Europe, jusqu'à la Roumanie. Abondant en sol humide mais rarement planté.
ASPECT – **Silhouette.** Large, avec un tronc court (sauf dans les bois) et des branches *largement étalées*, ouverte au centre ; rameaux non pendants ; feuillage vert brillant ; orange terne en hiver (*cf.* saules à écorce rouge, p. 164) ; penchée et affaissée avec l'âge ; souvent étêtée. **Écorce.** *Brun* foncé ; crêtes entrecroisées très rugueuses. **Rameaux.** Brun-jaune, brillants, vite *glabres* ; bourgeons étroits, lisses ; rameaux latéraux cassants (d'où le nom commun), prenant racine lorsqu'ils se fichent pointe en haut dans une berge humide (les graines sont souvent stériles). **Feuilles.** *Longues* (jusqu'à 15 cm), brillantes ; légèrement soyeuses au début puis *glabres* mais vert bleuté au revers.
ESPÈCES VOISINES – Saule blanc (p. 164) ; saule-laurier (ci-dessous) ; osier brun (p. 170).
CULTIVARS – *S.* × *rubens* 'Basfordiana' (1863) : rameaux *orange brillant* ; port rameux, très *étalé* ; arbre *mâle* ; le clone femelle 'Sanguinea' est bien plus rare et a des petites feuilles (8 cm). La forme sauvage var. *decipiens* (rare ?) a des jeunes rameaux rouges devenant gris plus terne en hiver.

Saule-laurier *Salix pentandra*

N Eurasie – le long des rivières et dans les bois humides. Parfois planté dans les jardins.
ASPECT – **Silhouette.** En dôme *dense*, jusqu'à 20 m, ou buissonnante ; feuillage brillant, sombre. **Écorce.** *Gris foncé* ; crêtes écailleuses entrecroisées. **Rameaux.** Brun-vert brillant ; glabres. **Bourgeons.** Brun brillant. **Feuilles.** *Glabres*, épaisses, brillantes – *assez semblables à celles d'un laurier* (p. 276) mais caduques ; finement dentées ; gris bleuté dessous. **Fleurs.** Chatons sur des *rameaux feuillus en fin de printemps* (avant ou avec la feuillaison chez la plupart des saules).
ESPÈCES VOISINES – Saule fragile (ci-dessus). *S.* × *meyeriana*, hybride entre les deux arbres : intermédiaire et très rare (de même que *S.* × *ehrhartiana*, hybride du saule blanc, avec *quelques poils sur les deux faces des feuilles*). Osier brun (p. 170) : feuilles moins brillantes.
AUTRE ARBRE – *S. lucida* (E Amérique du Nord), bien plus rare : *extrémité des feuilles fine et longue* ; rameaux florifères duveteux.

Saule pleureur 'Crispa' *Salix babylonica* 'Crispa'

('Annularis') Chine. Le vrai *S. babylonica* se trouve dans quelques collections en Europe du Nord ; il a besoin d'étés chauds.
ASPECT – **Rameaux.** Tendent à se courber gracieusement au lieu de pendre droits. **Feuilles.** Plus fines, *d'un vert pâle plus vif* que chez les autres 'saules pleureurs' ; vite glabres. Le cultivar 'Crispa' est une sélection chinoise rare (et à peine pleureuse) : ses feuilles *s'incurvent en cercles*.

Saule tortueux *Salix babylonica* var. *pekinensis* 'Tortuosa'

(*S. matsudana* 'Tortuosa') N Chine, Japon. 1925. Abondant mais ne vit pas longtemps.
ASPECT – **Silhouette.** Un spectacle saisissant de branches *tire-bouchonnées* ; dôme large légèrement pleureur ; fins rameaux encore très tordus (*cf.* noisetier tortueux, p. 198) ; vert tendre pâle, jusqu'en décembre. **Écorce.** Brun pâle ; crêtes entrecroisées assez superficielles. **Feuilles.** Jusqu'à 8 cm ; plus ou moins bouclées mais pas en cercle.

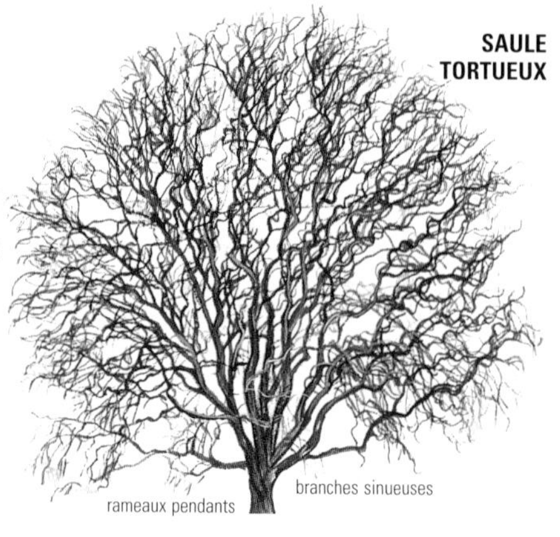

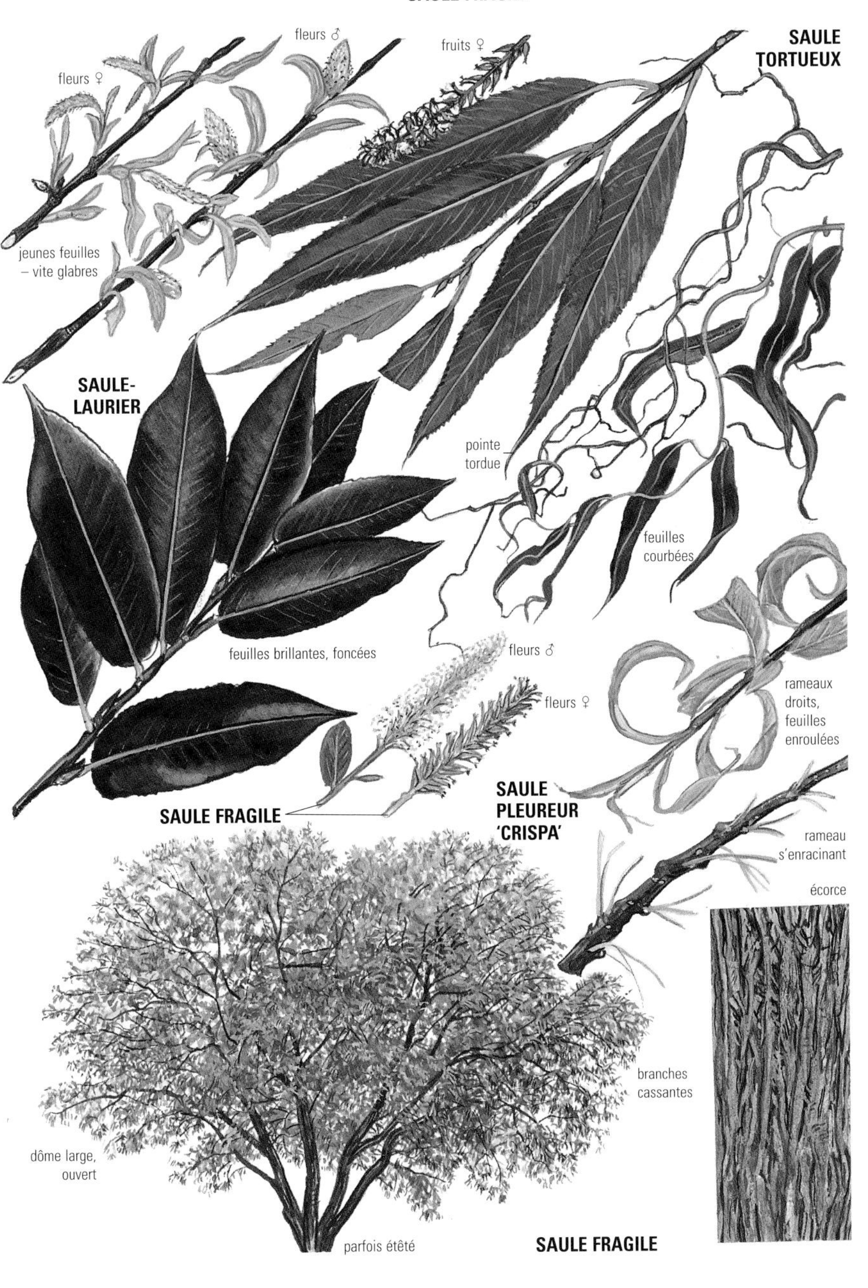
SAULE FRAGILE
fleurs ♀
fleurs ♂
fruits ♀
SAULE TORTUEUX
jeunes feuilles – vite glabres
SAULE-LAURIER
pointe tordue
feuilles courbées
feuilles brillantes, foncées
fleurs ♂
fleurs ♀
rameaux droits, feuilles enroulées
SAULE FRAGILE
SAULE PLEUREUR 'CRISPA'
rameau s'enracinant
écorce
branches cassantes
dôme large, ouvert
parfois étêté
SAULE FRAGILE

Saule marsault *Salix caprea*

NO Eurasie. Très abondant sauf en sol très léger.
Aspect – Silhouette. En dôme, jusqu'à 22 m ; branches arquées, grêles, sur un tronc généralement unique **Écorce.** Grise ; d'abord marquée de petits trous en losange, puis rapidement de crêtes entrecroisées peu saillantes. **Rameaux.** Gris (rouges ou jaunes au soleil), épais, *vite glabres.* **Bourgeons.** Assez arrondis [*duveteux* chez var. *sphacelata* (*S. coaetanea*), N Europe ; feuilles plus étroites, *à peine dentées*]. **Feuilles.** *Moins de deux fois plus longues que larges* ; *pointe courte penchée sur le côté* ; foncées, *ridées* ; fin duvet gris-vert au revers ; peu ou pas dentées. **Fleurs.** *Avant les feuilles* ; chatons dorés sur les arbres mâles ; chatons femelles argentés libérant rapidement des graines duveteuses.
Espèces voisines – Saule gris (ci-dessous). Toute une série d'hybrides (*S.* × *reichardtii*) liant les deux espèces.
Cultivars – Saules marsaults pleureurs, 'Kilmarnock' (mâle) et 'Weeping Sally' (femelle) : tiges grêles *s'arquant* depuis le point de greffe (*cf.* osier pleureur, p. 170).

Saule gris *Salix cinerea* ssp. *oleifolia*

(Saule cendré, gévrine ; *S. atrocinerea*) O Europe. Se distingue du saule marsault par :
Aspect – Silhouette. *Buissonnante* ; tronc rarement long ; jusqu'à 15 m. **Écorce.** Crêtes moins saillantes, plus foncées. **Rameaux.** Finement *poilus la première année* ; rameaux de 2 ans *ridés* sous l'écorce. **Bourgeons.** Finement *poilus pendant un an.* **Feuilles.** généralement bien plus petites ; *2 à 3 fois aussi longues que larges* (*cf. S. sericans*, p. 170), et plus larges dans leur moitié supérieure ; feutrées dessous, quelques poils *roux* sous les nervures ; stipules semi-circulaires (comme chez l'osier brun, p. 170, et le saule daphné). **Fleurs.** Plus tardives que le saule marsault ; chatons un peu plus petits.

Autres arbres – L'espèce type est locale et buissonnante, avec des rameaux plus duveteux et des feuilles plus grises, sans poils roux.
S. pedicelallata (Europe méditerranéenne) : feuilles plus grandes (*10 à 12 paires de nervures*).

Saule daphné *Salix daphnoides*

Centre Europe. 1829. Peu répandu.
Aspect – Silhouette. Dôme *bas*, gris-vert foncé, à tronc court ; jusqu'à 18 m. **Écorce.** Grise ; crêtes entrecroisées peu saillantes. **Rameaux.** Verts/bruns, duveteux puis couverts *d'une pruine gris pourpré* (spectaculaire quand il est étêté ; *cf.* osier rouge, p. 170). **Bourgeons.** Rouge foncé brillant. **Feuilles.** *Petites* (jusqu'à 12 cm), étroitement lancéolées (*cf. S. alba* var. *coerulea*, p. 164) ; foncées et brillantes ; gris bleuté dessous ; vite glabres mais sur des pétioles laineux.

Saule pleureur *Salix* × *sepulcralis* 'Chrysocoma'

(*Salix alba* 'Tristis' ; *S. alba* var. *vitellina pendula*) Berlin. 1888. Commun ; combine le port pleureur de *S. babylonica* (p. 166) et la vigueur et la couleur des rameaux de *S. alba* var. *vitellina* (p. 164).
Aspect – Silhouette. Large couronne de branches tortueuses garnies de *longs rameaux droits pendants* – 6 m de long en situation favorable ; jusqu'à 24 m ; en feuilles de mars à décembre, *vert-gris-jaune pâle.* **Écorce.** Brun-gris *pâle* ; crêtes profondes entrecroisées. **Rameaux.** Verts puis (au soleil) *doré* grisâtre pendant plusieurs années. **Feuilles.** Gris soyeux quand elles sortent ; vite glabres dessus ; glabres dessous au bout de trois mois (gris bleuté). **Fleurs.** Clone mâle, mais quelques fleurs femelles peuvent se former dans les chatons mâles ; stérile.
Espèces voisines – Saule pleureur 'Crispa' (p. 166) ; saule pleureur 'Salamonii' et *S.* × *pendulina* (p. 170).

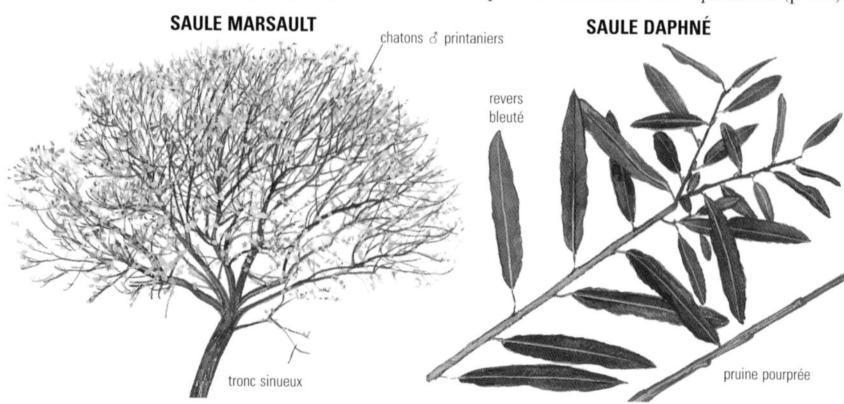

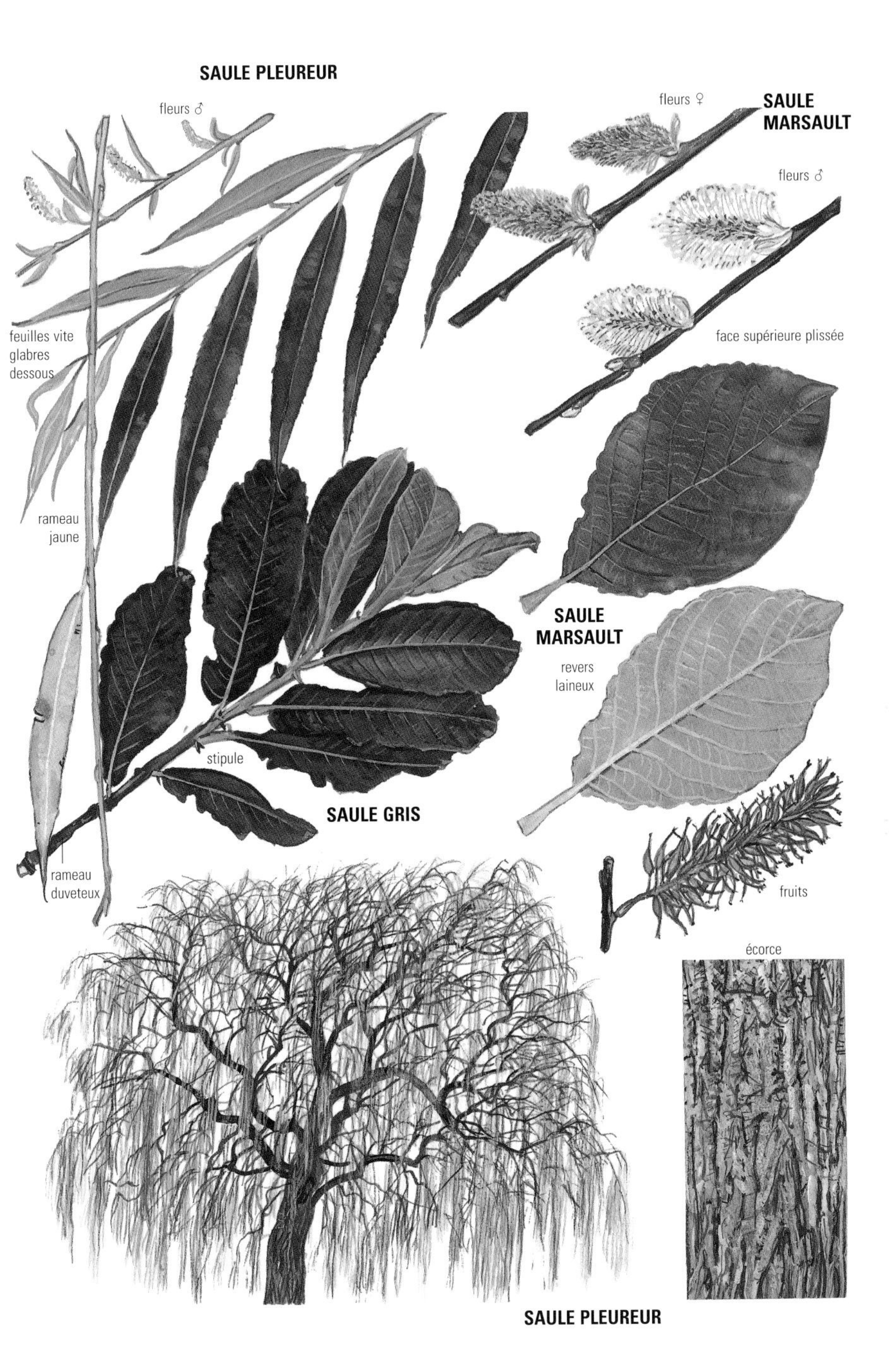
SAULE PLEUREUR
fleurs ♂
feuilles vite glabres dessous
rameau jaune
rameau duveteux
SAULE MARSAULT
fleurs ♀
fleurs ♂
face supérieure plissée
SAULE MARSAULT
revers laineux
stipule
SAULE GRIS
fruits
écorce
SAULE PLEUREUR

Saule pleureur 'Salamonii'
Salis × sepulcralis 'Salamonii'

France. 1864. Peu répandu ; maintenant remplacé par le saule pleureur (p. 168).
ASPECT – **Silhouette.** Pleureuse, mais avec des rameaux bien plus courts ; *plus grise* en été, avec de jeunes pousses duveteuses. **Écorce.** *Gris plus foncé* ; plus rugueuse. **Rameaux.** Verts puis *brun grisâtre terne* (*cf. S. × pendulina*, ci-dessous, et *S. babylonica*, p. 166). **Feuilles.** Moins vite glabres.

Salix × pendulina

(*S. × elegantissima*) Saules pleureurs aux grandes feuilles brillantes, hybrides présumés de *S. babylonica* et du saule fragile. Assez rares.
ASPECT – **Silhouette.** Pleureuse, mais moins que celle du saule pleureur (p. 168). **Écorce.** Gris-brun ; crêtes entrecroisées très *grossières*. **Rameaux.** Brun-*gris terne* (*cf.* saule pleureur 'Salamonii', ci-dessus). **Feuilles.** *Grandes, assez brillantes*, jusqu'à 15 cm, vite glabres.
CULTIVAR – 'Blanda' (*S. × blanda*), très rare : forme basse, moins pleureuse ; feuilles plus grandes, *très brillantes.*

Osier blanc
Salix viminalis

(Saule des vanniers) Centre et O Europe. Localement abondant (marais) ; largement planté et hybridé pour la vannerie.
ASPECT – **Silhouette.** Généralement buissonnante, jusqu'à 10 m ; tiges vigoureuses, *semblables à des baguettes*, sur un tronc court et noueux, écailleux. **Rameaux.** Vite glabres, jaunâtres. **Bourgeons.** Blancs et soyeux, arrondis ; comme des *chapelets de perles*. **Feuilles.** *Très étroites* (jusqu'à 20 × 1 cm) ; foncées et plissées dessus, blanc soyeux dessous ; *non dentées* (*cf.* olivier de Bohême, p. 412).
AUTRE ARBRE – *S. elaeagnos* (centre Europe, Asie mineure) : feuilles *finement dentées*, laineuses dessous.

Osier brun
Salix triandra

(Saule amandier ; saule à 3 étamines ; *S. amygdalina*) Autrefois beaucoup planté et hybridé pour la vannerie ; maintenant moins répandu.
ASPECT – **Silhouette.** Souvent buissonnante (rarement jusqu'à 20 m). **Écorce.** Brun-gris, *s'exfoliant* en écailles orange sur les petites branches ; puis crêtes rugueuses. **Rameaux.** Brun brillant ; vite glabres. **Feuilles.** Comme celles du saule fragile (p. 166) mais plus petites (5 à 10 cm) et *glabres* ; vertes ou bleutées dessous. **Fleurs mâles.** À *3 étamines.*

Osier rouge
Salix purpurea

(Saule pourpre) Eurasie, N Afrique. Peu répandu. Autrefois beaucoup planté et hybridé pour la vannerie.
ASPECT – **Silhouette.** Buissonnante. **Écorce.** *Gris brillant* ; lenticelles alignées ; non fissurée ; riche en acide salicylique (principe actif de l'aspirine). **Rameaux.** Vite glabres ; jaunes, ou *pourpre-rouge* brillant au soleil (*cf.* rameaux *pruineux* du saule daphné, p. 168). **Feuilles.** Vite glabres ; comme celles du saule fragile (p. 166) mais plus petites (jusqu'à 12 cm), élargies vers la pointe souvent émoussée ; dentées *uniquement* au sommet (sauf chez ssp. *lambertiana*) ; *souvent opposées.*
CULTIVAR – Osier pleureur, 'Pendula', peu répandu : tiges grêles pourprées arquées, à partir du point de greffe.

Salix × sericans

(*S. × smithiana*) Le plus grand et le plus distinct des hybrides marsault/osier (*S. caprea × S. viminalis*).
ASPECT – **Silhouette.** Étonnamment robuste ; jusqu'à 12 m. **Écorce.** Gris foncé ; grandes crêtes entrecroisées. **Rameaux.** Vite glabres. **Feuilles.** Largement *lancéolées*, jusqu'à 15 cm ; plissées ; *vertes* dessous bien que *très finement* feutrées.

OSIER BLANC

SAULE PLEUREUR 'SALAMONII'

PTÉROCARYAS

Les ptérocaryas (8 espèces environ) possèdent de grandes feuilles composées alternes et des fleurs mâles (et généralement femelles) en chatons. Comme les noyers (mais pas les hickorys), ils ont une moelle cloisonnée – un rameau d'un an coupé en biseau montre une série de divisions rapprochées. (Famille : Juglandacées.)

Critères de distinction : ptérocaryas

- Bourgeons : Avec des écailles ?
- Feuilles : Combien de folioles ? Rachis cannelé ? Ailé ?

Ptérocarya du Caucase *Pterocarya fraxinifolia*

Caucase, N Iran. 1782. Pas très répandu, mais planté depuis peu dans les parcs publics pour sa vigueur.
Aspect – **Silhouette.** Souvent à troncs multiples, ou avec une série de grosses branches s'évasant sur un tronc court bosselé ; magnifique quand l'arbre atteint 35 m ; vert vif ; *rejets de souche nombreux* et immenses. **Écorce.** Brun-gris ; côtes très *épaisses*, se chevauchant les unes les autres. **Rameaux.** Épais, presque glabres. **Bourgeons.** Souvent assez éloignés de la cicatrice foliaire de l'année précédente ; *pas d'écailles* – simples feuilles miniatures *sur de courts pétioles* et revêtues de *poils roux*. **Feuilles.** Se distinguent de celles des autres arbres à grandes feuilles composées alternes (noyers, sumacs, sorbiers, ailantes) par des folioles (jusqu'à 25) *souples*, *oblongues*, sans pétiole, chevauchantes, brillantes dessus ; quelques longs poils pâles sous la nervure médiane ; rachis parfois finement cannelé dessus mais *arrondi* ; jaune clair en automne. **Fleurs femelles.** Chatons jusqu'à 50 cm de long, bien visibles tout l'été ; noix vertes dotées de 2 ailes *anguleuses* de 1 cm.

Ptérocarya hybride *Pterocarya × rehderiana*

(*P. fraxinifolia* × *P. stenoptera* ; États-Unis, 1879) Très peu répandu. L'un des arbres rustiques les plus vigoureux, jusqu'à 30 m.
Aspect – **Silhouette.** Tronc court unique (parfois plusieurs) ; couronne souvent très large ; rejets de souche. **Écorce.** Grise ; crêtes entrecroisées peu profondes, assez *régulières*. **Feuilles.** Folioles moins nombreuses, plus *arrondies* et espacées que celles du ptérocarya du Caucase ; rachis avec *2 bourrelets verticaux séparés par un sillon profond*.
Espèce voisine – Pacanier (p. 174) ; noyer cendré (p. 180). Les bourrelets du rachis font la distinction.

Ptérocarya de Chine *Pterocarya stenoptera*

Chine, N Vietnam. 1860. Rare ; dans quelques parcs en climat doux.
Aspect – **Silhouette.** Buissonnante ou avec un tronc court et une couronne large, *non drageonnante* ; proche du ptérocarya hybride (ci-dessus). **Rameaux.** Longs poils bruns sur les jeunes rameaux. **Feuilles.** *Ailes dentées et étalées* sur le rachis.

Ptérocarya du Japon *Pterocarya rhoifolia*

L'un des plus grands arbres du Japon. 1888. Collections.
Aspect – Diffère du ptérocarya du Caucase par : **Bourgeons.** (Jusqu'au milieu de l'hiver et contrairement aux autres ptérocaryas) Portant 2 ou 3 *écailles brun foncé*. **Feuilles.** Pas plus de 21 folioles, plus espacées, avec une *longue pointe effilée* ; parfois poilues dessous, ou avec juste des touffes de poils à l'angle des nervures. **Fruits.** Ailes des noix *horizontales*, non anguleuses.

PTÉROCARYA HYBRIDE

PTÉROCARYA DU CAUCASE

HICKORYS (NOYERS D'AMÉRIQUE)

Les hickorys (25 espèces), ou noyers d'Amérique, proviennent pour la plupart de l'est de l'Amérique du Nord. Ces arbres ont des branches fines, de grands bourgeons terminaux et des folioles souvent immenses. (Famille : juglandacées.)

Critères de distinction : hickorys

- Écorce : Plus ou moins pelucheuse ?
- Bourgeon terminal : Taille, forme et couleur ?
- Feuilles : Nombre de folioles ? Poilues/odorantes ? Foliole terminale pétiolée ? Rachis duveteux ?

Pacanier *Carya illinoinensis*

(Noyer de pécan) De l'Iowa à N Mexique. 1760. Très rare ; ne pousse bien que dans les régions les plus chaudes.
ASPECT – **Silhouette.** Dôme plus large que les autres hickorys ; tronc et branches fins. **Écorce.** Brun-gris ; crêtes serrées, à peine pelucheuses. **Rameaux.** Velus puis brun brillant. **Bourgeons.** Bourgeon terminal (assez) petit, brun chocolat ; duveteux à son extrémité. **Feuilles.** *11 à 15* folioles, assez petites, longuement pointues ; celles de la base *courbées vers l'arrière* ; finement duveteuses dessous. **Fruits.** Arrivent rarement à maturité en Europe du Nord.
ESPÈCES VOISINES – Noyer noir (p. 178) ; vernis vrai (p. 360) ; cédrela de Chine (p. 358) ; ptérocarya hybride (p. 172). Aucun n'a les folioles courbées.

Hickory tomenteux *Carya tomentosa*

(*C. alba*) De l'Ontario au Texas. 1766. Rare : grands jardins en climat doux.
ASPECT – **Silhouette.** Couronne en dôme sur un tronc haut ; jusqu'à 27 m. **Écorce.** Gris pourpré avec de fines crêtes arrondies entrecroisées, puis légèrement pelucheuse (*cf.* hickory glabre, p. 176). **Rameaux.** Brun terne ; courts poils raides. **Bourgeons.** Bourgeon terminal très gros (2 cm ; 2 fois la largeur du rameau), velouté. **Feuilles.** Avec 7 (9) immenses folioles pendantes, épaisses, vert brillant dessus ; foliole terminale sur un *pétiole mince* de 2 à 4 cm ; rachis couvert de *poils durs serrés* ; poils sous la feuille et sur la nervure médiane ; *odeur de peinture ou d'herbe.* **Fruits.** Noix à coque très épaisse, non comestibles.
ESPÈCES VOISINES – Hickory lacinié (ci-dessous) : foliole terminale à peine pétiolée. Hickory amer (p. 176) : bourgeons jaunes munis d'un bec ; feuilles plus petites généralement composées de 9 folioles. Hickory blanc (p. 176) : 5 folioles. Hickory rouge (p. 176).

Hickory lacinié *Carya laciniosa*

(*C. sulcata*) De New York à l'Oklahoma. 1804. Rare.
ASPECT – **Silhouette.** Fine et irrégulière, sur un tronc haut ; jusqu'à 27 m. **Écorce.** Vite pelucheuse et *écailleuse* ; squames étroites se soulevant aux deux extrémités. **Rameaux.** Jaunes ou roses ; duveteux au départ. **Bourgeons.** Bourgeon terminal *énorme* – jusqu'à 25 mm ; écailles duveteuses vertes et brunes. **Feuilles.** Les plus grandes de tous les hickorys, avec 7 (5 ou 9) folioles épaisses et coriaces, jusqu'à 35 cm ; foliole terminale sur un pétiole de 1 cm ; presque glabres dessus et finement duveteuses dessous ; peu odorantes ; rachis couvert d'un *duvet fin et doux.* **Fruits.** Noix presque aussi bonnes que celles de pécan.
ESPÈCES VOISINES – Hickory blanc (p. 176) : 5 folioles. Hickory tomenteux (ci-dessus).

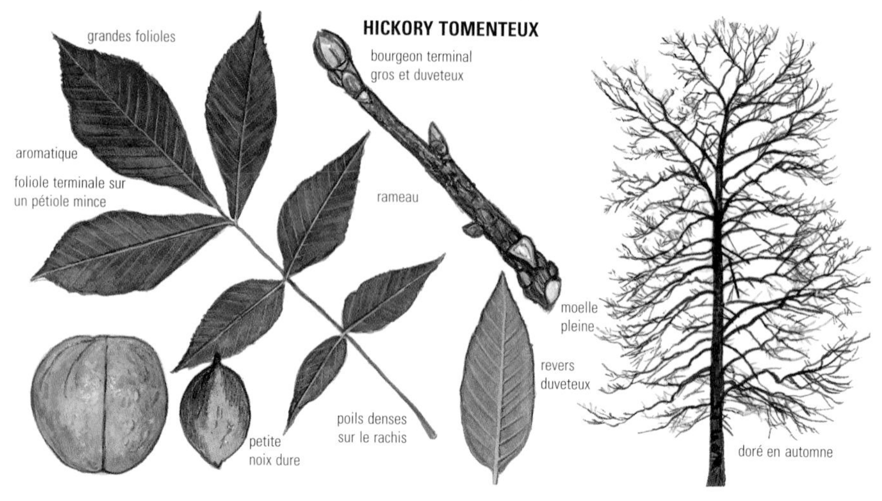

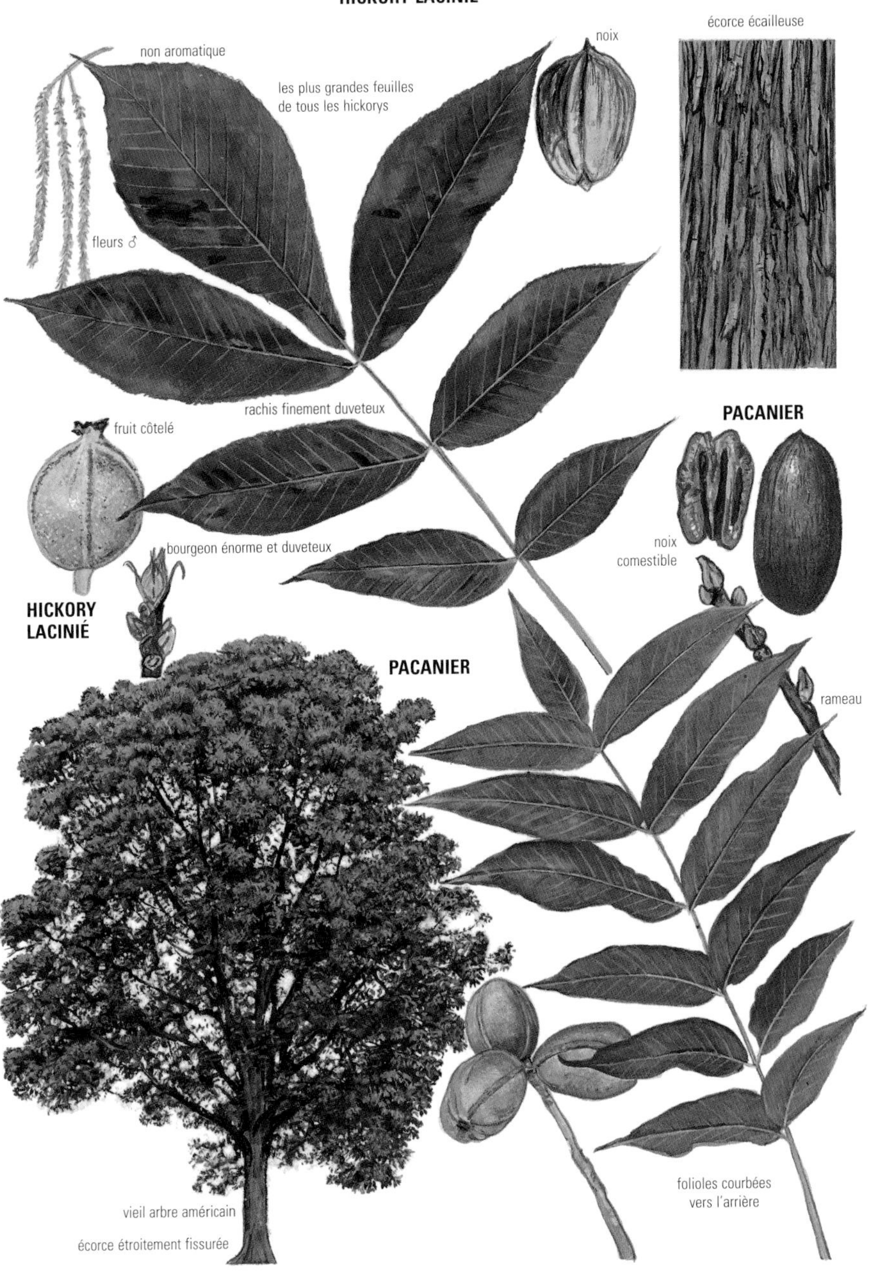
HICKORY LACINIÉ
non aromatique
les plus grandes feuilles
de tous les hickorys
noix
écorce écailleuse
fleurs ♂
rachis finement duveteux
fruit côtelé
PACANIER
bourgeon énorme et duveteux
noix
comestible
HICKORY
LACINIÉ
PACANIER
rameau
folioles courbées
vers l'arrière
vieil arbre américain
écorce étroitement fissurée

HICKORYS (NOYERS D'AMÉRIQUE)

Hickory amer *Carya cordiformis*

(*C. amara*) Du Québec à E Texas. 1689. Assez rare : grands jardins.
ASPECT – **Silhouette.** Colonne large sur un tronc haut ; jusqu'à 30 m. **Écorce.** Crêtes entrecroisées, *serrées*, devenant légèrement pelucheuses avec l'âge. **Rameaux.** Fins, olive, vite *glabres*. **Bourgeons.** Bourgeon terminal poilu, souvent *jaune vif, avec des becs aplatis, longs et courbés*. **Feuilles.** Typiques, avec *9 folioles relativement petites* (rarement 5 ou 7) ; foliole terminale *à peine pétiolée* ; duveteuses sous les nervures ; rachis couvert de poils fins persistants. **Fruits.** Petites noix amères.
ESPÈCES VOISINES – Hickory lacinié (p. 174) : écorce pelucheuse, bourgeons bruns et rameau finement poilu ; généralement 7 folioles (les autres hickorys ont rarement 9 folioles). Frêne blanc (p. 440) : même allure générale mais *feuilles opposées*.

Hickory blanc *Carya ovata*

(Noyer blanc d'Amérique ; *C. alba*) Du Québec à NE Mexique. 1629. Assez rare ; parcs en climat doux.
ASPECT – **Silhouette.** Longues branches légères et arquées sur un tronc haut ; pas très fournie et souvent brisée par les tempêtes ; jusqu'à 27 m. **Écorce.** Plaques étroites entrecroisées, se soulevant aux deux extrémités ; restant rarement lisse. **Rameaux.** Épais, plus ou moins veloutés ; souvent marqués d'un anneau de duvet brun-rouge sous chaque bourgeon. **Bourgeons.** *Gros* bourgeon terminal conique, 15 mm, brun-vert ou jaune terne, parfois joliment soyeux. **Feuilles.** Avec 5 (très rarement 7) folioles, souvent grandes – foliole terminale jusqu'à 30 cm (sur un pétiole *robuste* de 1 cm) – et parfois presque glabres (quelques touffes de poils roux entre les dents) ; souvent épaisses, avec un aspect huileux ; rachis généralement glabre *à l'exception de poils denses sur la base bulbeuse*. **Fruits.** Noix comestibles, rarement cultivées pour le commerce.
ESPÈCES VOISINES – Hickorys lacinié et tomenteux (p. 174) : 7 folioles. Hickory glabre (ci-dessous) : petits bourgeons et feuillage presque glabre.

Hickory glabre *Carya glabra*

(*C. porcina*) De l'Ontario à E Texas. 1750. Rare : grands jardins en climat doux.
ASPECT – **Silhouette.** Branches légèrement ascendantes sur un tronc haut ; jusqu'à 26 m ; foncée et brillante en été. **Écorce.** Beau pourpre-gris presque métallique ; crêtes fines entrecroisées, généralement lisses ; ou s'écaillant avec l'âge. **Rameaux.** *Glabres* dès le début. **Bourgeons.** Bourgeon terminal *petit* (7 mm), vert jaunâtre. **Feuilles.** Avec 5 (7 ou 3) folioles ; foliole terminale à peine pétiolée ; souvent plus petites que chez les autres hickorys ; rachis *glabre* ; folioles *glabres* sauf sous les nervures principales. **Fruits.** Noix douces.
ESPÈCES VOISINES – Hickory tomenteux (p. 174) : rameaux et rachis très poilus. Châtaignier (p. 212) : même allure générale ; écorce des jeunes arbres similaire ; feuilles correspondant aux plus grandes folioles (atypiques) du hickory glabre.
AUTRES ARBRES – Hickory rouge, *C. ovalis* (*C. glabra* var. *odorata*), le plus commun des hickorys dans la nature : plus rare ; écorce plus écailleuse avec l'âge ; jeunes rameaux *finement poilus*, plus vigoureux, rougeâtres ; folioles (7) d'abord finement poilues au revers ; arbre bien moins duveteux que le hickory tomenteux (p. 174).

HICKORY BLANC

Les noyers (15 espèces) ont des grandes feuilles composées et des bourgeons triangulaires larges. Les champignons associés aux racines peuvent libérer dans le sol des substances toxiques qui limitent la concurrence proche. (Famille : Juglandacées.)

Critères de distinction : noyers

- Écorce
- Rameaux : Poilus ou collants ?
- Feuilles : Folioles dentées ?
- Fruits : Forme des noix ? Plus ou moins lisses ? Disposition ?

Noyer commun *Juglans regia*

SE Europe, jusqu'à la Chine. Cultivé en France depuis l'époque gallo-romaine. Apprécie les climats secs ; sensible aux gelées printanières dans le nord de la France. Assez grande longévité. Bois facile à travailler, très recherché.
ASPECT – **Silhouette.** Largement étalée, sur des branches lourdes, *sinueuses* ; jusqu'à 30 m ; feuillaison tardive, cuivrée. **Écorce.** Crêtes arrondies, *gris-argenté*, peu saillantes ; gris plus foncé et plus rugueuse avec l'âge. **Rameaux.** Vigoureux, courbés, presque *glabres*. **Feuilles.** 5 à 13 (*généralement 7*) folioles, la terminale *très grande* (jusqu'à 20 cm), la paire basale *beaucoup plus petite* ; ovales, *non dentées* ; brillantes et *coriaces*, glabres à l'exception de touffes de poils dessous à l'angle des nervures ; forte odeur de cirage. **Fruits.** Les noix ne parviennent à maturité qu'après les étés longs et chauds ; il existe de nombreux cultivars fruitiers.
ESPÈCES VOISINES – Virgilier (p. 352) ; ailante (p. 358) : similaire en hiver ; écorce plus lisse, plus foncée.
CULTIVAR – 'Laciniata', rare : petit arbre à feuillage très découpé, vert tendre.

Noyer noir *Juglans nigra*

E et centre des États-Unis. Une autre espèce appréciée pour son bois, cultivé depuis longtemps en France et plantée dans les parcs.
ASPECT – **Silhouette.** Grand dôme, jusqu'à 35 m ; branches moins sinueuses que celles du noyer commun ; jeunes pousses vert vif en début d'été. **Écorce.** Grise ou noirâtre ; crêtes profondes entrecroisées. **Rameaux.** Bruns, poilus ; bourgeons veloutés gris pâle. **Feuilles.** 10 à 23 folioles fines mais souvent pas de terminale (*cf.* cédrela, p. 358), finement dentées et duveteuses dessous ; rachis très finement poilu ; peu odorantes. **Fruits.** Noix abondantes, au parfum prononcé ; coque très épaisse – il existe des casse-noix spéciaux en Amérique du Nord pour les ouvrir ; solitaires ou par paires sauf chez le cultivar 'Alburyensis' où elles sont groupées par 5, comme chez le noyer cendré (p. 180).
ESPÈCES VOISINES – Vernis de Chine (p. 360) : feuilles non dentées (et sève irritante). Cédrela (p. 358) : feuilles non dentées à odeur alliacée. Pacanier (p. 174) : écorce plus pâle, folioles courbées. Autres noyers (p. 180) : poils rouges collants, folioles larges et fruits en bouquets. Un arbre très différent du noyer commun (ci-dessus), bien qu'il existe des hybrides (*J.* × *intermedia*).

NOYER COMMUN

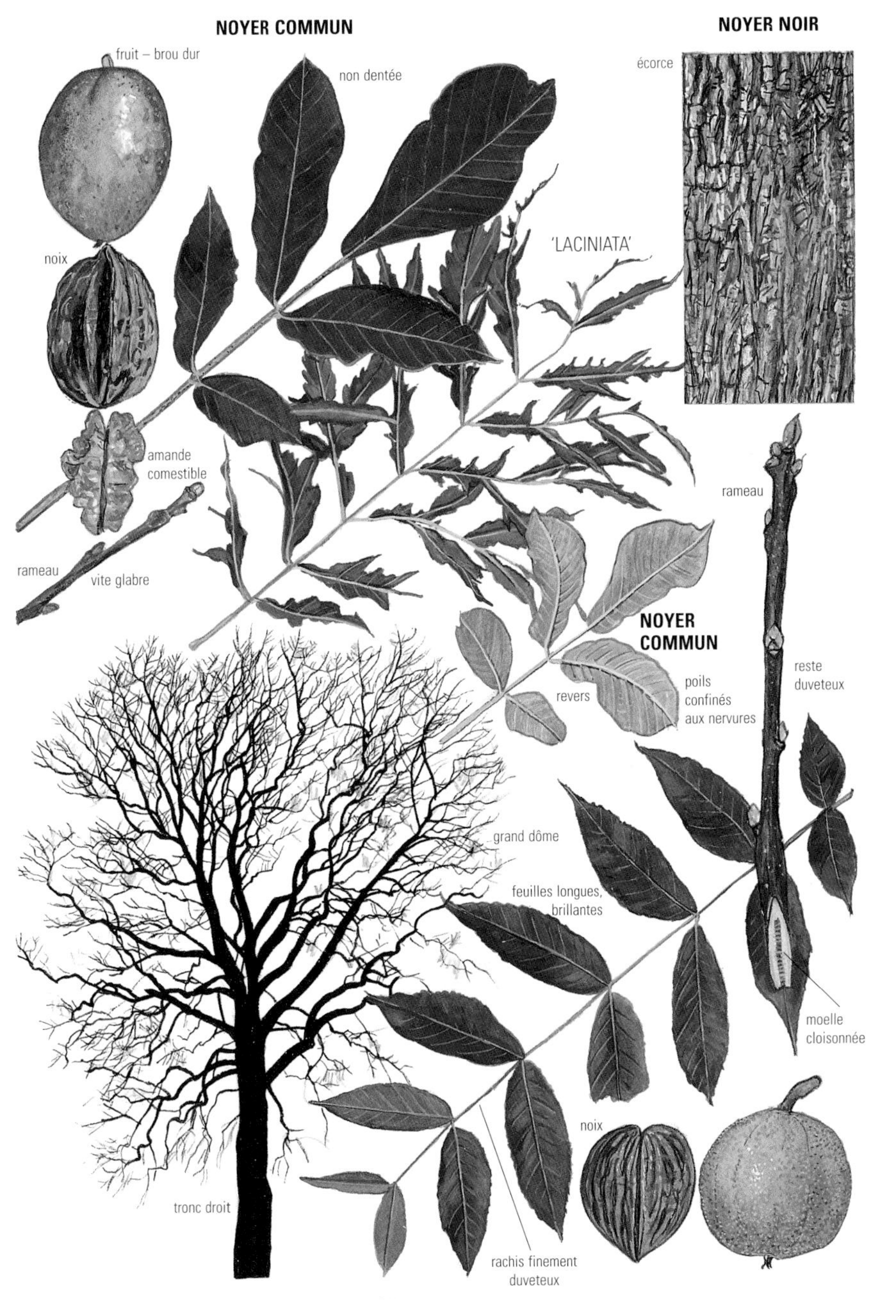
NOYER COMMUN
fruit – brou dur
non dentée
noix
'LACINIATA'
amande
comestible
rameau
vite glabre
NOYER NOIR
écorce
rameau
NOYER
COMMUN
revers
poils
confinés
aux nervures
reste
duveteux
grand dôme
feuilles longues,
brillantes
moelle
cloisonnée
noix
tronc droit
rachis finement
duveteux
NOYER NOIR

Noyer cendré *Juglans cinerea*

E Amérique du Nord. 1633. Rare. Feuilles et écorce étaient autrefois utilisées comme laxatif en Amérique du Nord.

ASPECT – **Silhouette.** Élancée, jusqu'à 24 m ; feuillage proche de celui du noyer noir (p. 178). **Écorce.** *Comme celle du noyer commun* (p. 178), bien que parfois plus foncée et rugueuse. **Rameaux.** Couverts d'un long duvet rouge assez collant la première année ; une bande poilue persiste entre les cicatrices foliaires et les *bourgeons blanc rosé.* **Feuilles.** *Très grandes* (jusqu'à 70 cm) ; 11 à 17 folioles minces et larges, vert vif ; poilues dessus au départ et revers gris duveteux ; rachis *couvert de poils rouges collants* ; *forte odeur de peinture.* **Fruits.** Noix en *bouquets* (3 à 5 ; *cf.* noyer noir 'Alburyensis', p. 178), au brou couvert de poils collants ; coque s'effilant en pointe courte ; amande sucrée et onctueuse.

ESPÈCE VOISINE – Noyer du Japon (ci-dessous) : rachis encore plus collant.

Noyer du Japon *Juglans ailanthifolia*

(*J. sieboldiana*) Japon, île Sakhaline. 1860. Rare.

ASPECT – **Silhouette.** Large mais parfois grêle ; jusqu'à 20 m ; drageonnante. **Écorce.** Grise, à crêtes peu profondes ; légèrement plus rugueuse que celle du noyer commun (p. 178). **Rameaux.** Avec de fines rayures blanches et des poils blanchâtres collants, courts et denses, pendant les 3 premières années. **Feuilles.** *Immenses* (jusqu'à 1 m) ; 9 à 21 grandes folioles oblongues, brillantes mais finement duveteuses dessus et très duveteuses au revers, s'effilant brusquement en une pointe courte ; rachis couvert de poils collants rouge foncé, très denses. **Fruits.** Noix *groupées en longue grappe pendante* (15 cm) ; brou couvert de poils collants ; coque pointue, *assez lisse en surface mais avec une côte saillante à la jonction des deux moitiés* ; à la fin du printemps l'inflorescence est dressée et les fleurs femelles (*12 à 20*) sont spectaculaires – petits plumets cramoisis de 1 cm, par 2.

ESPÈCES VOISINES – Noyer de Mandchourie (ci-dessous). Ailante de Vilmorin (p. 358) : folioles portant de 1 à 6 dents glanduleuses à la base.

Noyer de Mandchourie *Juglans mandshurica*

Mandchourie et N Chine. 1859. Rare ; planté en Europe du Nord.

ASPECT – **Silhouette.** Comme celle du noyer du Japon (ci-dessus) : souvent basse et large. **Écorce.** *Gris rosâtre*, légèrement fissurée. **Feuilles.** Aussi grandes que celles du noyer du Japon ; folioles vert jaunâtre mat à *pointe longue et fine, peu dentées.* **Fruits.** Plus gros mais plus courts, et souvent arrondis ; en bouquets pendants *courts* issus d'inflorescences de *5 à 10 fleurs* ; coque *profondément marquée de sillons longitudinaux*, mais sans côte saillante à la jonction des deux moitiés.

ESPÈCE VOISINE – *J. cathayensis* (centre Chine), collections : très difficile à distinguer.

NOYER DU JAPON

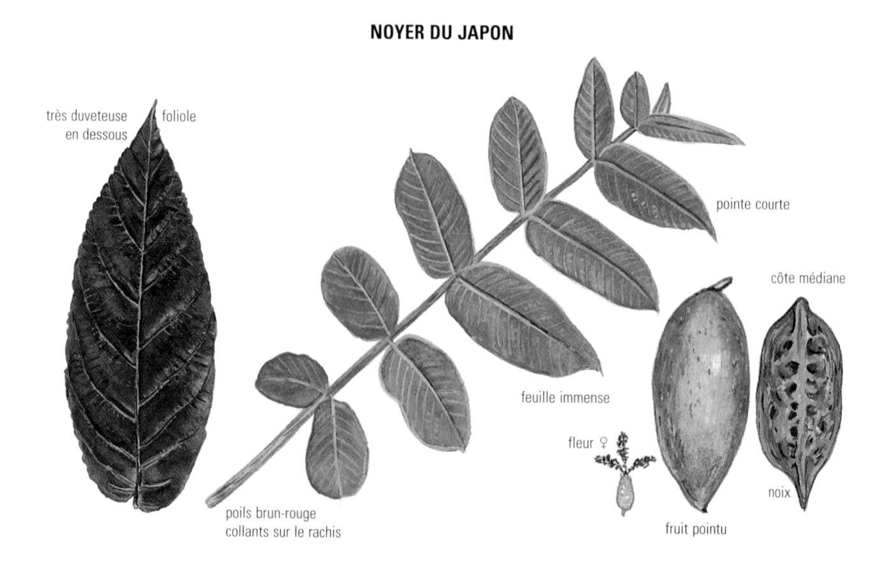

NOYER DE MANDCHOURIE
pointes longues
feuilles immenses
fruit arrondi
fleurs ♀
coque sillonnée
NOYER CENDRÉ
grandes
feuilles
oils
ougeâtres
ollants sur
e rachis
rachis
couvert d'un
duvet rouge
collant
rameau
duvet rouge
collant
couronne grêle
moelle cloisonnée
coque pointue
NOYER CENDRÉ

Les bouleaux (60 espèces s'hybridant facilement) offrent des silhouettes légères et une écorce typique qui s'exfolie en lambeaux colorés. Ils portent leurs chatons mâles pendant l'hiver. Leurs rameaux sont fins, avec de gros bourgeons coniques, souvent collants. (Famille : Bétulacées.)

Critères de distinction : bouleaux

- Écorce : Quelles couleurs ? Plus ou moins rugueuse ?
- Rameaux : Duveteux ?
- Feuilles : Plus ou moins foncées, brillantes ? Doublement (régulièrement) dentées ? Pétiole pubescent ? Combien de nervures (proches ? parallèles ?) ?
- Écailles des fruits : Duveteuses ? Bosselées ?

Bouleau verruqueux *Betula pendula*

(Bouleau d'Europe ; *B. verrucosa*) Europe, NO Asie. Passagèrement dominant sur les sols sablonneux. L'un des bouleaux les plus jolis, les plus gracieux, planté partout.

ASPECT – **Silhouette.** Rameaux vite *pendants* ; jusqu'à 30 m ; faible longévité. **Écorce.** Rouge orangé sur les jeunes pousses ; vite blanche mais marquée de *losanges noirs* jusqu'à ce que toute la base soit *noire et rugueuse.* **Rameaux.** Glabres (sauf sur les rejets vigoureux), brun pourpré ; *ponctués de petites verrues blanches* surtout au soleil. **Feuilles.** *Glabres, sur des pétioles glabres* ; très triangulaires ; *doublement dentées sur les bords droits.*

ESPÈCE VOISINE – Bouleau pubescent (ci-dessous). (L'hybride, *B.* × *aurata*, est répandu et intermédiaire.) Le port pleureur permet de le distinguer des espèces exotiques, mais il peut exister des formes hybrides.

CULTIVARS – Bouleau pleureur, 'Youngii', abondant : une masse de longs rameaux pendants ; certains vieux arbres finissent par pousser en hauteur en formant d'étonnants troncs cannelés marqués de zones noires et blanches. 'Tristis' a plus de tenue mais il est plus rare ; écorce blanche et lisse au-dessus du point de greffe.

'Purpurea', peu répandu : pas très attrayant avec un feuillage marron terreux peu fourni.

'Golden Cloud', très rare : feuillage jaunâtre.

'Fastigiata', pas très répandu : branches presque verticales avec quelques rameaux pendants donnant une couronne *étroitement* arrondie (*cf.* bouleau pubescent). 'Obelisk' est un cultivar amélioré, récent.

'Laciniata' ('Dalecarlica'), peu répandu : couronne légère, grise, avec des feuilles découpées, sur un tronc très blanc aux contours arrondis.

'Birkalensis', collections : feuillage moins découpé (*cf.* tilleul de Mongolie, p. 404).

AUTRES ARBRES – *B. obscura* (E Europe) : écorce d'un gris plus terne ; feuilles foncées plus arrondies, moins effilées à la base.

Bouleau pubescent *Betula pubescens*

Europe, O Asie. Abondant en région atlantique, sur des sols pauvres ou humides, non calcaires ; plus disséminé ailleurs.

ASPECT – **Silhouette.** Rameuse, jusqu'à 28 m ; branches fines à peine pendantes. **Écorce.** D'abord rouge pourpré, mettant plus de temps que le bouleau verruqueux pour blanchir ; *bandes grises* sur les vieux troncs, mais peu de motifs verticaux. **Rameaux.** *Couverts de poils souples* (glabres *mais ponctués de verrues brunes collantes* chez ssp. *capartica*). **Feuilles.** Triangulaires à *arrondies, à simple dentelure*, sur des pétioles *duveteux.*

ESPÈCE VOISINE – Bouleau verruqueux (ci-dessus). S'hybride facilement avec des espèces exotiques (généralement à feuilles plus grandes – mais voir le bouleau blanc du Japon, p. 188).

AUTRE ARBRE – *B. celtiberica* (N Ibérie), collections : feuilles semblables à celles du bouleau pubescent, mais sur des rameaux qui présentent les mêmes verrues *blanches* que le bouleau verruqueux.

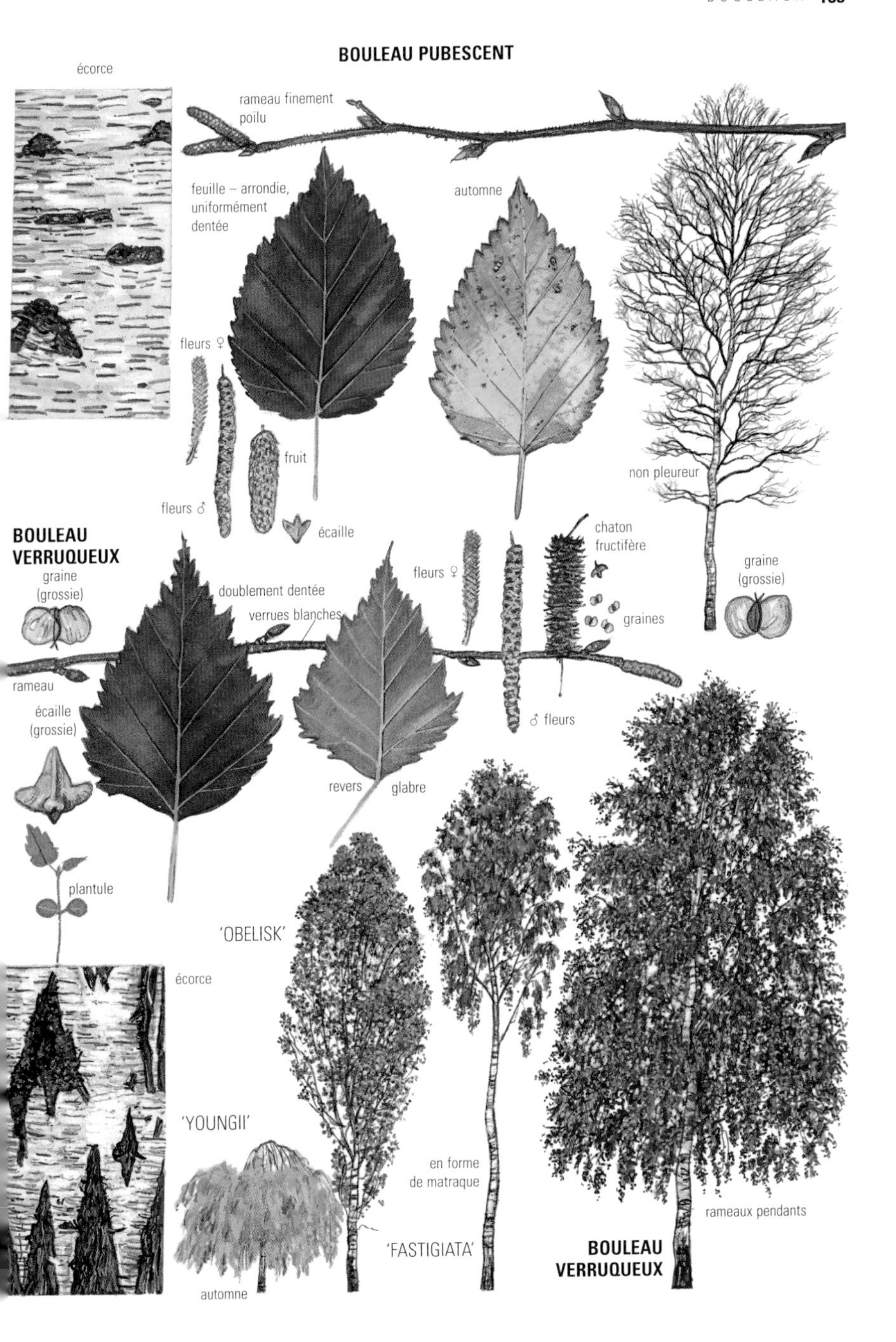
BOULEAU PUBESCENT
écorce
rameau finement poilu
feuille – arrondie, uniformément dentée
automne
fleurs ♀
fruit
fleurs ♂
écaille
non pleureur
graine (grossie)
BOULEAU VERRUQUEUX
graine (grossie)
doublement dentée
verrues blanches
fleurs ♀
chaton fructifère
graines
rameau
écaille (grossie)
♂ fleurs
revers
glabre
plantule
'OBELISK'
écorce
'YOUNGII'
automne
en forme de matraque
'FASTIGIATA'
rameaux pendants
BOULEAU VERRUQUEUX

BOULEAUX (AMÉRIQUE)

Bouleau à canots *Betula papyrifera*

(Bouleau à papier) Canada, N États-Unis. 1750. Localement fréquent.

ASPECT – **Silhouette.** Branches ascendantes étalées, jusqu'à 20 m ; pas aussi gracieux que le bouleau verruqueux (p. 182) : rameaux plus épais et grandes feuilles foncées, *éparses*. **Écorce.** Légèrement plus blanche que celle des bouleaux indigènes en Europe (mais brun brillant chez certaines variétés), s'exfoliant horizontalement ; fines bandes foncées de lenticelles. **Rameaux.** Verruqueux ; quelques poils longs au début. **Feuilles.** Grandes (parfois jusqu'à 10 cm), avec *des nervures principales relativement peu nombreuses* (5 à 10 paires) et imparfaitement parallèles ; vert foncé *terne* ; revers ponctué de taches noires (glandes) ; *poils assez longs sur le pétiole*, dessous à l'angle des nervures, et épars sur la face supérieure.

ESPÈCES VOISINES – Formes du bouleau de l'Himalaya (p. 186) : feuilles *plus brillantes* à nervures plus rapprochées ; poils sous les nervures. Formes du bouleau blanc du Japon (p. 188) : feuilles plus triangulaires sur des pétioles *glabres*. Bouleau d'Erman (p. 186) : feuilles d'un vert plus frais ; rameaux adultes et pétioles (en général) *glabres*.

AUTRES ARBRES – Bouleau blanc, *B. populifolia* (E Amérique du Nord) : feuilles doublement dentées, glabres, plus petites ; *longue pointe fortement dentelée*. Bouleau bleu, *B. coerulea-grandis* (E Amérique du Nord, 1905), très rare : feuilles simplement dentées, à pointe courte.

B. × *koehnii* : arbre rare à port assez pleureur, avec des feuilles plus triangulaires que celles du bouleau à canots, probablement un hybride du bouleau verruqueux.

Bouleau des rivières *Betula nigra*

(Bouleau noir) E États-Unis. 1736. Peu répandu, mais de plus en plus planté dans les parcs et les rues.

ASPECT – **Silhouette.** Branches larges et rameaux pendants, jusqu'à 16 m. **Écorce.** D'abord crème, vite ornée de grands *lambeaux enroulés* ; brun rougeâtre ou *presque noire* avec l'âge. **Rameaux.** Souvent duveteux. **Feuilles.** *Longues, doublement dentées* ; poilues, au moins sous les nervures et sur les pétioles.

AUTRE ARBRE – *B. davurica* (N Chine, Corée ; 1822) : petit arbre à l'écorce similaire, avec des feuilles moins nettement dentées.

Bouleau jaune *Betula alleghaniensis*

(*B. lutea*) Manitoba à Géorgie. 1767. Très peu répandu dans les jardins.

ASPECT – **Silhouette.** Parfois comme un immense buisson ; jusqu'à 20 m ; ovoïde, sur de fortes branches ascendantes. **Écorce.** Lisse comme du papier, striée de bandes horizontales ; *brun-gris jaunâtre* puis gris crème terne pâle. **Rameaux.** D'abord poilus ; sentant l'essence de wintergreen. **Feuilles.** Double dentelure fine et *irrégulière* ; longs poils au moins sur les pétioles et sous les nervures. **Fleurs.** Chatons femelles à écailles poilues.

ESPÈCES VOISINES – Bouleau transcaucasien (p. 188). Aulne vert (p. 192), charmes (p. 194) et charmes-houblons (p. 196) : pas d'écorce papyracée.

AUTRE ARBRE – Bouleau merisier, *B. lenta* (de l'Ontario à l'Alabama, 1759), rare : écorce brun pourpré plus foncée (puis gris foncé terne) ; dentelure régulière avec *la dent la plus grande à l'extrémité de chaque nervure* ; poils plus rapidement confinés sous les nervures ; chatons femelles *glabres* (*cf.* bouleau merisier du Japon, p. 188).

BOULEAU À CANOTS

écorce blanche variable

BOULEAU JAUNE

jeune écorce

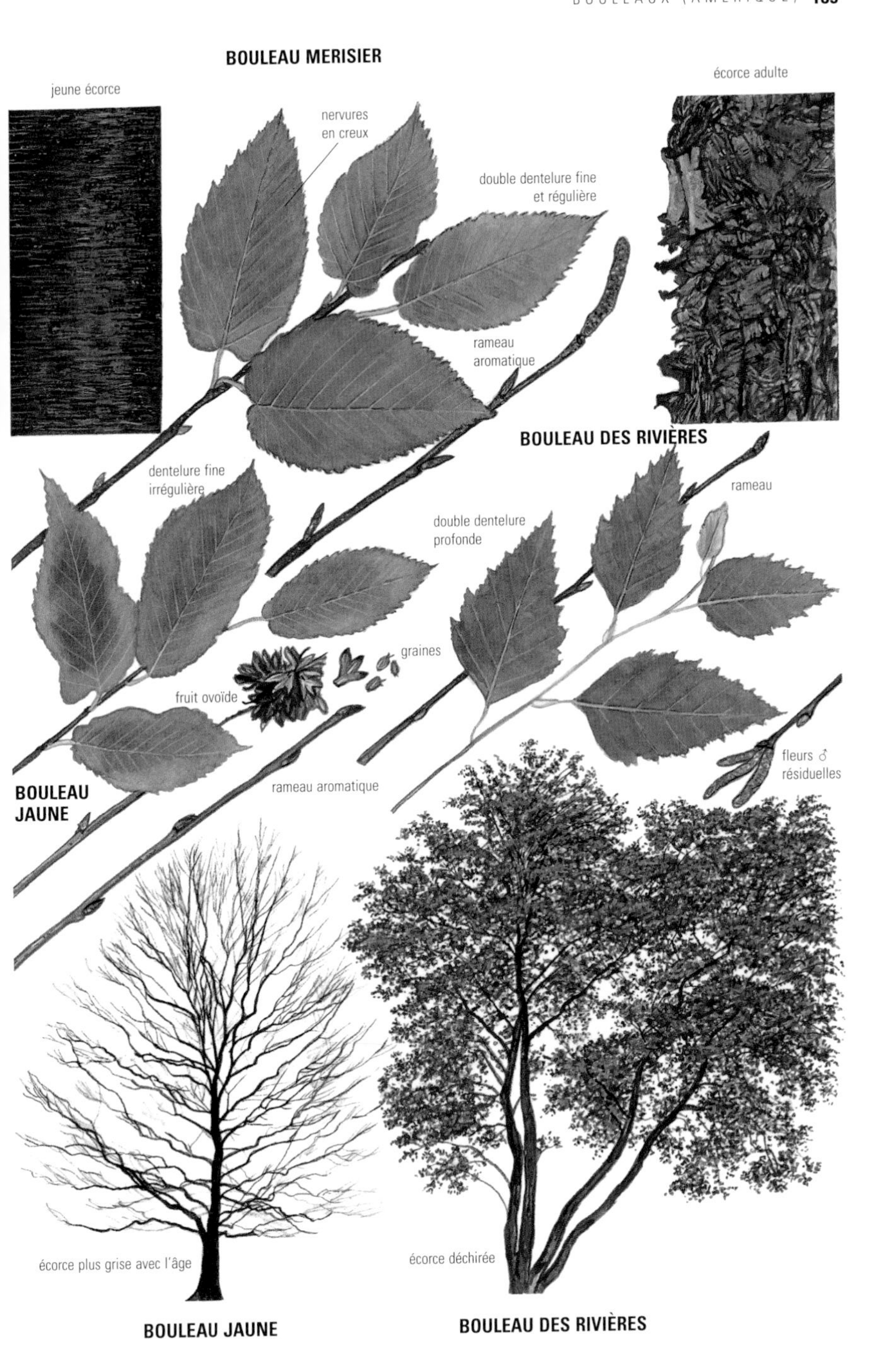
BOULEAU MERISIER
jeune écorce
nervures en creux
écorce adulte
double dentelure fine et régulière
rameau aromatique
BOULEAU DES RIVIÈRES
dentelure fine irrégulière
rameau
double dentelure profonde
graines
fruit ovoïde
fleurs ♂ résiduelles
BOULEAU JAUNE
rameau aromatique
écorce plus grise avec l'âge
écorce déchirée
BOULEAU JAUNE
BOULEAU DES RIVIÈRES

Betula maximowicziana

Japon, îles Kourile. 1890. Rare.
Aspect – Silhouette. Fortes branches ascendantes ; jusqu'à 24 m. **Écorce.** Papyracée, avec des lignes horizontales de lenticelles ; brun-rouge, puis blanc-gris assez terne. **Rameaux.** Glabres ; odeur d'essence de wintergreen. **Feuilles.** *Grandes* (jusqu'à 14 cm), *cordiformes*, vite glabres (quelques touffes de poils sous les nervures) ; foncées et assez brillantes.
Espèce voisine – Bouleau à canots (p. 184) : feuilles jamais aussi grandes ni cordiformes. Les jeunes plants à écorce brune peuvent faire penser à un arbre aux pochettes (p. 412). (Les feuilles de tilleul, p. 400, sont *asymétriques.*)

Bouleau de l'Himalaya *Betula utilis*

De l'Himalaya à O Chine. 1849. Arbre d'ornement à écorce décorative.
Aspect – Silhouette. Branches relativement ascendantes ; jusqu'à 22 m ; feuilles assez éparses. **Rameaux.** Assez vigoureux ; *très poilus* au début. **Écorce.** Superbe palette de couleurs chatoyantes, même sur les tiges de 3 cm : blanc mat chez variété *jacquemontii* (*B. jacquemontii*) ; dorée ; mauve pâle ; rose saumoné ; cramoisie ou (var. *prattii*) pourpre ; lignes horizontales de petites lenticelles gris ambré ; souvent ornée de fines pelures enroulées ou d'écailles recourbées ; le pigment blanc (bétuline) déteint parfois sur les mains. **Feuilles.** *Foncées, assez brillantes,* sur des pétioles poilus ; 5 à 9 cm ; poils disséminés sur le dessus et sous les nervures (7 à 14 paires ; 7 à 8 chez var. *jacquemontii*). **Fleurs.** Chatons mâles à écailles gaufrées en hiver.
Espèces voisines – Bouleau de Chine à écorce rouge (p. 188) : jeunes pousses *glabres* ou feuilles très étroites. Bouleau d'Erman (ci-dessous) : rameaux vite glabres. Bouleau à canots (p. 184) : feuilles *ternes* à nervures espacées, très légèrement poilues dessous. Formes orientales du bouleau blanc (p. 188) : feuilles plus triangulaires, *pétioles glabres.*
Cultivars – La plupart des clones dénommés ('Grayswood Ghost', 'Silver Shadow', 'Jermyns') sont des formes de var. *jacquemontii* à écorce très blanche, souvent greffées (à la base) sur du bouleau verruqueux.

Bouleau d'Erman *Betula ermanii*

NE Asie, Japon. 1890. Peu répandu.
Aspect – Silhouette. Arbre vigoureux, jusqu'à 22 m ; *feuillage dense, souvent jaunâtre.* **Écorce.** Souvent blanc *doré* brillant, *se déchirant* en bandelettes horizontales ; parfois rosâtre, rarement orange brillant. **Rameaux.** Verruqueux, *vite glabres.* **Feuilles.** Triangulaires à cordiformes et particulièrement *régulières* ; vite presque glabres ; 7 à 11 *paires de nervures bien parallèles, en creux* (14 ou 15 paires chez var. *japonica*) ; pétioles généralement glabres. **Fleurs.** Chatons mâles hivernaux épais, à écailles *lisses.*
Espèce voisine – Bouleau de l'Himalaya (ci-dessus) : rameaux poilus. Bouleau à canots (p. 184) : rameaux poilus ; nervures assez espacées, pas tout à fait parallèles.
Autre arbre – *B. costata* (NE Asie) : feuilles triangulaires fines, à très *longue pointe* et *jamais cordiformes à la base*, avec 10 à 14 paires de nervures ; collections (bien que la plupart des arbres étiquetés semblent être 'Grayswood', un clone de *B. ermanii* var. *japonica* à écorce blanche). Il existe aussi de nombreux hybrides avec le bouleau verruqueux et le bouleau pubescent.

BETULA MAXIMOWICZIANA

jeune écorce brune

large, ressemblant à une feuille de tilleul

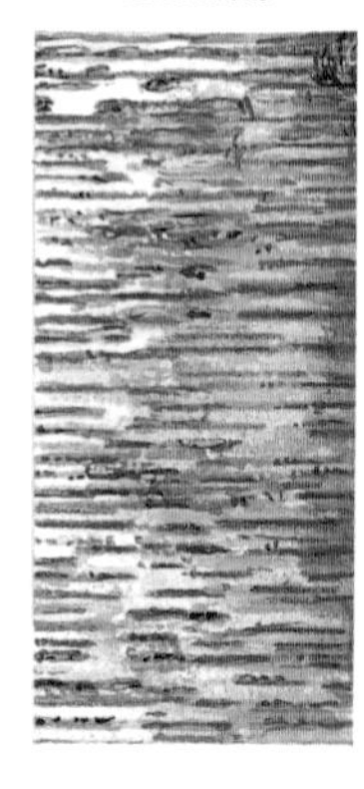
écorce adulte

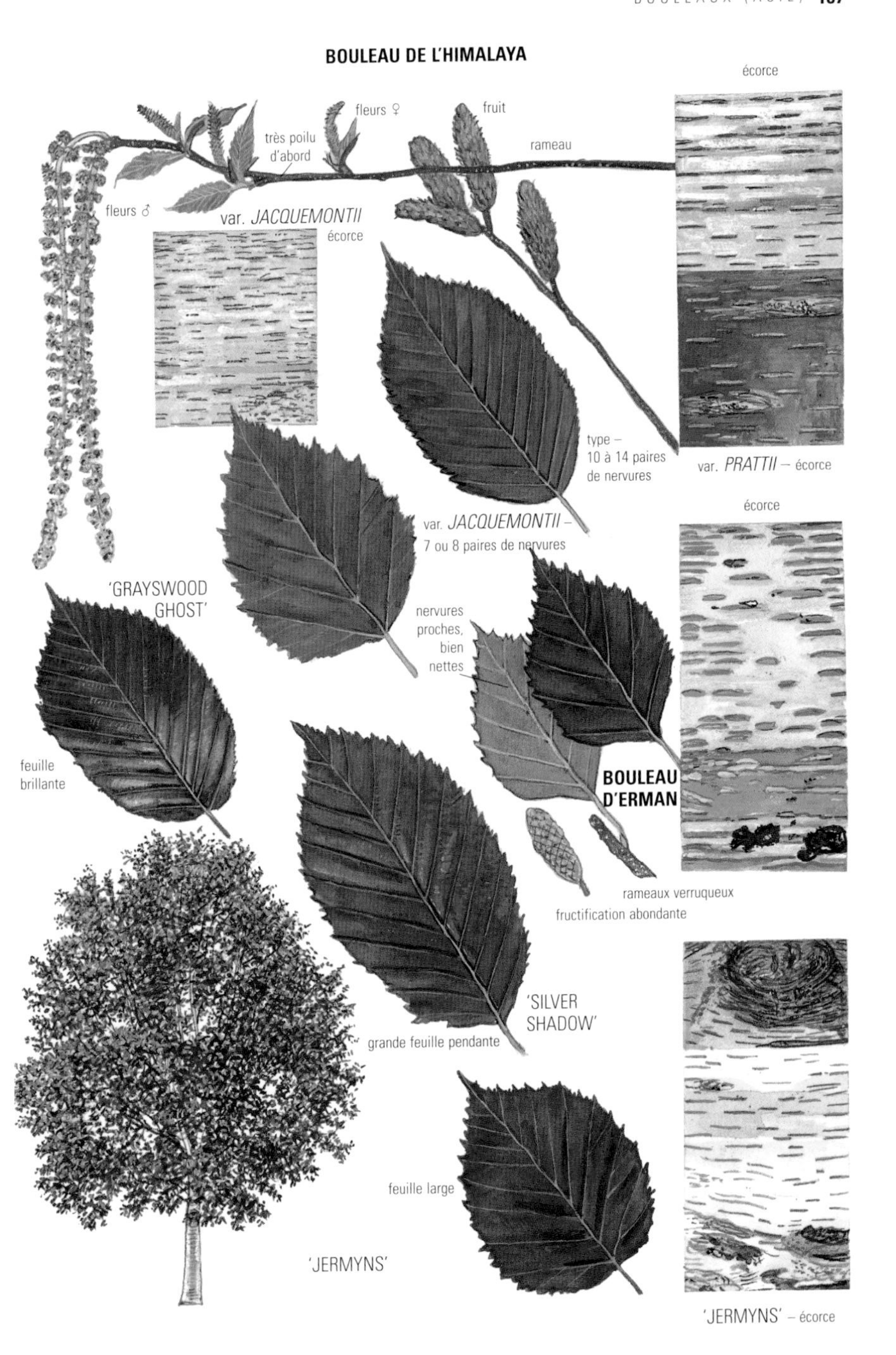
BOULEAU DE L'HIMALAYA
écorce
fleurs ♀
fruit
très poilu d'abord
rameau
fleurs ♂
var. JACQUEMONTII
écorce
type – 10 à 14 paires de nervures
var. PRATTII – écorce
var. JACQUEMONTII – 7 ou 8 paires de nervures
écorce
'GRAYSWOOD GHOST'
nervures proches, bien nettes
feuille brillante
BOULEAU D'ERMAN
rameaux verruqueux
fructification abondante
'SILVER SHADOW'
grande feuille pendante
feuille large
'JERMYNS'
'JERMYNS' – écorce

Bouleau de Chine à écorce rouge
Betula albo-sinensis

NO Chine. 1901. Rare.
ASPECT – **Silhouette.** Généralement élancée. **Écorce.** Tons brillants de rose, mauve et orange ; pruineuse et plus foncée, dans de beaux roses et cramoisis, avec de gros lambeaux, chez les formes septentrionales (var. *septentrionalis*) ; d'un blanc plus terne chez les autres (hybrides ?). **Rameaux.** *Glabres* chez le type. **Feuilles.** *Fines* (surtout chez var. *septentrionalis*), à longue pointe ; 10 à 14 paires de nervures.
ESPÈCE VOISINE – Bouleau de l'Himalaya (p. 186) : rameaux poilus *et* feuilles plus larges ; écailles des chatons mâles hivernaux plus bosselées.
CULTIVAR – 'Hergest', rare : écorce mauve pâle, lisse et soyeuse.

Bouleau merisier du Japon
Betula grossa

Japon. 1896. Collections.
ASPECT – **Silhouette.** Souvent large. **Écorce.** Terne, brun pourpré, papyracée. **Rameaux.** Sentent l'essence de wintergreen. **Feuilles.** Dentelure double et régulière ; conservent plus de poils que celles du bouleau merisier, sur le dessus des feuilles plus épaisses et plus petites (5 à 10 cm). **Fleurs.** Chatons femelles à écailles *frangées de poils* (*cf.* bouleau jaune, p. 184).

Bouleau blanc du Japon
Betula mandshurica var. *japonica*

(*B. platyphylla* var. *japonica* ; *B. resinifera*) Japon. 1887.
ASPECT – **Silhouette.** Branches et rameaux assez raides et dressés. **Écorce.** Très blanche ; quelques nuances horizontales grises. **Rameaux.** Très verruqueux (*cf.* bouleau verruqueux, p. 182 ; bouleau à canots, p. 184) ; poilus au début. **Feuilles.** Jusqu'à 7 cm, foncées et mates ; légèrement poilues le long des nervures sur les deux faces ; *pétiole glabre*.
ESPÈCES VOISINES – Bouleau de Sichuan (ci-dessous) ; bouleau pubescent (p. 182). Bouleau à canots (p. 184) et bouleau de l'Himalaya (p. 186) : feuilles plus ovales sur des pétioles poilus. Bouleau d'Erman (p. 186) : nervures bien parallèles.

Bouleau de Sichuan
Betula szechuanica

(*B. platyphylla* var. *szechuanica* ; *B. mandshurica* var. *szechuanica*) De SO Chine au Tibet. 1908. Rare.
ASPECT – **Silhouette.** Arbre assez dégingandé au feuillage foncé épars. **Écorce.** *Blanc mat* (contrairement au bouleau blanc du Japon) ; la bétuline blanche *tache les mains comme de la craie* (*cf.* certains bouleaux de l'Himalaya, p. 186). **Feuilles.** Assez bleutées, vert-*blanc* dessous, *glabres*, longuement pointues (mais moins que celles du bouleau blanc, p. 184).

Bouleau transcaucasien
Betula medwediewii

Caucase. 1897. Joli petit arbre, souvent le dernier en feuilles ; rare.
ASPECT – **Silhouette.** *Globuleuse* ; branches recourbées à leur extrémité, sur un tronc très court ; rameaux denses, érigés ; jusqu'à 9 m. **Écorce.** Papyracée, *brun argenté* et écailleuse (comme celle de certains noisetiers, p. 198). **Rameaux.** Légèrement poilus au début ; odeur d'essence de wintergreen. **Bourgeons.** *Vert brillant, jusqu'à 12 mm.* **Feuilles.** Grandes (jusqu'à 13 cm), vert foncé ; quelques poils le long des 8 à 11 paires de nervures en creux ; *courts* (12 mm) pétioles poilus ; jaune vif en automne.
ESPÈCE VOISINE – Bouleau jaune (p. 184).

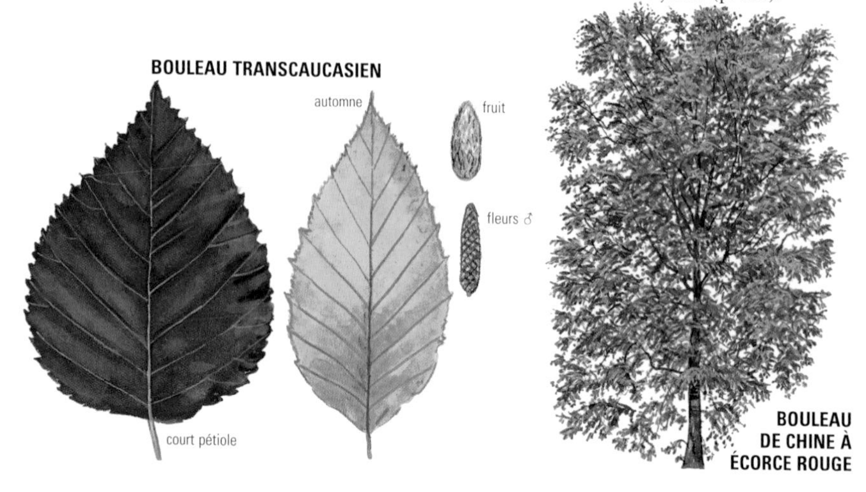

BOULEAU DE CHINE À ÉCORCE ROUGE
écorce
fleurs ♂
fleurs ♀
rose orangé ou blanche
BOULEAU BLANC DU JAPON
écorce
pétiole glabre
écorce
écorce
var. SEPTENTRIONALIS
fruit
feuille allongée
longue
pointe
BOULEAU DE SICHUAN
glabre
écorce
BOULEAU MERISIER
DU JAPON
double
dentelure, fine
poilue dessus
rameaux
aromatiques
jeune arbre
plus terne avec l'âge
BOULEAU BLANC DU JAPON

AULNES

Les aulnes (30 espèces) portent leurs bourgeons sur de fins petits pédoncules (sauf dans le groupe des aulnes verts) ; les chatons mâles sont colorés en hiver ; les chatons femelles fructifient en donnant des petits « cônes » ligneux. Les nodosités qui se forment sur les racines améliorent la fertilité des sols pauvres. (Famille : Bétulacées.)

Critères de distinction : aulnes

- Rameau : Poilu ?
- Feuilles : Pointues ? Bord enroulé ? Revers duveteux ou brillant ?

Clé des espèces

Aulne glutineux (ci-dessous) : feuilles au sommet souvent non denté. **Aulne de Corse** (p. 192) : feuilles cordiformes. **Aulne blanc** (p. 192) : feuilles ovales pointues. **Aulne vert** (p. 192) : feuilles ovales pointues, finement dentées.

Aulne glutineux — *Alnus glutinosa*

(Aulne noir ; verne) Europe, O Asie, N Afrique. Abondant mais peu planté ; bois humides, bords des rivières.

ASPECT – **Silhouette.** À peu près conique chez les jeunes arbres, puis large, avec des branches sinueuses ; jusqu'à 28 m ; troncs hauts et droits en forêt ; souvent traité en taillis. **Écorce.** Brune, avec des lignes horizontales de lenticelles, puis se craquelant en plaques carrées serrées ; fissures verticales dominantes. **Rameaux.** Glabres. **Bourgeons.** Tous pédonculés ; en forme de *massue, mauves* (parfois ternes et plus gris). **Feuilles.** Foncées, coriaces, *en forme de raquette* ; sommet jamais pointu et *souvent lisse* (*cf.* bourdaine, p. 398) ; parfois légèrement lobées sur les rameaux vigoureux. **Fleurs.** Chatons mâles hivernaux rouge vineux.

CULTIVARS – 'Imperialis', peu répandu : arbre à branches grêles et au feuillage vert tendre très *découpé* – avec l'allure générale du cyprès chauve (p. 64).

'Laciniata', rare : comme le type, avec des feuilles échancrées sur la moitié des nervures latérales (*cf.* alisier torminal, p. 296). Assez similaire, l'aulne gris 'Laciniata' (p. 192) a des *rameaux duveteux* et une écorce différente.

'Pyramidalis', très rare : forme conique à branches ascendantes.

'Aurea', rare. Certains arbres chlorosés de l'espèce type ont aussi un feuillage taché de jaune. L'aulne blanc à feuillage doré (p. 192) est plus commun.

AUTRE ARBRE – *A. hirsuta* (Japon, Mandchourie ; 1879), collections : jusqu'à 20 m ; feuilles en forme de raquettes, un peu lobées mais avec une double dentelure, plus grandes et plus ou moins garnies de *poils roux dessous* ; chatons s'ouvrant en milieu d'hiver.

Aulne rouge — *Alnus rubra*

(Aulne de l'Oregon ; *A. oregona*) De S Alaska à la Californie. Peu répandu.

ASPECT – **Silhouette.** Très vigoureuse, large et conique ; branches légères, ascendantes ; jusqu'à 24 m. **Écorce.** Grise ; assez lisse. **Rameaux.** Cireux, anguleux ; longs poils *éphémères*. **Feuilles.** Grandes (jusqu'à 15 cm) ; doublement dentées ou légèrement lobées ; vert foncé dessus et grises dessous (duvet seulement sous les nervures saillantes) ; bord de la feuille enroulé, de telle manière que le revers semble bordé d'un liseré vert foncé ; pétiole plus court que chez la plupart des aulnes.

ESPÈCE VOISINE – Aulne blanc (p. 192) : rameaux plus poilus et feuilles plus petites, moins lobées (bord non enroulé).

AULNE GLUTINEUX 'AUREA'

AULNE GLUTINEUX

AULNE GLUTINEUX
écorce

Aulne blanc *Alnus incana*

(Aulne de montagne) Europe (sauf Grande-Bretagne), Caucase. 1780. En France, commun dans les Alpes, le Jura, l'Alsace ; au bord des torrents.

ASPECT – **Silhouette.** Vigoureuse, très conique, souvent penchée ; drageonnante ; jusqu'à 24 m ; faible longévité. **Écorce.** *Grise* ; légèrement fissurée. **Rameaux.** *Couverts de poils gris* au début. **Feuilles.** Jusqu'à 10 cm, souvent larges mais toujours pointues ; profondément dentées ou légèrement lobées ; ternes dessus, grises et plus ou moins duveteuses dessous.

ESPÈCE VOISINE – Aulne rouge (p. 190). L'hybride avec l'aulne glutineux, *A.* × *hybrida* (*A.* × *pubescens*), se présente à l'occasion – intermédiaire.

CULTIVARS – 'Aurea', rare : élancé (jusqu'à 12 m), feuillage jaune ; rameaux jaunes virant à l'orange en hiver. 'Ramulis Coccineis', moins rare : similaire en été ; chatons *rose saumoné* et rameaux *rouge orangé* en hiver.

'Pendula', rare : bas, port pleureur assez grêle.

'Laciniata', rare : feuilles profondément lobées (*cf.* aulne glutineux 'Laciniata', p. 190).

Aulne de Corse *Alnus cordata*

(Aulne d'Italie) S Italie, Corse, NO Albanie. 1820. Localement abondant.

ASPECT – **Silhouette.** D'abord conique, puis penchée mais généralement toujours étroite ; jusqu'à 28 m. **Écorce.** Brun-gris pâle ; fissures verticales. **Rameaux.** Brun vif, couverts d'une pruine grise. **Feuilles.** *Foncées, brillantes, cordiformes* ; comme celles du poirier commun (p. 316), mais plus grandes (4 à 12 cm) – pointues chez les arbres d'Italie, plus arrondies chez ceux de Corse ; glabre à l'exception de touffes de poils orangés dessous à l'angle des nervures. **Fleurs.** Chatons mâles printaniers, 10 cm, jaunes. **Cônes.** Gros (3 cm).

AUTRES ARBRES – *A. subcordata* (1838), rare : écorce plus anguleuse ; rameaux duveteux ; feuilles plus *oblongues* à base arrondie ou légèrement cordiforme ; *poilues* sous les nervures.

A. × *spaethii* (Berlin, 1908 ; *A. subcordata* × *A. japonica*), rare : feuilles *lancéolées*, jusqu'à 15 × 6 cm, foncées, brillantes ; quelques poils dessous ; petites *dents espacées, nervures courbées*. *A. japonica* (collections) : feuilles plus petites, *glabres*, pointues ; écorce se craquelant en grandes plaques.

A. orientalis (Chypre, Moyen-Orient ; 1924), très rare : écorce brun-gris se craquelant vite en carrés ; rameaux glabres ; feuilles oblongues plus petites que celles de *A. subcordata*, assez ternes dessus mais généralement *brillantes dessous* et glabres à l'exception de touffes dessous à l'angle des nervures.

Aulne vert *Alnus viridis*

(Aunâtre ; *Betula viridis*) Centre et SE Europe ; montagnes. 1820. Collections.

ASPECT – **Silhouette.** Généralement arbustive, drageonnante. **Écorce.** Brune. **Rameaux.** Glabres. **Bourgeons.** *Pointus, à peine pédonculés* ; pourpre brillant. **Feuilles.** *Dents doubles et pointues* (*cf.* charmes-houblons, p. 196) ; vertes dessous avec des touffes de poils à l'angle des nervures.

ESPÈCE VOISINE – *A. firma* (Japon, 1894), très rare : feuilles encore plus semblables à celles des charmes-houblons (dents doubles, fines ; *jusqu'à 24 paires de nervures*) ; écorce brune craquelée ; jusqu'à 15 m ; souvent buissonnant.

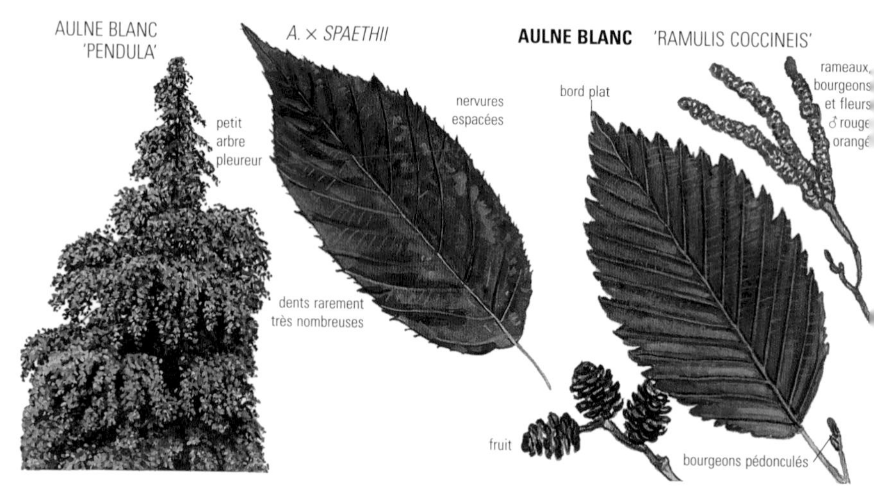

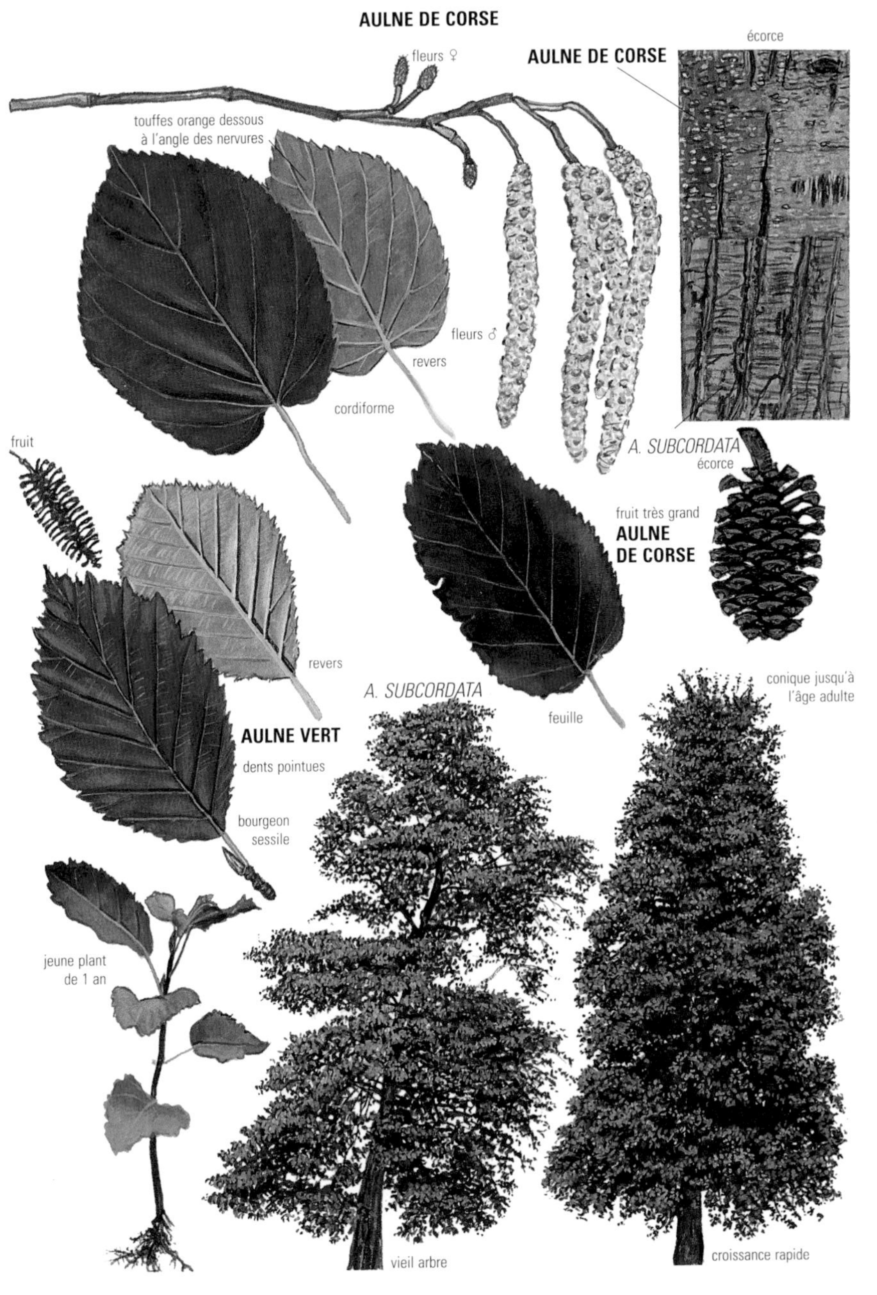
AULNE DE CORSE
fleurs ♀
AULNE DE CORSE
écorce
touffes orange dessous
à l'angle des nervures
fleurs ♂
revers
cordiforme
fruit
A. SUBCORDATA
écorce
fruit très grand
AULNE
DE CORSE
revers
A. SUBCORDATA
feuille
conique jusqu'à
l'âge adulte
AULNE VERT
dents pointues
bourgeon
sessile
jeune plant
de 1 an
vieil arbre
croissance rapide
AULNE DE CORSE
AULNE DE CORSE

CHARMES

Les charmes (jusqu'à 70 espèces assez similaires) proviennent pour la plupart d'Asie orientale. Leur écorce est généralement lisse et grise ; leurs feuilles présentent de nombreuses nervures parallèles. Les chatons sont cachés jusqu'au printemps ; les courtes grappes de petits fruits sont accompagnées par de longues bractées vertes diversement lobées. (Famille : Bétulacées.)

Critères de distinction : charmes et charmes-houblons

- Bourgeons : Longueur ? Pointus ou non ? Apprimés ?
- Feuilles : Nombre de nervures ? Poilues au revers ?
- Fruits : Bractées – lobées (Combien de dents ? Enveloppantes ?) ?

Charme *Carpinus betulus*

Europe, Asie mineure. Dans son habitat naturel, souvent l'espèce dominante, sur sol lourd ; sélectionné et exploité en taillis pour la production de charbon de bois ; localement abondant ; bois très dur, excellent combustible.

ASPECT – **Silhouette.** Branches rarement lourdes et étalées, bien que certains vieux arbres poussant à découvert (jusqu'à 30 m) puissent développer une silhouette très large ; fins rameaux en réseaux délicats. **Écorce.** Grise, lisse, marquée de rayures verticales orangées ou argentées (*cf.* marques *horizontales* sur les jeunes hêtres) ; quelques fissures larges et superficielles avec l'âge ; tronc vite *cannelé.* **Rameaux.** Fins, avec de longs poils au départ. **Bourgeons.** *Fins* et longs (8 mm), *légèrement recourbés* à leur extrémité ; jamais écartés du rameau comme ceux des hêtres. **Feuilles.** 7 à 12 cm ; doublement dentées, gaufrées par les 10 à 13 paires de nervures *en creux* ; quelques longs poils sur la face supérieure et les pétioles ; jaune pâle en automne. **Fleurs.** Chatons mâles jaunes pendants, s'allongeant au printemps. **Fruits.** Bractées de 3 cm de long, irrégulièrement dentées, *un lobe basal court de chaque côté.*

ESPÈCES VOISINES – Hêtre commun (p. 204) : feuillage différent mais plus semblable en hiver. Les arbres à feuillage similaire incluent l'aulne vert (p. 192), le bouleau jaune et le bouleau merisier (p. 184), le bouleau merisier du Japon (p. 188), l'érable à feuilles de charme (p. 384), les charmes-houblons (p. 196) et l'alisier à feuilles d'aulne (p. 294) ; seuls les autres vrais charmes, le sorbier à feuilles d'aulne et l'érable à feuilles de charme conservent une écorce grise lisse, et aucun d'entre eux ne forme de grands arbres en Europe du Nord. Ses bractées trilobées *ou* ses longs bourgeons distinguent le charme de la plupart des autres espèces de charme (p. 196).

CULTIVARS – 'Fastigiata' ('Pyramidalis' ; 1885) : arbre utilisé en alignement, jusqu'à 24 m ; silhouette originale en forme d'as de pique, mais largement ovoïde à terme (sur un tronc de 2 m obtenu en pépinière par une taille de formation) ; de nombreuses branches légères *jaillissent d'un même point* et s'incurvent à leur extrémité.
'Columnaris', rare : *silhouette dense et arrondie*, avec de grandes et larges feuilles *très oblongues.*
'Incisa' ('Quercifolia'), assez rare : arbre fin, irrégulier ; feuilles plus ou moins *profondément lobées.*
Les autres cultivars, très rares, incluent un 'Pendula' au port non pleureur, un 'Purpurea' aux feuilles (après quelques jours) vertes ordinaires, et un 'Variegata' ne présentant (au bout de 1 an ou 2) aucune panachure.

CHARME
écorce – rayures verticales
nervures en creux
fleurs ♂
fleurs ♀
double dentelure
revers
rameaux
bractée trilobée
fruit
plantule
bourgeons longs mais apprimés
plus ou moins lobée
'INCISA'
branches légères ascendantes
tronc cannelé
CHARME

Charme d'Orient — *Carpinus orientalis*

Sicile, et de NE Italie à l'Iran. 1739. Collections, jusqu'à 20 m.
Aspect – Différences (subtiles !) par rapport au charme : **Rameaux.** Très fins. **Bourgeons.** Plus petits (4 mm), pointus. **Feuilles.** Plus petites (2 à 6 cm). **Fruits.** Bractées *non lobées* (mais grossièrement dentées).
Autres arbres – *C. turczaninowii* (N Chine, Japon ; 1914) : jusqu'à 12 m, très joli, avec des feuilles très petites (3 à 4 cm) ; bractées avec un petit lobe basal *d'un seul côté* ; autre côté grossièrement denté.

Charme d'Amérique — *Carpinus caroliniana*

E États-Unis, NE Mexique. 1812. Collections.
Aspect – Jusqu'à 14 m ; teintes automnales parfois écarlates ; se confond avec le charme ; différences : **Bourgeons.** *Petits* (3 mm), *émoussés.* **Fruits.** Bractées (trilobées) plus grandes, avec un lobe principal souvent fortement denté sur un seul côté.
Autres arbres – *C. laxiflora* (Japon, Corée ; 1914), collections : arbre étalé ; petites feuilles (4 à 7 cm) *à l'extrémité pointue et allongée* ; *petites* bractées (jusqu'à 2 cm) avec un lobe basal *très petit* de chaque côté et le lobe principal fortement denté sur un bord.
C. viminea (*C. laxiflora* var. *macrostachya* ; Chine, 1900), rare : feuilles plus grandes (jusqu'à 10 cm) ; bractées plus longues (jusqu'à 25 mm) que celle de *C. laxiflora*.

Charme du Japon — *Carpinus japonica*

Japon. 1879. Collections.
Aspect – **Silhouette.** Buissonnante, jusqu'à 8 m. **Écorce.** Parfois *brune, écailleuse.* **Feuilles.** Foncées, brillantes, fines ; *20 à 24 paires de nervures en creux parfaitement parallèles.* **Fruits.** Bractées avec seulement *un petit lobe basal arrondi*, mais *enveloppant le fruit.*
Autres espèces – *C. cordata* (Japon et E Asie ; 1879), collections : buissonnant ; feuilles plus larges à *base très cordiforme* ; *grands* bourgeons (15 mm).

Charme-houblon — *Ostrya carpinifolia*

(Bois de fer) De SE France au Caucase. 1724 ? Peu répandu.
Aspect – Souvent confondu avec un charme (p. 194) ; mais inversement, des charmes en pleine fructification sont parfois pris pour des charmes-houblons ; jusqu'à 24 m. **Écorce.** Brun-gris, se craquelant en *plaques carrées, pelucheuses à terme.* **Bourgeons.** Gros, *non apprimés* comme ceux du charme. Très proches de celles du charme mais moins de nervures principales (12-15 paires) parfois ramifiées. **Fleurs.** Chatons mâles *visibles en hiver* avant leur ouverture (comme chez les hêtres et les aulnes). **Fruits.** L'été, *grappes pendantes de vésicules ressemblant à celles du houblon, blanches* ou verdâtres puis brun-rouge ; chaque vésicule *renferme* une graine de 6 × 3 mm.
Espèces voisines – Charme du Japon (ci-dessus) ; aulne vert (p. 192).
Autres arbres – *O. virginiana* (E États-Unis ; 1692) : feuilles à nervures souvent moins nombreuses, avec des poils longs à l'extrémité *glanduleuse* ; fruits plus grands (jusqu'à 8 mm).
Charme-houblon du Japon, *O. japonica* (1888) : feuilles à nervures espacées moins nombreuses (9 à 12 paires) ; *poils plus serrés* au revers.

CHARME DU JAPON
stipules
nervures serrées, en creux
bractée enveloppant le fruit
fruit
CHARME D'ORIENT
petits bourgeons pointus
petites feuilles
fruit
écorce
bractée non lobée
CHARME-HOUBLON
glande à l'extrémité de chaque dent
fruit
rameau
O. VIRGINIANA
écorce
blanc puis brun
grappes pendantes, comme le houblon
fleurs ♂
rameau
petits bourgeons émoussés
fruits
bractée
dentée sur un côté
jeune arbre
CHARME-HOUBLON
CHARME D'AMÉRIQUE
CHARME-HOUBLON

Les noisetiers (15 espèces environ) portent leurs chatons mâles tout l'hiver ; les fleurs femelles, enfermées dans un bourgeon d'où émergent des styles cramoisis, donnent des noix entourées d'un involucre foliacé. (Famille : Bétulacées.)

Noisetier commun *Corylus avellana*

(Coudrier, avelinier) Europe, Turquie, N Afrique. Très abondant sauf en sol pauvre ou détrempé ; bois, haies. Autrefois exploité en taillis. Les rameaux très souples s'utilisent en vannerie ou pour la fabrication d'éléments de clôture. Des variétés améliorées sont cultivées pour la production des fruits.
ASPECT – **Silhouette.** Généralement à troncs multiples ; jusqu'à 15 m. **Écorce.** Souvent bronze satiné quand elle est jeune mais rêche au toucher et finissant par s'exfolier ; vieilles tiges brun pâle, légèrement fissurées. **Rameaux.** Brun-vert pâle ; longs poils assez raides. **Bourgeons.** Verts, *gros, ovoïdes.* **Feuilles.** Souples, poilues, presque *circulaires* (jusqu'à 12 cm), *brusquement pointues à leur extrémité* ; pétioles courts (1 cm), poilus. **Fleurs.** Chatons mâles jaunes s'allongeant et s'ouvrant en fin d'hiver. **Fruits.** (Noisettes) Mûrs en début d'automne ; enveloppés dans un involucre *à peu près sur toute leur longueur.*
ESPÈCES VOISINES – Noisetier de Lombardie (ci-dessous). Orme de montagne (p. 242) : base des feuilles asymétrique.
CULTIVARS – 'Pendula', rare : branches sinueuses portant des rameaux en ombrelle ; formé sur tige ou greffé sur un tronc de noisetier de Lombardie. Noisetier tortueux, 'Contorta' : rameaux extrêmement contournés (*cf.* saule tortueux, p. 166), fréquemment utilisés en art floral.
'Aurea', assez rare : vigoureux (jusqu'à 11 m) ; jeunes feuilles jaunâtres virant au vert pâle terne durant l'été.
'Heterophylla' ('Laciniata'), très rare : feuilles profondément lobées.

Noisetier de Lombardie *Corylus maxima*

Balkans, Turquie. 1759. Peu répandu.
ASPECT – **Silhouette.** Plus vigoureuse que celle du noisetier commun. **Écorce.** *Grisâtre, avec des fissures espacées.* **Feuilles.** Souvent plus nettement lobées. **Fruits.** Noisettes plus longues et plus étroites, dans un involucre de près *de deux fois leur longueur* et très denté ; il existe des hybrides avec le noisetier commun donnant des noisettes plus grosses.
CULTIVARS – Le noisetier pourpre, 'Purpurea', fréquent : feuilles et chatons pourpres. (Il est parfois dénommé à tort *Corylus avellana* 'Purpurea' ; cette plante aux *jeunes* feuilles rose brunâtre et aux chatons pourpres existe bien mais elle ne se rencontre que très rarement.)

Noisetier de Byzance *Corylus colurna*

(Noisetier du Levant, noisetier de Turquie) SE Europe, Asie mineure. Collections, alignements.
ASPECT – **Silhouette.** *Conique* large mais symétrique, *jusqu'à 26 m* ; s'élargit ou s'incline seulement avec l'âge ; tronc droit, rarement fourchu, portant des branches légères horizontales garnies d'un feuillage pendant, foncé et épais. **Écorce.** Brun pâle ; se fissurant très tôt en écailles serrées – un peu comme celle de l'érable champêtre (p. 368). **Feuilles.** Plus lobées et brillantes que la feuille typique de noisetier. **Fruits.** Un peu plus grands que ceux du noisetier commun ; involucres profondément découpés.
ESPÈCES VOISINES – *Crataegus mollis* (p. 288) ; alisier torminal (p. 296) ; *Malus yunnanensis* (p. 308).

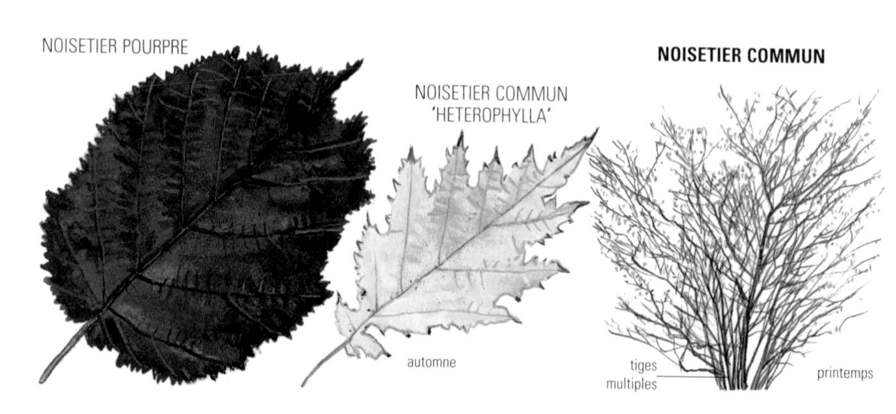

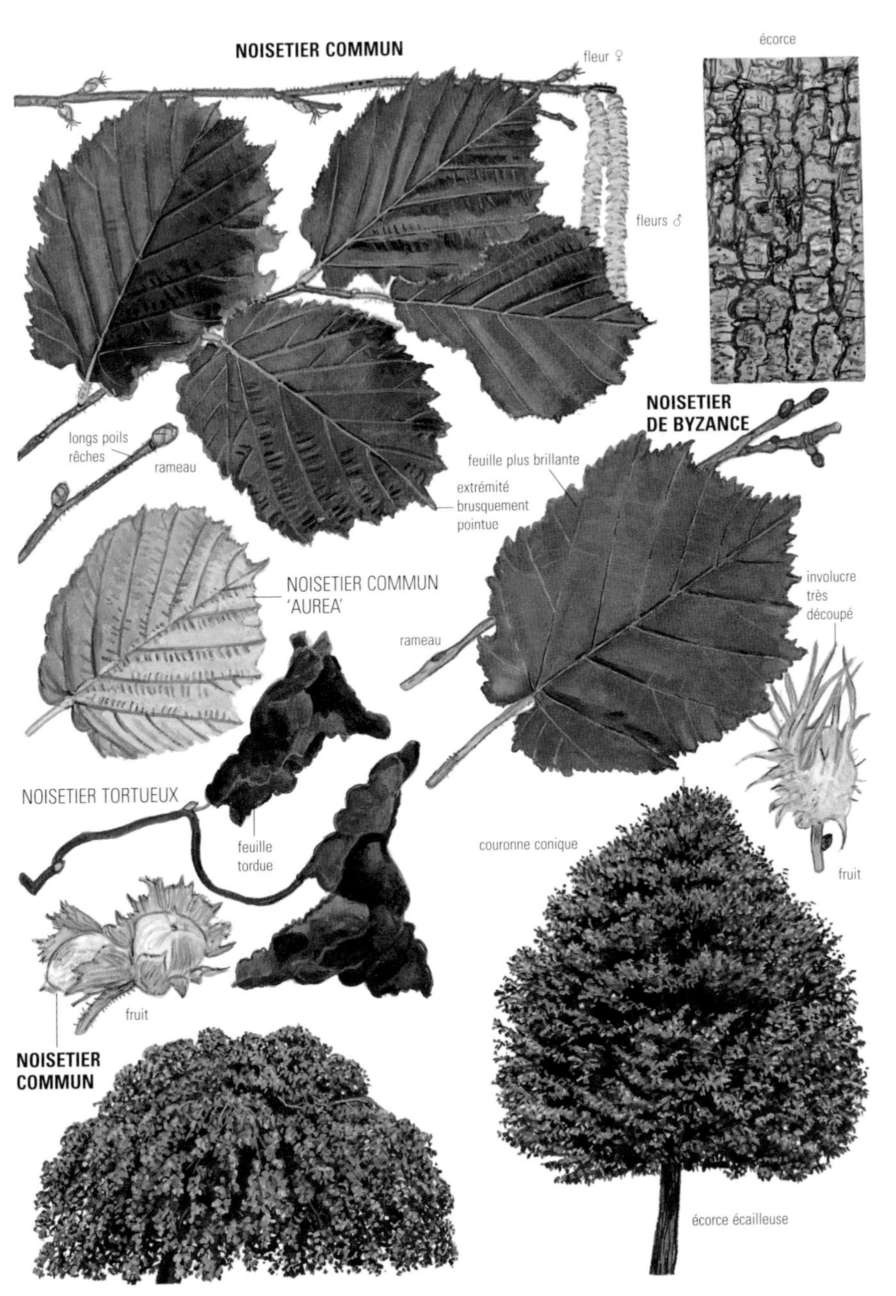
NOISETIER COMMUN
fleur ♀
écorce
fleurs ♂
NOISETIER
DE BYZANCE
longs poils
rêches
rameau
feuille plus brillante
extrémité
brusquement
pointue
NOISETIER COMMUN
'AUREA'
involucre
très
découpé
rameau
NOISETIER TORTUEUX
feuille
tordue
couronne conique
fruit
fruit
NOISETIER
COMMUN
écorce écailleuse
NOISETIER COMMUN 'PENDULA'
NOISETIER DE BYZANCE

Le genre Nothofagus *regroupe une quarantaine d'arbres de l'hémisphère Sud dont les fruits ressemblent à ceux des hêtres et avec des feuilles diverses. (Famille : Fagacées.)*

Critères de distinction : hêtres australs

- Écorce : Quel aspect ?
- Feuilles : Caduques ? Combien de nervures principales ? Dentées (Régulièrement ? Profondément ?) ?

Hêtre de l'Antarctique *Nothofagus antarctica*

S Andes – jusqu'au cap Horn. 1830. Peu répandu. ASPECT – **Silhouette.** *Irrégulière et peu fournie*, jusqu'à 20 m ; rameaux fins disposés en arête de poisson ; souvent buissonnante et inclinée. **Écorce.** Brun foncé, avec des bandes de lenticelles, puis des plaques grises rugueuses. **Feuilles.** Très petites (2 à 4 cm), gaufrées ; *3 à 5 paires* de nervures ; grandes dents émoussées *portant chacune 4 petites dents* ; foncées et brillantes ; se déploient tôt, avec une forte odeur de cannelle.
ESPÈCES VOISINES – Hêtre austral rouge (p. 202) : *simple* dentelure.
AUTRES ARBRES – *N. pumilio* (mêmes habitats ; 1960), très rare : vigoureux mais souvent à troncs multiples ; *écorce grise lisse* ; feuilles à *5 ou 6 paires de nervures*, jusqu'à 4 cm, *avec 2 petites dents* sur chaque dent principale émoussée.

Nothofagus nervosa

(*N. procera*) S Andes centrales. 1910. Peu répandu. ASPECT – **Silhouette.** Conique quand la croissance est rapide ; par la suite, branches assez horizontales sur *tronc vigoureux souvent droit* ; feuillage dense ; jusqu'à 36 m. **Écorce.** Grise, se craquelant vite *en longues plaques verticales.* **Rameaux.** Verts, couverts de *longs poils la première année* ; plus robustes que ceux de *N. obliqua*. **Bourgeons.** Gros (1 cm). **Feuilles.** Jusqu'à 9 cm ; *15 à 18 paires de nervures* très en creux ; dents *émoussées* ou petits lobes ; bronze au printemps et jaune pâle teinté de rouge en automne.
ESPÈCE VOISINE – *N. obliqua* (ci-dessous). Se distingue des charmes (voir p. 194) par ses dents émoussées.

Nothofagus obliqua

S Andes. 1902. Peu répandu ; quelques plantations dans l'ouest de la France. Arbre vigoureux (mais de faible longévité) semblant « appartenir » aux paysages d'Europe du Nord. Se naturalise facilement.
ASPECT – **Silhouette.** D'abord élancée et conique, puis ouverte et *irrégulière* ; jusqu'à 30 m ; rarement large ; branches fines retombant en éventail. **Écorce.** Brun-argenté, se craquelant vite en *plaques recourbées* carrées ou arrondies. **Rameaux.** Très grêles ; fins poils blancs. **Bourgeons.** Apprimés, 4 mm. **Feuilles.** Petites (4 à 8 cm) ; *6 à 11 paires* de nervures en creux ; *irrégulièrement dentées* ou légèrement lobées ; jaunes et cramoisies en automne.
ESPÈCE VOISINE – *N. nervosa* (ci-dessus). Il existe un hybride supposé (*N.* × *alpina* ; collections), intermédiaire. Se distingue de tous les chênes et zelkovas par sa dentelure irrégulière.
AUTRE ARBRE – *N. glauca* (Chili), collections : *écorce papyracée orange* vif ; feuilles (souvent cordiformes à la base) *gris bleuté pâle* au revers.

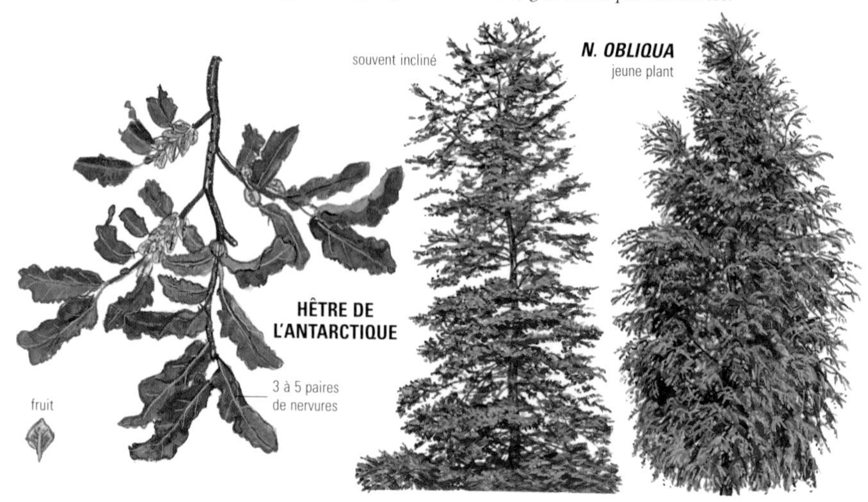

fruit
rameau
fleurs à l'aisselle
grandes dents oussées
6 à 11 paires de nervures
fruit
N. OBLIQUA
N. NERVOSA
15 à 18 paires de nervures
tiges en « arête de poisson »
rameaux très fins
jeunes feuilles bronze
base légèrement oblique
couronne dense, pendante
plaques recourbées
N. OBLIQUA
souvent incliné
N. NERVOSA

HÊTRES AUSTRALS (PERSISTANTS)

Nothofagus dombeyi

S Andes centrales. 1916. Très peu répandu ; pour les climats doux.
ASPECT – **Silhouette.** Nettement ovoïde sur un tronc sinueux (ou plusieurs) ; jusqu'à 36 m. **Écorce.** D'abord noirâtre, avec des rides horizontales, puis se craquelant en plaques rêches rouges ou grises bien mises en valeur par le feuillage persistant foncé et brillant. **Feuilles.** Petites (2 à 4 cm), épaisses, plates, plus larges *vers la base*, à petites dents *irrégulières* ; brillantes dessus ; revers lisse, pâle, *vert mat*, et *moucheté de noir* (à la loupe). **Fleurs mâles.** Généralement *par 3*. **Fruits.** Finement *duveteux*.
AUTRE ARBRE – *N. betuloides* (vers le sud jusqu'au cap Horn) : l'un des premiers hêtres australs en Europe (1830), mais maintenant confiné à quelques grands jardins ; jusqu'à 20 m ; feuilles ovales plus denses (plus larges *vers le sommet*), avec des *dents émoussées* plus ou moins *régulières* et un revers généralement moucheté de *blanc* ; fleurs mâles cramoisies pendantes, *solitaires* ; noix *glabres*.

Nothofagus fusca

Nouvelle-Zélande. 1910. Rare ; climats doux.
ASPECT – **Silhouette.** Dôme élancé, jusqu'à 24 m. **Écorce.** Grise, lisse ; crêtes écailleuses avec l'âge. **Feuilles.** Assez mates et molles – semblant caduques mais virant au jaune et rouge une par une *tout au long de l'année* ; jusqu'à 5 cm ; *3 à 6 paires de grandes dents simples, légèrement crochues.*
ESPÈCE VOISINE – Hêtre de l'Antarctique (p. 200) : dents arrondies sur deux rangs.

Nothofagus menziesii

Nouvelle-Zélande. 1850. Rare ; climats doux.
ASPECT – **Silhouette.** Large et arbustive ; jusqu'à 25 m. **Écorce.** Restant lisse et brillante, avec de fines bandes de lenticelles ; argentée ou plus souvent pourprée (comme le merisier (p. 322). **Feuilles.** *Très petites* (1 cm), brillantes, *arrondies, doublement et profondément dentées* ; 2 curieuses touffes de poils au revers, à la base de la nervure médiane.
ESPÈCE VOISINE – *N. solanderi* (ci-dessous) : feuilles non dentées.
AUTRE ARBRE – *N. cunninghamii* (Tasmanie), bien plus rare : *écorce à crêtes écailleuses* verticales ; feuilles légèrement triangulaires, à simple dentelure, frangées de poils fins et sans touffe de poils au revers.

Nothofagus solanderi

Nouvelle-Zélande. 1917. Très rare ; climats doux.
ASPECT – **Silhouette.** Souvent arbustive, jusqu'à 25 m, avec des feuilles disposées en amas aplatis et étagés, comme sur un bonsaï. **Écorce.** Lisse, noirâtre ; se fissurant verticalement avec l'âge. **Feuilles.** *Très petites* (1 cm) *et entières* (rappelant les feuilles – opposées – de *Lonicera nitida*) ; *effilées à la base, arrondies au sommet* ; brillantes dessus mais pâles au revers, avec un duvet microscopique.
CULTIVAR – var. *cliffortioides* : feuilles *arrondies à la base*, souvent enroulées sur les côtés et *relevées à la pointe.*
ESPÈCES VOISINES – Azara à petites feuilles (p. 408). *N. menziesii* (ci-dessus) : feuilles doublement dentées.

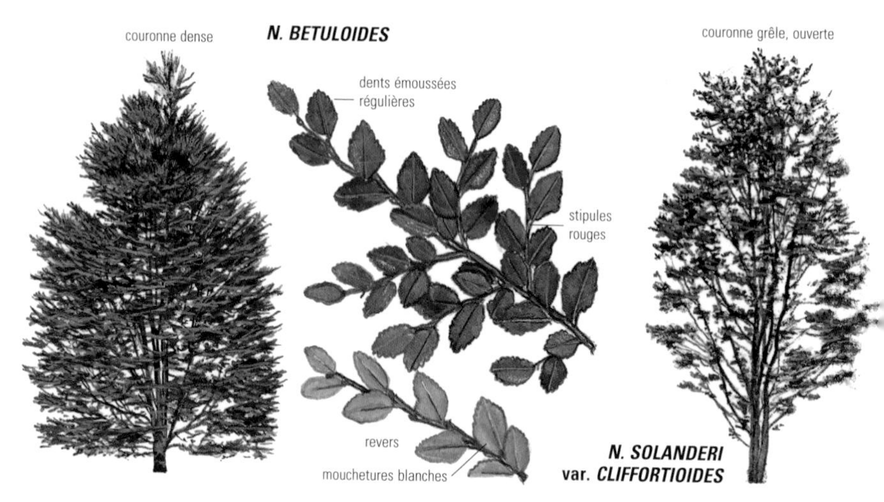

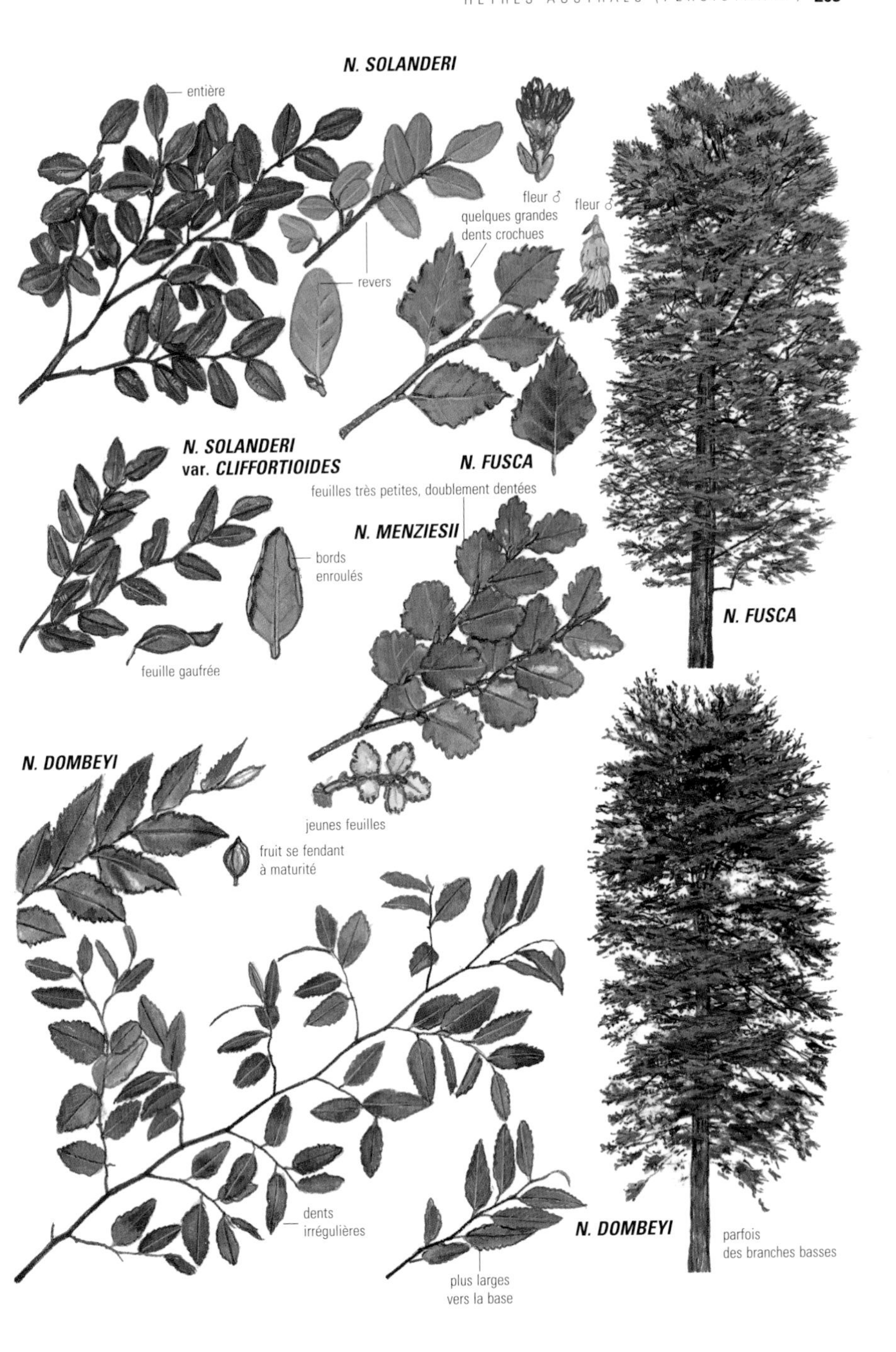
N. SOLANDERI
entière
fleur ♂
fleur ♀
quelques grandes
dents crochues
revers
N. SOLANDERI
var. CLIFFORTIOIDES
N. FUSCA
feuilles très petites, doublement dentées
N. MENZIESII
bords
enroulés
feuille gaufrée
N. FUSCA
N. DOMBEYI
jeunes feuilles
fruit se fendant
à maturité
dents
irrégulières
N. DOMBEYI
parfois
des branches basses
plus larges
vers la base

Les hêtres (tous de l'hémisphère Nord) ont une écorce grise et lisse, des bourgeons allongés et des fruits (faînes) comestibles enfermées dans des cupules à 4 valves. (Famille : Fagacées.)

Hêtre commun *Fagus sylvatica*

(Fayard) S et O Europe. Espèce forestière commune en plaine dans la moitié nord de la France et en montagne dans la moitié sud. Fréquemment planté dans les parcs publics et les jardins.
Aspect – **Silhouette.** En forêt, souvent sur un tronc haut, légèrement sinueux, en forme de dôme immense avec de fortes branches ; jusqu'à 40 m ; feuillage très dense ; vieux arbres souvent étêtés ; ne rejette pas facilement de souche ; les branches conservent leurs feuilles mortes en hiver sur une longueur de 3 m (comme les charmes et certains chênes), ce qui est idéal pour les haies. **Écorce.** Gris argenté, avec de très légers sillons *horizontaux* ; certains arbres développent un réseau de crêtes rugueuses peu saillantes. **Rameaux.** Fins, gris (soyeux au départ) et en zigzag. **Bourgeons.** *Fusiformes pointus, 2 cm, gris à cuivrés, insérés à 60°.* **Feuilles.** Jusqu'à 10 cm, avec quelques minuscules dents espacées ; frangées de poils et soyeuses quand elles se déploient ; 5 à 9 paires de nervures. **Fruits.** Faînes dans une cupule épineuse, sur un pédoncule de 2 cm.
Espèces voisines – Autres hêtres (p. 210) : 7 à 15 paires de nervures. Charme (p. 194).
Cultivars – Nombreux et populaires. Le hêtre pourpre, f. *purpurea* ('Purpurea'), est commun dans la nature et dans les plantations, dans des coloris allant d'un brun rosâtre discret (f. *cuprea*) au pourpre royal, en fonction de la proportion de pigments pourpres contenus dans les feuilles. Les arbres non greffés d'origine douteuse deviennent ternes et foncés après la première pousse rouge pourpré, avec des feuilles vert foncé à l'intérieur de la couronne. En hiver, on reconnaît un hêtre pourpre s'il s'agit d'un arbre greffé dépassant 25 m de haut, il a *un tronc unique, de nombreuses branches ascendantes*, légères, renflées à la base, et une couronne *se resserrant sur un petit sommet aplati*. Les cupules sont également pourprées. Comparer avec 'Purpurea Tricolor' (p. 208).
'Dawyck', découvert vers 1860 dans un bois à proximité du jardin botanique de Dawyck (Écosse), est maintenant un arbre courant dans les jardins publics et privés : branches très ascendantes mais tortueuses ; les arbres adultes (jusqu'à 28 m) ne restent très étroits qu'en situation abritée ; en hiver, on le distingue du chêne pyramidal (p. 216) et des autres grands arbres fastigiés par son aspect gris acier et ses longs bourgeons.
'Zlatia' (1892 ; Serbie), peu répandu : jeunes feuilles jaunes virant au vert en milieu d'été ; la teinte jaune est plus uniforme que celle qu'on peut observer sur les hêtres sauvages souffrant de la sécheresse.

HÊTRE POURPRE

HÊTRE 'ZLATIA'

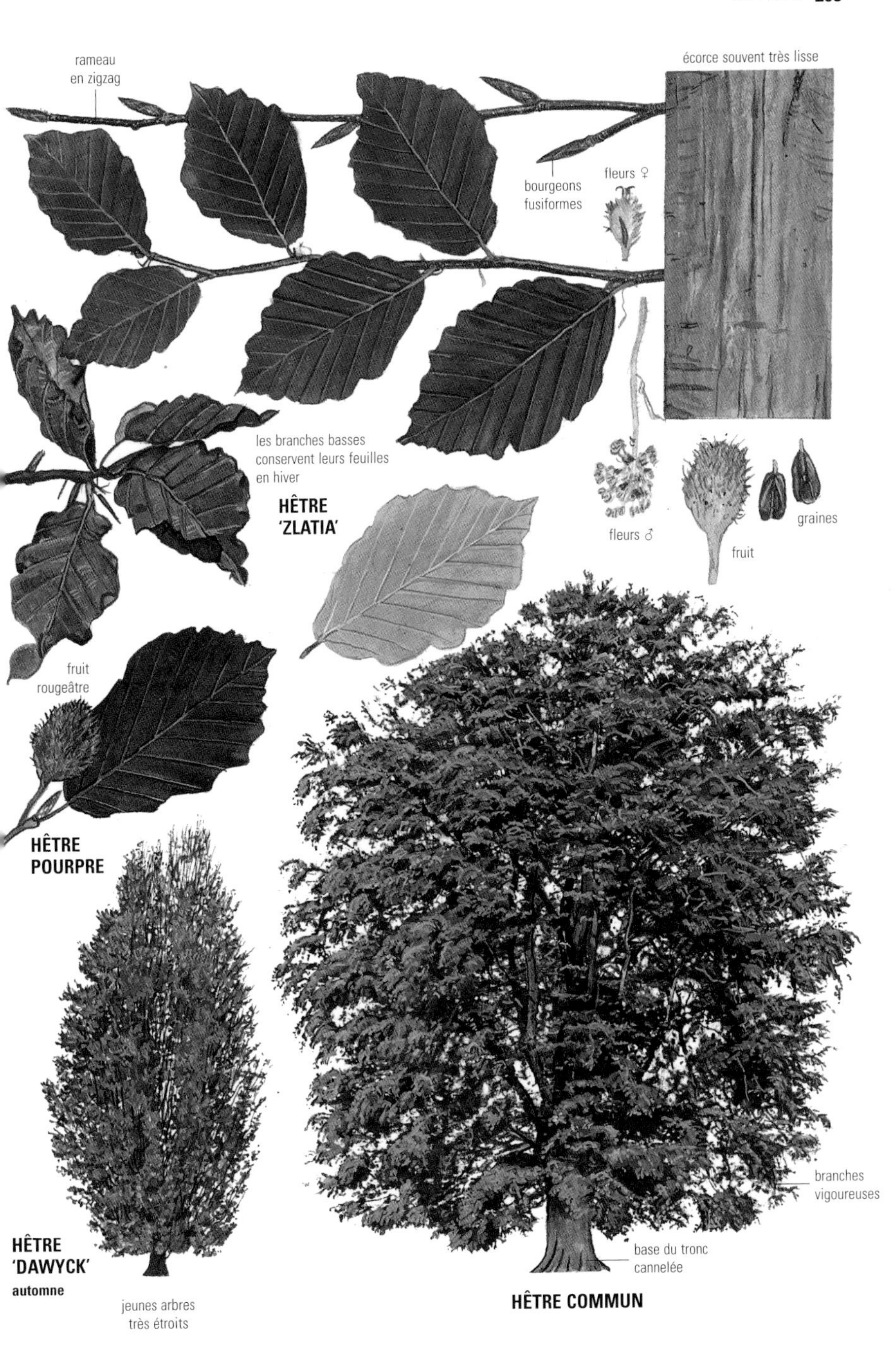
rameau
en zigzag
écorce souvent très lisse
bourgeons
fusiformes
fleurs ♀
les branches basses
conservent leurs feuilles
en hiver
HÊTRE
'ZLATIA'
fleurs ♂
fruit
graines
fruit
rougeâtre
HÊTRE
POURPRE
branches
vigoureuses
base du tronc
cannelée
HÊTRE
'DAWYCK'
automne
jeunes arbres
très étroits
HÊTRE COMMUN

'Aspleniifolia' ('Heterophylla'), assez fréquent dans les parcs publics. Il s'agit d'un bel arbre à feuillage découpé, jusqu'à 28 m. Les lobes sont plus ou moins profonds en fonction du clone (à comparer avec 'Quercifolia', p. 208). Dans la forme la plus commune et la plus découpée (rarement greffée), les feuilles de l'extrémité des rameaux sont plus étroites ou mêmes linéaires, et la couronne est nettement *pâle, mate et duveteuse* même vue de loin. Cet arbre est une « chimère » : les tissus internes, typiques du hêtre, sont entourés des cellules du « sport » (qui a subi une mutation), ce qui explique pourquoi des rejets avec des feuilles normales émergent du tronc et des branches, en particulier après une blessure ; mais contrairement à ce qui se passe dans le cas des formes panachées retournant au type à feuillage vert, ces rameaux « normaux » gagnent rarement toute la couronne. En hiver, l'arbre affiche une silhouette large, avec des branches fines balayant presque le sol et un réseau très *dense* de rameaux fins, horizontaux ou légèrement ascendants ; les feuilles mettent beaucoup de temps à se décomposer. Voisin de l'aulne glutineux 'Imperialis' (p. 190), du charme 'Incisa' (p. 194), du zelkova 'Verschaeffeltii' (p. 252). Aucun chêne ne possède des feuilles aussi petites et aussi profondément lobées, ni des bourgeons de 2 cm.

'Latifolia' (f. *latifolia*) : grandes feuilles assez informes (jusqu'à 17 cm, mais avec le nombre normal de paires de nervures – pas plus de 9 ; les feuilles également grandes du hêtre d'Orient, p. 210, en ont jusqu'à 14). 'Prince George of Crete' : clone greffé, dans certains grands jardins.

'Grandidentata', collections : feuilles convexes au bord plus festonné que lobé. Proche du hêtre d'Amérique (p. 210), qui a plus de nervures.

'Cristata' (1836), rare : port élancé, extrêmement grêle (mais jusqu'à 28 m), avec des feuilles gaufrées groupées en touffes, certaines arrondies mais la plupart profondément dentées de manière asymétrique ; 'Brathay Purple' est un clone récent à feuillage pourpre, à croissance très lente.

'Rotundifolia' (1870), rare : feuilles presque circulaires, de 2 à 4 cm seulement, avec généralement *4 paires de nervures* ; couronne large et attrayante. (Les branches supérieures des hêtres sauvages malades ont parfois des feuilles presque aussi petites, mais avec plus de nervures.) 'Cockleshell' (1960) a des feuilles encore plus petites (2 cm). Voir *Nothofagus fusca* (p. 202).

Autres arbres – 'Miltonensis' : feuilles également petites (6 cm), arrondies, entières ; écorce distincte, à crêtes plates entrecroisées, argentées, faisant particulièrement ressortir le point de greffe ; branches externes retombantes (*cf.* hêtre pleureur, p. 208), mais ces arbres probablement originaires d'Allemagne ne sont pas identiques au hêtre pleureur initialement découvert dans le parc de Milton, en Angleterre, en 1837.

'CRISTATA'

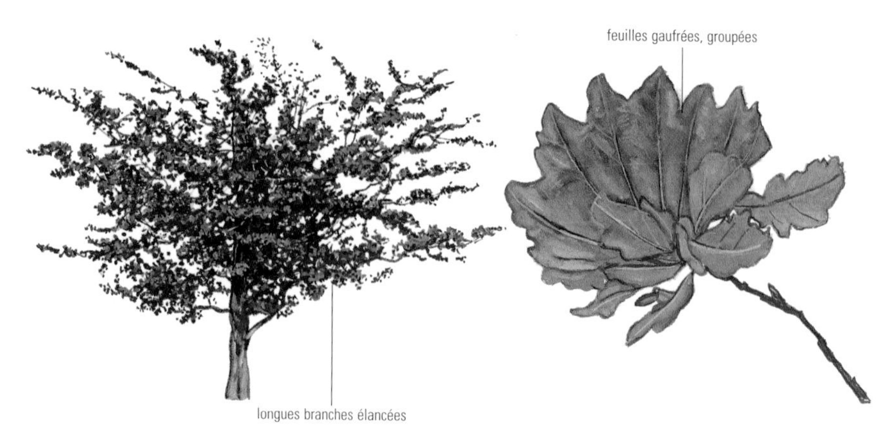

'ASPLENIIFOLIA'

CULTIVARS DE HÊTRE

'Albomarginata', très rare : feuilles au bord irrégulièrement teinté de blanc ; 'Albo-variegata' : feuilles panachées de blanc. Les hêtres panachés ne sont pas très attrayants, et ils ont tendance à revenir au type. 'Luteovariegata' : feuilles panachées de jaune, principalement sur les bords.
'Purpurea Tricolor' ('Roseomarginata' ; 1879) : feuilles pourpres finement bordées de rose et d'un peu de blanc ; ne se distingue du hêtre pourpre que de près. À ne pas confondre avec 'Tricolor' (feuilles *vertes* finement bordées de rose et blanc), extrêmement rare.

Le hêtre pleureur, f. *pendula* ('Pendula') : c'est le plus grand des arbres pleureurs, jusqu'à 25 m ; fréquent dans les parcs et jardins ; rameaux denses et pendants sur de longues branches retombantes, parfois jusqu'au sol où elles peuvent s'enraciner. Quelques clones (produisant de nombreuses plantules à port pleureur) sont plus symétriques, avec des rameaux pendants plus courts sur des branches largement arquées. 'Miltonensis' (p. 206) est aussi pleureur.
Parmi les clones similaires : 'Bornyensis', collections : petit igloo de branches tordues émergeant au-dessus du point de greffe, avec un feuillage pendant (*cf.* 'Tortuosa', ci-dessous) ; le hêtre pourpre pleureur, 'Purpurea Pendula' : pourpre un peu brun, jusqu'à 5 m. 'Purple Fountain' (1975) : même silhouette que 'Pendula', étroitement érigée avec des branches retombantes.

'Aurea Pendula' (1900), encore très rare : même silhouette en cascade que 'Pendula' et même jeunes feuilles dorées que 'Zlatia'.
'Tortuosa' (f. *tortuosa*) : branches *tordues* en tous sens ; parfois grand, mais le plus souvent en forme de parasol bas.

'Quercifolia' (f. *laciniata*), très rare et moins spectaculaire que 'Aspleniifolia' (p. 206) : feuilles à lobes triangulaires, réguliers, peu profonds. Proche de 'Grandidentata' (p. 206) et du hêtre d'Amérique (p. 210).
'Rohanii', peu répandu : feuilles pourpre brunâtre, ternes, à lobes souvent dentés ; couronne (jusqu'à 17 m) dense et assez étroite, avec de nombreuses branches ascendantes, fines et raides.
'Rohan Gold' (1970) : se distingue par ses feuilles jaunes puis vertes.

'Dawyck Purple' (Hollande, 1969), peu répandu : même silhouette que 'Dawyck' (p. 206), mais avec un feuillage pourpre.
'Dawyck Gold', encore rare : jeunes feuilles jaunes.

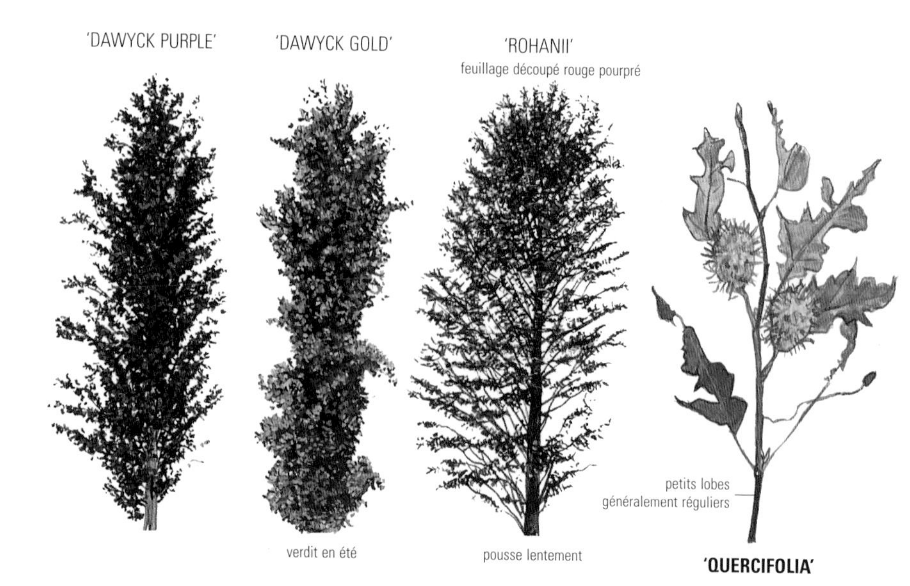

HÊTRE PLEUREUR

Hêtre d'Orient *Fagus orientalis*

De E Balkans à l'Iran. 1910. Assez rare. Arbre particulièrement vigoureux, jusqu'à 30 m, facile à confondre avec le hêtre commun (p. 204).
ASPECT – **Silhouette.** Assez étroite, avec des branches redressées ; couronne mate, foncée, avec de grandes feuilles informes – un peu comme celles de l'orme hybride 'Vegeta' (p. 246) vues de loin ; tronc court souvent cannelé. **Bourgeons.** Fins et étalés, mais moins étirés que ceux du hêtre commun (1 cm). **Feuilles.** *Plus longues*, plus foncées et moins brillantes que celles du hêtre commun ; plus larges vers le sommet ; jusqu'à 14 paires de nervures – *fréquemment 10* (*cf.* 5 à 9 chez le hêtre commun) ; bords frangés de poils (comme chez le hêtre commun) mais sans aucune dent. **Fruits.** Faînes sur de fins *pédoncules de 4 cm de long* ; cupules à poils raides légèrement *spatulés* et *verts* au départ.
AUTRES ARBRES – *F. moesiaca* (nombreuses nervures ; cupules plus proches de celles du hêtre commun) et *F. taurica* (peu de nervures ; cupules plus proches de celles du hêtre d'Orient), originaires des Balkans, sont des formes de transition avec *F. sylvatica*.

Hêtre du Japon *Fagus crenata*

(*F. sieboldii*) 1892. Collections.
ASPECT – **Silhouette.** Arbre (jusqu'à 25 m) proche du hêtre d'Orient. **Feuilles.** 7 à 11 paires de nervures ; plutôt plus larges *sous* le milieu et plus *largement effilées (même arrondies)* à la base que celles des autres hêtres. **Fruits.** Pédoncule de la faîne court et épais (15 mm) ; mêmes *poils raides aplatis verts* à la base de la cupule.

Hêtre de Chine *Fagus engleriana*

Centre Chine. 1911. Rare.
ASPECT – **Silhouette.** Plus petite que les autres hêtres (jusqu'à 17 m ; parfois ramifiée à la base). **Rameaux.** Brun foncé et glabres (soyeux au départ comme chez le hêtre commun, p. 204). **Bourgeons.** Particulièrement longs et fins. **Feuilles.** Plus longues et *plus fines* que celles du hêtre commun (12 × 6 cm ; 10 à 14 paires de nervures) et d'un *vert d'eau pâle* (légèrement argenté dessous mais glabres à l'exception de touffes de poils à l'angle des nervures) ; pendant avec élégance sous les branches légères, horizontales ; bord ondulé, à peine denté, *glabre*. Le port gracieux rappelle celui du zelkova du Japon (p. 252), aux feuilles fortement dentées.

Hêtre d'Amérique *Fagus grandifolia*

E Amérique du Nord. 1766. A besoin de chaleur estivale.
ASPECT – **Silhouette.** Souvent rabougrie ; *drageonne abondamment* contrairement aux autres hêtres. **Feuilles.** Jusqu'à 12 × 7 cm ; dents *régulières* ; sinon, semblables à celles du hêtre d'Orient (11 à 15 paires de nervures).
ESPÈCE VOISINE – Hêtre commun 'Grandidentata' (p. 206).
AUTRE ARBRE – *F. lucida* (Hubei, Chine ; 1905), collections : dents également régulières mais feuilles *fines* (8 × 4 cm) et *vert brillant sur les deux faces*.

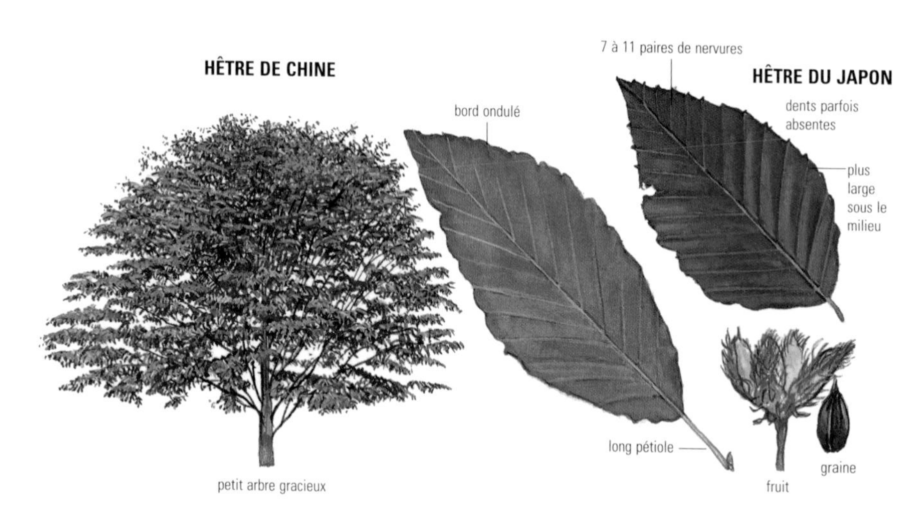

HÊTRE D'AMÉRIQUE
petites
dents
courbées
rameau
fruits
HÊTRE D'ORIENT
souvent évasée
9 à 14
paires de
nervures
plus large
vers
le sommet
poils raides
spatulés
fruit
graines
bourgeon
écorce tachetée de gris-bleu
arbre sauvage
HÊTRE D'AMÉRIQUE
tronc cannelé
vieil arbre au printemps
HÊTRE D'ORIENT

CHÂTAIGNIERS & CHÂTAIGNIER DORÉ

Les châtaigniers (10 à 12 espèces) produisent de grosses graines enfermées dans une cupule très épineuse (bogue). Les plantations sont actuellement menacées par une maladie, le chancre de l'écorce, due à un champignon pathogène (Endothia parasitica), *qui a particulièrement décimé les peuplements sauvages de châtaignier d'Amérique* (Castanea dentata). *(Famille : Fagacées.)*

Châtaignier *Castanea sativa*

S Europe, N Afrique, Asie mineure. Probablement introduit par les Romains. Abondant sur les sols siliceux, en particulier Massif central, Bretagne, Limousin ; grande longévité. Exploité en taillis pour son bois ou cultivé en verger.
ASPECT – **Silhouette.** Souvent élancée pour un arbre de cette taille, du moins vers le sommet ; tronc haut en forêt ; jusqu'à 36 m ; feuillage dense et brillant. **Écorce.** D'abord pourpre argenté terne, marquée de bandes horizontales, puis avec des fissures verticales ; au bout de 60 ans, brune, avec un réseau vertical de crêtes entrecroisées, souvent *en spirale* (généralement vers la droite). **Rameaux.** Gris, sans bourgeon terminal (*cf.* tilleuls) ; sur les rameaux vigoureux, *prolongement épais et saillant* sous chaque bourgeon glabre, émoussé, à écailles peu nombreuses. **Feuilles.** Grandes ; *dents épineuses espacées de 1 cm* ; revers pelliculeux, du moins au début. **Fleurs.** Nombreux chatons jaune crème en début d'été ; bogue épineuse renfermant 2 à 3 châtaignes comestibles. (Certaines variétés fruitières, comme 'Marron de Lyon' ou 'Belle Épine', donnent généralement une seule grosse châtaigne par bogue.)
ESPÈCE VOISINE – Chêne du Japon à feuilles de châtaignier (p. 230).
CULTIVARS – 'Albomarginata' (1864), rare : bord des feuilles blanc crème (jaune quand elles sortent). 'Variegata' ('Aureomarginata'), plus rare : le bord des feuilles reste jaune doré.
La forme à feuillage découpé, f. *heterophylla*, regroupe des clones rares, souvent médiocres, dont les feuilles fortement dentées sont parfois *réduites à de fines bandelettes* (en particulier à l'extrémité des branches). 'Laciniata' (1838) se distingue par ses dents *toutes étirées en longs filaments.*
AUTRE ARBRE – Le châtaignier d'Amérique, *C. dentata*, peu répandu en Europe : feuilles légèrement plus étroites et effilées à la base que celles du châtaignier, et entièrement *glabres* – mais les bourgeons sont finement duveteux.

Châtaignier doré *Chrysolepis chrysophylla*

(*Castanopsis chrysophylla*) Oregon et Californie. 1844. Collections.
ASPECT – **Silhouette.** Jusqu'à 20 m, mais souvent buissonnante. **Feuilles.** Persistantes ; petites (3 à 13 cm), brillantes, avec un revers tapissé d'un très fin *duvet doré* ; parfois en forme de raquette et non dentées à leur extrémité.
ESPÈCE VOISINE – *Castanopsis cuspidata* (p. 230) : reflet jaune sous les feuilles.
AUTRE ARBRE – Le revers jaune vif des feuilles est commun à un arbuste persistant encore plus rare, *Quercus alnifolia*, dont les petites (5 cm) feuilles arrondies et convexes sont *dentées* à leur extrémité.

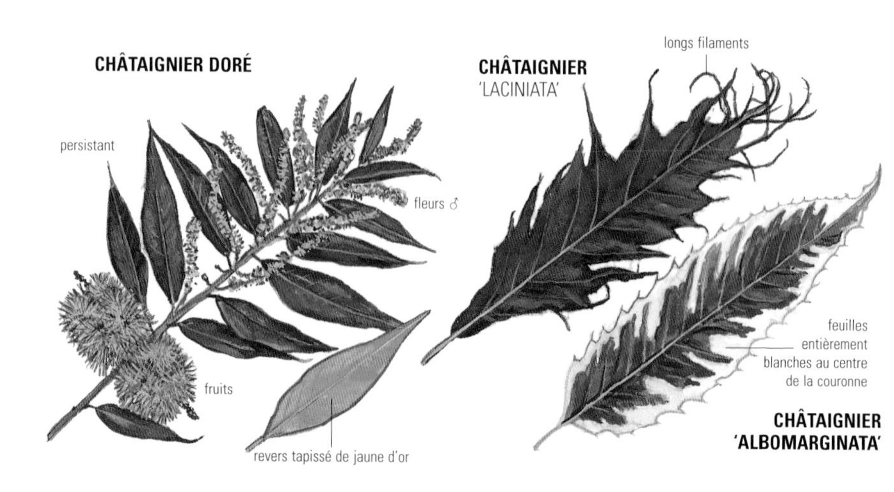

écorce
grandes dents épineuses
revers
fleurs ♂
fruit
bogue épineuse
fleurs ♀
CHÂTAIGNIER
en fleur
écorce vrillée

Les chênes (500 espèces) portent tous des glands dans une cupule. Les bourgeons sont groupés à l'extrémité des rameaux (l'un d'entre eux démarrera la saison suivante, donnant chez de nombreuses espèces des branches à l'aspect sinueux). (Famille : Fagacées.)

Critères de distinction : chênes

- Rameaux : Poilus ?
- Bourgeons : Filamenteux ?
- Feuilles : Persistantes ? Forme (particulièrement à la base) ? Dents poilues ? Poils ou duvet au revers ? Pétiole – longueur ?

Clé des espèces

Chêne sessile (ci-dessous) : lobes arrondis, non dentés. **Chêne pédonculé** (p. 216) : feuilles similaires, avec des oreillettes. **Chêne chevelu** (p. 218) : feuilles irrégulièrement lobées (fin duvet au revers). **Chêne à feuilles de châtaignier** (p. 226) : dents ou lobes triangulaires réguliers. **Chêne rouge d'Amérique** (p. 234) : dents mucronées sur chaque lobe. **Chêne à feuilles de saule** : feuilles caduques non lobées. **Chêne vert** (p. 222) : feuilles persistantes, non dentées à maturité. **Chêne de Lucombe** : feuilles lobées persistantes.

Chêne sessile *Quercus petraea*

(Chêne rouvre) Europe centrale et occidentale. Commun en France en plaine, sauf dans le sud-ouest et en région méditerranéenne.

Aspect – **Silhouette.** Plus régulière et moins rameuse que celle du chêne pédonculé ; feuilles plus grandes, plus brillantes, *uniformément réparties* ; souvent plus haut (jusqu'à 42 m). **Écorce.** Comme celle du chêne pédonculé ; craquelures parfois moins profondes. **Rameaux.** Comme ceux du chêne pédonculé. **Bourgeons.** Écailles plus nombreuses. **Feuilles.** Lobes réguliers, assez peu profonds ; poils sous les nervures principales au début, puis seulement à l'extrémité des lobes ; base *largement effilée* ; *pétiole de 12 à 20 mm.* **Fruits.** Glands *à pédoncule court ou absent* (sessiles).

Espèces voisines – Chêne pédonculé (p. 216). Chêne pubescent (p. 218) : feuilles beaucoup plus poilues dessous. Chêne de Mirbeck (p. 228) : feuilles plus longues à lobes plus petits et plus serrés. Chêne du Caucase (p. 228) : duvet persistant sur rameaux et pétioles. Chêne de Turner (p. 220) : lobes peu profonds pointant vers l'avant. « Chênes blancs » (p. 232) : base des feuilles étroitement effilées.

Cultivars – 'Mespilifolia', assez rare : couronne dense et foncée, souvent irrégulière ; feuilles ondulées longues et étroites, rarement lobées ; se distingue du chêne à feuilles de saule (p. 238) par son écorce rugueuse et son feuillage noirâtre. 'Muscaviensis' : les feuilles de la pousse estivale *sont* lobées.
'Laciniata', très rare : feuilles plus étroites, moins profondément lobées que celles du chêne pédonculé 'Filicifolia' (p. 216).
'Columna', plus rare et moins vigoureux que le chêne pyramidal (p. 216) : se distingue par la forme de ses feuilles.

Autres arbres – *Q. dalechampii* (4 à 7 paires de lobes) et *Q. polycarpa* (7 à 10 paires de lobes), SE Europe : cupules à écailles *duveteuses*. *Q. iberica* (Transcaucasie) : *grosses touffes* de poils dessous à l'angle des nervures. *Q. mas* (Pyrénées, N Espagne) : glands à *pédoncule duveteux.*

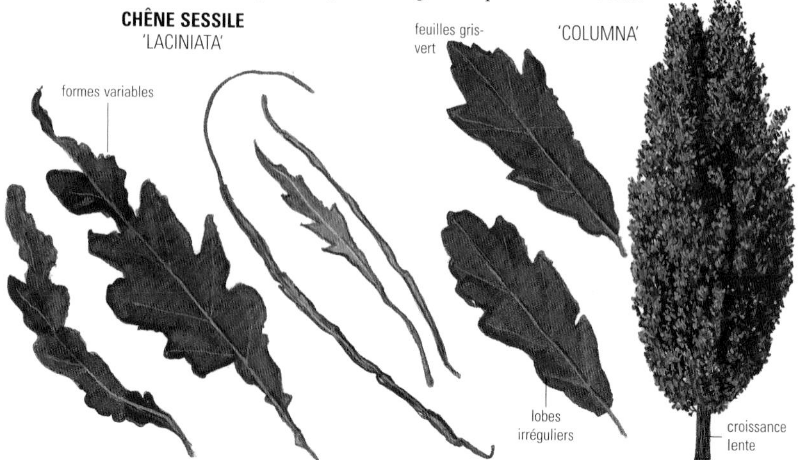

CHÊNE SESSILE
écorce

'MESPILIFOLIA'

feuille coriace plane

CHÊNE SESSILE

lobes réguliers, peu profonds

long pétiole

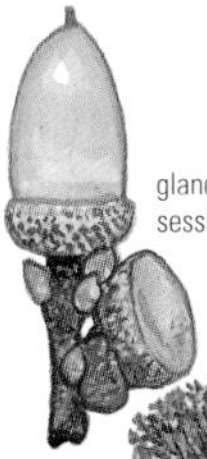

CHÊNE SESSILE

quelques rares lobes peu profonds

glands sessiles

bourgeons groupés

fleurs ♂ (fin de saison)

couronne dense, foncée

printemps

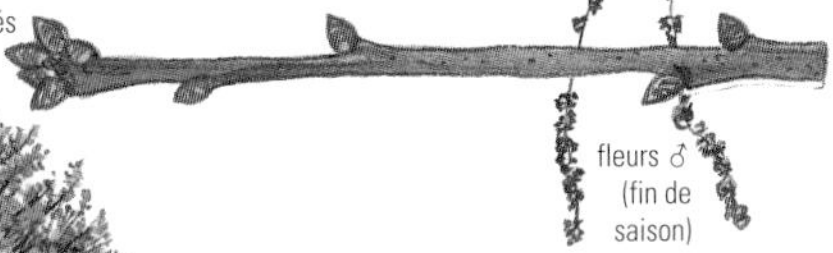

CHÊNE SESSILE

'MESPILIFOLIA'

Chêne pédonculé *Quercus robur*

(*Q. pedunculata*) Europe, jusqu'au Caucase. Abondant partout en plaine, sauf en région méditerranéenne. Essence forestière au bois d'excellente qualité. Très grande longévité (1 000 ans et plus). Rejette de souche mais les plantules se développant à l'ombre sont sensibles à l'oïdium (*Microsphaera alphitoides*) qui peut colorer en gris la couronne des arbres adultes à la fin des étés chauds.

ASPECT – **Silhouette.** Branches *sinueuses* lourdes, étalées, formant une couronne large, jusqu'à 38 m ; feuillage *amassé en touffes*. **Écorce.** Grise ; profondément craquelée en plaques courtes, bosselées. **Rameaux.** Argentés ; bourgeons ovoïdes brun orangé groupés à leur extrémité. **Feuilles.** *Lobes irréguliers* (pointus sur les rejets) séparés par des *sinus profonds et étroits* ; 2 *minuscules lobes à la base* (auricules) ; pédoncule *court* (4 à 10 mm). **Fleurs.** Chatons mâles jaunes pendants quand les feuilles se déploient. **Fruits.** Glands souvent groupés par 2, sur un *pédoncule de 5 à 12 cm*.

ESPÈCES VOISINES – Chêne sessile (p. 214). L'hybride (*Q.* × *rosacea*) n'est pas très courant (les chênes sessiles ont tendance à fleurir deux semaines après les chênes pédonculés, d'où la rareté des croisements). Chêne chevelu (p. 218) : bourgeons avec de longs filaments, même sur les plantules. Seuls le chêne pédonculé et le chêne daimyo (p. 224 : très grandes feuilles, rameaux pubescents) ont des auricules prononcées ; mais certains arbres obtenus par semis peuvent être des hybrides du chêne pédonculé et en posséder (dans ce cas, les feuilles sont généralement plus grandes et moins profondément lobées).

CULTIVARS – Chêne pyramidal, f. *fastigiata*, peu répandu : peut être confondu en hiver avec un peuplier d'Italie, mais ses rameaux denses sont plus épais et ses branches sont tordues ; massif et sombre en feuilles – comme un cyprès d'Italie ; beaucoup sont plus larges et ouverts, mais avec des *rameaux sinueux dressés sur des branches érigées* ; jusqu'à 30 m.

'Filicifolia', rare : arbre gris à feuillage très découpé, souvent grêle, jusqu'à 17 m ; le revers poilu des jeunes feuilles laisse penser qu'il s'agit d'un clone de *Q.* × *rosacea*.

'Atropurpurea', rare et rabougri. On trouve parfois dans la nature des arbres plus grands, dont le feuillage teinté de pourpre-rouge vire au vert (f. *purpurascens*) ; ils se colorent de rouge à nouveau pendant l'été lors de la deuxième pousse (qui répare les ravages commis par les chenilles défoliatrices).

'Concordia' (1843), très rare : feuillage jaune au printemps, puis vert pâle. (Un feuillage jaunâtre n'est pas rare chez les chênes souffrant de chlorose, mais la coloration n'est jamais aussi uniforme.)

AUTRES ARBRES – *Q. brutia* (S Italie) et *Q. pedunculiflora* (Balkans à Caucase) : revers des feuilles duveteux. *Q. thomasii* (S Italie) : feuilles plus profondément lobées. *Q. hartwissiana* (de la Bulgarie au Caucase) : feuilles plus proches de celles du chêne sessile (mais glands à longs pédoncules). (Tous des arbres de collection.)

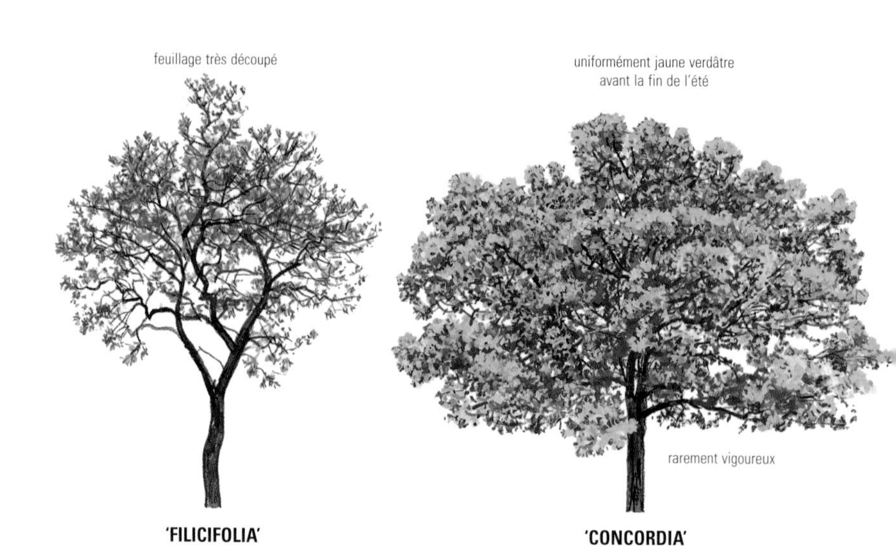

'FILICIFOLIA' 'CONCORDIA'

minuscules fleurs ♀
CHÊNE PÉDONCULÉ
jeune pousse
lobes profonds et irréguliers
écorce
feuilles presque sessiles
fleurs ♂
rameau
bourgeons terminaux en bouquets
CHÊNE PÉDONCULÉ
gland
long pédoncule
'FILICIFOLIA'
'ATROPURPUREA'
'CONCORDIA'
automne
branches sinueuses
les belles formes sont greffées
CHÊNE PÉDONCULÉ
CHÊNE PYRAMIDAL

Chêne chevelu *Quercus cerris*

(Chêne lombard) De SE France à la Turquie. 1735. Très rare à l'état spontané en France, mais planté ailleurs (surtout dans l'ouest). Vigoureux et très résistant, supportant les situations en bord de mer mais au bois de moindre valeur.

ASPECT – **Silhouette.** Parfois avec un tronc haut et droit et une cime pointue ; jusqu'à 40 m ; branches plus fines et moins sinueuses que celles des autres chênes indigènes, renflées à leur base ; *sombre* et légèrement plumeuse en été ; bourgeons agglomérés à l'extrémité des rameaux, bien visibles en hiver. **Écorce.** Gris-mauve pâle ; *fissures profondes, anguleuses*, souvent orangées au fond. **Rameaux.** Fins ; poils gris, denses. **Bourgeons.** *Tous avec de grands filaments vrillés.* **Feuilles.** Épaisses ; rêches mais assez brillantes dessus et finement feutrées de gris au revers ; minces mais variables : souvent avec des lobes simples, pointus ou arrondis, parfois plus découpées (sur les rameaux vigoureux ou f. *laciniata*). **Fruits.** Glands sessiles dans une cupule hérissée *d'écailles étroites et molles.*

ESPÈCES VOISINES – Chêne de Lucombe (p. 220) : peut se rapprocher de son parent, mais bourgeons latéraux généralement sans filaments, feuilles *persistantes* régulièrement lobées et branches sinueuses plus courtes. Chêne des Pyrénées (p. 228) : bourgeons latéraux sans filaments et feuilles poilues sur les *2 faces.* Chêne à feuilles de châtaignier (p. 226) : le plus grand du groupe, avec des feuilles aux petits lobes triangulaires réguliers couronnés d'un poil raide minuscule.

CULTIVAR – 'Argenteovariegata' ('Variegata'), rare : l'un des plus vifs parmi les arbres à feuillage panaché de blanc ; croissance lente ; revient rarement au type.

AUTRES ARBRES – *Q. ithaburensis* ssp. *macrolepi* (*Q. macrolepis* ; *Q. aegilops* ssp. *macrolepis* ; Albanie, Grèce, Turquie ; 1731), collections : plus petit ; branches sinueuses, pendantes ; écorce se craquelant en plaques carrées rugueuses ; feuilles plus petites avec des lobes aux extrémités poilues ; glands *énormes* (4 cm) – autrefois cultivés en Italie pour leur teneur élevée en tanin.

Chêne pubescent *Quercus pubescens*

(Chêne blanc ; *Q. lanuginosa*) S Europe, O Asie. Disséminé dans le nord de la France, principalement en sol calcaire ; abondant ailleurs sauf en Bretagne et dans les Landes.

ASPECT – **Silhouette.** Larges branches sinueuses comme celles du chêne pédonculé (p. 216) ; jusqu'à 22 m. **Écorce.** Assez proche de celle du chêne vert (p. 222) : gris-noir, avec des plaques carrées assez serrées. **Rameaux, bourgeons.** Gris, pubescents. **Feuilles.** Longs pétioles (comme ceux du chêne sessile, p. 214, mais poilus) ; mêmes lobes irréguliers et sinus profonds que chez le chêne pédonculé ; poilues puis glabres dessus, restant pubescentes dessous. (Il existe des formes hybrides dont le dessous des feuilles devient glabre avant l'automne.) **Fruits.** Glands presque sessiles ; cupules grises, duveteuses.

ESPÈCES VOISINES – Chêne des Pyrénées (p. 228) : écorce plus pâle, plus rugueuse. Chêne du Caucase (p. 228).

AUTRES ARBRES – *Q. brachyphylla* (îles Égéennes) : feuilles plus petites. *Q. congesta* (Sicile, Sardaigne, S France) : feuilles plus grandes et écailles des cupules à l'aspect barbu. *Q. virgiliana* (de la Corse à la Turquie) : très grandes feuilles (jusqu'à 16 cm) et glands parfois *comestibles.*

CHÊNE PUBESCENT

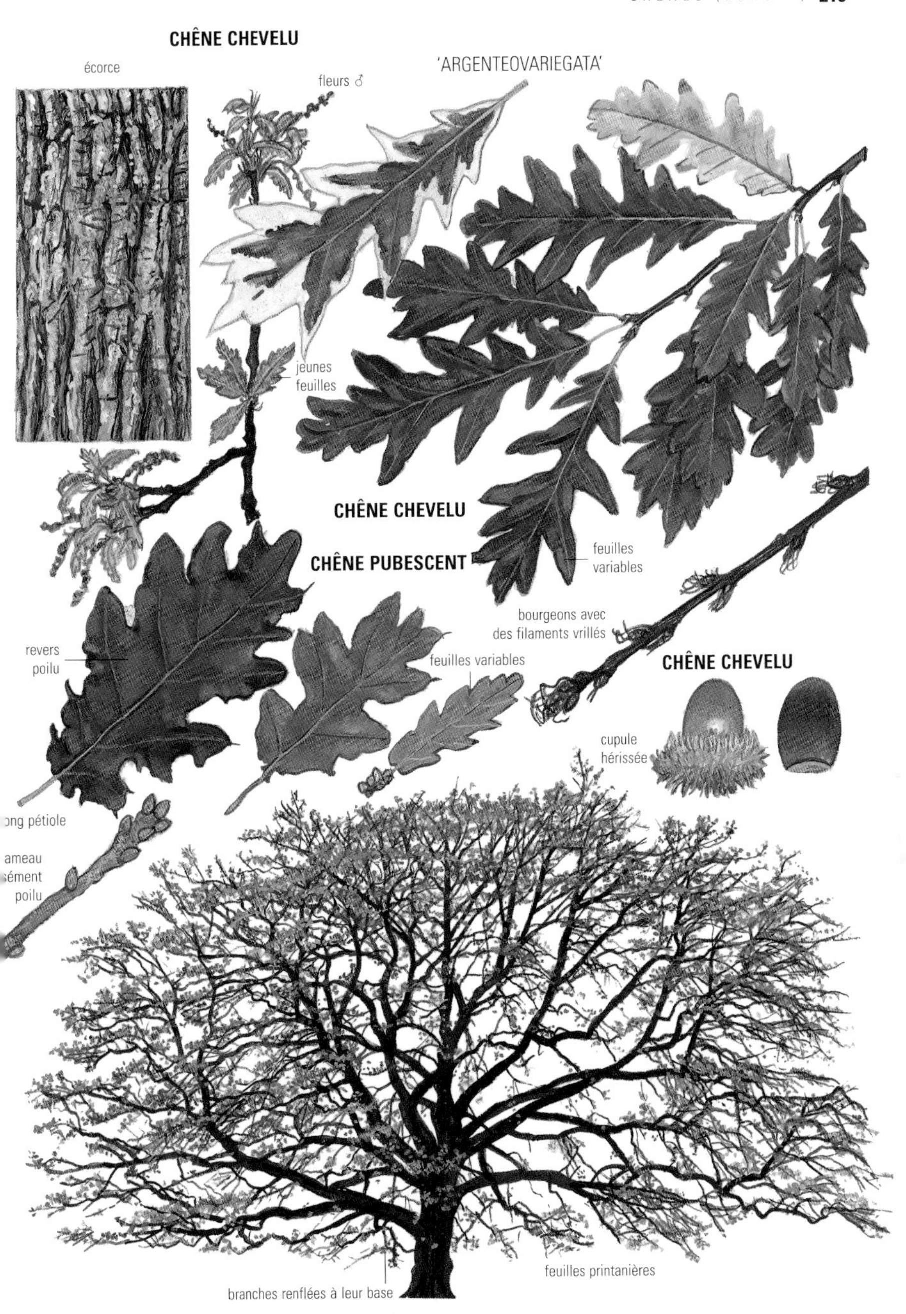
CHÊNE CHEVELU
écorce
fleurs ♂
'ARGENTEOVARIEGATA'
jeunes feuilles
CHÊNE CHEVELU
CHÊNE PUBESCENT
feuilles variables
bourgeons avec des filaments vrillés
revers poilu
feuilles variables
CHÊNE CHEVELU
cupule hérissée
ong pétiole
ameau
sément poilu
feuilles printanières
branches renflées à leur base
CHÊNE CHEVELU

Chêne de Lucombe

Quercus × hispanica 'Lucombeana'

(*Q.* × *crenata* 'Lucombeana' ; *Q. lucombeana*) Le chêne chevelu et le chêne-liège s'hybrident spontanément dans le sud de la France, mais le chêne de Lucombe est une forme cultivée, issue d'un croisement réalisé dans les pépinières de William Lucombe, à Exeter, en 1762. Par la suite, ces individus ont été à leur tour recroisés avec l'un ou l'autre des parents pour donner une population actuelle à la nomenclature confuse. On distingue plusieurs cultivars. 'William Lucombe' est le clone original.

Aspect – **Silhouette.** Haute (jusqu'à 35 m) ; *lourdes branches sinueuses*, très renflées à la base ; tronc *jamais long* ; centre aéré et *ouvert*, frangé de feuilles foncées brillantes qui paraissent caduques mais *persistent jusqu'au printemps.* **Écorce.** Gris-*pourpre* ; crêtes triangulaires saillantes ; non liégeuse. **Rameaux.** Gris, pubescents ; bourgeon terminal filamenteux mais *jamais* les latéraux. **Feuilles.** Finement feutrées de gris dessous ; lobes triangulaires assez réguliers *finement poilus à leur extrémité.*

Espèces voisines – Chêne chevelu (p. 218). Chêne-liège de Chine (p. 230). Chêne de Turner 'Spencer Turner' (ci-dessous). Chêne à feuilles de châtaignier (p. 226) : lobes réguliers, moins profonds, *plus nombreux (9 à 14 paires).*

Cultivars – 'Crispa' (1792) : diffère du chêne-liège (p. 224) par une croissance plus vigoureuse et des feuilles plus fortement lobées ; arbre large, bas et dense, avec des rameaux externes pendants et des branches sinueuses éparses ; tout à fait persistant ; écorce grise à crème, vite *profondément liégeuse* ; feuilles petites (7 cm), ovales, avec des lobes plus émoussés que chez 'William Lucombe' ; certaines sont réduites à des rubans.
'Fulhamensis' : similaire à 'William Lucombe' mais avec une écorce plus liégeuse, des rameaux externes pendants et des feuilles nettement ovales comportant généralement 6 paires de *lobes triangulaires bien nets.*
Certains arbres ont beaucoup de feuilles profondément et irrégulièrement lobées, souvent avec un étranglement étroit et parfois filiformes. 'Diversifolia' (très rare) a une couronne légère plumeuse, avec des branches dressées puis arquées. Un autre clone ressemble à 'William Lucombe' mais donne un arbre non pleureur, plus petit, plus brillant et très dense, avec une écorce foncée légèrement liégeuse.
'Cana Major' (1849) : clone à feuillage entièrement caduc.

Chêne de Turner

Quercus × turneri 'Pseudoturneri'

Hybride du chêne pédonculé et du chêne vert, obtenu aux pépinières de Spencer Turner à Leyton (Londres) vers 1776. Le clone original, 'Spencer Turner', est presque éteint ; 'Pseudoturneri' est peu répandu.

Aspect – **Silhouette.** Dense (jusqu'à 25 m) ; branches sinueuses *partant très bas sur le tronc* ; *feuilles vert tendre éparses durant l'hiver* (*cf.* chêne de Lucombe). **Écorce.** Gris foncé ; fissurée en plaques carrées. **Rameaux.** Densément poilus. **Feuilles.** Paraissent « étirées » : *base longuement effilée* ; *lobes arrondis, pointant vers l'avant*, peu profonds, nets ; foncées et assez brillantes dessus, duveteuses sous les nervures principales.

Espèces voisines – Chêne de Mirbeck (p. 228) et chêne-châtaignier d'Amérique (p. 232) : feuilles plus grandes à lobes plus nombreux (8 à 12 paires).

Cultivar – 'Spencer Turner' : couronne plus haute, ouverte ; écorce plus grossière et feuilles plus courtes, arrondies à la base.

CHÊNE DE LUCOMBE
écorce (type liégeux)
'WILLIAM LUCOMBE'
certaines
feuilles tombent
en automne
upule
érissée
seuls
les bourgeons
terminaux ont
des filaments
'FULHAMENSIS'
'WILLIAM LUCOMBE'
lobes pointant
vers l'avant
presque persistant
pédoncule
du fruit
en zigzag
CHÊNE DE TURNER
'PSEUDOTURNERI'
le tronc
se ramifie bas

Chêne vert *Quercus ilex*

(Yeuse) S Europe. Très commun en région méditerranéenne ; disséminé dans le SO et le long du littoral atlantique.
ASPECT – Silhouette. Souvent buissonnante ; branches érigées, serrées, assez *droites*, sur un tronc sinueux ; jusqu'à 30 m ; très dense ; rameaux externes parfois pendants. **Écorce.** Noirâtre ; se craquelant en petites plaques carrées peu profondes. **Rameaux.** Fins, couverts d'un duvet fauve. **Bourgeons.** Minuscules ; filaments courbés sur le bourgeon terminal. **Feuilles.** Persistantes ; noirâtres ; *feutre gris-fauve* tapissant le revers souvent concave ; avec des lobes épineux sur les rejets et les plantules, puis entières ; très variables en largeur. **Fleurs.** Chatons mâles jaune d'or très abondants en début d'été. **Fruits.** Petits glands (15 à 20 mm) à cupule duveteuse ; ceux de var. *ballota* (*Q. rotundifolia*), dont les feuilles sont plus petites et plus arrondies, sont *comestibles* ; autrefois très cultivé dans le sud de l'Espagne et le nord de l'Afrique.
ESPÈCES VOISINES – Chêne de Californie (ci-dessous) ; chêne-liège (p. 224) ; *Quercus alnifolia* (p. 212). Filaria (p. 442) : écorce et couronne similaires mais feuilles glabres *opposées*. La plupart des chênes persistants ont des feuilles brillantes plus longues.

Chêne de Californie *Quercus agrifolia*

Californie, NO Mexique. 1843. Rare.
ASPECT – Silhouette. Ressemble à un chêne vert mais avec un feuillage vert plus frais ; jusqu'à 17 m. **Écorce.** Gris foncé ; fissures assez *espacées*. **Feuilles.** Plus larges, souvent très convexes, avec des épines persistantes ; revers *lisse*, vert moyen, avec des *touffes de poils uniquement à l'angle des nervures*.
AUTRES ARBRES – Chêne kermès (*Q. coccifera* ; O Méditerranée) : jusqu'à 10 m ; autrefois utilisé pour nourrir un insecte dont les œufs servaient à fabriquer une teinture écarlate ; diffère du chêne de Californie par son écorce plus rêche (comme celle du chêne vert mais plus pâle) et ses feuilles plus petites (2 à 4 cm), *glabres* et très brillantes ; remplacé vers l'est par *Q. calliprinos* aux feuilles légèrement plus grandes.
Q. phillyreoides (Japon, Chine ; 1861) : écorce brune grossièrement fissurée et feuilles ovales *non épineuses* (généralement avec de minuscules dents *émoussées*), vert foncé dessus et finement duveteuses sous la nervure médiane.

Chêne de Macédoine *Quercus trojana*

(Chêne de Troie ; *Q. macedonica*) SE Italie, S Balkans et O Turquie. 1890. Collections.
ASPECT – Silhouette. *Dense et hérissée*, jusqu'à 20 m ; verte jusqu'à Noël et conservant beaucoup de feuilles mortes durant l'hiver (comme beaucoup de chênes dans leur partie basse). **Écorce.** Gris foncé ; plaques carrées rugueuses. **Rameaux.** Feutrés, gris. **Bourgeons.** Sans filaments, sauf quelques-uns sur le bourgeon terminal. **Feuilles.** 4 à 9 cm, gris-vert foncé brillant et vite glabres, avec des lobes courbés, petits mais réguliers, couronnés par des poils raides de 1 mm ; *pétioles très courts* (2 à 8 mm).
ESPÈCES VOISINES – Chêne du Liban (p. 224) : feuilles plus grandes, à pétiole plus long ; couronne plus ouverte. Chêne de Lucombe (p. 220) : feuilles toujours finement feutrées dessous.

CHÊNE DE CALIFORNIE

petit arbre persistant

rejette du tronc

CHÊNE DE MACÉDOINE

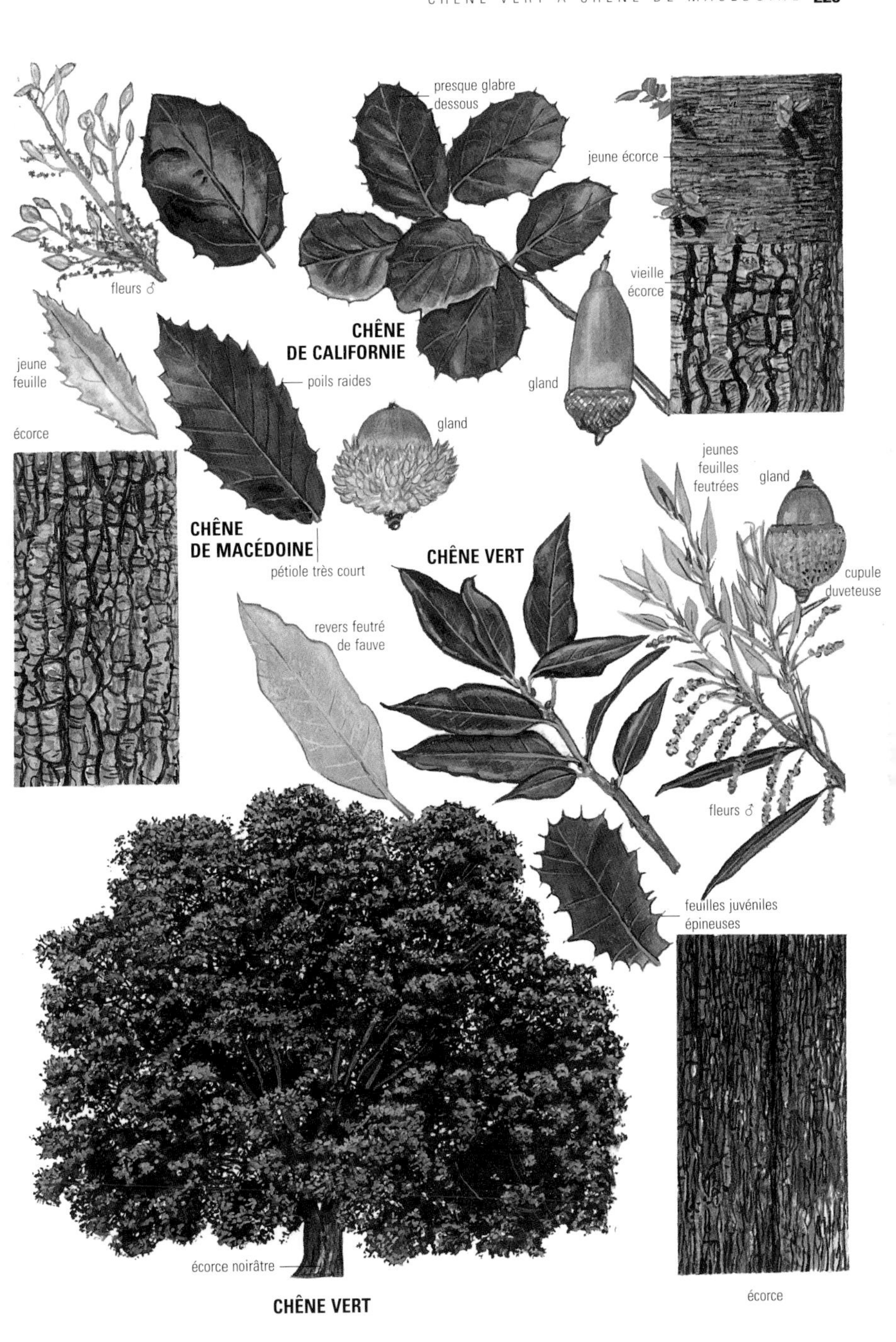
presque glabre dessous
jeune écorce
fleurs ♂
vieille écorce
CHÊNE DE CALIFORNIE
jeune feuille
poils raides
gland
écorce
gland
jeunes feuilles feutrées
gland
CHÊNE DE MACÉDOINE
pétiole très court
CHÊNE VERT
cupule duveteuse
revers feutré de fauve
fleurs ♂
feuilles juvéniles épineuses
écorce noirâtre
CHÊNE VERT
écorce

Chêne-liège *Quercus suber*

(Sûrier) Europe méditerranéenne du Portugal à la Croatie ; Maroc. En France, assez commun dans la région méditerranéenne et dans le sud-ouest. Dans les plantations, le liège est arraché tous les 7 à 10 ans en préservant le cambium ; l'apparition des bouchons en plastique a nettement réduit cette exploitation.
ASPECT – **Silhouette.** En dôme bas, mat et foncé, sur de lourdes branches *sinueuses* ; jusqu'à 23 m. **Écorce.** Crème, orange ou grise ; vite *profondément crevassée* ; liège épais marqué par des stries de croissance. **Rameaux.** Pubescents. **Feuilles.** Persistantes, à petits lobes souvent épineux ; sombres dessus, *gris pâle* et densément feutrées dessous.
ESPÈCES VOISINES – Chêne vert (p. 222) : écorce très différente ; feuilles adultes non dentées. Chêne de Lucombe (p. 220) : parfois aussi liégeux ; feuilles à lobes triangulaires, plus grands. Chêne-liège de Chine (p. 230) : feuilles caduques bien lobées.

Chêne du Pontin *Quercus pontica*

(Chêne d'Arménie) Caucase. 1885. Collections.
ASPECT – **Silhouette.** Buissonnante. **Rameaux.** Vigoureux. **Écorce.** Bronze. **Feuilles.** Très grandes (15 × 9 cm) et éclatantes ; *15 à 17 paires de nervures parallèles jaunes, en creux*, se terminant par une dent épineuse courbée ; grisâtres dessous et poilues au début.
AUTRES ARBRES – *Q. × hickelii*, rare : hybride avec le chêne pédonculé ; nervures un peu moins nombreuses, feuilles moins grandes très légèrement auriculées à la base.

Chêne du Liban *Quercus libani*

Syrie, Asie mineure, Kurdistan. 1855. Rare.
ASPECT – **Silhouette.** Fine et régulière, jusqu'à 20 m, comme un petit chêne chevelu (p. 218). **Écorce.** Similaire au chêne chevelu. **Bourgeons.** *Les bourgeons terminaux ont de longs filaments.* **Feuilles.** *Fines, assez petites* (10-12 cm), *brillantes* ; 10-12 paires de lobes triangulaires réguliers *terminés par un poil raide* ; pétioles de 6-10 mm.
ESPÈCES VOISINES – Chêne à feuilles de châtaignier (p. 226) : arbre étalé aux feuilles plus grandes, avec des lobes à peine poilus. Chêne du Japon à feuilles de châtaignier (p. 230) : feuilles plus longues, très brillantes ; port grêle. Chêne de Macédoine (p. 222) : feuilles denses, plus larges ; pétioles de 2 à 8 mm.

Chêne daimyo *Quercus dentata*

(*Q. daimio*) Japon, Corée ; NE Chine. 1830. Rare.
ASPECT – **Silhouette.** Souvent grêle, avec des touffes de rameaux sur un petit nombre de branches sinueuses ; parfois en dôme, jusqu'à 18 m ; conserve beaucoup de feuilles mortes durant l'hiver. **Écorce.** Gris foncé, à crêtes rugueuses. **Rameaux.** Vigoureux, *très pubescents.* **Feuilles.** *Immenses (25 à 40 cm), vert intense*, épaisses ; assez duveteuses, lobées, légèrement auriculées à la base ; pétioles *poilus* (10-15 mm).
ESPÈCES VOISINES – Chêne du Caucase (p. 228) : feuilles moins grandes, à lobes plus étroits ; auricules seulement chez les hybrides avec le chêne pédonculé. Chêne à gros glands (p. 232). Hybrides de chêne sessile/chêne pédonculé : parfois des feuilles très grandes, mais rameaux et pétioles glabres.

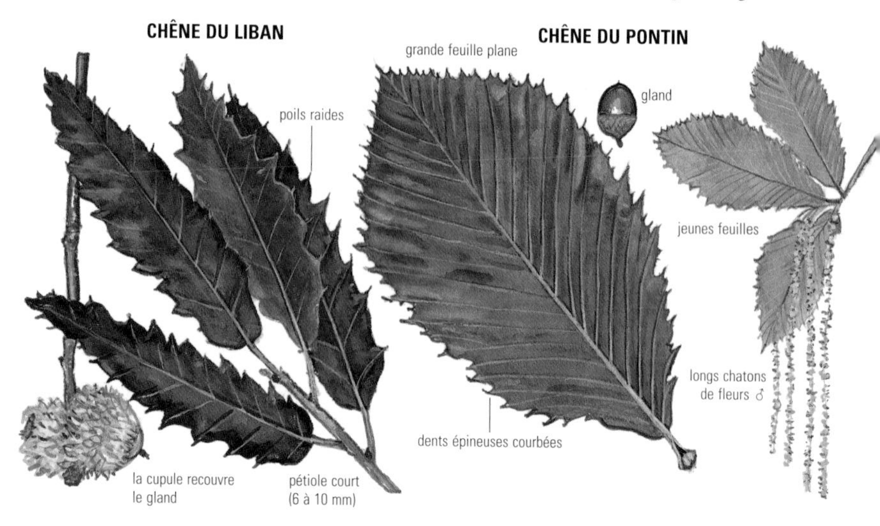

CHÊNE DAIMYO

CHÊNE-LIÈGE

Chêne de Hongrie *Quercus frainetto*

(Chêne frainetto ; *Q. conferta*) Balkans, Roumanie, Hongrie et S Italie. 1837. Peu répandu ; arboretums. Aspect – **Silhouette.** Couronne typique, large, constituée de branches radiantes *droites*, assez raides, créant une silhouette légèrement hérissée ; jusqu'à 38 m ; beau feuillage brillant ; en forêt, arbres plus élancés, avec un tronc souvent plus haut. **Écorce.** Gris pourpré pâle, se craquelant en plaques carrées assez petites, régulières ; quelques vieux arbres sont greffés sur du chêne pédonculé. **Rameaux.** Légèrement pubescents au départ. **Bourgeons.** Grands (1 cm), gris-brun ; nombreuses écailles poilues lâches (*cf.* chêne de Mirbeck, p. 228), mais sans filaments. **Feuilles.** Grandes (jusqu'à 25 cm), *découpées en nombreux lobes étroits, assez anguleux* ; duveteuses dessous, quelques poils rêches dessus ; jaune d'or et brun ocre en automne. (Certains arbres sont des hybrides de chêne pédonculé : feuilles plus petites, à lobes moins nombreux, et légèrement auriculées.)
Espèces voisines – Chêne du Caucase (p. 228) : bourgeons filamenteux, écorce pelucheuse et lobes moins anguleux. Chêne de Mirbeck (p. 228) : similaire en hiver mais avec une écorce plus foncée. Chêne sessile (p. 214) : écorce parfois finement craquelée, mais l'arbre est plus rugueux et sinueux (bourgeons à écailles *lisses, serrées*).

Chêne à feuilles de châtaignier *Quercus castaneifolia*

(Palout) Caucase, Iran. Rare mais magnifique – l'original de 1846 qui pousse à Kew est maintenant l'un des plus grands arbres de Grande-Bretagne. Aspect – **Silhouette.** En dôme (jusqu'à 32 m) ; branches dressées, légèrement sinueuses, parfois fines ou irrégulières ; feuilles mortes persistant en partie durant l'hiver. **Écorce.** Gris pourpré ; crêtes triangulaires, sinueuses, rugueuses. **Rameaux.** D'abord poilus. **Bourgeons.** Presque *tous pourvus de longs filaments* (comme le chêne chevelu, p. 218). **Feuilles.** 12 à 20 cm, fines ; 9 à 14 paires de nervures aboutissant à des petits lobes triangulaires, réguliers, terminés par un *minuscule* poil raide ; foncées dessus, grisâtres et finement duveteuses dessous ; pétiole de 2 à 4 cm, finement poilu. (Certains arbres de jardin, avec une écorce plus pâle et des lobes irréguliers plus profonds, sont probablement des hybrides de chêne chevelu.) **Fruits.** Glands à cupule « pelucheuse », comme celle du chêne chevelu.
Espèces voisines – Chêne chevelu (p. 218) : lobes moins nombreux, moins réguliers. Chêne de Lucombe (p. 220) : *environ 6 paires seulement* de lobes triangulaires ; port parfois similaire. Chêne du Liban (p. 224) : similaire, mais avec des feuilles plus petites, à pétiole court et poils raides robustes. Chêne du Japon à feuilles de châtaignier (p. 230) : feuilles plus brillantes à longs poils raides. Chêne-châtaignier jaune (p. 232) : poils raides glanduleux.
Cultivars – 'Greenspire' (1948), peu répandu : branches à 60° environ, donnant une silhouette étroitement colonnaire ou évasée.

CHÊNE DE HONGRIE

CHÊNE À FEUILLES DE CHÂTAIGNIER

CHÊNE DE HONGRIE
jeunes feuilles
bourgeons tous filamenteux
fleurs ♂
feuilles très lobées
CHÊNE À FEUILLES DE CHÂTAIGNIER
rameau
gland
petits poils
ides sur
es lobes
éguliers
croissance vigoureuse
jeunes feuilles
gland
fines écailles
fleurs ♂
CHÊNE À FEUILLES DE CHÂTAIGNIER

Chêne du Caucase *Quercus macranthera*

Caucase à Iran. 1873. Collections.
ASPECT – **Silhouette.** Dôme souvent hérissé, pas très régulier ; jusqu'à 30 m. **Écorce.** Gris-brun ; *plaques écailleuses grossières.* **Bourgeons.** *Grands* (jusqu'à 15 mm), châtain foncé ; poils blancs et quelques *longs filaments* (*cf.* bourgeons nettement *plus petits* du chêne chevelu, p. 218). **Feuilles.** Grandes (jusqu'à 22 cm) et particulièrement épaisses ; lobes irréguliers *pointant vers l'avant* (*cf.* chêne de Turner, p. 220), souvent profonds et étroits, ou parfois comme ceux du chêne de Mirbeck ; duveteuses dessus ; pétioles poilus.
ESPÈCES VOISINES – Chêne de Mirbeck (ci-dessous) ; chêne de Hongrie (p. 226). Chêne des Pyrénées (ci-dessous) : feuilles plus minces, à lobes plus profonds. Chêne pubescent (p. 218).

Chêne de Mirbeck *Quercus canariensis*

(Chêne zéen, chêne zan ; *Q. mirbeckii*) S Espagne, Portugal, N Afrique. 1884. Peu répandu.
ASPECT – **Silhouette.** Typiquement en dôme étroit, sur un tronc robuste, jusqu'à 30 m ; *conservant des feuilles vertes en nombre variable* jusqu'au printemps. **Écorce.** Gris pourpré foncé ; plaques carrées assez serrées, crispées ou rugueuses. **Rameaux.** Ridés ; duvet brun éphémère. **Bourgeons.** Jusqu'à 1 cm ; nombreuses écailles frangées de poils blancs (*cf.* chêne de Hongrie, p. 226). **Feuilles.** Assez brillantes et souvent convexes, jusqu'à 18 cm ; *8 à 14 paires* de lobes réguliers *assez petits*, effilés au sommet ; couvertes au début d'un duvet lâche rougeâtre dont il peut rester des traces sous la nervure médiane. (Les hybrides avec le chêne pédonculé ont des feuilles auriculées plus petites, une couronne plus large, des branches sinueuses et une écorce gris pâle fissurée verticalement.)
ESPÈCES VOISINES – Chêne sessile (p. 214) : écorce plus pâle ; moins de lobes. Chêne du Caucase (ci-dessus) : écorce plus pelucheuse. Chêne-châtaignier d'Amérique (p. 232) ; chêne de Turner (p. 220).
AUTRES ARBRES – Chêne du Portugal, *Q. faginea* (*Q. lusitanica* ; péninsule Ibérique) : lobes moins profonds, moins réguliers ; feuilles souvent *feutrées de gris* dessous, rameaux laineux.

Chêne des Pyrénées *Quercus pyrenaica*

(Chêne tauzin, chêne-brosse ; *Q. toza*) O France, péninsule Ibérique ; Maroc. 1882. Rare.
ASPECT – **Silhouette.** Fine, irrégulière ; rameaux externes pendants chez f. *pendula* ; le dernier chêne en feuilles. **Écorce.** Gris pâle ; petites plaques carrées. **Rameaux.** Duvet gris, dense. **Bourgeons.** Longs filaments *éphémères.* **Feuilles.** 8 à 20 cm, minces ; assez brillantes dessus, *couvertes sur les deux faces* d'un duvet soyeux (plus dense dessous) ; lobes arrondis mais profonds et irréguliers ; pétiole très pubescent. **Fleurs.** Chatons mâles en cascades dorées au début de l'été.
ESPÈCES VOISINES – Chêne chevelu (p. 218) et chêne du Caucase (ci-dessus) : bourgeons à filaments persistants. Chêne pubescent (p. 218). Chêne blanc d'Amérique (p. 232) : feuilles vite glabres.

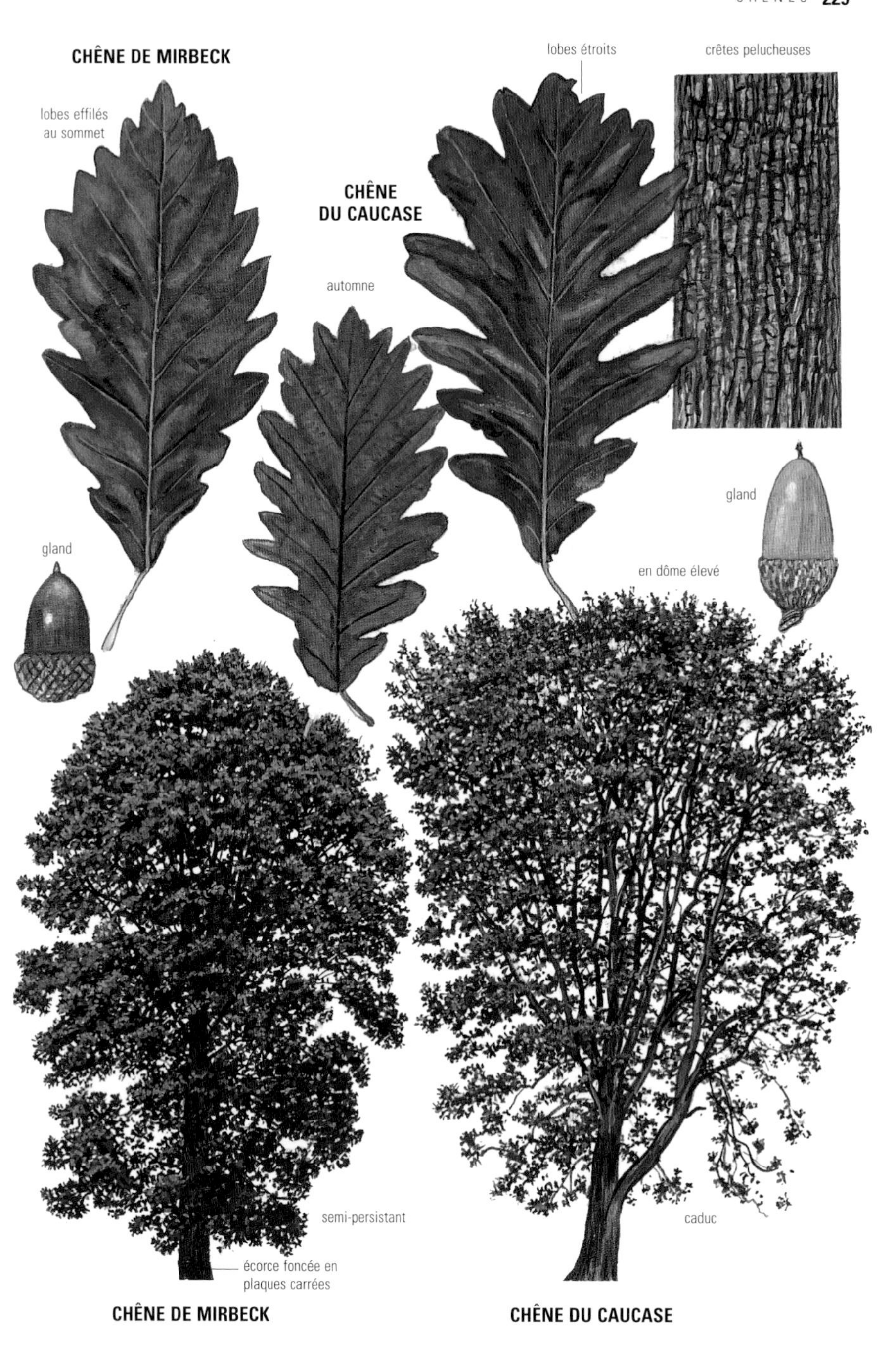
CHÊNE DE MIRBECK
lobes effilés au sommet
gland
CHÊNE DU CAUCASE
automne
lobes étroits
crêtes pelucheuses
gland
en dôme élevé
semi-persistant
écorce foncée en plaques carrées
caduc
CHÊNE DE MIRBECK
CHÊNE DU CAUCASE

Chêne du Japon à feuilles de châtaignier
Quercus acutissima

De NO Inde au Japon. 1862. Rare. Collections.
Aspect – Silhouette. Irrégulière ; *grêle et ouverte* ; jusqu'à 23 m. **Écorce.** Gris foncé ; *très profondément fissurée*, rugueuse. **Rameaux.** *Vite glabres.* **Feuilles.** *Longues* (20 cm), fines ; *très brillantes* ; environ 15 paires de nervures parallèles se terminant par un *poil raide de 2 à 6 mm* ; *vert* pâle dessous ; poils fins sous les nervures ; pétiole glabre de 7 à 20 mm.
Espèces voisines – Chêne-liège de Chine (ci-dessous). Chêne à feuilles de châtaignier (p. 226) : couronne massive ; poils dépassant rarement 1 mm sur les lobes. Autres chênes similaires : feuilles plus petites moins brillantes.

Chêne-liège de Chine
Quercus variabilis

N Chine, Corée, Japon. 1861. Très rare.
Aspect – Silhouette. Souvent assez creuse ; grandes branches dressées ; jusqu'à 22 m. **Écorce.** Gris-fauve pâle ; vite *profondément liégeuse* (*cf.* chêne-liège, p. 224). **Rameaux.** Légèrement poilus. **Feuilles.** Jusqu'à 20 cm ; *poils raides de 2 à 5 mm* à l'extrémité des nervures parallèles ; *feutrées de gris dessous.*
Espèces voisines – Chêne de Lucombe (p. 220) : feuilles plus petites, plus ou moins persistantes ; lobes à peine poilus. Chêne du Pontin (p. 224) et chêne du Japon à feuilles de châtaignier : feuilles presque glabres ; écorce différente.

Chêne vert du Japon
Quercus acuta

(*Q. laevigata*) Japon. 1878. Rare.
Aspect – Silhouette. Généralement buissonnante, en dôme dense, jusqu'à 14 m. **Écorce.** Lisse ; gris foncé. **Feuilles.** Couvertes de poils bruns au début puis glabres ; épaisses ; brillantes et foncées dessus ; jaunâtre *terne* dessous ; fine pointe arrondie. **Fleurs.** Chatons raides de 5 cm.
Espèces voisines – Houx à grandes feuilles (p. 366) ; *Rhododendron fortunei* (p. 428) ; *Ligustrum lucidum* (p. 442).
Autres arbres – *Castanopsis cuspidata* (Japon et Chine, 1830) : représentant d'un genre regroupant des arbres d'Asie orientale (entre chênes et châtaigniers) ; croissance difficile en Europe, jusqu'à 13 m en climat doux ; ressemble au chêne vert du Japon, mais avec des feuilles à pointe arrondie *plus large* (3 mm) ; revers vert jaunâtre à l'aspect un peu *métallique* (*cf.* châtaignier doré, p. 212).
Lithocarpus edulis : arbre du Japon appartenant à un autre genre important peu représenté en Europe ; ressemble aussi au chêne vert du Japon ; feuilles plus grandes (jusqu'à 15 cm) et moins brusquement pointues, avec un reflet souvent argenté au revers ; jaunâtres mais brillantes dessus et glabres (comme les rameaux) ; écorce gris pâle légèrement craquelée ; couronne plus ouverte, jusqu'à 15 m ; glands comestibles, par 3 sur des chatons raides de 5 à 10 cm.

Chêne glauque
Quercus glauca

(Ara-kasi) De l'Himalaya au Laos et Japon. 1854. Rare ; pour les climats doux.
Aspect – Silhouette. Élancée ou en dôme buissonnant dense ; jusqu'à 15 m. **Écorce.** Lisse, gris foncé ; quelques fissures étroites. **Feuilles.** Brillantes ; glauques dessous, parfois couvertes de poils soyeux ; *dents espacées dans la partie supérieure* ; pendant gracieusement, *fines* (100 × 25 mm), vert tendre, rappelant les feuilles de bambou.
Espèces voisines – *Trochodendron aralioides* (p. 274) : longs pétioles. *Laurelia sempervirens* (p. 276) : feuilles opposées.

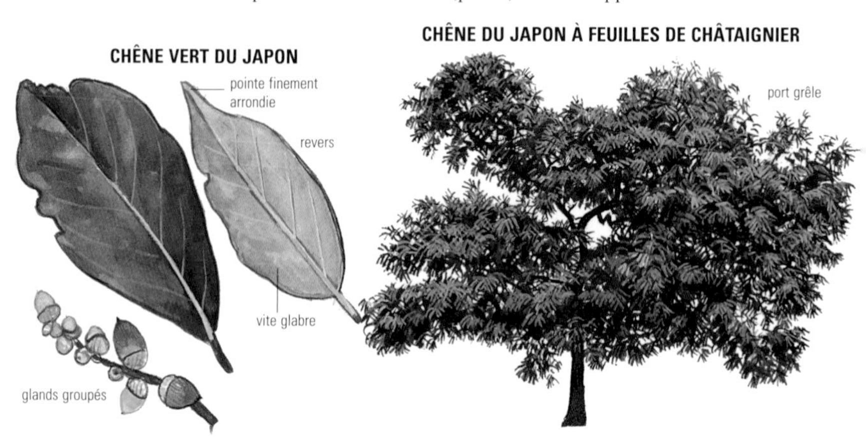

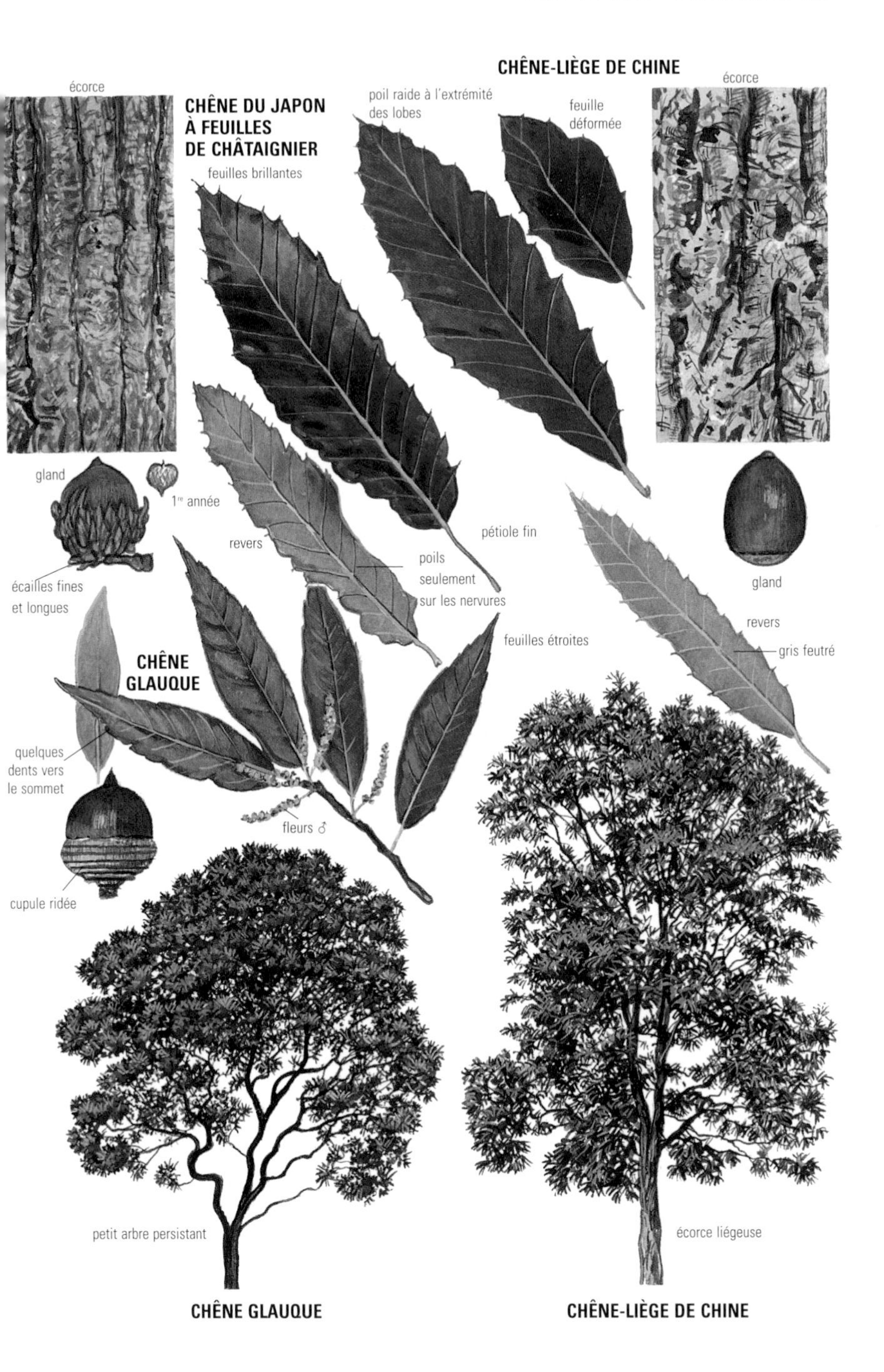
CHÊNE-LIÈGE DE CHINE
écorce
poil raide à l'extrémité des lobes
feuille déformée
écorce
CHÊNE DU JAPON À FEUILLES DE CHÂTAIGNIER
feuilles brillantes
gland
1re année
revers
pétiole fin
poils seulement sur les nervures
gland
écailles fines et longues
revers
gris feutré
feuilles étroites
CHÊNE GLAUQUE
quelques dents vers le sommet
fleurs ♂
cupule ridée
petit arbre persistant
écorce liégeuse
CHÊNE GLAUQUE
CHÊNE-LIÈGE DE CHINE

Chêne blanc d'Amérique *Quercus alba*

Ontario à Floride. 1724. Collections.
ASPECT – **Silhouette.** En dôme, sur des branches sinueuses. **Écorce.** Gris foncé ; crêtes grossières, *pelucheuses.* **Feuilles.** Similaires à celles du chêne pédonculé (p. 216) mais généralement plus grandes, légèrement duveteuses dessous au début, et *étroitement effilées* à la base ; pétioles de *10 à 25 mm* ; virent au pourpre en automne.
ESPÈCES VOISINES – Chêne des Pyrénées (p. 228) ; chêne de Turner (p. 220).

Chêne-châtaignier d'Amérique *Quercus prinus*

(*Q. montana*) E États-Unis. 1688. Collections.
ASPECT – **Silhouette.** En dôme, jusqu'à 19 m ; souvent grêle. **Écorce.** Brun noirâtre ; crêtes étroites mais rugueuses. **Rameaux, bourgeons.** Glabres. **Feuilles.** Vert vif et plus ou moins duveteuses au revers ; *étroitement effilées* à la base et *longuement pointues* ; grandes dents *arrondies* pointant vers l'avant (ou petits lobes) à l'extrémité des nervures ; pétiole jaune et *fin*, 4 cm. **Fruits.** Gros glands ; grande cupule aux écailles duveteuses serrées.
ESPÈCES VOISINES – Chêne de Mirbeck (p. 228) : feuilles ovales *largement* effilées à la base ; écorce plus crispée. Chêne bicolore (ci-dessous).
AUTRES ARBRES – Chêne-châtaignier jaune, *Q. muehlenbergii* (E États-Unis, souvent en sol calcaire ; 1822), collections : feuilles plus étroites, plus ou moins duveteuses au revers ; lobes *couronnés par une petite glande*, parfois plus pointus ou courbés. *Q. serrata* (*Q. glandulifera* ; Chine, Corée, Japon ; 1877), rare : jusqu'à 20 m ; dents également *couronnées par une glande* ; feuilles brillantes, pendantes ; poils gris au revers (*cf.* chêne-liège de Chine, p. 230) ; écorce à *larges* crêtes brun-gris, rugueuses.

Chêne bicolore *Quercus bicolor*

E Amérique du Nord. 1800. Peu répandu.
ASPECT – **Silhouette.** En dôme élancé, jusqu'à 25 m. **Écorce.** Grise ; crêtes entrecroisées, pelucheuses. **Feuilles.** Minces, jusqu'à 18 cm ; brillantes dessus, grises et *légèrement feutrées* au revers ; toujours plus larges vers le sommet, avec des lobes peu profonds, irréguliers ; *base effilée non lobée.*
AUTRES ARBRES – Chêne à gros glands, *Q. macrocarpa* (E Amérique du Nord, 1811), peu répandu : feuilles plus étroites (jusqu'à 26 cm), avec des lobes plus ou moins profonds et irréguliers *dès la base ; écailles filamenteuses* formant une *frange* autour de la cupule.

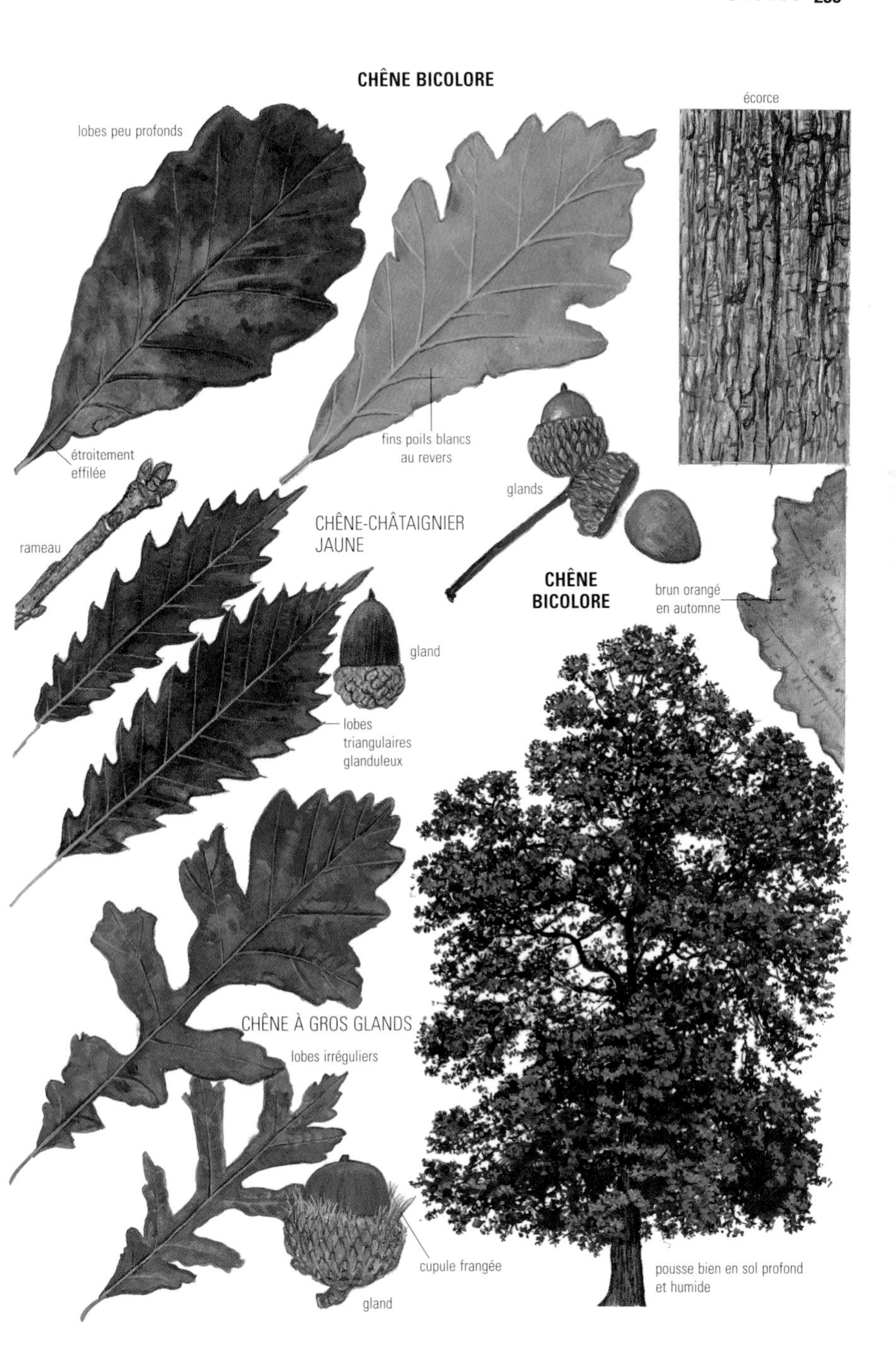
CHÊNE BICOLORE
lobes peu profonds
écorce
fins poils blancs au revers
étroitement effilée
glands
rameau
CHÊNE-CHÂTAIGNIER JAUNE
CHÊNE BICOLORE
brun orangé en automne
gland
lobes triangulaires glanduleux
CHÊNE À GROS GLANDS
lobes irréguliers
cupule frangée
gland
pousse bien en sol profond et humide

Chêne rouge d'Amérique *Quercus rubra*

(*Q. borealis, Q. maxima*) E Amérique du Nord. 1724. Commun dans les parcs et jardins ; utilisé en reboisement depuis la fin du XIXe siècle, principalement dans le nord-est et le sud-ouest. ASPECT – **Silhouette.** Vite large, sur des *branches robustes mais droites* ; jusqu'à 32 m ; les « chênes rouges » américains n'ont pas l'aspect rugueux et tortueux des nombreuses espèces de chêne ; leur bois est tendre et ils ne vivent (relativement) pas très vieux. **Écorce.** Gris argenté et lisse au début ; puis variable, restant gris argenté et peu fissurée, ou développant des crêtes grises écailleuses entre des fissures orange. **Rameaux.** Fins, gris, vite glabres. **Bourgeons.** Châtains ; écailles légèrement poilues à leur extrémité. **Feuilles.** *Grandes* (souvent 20 cm de long) ; lobes plus ou moins profonds avec *2 ou plusieurs dents filamenteuses* ; vite *glabres* à l'exception de minuscules touffes chamois dessous à l'angle des nervures ; rarement brillantes dessus et toujours *vert pâle mat dessous* ; sortent tard et restent jaune pâle pendant une semaine ; teintes automnales brun orangé ou rouge profond, mais parfois d'un brun décevant. **Fruits.** Petits glands (2 cm) mettant 2 ans à mûrir.
ESPÈCES VOISINES – Autres « chênes rouges » : chêne écarlate et chêne des marais (p. 236) ; chêne de Shumard et chêne à feuilles falciformes (p. 238) ; chêne quercitron (ci-dessous). Ceux-ci sont des arbres élancés avec des feuilles plus petites, plus profondément lobés, *brillantes dessus* (ternes et *duveteuses* chez le chêne à feuilles falciformes).
CULTIVARS – 'Aurea', très rare : feuilles *restant* jaune vif jusqu'en début d'été.

Chêne quercitron *Quercus velutina*

De l'Ontario au Texas et Floride. 1800. Peu répandu. ASPECT – **Silhouette.** Proche de celle du chêne écarlate (p. 236) ; rarement large ; jusqu'à 30 m. **Écorce.** Grise ; généralement plus foncée et plus finement craquelée que celle des autres « chênes rouges » ; les fissures laissent apparaître la sous-couche jaune orangé dont on extrait une matière colorante, le quercitrin. **Rameaux.** Restant *duveteux pendant plusieurs mois.* **Bourgeons.** Nettement *grands (6 à 10 mm) et couverts de poils fauves.* **Feuilles.** Brillantes et noirâtres ; *épaisses* et coriaces sur un pétiole jaune épais ; 15 cm environ ; lobes dentés plus ou moins profonds ; le duvet laineux qui les couvre quand elles se déploient persiste par endroits au revers durant l'été, tandis que quelques poils persistent sous l'aisselle des nervures ; feuilles déformées fréquentes sur certains arbres. **Fruits.** Cupules à écailles poilues.
ESPÈCES VOISINES – Chêne écarlate (p. 236) ; chêne de Shumard (p. 238). Chêne à feuilles falciformes (p. 238) : le seul autre « chêne rouge » avec des bourgeons, des feuilles et des rameaux aussi duveteux.
CULTIVAR – 'Rubrifolia', rare : *feuilles immenses* (jusqu'à 40 cm).
AUTRE ARBRE – *Q. kelloggii*, collections : feuilles moins pelliculeuses ; bourgeons poilus *seulement à leur extrémité* (comme le chêne écarlate et le chêne rouge d'Amérique).

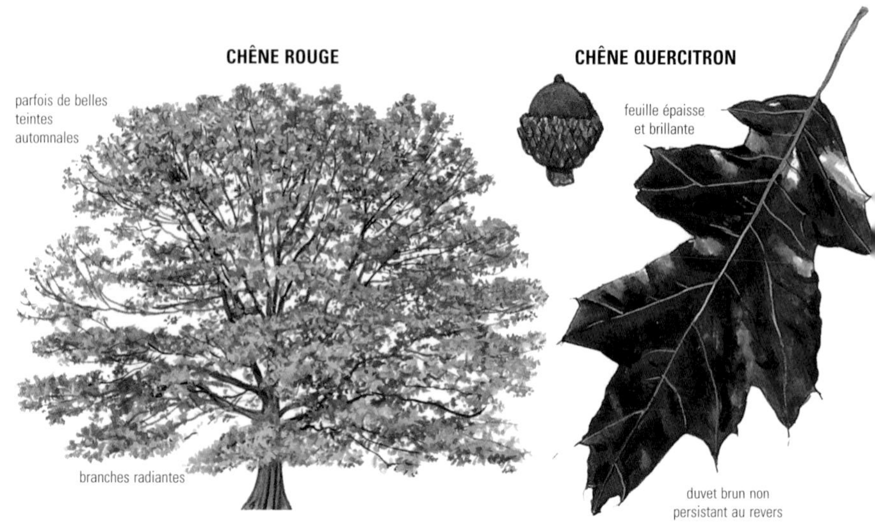

CHÊNE ROUGE D'AMÉRIQUE

Chêne écarlate *Quercus coccinea*

(Chêne cocciné) SE et centre États-Unis. 1691. Assez fréquent en France, dans les parcs, mais moins que le chêne rouge d'Amérique.

ASPECT – **Silhouette.** Irrégulière et assez élancée ; tronc généralement haut et *sinueux* ; branches assez *peu nombreuses, longues mais fines* ; beaucoup de rameaux et petites branches au sommet ; jusqu'à 30 m : en été, tacheté de pousses tardives *très jaunes.* **Écorce.** Gris argenté ; reste parfois lisse et verruqueuse ou, plus souvent, se fissure légèrement. **Rameaux.** Fins, vite glabres. **Bourgeons.** 5 mm, brun-rouge ; écailles poilues à leur extrémité. **Feuilles.** 13 cm de long et *insérées sur chaque face du pétiole ; sinus profonds et arrondis* entre les lobes perpendiculaires pourvus de dents épineuses ; brillantes sur les deux faces, avec de *petites* touffes de poils chamois dessous à l'angle des nervures ; se colorent de rouge en automne, mais branche par branche.

ESPÈCES VOISINES – Chêne des marais (ci-dessous) : couronne de forme différente ; feuilles (comme celles du chêne de Shumard, p. 238) avec de *grosses* touffes de poils au revers. 'Splendens' (ci-dessous) : toujours un point de greffe bien visible. Chêne rouge d'Amérique (p. 234) : feuilles plus grandes, plus ou moins *mates* dessous. Chêne quercitron (p. 234) : feuilles coriaces sombres, souvent pelliculeuses dessous.

CULTIVAR – 'Splendens' (1890, Angleterre) : arbre greffé aux feuilles plus grandes (jusqu'à 18 cm), avec des touffes de poils *plus grosses* au revers des feuilles (*cf.* chêne des marais et chêne de Shumard).

Chêne des marais *Quercus palustris*

De l'Ontario à N Caroline et Kansas, en sol humide. 1800. Très commun en France ; arbre d'alignement.

ASPECT – **Silhouette.** Généralement très caractéristique, avec un tronc assez droit, une couronne large et conique puis (à découvert) en dôme dense ; beaucoup de branches mortes très fines à l'intérieur de la couronne et certaines, fines, *retombant en cascade tout autour du tronc, sur 5 m* ; les vieux arbres deviennent plus ouverts et irréguliers mais conservent souvent des traces de ces branches basses retombantes ; jusqu'à 28 m. **Écorce.** Gris argenté ; plus foncée, rugueuse et légèrement fissurée avec l'âge. **Bourgeons.** Petits (3 mm), brun *terne*, plus ou moins *poilus*. **Feuilles.** 11 cm de long seulement ; lobes perpendiculaires profonds et étroits ; vert tendre et brillantes, au moins au revers ; toujours de *grosses (2 à 4 mm de large) touffes de poils* dessous à l'angle des nervures ; teintes automnales d'un brun écarlate uniforme les bonnes années. **Fruits.** Glands dans des cupules très *peu profondes.*

ESPÈCES VOISINES – Chêne écarlate (ci-dessus) : *petites* touffes de poils dessous à l'angle des nervures, sauf chez 'Splendens' ; couronne irrégulière, plus ouverte. Chêne de Shumard (p. 238). Chêne rouge d'Amérique (p. 234) : feuilles plus grandes à revers mat.

AUTRES ARBRES – *Q. ellipsoidalis* (de l'Ontario au Missouri, 1902), peu répandu : glands *presque sessiles* à cupules *plus profondes* que celles du chêne des marais, enfermant au moins un tiers du fruit.

écorce (vieil arbre)

CHÊNE DES MARAIS

jeune arbre

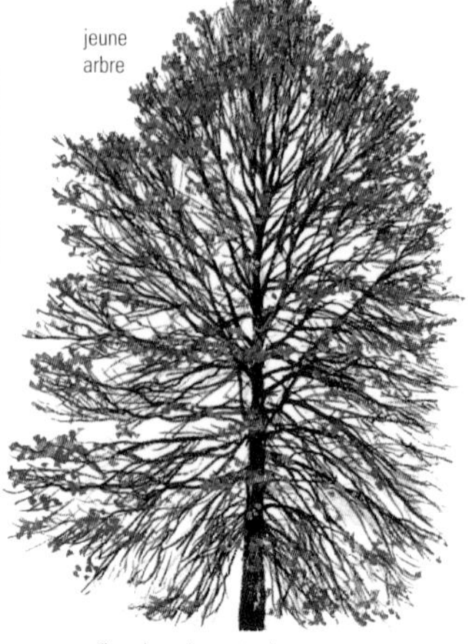

fines branches retombant en cascade

CHÊNE ÉCARLATE

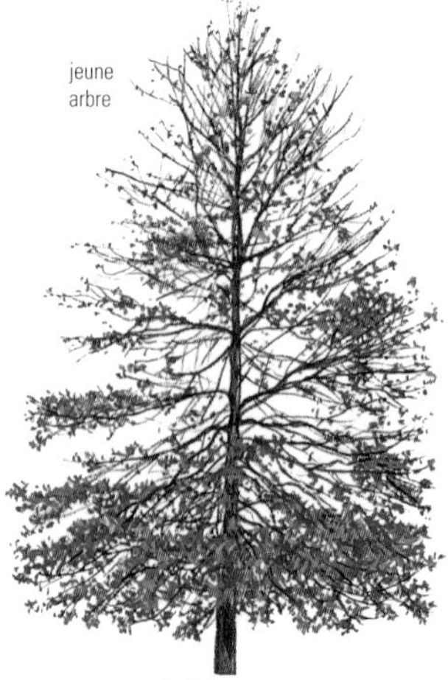

jeune arbre

souvent incliné

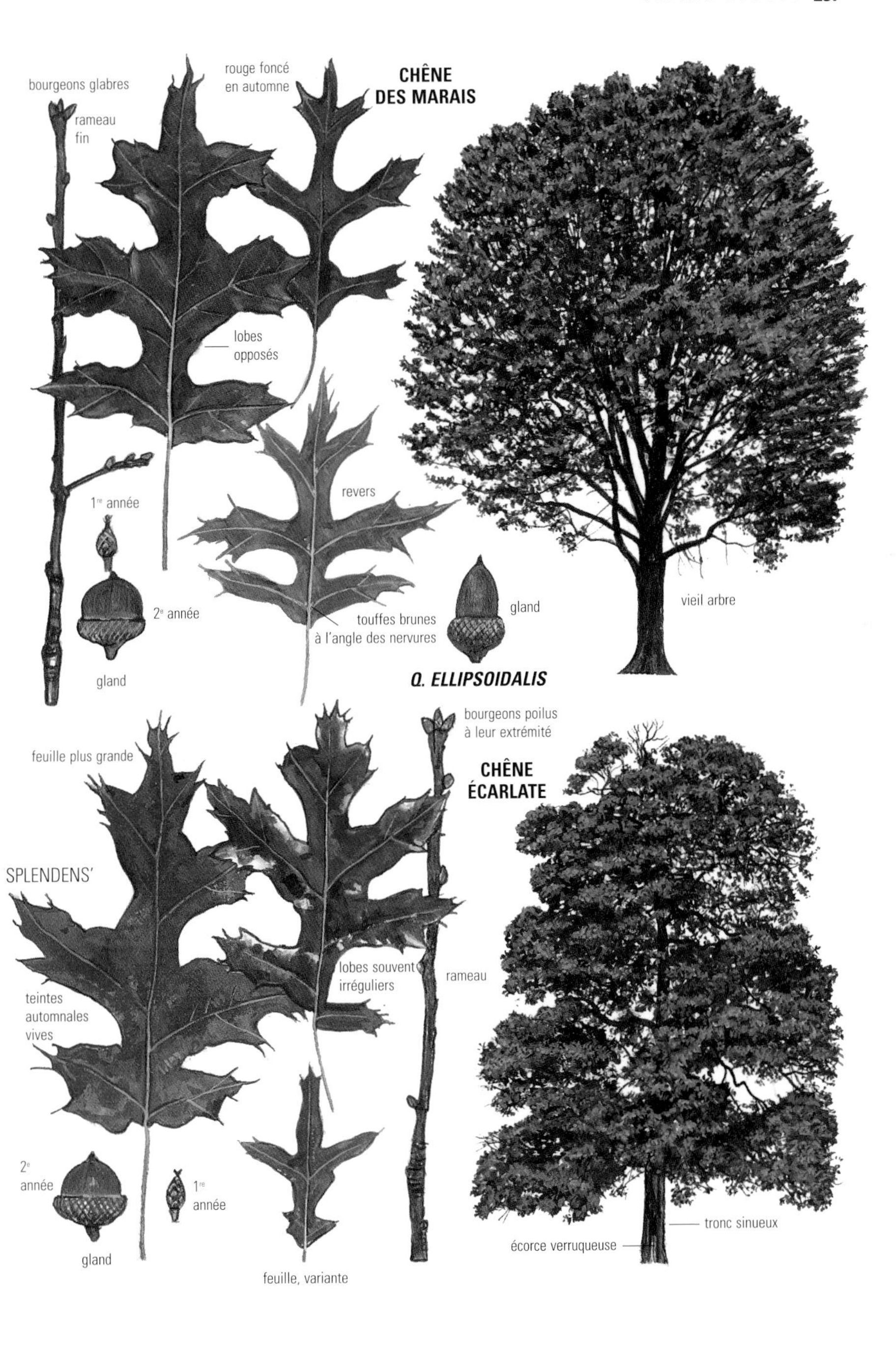

CHÊNE
DES MARAIS
bourgeons glabres
rameau
fin
rouge foncé
en automne
lobes
opposés
revers
1re année
2e année
gland
touffes brunes
à l'angle des nervures
gland
vieil arbre
Q. ELLIPSOIDALIS
bourgeons poilus
à leur extrémité
CHÊNE
ÉCARLATE
feuille plus grande
SPLENDENS'
lobes souvent
irréguliers
rameau
teintes
automnales
vives
2e
année
1re
année
gland
feuille, variante
tronc sinueux
écorce verruqueuse

Chêne de Shumard *Quercus shumardii*

SE États-Unis. 1897. Un « chêne rouge » de collection.
ASPECT – Similaire à celui du chêne écarlate (p. 236) avec les différences suivantes : **Bourgeons.** *Jaune grisâtre pâle.* **Feuilles.** Grosses touffes de poils dessous à l'angle des nervures ; lobes un peu plus triangulaires.
ESPÈCES VOISINES – Chêne des marais (p. 236) : couronne différente, lobes plus perpendiculaires. Chêne à feuilles falciformes (ci-dessous).

Chêne à feuilles falciformes *Quercus falcata*

E et S États-Unis. 1763. Collections.
ASPECT – **Silhouette.** En dôme ouvert, souvent irrégulier ; jusqu'à 24 m. **Écorce.** Gris foncé ; se fissurant vite en crêtes noueuses. **Rameaux.** Couvert d'un duvet pelliculeux au début. **Feuilles.** Parfois trilobées ; lobes plus *triangulaires et courbés* que chez les autres « chênes rouges », souvent *sans* dents épineuses ; foncées et brillantes dessus une fois le duvet parti, mais gris terne et *restant duveteuses dessous* (*cf.* chêne quercitron, p. 234).
ESPÈCES VOISINES – Chêne de Ludwig (ci-dessous) ; chêne du Maryland (p. 240).
AUTRE ARBRE – *Q. pagoda* (*Q. falcata* var. *pagodifolia* ; mêmes habitats), collections : lobes perpendiculaires plus réguliers.

Chêne de Ludwig *Quercus × ludoviciana*

SE États-Unis (hybride spontané entre *Q. pagoda* et *Q. phellos*). 1880. Très joli mais encore très rare.
ASPECT – **Silhouette.** Élancée, dense ; tronc généralement haut et droit ; jusqu'à 23 m. **Écorce.** Gris foncé ; restant assez lisse. **Feuilles.** Brun cuivré *foncé* quand elles sortent ; l'extrémité des pousses conserve une *nuance pourpre* jusqu'à la fin de l'été ; *vert foncé* brillant puis rouge orangé en automne, ou semi-persistantes (comme aucun des parents mais *cf.* chêne noir, p. 240) ; *1 lobe triangulaire particulièrement gros de chaque côté*, vers le milieu ; dents généralement épineuses ; duvet pelliculeux dessous, poils plus longs sous les nervures.
ESPÈCES VOISINES – Chêne à feuilles falciformes (ci-dessus) ; chêne de Léa (p. 240).

Chêne à feuilles de saule *Quercus phellos*

E États-Unis. 1723. Assez rare. Le plus courant d'un groupe de chênes américains à feuilles non lobées proches des « chênes rouges » (feuillaison tardive, jaune ; glands mûrissant en 2 ans).
ASPECT – **Silhouette.** En dôme ou grêle, jusqu'à 26 m ; rameuse, sur quelques grosses branches dressées. **Écorce.** Gris pâle ; crêtes peu profondes, bosselées. **Rameaux.** Fins. **Bourgeons.** Très petits (2 à 4 mm). **Feuilles.** Entières ; très étroites (jusqu'à 10 × 2 cm) ; vert jaunâtre terne dessus, vite glabres dessous ; jaune d'or quand elles sortent ; la deuxième pousse estivale teinte à nouveau la couronne de jaune. **Fruits.** Petits glands, 1 cm.
ESPÈCES VOISINES – Chêne imbriqué et chêne à feuilles de laurier (p. 240) ; poirier à feuilles d'amandier (p. 318). Chêne sessile 'Mespilifolia'.
AUTRES ARBRES – Chêne hybride de Bartram, *Q. × heterophylla* (1822), hybride spontané avec le chêne rouge d'Amérique, très rare : couronne ouverte, jusqu'à 21 m ; écorce plus étroitement fissurée ; feuilles plus grandes, plus foncées, teintées de rouge, avec *quelques lobes triangulaires épineux peu profonds* (*cf.* chêne de Léa, p. 240).
Q. × schochiana (1894), très rare : petit dôme, jusqu'à 15 m ; feuilles plus larges, plus vives, avec des lobes *arrondis* (*cf.* chêne à feuilles de laurier et chêne noir, p. 240).

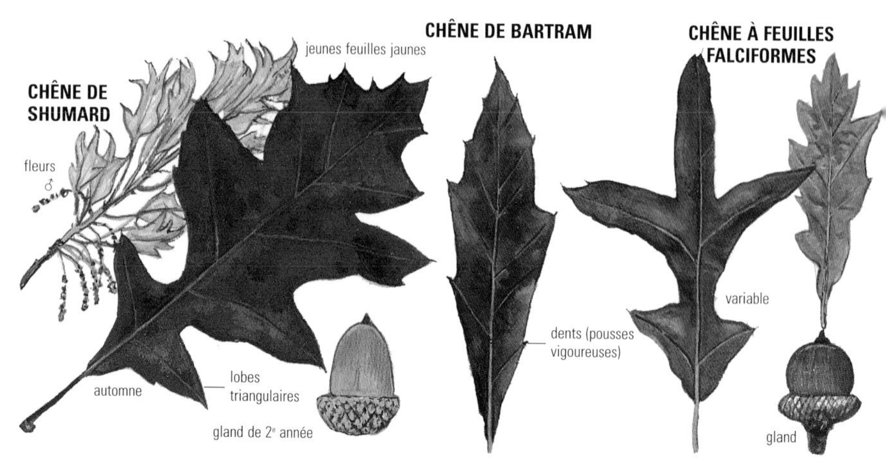

CHÊNE DE LUDWIG

CHÊNE À FEUILLES DE SAULE

Chêne imbriqué *Quercus imbricaria*

(Chêne à feuilles de laurier) SE États-Unis. 1786. Rare. ASPECT – **Silhouette.** En dôme irrégulier ; nombreux rejets sur le tronc. **Écorce.** Gris pâle ; lisse puis avec des crêtes noueuses. **Feuilles.** Entières, ovales (très rarement trilobées au sommet) ; feuillaison tardive, jaune ; puis vert brillant dessus, conservant un fin *duvet gris dessous.*
ESPÈCES VOISINES – Chêne à feuilles de saule (p. 238) : feuilles glabres plus étroites. Nyssa des forêts (p. 412) ; magnolia à feuilles de saule (p. 268).

Chêne noir *Quercus nigra*

E États-Unis, en sol humide. 1723. Rare.
ASPECT – **Silhouette.** En dôme vigoureux, jusqu'à 18 m. **Écorce.** Gris pourpré ; formant des crêtes noueuses. **Feuilles.** Foncées, brillantes et glabres (sauf quelques petites touffes dessous à l'angle des nervures) ; plus larges vers le sommet lobé (voir illustration) ou étroites (comme celles du chêne à feuilles de saule, p. 238), mais *presque toujours* avec quelques lobes arrondis (*cf. Q.* × *schochiana*, p. 238) ; restent vertes au moins jusqu'à Noël, parfois même jusqu'au printemps (*cf.* chêne de Turner, p. 220).
ESPÈCE VOISINE – Chêne du Maryland (ci-dessous) : feuilles plus épaisses, bien plus larges.
AUTRES ARBRES – Chêne à feuilles de laurier, *Q. laurifolia* (1786) : peut-être un hybride spontané entre le chêne noir et le chêne à feuilles de saule ; feuilles presque glabres, étroites ou s'élargissant vers la pointe arrondie, rarement découpées en lobes arrondis ; proche de *Q.* × *schochiana* (p. 238) aux feuilles plus fréquemment et plus étroitement lobées.

Chêne de Léa *Quercus* × *leana*

SE États-Unis. Hybride spontané entre le chêne imbriqué et le chêne quercitron. Collections.
ASPECT – **Silhouette.** En dôme ouvert, élevé, jusqu'à 23 m. **Écorce.** Gris foncé, se craquelant en petites plaques noueuses. **Feuilles.** Brillantes et assez coriaces ; léger *duvet pelliculeux dessous ; 1 ou 2 grands lobes triangulaires* de chaque côté.
ESPÈCES VOISINES – Chêne hybride de Bartram (p. 238) : feuilles glabres ; lobes plus petits, moins nombreux. Chêne de Ludwig et chêne à feuilles falciformes (p. 238) : lobes plus élaborés.

Chêne du Maryland *Quercus marilandica*

E États-Unis. 1739. Collections.
ASPECT – **Silhouette.** Basse, sur branches robustes, assez dressées ; jusqu'à 20 m. **Écorce.** Vite craquelée en carrés rugueux. **Feuilles.** Brillantes et larges vers le sommet (comme le chêne noir), mais *plus dures et épaisses,* souvent *très larges* ; fin duvet doré au revers ; pétiole épais de *1 à 2 cm seulement.*
ESPÈCES VOISINES – Chêne à feuilles falciformes (p. 238) : feuilles parfois trilobées mais plus minces, sur de longs pétioles fins.

Il existe près de 60 espèces d'ormes. Leurs graines sont entourées par une aile membraneuse arrondie. Toutes les formes présentées ici, à l'exception de Ulmus × diversifolia *(p. 242) et de l'orme de Sibérie (p. 250), possèdent des feuilles asymétriques à la base. Chez certaines, la face supérieure est hérissée de poils raides très courts (cf. mûrier à papier, p. 256) ; dans la plupart des cas, seules les feuilles juvéniles (sur les rejets et les branches basses des arbres plus âgés) sont rugueuses. Les rameaux hivernaux, généralement gris foncé, portent des bourgeons brun pourpré plus foncés. Depuis 1966, une maladie (la graphiose de l'orme) a détruit la plupart des vieux ormes dans de nombreuses régions d'Europe. La graphiose est due à un champignon (*Ophiostoma novo-ulmi*) et elle est transmise par un coléoptère (scolyte) ; pour stopper l'infection, l'arbre réagit en fermant ses vaisseaux conducteurs de sève et la partie située au-dessus, privée de sève, dépérit en quelques jours. Le système racinaire reste généralement vivant et la plupart des ormes émettent des rejets vigoureux, mais les nouvelles plantes deviennent à leur tour sensibles à l'infection au bout de dix ans, lorsque leurs troncs sont devenus suffisamment épais pour être attaqués par les scolytes. (Famille : Ulmacées.)*

Critères de distinction : ormes

- Feuilles (adultes) : Rugueuses ? Combien de dents secondaires ? Revers duveteux ? Base plus ou moins asymétrique ? Longueur du pétiole ?
- Fruits : Ailés, poilus ? Quelle forme ? Longueur du pédoncule ?

Clé des espèces

Orme de montagne (p. 242) : grandes feuilles toujours rugueuses. **Orme hybride 'Vegeta'** (p. 246) : feuilles adultes grandes et brillantes. **Orme à feuilles de charme** (p. 246) : feuilles adultes étroites et brillantes. **Orme d'Angleterre** (p. 244) : feuilles presque rondes, plus ou moins rugueuses.

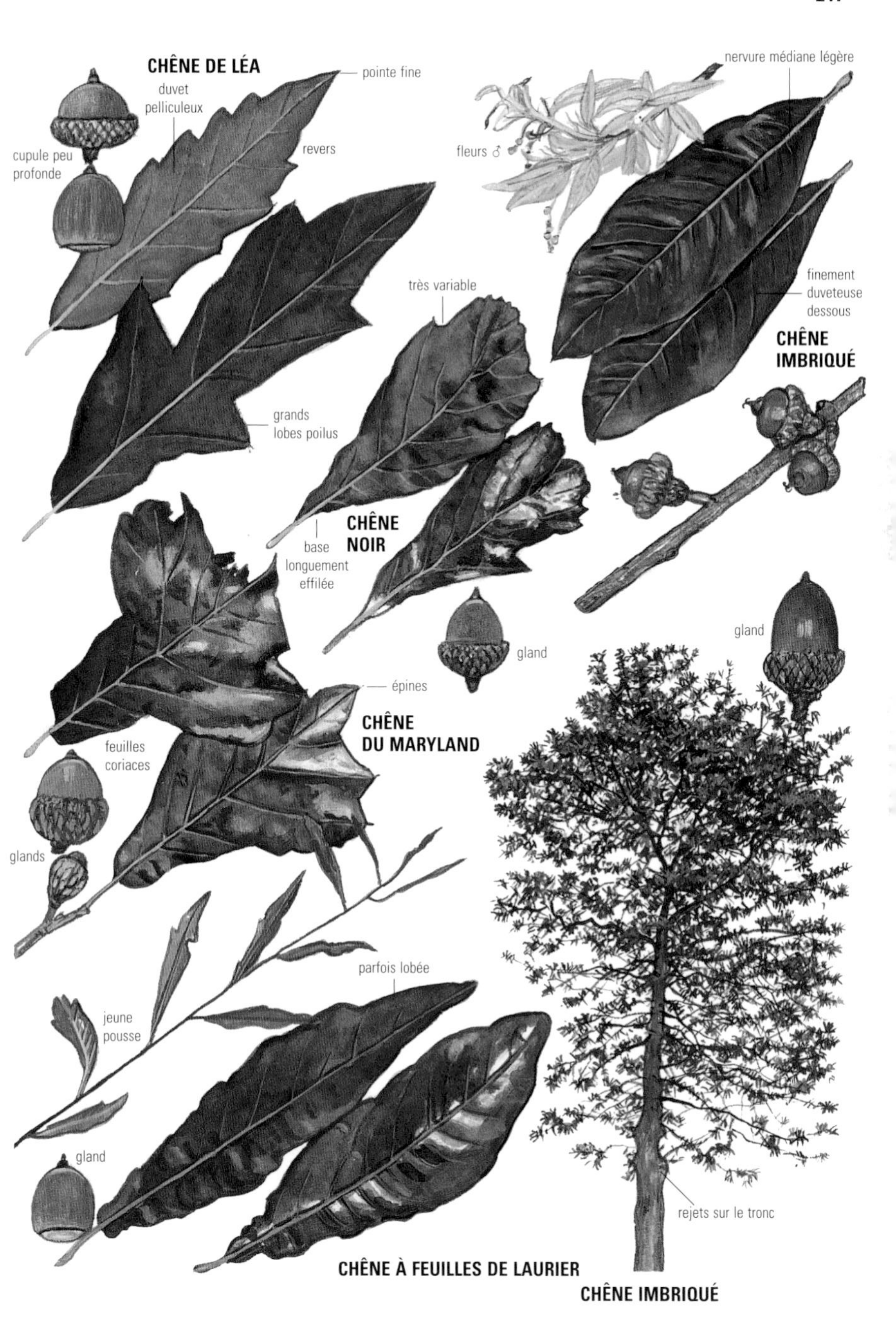
CHÊNE DE LÉA
duvet pelliculeux
pointe fine
cupule peu profonde
revers
grands lobes poilus
nervure médiane légère
fleurs ♂
finement duveteuse dessous
CHÊNE IMBRIQUÉ
très variable
base longuement effilée
CHÊNE NOIR
gland
gland
épines
CHÊNE DU MARYLAND
feuilles coriaces
glands
parfois lobée
jeune pousse
gland
rejets sur le tronc
CHÊNE À FEUILLES DE LAURIER
CHÊNE IMBRIQUÉ

Orme de montagne *Ulmus glabra*

(Orme blanc ; *U. montana*) Europe ; O Asie. En France, assez commun dans l'est, les Alpes, les Pyrénées et le Massif central.

Aspect – Silhouette. D'abord large, sur un tronc sinueux, puis en dôme et ondulée ; rameaux plus épais que chez les autres ormes sauvages (*jamais d'ailes subéreuses*) et feuillage vert sombre terne ; jusqu'à 40 m – même en situation côtière. **Écorce.** *Lisse et grise pendant 20 ans* ; puis se fissurant en côtes pelucheuses brun-gris ; rejette souvent. **Rameaux.** Gris *foncé, avec des* poils durs. **Bourgeons.** Pourpre-noir, poilus ; *larges* et trapus. **Feuilles.** Très grandes (jusqu'à 18 cm ; 14 à 20 paires de nervures), coriaces, assez *oblongues*, avec souvent deux grandes dents latérales encadrant la pointe (mais plus ovales en climat océanique) ; mates et *constamment rêches* dessus ; fin duvet blanc au revers ; *presque sessiles* (2 mm du côté « court »). **Fruits.** Généralement abondants ; aile duveteuse à son extrémité échancrée ; graine centrale.

Espèces voisines – Orme lisse (p. 248) ; orme hybride 'Belgica' (p. 246).

Cultivars – Orme pleureur commun, 'Camperdown' (1850) : branches largement déployées à partir du point de greffe et retombant en dôme, au sommet d'un tronc droit ; grandes feuilles presque glabres dessous.

'Pendula' ('Horizontalis' ; 1816), peu répandu : jusqu'à 18 m, greffé ; les branches fines forment de larges *éventails légèrement retombants.*

'Lutescens', peu répandu : feuilles vert tendre au printemps et *prenant une teinte jaune clair* en été. (Feuilles plus grandes et couronne plus arrondie que 'Louis van Houtte', p. 244, et les autres ormes à feuillage doré.)

Orme d'Exeter, 'Exoniensis' (1826), rare maintenant : jusqu'à 20 m ; couronne arrondie de branches *dressées*, sinueuses, portant des bouquets denses de feuilles gaufrées arrondies, plus petites (*cf.* 'Dampieri', p. 246).

Autres arbres – Orme champêtre, *U. minor* (Europe, O Asie, N Afrique), autre espèce indigène : feuilles plus petites et plus fines que celles de l'orme de montagne, nettement pétiolées et typiquement lisses sauf sur les rejets ; écorce plus anguleuse et fruits glabres, avec la graine près de l'extrémité échancrée. Autrefois commun partout en plaine, il a été décimé par la graphiose ; il existe de nombreux clones locaux dont certains montrent une bonne résistance à la graphiose ; seuls les plus répandus et les plus stables sont traités pp. 244-246. Les arbres deviennent jaunes à la fin de l'automne et débourrent *très tard* (sauf l'orme d'Angleterre).

Les ormes de Hollande (*U. × hollandica*) sont des hybrides d'ormes champêtres et d'ormes de montagne, présentant des caractères intermédiaires – feuilles adultes grandes et lisses ou plus petites et rêches, généralement sur un pétiole distinct. On distingue entre autres *U. × diversifolia* (feuilles *petites*, très légèrement rugueuses, duveteuses au revers et *toutes symétriques à la base* sur au moins un rameau latéral sur dix ; écorce assez anguleuse et couronne étalée, ouverte) et *U. × elegantissima* (un groupe variable auquel appartient probablement 'Jacqueline Hillier', un cultivar buissonnant à petites feuilles). Voir pp. 246-248 pour les clones ornementaux.

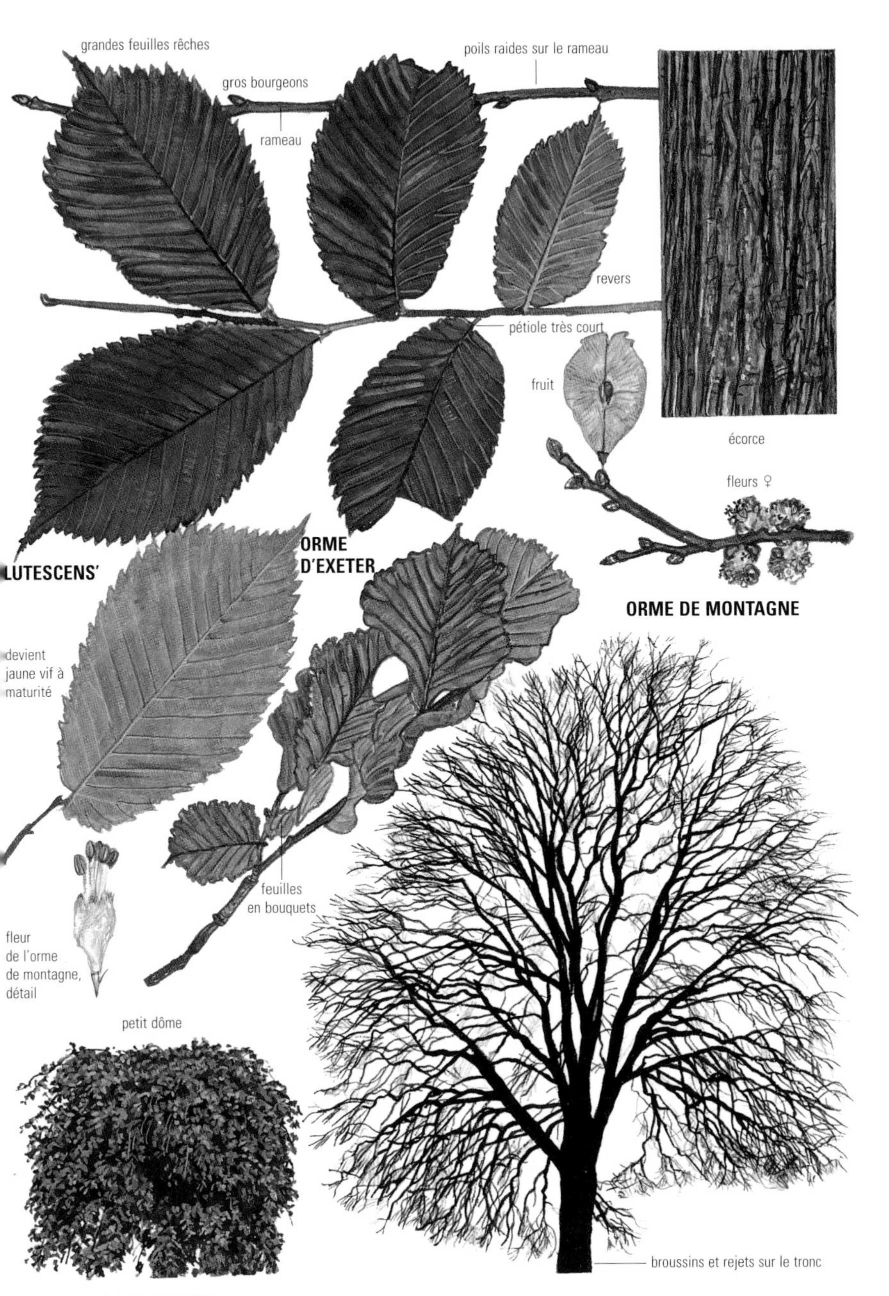

grandes feuilles rêches
gros bourgeons
rameau
poils raides sur le rameau
revers
pétiole très court
fruit
écorce
fleurs ♀
LUTESCENS'
ORME
D'EXETER
ORME DE MONTAGNE
devient
jaune vif à
maturité
feuilles
en bouquets
fleur
de l'orme
de montagne,
détail
petit dôme
broussins et rejets sur le tronc
'CAMPERDOWN'

Orme d'Angleterre

Ulmus minor var. *vulgaris*

(*U. procera, U. campestris*) Variété d'orme champêtre commune sur les sols cultivés les plus riches de moyenne Angleterre (et le seul orme champêtre – voir p. 242 – avec des feuilles souvent *constamment rêches*) ; autrefois dominant dans beaucoup de campagnes, se propageant par drageonnage, mais presque jamais par semis ; cette uniformité génétique explique les ravages dus à la graphiose. Il ne reste plus dans le sud que des repousses localement abondantes, et de rares arbres dans le nord et l'est.

ASPECT – **Silhouette.** Conique hérissée chez les rejets, avec des rameaux fins et raides en arête de poisson ; les rameaux exposés au soleil développent des ailes subéreuses beaucoup plus souvent que chez les autres ormes champêtres (*cf.* orme de Hollande, p. 248 ; érable champêtre, p. 368 ; liquidambar, p. 278) ; en dôme élevé (jusqu'à 45 m) chez les vieux sujets, sur un tronc souvent droit pourvu de nombreux rejets et *de grosses branches peu nombreuses* ; feuillage dense, sombre. **Écorce.** Vite marquée de crêtes serrées brun pâle, puis *se craquelant en plaques carrées* grises. **Rameaux.** Fins, pubescents. **Bourgeons.** *Très petits*, gris à pourpres. **Feuilles.** *Restant souvent rêches dessus* ; finement duveteuses au revers ; *assez arrondies* (*cf. U. coritana*, p. 246), 5 à 10 cm, plissées ou *froissées* ; pétioles courts (5 mm).

CULTIVAR – 'Louis Van Houtte' (1880) : feuillage doré sur des branches dressées (*cf.* 'Dampieri Aurea', p. 246) ; a pratiquement disparu des jardins.

Orme de Cornouailles

Ulmus minor var. *cornubiensis*

(*U. stricta*) Un groupe d'ormes champêtres localement abondant en Cornouailles, dans l'ouest du Devon et le sud-ouest de l'Irlande ; rares arbres plantés ailleurs. Couronne typique en dôme étroit sur un tronc droit ; branches ascendantes laissant voir le ciel entre des amas denses de feuillage *vert vif*. L'écorce se craquelle en bandelettes brun-gris très écailleuses, pouvant *se recourber à leurs extrémités*. Les rameaux sont finement pubescents au début. Les feuilles sont petites (6 cm environ) et parfois *en cuvette*, lisses et coriaces dessus (mais rêches sur les rejets et les rameaux bas) et poilues seulement sous la nervure médiane. Les dents (avec 0 à 2 dents secondaires) sont assez *émoussées.*

AUTRES ARBRES – var. *angustifolia* (littoral du Hampshire) : couronne arrondie plus sombre ; feuilles à pétiole plus long, avec *2 à 3 dents secondaires* ; il ne subsiste aucun arbre adulte connu.

L'orme de Jersey, 'Sarniensis' (Jersey) : diffère de l'orme de Cornouailles par sa *silhouette conique* vert sombre (jusqu'à 37 m) aux branches légères, ascendantes (*cf.* 'Lobel', p. 248), et au sommet étroitement arrondi même sur les arbres fourchus ; feuilles avec *1 à 3 dents secondaires.* Arbre d'alignement autrefois abondant mais devenu rare.

var. *lockii* (var. *plotii*), nord des Midlands : arbre élancé différant de l'orme de Cornouailles par des branches légères, plus étalées, un *sommet ouvert, incliné*, et des rameaux pendants ; au lieu de produire des groupes arrondis de 3 à 6 feuilles, beaucoup de *rameaux latéraux continuent de pousser* en longueur (*cf.* ormes asiatiques, p. 250) ; feuilles ternes et *très légèrement rugueuses* dessus ; poils blancs au revers, au moins en touffes près de la nervure médiane. Rarement planté en dehors de sa zone d'origine et maintenant très disséminé.

'SARNIENSIS'

'LOUIS VAN HOUTTE'

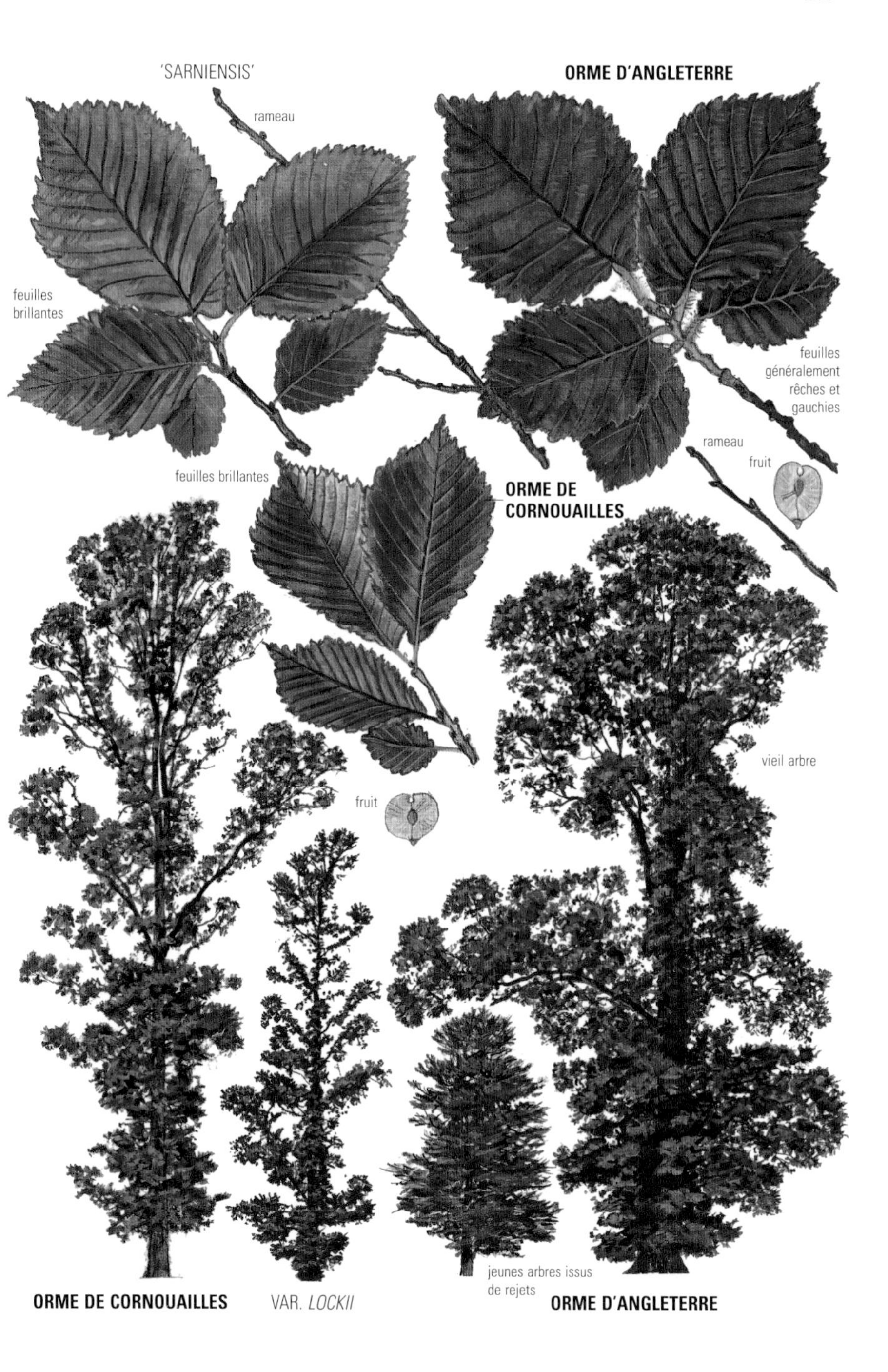
'SARNIENSIS'
rameau
feuilles brillantes
ORME D'ANGLETERRE
feuilles généralement rêches et gauchies
rameau
fruit
feuilles brillantes
ORME DE CORNOUAILLES
vieil arbre
fruit
jeunes arbres issus de rejets
ORME DE CORNOUAILLES
VAR. *LOCKII*
ORME D'ANGLETERRE

Orme à feuilles de charme

Ulmus minor var. *minor*

(*U. carpinifolia*) Ce nom regroupe des ormes communs dans diverses régions d'Angleterre, une grande partie de l'Europe, l'ouest de l'Asie et le nord de l'Afrique ; se propage souvent par semis, d'où une plus grande variété génétique que chez les autres ormes champêtres et une meilleure résistance à la graphiose.
ASPECT – **Silhouette.** En dôme, sur un tronc généralement sinueux ; feuillage foncé, brillant ; pleureuse chez certaines formes (f. *pendula*), raide et droite chez d'autres. **Écorce.** Brun-gris ; se craquelle lentement en crêtes écailleuses parfois entrecroisées. **Rameaux.** Vite glabres ; parfois pourvus d'ailes subéreuses (*cf.* orme d'Angleterre, p. 244). **Bourgeons.** Fins, poilus. **Feuilles adultes.** Brillantes, planes, lisses ; 6 à 15 cm (selon le clone) ; plus ou moins *étroites* et *étroitement effilées à la base sur le côté court* ; pétiole de 1 cm. Voir les nouveaux ormes hybrides (p. 248).
CULTIVARS – 'Viminalis', rare : *dents courbes de 1 cm.*
U. coritana est une espèce plus souvent désignée sous le nom *U. minor* var. *minor* ou var. *vulgaris*, dont on trouve quelques populations disséminées dans l'est de l'Angleterre (peu plantée ailleurs) : silhouette étalée, irrégulière ; feuilles arrondies, *toujours lisses* sauf sur les rejets et les branches basses (*cf.* orme de Hollande, p. 248) et souvent légèrement *cordiformes à la base* ; pétioles fins, courbés, 1 cm ; jusqu'à 4 dents secondaires émoussées.
U. canescens (*U. minor* ssp. *canescens*), E Méditerranée : *rameaux très pubescents* ; feuilles (grises et duveteuses quand elles sont jeunes) à *dentelure simple* ; jusqu'à 18 paires de nervures.

Orme hybride 'Vegeta'

Ulmus × *hollandica* 'Vegeta'

Issu d'une graine semée dans une pépinière de Huntingdon, vers 1760. Fréquent en Angleterre ; relativement résistant à la graphiose.
ASPECT – **Silhouette.** En dôme élevé avec des *branches principales souvent droites et dégagées* ; feuillage foncé, assez épars. **Écorce.** Grise ; crêtes entrecroisées *régulières.* **Feuilles.** Brillantes sur le dessus (mais rêches sur les rejets et les *nombreux drageons*) ; poils en touffes uniquement sur le dessous à l'angle des nervures ; grandes (jusqu'à 15 cm) ; pétioles de 15 mm ; bord souvent recourbé jusqu'à la première nervure *sur le côté « court ».* **Fruits.** Graine pratiquement au centre de l'aile.
ESPÈCES VOISINES – Orme lisse et 'Commelin' (p. 248). Certains hybrides sauvages (voir p. 242).
CULTIVARS – 'Belgica' (1694), plus proche de l'orme de montagne : feuilles rugueuses dessus, duveteuses dessous, *longues et longuement pointues* ; nettement pétiolées ; rameaux glabres avant l'automne.
'Dampieri Aurea' ('Wredei'), assez résistant à la graphiose : branches dressées, éparses, formant une colonne large, jusqu'à 16 m ; feuilles petites, assez arrondies, dentées et très froissées, vite lisses, *brillantes* (*cf.* 'Louis Van Houtte', p. 244) et presque glabres ; *jaune d'or éclatant*, surtout en fin d'été ; certaines branches peuvent revenir au type à feuillage vert, 'Dampieri' (similaire mais avec des feuilles ternes vert foncé).
AUTRES ARBRES – *U. minor* 'Dicksonii', très rare : sport de l'orme de Jersey (p. 244), à feuillage doré et à croissance lente ; feuilles brillantes, *planes.*

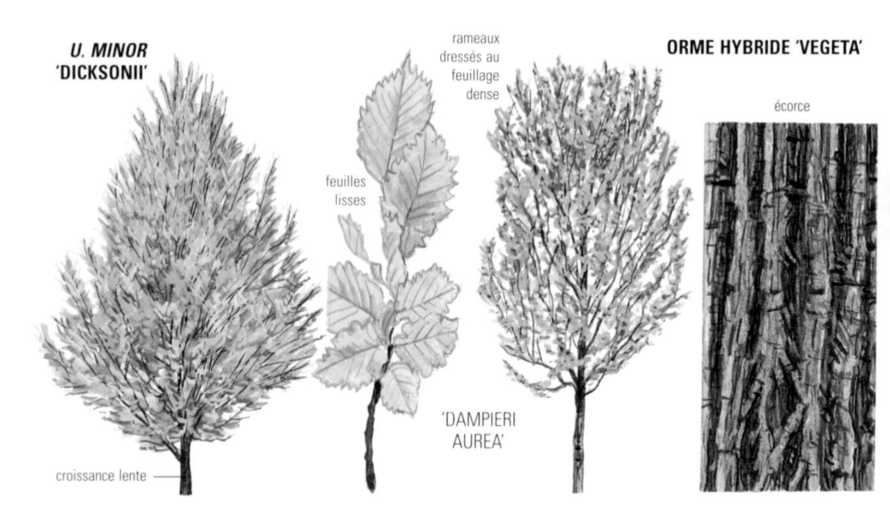

ORME À FEUILLES DE CHARME
écorce
ORME HYBRIDE 'VEGETA'
lisse
lisse
variable
rameau
étroitement effilé sur le côté court
feuilles lisses, gaufrées
base de la première nervure exposée sur le côté court
'DAMPIERI AUREA'
peut résister à la graphiose
ORME HYBRIDE 'VEGETA'
ORME À FEUILLES DE CHARME

Orme de Hollande *Ulmus × hollandica* 'Hollandica'

('Major') Un orme hybride abondamment planté depuis 1680 (voir p. 242).

ASPECT – **Silhouette.** En dôme, avec des branches éparses, jusqu'à 43 m ; foncée ; rameaux vigoureux développant des ailes subéreuses. **Écorce.** Brune ; se craquelant en plaques superficielles, *plus petites* que chez l'orme d'Angleterre. **Feuilles.** Souvent gauchies comme celles de l'orme d'Angleterre, mais beaucoup plus longues (jusqu'à 15 cm) ; celles adultes plus ou moins lisses (*cf. U. coritana*, p. 246) ; poils uniquement sous la nervure médiane. **Fruits.** La graine *touche le bord échancré du fruit.*

AUTRES ARBRES – *U.* 'Commelin' (Hollande, 1940), résistant à la graphiose et utilisé en alignement : branches ascendantes ; écorce *gris foncé*, étroitement fissurée ; couronne ouverte, étroite, jusqu'à 22 m (*cf.* 'Plantijn', ci-dessous) ; rameaux brun mat ; feuilles légèrement plus petites et plus oblongues que celles de 'Vegeta' (p. 246) ; bord du limbe rarement recourbé jusqu'à la première nervure.

U. × hollandica 'Groeneveld' (Hollande, 1963) : fait partie d'un groupe d'hybrides récents résistants à la graphiose (avec 'Dodoens', 'Lobel', 'Plantijn', ci-dessous) : silhouette *colonnaire* aux branches dressées, *sinueuses*, puis s'élargissant ; écorce lisse au début (*cf.* 'Dodoens') ; feuilles de 8 cm environ, brillantes dessus, *finement duveteuses* dessous ; fructifie abondamment.

U. 'Dodoens' (Hollande, 1973), rare : silhouette assez ouverte, aux branches dressées ; écorce lisse et argentée au début (*cf.* 'Groeneveld') ; feuilles de 10 cm environ, sombres, brillantes et *profondément dentées* ; glabres à l'exception de touffes de poils dessous à l'angle des nervures (*cf.* orme de Hollande).

U. 'Lobel' (Hollande, 1973), localement fréquent : silhouette *étroitement oblongue ou en entonnoir* (*cf.* 'Plantijn') ; branches principales droites et dressées ; rameaux *raides* insérés à angles aigus ; écorce vite fissurée puis se craquelant en carrés ; feuilles de 8 cm environ, brillantes, sombres, presque lisse dessus, avec un bord foncé épais ; *asymétrie basale de 2 mm seulement* (*cf.* ormes asiatiques, p. 250).

U. 'Plantijn' (Hollande, 1973), rare : silhouette en entonnoir (plus lâche que celle de 'Lobel' ; *cf.* 'Commelin') ; feuilles de 9 cm environ, *légèrement rugueuses dessus* ; touffes de poils blancs dessous à l'angle des nervures ; grandes dents, avec *jusqu'à 4 dents secondaires ; bord replié jusqu'à la première nervure sur le côté « court »* (comme chez l'orme hybride 'Vegeta', p. 246).

Orme lisse *Ulmus laevis*

(Orme pédonculé, orme diffus ; *U. effusa*). De E France (rare et disséminé) au Caucase.

ASPECT – **Silhouette.** En dôme ondulé ; fins rejets et petits broussins fréquents sur les branches. **Écorce.** Comme celle de l'orme de montagne (p. 242) ; peut s'écailler plus finement. **Rameaux.** Pubescents au début. **Bourgeons.** Pourpre-*orange, longuement pointus.* **Feuilles.** Longues (max. 13 cm ; jusqu'à 19 paires de nervures), plus larges vers la base ; très asymétriques à la base ; bord (avec une double rangée de dents très courbées) parfois replié jusqu'à la première nervure *sur le côté « long »* ; vert intense et plutôt brillantes, mais légèrement rugueuses dessus ; souvent duveteuses dessous ; pétiole de 15 mm. **Fleurs.** *Long pédicelle* ; fruits *s'agitant au bout de leur pédoncule ; aile ciliée, avec deux pointes convergeant* au sommet.

ESPÈCES VOISINES – Ormes hybrides 'Vegeta' et 'Belgica' (p. 246). Seuls les fleurs et les fruits (mars à mai) permettent l'identification avec les cultivars d'ormes hybrides.

AUTRES ARBRES – L'orme blanc d'Amérique, *U. americana* (E et centre Amérique du Nord), collections : bourgeons *ovoïdes*, souvent émoussés ; feuilles plus larges *dans la moitié supérieure*, moins asymétriques.

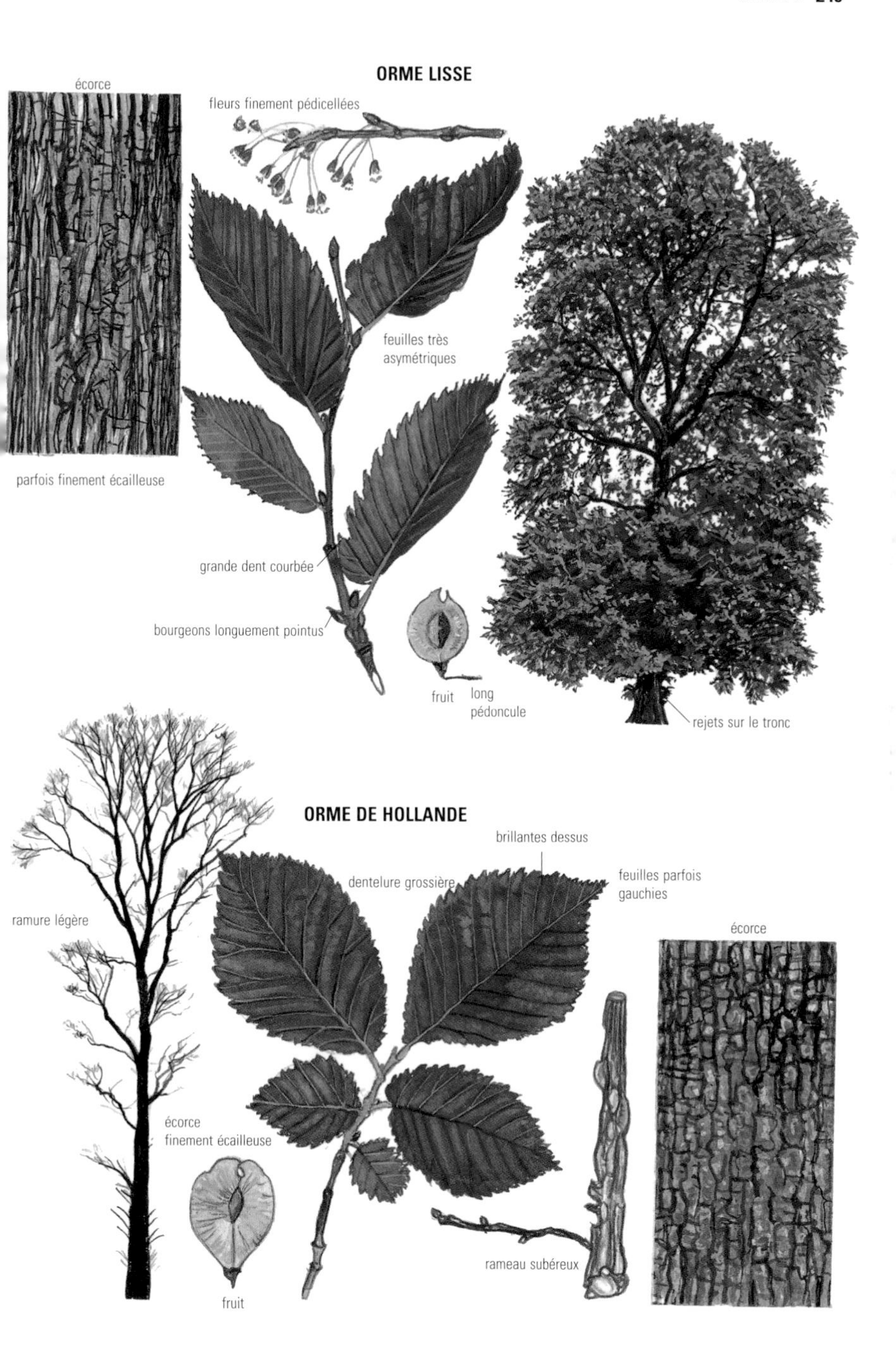
ORME LISSE
écorce
fleurs finement pédicellées
feuilles très asymétriques
parfois finement écailleuse
grande dent courbée
bourgeons longuement pointus
fruit
long pédoncule
rejets sur le tronc
ORME DE HOLLANDE
brillantes dessus
dentelure grossière
feuilles parfois gauchies
ramure légère
écorce
écorce finement écailleuse
rameau subéreux
fruit

Orme de Chine *Ulmus parvifolia*

(*U. chinensis*) E Asie, S Japon. 1794. Rare. Bonne résistance à la graphiose.
ASPECT – **Silhouette.** Bel arbre encore vert à l'automne ; dôme de feuilles étroites, sombres ; jusqu'à 14 m. **Écorce.** Brun chocolat, en plaques écailleuses ; ou plus grise et lisse entre des écailles orange (*cf.* zelkova de Chine, p. 252). **Rameaux.** Très finement feutrés de gris. **Feuilles.** 2 à 6 cm, arrondies à la base (asymétrie de 2 mm environ), avec des dents émoussées *simples* ; brillantes ou légèrement rugueuses dessus ; quelques poils sous les nervures. **Fleurs.** *Automnales.*
AUTRE ARBRE – *U.* 'Regal' (États-Unis, 1983), rare : dôme étroit avec de longues pousses étalées ; écorce lisse et *argentée,* puis crêtes brun-gris ; feuilles de 8 cm environ, sur de *longs pétioles*, fines, quasiment glabres et presque symétriques ; dents émoussées, souvent simples.

Orme de Sibérie *Ulmus pumila*

(*U. microphylla*) N et E Asie. 1860. Rare. Bonne résistance à la graphiose.
ASPECT – **Silhouette.** *Large et irrégulière* ; branches incurvées partant d'un tronc court, généralement incliné (*cf.* 'Sapporo Autumn Gold') ; rameaux longs et lâches, souvent pendants, comme des plumes d'autruche (*cf. Ulmus minor* var. *lockii*, p. 244, et 'Regal', ci-dessus) ; jusqu'à 20 m ; feuillage sain *vert tendre ou pâle* en été. **Écorce.** Crêtes brunes écailleuses en *réseau très grossier.* **Rameaux.** Vite glabres. **Bourgeons.** Petits, brun brillant. **Feuilles.** Petites (6 cm), fines et *glabres* (parfois de minuscules touffes dessous à l'angle des nervures) ; plus ou moins *symétriques à la base* ; jusqu'à 3 ou 4 dents secondaires sur chaque dent principale ; pétiole de 1 cm, finement duveteux.
CULTIVARS – *U.* 'Pinnato-Ramosa' (*U. pumila* var. *arborea*), rare : *poils persistants sur les rameaux* ; feuilles à pointe plus longue, en arêtes de poisson ; silhouette gracieuse en dôme, jusqu'à 20 m.

Orme du Japon *Ulmus japonica*

Japon ; collections. Commence à être plus fréquent du fait de sa résistance à la graphiose.
ASPECT – **Silhouette.** Dôme *bas, très large*, vert foncé, avec de longues pousses éparses en plumes d'autruche. **Écorce.** Brun-gris ; crêtes très écailleuses. **Rameaux.** Pâles, typiquement pubescents (glabres chez certains sujets plantés) ; parfois subéreux. **Feuilles.** 3 à 10 cm ; typiquement rêches dessus et duveteuses dessous (mais lisses, glabres et brillantes chez certains arbres plantés en Grande-Bretagne) ; base asymétrique ; pétioles de 15 mm.

Ulmus 'Sapporo Autumn Gold'

(Orme du Japon × orme de Sibérie ; Wisconsin, 1973). Un orme résistant à la graphiose, *largement planté* dans les années 1980, bien que peu fréquent dans le commerce jusqu'en 2000.
ASPECT – **Silhouette.** Asymétrique et formant un dôme large découpé (jusqu'à 19 m) ; *branches légères dressées sur un tronc très court légèrement penché ; vert tendre* dès le début du printemps, avec de nombreuses pousses fournies, longues mais non pendantes. **Écorce.** Crêtes écailleuses *brunes* entrecroisées et fissures *orange.* **Rameaux.** Finement pubescents. **Feuilles.** 4 à 9 cm (plus petites et plus fines que celles des hybrides récents de la p. 248) ; *légèrement rugueuses* mais brillantes dessus ; léger duvet au revers ; asymétrie basale de 2 mm seulement (*cf.* 'Lobel', p. 248).

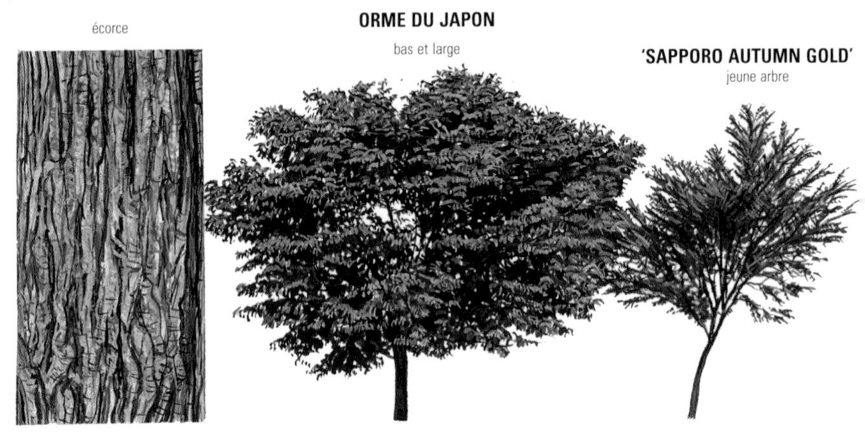

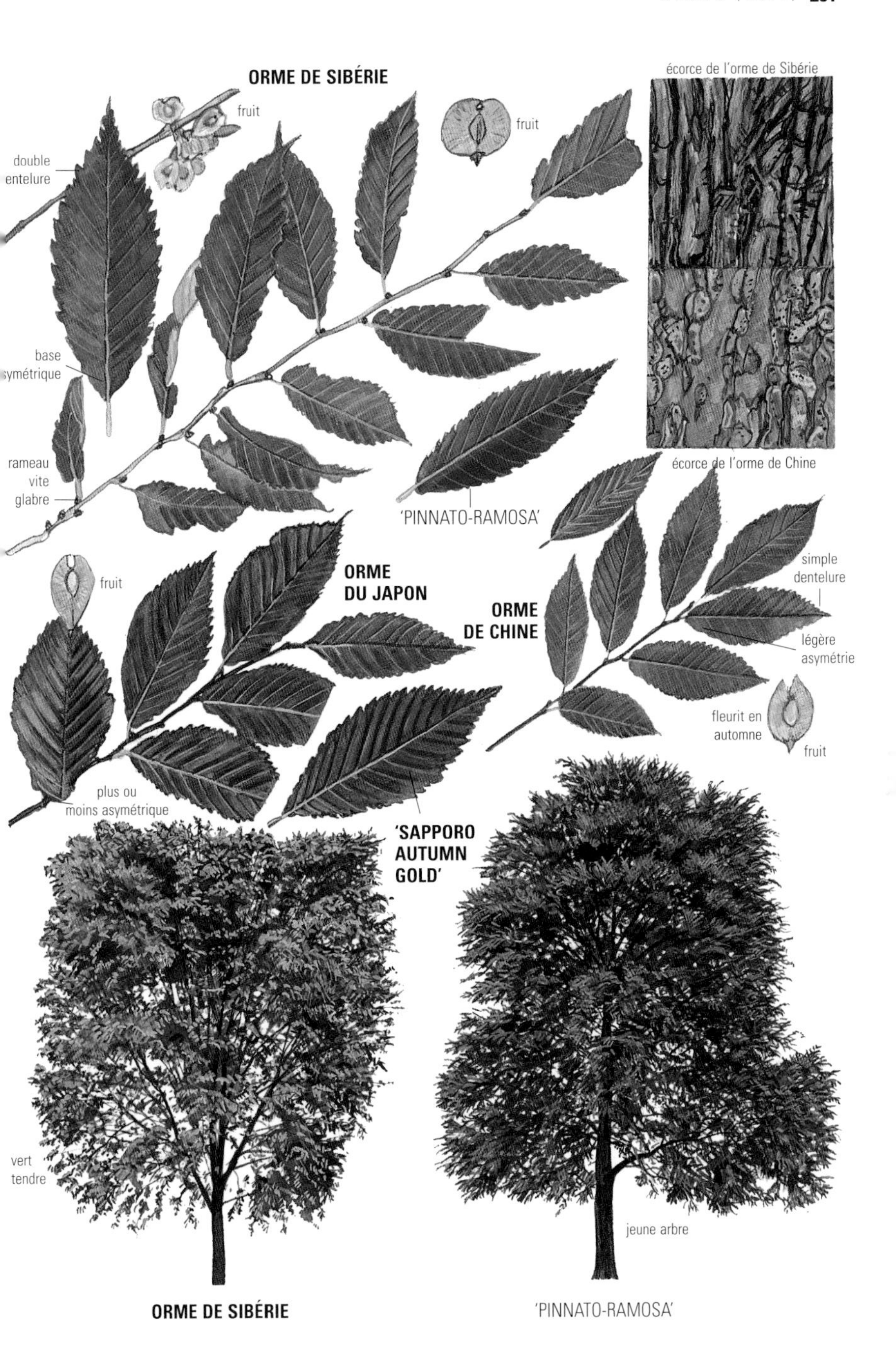
ORME DE SIBÉRIE
fruit
fruit
écorce de l'orme de Sibérie
double
entelure
base
symétrique
rameau
vite
glabre
'PINNATO-RAMOSA'
écorce de l'orme de Chine
fruit
ORME
DU JAPON
ORME
DE CHINE
simple
dentelure
légère
asymétrie
fleurit en
automne
fruit
plus ou
moins asymétrique
'SAPPORO
AUTUMN
GOLD'
vert
tendre
jeune arbre
ORME DE SIBÉRIE
'PINNATO-RAMOSA'

Les zelkovas (6 espèces) sont apparentés aux ormes. Ils sont également sensibles aux attaques de la graphiose de l'orme (voir p. 240). (Famille : Ulmacées.)

Critères de distinction : zelkovas

- Feuilles : Quelle forme à la base ? Quelle forme ont les dents ? Longueur du pétiole ?

Faux orme de Sibérie *Zelkova carpinifolia*

(Faux orme du Caucase, orme de Sibérie ; *Z. crenata*) Iran, Géorgie, Arménie, E Turquie. 1760. Peu répandu ; grands jardins et parcs publics. Drageonne beaucoup mais se naturalise rarement.

ASPECT – **Silhouette.** Avec des *branches dressées formant une sorte de « balai » géant sur un tronc de 2 m marqué de grosses cannelures arrondies* et un sommet effilé et parfois incliné (jusqu'à 35 m) ; parfois avec une couronne plus classique ou un port buissonnant sur des tiges dressées sinueuses ; masses sombres et denses de petites feuilles. **Écorce.** Gris chamois, restant lisse mais parsemée de *plaques grumeleuses orangées.* **Rameaux.** Fins, bruns à verts, poilus. **Bourgeons.** Petits, émoussés, comme ceux d'un orme mais d'un rouge foncé plus vif. **Feuilles.** Dures, jusqu'à 10 cm ; 9 à 11 grandes dents assez *arrondies* (mais aiguës) de chaque côté ; quelques poils rêches dessus et un duvet plus doux au revers, avec quelques poils raides sous les nervures principales : pétioles de 3 à 5 mm seulement. **Fruits.** (Rares dans nos régions) Noix verte de la taille d'un pois.

ESPÈCES VOISINES – Zelkova de Chine (ci-dessous) ; chêne de Macédoine (p. 222) ; charme 'Fastigiata' (p. 194).

AUTRES ARBRES – *Z.* 'Verschaeffeltii', peu répandu : couronne d'arbre classique ; feuilles avec de *grands lobes triangulaires courbés vers l'extérieur* ; écorce pouvant présenter des fissures rugueuses brun foncé, contrairement aux autres zelkovas.

Z. abelicea (*Z. cretica*), indigène en Crète : feuilles (sur des rameaux plus pubescents) très petites (1 à 4 cm), avec 3 à 6 paires de dents .

Z. sicula (SE Sicile, 200 arbres découverts en 1991) : feuilles avec 6 à 8 paires de dents aiguës.

Zelkova du Japon *Zelkova serrata*

(*Z. acuminata*) Japon, Taïwan, Corée, NE Chine 1862. Peu fréquent.

ASPECT – **Silhouette.** Le clone communément planté forme rapidement un dôme de branches légères, *large mais gracieux,* sur un tronc court, droit, *lisse et arrondi* ; feuilles pendantes vert tendre, jaune ambré ou rosé en automne ; jusqu'à 26 m ; plus rarement à troncs multiples. **Écorce.** Grise avec quelques fines écailles orangées ; plaques pelucheuses pouvant apparaître après 80 ans. **Rameaux.** Glabres avant l'automne. **Bourgeons.** Comme ceux du faux orme de Sibérie. **Feuilles.** *Fines, longuement pointues,* jusqu'à 12 cm ; 6 à 13 paires de grandes *dents triangulaires courbées* ; poils seulement sous les nervures principales ; pétioles de 5 à 10 mm.

ESPÈCE VOISINE – Zelkova de Chine (ci-dessous).

CULTIVAR – 'Green Vase' : clone récent à port dressé.

Zelkova de Chine *Zelkova sinica*

Centre et E Chine. 1908. Collections.

ASPECT – **Silhouette.** Comme celle du zelkova du Japon ; jusqu'à 17 m. **Écorce.** Généralement avec *de nombreuses écailles orange vif* (*cf.* orme de Chine, p. 250). **Feuilles.** Petites (6 cm), d'un vert cru terne ; *quelques dents triangulaires peu profondes ; duveteuses au revers* ; pétioles duveteux *de 3 mm* ; base *effilée* (contrairement au faux orme de Sibérie et à *Z. abelicea*), non dentée sur 2 cm.

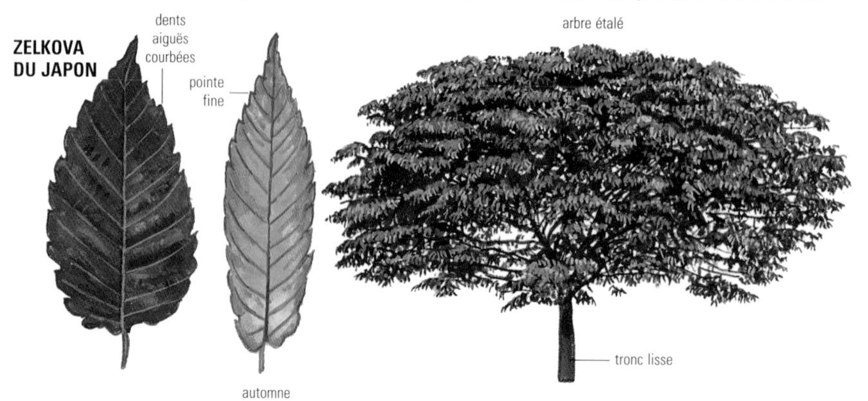

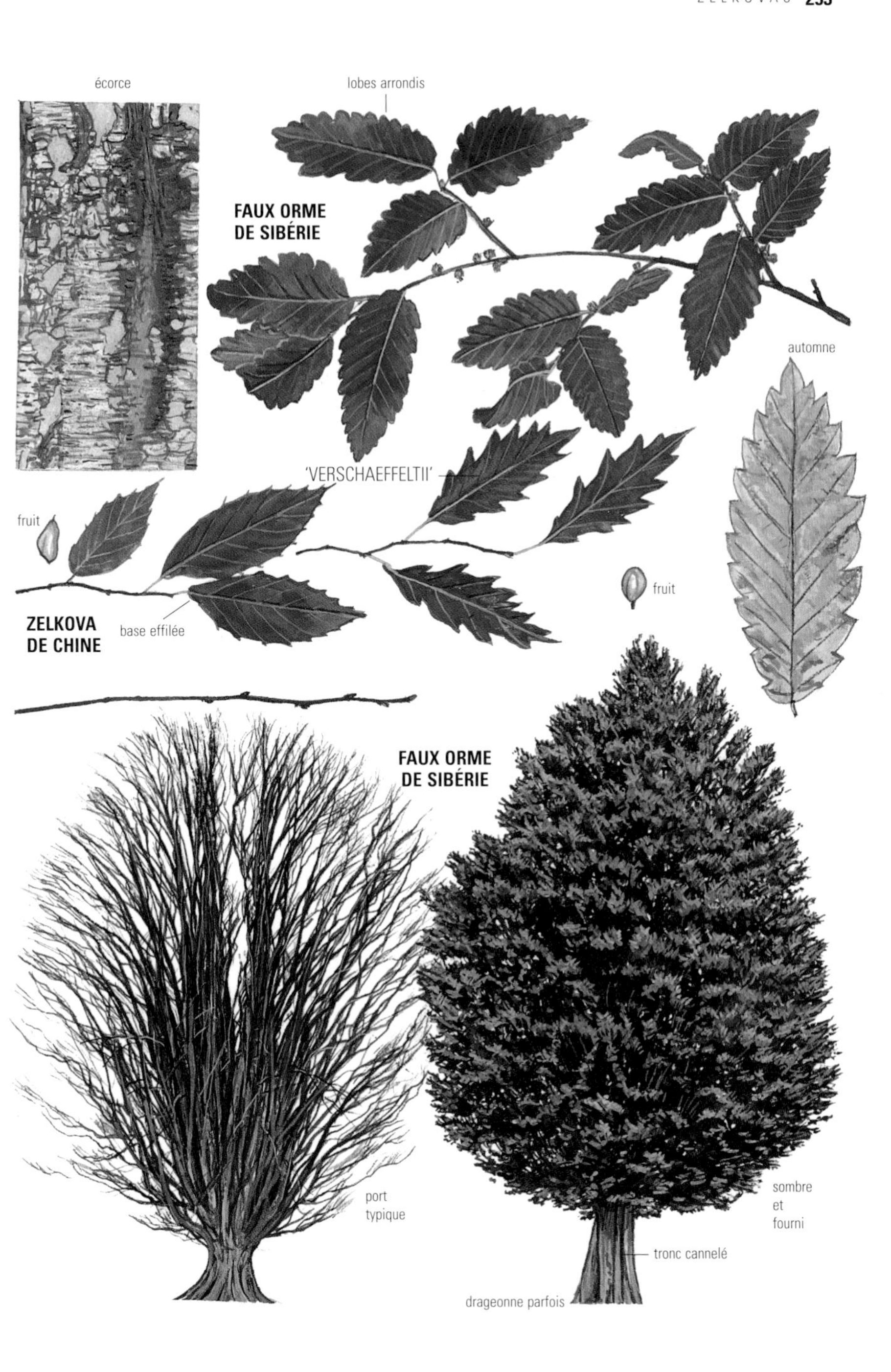
écorce
lobes arrondis
FAUX ORME
DE SIBÉRIE
automne
'VERSCHAEFFELTII'
fruit
fruit
ZELKOVA
DE CHINE
base effilée
FAUX ORME
DE SIBÉRIE
port
typique
sombre
et
fourni
tronc cannelé
drageonne parfois

MICOCOULIERS

Les micocouliers (70 espèces, principalement dans les régions tropicales) produisent des baies sèches mais comestibles. Les feuilles présentent 3 fortes nervures à la base (cf. mûriers, pp. 256-258). Des arbres souvent confinés aux collections en dehors du micocoulier de Provence utilisé en alignement. (Famille : Ulmacées.)

Micocoulier de Virginie *Celtis occidentalis*

E Amérique du Nord (du Manitoba à l'Alabama). 1656. Rare ; parcs publics.
ASPECT – **Silhouette.** En dôme large, jusqu'à 16 m ; en hiver, rameaux arqués un peu en tous sens ; en été, vert profond. **Écorce.** Grise ; lisse puis développant progressivement des crêtes *marquées de bourrelets et de protubérances* (*cf.* chicot du Canada, p. 350). **Rameaux.** Fins, brun brillant ; quelques poils raides ; plus duveteux chez var. *cordata* (var. *crassifolia* ; O Appalaches) qui est la forme commune – et plus vigoureuse – en Europe. **Bourgeons.** Couverts de poils blancs, longuement pointus ; apprimés. **Feuilles.** Dures et *rugueuses mais brillantes dessus* (comme celles de certains ormes) ; poils blancs raides au revers ; *quelques dents irrégulières* – parfois absentes sur tout un côté ; plus grandes (jusqu'à 15 cm) et souvent cordiformes à la base chez var. *cordata*. **Fleurs.** Petites, vertes ; suivies de baies pourpres ou rouges de 7 à 10 mm.
ESPÈCE VOISINE – Épine-néflier (p. 290) : feuilles de forme et de texture analogues.

Micocoulier de Provence *Celtis australis*

(Micocoulier austral) S Europe (où il peut vivre 1 000 ans), SO Asie. 1796. Spontané en Provence et Languedoc ; utilisé comme arbre d'ornement et d'alignement dans l'ouest et le Midi ; craint les gelées tardives dans l'est et le nord.
ASPECT – **Silhouette.** En dôme bas, jusqu'à 14 m. **Écorce.** Grise, *lisse* et ridée horizontalement (comme celle du hêtre) ; un peu rugueuse avec l'âge. **Feuilles.** Comme celles du micocoulier de Virginie, mais avec *une longue pointe tordue et des dents régulières.* **Fruits.** Légèrement plus grands que ceux du micocoulier de Virginie (jusqu'à 12 mm), noirs.

Celtis caucasica

De E Bulgarie à N Inde. 1885. Collections.
ASPECT – **Silhouette.** En dôme dense, légèrement pleureur ; jusqu'à 15 m. **Écorce.** Brun-gris ; développant de *larges côtes verticales peu saillantes* entre des fissures orangées. **Rameaux.** Pubescents. **Feuilles.** 3 à 8 cm seulement ; sombres, grossièrement dentées et rêches ; revers *vert blanchâtre*, duveteux au début puis avec des poils persistants sous les nervures. **Fruits.** Roux, 1 cm.

Celtis laevigata

S États-Unis. 1811. Collections.
ASPECT – **Silhouette. Écorce.** Comme le micocoulier de Virginie (ci-dessus). **Rameaux.** *Glabres.* **Feuilles.** 8 cm ; vert vif *sur les deux faces et lisses* dessus ; quelques poils sous les nervures ; dents aiguës chez var. *smallii*. **Fruits.** 8 mm, orangés.
ESPÈCE VOISINE – En feuilles, mûrier des Osages (p. 256).
AUTRES ARBRES – *C. biondii* (centre Chine, 1902), collections : feuilles parfois dentées vers le sommet et duveteuses dessous au début.
C. bungeana (N Chine, 1882), collections : feuilles glabres, typiquement *mates au revers* ; généralement quelques dents près du sommet ; baies *pourpres*.

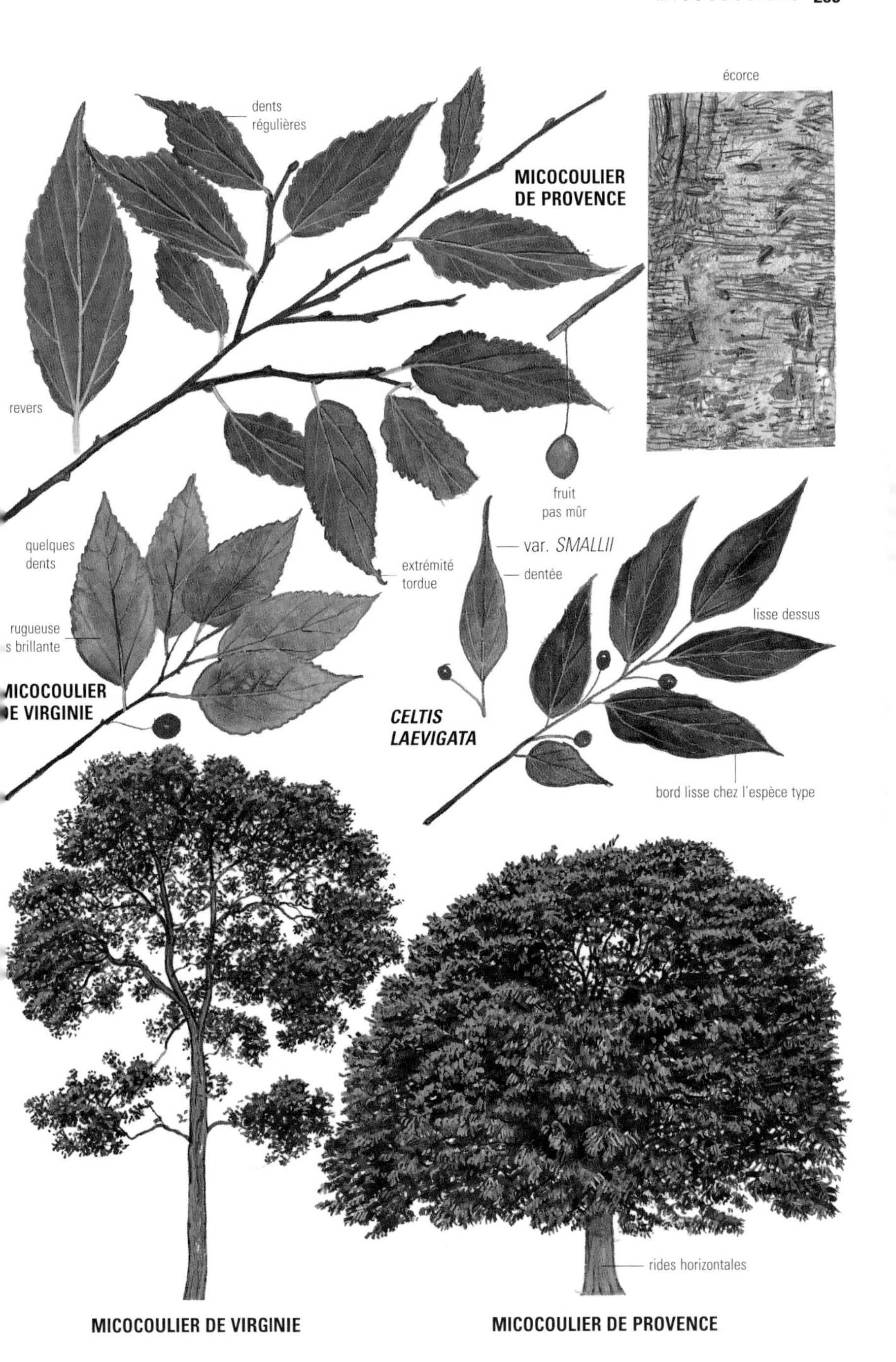
écorce
dents
régulières
MICOCOULIER
DE PROVENCE
revers
fruit
pas mûr
quelques
dents
var. SMALLII
dentée
extrémité
tordue
lisse dessus
rugueuse
s brillante
ICOCOULIER
E VIRGINIE
CELTIS
LAEVIGATA
bord lisse chez l'espèce type
rides horizontales
MICOCOULIER DE VIRGINIE
MICOCOULIER DE PROVENCE

La famille des Moracées comprend principalement des espèces tropicales, caractérisées par une sève laiteuse à l'aspect de latex.

Mûrier des Osages *Maclura pomifera*

(Bois d'arc ; *M. aurantiaca*) S États-Unis. 1818. Peu répandu.

ASPECT – **Silhouette.** En dôme hérissé, souvent luxuriant ; jusqu'à 15 m. **Écorce.** *Rousse* ; crêtes entrecroisées *fibreuses*, rugueuses. **Rameaux.** Verts, duveteux, puis brun-gris ; *une* épine de 1 cm à côté de chaque petit bourgeon brun. (Le robinier, p. 354, peut avoir 2 épines à chaque bourgeon et le févier d'Amérique, p. 348, 3 ; les épines des aubépines sont réparties le long des rameaux tandis que la plupart des arbres « épineux » ont des rameaux latéraux à extrémité épineuse.) **Feuilles.** Jusqu'à 12 cm, longuement pointues, *entières* ; foncées et brillantes dessus et légèrement duveteuses dessous ; pétioles pubescents ; jaunes en automne. **Fleurs.** Espèce dioïque ; petits bouquets blanc verdâtre. **Fruits.** (Quand pieds mâles et femelles poussent à proximité) Globuleux, verts puis ambrés, de 13 cm, avec une pulpe juteuse et fibreuse ; non comestibles.

ESPÈCES VOISINES – *Celtis laevigata* (p. 254). Magnolia à feuilles acuminées (p. 260) : même allure mais feuilles beaucoup plus grandes.

Figuier *Ficus carica* ☠

E Méditerranée et O Asie. Le membre le plus rustique d'un vaste genre tropical. Cultivé depuis longtemps. Atteint la taille d'un arbre dans les régions les plus chaudes. La sève (au soleil) est irritante, en particulier pour les yeux.

ASPECT – **Silhouette.** Souvent buissonnante ou penchée ; très grêle en hiver avec des rameaux sinueux, robustes ; jusqu'à 13 m. **Écorce.** Gris pâle et lisse. **Rameaux.** Épais et noueux, verts à gris. **Bourgeons.** Vert-jaune, longuement pointus, jusqu'à 15 mm. **Feuilles.** Très coriaces, avec un léger arôme mentholé ; jusqu'à 30 cm, plus ou moins lobées ; brillantes mais rugueuses et poilues dessus ; duveteuses au revers. **Fleurs, fruits.** Les variétés cultivées ne possèdent que des fleurs femelles tandis que le figuier sauvage (caprifiguier) porte des fleurs mâles et femelles ; les fleurs femelles se développent à l'intérieur d'un jeune fruit (extrémité modifiée du rameau présentant un trou au sommet) dont la pollinisation est assurée par un petit insecte, le blastophage ; la plupart des variétés cultivées sont autofertiles.

Mûrier à papier *Broussonetia papyrifera*

Chine et Japon, cultivé depuis longtemps pour son écorce fibreuse, source de papier et de tissu fin. Rare ; parcs et jardins sous climat doux.

ASPECT – **Silhouette.** En dôme bas, comme le mûrier noir (p. 258) ; souvent buissonnante, mais jusqu'à 15 m. **Écorce.** Brun-gris pâle ; crêtes entrecroisées. **Rameaux.** *Très laineux.* **Feuilles.** Jusqu'à 20 cm ; s'éloignant plus souvent de la forme typique cordiforme que celles des mûriers de la page 258 ; souvent *vert pâle vif, mais très mates*, avec des poils rugueux dessus et un duvet laineux dense au revers. **Fleurs.** Espèce dioïque : chatons mâles (jaunes et pendants, jusqu'à 7 cm). **Fruits.** Semblables à des mûres, rouges à maturité mais non comestibles.

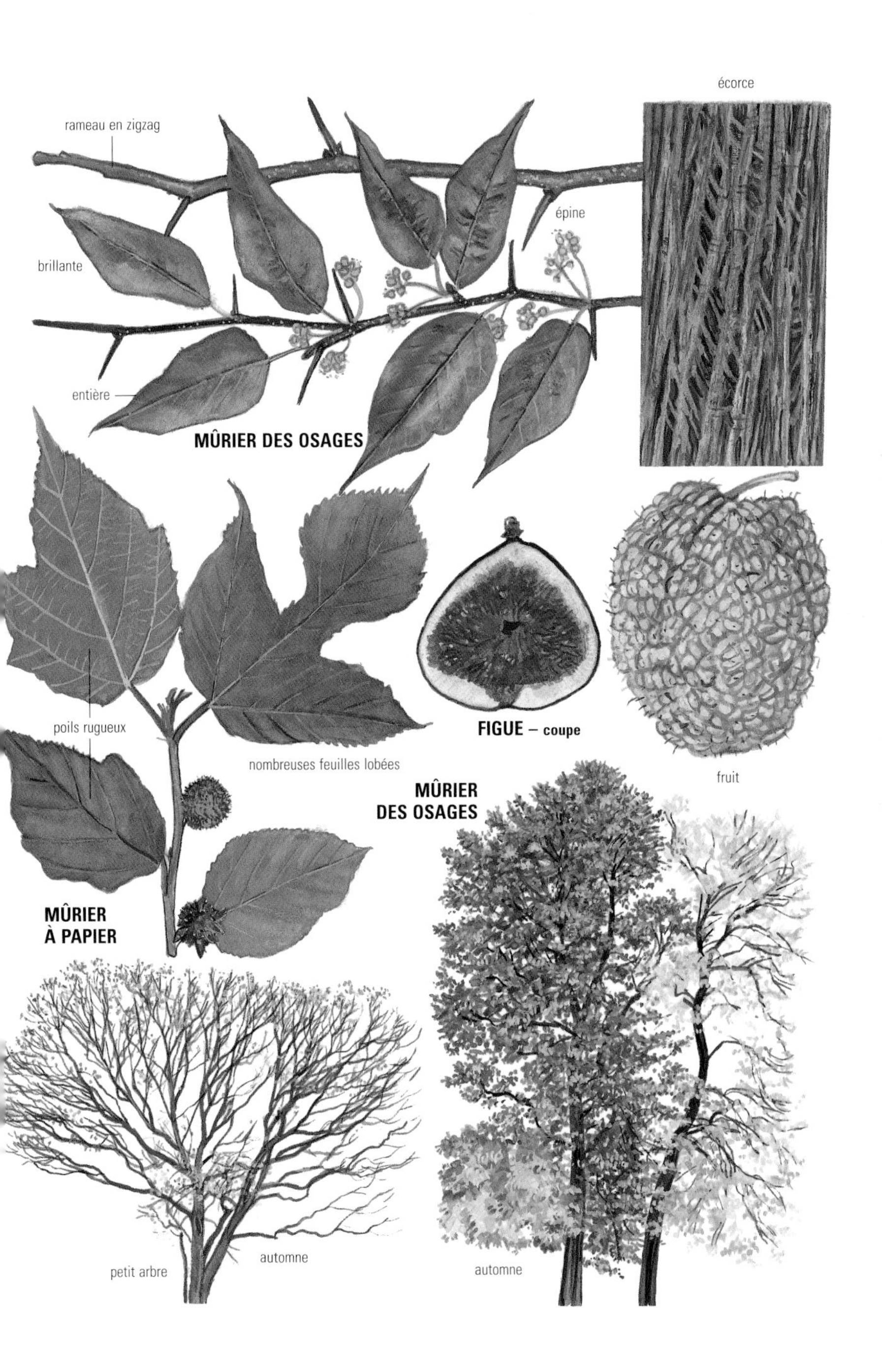
écorce
rameau en zigzag
épine
brillante
entière
MÛRIER DES OSAGES
FIGUE – coupe
poils rugueux
nombreuses feuilles lobées
fruit
MÛRIER
DES OSAGES
MÛRIER
À PAPIER
automne
petit arbre
automne

Mûrier noir *Morus nigra*

Probablement originaire d'Asie occidentale mais cultivé depuis très longtemps en Europe. Assez fréquent en climat doux dans les jardins, vieux parcs, etc. ASPECT – **Silhouette.** En dôme bas, dense et rameux, avec des branches sinueuses issues d'un tronc déjeté, jusqu'à 12 m ; débourrant tard puis particulièrement luxuriant tout l'été. **Écorce.** Brun orangé ; crêtes écailleuses entrecroisées et quelques *taches vives grumeleuses* ; beaucoup de gros broussins. **Rameaux.** Vigoureux, grisâtres, avec quelques poils rêches ; garnis de *bourgeons pourpres, larges et pointus*, bien visibles (*cf.* orme de montagne, p. 242). **Feuilles.** 8 à 12 cm, épaisses, foncées et *brillantes mais rugueuses dessus* et poilues, en particulier au revers ; cordiformes mais plus ou moins découpées sur les rejets et les jeunes plants (*cf.* figuier, p. 256). **Fruits.** Mûrissent au cœur de l'été ; comestibles.
ESPÈCES VOISINES – Mûrier à papier (p. 256) ; aulne de Corse (p. 192) ; arbre aux pochettes (p. 412). Mûrier blanc (ci-dessous) : allure très différente.

Mûrier blanc *Morus alba*

Chine mais cultivé depuis très longtemps en Europe : la nourriture préférée du ver à soie. Rare.
ASPECT – **Silhouette.** *Dôme dressé et ouvert de branches fines et souples* ; jusqu'à 11 m ; tronc souvent mince et droit. **Écorce.** Gris-fauve terne ; réseau de crêtes fibreuses superficielles. **Rameaux.** Gris, vite lisses ; petits bourgeons pointus. **Feuilles.** *Vert tendre pâle*, planes et assez molles ; presque *lisses* et brillantes dessus, mais poilues sous les nervures. **Fruits.** Rosés ou blanchâtres, sucrés mais peu parfumés.
ESPÈCES VOISINES – Tilleul du Caucase (p. 402) ; micocoulier de Virginie (p. 254).
CULTIVARS – 'Pendula', assez rare : forme un petit dôme très pittoresque (jusqu'à 4 m).
'Laciniata', très rare : conserve des feuilles très lobées.
'Venosa', très rare : petites feuilles dentelées aux *nervures jaune vif très larges.*
'Pyramidalis', très rare : branches dressées raides.

Les magnolias (80 espèces environ) produisent de grandes fleurs « primitives » (aire d'atterrissage pour des coléoptères « primitifs » aux prouesses aéronautiques incertaines). Les pétales et les sépales, non différenciés, sont nommés « tépales ». Les feuilles, toujours entières, sont souvent énormes. D'immenses bourgeons floraux soyeux ornent l'extrémité des tiges ; les baies pendent à maturité au bout de filaments soyeux issus de fruits à structure en cône, avant d'être emportées par le vent. La plupart vivent longtemps mais sont d'introduction relativement récente. (Famille : Magnoliacées.)

Critères de distinction : magnolias

- Écorce : Plus ou moins rugueuse ?
- Rameaux : Couleur ? Odeur quand on les frotte ?
- Bourgeons : Bourgeons foliaires poilus ?
- Feuilles : Persistantes ? Pointues ? Gaufrées ? Longueur ? Duveteuses au revers ? Où se situe la partie la plus large ?
- Fleurs : Dressées ou inclinées ? Parfumées ? Combien de tépales ? Largeur des tépales ? Couleur ?

Clé des espèces

Magnolia à grandes fleurs (p. 260) : persistant. **Magnolia à feuilles acuminées** (p. 260) : grandes feuilles, fleurs en milieu d'été. **Magnolia de Campbell** (p. 264) : grandes feuilles, fleurs en début de printemps. **Magnolia à feuilles de saule** (p. 268) : petites feuilles, petites fleurs blanches au début du printemps. ***Magnolia* × *soulangiana*** (p. 270) : buissonnant, fleurs dressées, hautes, avant les feuilles.

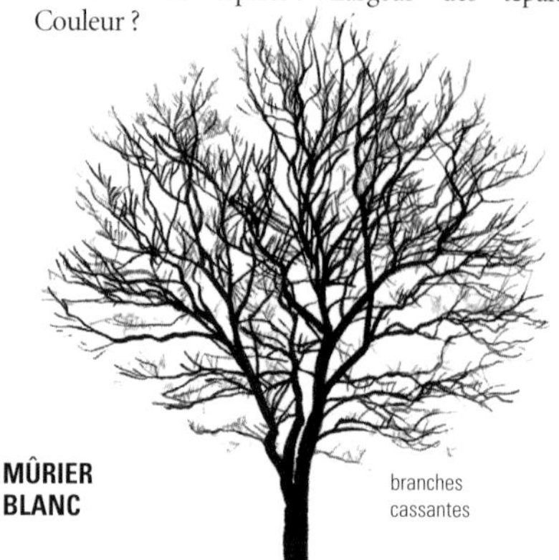

MÛRIER BLANC

'PENDULA'

MÛRIER BLANC 'PYRAMIDALIS'

MÛRIER NOIR

Michelia — *Michelia doltsopa*

De E Himalaya à O Chine. 1918. Grands jardins en climat doux. Le plus rustique d'un groupe de 45 arbres persistants apparentés aux *Magnolia* mais fleurissant sur le vieux bois et non à l'extrémité des pousses.
ASPECT – **Silhouette.** Dense et dressée, d'aspect assez buissonnant, jusqu'à 20 m. **Écorce.** Grise ; légèrement craquelée avec l'âge. **Feuilles.** Jusqu'à 18 cm ; *assez brillantes dessus ; pruine argentée au revers* (*cf.* arbre à écorce de Winter, p. 274, et *Rhododendron falconeri*, p. 428) avec un fin duvet au début ; poils roux persistants sous les nervures. **Fleurs.** *Entourant les rameaux*, issues de bourgeons brun orangé soyeux, en début d'été ; blanc crème, jusqu'à 10 cm ; forte odeur de crème à raser.

Magnolia à grandes fleurs
Magnolia grandiflora 

(Magnolia sempervirent) SE États-Unis, littoral. Fréquent en climat doux – souvent contre la façade des maisons anciennes.
ASPECT – **Silhouette.** En dôme irrégulier et raide ; jusqu'à 12 m, parfois plus. **Écorce.** Grise ; de grandes écailles superficielles apparaissent avec l'âge. **Rameaux.** Duvet laineux fauve. **Feuilles.** Fines, jusqu'à 25 cm ; brillantes dessus ; duvet orangé sur les revers plus pâles, s'amincissant au cours de l'année. **Fleurs.** Clairsemées, du milieu de l'été à la fin de l'automne ; richement parfumées ; 9 à 15 pétales immenses.
CULTIVARS – 'Exmouth' : port dressé, feuilles étroites *peu* laineuses, fleurs à 18 tépales ; 'Goliath' : buissonnant ; *grandes feuilles larges, presque glabres dessous* ; fleurs de 30 cm de large.
AUTRE ARBRE – *Magnolia nitida* (SO Chine, Tibet ; 1920), collections : très bel arbre à fleurs avec des feuilles de 10 cm, *glabres et brillamment vernissées*, au bord finement argenté et teintées de rouge cuivré ; fleurs blanc crème parfumées au début du printemps.

Magnolia de Chine — *Magnolia delavayi*

SO Yunnan, Chine. 1900. Assez rare ; pour les climats doux et situations abritées.
ASPECT – **Silhouette.** Dôme dense et large, souvent buissonnant, jusqu'à 18 m ; branches sinueuses. **Écorce.** Gris-fauve ; *crêtes liégeuses serrées*. **Feuilles.** Immenses, magnifiques – *jusqu'à 35 cm* ; ternes dessus et *gris argenté dessous*, avec un fin duvet (*cf. Rhododendron falconeri*, p. 428). **Fleurs.** En fin d'été ; jusqu'à 20 cm de large – elles s'ouvrent la nuit et ne restent belles que quelques heures.

Magnolia à feuilles acuminées
Magnolia acuminata

Ontario à Floride. 1736. Très peu répandu ; climat doux.
ASPECT – **Silhouette.** Conique, puis en dôme ; jusqu'à 25 m. **Écorce.** *Brun orangé*, vite marquée de *crêtes* écailleuses peu profondes. **Feuilles.** Jusqu'à 22 cm ; pointues et plus larges vers le sommet ; vert vif dessus ; pâles et finement duveteuses au revers. **Fleurs.** 5 à 10 cm, jaune-vert, disséminées dans le feuillage au début de l'été. **Fruits.** « Cônes » dressés de 7 cm, souvent déformés, rose vif puis rouges.
CULTIVARS – ssp. *cordata* (var. *subcordata* ; SE États-Unis) : fleurs *jaune vif à l'intérieur* ; généralement buissonnant, avec une écorce plus finement écailleuse et des feuilles plus larges, plus foncées, plus brillantes, avec de longs poils au revers.
ESPÈCES VOISINES – *Pterostyrax hispida* (p. 432) ; mûrier des Osages (p. 256). Les autres magnolias arborescents à feuillage caduc et floraison estivale (p. 262) ont des écorces grises plus lisses et des feuilles encore plus grandes.

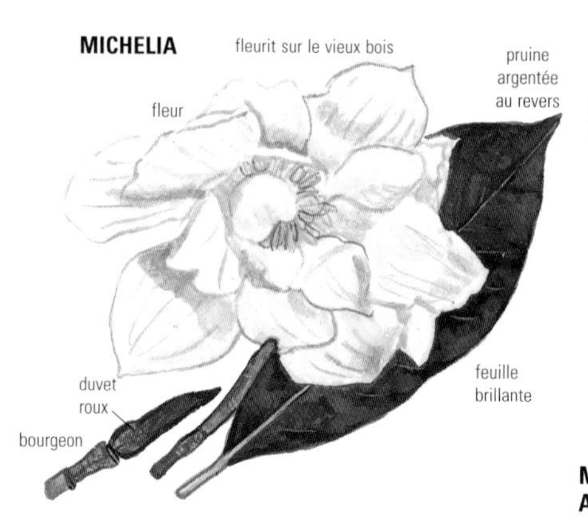

MAGNOLIA À GRANDES FLEURS
fleur
feuille
brun orangé au revers
fruit
MAGNOLIA DE CHINE
feuilles immenses
revers
argenté
vert
dessous
MAGNOLIA À FEUILLES ACUMINÉES
feuille
arbre
souvent contre un mur
ovoïde ou
déformé
fruit
arbre très feuillu
écorce écailleuse
MAGNOLIA À GRANDES FLEURS
MAGNOLIA À FEUILLES ACUMINÉES

Magnolia à grandes feuilles

Magnolia macrophylla

SE États-Unis. 1800. Rare ; climats doux.
ASPECT – **Silhouette.** Étroite et grêle, jusqu'à 16 m ; parfois buissonnante. **Écorce.** Grise, avec quelques écailles et fissures. **Feuilles.** *Les plus grandes de tous les feuillus rustiques* (jusqu'à 1 m) ; *argentées* (*cf.* magnolia de Chine, p. 260) et finement duveteuses dessous ; généralement, *petites auricules arrondies* (*cf.* celles anguleuses du *Magnolia fraseri*). **Fleurs.** Au milieu des feuilles ; immenses (jusqu'à 30 cm) et parfumées, mais rares dans nos régions.
CULTIVARS – ssp. *ashei* (NO Floride, 1949), très rare : fleurs énormes même sur les jeunes plants.

Magnolia fraseri

De la Virginie à la Géorgie. 1786. Collections.
ASPECT – **Silhouette.** En dôme grêle, jusqu'à 15 m. **Écorce.** Grise ; quelques écailles espacées avec l'âge. **Rameaux.** Bruns ; bourgeons *pourpre foncé* jusqu'à 3 cm de long. **Feuilles.** Vert tendre ; grandes et ovales (jusqu'à 45 cm), comme celles du magnolia du Japon à grandes feuilles (ci-dessous), mais avec de grandes auricules pointues dessinant une base *en V renversé* (*cf.* magnolia à grandes feuilles, ci-dessus) ; *glabres.* **Fleurs.** Au milieu des feuilles en début d'été – légèrement parfumées.

Magnolia du Japon à grandes feuilles

Magnolia obovata

(*M. hypoleuca*) Japon, îles Kouriles. 1865. Assez rare ; climats doux.
ASPECT – **Silhouette.** Grêle, avec des branches fines sur un tronc court. **Écorce.** Grise, développant quelques fissures distantes. **Rameaux.** *Brun-pourpre, glabres.* **Feuilles.** Immenses (jusqu'à 40 cm), ovales mais plus larges vers le sommet ; glauques et légèrement poilues au revers. **Fleurs.** En début d'été ; solitaires au milieu des feuilles mais de 20 cm de large et au parfum puissant – sucré et velouté à distance, écœurant et chimique de près. **Fruits.** « Cônes » écarlates (jusqu'à 18 cm), *s'effilant vers un sommet arrondi.*
ESPÈCES VOISINES – Magnolia de Campbell (p. 264) : feuilles plus petites. *Magnolia fraseri* (ci-dessus) ; magnolia à feuilles acuminées (p. 260).
AUTRES ARBRES – Magnolia de Chine à grandes feuilles, *M. officinalis*, probablement éteint dans la nature (centre Chine 1900). Collections. Diffère par des jeunes rameaux *gris-jaune* et des fruits *au sommet aplati*, brun-pourpre à maturité. 'Biloba' (1936) : *beaucoup de feuilles à l'extrémité échancrée* (*cf.* les feuilles plus petites et plus étroites du magnolia de Sargent, p. 266). *M. × weiseneri* (*M. × watsonii*), hybride probable avec *M. sieboldii*, un magnolia arbustif à fleurs blanches : plante buissonnante raide (jusqu'à 9 m) ; feuilles plus petites (12 à 25 cm) et fleurs plus petites (14 cm), plus blanches, également parfumées.

Magnolia tripetala

E États-Unis. 1752. Assez rare.
ASPECT – **Silhouette.** Grêle et assez buissonnante ; jusqu'à 14 m. **Écorce.** Grise ; lisse, puis quelques écailles et fissures. **Feuilles.** Très grandes (jusqu'à 50 cm), *longuement effilées à la base* et écourtées au sommet ; duveteuses au revers au début ; *en verticilles à l'extrémité des pousses*, formant des sortes d'ombrelles denses. **Fleurs.** En fin de printemps, au milieu des feuilles ; jusqu'à 25 cm de large, très parfumées. **Fruits.** « Cônes » rouge cerise, 8 cm, très voyants.

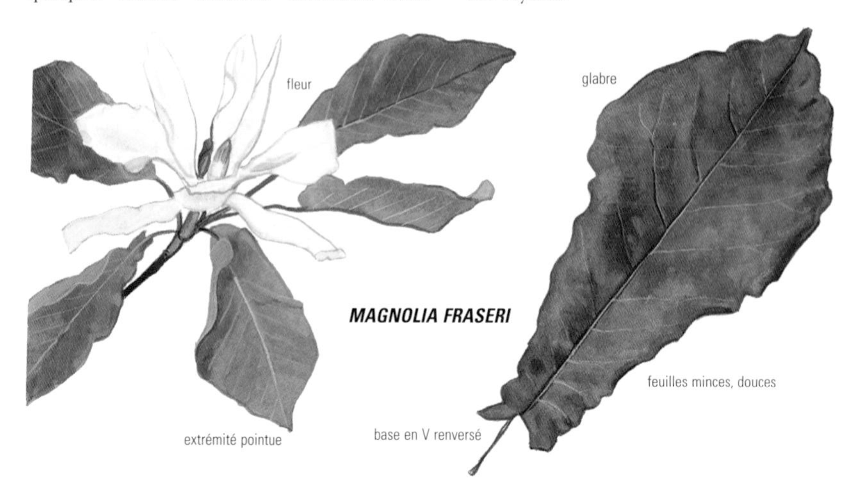

MAGNOLIA FRASERI

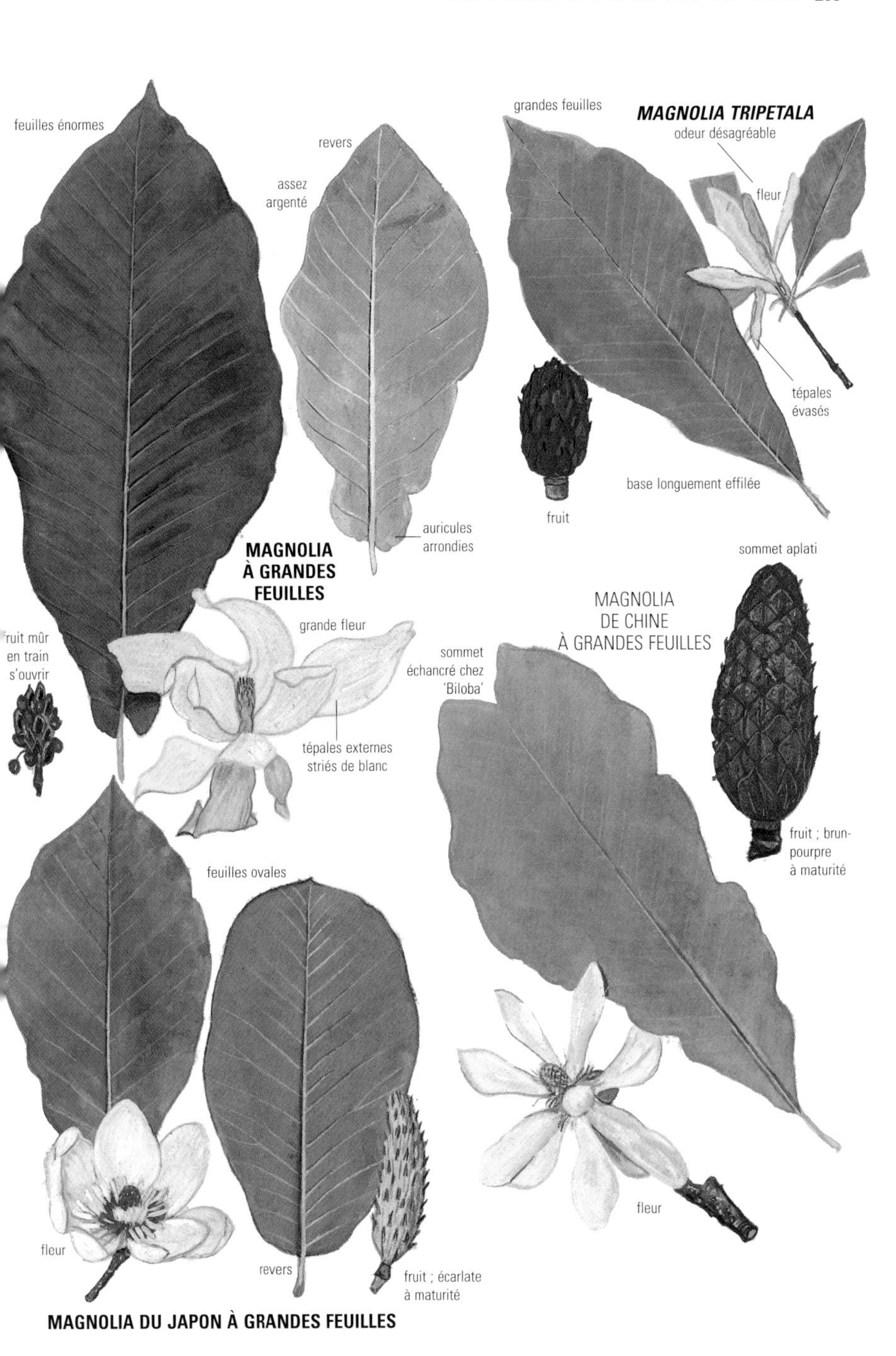
feuilles énormes
revers
assez argenté
auricules arrondies
MAGNOLIA À GRANDES FEUILLES
grande fleur
ruit mûr en train s'ouvrir
tépales externes striés de blanc
grandes feuilles
MAGNOLIA TRIPETALA
odeur désagréable
fleur
tépales évasés
base longuement effilée
fruit
sommet aplati
MAGNOLIA DE CHINE À GRANDES FEUILLES
sommet échancré chez 'Biloba'
fruit ; brun-pourpre à maturité
fleur
feuilles ovales
fleur
revers
fruit ; écarlate à maturité
MAGNOLIA DU JAPON À GRANDES FEUILLES

Magnolia de Campbell *Magnolia campbellii*

De l'Himalaya à O Chine. 1870. Peu fréquent ; pour les climats doux de l'ouest et du midi de la France. Le plus largement cultivé des magnolias asiatiques arborescents à floraison printanière, mais issu de semis, met 20 à 30 ans avant de fleurir.

ASPECT – **Silhouette.** Conique puis en dôme ouvert, jusqu'à 23 m, ou avec plusieurs troncs droits partant de la base ; longues branches filant droit entre des angles aigus, brusques. **Écorce.** Typiquement grise avec quelques fissures espacées ; rarement rugueuse avec des écailles liégeuses serrées. **Feuilles.** Grandes (jusqu'à 30 cm) et larges ; assez mates ; plus ou moins duveteuses au revers ; généralement *ovales avec une petite extrémité pointue* (*cf.* les feuilles encore plus grandes du magnolia du Japon à grandes feuilles, p. 262), mais parfois longuement effilées à la base comme celles des autres magnolias arborescents à floraison printanière (p. 266). **Fleurs.** Submergeant la couronne nue au *début* du printemps comme une nuée d'oiseaux exotiques – jusqu'à 30 cm de large et typiquement *rose clair* vif ; plus ou moins *dressées* mais avec les *12 à 16 tépales* externes s'ouvrant largement jusqu'à l'horizontale ou au-delà ; les énormes bourgeons *ovoïdes* sont sensibles aux gelées après la chute des écailles externes poilues ; chaque fleur ne dure que quelques jours.

ESPÈCES VOISINES – Magnolia de Veitch (ci-dessous). Magnolias de Sargent, de Sprenger et de Dawson (p. 266) : feuilles plus petites ou plus fines ; seul le magnolia de Sprenger a des fleurs dressées similaires.

CULTIVARS – f. *alba* : fleurs d'un blanc légèrement nuancé de vert.

ssp. *mollicomata* (Sikkim) : intéressant par sa mise à fleurs plus précoce – 13 ans après le semis – et sa floraison plus tardive (d'une semaine), moins sensible aux gelées ; fleurs (*pédoncule poilu ; bourgeons oblongs, pointus*) généralement d'un rose légèrement *pourpré*, pâle, à la forme régulière (tépales externes horizontaux et tépales internes incurvés, *comme une tasse sur une soucoupe*).

'Lanarth' : forme voisine de ssp. *mollicomata*, avec des feuilles très *larges et épaisses* ; fleurs régulières, précoces (comme le type), d'un *pourpre magenta* étonnant.

'Charles Raffill' (Kew, 1946), hybride entre le type et ssp. *mollicomata* : fleurs combinant la forme régulière des fleurs de la sous-espèce et la teinte rose clair de celles de l'espèce ; commence à fleurir au bout de 13 ans.

Magnolia de Veitch
Magnolia × *veitchii* 'Peter Veitch'

Hybride entre le magnolia de Campbell (ci-dessus) et le *Magnolia denudata* (p. 270) ; Exeter, 1907. Assez rare.

ASPECT – **Silhouette.** D'abord conique, puis en dôme élevé ; généralement sur un tronc unique ; bien que *M. denudata* ait un port buissonnant, son hybride a déjà donné *le plus haut magnolia* de Grande-Bretagne, jusqu'à 27 m. **Écorce.** Grise ; quelques fissures espacées avec l'âge. **Feuilles.** De 15 à 30 cm ; assez ovales mais plus larges vers le sommet pointu. **Fleurs.** Deux semaines après celles du magnolia de Campbell ; les *9 tépales* teintés de pourpre rosé à la base, dressés, forment une *coupe évasée* (*cf. Magnolia denudata*, p. 270).

CULTIVARS – 'Isca', plus rare : silhouette large, tépales à peine teintés à la base.

'Alba', très rare : fleurs blanc ivoire.

MAGNOLIA DE VEITCH

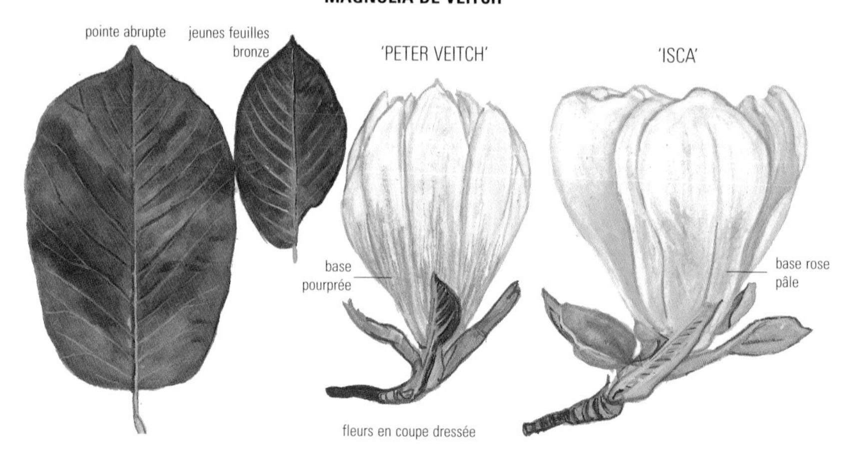

MAGNOLIA DE CAMPBELL

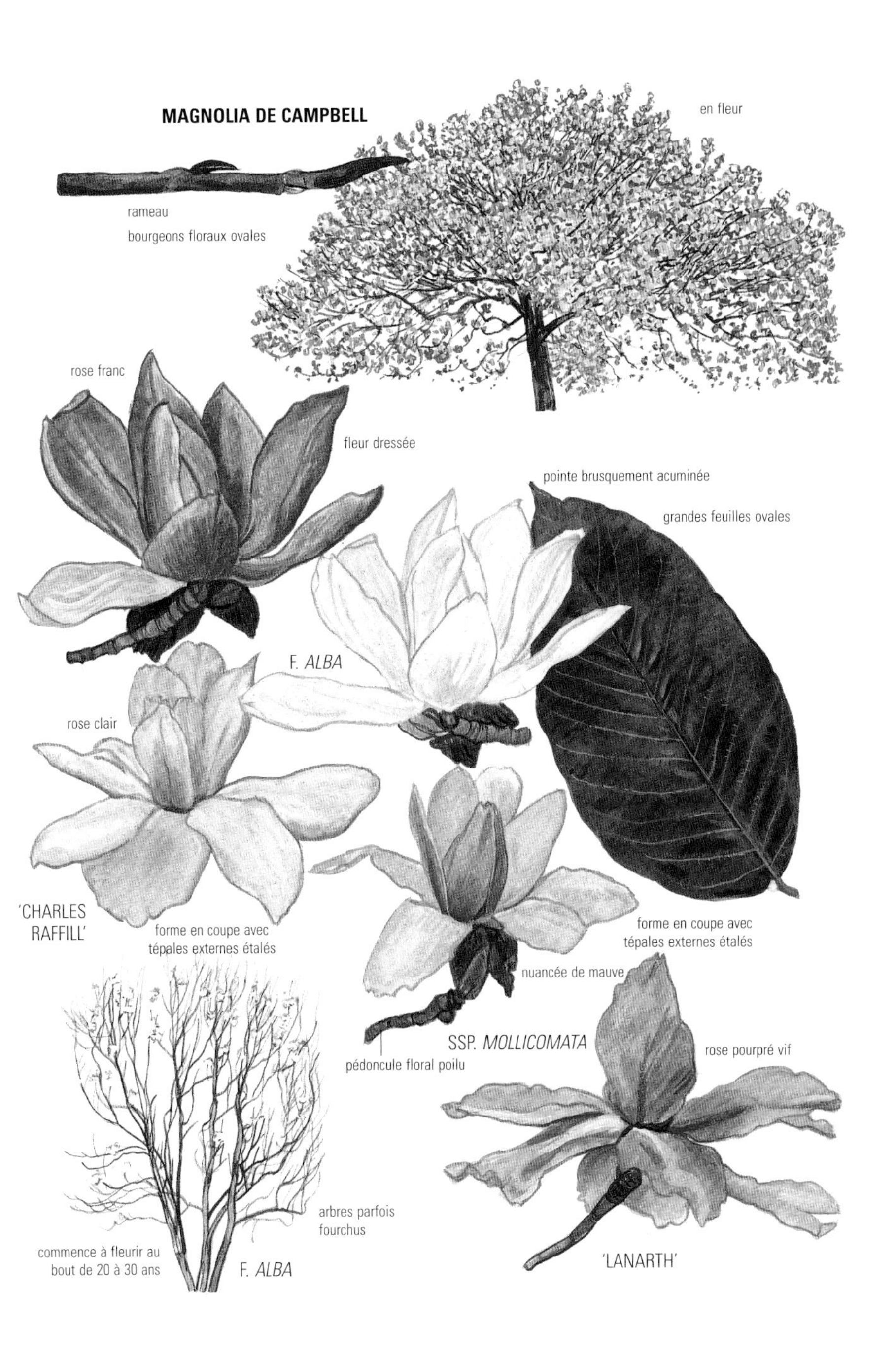

Magnolia de Sargent

Magnolia sargentiana var. *robusta*

(*M. robusta*) SO Chine. 1910. Rare. Climat doux.
Aspect – Silhouette. Robuste (jusqu'à 18 m), mais souvent à troncs multiples, droits. **Écorce.** Grise ; restant généralement lisse. **Feuilles.** Longues, foncées et *étroites*, jusqu'à 20 × 8 cm, souvent *échancrées à la pointe* (*cf.* magnolia de Chine à grandes feuilles, p. 262) ; poils grisâtres persistants au revers. **Fleurs.** *Inclinées sous des angles divers*, jusqu'à 30 cm de large ; 10 à 16 tépales *larges*, ébouriffés, de rose pâle à presque pourpres, vite étalés ou pendants ; fleurit au bout de 13 ans.
Espèces voisines – Magnolias de Dawson et de Sprenger (ci-dessous) : tépales plus fins ; feuilles plus courtes. Magnolia de Campbell (p. 264) : fleurs *dressées* et feuilles plus larges, jamais échancrées.
Autre arbre – L'espèce type est plus rare : feuilles plus larges rarement échancrées ; fleurs plus petites (10 à 13 tépales diversement orientés) ; fleurit au bout de 25 ans ; tronc unique plus fréquent.

Magnolia de Sprenger

Magnolia sprengeri var. *diva*

Centre Chine. 1901. Rare ; pour climats doux.
Aspect – Silhouette. Conique ou en dôme ; assez ouverte et parfois sur plusieurs troncs droits ; jusqu'à 22 m. **Écorce.** Grise ou chamois, développant *souvent* des petites écailles liégeuses et rugueuses. **Feuilles.** Jusqu'à 17 cm, plus larges vers le sommet pointu (*cf.* magnolia du Japon, p. 268, et magnolia de Dawson, ci-dessous) et *densément* duveteuses sous les nervures. **Fleurs.** (Mise à fleurs 20 ans après le semis et floraison quelques jours après celle du magnolia de Campbell, p. 264) *Dressées*, 20 cm de large ; 12 tépales rose s'étalant rapidement.
Cultivar – var. *elongata*, très rare : petit arbre dressé (jusqu'à 16 m) ; feuilles presque glabres dessous ; fleurs *blanches* teintées de pourpre.

Magnolia de Dawson

Magnolia dawsoniana

O Chine. 1919. Rare ; pour climats doux.
Aspect – Silhouette. À troncs courts ou en dôme *dense*, élevé ; jusqu'à 18 m. **Écorce.** Généralement chamois ; petites écailles liégeuses, rugueuses. **Feuilles.** Mêmes forme et dimensions que celles du magnolia de Sprenger (ci-dessus) mais *plus foncées* et légèrement brillantes, avec un réseau de nervures fortement *en creux ; glabres* sauf sous la nervure médiane ; *cf.* magnolia du Japon (p. 268). **Fleurs.** Parfumées et pendantes ; les 9 tépales rose tendre pendants à terme, plus fins que ceux du magnolia de Sprenger, créant un tableau spectaculaire mais délicat – presque un magnolia 'Leonard Messel' (p. 268) à grande échelle.
Cultivar – 'Chyverton Red' : fleurs presque cramoisies.

Magnolias arborescents hybrides

Les magnolias cultivés s'hybrident au hasard : beaucoup sont difficiles à identifier. Voici quelques hybrides pouvant donner de *vrais arbres* :
M. 'Galaxy' (*liliiflora* 'Nigra' × *sprengeri* var. *diva* ; États-Unis, 1963) : fleurs inclinées, ébouriffées, légèrement parfumées, de 20 à 25 cm de large ; 12 tépales *rouge pourpré* au revers (*cf.* 'Lanarth', p. 264) et plus pâles à l'intérieur.
M. 'Iolanthe' (Nouvelle-Zélande, 1974) : fleurs inclinées, en « tasse sur soucoupe », de 28 cm de large ; 9 tépales larges, rose clair au revers et blancs dedans.
M. 'Star Wars' (*campbellii* × *liliiflora* ; Nouvelle-Zélande, 1970) : grandes fleurs dressées rose vif, aux tépales externes enroulés vers l'intérieur.

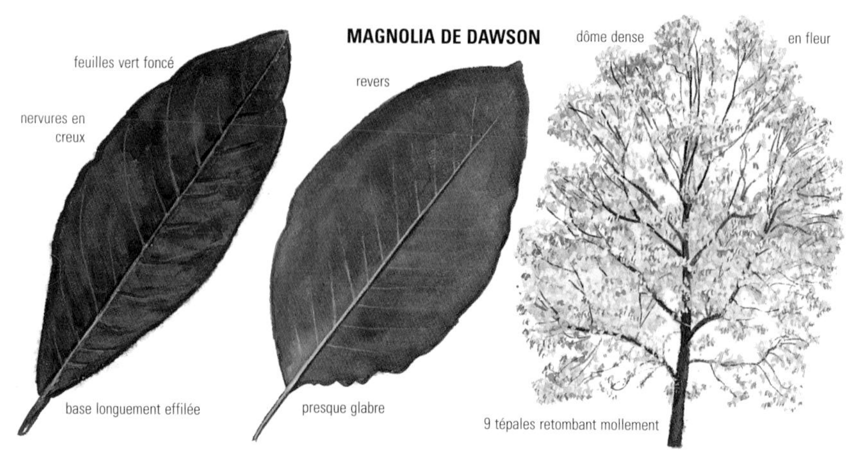

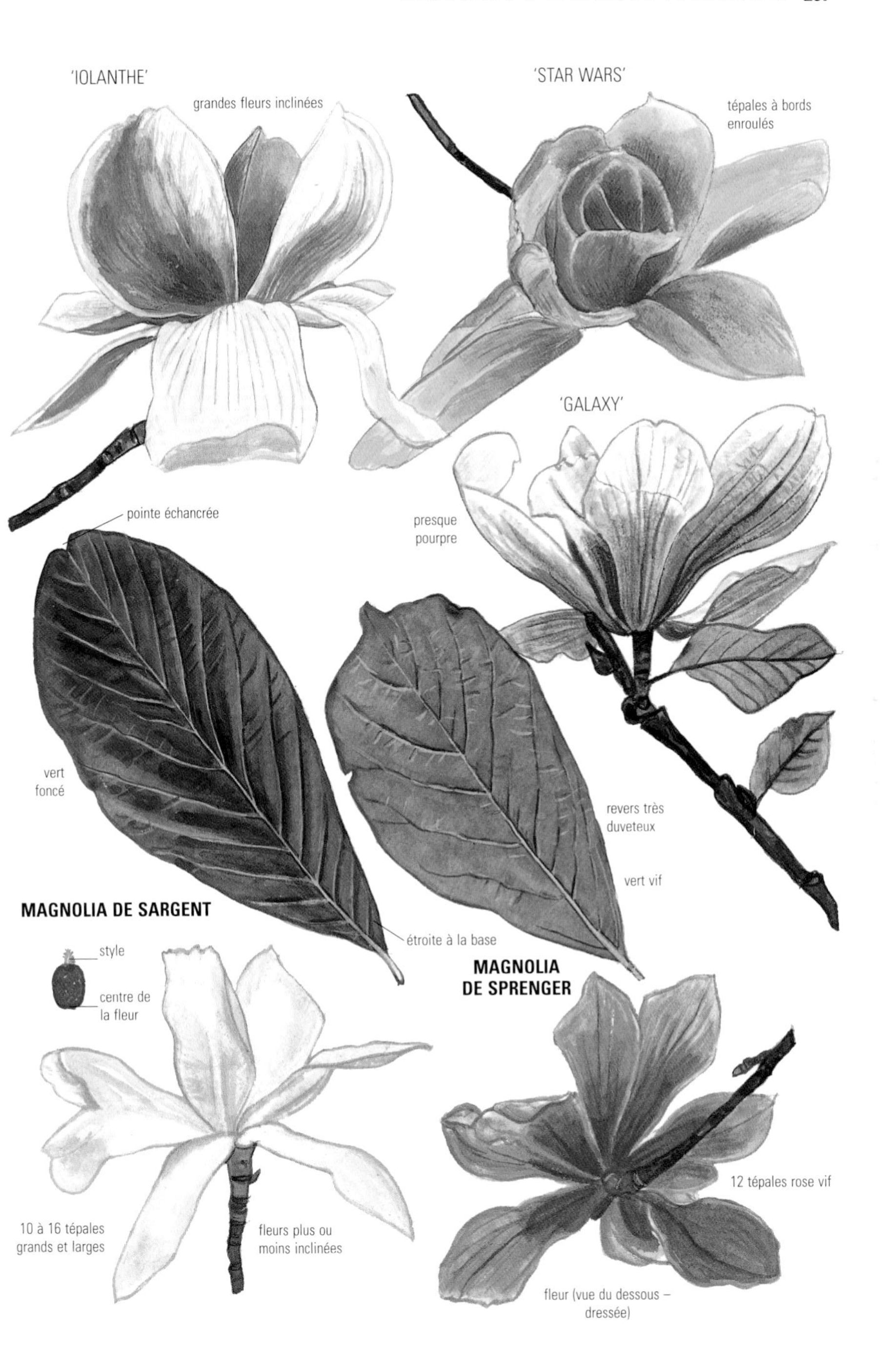
'IOLANTHE'
grandes fleurs inclinées
'STAR WARS'
tépales à bords enroulés
'GALAXY'
pointe échancrée
presque pourpre
vert foncé
revers très duveteux
vert vif
MAGNOLIA DE SARGENT
étroite à la base
style
centre de la fleur
MAGNOLIA DE SPRENGER
12 tépales rose vif
10 à 16 tépales grands et larges
fleurs plus ou moins inclinées
fleur (vue du dessous – dressée)

Magnolia à feuilles de saule
Magnolia salicifolia

Japon. 1892. Peu répandu ; grands jardins en climat doux.
Aspect – **Silhouette.** Conique ou arrondie, à branches fines, jusqu'à 17 m ; feuillage dense, *teinté de rouge* au printemps. **Écorce.** Généralement chamois ; vite marquée de petites écailles rugueuses. **Rameaux.** *Fins, verts,* glabres ; fortement aromatiques quand on les écrase. **Bourgeons.** Boutons floraux gris soyeux ; *bourgeons foliaires glabres.* **Feuilles.** Les plus petites parmi les magnolias rustiques arborescents, 8 à 14 cm et plus ou moins *fines, s'effilant* vers un sommet finement arrondi ; finement feutrées et légèrement *blanchâtres* au revers. **Fleurs.** Petites (8 cm), blanc pur, étoilées, couvrant l'arbre une semaine après le magnolia de Campbell (p. 264) ; 6 tépales principaux étroits, largement étalés ; délicatement parfumées.
Espèces voisines – Magnolia du Japon (ci-dessous). *M. denudata* et *M.* × *soulangiana* à fleurs blanches (p. 270) : fleurs dressées, en *gobelet.* Magnolias de Dawson et de Sprenger (p. 266) : feuilles plus grandes. *Nyssa sinensis* (p. 412) : feuillage similaire.
Autres arbres – *M.* × *kewensis,* hybride avec *M. kobus* : peut avoir plus de tépales. 'Wada's Memory' : clone dense et dressé : fleurs *jusqu'à 18 cm de large,* avec des *tépales souples et retombants.*

Magnolia du Japon
Magnolia kobus

N Japon. 1865. Assez rare.
Aspect – **Silhouette.** Typiquement plus robuste que celle du magnolia à feuilles de saule ; jusqu'à 18 m. **Écorce.** Comme celle du magnolia à feuilles de saule ; crêtes liégeuses souvent plus grossières. **Rameaux.** *Brun pâle, assez gros* ; léger arôme de citron quand on les écrase. **Bourgeons.** Floraux *et* foliaires *très duveteux.* **Feuilles.** Plus foncées que celles du magnolia à feuilles de saule et *plus larges vers le sommet ; vertes* dessous – presque comme chez le magnolia de Sprenger (p. 266). **Fleurs.** Comme celles du magnolia à feuilles de saule, mais plus précoces d'une semaine et portant généralement *un bourgeon foliaire à la base du pédoncule.*

Magnolia étoilé
Magnolia stellata

(*M. kobus* var. *stellata*) Japon. 1862. Assez fréquent.
Aspect – **Silhouette.** Arbuste rameux (jusqu'à 9 m). **Feuilles.** Fines, foncées, onduleuses. **Fleurs.** Étoilées, avec *de nombreux* tépales blancs étroits ; même sur les jeunes sujets.
Autres arbres – *M.* × *loebneri* (Allemagne, 1910), hybride avec le magnolia du Japon : buisson dense mais élégant, avec des rameaux droits et raides (*légère* odeur citronnée) ; se couvre au début du printemps, et dès son jeune âge, de fleurs étoilées aux nombreux tépales étalés ; feuilles jusqu'à 13 cm, issues de bourgeons glabres.
'Merrill' (1939) : dôme robuste ; fleurs de 15 cm comptant jusqu'à 15 *larges* tépales blanc pur.
'Leonard Messel', très populaire, peut-être le plus joli de tous les magnolias : fleurs étoilées de 12 cm, avec 12 tépales étroits teintés de rose (presque *lilas* vu de loin) ; pousse lentement, élancé avec un sommet aplati.
'Ballerina' (Illinois, 1970) : *jusqu'à 30* tépales blancs, teintés de rose à la base.
M. × *proctoriana* (hybride avec le magnolia à feuilles de saule, 1928), rare : petit arbre en dôme, délicat (jusqu'à 9 m) ; bourgeons foliaires légèrement poilus ; feuilles foncées plus fines que celles de *M.* × *loebneri* ; fleurs étoilées avec 6 (ou parfois jusqu'à 12) tépales blancs très légèrement rosés à la base.

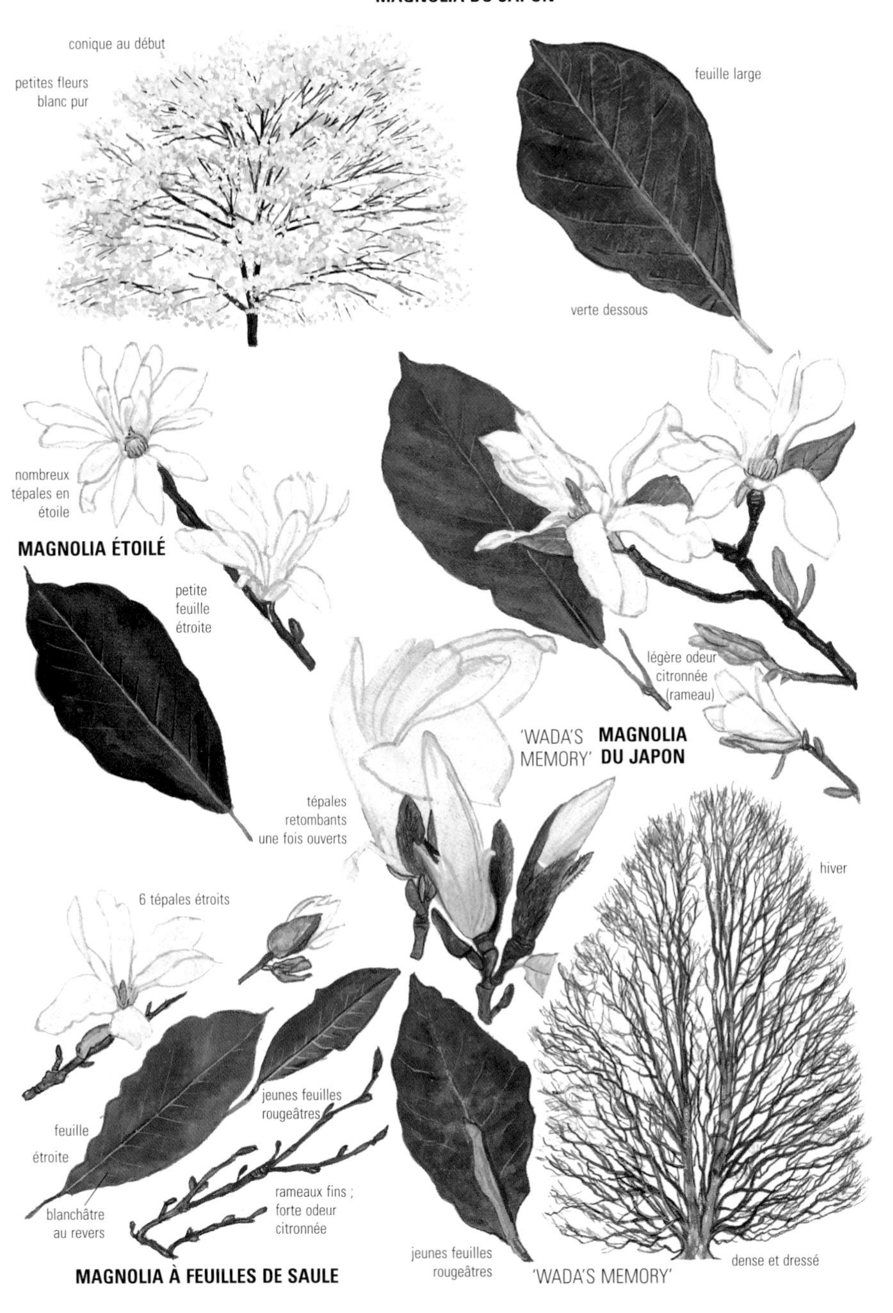
MAGNOLIA DU JAPON
conique au début
petites fleurs blanc pur
feuille large
verte dessous
nombreux tépales en étoile
MAGNOLIA ÉTOILÉ
petite feuille étroite
légère odeur citronnée (rameau)
'WADA'S MEMORY' MAGNOLIA DU JAPON
tépales retombants une fois ouverts
hiver
6 tépales étroits
jeunes feuilles rougeâtres
feuille étroite
blanchâtre au revers
rameaux fins ; forte odeur citronnée
jeunes feuilles rougeâtres
dense et dressé
'WADA'S MEMORY'
MAGNOLIA À FEUILLES DE SAULE

Magnolia denudata

(*M. heptapeta*) Chine. 1789. Rare.
ASPECT – **Silhouette.** *Largement buissonnante, raide mais équilibrée* ; atteint lentement 12 m. **Écorce.** Lisse, grise. **Feuilles.** Jusqu'à 15 cm, plus larges vers le sommet pointu et finement duveteuses dessous ; jaune pâle quand elles sortent. **Fleurs.** Nombreuses mais bien espacées sur les branches nues ; odeur de citron ; dressées et conservant une forme *en gobelet étroit* ; environ 9 tépales blanc ivoire (consommés frits en Chine).
ESPÈCES VOISINES – Son hybride, le magnolia de Veitch (p. 264) ; magnolia du Japon (p. 268).

Magnolia × *soulangiana*

Un hybride entre *M. denudata* (ci-dessus) et *M. liliiflora*, un magnolia japonais plus arbustif. Le magnolia le plus commun, surtout dans les petits jardins, avec de nombreux cultivars.
ASPECT – **Silhouette.** En dôme bas, jusqu'à 13 m, ou rabougri ; généralement buissonnante. **Écorce.** Lisse, grise. **Rameaux.** Brun-gris, avec des bourgeons soyeux (foliaires : 1 cm ; floraux : 2 cm). **Feuilles.** Jusqu'à 18 cm, plus larges juste au-dessus du milieu ; souvent duveteuses uniquement sous la nervure médiane ; jaunâtres quand elles sortent. **Fleurs.** En gobelet dressé ; 9 tépales teintés de blanc, de rose ou de pourpre, tombant rapidement ; à profusion au début du printemps *puis petit à petit au cours de l'été* ; mise à fleurs précoce.
CULTIVARS – 'Lennei' : grandes fleurs blanches à l'intérieur, rose-pourpre à l'extérieur ; refleurit bien à l'automne ; grandes feuilles (jusqu'à 20 cm), *larges*. 'Lennei Alba' : fleurs blanc pur.
'Brozzonii' : grandes fleurs blanches *tardives*, teintées de pourpre à la base ; feuilles foncées, mates.
'Rustica Rubra' : petites fleurs rouge-mauve à l'extérieur ; feuilles larges, foncées ; port vigoureux mais assez *grêle*.
'Picture' : grandes fleurs, blanches à l'intérieur mais avec une raie centrale rose pourpré à l'extérieur, et pourprées à la base.
'San Jose' : fleurs blanc crème richement teintées de rose.
'Verbanica' : tépales étroits, généralement d'un rose-mauve uniforme à l'extérieur ; très tardif.

Magnolias hybrides plus petits

On trouve maintenant des magnolias au port compact, très prisés, qui combinent la bonne résistance aux gelées printanières et la mise à fleurs précoce de *M.* × *soulangiana* avec les dimensions et les teintes de fleurs des grandes espèces arborescentes (*cf.* aussi p. 266).
M. 'Heaven Scent' (× *veitchii* 'Rubra' × *liliiflora* 'Nigra' ; États-Unis, 1960) : grandes fleurs très parfumées avec 12 tépales étroits blancs à l'intérieur, rose foncé à l'extérieur.
M. 'Peppermint Stick' (États-Unis, 1962 ; même ascendance) : fleurs plus pâles avec 9 tépales ; boutons floraux particulièrement grands (11 cm).
M. 'Sayonara' (× *soulangiana* 'Lennei Alba' × × *veitchii* 'Rubra' ; États-Unis, 1966) : fleurs blanches en gobelet à 9 tépales larges, teintées d'un rose légèrement verdâtre.
M. 'Elizabeth' (*acuminata* × *denudata* ; États-Unis, 1978) : premier magnolia à produire de nombreuses fleurs printanières offrant la *riche teinte crème* du magnolia à feuilles acuminées ; 6 à 9 tépales.
M. 'Vulcan' (*M. campbellii* var. *mollicomata* 'Lanarth' × *M. liliiflora* ; Nouvelle-Zélande, 1990) : grandes fleurs ébouriffées, *cramoisies*.

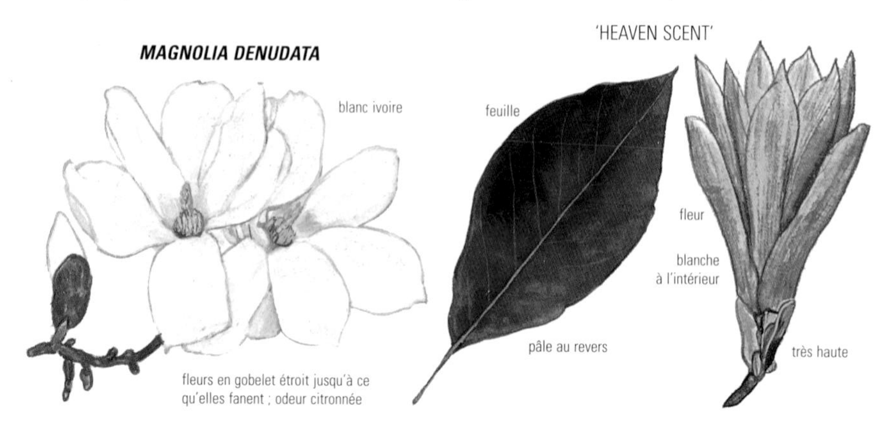

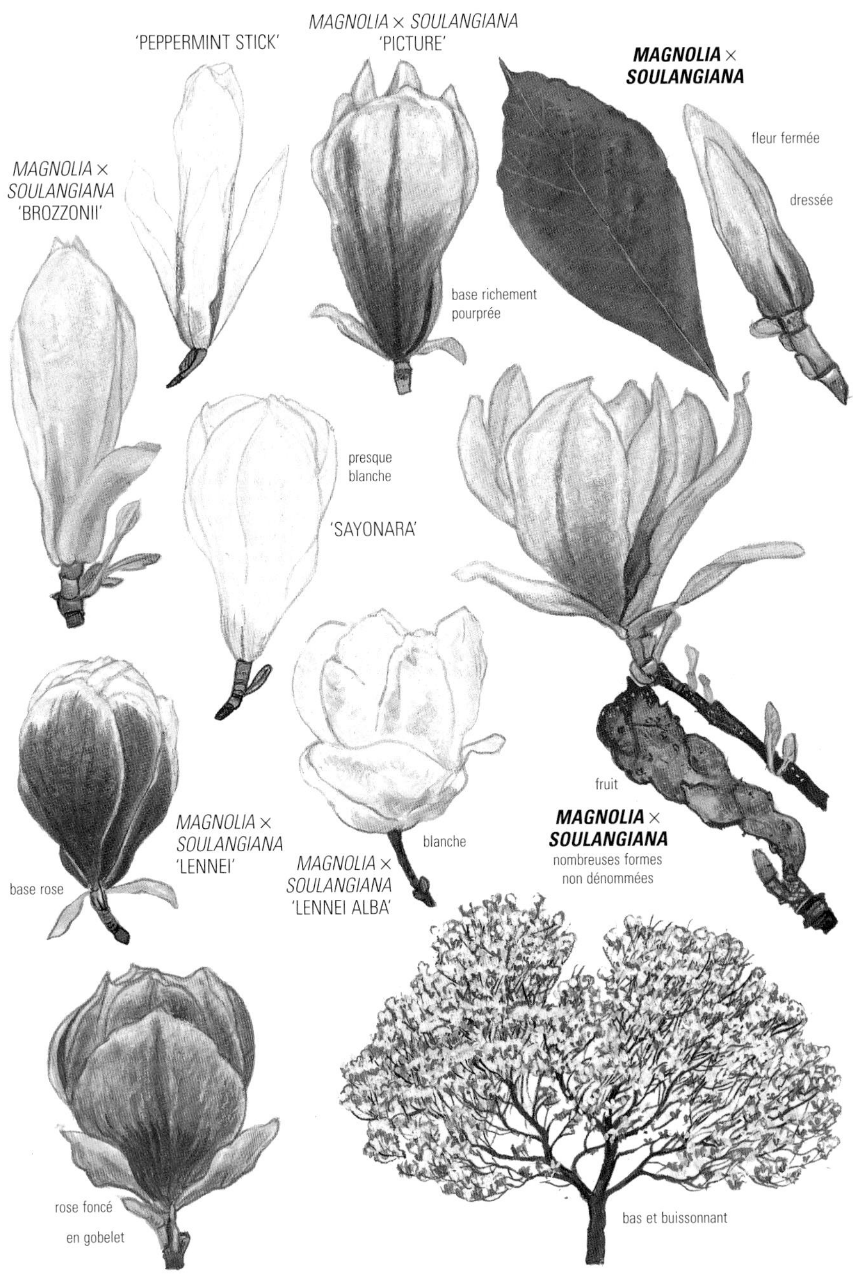

MAGNOLIA × *SOULANGIANA* 'RUSTICA RUBRA'

MAGNOLIA × *SOULANGIANA* 'LENNEI'

Tulipier de Virginie — *Liriodendron tulipifera*

E Amérique du Nord : de la Nouvelle-Écosse à la Floride. Assez fréquent.
ASPECT – **Silhouette.** Très haute, jusqu'à 36 m ; branches et rameaux souvent assez sinueux ; parfois conique au début ; feuillage dense, vert intense ; devient jaune d'or en automne ; vit longtemps mais se casse facilement lors des tempêtes. **Écorce.** Gris pâle ; crêtes entrecroisées courtes et serrées, assez pointues ; plus bronze et rugueuse chez les vieux arbres, avec des crêtes épaisses. **Rameaux.** Verdâtres ; pruine lilas au début. **Bourgeons.** *Pédonculés et aplatis, comme une queue de castor.* **Feuilles.** Profondément entaillées sur les rejets (comme les feuilles adultes du tulipier de Chine) ; parfois avec une paire de lobes supplémentaire ; lisses, avec un revers plus ou moins argenté, couvert de minuscules verrues. (Les plantes juvéniles ont des feuilles presque carrées, dépourvues de lobes latéraux ; f. *integrifolium*, rare, conserve ce type de feuillage.) **Fleurs.** En forme de tulipes, 5 cm, vertes et orange ; abondantes en juin après une saison chaude mais souvent perdues dans le feuillage ; fruits brun sombre, 5 cm, persistant durant l'hiver.
CULTIVARS – 'Fastigiatum', rare : conique puis assez largement colonnaire, avec des *branches verticales* sinueuses.
'Aureomarginatum', assez rare : vigoureux ; bord des feuilles jaune tendre, virant au vert pâle durant l'été.
'Aureopictum', beaucoup plus rare : taches jaunes au centre des feuilles.
'Glen Gold' : clone récent aux feuilles uniformément jaunes en début d'été.

Tulipier de Chine — *Liriodendron chinense*

De E Chine à N Vietnam, découvert en 1875. 1901. Encore rare ; moins vigoureux dans nos régions que le tulipier de Virginie (ci-dessus) ; jusqu'à 25 m.
ASPECT – Difficile à distinguer du tulipier de Virginie. **Écorce.** Peut devenir assez tôt brune et finement anguleuse. **Rameaux.** Pruine blanche plus intense. **Feuilles.** Brièvement *pourprées* quand elles sortent ; *toujours* élégamment et fortement entaillées (comme les feuilles du tulipier de Virginie sur les rejets) ; légèrement plus blanches au revers. **Fleurs.** Généralement plus vertes et plus tardives (quelques semaines) que celles du tulipier de Virginie.

Tetracentron de Chine — *Tetracentron sinense*

Centre Chine, N Vietnam, N Myanmar, N Inde. 1901. Collections. Apparemment une espèce primitive, avec une structure du bois assez proche de celle des conifères. Elle constitue une famille à elle seule : tétracentronacées.
ASPECT – **Silhouette.** Légère, assez érigée ; jusqu'à 13 m. **Écorce.** Brun-gris, écailleuse. **Feuilles.** *Solitaires sur des dards ligneux, alternes,* poussant chaque année – petites excroissances sur les jeunes rameaux brillants rouges à verts, mais mesurant 2 cm de long sur les rameaux de l'intérieur de la couronne et portant des bourrelets cicatriciels de croissance ; feuilles rose foncé quand elles sortent, la teinte persistant un certain temps à l'extrémité *émoussée* de chaque dent. **Fleurs.** Chaque dard peut porter un chaton vert très fin, jusqu'à 20 cm de long, du printemps à la fin de l'hiver.
ESPÈCE VOISINE – Cercidiphyllum du Japon (p. 274) : allure similaire mais feuilles opposées, plus petites.

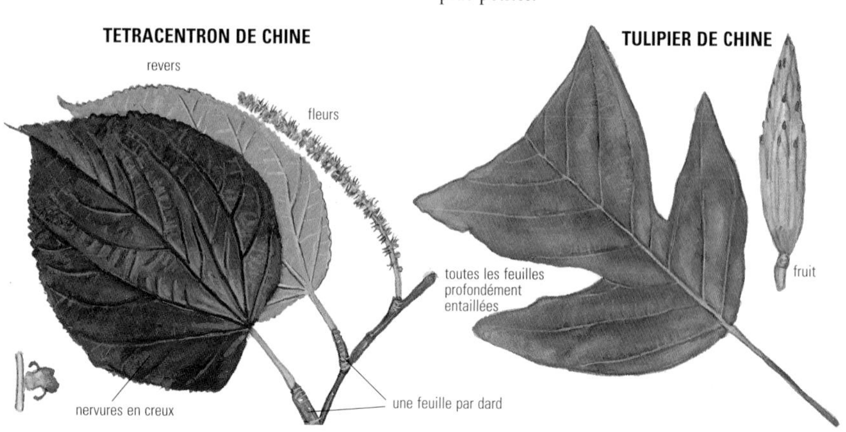

TULIPIER DE VIRGINIE

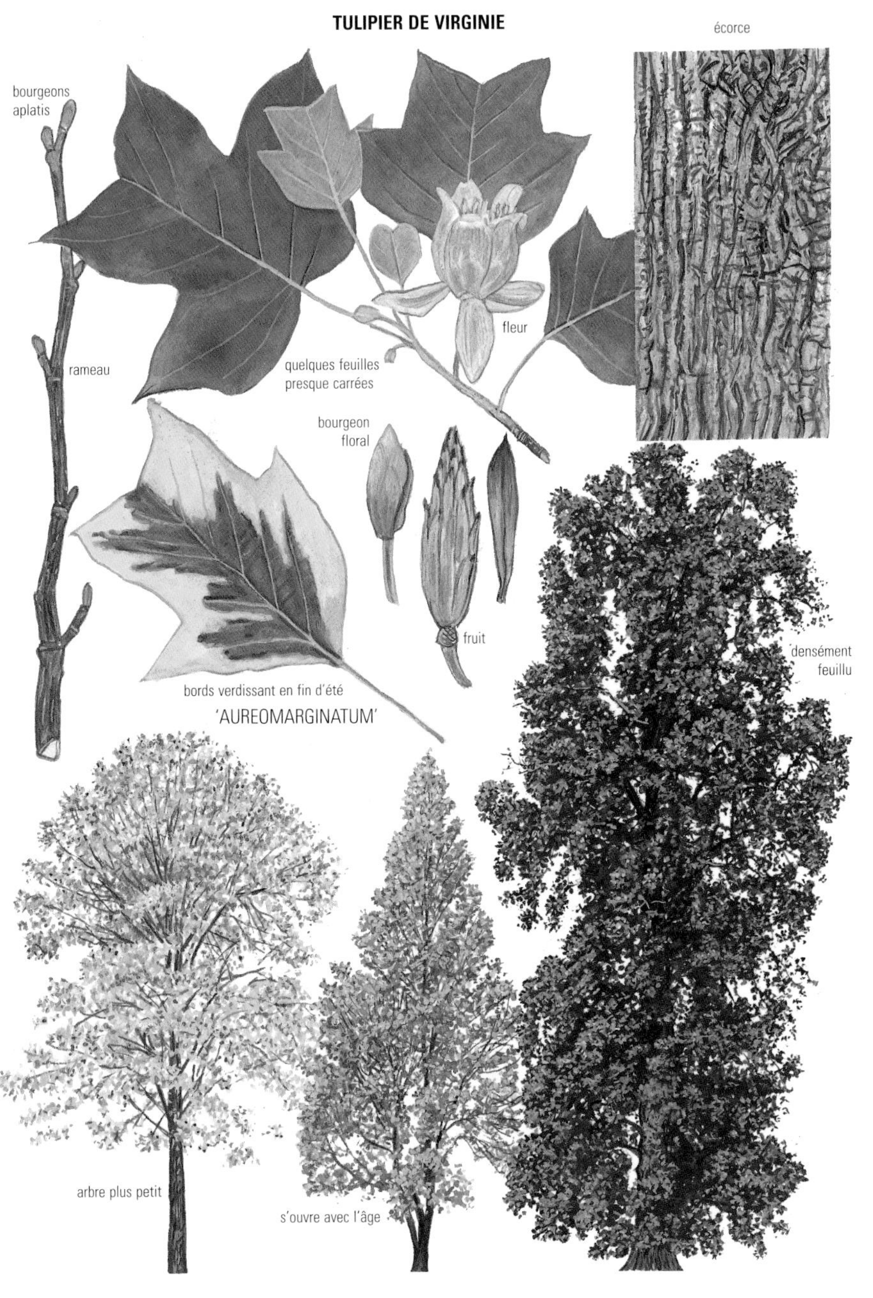

'AUREOMARGINATUM'

'FASTIGIATUM'

TULIPIER DE VIRGINIE

Cercidiphyllum du Japon
Cercidiphyllum japonicum

Chine ; S Japon. 1865. Peu répandu ; préfère les climats doux et humides. (Famille : Cercidiphyllacées.)
ASPECT – **Silhouette.** Conique arrondie, jusqu'à 25 m, avec souvent plusieurs troncs droits (les arbres de Chine, var. *sinense*, sont plus souvent à tronc simple) ; bourgeons saillants, par 2 ; rameaux secondaires pendants, densément garnis de petites feuilles bien nettes, même à l'intérieur de la couronne. **Écorce.** Gris ou brun pâle, avec des longues bandes pelucheuses. **Feuilles.** *Opposées* (alternes à la base du rameau), finement bordées de dents arrondies ; jusqu'à 10 cm ; vite glabres ; rosées quand elles sortent et jaune orangé en automne, dégageant dès le milieu de l'été une *odeur de caramel* décelable même à distance. **Fleurs.** Espèce dioïque ; toupets rouges.
ESPÈCE VOISINE – Arbre de Judée (p. 348).
CULTIVARS – 'Pendulum', très rare : pleureur.
'Red Fox' : clone récent *pourpre intense* (*cf. Cercis canadensis* 'Forest Pansy', p. 348).

Trochodendron aralioides

Japon, Corée, Taïwan. 1894. Rare. Seul représentant de sa famille (Trochodendracées).
ASPECT – **Silhouette.** Généralement dense ; buissonnante (jusqu'à 17 m) ; feuillage persistant disposé en étages. **Écorce.** Lisse, gris foncé, aromatique. **Feuilles.** Brillantes, coriaces, glabres, jusqu'à 12 cm ; dents espacées sur *la moitié supérieure* (*cf.* chêne glauque, p. 230, et *Laurelia sempervirens*, p. 276) ; pendantes sur des *pétioles de 10 cm de long*. **Fleurs.** Jaune acidulé, au printemps, avec des étamines radiantes et de grandes bractées rose pâle ; en panicules de 8 cm.

Arbre à écorce de Winter *Drimys winteri*

S Andes centrales. 1827. Peu répandu (climats doux). Autrefois, les marins en mâchaient l'écorce pour combattre le scorbut ; Winteracées.
ASPECT – **Silhouette.** Les plantes du sud de la zone (var. *latifolia*) ont plus une forme d'arbre : conique, jusqu'à 20 m, mais vite brisée par le vent et avec des branches courbées, éparses. **Écorce.** Lisse, brun rosâtre ; *aromatique, de saveur épicée* (plus que les feuilles). **Rameaux.** Souvent cramoisi brillant. **Feuilles.** 7 à 17 cm ; brillantes, coriaces, glabres ; plus ou moins *argentées* dessous ; nervure médiane saillante sur le dessus. **Fleurs.** Grandes inflorescences ébouriffées blanc crème, à la fin du printemps.
ESPÈCE VOISINE – Michelia (p. 260) : feuilles plus larges ; fleurs de magnolia. Le revers argenté le distingue de la plupart des persistants aux longues feuilles entières.

Embothrium *Embothrium coccineum*

S Andes centrales. 1846. Peu répandu (climats doux, sols acides). (Famille : Protéacées.)
ASPECT – **Silhouette.** *Élancée*, jusqu'à 20 m : tiges érigées ou arquées, densément garnies. **Écorce.** Brun pourpré ; s'écaillant avec l'âge. **Feuilles.** Glabres, planes ; ovales à lancéolées, 5 à 20 cm ; légèrement bleutées dessous ; tombant lors des hivers rigoureux – révélant des *bourgeons terminaux rouges longuement pointus*, jusqu'à 15 mm ; le clone le plus commun (et le plus rustique) est 'Norquinco Valley', avec de nombreuses feuilles étroites. **Fleurs.** En début d'été (parfois encore en automne) : bouquets écarlates spectaculaires, à l'aspect exotique, entourant les rameaux.
ESPÈCE VOISINE – Laurier de Californie (p. 276).

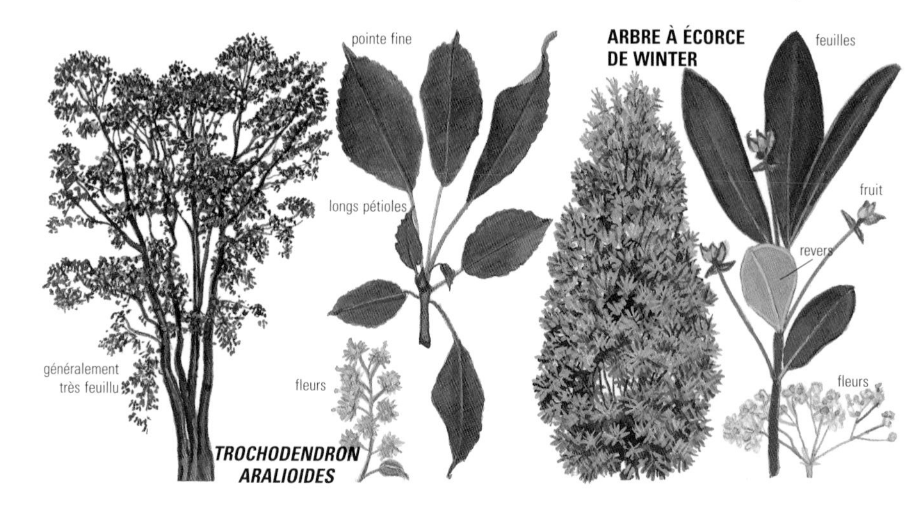

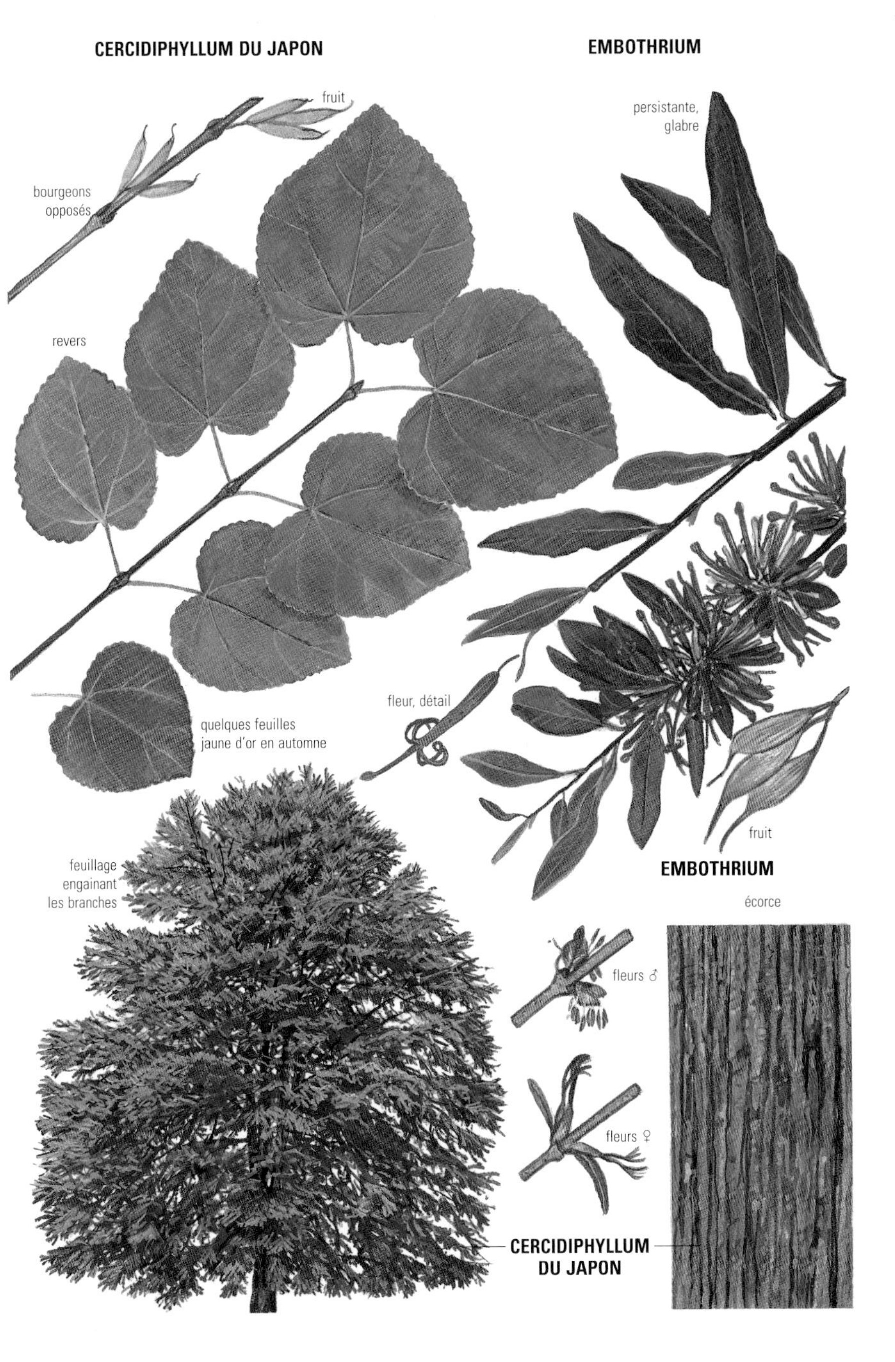
CERCIDIPHYLLUM DU JAPON
EMBOTHRIUM
fruit
bourgeons opposés
revers
quelques feuilles jaune d'or en automne
persistante, glabre
fleur, détail
fruit
EMBOTHRIUM
feuillage engainant les branches
écorce
fleurs ♂
fleurs ♀
CERCIDIPHYLLUM DU JAPON

Sassafras — *Sassafras albidum*

(Laurier des Iroquois ; *Sassafras officinale*) De l'Ontario à la Floride, et O Texas. 1560 en Espagne. Rare ; pour climats doux et sols acides. (Famille : Lauracées.)
ASPECT – **Silhouette.** En dôme assez étroit avec des branches sinueuses ; jusqu'à 18 m, mais parfois buissonnante et grêle ; drageonne abondamment. **Écorce.** Grise ; crêtes aiguës serrées. **Rameaux.** *Fins ; vert feuille* pendant quelques années ; *bourgeons verts.* **Feuilles.** Vert brillant dessus, argentées dessous (duveteuses chez var. *molle*) ; *forte odeur de vanille* ; *formes variées en « gants de cuisine »* (mais normalement non lobées sur les vieux arbres) ; en automne, jaunes, rouge rosé et orange vif. **Fleurs.** Espèce généralement dioïque. **Fruits.** Sur les arbres femelles, baies noires de 1 cm sur de longs pédoncules rouges.
ESPÈCE VOISINE – En hiver, nyssa des forêts (p. 412) ; les rameaux verts permettent d'identifier le sassafras.

Laurier de Californie — *Umbellularia californica*

Californie et Oregon. 1829. Assez rare ; climats doux. Un arbre *fortement aromatique*, utilisé en Californie pour la cuisine. Peut donner des maux de tête.
ASPECT – **Silhouette.** Dôme persistant, large et irrégulier, jusqu'à 20 m ; parfois buissonnante ; tronc souvent contourné dans le bas. **Écorce.** Grise, se craquelant avec l'âge en petits carrés. **Feuilles.** Entières, jusqu'à 9 cm, arrondies au sommet, très *planes et vert tendre sur chaque face* ; nervure médiane très blanche dessous ; vite glabres. **Fruits.** 25 mm, pourprés à maturité – également aromatiques.
ESPÈCES VOISINES – Embothrium (p. 274) : fin, feuilles à peine odorantes. Chêne vert (p. 222) : similaire.

Laurier-sauce — *Laurus nobilis*

(Laurier noble) Régions méditerranéennes. Cultivé plus au nord ; fréquent sous climat doux.
ASPECT – **Silhouette.** Conique, dense et persistante, jusqu'à 20 m ; plus buissonnante dans les régions plus froides. **Écorce.** Lisse, gris-noir. **Feuilles.** 5 à 12 cm, pointe longue et fine ; *minces* mais coriaces, avec un bord ondulé et quelques dents minuscules ; *forte odeur aromatique.* **Fleurs.** Espèce dioïque ; jaune pâle au printemps, issues de bourgeons globuleux jaunes saillants. **Fruits.** Baies noires de 12 mm.
ESPÈCES VOISINES – Chêne vert (p. 222) : feuilles laineuses au revers. Arbousier (p. 430) : feuilles régulièrement dentées. Les autres persistants (les houx par exemple) ont des feuilles plus épaisses, plus brillantes et moins finement pointues.
CULTIVARS – 'Angustifolia', rare : feuilles ondulées de moins de 2 cm de large.
'Aurea' : feuilles jaunes durant l'hiver et le printemps ; rare, bien que plus rustique que l'espèce type.

Laurelia sempervirens

(Incluant *L. serrata*) S Andes centrales. 1868. Rare ; climat doux. (Famille : Athérospermatacées.)
ASPECT – **Silhouette.** Un bel arbre persistant, ressemblant au laurier bien que non apparenté ; jusqu'à 20 m. **Écorce.** Gris foncé ; développant quelques grandes écailles superficielles. **Feuilles.** *Opposées*, jusqu'à 10 cm, *brillantes* mais assez molles ; grossièrement dentées ; poils jaunes souvent rayonnants sous la nervure médiane ; parfum délicieux d'*orange et de vanille.* **Fleurs.** Groupées à l'aisselle des feuilles. **Fruits.** Semblables à des noix muscades, avec des graines plumeuses.
ESPÈCES VOISINES – *Trochodendron aralioides* (p. 274) : feuilles plus larges, sans odeur. Chêne glauque (p. 230) : feuilles alternes.

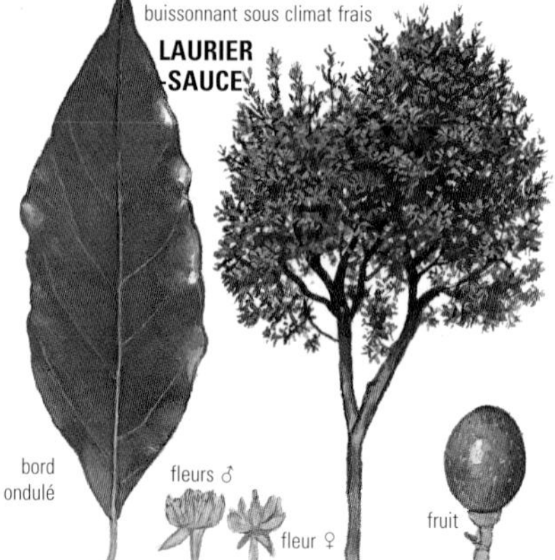

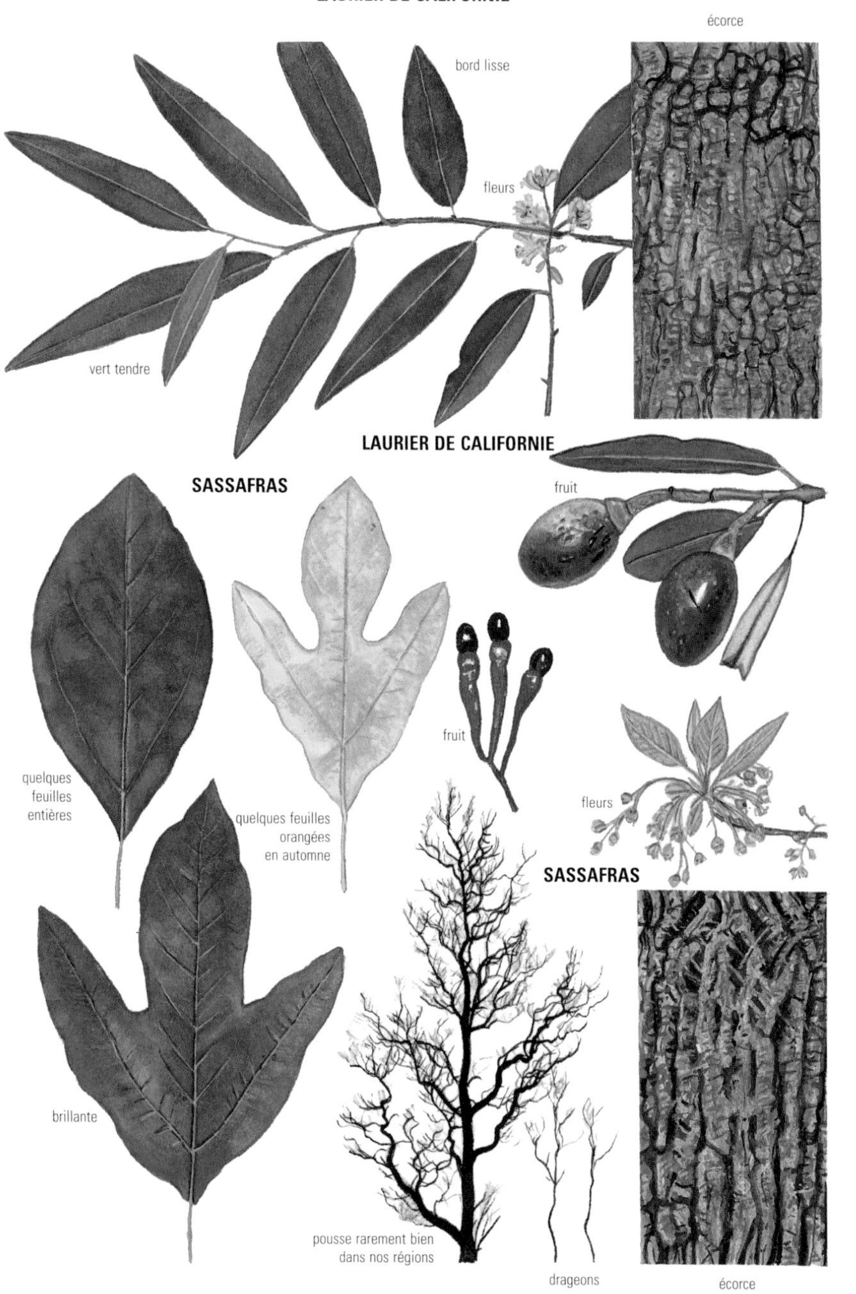
LAURIER DE CALIFORNIE
écorce
bord lisse
fleurs
vert tendre
LAURIER DE CALIFORNIE
fruit
SASSAFRAS
fruit
quelques
feuilles
entières
quelques feuilles
orangées
en automne
fleurs
SASSAFRAS
brillante
pousse rarement bien
dans nos régions
drageons
écorce

Les Hamamélidacées comprennent des arbres et arbustes à floraison souvent hivernale.

Liquidambar — *Liquidambar styraciflua*

(Copalme d'Amérique) De SE États-Unis au Mexique – généralement en sol humide ; cultivé pour sa résine balsamique. 1681. Fréquent dans les jardins.
ASPECT – **Silhouette.** Conique puis en dôme ou irrégulière, jusqu'à 30 m, avec des branches sinueuses, recourbées vers le haut, souvent cassées ; en hiver, *hérissée* (*cf.* nyssa des forêts, p. 412). **Écorce.** Brun-gris ; crêtes écailleuses épaisses dès le début. **Rameaux.** Parfois avec des ailes subéreuses sur les jeunes rameaux, en particulier ceux des rejets (*cf.* orme d'Angleterre, p. 244 ; érable champêtre, p. 368) ; rameaux latéraux courts des jeunes arbres avec de longs bourgeons pointus rappelant ceux du tremble (p. 152) mais orientés plus vers l'avant ; bourgeon d'un vert/rouge plus clair. **Feuilles.** À 5 lobes ; finement dentées ; comme celles d'un érable mais *alternes* ; petites *touffes de poils* dessous à l'angle des nervures et poils fins sous les nervures ; feuilles parfois trilobées chez les jeunes arbres (*cf.* copalme de Chine, ci-dessous) ; *vert pâle* en été ; couleurs automnales splendides – jaunes, cramoisies, pourpres intenses. **Fruits.** Boules épineuses pendantes de 3 cm, présentes tout l'hiver.
ESPÈCES VOISINES – *Kalopanax septemlobus* (p. 424) ; *Malus trilobata* (p. 312).
CULTIVARS – 'Variegata' ('Aurea'), très rare : feuilles tachées de jaune ; 'Silver King', rare (parfois vendu comme 'Variegata') : bord des feuilles blanc crème. 'Worplesdon' : feuillage automnal cramoisi et jaune ; plutôt buissonnant, avec des petites feuilles étroitement lobées. 'Lane Roberts' ; feuillage automnal cramoisi noirâtre ; tronc droit à l'écorce relativement lisse.
AUTRES ARBRES – Copalme de Chine, *L. formosana* (Chine, Taïwan ; 1884), rare : jusqu'à 23 m ; écorce grise, généralement *lisse* ; feuilles très *mates*, plus ou moins *trilobées* ; quelques poils au revers ; teintes automnales tardives et moins systématiques.
Copalme d'Orient, *L. orientalis* (Turquie, Rhodes 1750), très rare : souvent très branchu ; écorce brun vif en plaques carrées ; feuilles mates plus petites *complètement glabres* au revers.

Arbre de fer — *Parrotia persica*

Forêts au sud de la mer Caspienne. 1841. Peu répandu : parcs publics, grands jardins.
ASPECT – **Silhouette.** *Typique, avec de longues branches grêles très étalées* émergeant d'une couronne centrale dense, sur un tronc (très) court, fortement cannelé ; jusqu'à 15 m. **Écorce.** S'écaillant en fines plaques pour exposer des zones *crème, grises et orange* (*cf. Cornus kousa*, p. 426, et *Stewartia pseudocamellia* p. 408). **Rameaux.** Poils courts, raides. **Bourgeons.** Pourprés avec de courts poils raides. **Feuilles.** Brillantes, jusqu'à 12 cm ; légèrement dentées ou lobées ; teintes automnales jaunes et rouges démarrant à l'extrémité des rameaux. **Fleurs.** Bouquets d'étamines marron en fin d'hiver.

Arbre à gutta-percha — *Eucommia ulmoides*

Chine, où il est cultivé pour sa gomme (gutta-percha) et son écorce aux propriétés médicinales. 1896. Rare. Unique représentant de sa famille, les Eucommiacées.
ASPECT – **Silhouette.** En dôme ; branches supérieures *arquées en tous sens*. **Écorce.** Grise ; profondes fissures entrecroisées. **Feuilles.** *Grandes*, jusqu'à 18 cm, pendantes, *dentées*, brillantes, avec des nervures courbées en creux ; duveteuses au début ; quand on déchire une feuille doucement, les deux moitiés restent reliées par des *filaments de latex caoutchouteux* (*cf.* cornouillers, pp. 424-426). **Fleurs.** Espèce dioïque ; parsemant la couronne en fin d'hiver. **Fruits.** Semblables à ceux des ormes, sur les pieds femelles.

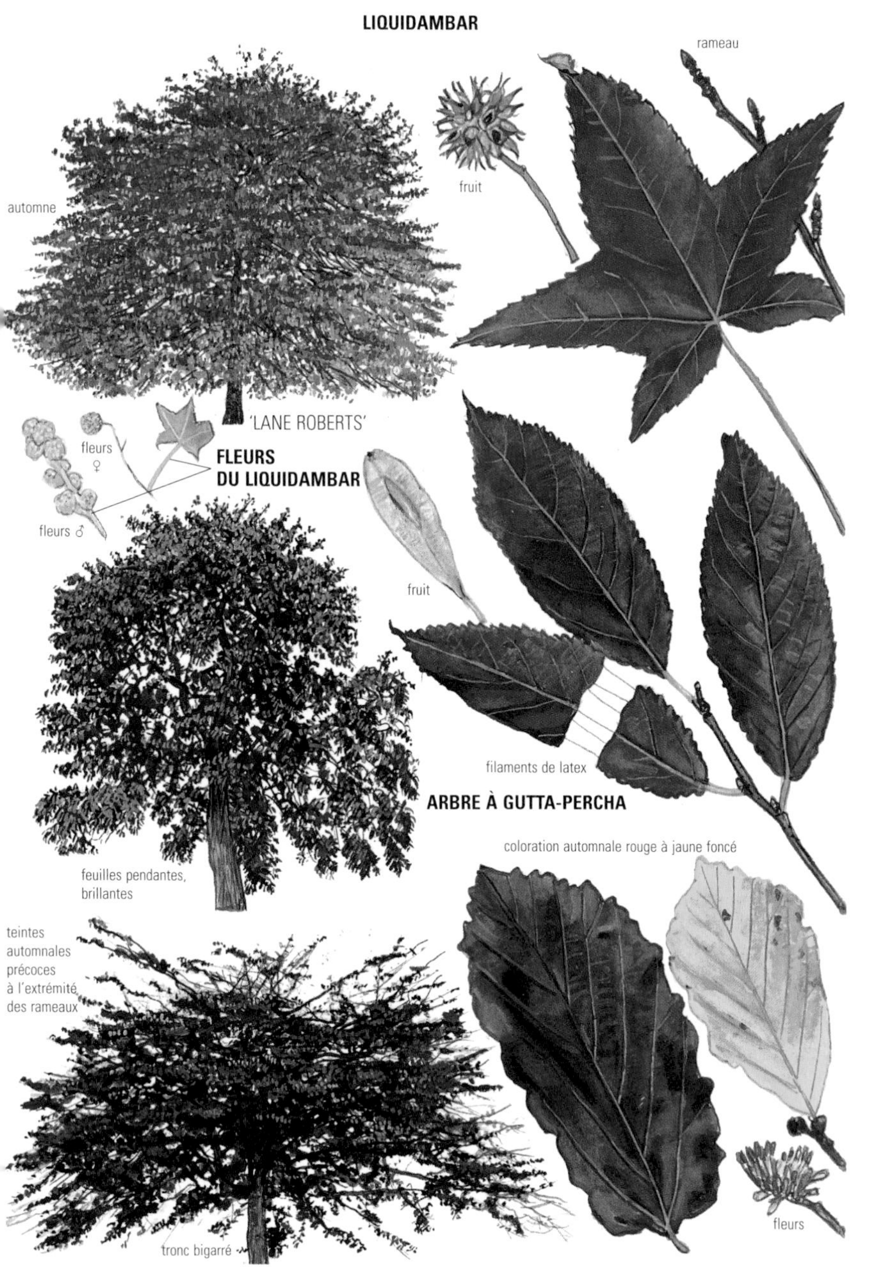
LIQUIDAMBAR
rameau
fruit
automne
'LANE ROBERTS'
fleurs ♀
FLEURS DU LIQUIDAMBAR
fleurs ♂
fruit
filaments de latex
ARBRE À GUTTA-PERCHA
coloration automnale rouge à jaune foncé
feuilles pendantes, brillantes
teintes automnales précoces à l'extrémité des rameaux
fleurs
tronc bigarré
ARBRE DE FER

6 ou 7 espèces originaires d'Amérique du Nord et d'Asie. (Famille : Platanacées.)

Platane commun *Platanus × hispanica*

(Platane à feuilles d'érable ; *P. × acerifolia*) Probablement un hybride fertile entre le platane d'Orient et le platane d'Amérique, *P. occidentalis* (aux feuilles peu lobées), né en Espagne ou dans le sud de la France (vers 1650). Abondant dans les villes, le long des rues et dans les parcs publics, surtout dans le Midi.

ASPECT – **Silhouette.** Longues branches assez droites insérées sur un tronc *haut* et robuste ; petites branches très sinueuses ; jusqu'à 44 m ; peut vivre 300 ans et plus. **Écorce.** Formant des *écailles superficielles dans des tons de gris et de crème* – mais voir les cultivars. **Rameaux.** Verts puis bruns, duveteux au début, sans bourgeon terminal. **Bourgeons.** *Rouge-brun, coniques, à une seule écaille* ; dissimulés dans le pétiole des feuilles en été et entourés par la cicatrice foliaire en hiver. **Feuilles.** Épaisses ; semblables à celle de l'érable, mais *alternes* ; lobes diversement dentés ; *dures, vert foncé* ; se déploient tard, couvertes de poils chamois. **Fruits.** Boules de graines plumeuses (généralement 2 à 6 par pédoncule), 3 cm, s'ouvrant au printemps.

CULTIVARS – Il existe plusieurs clones, mais pas toujours dénommés. L'un (ce sont pour la plupart des plantations du XVIIIe siècle) possède un tronc haut d'un brun plus terne et des feuilles aux lobes longs et triangulaires, souvent non dentés ; un autre a des grandes feuilles et une écorce basale grisâtre se craquelant en rectangles. Un autre encore (probablement porteur d'une infection virale) présente des branches très tortueuses, relativement petites, sur un tronc court *extraordinairement renflé* avec des broussins rugueux ; ses feuilles profondément découpées ressemblent à celles du platane d'Orient, mais plus foncées, avec *plus* de dents.

'Pyramidalis', localement fréquent : couronne étroitement colonnaire au début, devenant large et grêle ; feuilles brillantes, *trilobées* comme celles du platane d'Amérique (les plus petites presque rondes) ; écorce vite *brun terne et sillonnée, avec de nombreux broussins* ; fruits de 45 mm (*1 à 2 par pédoncule*), semblables à ceux du platane d'Amérique.

'Augustine Henry', superbe mais peu répandu : tronc haut et branches plus droites, avec une écorce très nette, grise et blanc crème ; feuilles vert d'eau à bords pendants, comptant *jusqu'à 5 dents longues et régulières* sur les côtés de chaque lobe ; *1 à 3 fruits globuleux par pédoncule.*

'Suttneri', très rare : feuillage panaché de blanc.

Platane d'Orient *Platanus orientalis*

SE Europe. Peu répandu ; parcs et jardins.

ASPECT – **Silhouette.** Généralement plus large que celle du platane commun ; jusqu'à 30 m ; tronc court, avec de nombreux broussins ; branches pouvant ployer jusqu'au sol et s'enraciner ; feuillage *très découpé*, typiquement *vert tendre*, pourpre-bronze en automne. **Écorce.** Comme celle du platane commun ; sur les vieux arbres, brun pâle et rugueuse (mais presque blanche en climat chaud). **Feuilles.** Lobes plus profonds que ceux du platane commun (particulièrement étroits chez 'Digitata') ; normalement 1 à 2 dents seulement sur les côtés de chaque lobe principal ; souvent ('Cuneata') étroitement effilées à la base ; odeur balsamique plus intense que chez le platane commun. **Fruits.** Comme ceux du platane commun mais plus petits ; 3 à 6 boules par pédoncule.

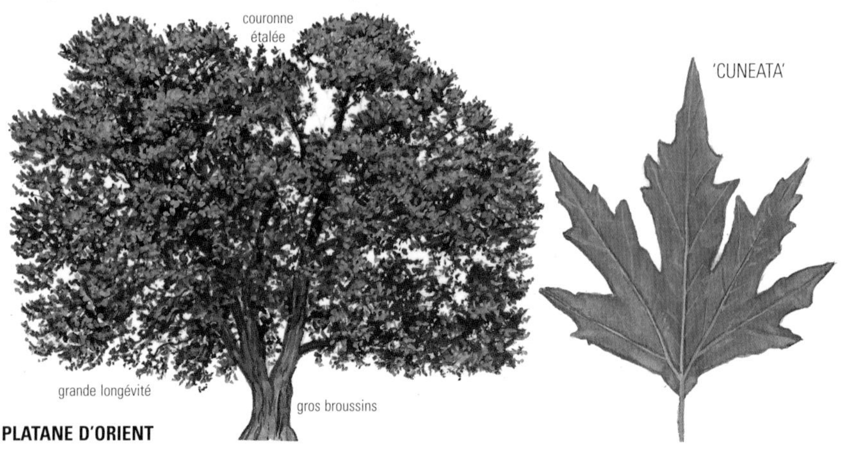

PLATANE D'ORIENT

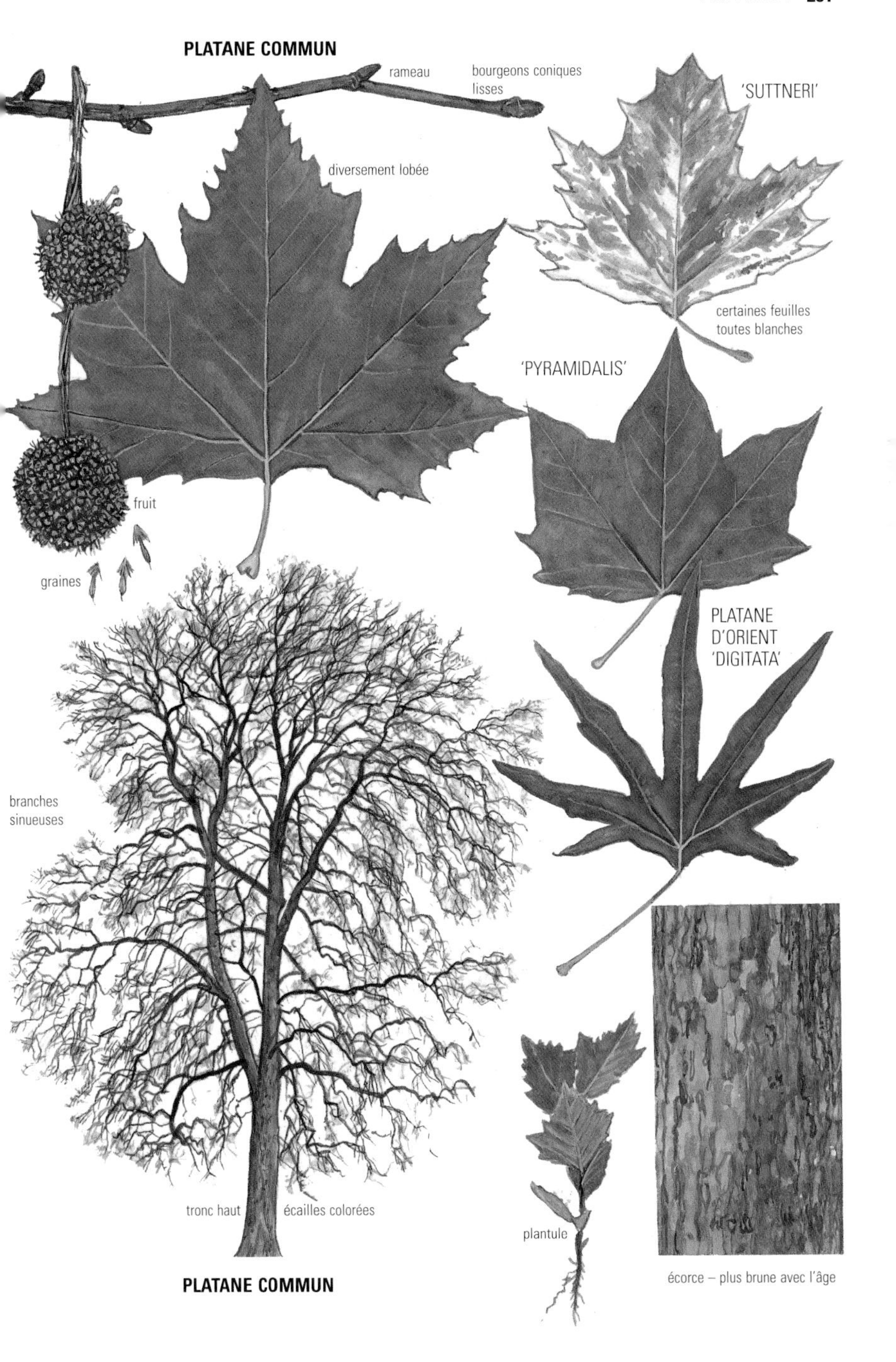
PLATANE COMMUN
rameau
bourgeons coniques lisses
diversement lobée
fruit
graines
'SUTTNERI'
certaines feuilles toutes blanches
'PYRAMIDALIS'
PLATANE D'ORIENT 'DIGITATA'
branches sinueuses
tronc haut
écailles colorées
plantule
écorce – plus brune avec l'âge
PLATANE COMMUN

Les Rosacées comptent près de 3 000 plantes herbacées, arbres et arbustes.

Cotoneaster frigidus

Himalaya. 1824. Peu répandu.
Aspect – **Silhouette.** Souvent plusieurs tiges penchées avec *de nombreux gourmands verticaux* ; parfois arbre robuste, jusqu'à 15 m. **Écorce.** Gris-fauve pâle, *écailleuse.* **Feuilles.** *Planes*, entières, 6 à 12 cm, tombant au début de l'hiver ; blanchâtres au revers avec un feutre serré se réduisant à un simple duvet avant l'automne ; *émoussées* avec un minuscule poil raide apical sur certaines. **Fleurs.** Blanches, en corymbes de 5 cm, en début d'été. **Fruits.** Baies *rouge foncé* de 7 mm, persistant parfois jusqu'au printemps.
Espèces voisines – Néflier commun (p. 290). *Crataegus × lavallei* 'Carrierei' (p. 290) : feuilles dentées.
Autres arbres – *C. × watereri*, désignant des hybrides entre *C. henryanus* (persistant) et *C. salicifolius* (à écorce grise lisse) : *nervures en creux et bord des feuilles enroulé. C.* 'Cornubia' : feuilles plus grandes (jusqu'à 13 cm), presque glabres avant la fin de l'automne, baies plus grandes (1 cm) et d'un rouge plus vif que celles de *C. frigidus. C.* 'Exburiensis' a des fruits jaunes et *C.* 'Rothschildianus' des fruits ambrés ; leurs petites feuilles plus ou moins persistantes restent laineuses au revers.

Bibacier — *Eriobotrya japonica*

(Néflier du Japon) Chine. 1787. Assez fréquent en région méditerranéenne.
Aspect – **Silhouette.** Arrondie, souvent aplatie et buissonnante ; couverte de *grandes feuilles persistantes pendantes, foncées* (jusqu'à 30 × 12 cm ; plus petites avec l'âge). **Écorce.** Noirâtre ; fissures espacées avec l'âge. **Feuilles.** Brillantes ; *nervures en creux* et feutrage beige au revers ; *grossièrement dentées.* **Fleurs.** Crème, odorantes, en épis courts de 15 cm en automne ; fruits piriformes de 4 cm jaunes, sucrés, mûrissant l'été suivant.
Espèces voisines – *Photinia serratifolia* (ci-dessous) ; magnolia à grandes fleurs (p. 260) ; *Rhododendron arboreum* (p. 428).

Photinia serratifolia

(*P. serrulata*) Chine, Taïwan. 1804. Peu répandu.
Aspect – **Silhouette.** En dôme persistant dense, jusqu'à 15 m. **Écorce.** Grise, lisse ; quelques écailles rougeâtres avec l'âge. **Feuilles.** Grandes (jusqu'à 20 cm), coriaces, très *finement dentées* ; duvet blanc sous la nervure médiane, puis glabres ; rouge brunâtre brillant quand elles sortent (c'est l'un des parents de *Photinia × fraseri*, un arbuste très populaire aux feuilles plus petites). **Fleurs.** Blanches, en corymbes de 15 cm, odorantes, au milieu des feuilles printanières colorées ; suivies de baies rouges de 6 mm.
Espèces voisines – Laurier-cerise (p. 344) : dents espacées. Magnolia à grandes fleurs (p. 260).

Photinia beauverdiana

O Chine. 1908. Rare.
Aspect – **Silhouette.** En dôme élégant, légèrement branchu ; jusqu'à 12 m. **Écorce.** Gris pâle, lisse. **Feuilles.** *Brillantes* et glabres, mais minces et caduques ; *très finement* dentées ; jusqu'à 12 × 4 cm (mais jusqu'à *9 cm de large* chez var. *notabilis*) ; nervures en creux. **Fleurs.** Blanches, en corymbes de 10 cm, suivies de baies rouges.
Espèces voisines – *Amelanchier lamarckii* (p. 320). L'alisier à feuilles d'aulne (p. 294) rappelle var. *notabilis* dans son port, ses fleurs et ses fruits.

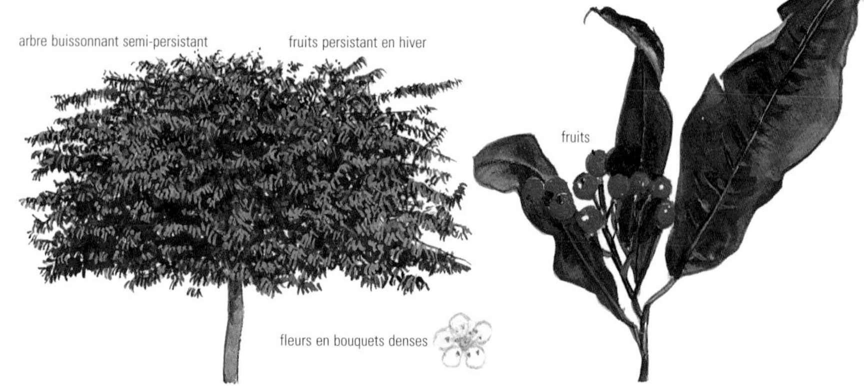

COTONEASTER FRIGIDUS

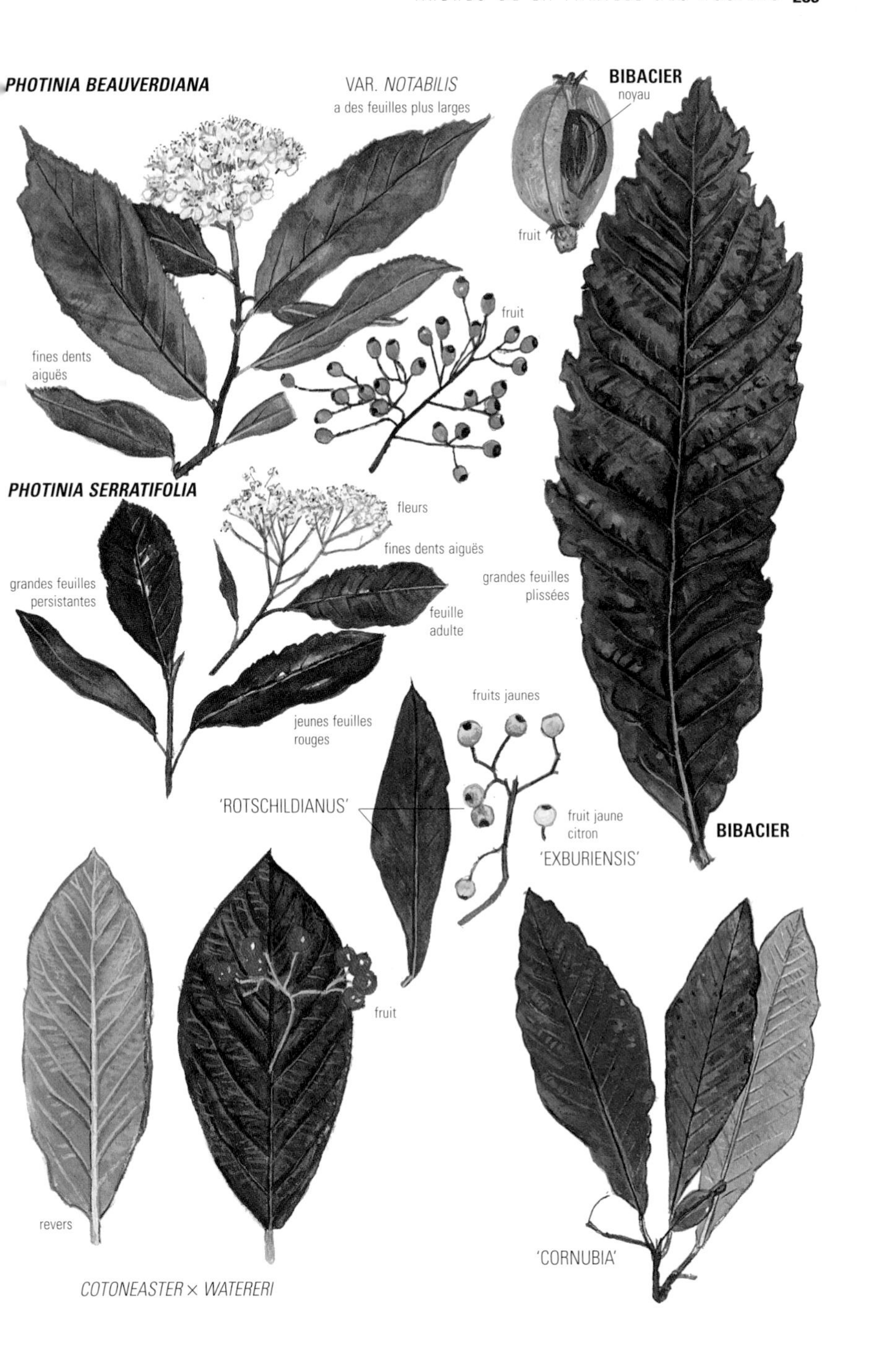
PHOTINIA BEAUVERDIANA
VAR. NOTABILIS
a des feuilles plus larges
fines dents aiguës
fruit
BIBACIER
noyau
fruit
PHOTINIA SERRATIFOLIA
fleurs
fines dents aiguës
grandes feuilles persistantes
feuille adulte
grandes feuilles plissées
jeunes feuilles rouges
fruits jaunes
'ROTSCHILDIANUS'
fruit jaune citron
'EXBURIENSIS'
BIBACIER
fruit
revers
'CORNUBIA'
COTONEASTER × WATERERI

Les aubépines (plus de 200 espèces) sont des petits arbres généralement épineux.

Critères de distinction : aubépines

- Feuilles : Forme ? Duveteuses dessus/dessous ?
- Fleurs : Combien d'anthères ? Couleur ? Combien de styles ?
- Fruits : Grosseur ? Couleur ? Combien de noyaux ?

Clé des espèces

Aubépine commune (ci-dessous) : feuilles profondément lobées. ***Crataegus mollis*** (p. 288) : grandes feuilles peu lobées. ***Crataegus persimilis* 'Prunifolia'** (p. 288) : feuilles non lobées.

Aubépine commune *Crataegus monogyna*

(Aubépine à un style, bois de mai, épine blanche) Europe à Afghanistan. Très commune partout.
Aspect – **Silhouette.** Une masse rameuse de branches raides, jusqu'à 15 m ; grande longévité. **Écorce.** Brune ; crêtes écailleuses peu saillantes, souvent en spirale. **Rameaux.** Brun-rouge ou brun-vert, brillants ; nombreuses *épines de 1 à 2 cm.* (Les « épines » des autres arbres épineux se situent seulement *à l'extrémité des rameaux latéraux portant des bourgeons* ; les aubépines en ont aussi de ce type.) **Feuilles.** Jusqu'à 6 cm ; découpées *jusqu'à la moitié au moins de la nervure médiane* en lobes *dentés à leur extrémité* ; nervures principales *courbées*, avec des *touffes de poils sous les angles.* **Fleurs.** Blanches, à *1 style.* **Fruits.** Cenelles à *1 noyau.*
Espèces voisines – Aubépine à deux styles (ci-dessous). *Crataegus laciniata et Crataegus tanacetifolia* (p. 286) : feuilles jusqu'à 15 cm.
Cultivars – 'Fastigiata', peu répandu : forme érigée peu attrayante.
'Pink May' : fleurs roses délicates ; beaucoup plus rare que les cultivars rouges d'aubépine à deux styles.
'Biflora', très rare : *feuilles et fleurs dès l'hiver* par temps doux.
Autre arbre – *C. calycina* (de la France à la Grèce et Russie) : lobes des feuilles dentés presque jusqu'à la base ; cenelles ovales, plus fines.

Aubépine à deux styles *Crataegus laevigata*

(Aubépine épineuse ; *C. oxyacantha*, *C. oxyacanthoides*) O Europe ; commune dans le nord, sauf sur le littoral, plus rare dans le Midi. *Sols argileux.*
Aspect – **Silhouette.** Buissonnante dans la nature, mais quelques arbres aussi grands que l'aubépine commune dans certains parcs. **Feuilles.** Foncées, légèrement brillantes ; lobées *jusqu'à moins de la moitié de la nervure médiane ;* presque glabres ; nervures principales droites ou *courbées vers le sommet.* **Fleurs.** *2 à 3 styles.* **Fruits.** Cenelles avec *2 à 3 noyaux* ; les hybrides avec l'aubépine commune (*C.* × *media*) en ont de 1 à 3.
Espèces voisines – Aubépine commune (ci-dessus). *C.* × *grignonensis* (p. 290).
Cultivars – Beaucoup dérivent probablement de *C.* × *media* (feuilles lobées jusqu'au moins la moitié de la nervure médiane).
'Punicea Flore Plena' : fleurs doubles rose-mauve. 'Paul's Scarlet' (le plus commun) : fleurs *doubles rose cramoisi.* 'Makesii', rare : fleurs doubles rose clair. 'Plena Alba' : fleurs doubles blanches. 'Punicea' : fleurs simples aux pétales cramoisis et à cœur blanc ; 'Crimson Cloud' : similaire.

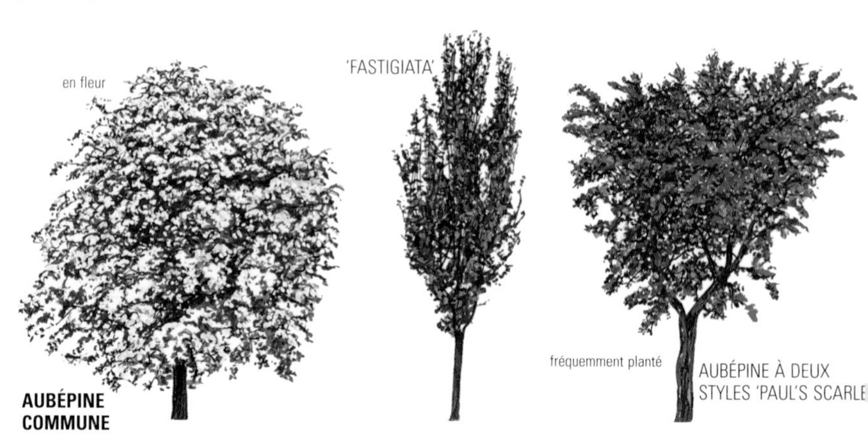

AUBÉPINE COMMUNE
écorce
rameaux portant
des épines
fleurs
'PINK MAY'
AUBÉPINE COMMUNE
fruit
noyau
unique
AUBÉPINE
COMMUNE
AUBÉPINE À DEUX STYLES
AUBÉPINE À DEUX STYLES
fruit
2 à 3
noyaux
lobes peu
profonds
'PUNICEA'
'MASEKII'
'PUNICEA
FLORE
PLENA'
double
double
double
'PAUL'S SCARLET'
'PLENA ALBA'

Crataegus pinnatifida var. *major*

N Chine. 1880. Collections.
ASPECT – **Silhouette.** Jusqu'à 10 m ; rarement épineuse. **Écorce.** Écailleuse, teintée de jaune et orange ; parfois brune et plus craquelée. **Feuilles.** Même forme que celle de l'aubépine commune mais foncées et *très grandes* (jusqu'à 15 cm) ; légèrement poilues le long des nervures. (L'espèce type a des feuilles plus petites, plus poilues et plus profondément lobées.) **Fleurs.** Voyantes. **Fruits.** 20 mm, rouge foncé, avec 3 à 4 noyaux.

Crataegus laciniata

(*C. orientalis*) SE Europe, Sicile, Espagne. 1810. Rare.
ASPECT – **Silhouette.** Basse, pittoresque ; branches tordues, presque inermes. **Écorce.** Grossièrement écailleuse ; souvent nuancée de rose-orange. **Rameaux.** Laineux au début. **Feuilles.** Beaucoup plus étroites et profondément lobées que celles de l'aubépine commune ; vert-*gris* foncé, avec des *poils fins sur les deux faces* (*cf. C. tanacetifolia*). **Fleurs.** En début d'été. **Fruits.** Gros (18 mm), rouge brique vif ; 5 noyaux.
AUTRES ARBRES – Les espèces européennes suivantes ont aussi des feuilles duveteuses profondément lobées.
L'épine d'Espagne, *C. azarolus* (du bassin méditerranéen à l'Iran) : arbre épineux à feuilles moins poilues, plus proche de l'aubépine commune dans son port : cenelles *jaunes, de 22 mm de large* (rouges à blanches chez certains cultivars), *au goût de pomme* (*cf. C. tanacetifolia*), utilisées dans le sud de l'Europe pour faire des confitures et des liqueurs ; 1 à 4 noyaux.
C. heldreichii (Albanie, Grèce, Crète) : diffère de l'épine d'Espagne par ses fruits à 1 à 3 noyaux.
C. schraderiana (N Grèce, Crimée) : diffère de l'épine d'Espagne par ses fruits rouge *foncé*, ternes, à 2 à 4 noyaux.
C. pentagyna (E Europe) : petits fruits *noir pourpre* avec 4 à 5 noyaux (*cf. C. nigra*) ; feuilles souvent plus grandes que celles de l'épine d'Espagne.
C. nigra (vallée du Danube) : feuilles peu lobées, foncées, assez *grandes* (4 à 8 cm), poilues sur les deux faces (*cf. C. mollis*, p. 288, et *C. sanguinea*, ci-dessous) ; fruits *noirs* à 4 à 5 noyaux.
C. sanguinea (Russie) : feuilles peu lobées de 5 à 8 cm, duveteuses (*cf. C. mollis*, p. 288) ; fruits rouges de 1 cm, à 2 à 5 noyaux.

Crataegus tanacetifolia

De l'Asie mineure à la Syrie. 1789. Assez rare.
ASPECT – Diffère de *C. laciniata* (ci-dessus) par : **Écorce.** Souvent *semblable à celle du poirier*, noire, en damier. **Feuilles.** Grises, laineuses ; *petite glande à l'extrémité* des dents principales. **Fruits.** *22 mm*, jaunâtres (5 noyaux), au goût de pomme (*cf.* épine d'Espagne, ci-dessus).
AUTRES ARBRES – *C.* × *dippeliana* : arbre pittoresque aux branches très tortueuses et à l'écorce gris foncé souvent marquée de *crêtes entrelacées* ; feuilles jusqu'à 8 cm, presque glabres dessus avant l'automne ; lobées sur *moins de la moitié de la nervure médiane* et à peine sur les rameaux frêles ; fruits de 15 mm, rouge terne.

Crataegus punctata

E Amérique du Nord. 1746. Occasionnel dans les parcs publics.
ASPECT – **Silhouette.** Vigoureuse, jusqu'à 12 m ; *ramure large, relativement tabulaire* (*cf.* épine hybride, p. 290) ; épines de 7 cm. **Écorce.** Brun orangé ; écailleuse. **Feuilles.** Effilées à la base, à peine lobées ; *nervures parallèles en creux* ; *mates* et vite presque glabres dessus, finement duveteuses dessous. **Fleurs.** En bouquets plats, très parfumées. **Fruits.** Cenelles ovales, 20 mm, à 5 noyaux ; rouge terne (mais jaunes chez f. *aurea*) et tachetées de *points blancs*.

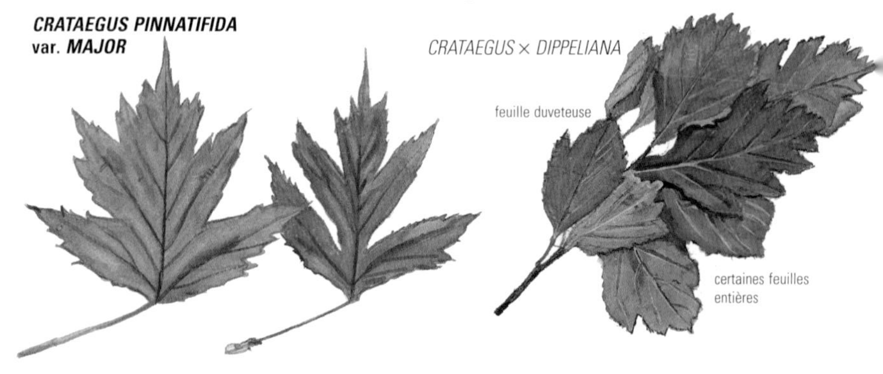

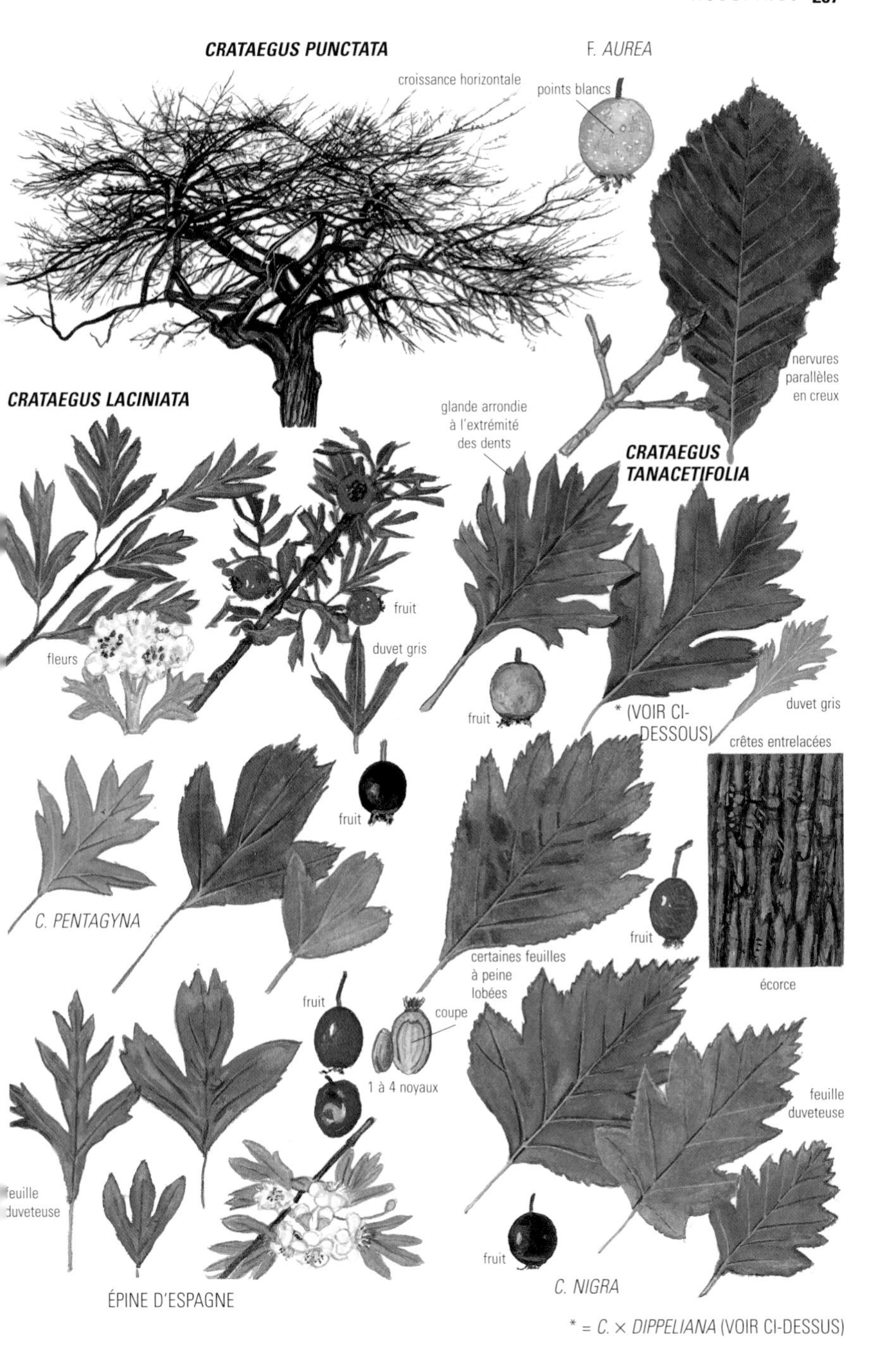
CRATAEGUS PUNCTATA
croissance horizontale
F. AUREA
points blancs
nervures parallèles en creux
CRATAEGUS LACINIATA
glande arrondie à l'extrémité des dents
CRATAEGUS TANACETIFOLIA
fruit
duvet gris
fleurs
fruit
* (VOIR CI-DESSOUS)
duvet gris
crêtes entrelacées
fruit
C. PENTAGYNA
fruit
certaines feuilles à peine lobées
écorce
fruit
coupe
1 à 4 noyaux
feuille duveteuse
feuille duveteuse
fruit
C. NIGRA
ÉPINE D'ESPAGNE
* = C. × DIPPELIANA (VOIR CI-DESSUS)

Crataegus mollis

E États-Unis. Une représentante d'un vaste groupe d'aubépines similaires originaires de l'est de l'Amérique du Nord ; en Europe, on les trouve parfois dans d'anciens parcs et jardins. L'identification de la plupart de ces espèces n'est possible que par les fleurs.

ASPECT – **Silhouette.** Rameuse et rarement épineuse ; parfois buissonnante mais souvent avec un axe central long. **Écorce.** Brun-gris ; assez écailleuse. **Feuilles.** *Grandes* (jusqu'à 12 cm) et éparses ; vert pâle terne ; poils plutôt *hérissés* dessus et *doux au revers* ; arrondies à *cordiformes* à la base. **Fleurs.** Pédoncules très laineux ; *20 étamines* environ, *anthères jaune pâle.* **Fruits.** Cenelles rouges, duveteuses, jusqu'à 25 mm de long ; 4 ou 5 noyaux.

ESPÈCES VOISINES – *C. nigra* et *C. sanguinea* (p. 286). Alisier de Fontainebleau (p. 296) : feuilles plus épaisses ; duvet gris au revers. *Malus yunnanensis* (p. 308) ; *Malus florentina* (p. 312) ; noisetier de Byzance (p. 198).

AUTRES ARBRES – Les aubépines suivantes, aux grandes feuilles similaires, sont généralement des espèces de collection.

C. submollis : fleurs à *10 étamines.*

C. coccinoides : feuilles vert jaunâtre, *presque glabres*, à base arrondie ou cordiforme ; fleurs avec *20 étamines aux anthères rouges* (*cf. C. chrysocarpa*) ; fruits rouge vif de 15 mm.

C. chrysocarpa, l'une des aubépines les plus communes et les plus vigoureuses : feuilles largement *effilées à la base*, brillantes et *glabres sauf sous les nervures* et, au début, sur le dessus ; fleurs sur un pédoncule poilu, avec *10 étamines aux anthères jaune pâle* ; fruits rouges à jaunâtres de 12 mm seulement.

C. pedicellata : feuilles avec des poils assez hérissés dessus et glabres dessous, à la base largement effilée ; fleurs sur un pédoncule légèrement poilu avec *10 étamines aux anthères rose pâle* ; fruits écarlates, assez piriformes, de 18 mm.

C. ellwangeriana : feuilles largement effilées à la base finement hérissées dessus et duveteuses au revers fleurs avec *10 étamines aux anthères rose pâle* ; fruits très voyants, comme ceux de *C. pedicellata.*

Crataegus persimilis 'Prunifolia'

(*C.* × *prunifolia*) Hybride cultivé depuis 1797, assez fréquent autrefois dans les parcs publics et en alignement, moins courant de nos jours. Les *feuilles ovales brillantes* virent au rouge orangé éclatant en automne.

ASPECT – **Silhouette.** En dôme large et rameux jusqu'à 9 m. **Écorce.** Crêtes très écailleuses, souvent en spirale. **Rameaux.** Glabres ; épines de 2 cm. **Feuilles.** Jusqu'à 8 cm, *jamais lobées, brillantes*, mais finement poilues sous la nervure médiane. **Fruits.** Cenelles rouge foncé de 15 mm.

ESPÈCES VOISINES – *Amelanchier lamarckii* (p. 320) feuilles moins brillantes. Érable de Tartarie (p. 376) : feuilles opposées. Les autres aubépines à feuilles peu lobées (mais plus étroites) incluent *C. punctata* (p. 286), *C. crus-galli* (ci-dessous) et *C. lavallei* 'Carrierei' (p. 290).

Crataegus crus-galli

NE Amérique du Nord. 1691. Rare maintenant.

ASPECT – **Silhouette.** Arbre bas hérissé *d'épines pourpres de 8 cm.* **Écorce.** Grisâtre, *finement* craquelée. **Rameaux.** Glabres. **Feuilles.** *Complètement glabres* dès le début et *très brillantes* ; étroites, jusqu'à 8 cm ; *orange* en automne. **Fleurs.** Pédoncules *glabres.* **Fruits.** Cenelles rouge foncé de 1 cm, persistant durant l'hiver.

ESPÈCE VOISINE – *C. lavallei* 'Carrierei' (p. 290).

CRATAEGUS PERSIMILIS 'PRUNIFOLIA'

CRATAEGUS CRUS-GALLI

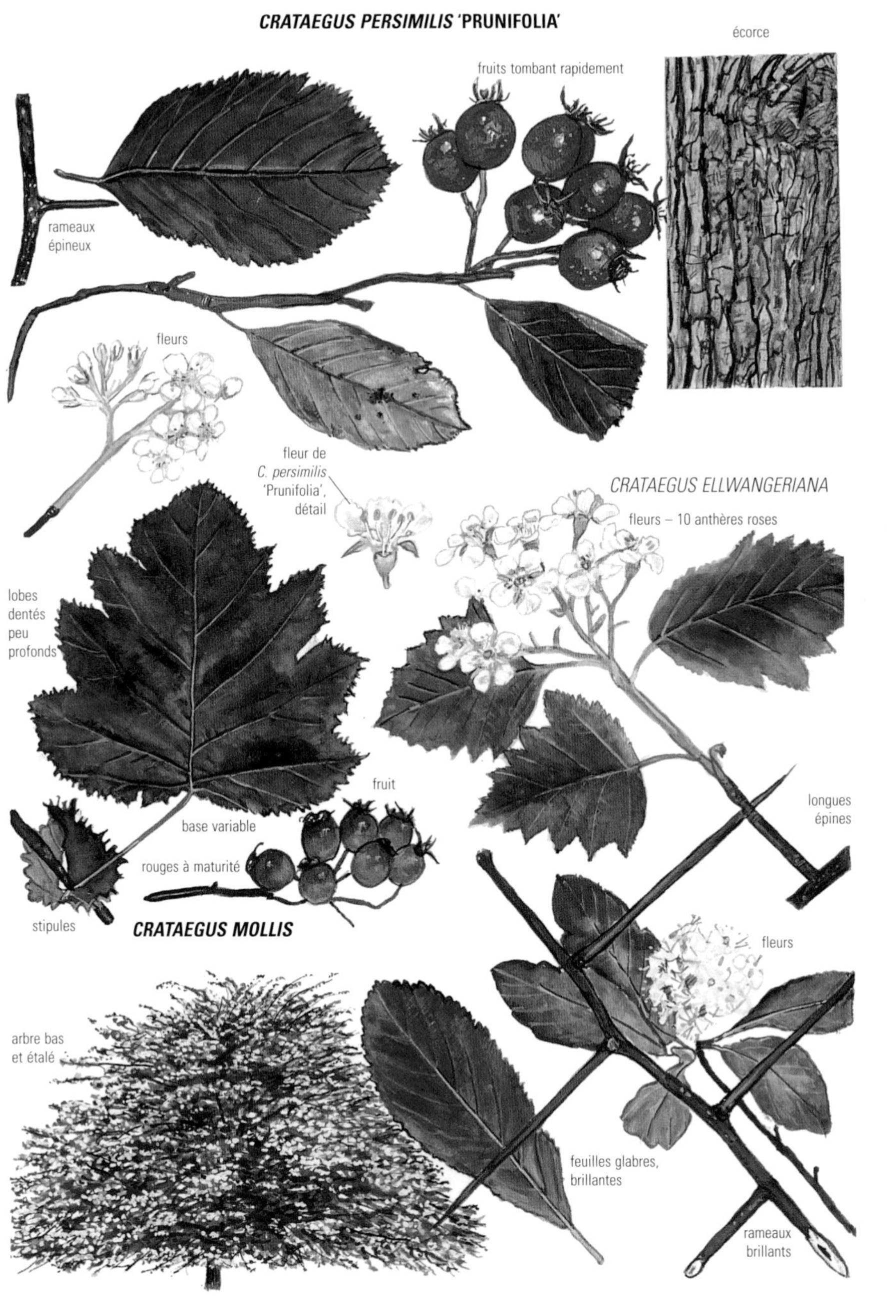
CRATAEGUS PERSIMILIS 'PRUNIFOLIA'
écorce
fruits tombant rapidement
rameaux épineux
fleurs
fleur de C. persimilis 'Prunifolia', détail
CRATAEGUS ELLWANGERIANA
fleurs – 10 anthères roses
lobes dentés peu profonds
fruit
longues épines
base variable
rouges à maturité
stipules
CRATAEGUS MOLLIS
fleurs
arbre bas et étalé
feuilles glabres, brillantes
rameaux brillants
CRATAEGUS CRUS-GALLI

Crataegus × *lavallei* 'Carrierei'

(*C.* × *carrierei*) Hybride probable entre *C. crus-galli* (p. 288) et *C. stipulacea* (vers 1880). Alignement ; moins fréquent de nos jours.

ASPECT – **Silhouette.** Ramure *dense*, assez horizontale, pittoresque ; jusqu'à 12 m. **Écorce.** Grise, très écailleuse. **Rameaux.** Avec des poils longs mais peu d'épines. **Feuilles.** *Longues* (jusqu'à 10 cm), non dentées sur leur tiers inférieur, brillantes, *sombres* ; quelques poils raides dessus et duveteuses au revers ; se déployant tard et tombant, encore vertes, au début de l'hiver. **Fleurs.** Voyantes, en début d'été, sur des pédoncules laineux. **Fruits.** Écarlates, ternes, 18 mm ; persistant jusqu'au printemps.

AUTRES ARBRES – *C.* × *grignonensis*, autre hybride assez rare de *C. stipulacea* (1873) : plus dressé, couronne moins régulière ; rameaux glabres ; feuilles bien plus courtes (jusqu'à 6 cm), plus pâles et moins brillantes, avec *des dents plus ou moins larges ou des petits lobes pointant vers l'avant* ; fleurs en fin de printemps ; fruits rouge *vif*.

Épine-néflier — × *Crataemespilus grandiflora*

Un hybride entre le néflier commun et, probablement, l'aubépine à deux styles. Assez rare.

ASPECT – **Silhouette.** Pittoresque, assez tabulaire ; jusqu'à 10 m. **Écorce.** Brune, très écailleuse. **Rameaux.** Pubescents. **Feuilles.** Longues (jusqu'à 11 cm) et fines ; vert foncé terne et très *duveteuses sur les deux faces* ; finement dentées et plus ou moins *lobées vers le sommet*. **Fleurs.** Jusqu'à *3 cm*, groupées par *2 ou 3*, en début d'été. **Fruits.** 2 cm, présentant un anneau de sépales comme les nèfles mais avec un goût farineux de cenelle.

AUTRES ARBRES – Épine-néflier de Bronvaux, + *Crataegomespilus dardarii*, chimère de néflier et d'aubépine commune (Metz 1895) collections : *plante chétive et rameuse* (jusqu'à 7 m) ; feuilles plus petites que l'épine-néflier, avec *quelques dents arrondies* ; jusqu'à 12 fleurs par bouquet ; fruits assez semblables aux nèfles mais *en bouquets*. 'Jules d'Asnières' : tend plus vers l'aubépine, avec de courtes feuilles lobées, ternes, et des cenelles brunes de 12 mm (*cf. M. bhutanica*, p. 308).

Néflier — *Mespilus germanica*

De SE Europe à l'Iran ; cultivé depuis longtemps. Assez commun dans l'ouest et le sud-ouest, rare et disséminé ailleurs. Souvent greffé sur aubépine, parfois sur poirier.

ASPECT – **Silhouette.** Basse et *emmêlée* ; épineuse. (Certaines variétés fruitières anciennes comme 'Nottingham' sont inermes.) **Écorce.** Brun-gris ; longues plaques écailleuses. **Rameaux.** Poils blancs denses au début ; lenticelles gris pâle saillantes. **Feuilles.** Jusqu'à 15 cm, sur des *pétioles de 5 mm, entières* ; ternes et ridées ; poils denses au revers. **Fleurs.** Blanches, jusqu'à 6 cm. **Fruits.** Nèfles globuleuses, couronnées par le calice, comestibles après blettissement.

ESPÈCE VOISINE – *Cotoneaster frigidus* (p. 282).

Cognassier — *Cydonia oblonga*

(*Pyrus cydonia*) Cultivé depuis longtemps en Europe (probablement originaire d'Asie occidentale). Utilisé comme porte-greffe pour de nombreux poiriers.

ASPECT – **Silhouette.** Basse ; souvent buissonnante. **Écorce.** Grise, *lisse* ; puis avec quelques grosses écailles minces, orangées. **Feuilles.** Larges, jusqu'à 10 cm, *entières* ; laineuses dessous au début. **Fleurs.** Blanches à roses, 5 cm. **Fruits.** Coings agréablement odorants mais à la chair dure et âpre.

ESPÈCE VOISINE – Aliboufier à grandes feuilles (p. 434).

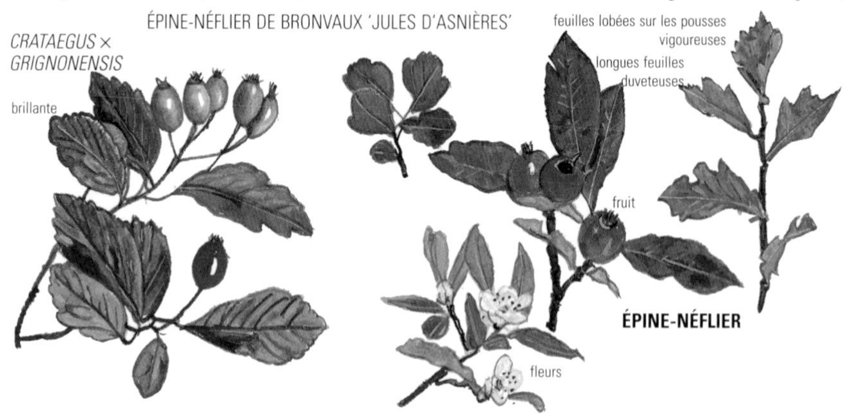

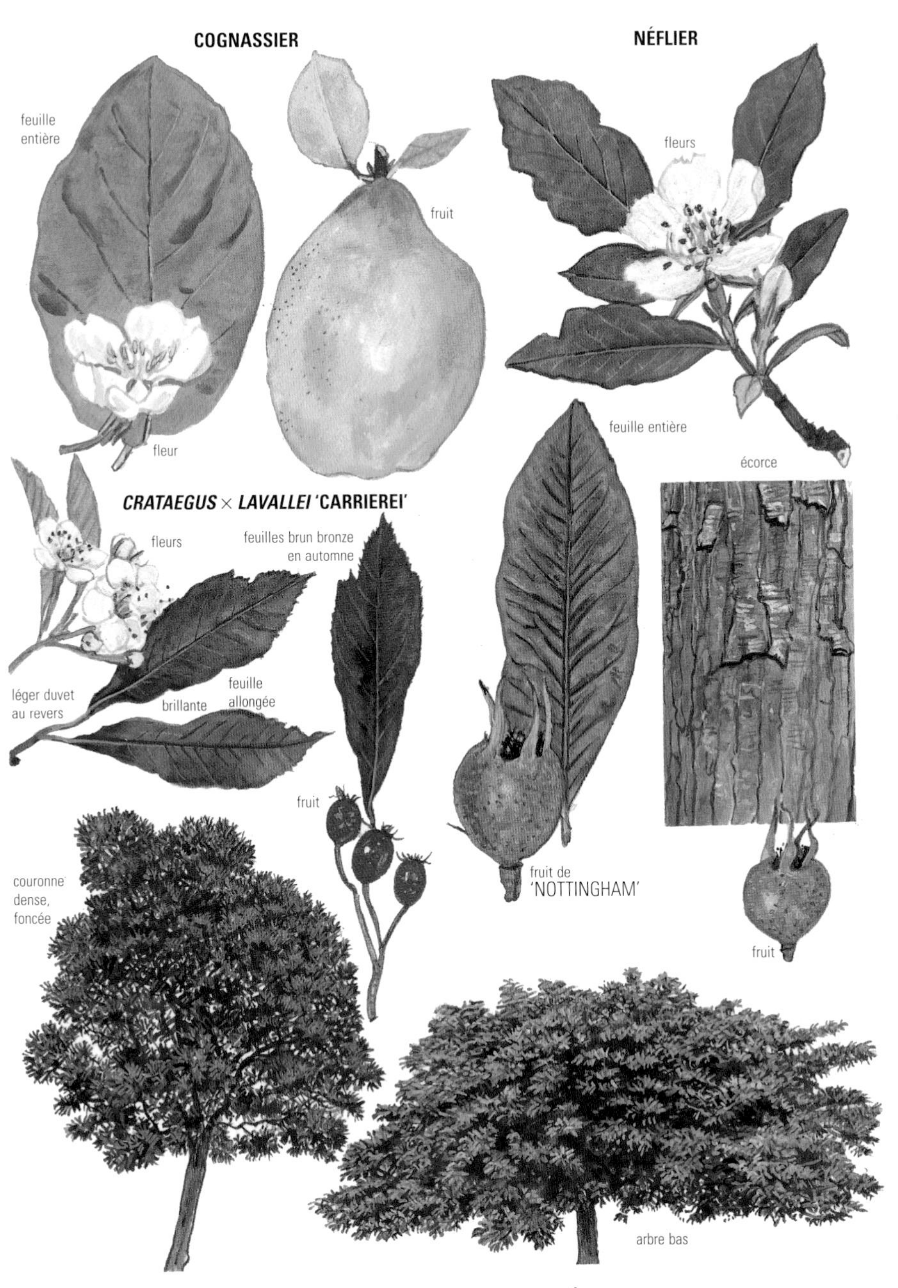

CRATAEGUS × LAVALLEI 'CARRIEREI'

NÉFLIER

ALISIER BLANC & POIRIER DE BOLLWILLER

Le genre Sorbus *comprend une centaine d'arbres et arbustes incluant les alisiers (feuilles simples) et les sorbiers (feuilles composées).*

Critères de distinction : *Sorbus*

- Écorce : Quel aspect ?
- Bourgeons : Poilus ? Collants ?
- Feuilles : Forme ? Poilues au revers ?
- Fruits : Couleur ? Taille ? Combien de graines ?

Clé des espèces

Alisier blanc (ci-dessous) : feuilles ovales, duvet blanc au revers. **Alisier à feuilles d'aulne** (p. 294) : feuilles ovales, vite glabres. **Alisier de Suède** (p. 298) : feuilles lobées, duvet gris au revers. **Alisier torminal** (p. 296) : feuilles lobées, vite presque glabres. **Alisier hybride** (p. 298) : quelques folioles à la base des feuilles. **Sorbier des oiseleurs** (p. 300) : feuilles entièrement composées.

Alisier blanc *Sorbus aria*

(Alouchier) S et centre Europe, Maroc. Assez commun dans l'est ; rare ou absent dans l'ouest et le Midi.
Aspect – **Silhouette.** En dôme étroit, avec des branches ascendantes raides ; jusqu'à 23 m. **Écorce.** Grise, lisse puis légèrement fissurée. **Rameaux.** Duvet blanc éphémère ; *rouge brique* au soleil, vert-gris à l'ombre. **Bourgeons.** Coniques, jusqu'à *15 mm ; écailles brunes et vertes*, poilues au sommet. **Feuilles.** Jusqu'à 12 cm, irrégulièrement dentées ou légèrement lobées ; 8 à 13 paires de nervures parallèles *serrées* ; pétioles *fins* ; droites et argentées quand elles sortent ; le dessus perd rapidement ses poils mais le revers garde son duvet blanc. **Fleurs.** En bouquets de 7 cm de large. **Fruits.** Rouge terne, à 2 graines, vite mangés par les oiseaux.
Espèces voisines – Autres alisiers (p. 294) ; *S. mougeotii* (p. 298) ; *S. croceocarpa* (p. 296) ; pommier pyramidal (p. 308).
Cultivars – 'Lutescens' (1892), assez fréquent en alignement : dressé puis en dôme étroit, régulier, jusqu'à 14 m ; feuilles (larges mais pas longues) conservant un peu de *duvet farineux pâle sur le dessus* jusqu'à la fin de l'été, donnant un reflet grisé à la couronne ; baies couvertes d'un duvet gris jusqu'à mi-maturité.
'Majestica' ('Decaisneana'), groupe de clones assez fréquents dans les rues : jusqu'à 20 m ; feuilles longues et larges (jusqu'à 15 cm), *foncées* et brillantes dessus, avec jusqu'à 15 paires de nervures serrées (*cf. S.* 'Wilfrid Fox' et *S. thibetica* 'John Mitchell', p. 294).
'Chrysophylla', rare : feuilles fines jaune pâle dessus, virant au vert olive.
Autres arbres – *S. rupicola* (Grande-Bretagne, Irlande, Scandinavie, Estonie) : feuilles *petites (3 à 7 cm)*, étroitement effilées et entières sur leur tiers inférieur, avec de très petits lobes aigus sur le sommet *presque en éventail* ; fruits plus larges que longs.
S. graeca (de la Sicile à l'Irak, N Afrique) : plusieurs sous-espèces aux petites feuilles similaires ; *S. umbellata* (des Balkans à la Crimée) : autre groupe aux feuilles en éventail particulièrement trapues, très blanches dessous et avec 5 à 8 paires de nervures seulement.

Poirier de Bollwiller × *Sorbopyrus auricularis*

Hybride entre l'alisier blanc et le poirier, découvert à Bollwiller (Alsace) en 1619, puis multiplié par greffage. Collections.
Aspect – **Silhouette.** Ovale, assez raide, avec des dards épais ; ressemble à un pommier (p. 306) en dehors de la période de fructification. **Écorce.** *Craquelée en carrés* rugueux. **Feuilles.** Plus étroites que celles d'un pommier (jusqu'à 9 × 5 cm) et *parfois cordiformes* à la base ; duvet gris dense au revers. **Fleurs.** Comme celles d'un pommier, blanches ; boutons rouge cerise. **Fruits.** Piriformes, rouges, sucrés ; jusqu'à 3 cm ; le type a donné quelques descendants dont 'Malifolia', avec des feuilles plus courtes et plus larges et des fruits jaunes plus grands (5 cm).

POIRIER DE BOLLWILLER

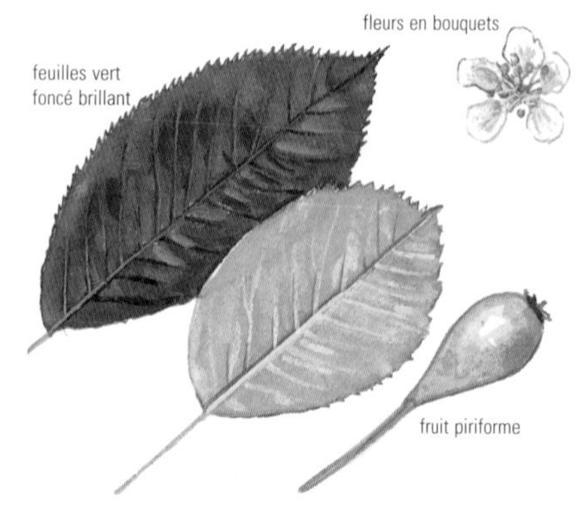

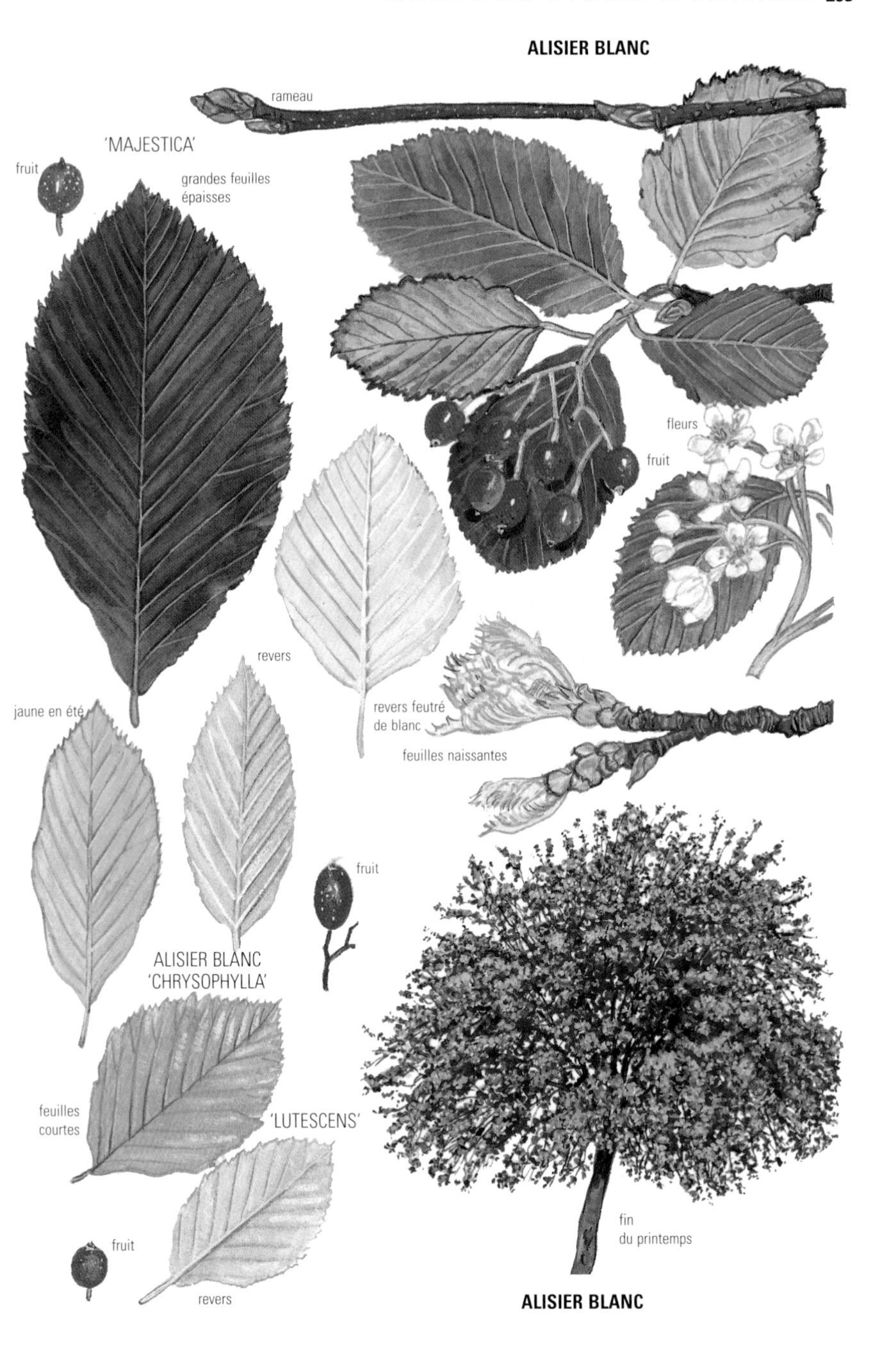

ALISIER BLANC

Alisier de l'Himalaya *Sorbus vestita*

(*S. cuspidata*) Himalaya. 1820. Rare.
Aspect – Silhouette. Jusqu'à 20 m ; d'un gris acier prononcé. **Écorce.** Légèrement plus rugueuse que celle de l'alisier blanc : crêtes minces, pourpre-gris. **Rameaux.** Épais, blanc laineux. **Bourgeons.** Verts ou rosés, émoussés. **Feuilles.** Longues (jusqu'à 20 cm ; *cf. S. thibetica* 'John Mitchell', ci-dessous) et plus ou moins larges, épaisses ; *6 à 12 paires de nervures espacées* (*cf. S. croceocarpa*, p. 296) ; feutre blanc *très ras* au revers ; pétiole robuste. **Fleurs.** À odeur d'aubépine. **Fruits.** *20 mm*, roussâtres, à 4 ou 5 graines, mûrissant en *début d'hiver*.
Autres arbres – *S.* 'Wilfrid Fox', hybride probable (1920) avec l'alisier blanc, peu répandu : raide et élancé au départ, jusqu'à 14 m ; rameaux robustes, vite brun foncé ; feuilles oblongues, ayant hérité de l'alisier de l'Himalaya *les pétioles et les nervures médianes robustes,* le feutrage brillant, avec 12 à 15 paires de nervures principales *légèrement incurvées vers le centre.* (Les nervures *plus serrées* de l'alisier blanc 'Majestica', p. 292, sont plutôt courbées vers l'extérieur.) **Fruits.** *Jusqu'à 20 mm*, brun orangé *terne*.
S. hedlundii, collections : *12 à 17* paires de nervures portant (sur les arbres adultes) des poils *orange* dessous (contrastant avec le feutrage blanc).
S. pallescens (Chine ; 1908), collections : jusqu'à 20 m ; feuilles étroitement oblongues, pointues, jusqu'à 12 × 5 cm (*cf.* alisier de Folgner, ci-dessous), gris-vert dessous jusqu'à *ce que le feutrage blanc s'amincisse* avant l'automne ; 10 à 13 paires de nervures ; 2 à 5 graines par fruit ; écorce parfois finement écailleuse.

Sorbus thibetica 'John Mitchell'

(*Sorbus* 'Mitchellii') Clone découvert à l'arboretum de Westonbirt, dans le Gloucestershire (l'original de 1938 y atteint 17 m).
Aspect – Silhouette. En dôme large et robuste ou irrégulière. **Écorce.** Gris-pourpre ; crêtes écailleuses peu saillantes. **Rameaux.** Blanc laineux pendant un an. **Feuilles.** *Immenses et larges*, jusqu'à 20 × 17 cm, vert sombre dessus et couvertes d'un feutrage blanc brillant dessous ; pétiole et nervure médiane de *3 mm d'épaisseur* ; nervures secondaires *en lacis entre les nervures principales assez espacées* ; en hiver, le sol est recouvert par les feuilles encore blanches au revers. **Fruits.** À 2 ou 3 graines (*cf.* 4 ou 5 chez l'alisier de l'Himalaya et *S. hedlundii*, ci-dessus).

Alisier de Folgner *Sorbus folgneri*

Centre et O Chine. 1901. Bel arbre de collection aux teintes automnales tardives, orangées et cramoisies.
Aspect – Silhouette. Gracieuse, jusqu'à 18 m ; branches fines arquées ou retombantes. **Feuilles.** 9 × 4 cm seulement, généralement *étroitement effilées à chaque extrémité* (*cf. S. pallescens*, ci-dessus) ; vert sombre et *plissées* dessus ; feutrage dense argenté au revers. **Fruits.** 1 cm, rougeâtres (jaunes chez 'Lemon Drop') ; calice caduc.

Alisier à feuilles d'aulne *Sorbus alnifolia*

E Asie. 1892. Rare, mais très élégant.
Aspect – Silhouette. En dôme léger, jusqu'à 17 m. **Écorce.** Grise, lisse. **Rameaux.** Fins, blanc laineux au début. **Bourgeons.** 6 mm, brun cuivré. **Feuilles.** Petites (4 à 8 cm), minces et crispées, *oblongues, finement et doublement dentées* ou légèrement lobées ; nervures parallèles serrées, en creux ; *vite glabres dessous* ; écarlates et orange en automne. **Fleurs.** Se détachant sur le jeune feuillage frais. **Fruits.** Bouquets légers rouge cramoisi ou cerise ; calice caduc.
Espèces voisines – *Photinia beauverdiana* (p. 282) ; *Amelanchier lamarckii* (p. 320) ; *Pyrus calleryana* (p. 318).

ALISIER À FEUILLES D'AULNE

ALISIER DE FOLGNER
feuilles étroites
belles teintes automnales
fruit
fleurs
fruit
ALISIER DE L'HIMALAYA
fruit piriforme
SORBUS 'WILFRID FOX'
fruit
SORBUS HEDLUNDII
SORBUS THIBETICA 'JOHN MITCHELL'
ALISIER À FEUILLES D'AULNE
fruit
fruit
poils brun doré sous les nervures
ALISIER DE L'HIMALAYA

Alisier torminal *Sorbus torminalis*

S et centre Europe, Algérie, Caucase, Syrie. Assez commun en France, mais plus rare dans le sud-est. Peu fréquent dans les jardins.

ASPECT – **Silhouette.** Grande, jusqu'à 28 m ; rameaux droits sur des branches lourdes, sinueuses. **Écorce.** Grise puis brun-noir, se fissurant en plaques oblongues écailleuses, serrées. **Rameaux.** Brun-gris brillant, vite glabres. **Bourgeons.** *Verts et arrondis.* **Feuilles.** Rappelant celles de *Malus florentina* (p. 312) mais plus larges et à lobes plus pointus ; brillantes dessus, avec des poils vite confinés aux nervures ; parfois pris pour un érable, mais feuilles alternes et nervures principales non radiantes depuis la base ; souvent rouge vif en automne. **Fleurs.** Bouquets crème en fin de printemps. **Fruits.** Baies brunes de 1 cm, prenant un goût de dattes quand elles sont trop mûres et utilisées localement en distillerie.

ESPÈCES VOISINES – *Crataegus mollis* (p. 288) ; noisetier de Byzance (p. 198) ; aulne glutineux 'Laciniata' (p. 190). *Malus trilobata* (p. 312) : même allure. En hiver, très proche du cormier (p. 298). Poirier sauvage (p. 316) : plus rameux ; écorce en damier plus dense.

Alisier de Fontainebleau *Sorbus latifolia*

(*S. × latifolia*) Hybride fixé entre l'alisier blanc et l'alisier torminal ; disséminé dans le Bassin parisien et le nord-est.

ASPECT – **Silhouette.** Large, avec des branches horizontales robustes ; jusqu'à 20 m. **Écorce.** Gris-pourpre ; crêtes larges et *finement écailleuses.* **Feuilles.** Brillantes, *feutrées de gris-vert terne* dessous, largement effilées à la base et *presque aussi larges que longues* ; petits *lobes triangulaires au sommet des nervures principales espacées.* **Fruits.** Brun-rouge terne, 12 mm.

ESPÈCES VOISINES – Alisier de Suède (p. 298) : lobes arrondis. Alisier blanc (p. 292) : feuilles moins lobées, blanc vif dessous ; écorce grise plus lisse ; nervures principales plus serrées.

AUTRES ARBRES – Plusieurs espèces indigènes comparables atteignent la taille d'un arbre en Grande-Bretagne et en Irlande :

S. devoniensis (Devon, E Cornouailles, SE Irlande) : feuilles plus petites et *plus étroites* (9 × 6 cm).

S. bristoliensis (près de Bristol) : feuilles de 5 × 9 cm seulement, plus blanches au revers, *étroitement effilées à la base* ; nervures plus denses vers le sommet ; fruits *orange vif.*

S. decipiens, hybride continental entre l'alisier blanc et l'alisier torminal ou espèce locale allemande : feuilles étroites mais plus longues, avec un feutrage terne au revers ; baies orange plus grosses.

S. subcuneata (falaises près d'Exmoor) : feuilles étroites également effilées à la base, mais baies plus brunes.

S. × vagensis (Kent) : hybride similaire entre l'alisier blanc et l'alisier torminal, à feuilles larges, stérile.

S. croceocarpa (*S.* 'Theophrasta'), rare, naturalisé sur Anglesey : feuilles larges *à peine lobées* (écorce plus rugueuse, couronne plus foncée, feuilles plus arrondies avec moins de nervures principales que l'alisier blanc) ; fruits plus proches de ceux de l'alisier de Fontainebleau.

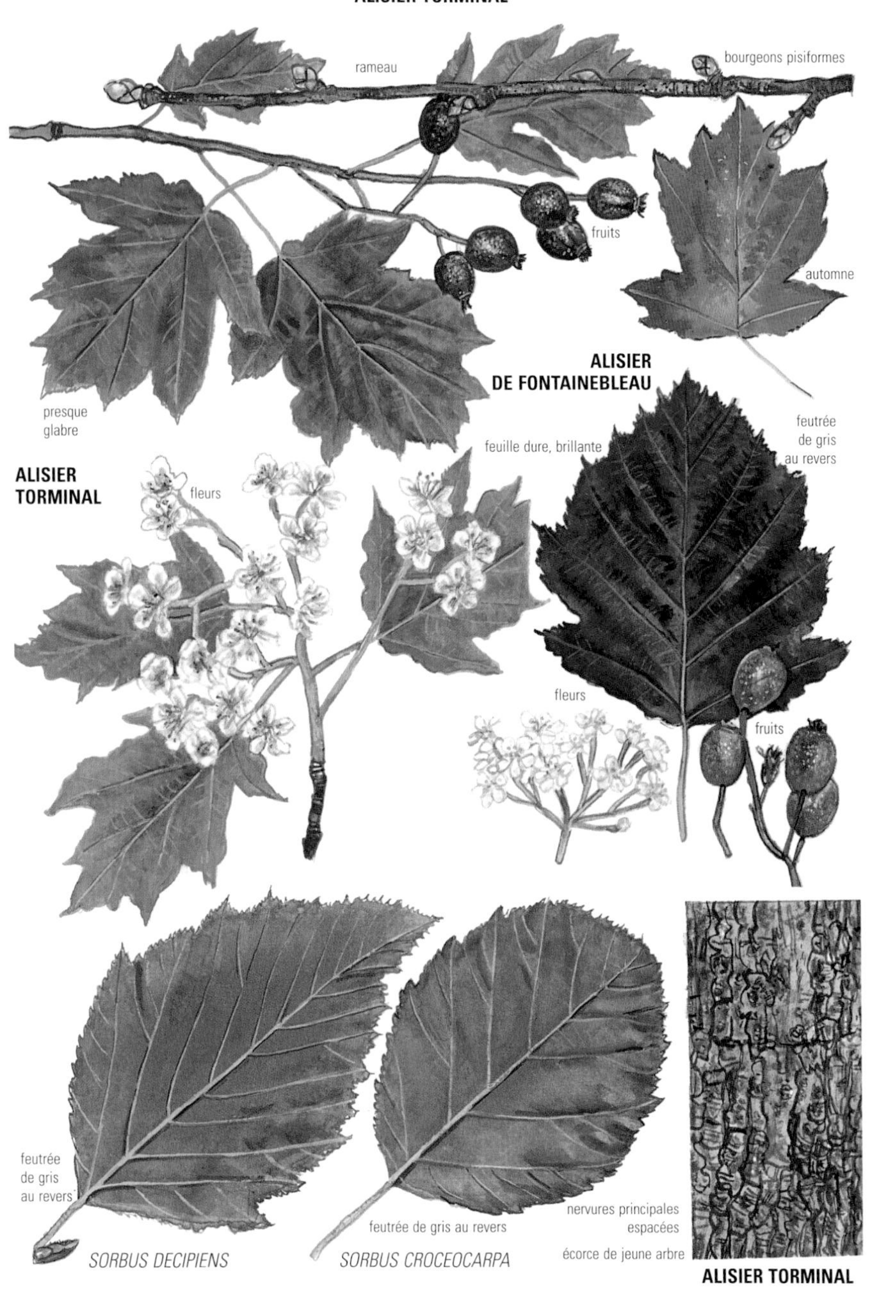
ALISIER TORMINAL
rameau
bourgeons pisiformes
fruits
automne
presque
glabre
ALISIER
DE FONTAINEBLEAU
feuille dure, brillante
feutrée
de gris
au revers
ALISIER
TORMINAL
fleurs
fleurs
fruits
feutrée
de gris
au revers
feutrée de gris au revers
nervures principales
espacées
écorce de jeune arbre
SORBUS DECIPIENS
SORBUS CROCEOCARPA
ALISIER TORMINAL

Alisier de Suède *Sorbus intermedia*

(*S. scandica*) Région baltique. Introduit depuis longtemps en France et utilisé en alignement.
ASPECT – **Silhouette.** En dôme dense sur un tronc court ; branches sinueuses, étalées ; jusqu'à 20 m. **Écorce.** Grise, restant *lisse*. **Feuilles.** Même forme que celles du chêne sessile (mais avec des lobes arrondis dentés et des *sinus très étroits*) ; revers gris laineux ; 6 à 9 paires de nervures. **Fleurs.** Belles inflorescences blanc crème. **Fruits.** Baies écarlates éphémères.
ESPÈCES VOISINES – Alisier de Fontainebleau (p. 296) : lobes triangulaires. Alisier blanc (p. 292) : feuilles plus blanches au revers, moins lobées.
AUTRES ARBRES – *S. mougeotii* (des Pyrénées à l'Autriche), collections : *petits lobes arrondis plus nombreux*, souvent *non dentés sur le côté interne* ; *10 à 12* paires de nervures. *S. anglica* (SO Angleterre, Pays de Galles, O Irlande) : espèce locale similaire mais buissonnante. *S. austriaca* (de l'Autriche aux Balkans) : feuilles plus blanches au revers. *S. arranensis* (île d'Arran) : buissonnant ; lobes beaucoup plus profonds à la base des feuilles.

Alisier hybride fastigié *Sorbus × thuringiaca* 'Fastigiata'

Les hybrides (stériles) spontanés entre l'alisier blanc et le sorbier des oiseleurs sont rares ; ce variant à port dressé (cultivé depuis le XVIIIe siècle) est parfois utilisé en alignement.
ASPECT – **Silhouette.** Couronne *globuleuse de branches dressées denses* ; jusqu'à 18 m. **Écorce.** Grise, lisse. **Feuilles.** Revers gris laineux ; *2 à 4 folioles libres* sur les rameaux les plus vigoureux (jusqu'à 14 folioles chez 'Decurrens', un clone rare). **Fruits.** Bouquets de 10 à 15 fruits rouges.
AUTRES ARBRES – *S. hybrida* (*S. fennica* ; groupe d'hybrides fixés entre le sorbier des oiseleurs et *S. rupicola* ; S Scandinavie) : arbres *largement étalés*, avec des feuilles plus courtes. *S. pseudofennica* : espèce locale poussant dans le nord de l'île d'Arran. *S. meinichii* (O Norvège) : 4 à 6 paires de folioles libres.

Cormier *Sorbus domestica*

(*Cormus domestica*) De S Europe au Caucase, N Afrique. Assez commun dans le sud de la France, rare dans le nord, disséminé ailleurs.
ASPECT – **Silhouette.** Jusqu'à 20 m ; en dôme massif mais gracieux ; couronne jaunâtre, sombre, aux feuilles *pendantes*. **Écorce.** Brun-noir ; *crêtes entrecroisées se fissurant en petits rectangles.* **Rameaux, bourgeons.** Comme ceux de l'alisier torminal (p. 296). **Feuilles.** Comme celles du sorbier des oiseleurs (p. 300) mais légèrement plus grandes ; poils doux au revers. **Fleurs.** Grandes inflorescences crème en fin de printemps. **Fruits.** *Jusqu'à 3 cm*, brun-vert ; de la forme d'une pomme chez *f. pomifera*, d'une poire chez *f. pyrifera* ; comestibles une fois blets.
ESPÈCES VOISINES – Noyer noir d'Amérique (p. 178) : écorce foncée mais folioles beaucoup plus grandes, à pointe plus longue. Alisier torminal (p. 296) : très similaire en hiver (écorce souvent légèrement plus pâle et écailleuse). Poirier sauvage (p. 316) : arbre plus trapu et plus rameux en hiver.

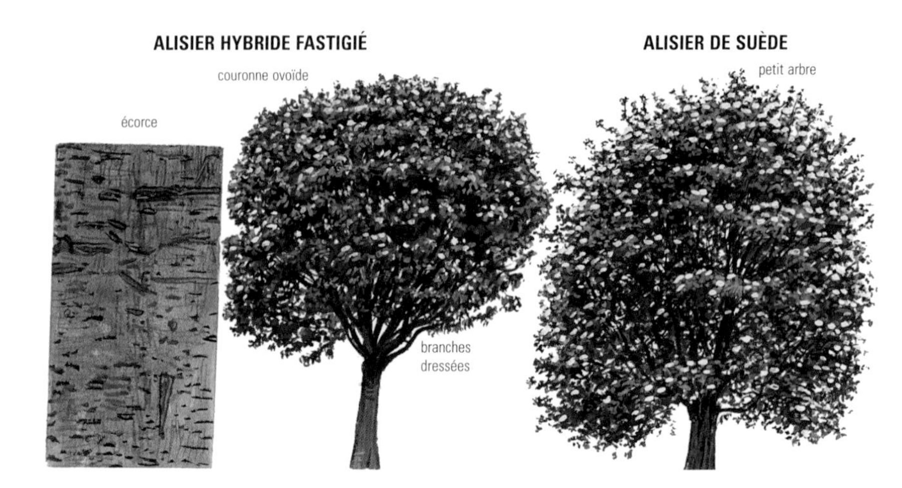

CORMIER
écorce
feuillage pendant
rameau
bourgeons pisiformes
fleur, détail
f. *pomifera*
f. *pyrifera*
fruit
revers
fruit
ALISIER HYBRIDE FASTIGIÉ
feuille plus longue
fleur, détail
fruit
SORBUS HYBRIDA
revers
fruit
ALISIER DE SUÈDE
6 à 9 nervures
SORBUS MOUGEOTII
10 à 12 nervures
CORMIER

Sorbier des oiseleurs *Sorbus aucuparia*

(Sorbier des oiseaux) Europe, N Afrique, Asie mineure. En France, très commun en montagne, plus disséminé en plaine, sauf dans l'ouest et le Midi. Fréquent dans les rues, les parcs et jardins.
ASPECT – **Silhouette.** Couronne plus ou moins ovoïde ; branches toujours ascendantes ; jusqu'à 25 m, mais souvent moins. **Écorce.** Lisse et gris argenté, avec des stries horizontales de lenticelles foncées ; finement rugueuse avec l'âge. **Rameaux.** Gris pourpré, vite glabres. **Bourgeons.** Jusqu'à 15 mm ; *écailles pourpres non collantes bordées de longs poils gris.* **Feuilles.** Divisées en 15 folioles *assez rectangulaires, souvent jaunâtres,* de 5 cm de long et dentées jusqu'à 1 à 2 cm de la base ; poils denses dessous, tombant normalement pendant l'été ; orange en automne ; folioles parfois profondément lobées ou dentées sur les jeunes arbres (*cf.* 'Aspleniifolia', ci-dessous). **Fleurs.** Grandes inflorescences aplaties, blanc crème, en fin de printemps. **Fruits.** Baies écarlates de 1 cm, vite mangées par les oiseaux.
ESPÈCES VOISINES – Autres sorbiers : groupe très ornemental avec des baies aux coloris variés, complété par toute une gamme d'espèces asiatiques pour les grands jardins. La plupart des sorbiers des oiseleurs se reconnaissent à leurs feuilles mates assez oblongues, jaunâtre foncé. Cormier (p. 298) : le plus proche au niveau du feuillage, mais grand arbre à l'écorce anguleuse. Les autres arbres à feuilles composées alternes et dentées (noyer noir d'Amérique, p. 178, par exemple) ont un feuillage plus grand. Robinier (p. 354) : folioles entières.
CULTIVARS – 'Sheerwater Seedling' : arbre *étroitement dressé* à tronc droit, très florifère, avec des feuilles assez profondément dentées.
'Beissneri' (1899) : petit arbre dressé avec des folioles vert jaunâtre parfois fortement dentées ou lobées (*cf.* 'Aspleniifolia') et une écorce remarquable, *orange rosé,* cireuse, luisante par temps humide ; jaune en automne ; baies plus sucrées (*cf.* 'Edulis').
'Aspleniifolia' : folioles plus duveteuses au revers et (même à l'âge adulte) *fortement lobées* ou doublement dentées (*cf.* 'Chinese Lace', p. 302).
'Dirkenii' : port dressé ; feuillage *jaune vif* virant au vert tendre durant l'été.
'Fructu-luteo' ('Xanthocarpa' ; 1893) : fruits *jaune orangé* (*cf.* 'Joseph Rock', p. 304).
'Edulis' (Europe centrale) : folioles étroites largement espacées, presque glabres dessous et dentées uniquement dans leur moitié supérieure (*cf. Sorbus glabrescens,* p. 304) ; fruits écarlates inhabituellement gros et *comestibles.* 'Rossica Major' : fruits également agréables à manger (gros et rouge foncé) ; folioles larges (sur des pétioles pourprés) restant particulièrement duveteuses au revers.

Sorbier d'Amérique *Sorbus americana*

E Amérique du Nord. 1782. Très rare.
ASPECT – **Silhouette.** Comme celle du sorbier des oiseleurs (ci-dessus) ; jusqu'à 10 m. Diffère par : **Bourgeons.** Plus rouges ; écailles légèrement *collantes* (*cf.* sorbiers du Japon et de Sargent, p. 302) et glabres sauf à leur extrémité. **Feuilles.** Folioles vite glabres dessous ; souvent légèrement plus grandes et plus fines au sommet. **Fruits.** Rouge plus intense.

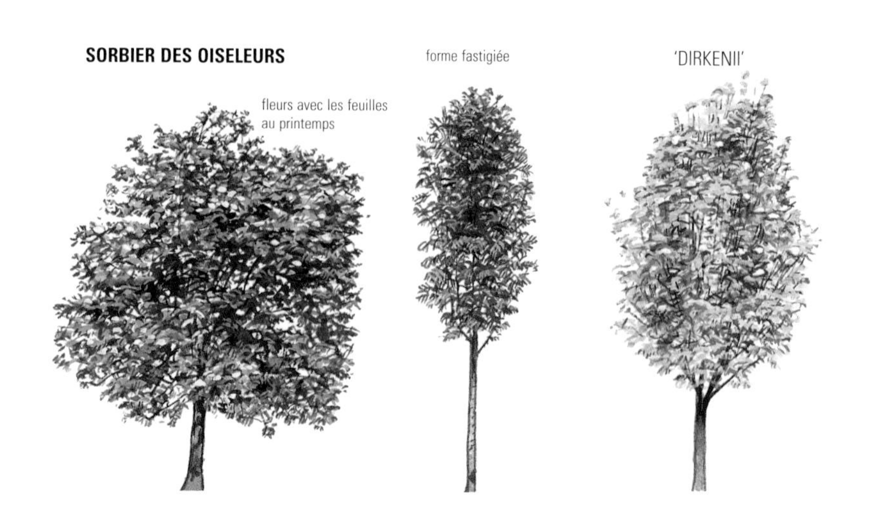

SORBIER DES OISELEURS
fleurs
bourgeons poilus
revers
fruits
revers
'FRUCTU-LUTEO'
SORBIER
D'AMÉRIQUE
'ASPLENIIFOLIA'
fruits
folioles bien
espacées
'EDULIS'
bourgeons floraux
'BEISSNERI' écorce

Sorbier du Japon *Sorbus commixta*

Corée, Japon, île Sakhaline. 1890. Peu répandu (et parfois étiqueté *S. matsumarana, S. discolor* ou *S. serotina*).
ASPECT – Port, écorce et allure très similaires à ceux du sorbier des oiseleurs (p. 300). **Bourgeons.** *Cramoisis* (ou verts et rouges) ; plus ou moins *collants* (*cf.* sorbier d'Amérique, p. 300, et sorbier de Sargent, ci-dessous). **Feuilles.** Vert brillant assez foncé ; folioles de 7 cm, à *pointe plus longue* que chez le sorbier des oiseleurs ; glabres sauf (parfois) un duvet brunâtre sous la nervure médiane (étendu chez var. *rufo-ferruginea* ; *cf. S.* 'Ghose', ci-dessous) ; *pourpres* et cramoisies en automne. **Fleurs.** Apparaissent une semaine après celles du sorbier des oiseleurs. **Fruits.** Rouge vif, en gros bouquets.
CULTIVAR – 'Embley' : folioles de 5 cm, *plus étroites et plus serrées* (*cf.* 'Joseph Rock', p. 304) ; *écarlates* puis cramoisi foncé en automne.

Sorbus × *kewensis*

Hybride probable entre le sorbier des oiseleurs et une espèce chinoise (*S. pohuashanensis* ou *S. esserteauana*, la nomenclature est confuse).
ASPECT – **Silhouette.** Comme le sorbier des oiseleurs. **Feuilles.** Folioles légèrement plus grandes, souvent bleutées, plus laineuses au revers ; pétioles et rameaux mauves plus laineux ; *plus de pétioles* et de pédoncules avec des stipules (*cf.* sorbier de Sargent, ci-dessous, et *S. scalaris*, p. 304) persistantes à la base. **Fruits.** *Rouge vif.*
CULTIVAR – 'Chinese Lace', rare : petit arbre dressé ; feuilles de l'extrémité des rameaux encore plus *profondément lobées* que chez le sorbier des oiseleurs 'Aspleniifolia' (p. 300).

AUTRES ARBRES – *S. esserteauana* (incluant *S. conradinae*) et *S. pohuashanensis*, collections : plus buissonnants, peu branchus ; folioles vert foncé légèrement coriaces ; *feuilles supérieures* (et inflorescences) *pourvues de grandes stipules dentées* ; gros bouquets de baies écarlates (jaunes chez *S. esserteauana* 'Flava').

Sorbus 'Ghose'

Hybride probable entre un sorbier himalayen et le sorbier des oiseleurs. 1960. Rare.
ASPECT – **Silhouette.** Arbre feuillu, dressé. **Rameaux.** Duvet laineux brun à blanc. **Feuilles.** Folioles assez grandes (6 cm), pointues, *vert foncé* mat et dentées dans leur moitié supérieure ; *duvet brun-blanc au revers persistant jusqu'à l'automne.* **Fleurs.** Stipules dentées sous les inflorescences. **Fruits.** Nombreux bouquets de baies *cerise rosé.*

Sorbier de Sargent *Sorbus sargentiana*

O Sichuan, Chine. 1910. Assez rare.
ASPECT – **Silhouette.** Souvent grêle et buissonnante ; jusqu'à 15 m. **Rameaux.** Vigoureux, brun foncé. **Bourgeons.** Gros, *cramoisis et très collants* (*cf.* bourgeons opposés du marronnier d'Inde, p. 392). **Feuilles.** Stipules semi-circulaires à la base ; *9 à 11 longues* (jusqu'à 13 cm) folioles pointues, duveteuses au revers, avec 20 à 25 paires de nervures en creux ; brun foncé quand elles sortent, jaunes et cramoisies en automne. **Fruits.** Rouge vif, petits (6 mm) mais très nombreux.
ESPÈCES VOISINES – Vernis de Chine (p. 360) : feuilles entières. *Fraxinus spaethiana* (p. 440) : feuilles opposées.

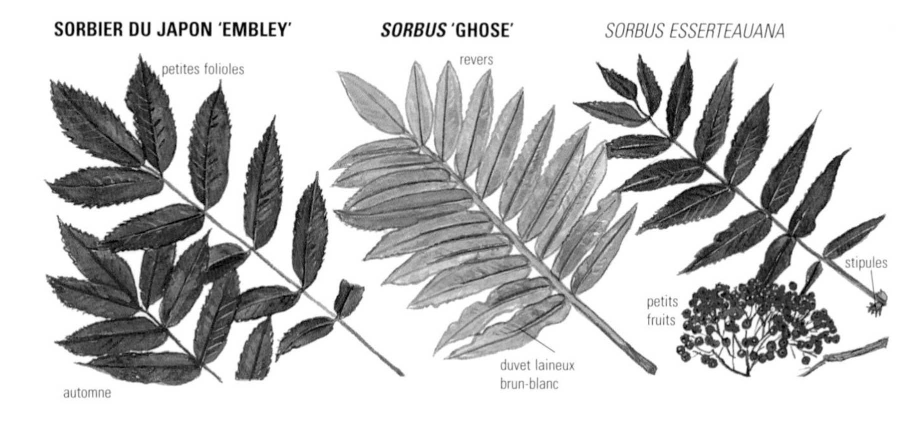

SORBIER DU JAPON
belle teinte
automnale
fruits
SORBIER
DE SARGENT
foliole
en été
fruits
belle
teinte
automnale
fruit
SORBIER
DE SARGENT
SORBUS
POHUASHANENSIS
stipules
grandes
stipules
fructification
abondante
stipules
jeune arbre
SORBUS × KEWENSIS

Sorbier 'Joseph Rock' *Sorbus* 'Joseph Rock'

(*S. rockii*) Clone probablement découvert en Chine (NO Yunnan). Peu répandu.
ASPECT – **Silhouette.** Dressée, avec des branches étalées ; jusqu'à 12 m. **Rameaux.** Vite glabres. **Feuilles.** *Petites* (10 à 18 cm), avec généralement 19 folioles pointues de 3 à 4 cm, *serrées*, vert tendre assez brillant. **Fruits.** *Jaune pâle* (blancs sur le côté à l'ombre), en gros bouquets au milieu du feuillage automnal pourpre et cramoisi.
ESPÈCE VOISINE – Sorbier du Japon 'Embley' (p. 302) : folioles plus longues, plus foncées ; fruits rouges.

Sorbus scalaris

Chine (O Sichuan). 1904. Rare.
ASPECT – **Silhouette.** Large et ouverte. **Rameaux.** Blanc laineux au début. **Feuilles.** Petites (jusqu'à 20 cm), avec des stipules basales semi-circulaires et jusqu'à *33 folioles très étroites et serrées*, vert sombre assez brillant dessus ; duvet blanc au revers ; bords enroulés dentés seulement vers le sommet ; brun-rouge quand elles sortent, jaunes et rouges en automne. **Fruits.** Petits (6 mm), mais en gros bouquets rouge vif.

Sorbier de Vilmorin *Sorbus vilmorinii*

(*S. vilmoriniana*) Chine (Yunnan). 1904. Peu fréquent.
ASPECT – **Silhouette.** Large, formée sur tige ou buissonnante. **Rameaux.** Poils roux au début. **Feuilles.** Petites (12 cm) ; jusqu'à 29 petites folioles à bout arrondi, vert foncé dessus et grisâtres au revers, plissées et presque glabres ; brun pâle quand elles sortent, rouge foncé en automne. **Fruits.** 1 cm, *rose-marron foncé puis blanc rosé à maturité.*

ESPÈCES VOISINES – *Sophora tetraptera* (p. 352) : persistant. Sorbiers du Hubei et du Cachemire (ci-dessous), aux fruits également blanc rosé : folioles plus grandes, bien moins nombreuses.
AUTRES ARBRES – *S. prattii* (Chine ; collections) : arbre très petit, ouvert, à baies *blanches. S. koehneana* : similaire, mais rameaux *glabres*.

Sorbier du Hubei *Sorbus glabrescens*

Chine (Yunnan). 1910. Peu fréquent ; généralement nommé *S. hupehensis* – une espèce apparentée plus rarement plantée.
ASPECT – **Silhouette.** *Dôme* robuste mais étroit ; jusqu'à 17 m. **Écorce.** Brun-gris ; *crêtes légèrement subéreuses.* **Rameaux.** Vigoureux, vite glabres. **Bourgeons.** Verts puis rouges. **Feuilles.** 11 à 17 folioles *glauques* assez émoussées, gris argenté dessous mais presque glabres, finement dentées dans leur moitié supérieure (*cf.* sorbier des oiseleurs 'Edulis', p. 300) ; bronze quand elles sortent, rouges et *rose* doux en automne. **Fleurs.** Blanc crème, en houppes légères. **Fruits.** *Blanc teinté de rose.*
AUTRES ARBRES – *S. oligodonta* (Yunnan, souvent étiqueté *S. hupehensis* var. *obtusa* ; *S. pseudohupehensis*) : couronne étroite, éparse, aux *rameaux fins* (rarement pus de 15 m) ; feuilles *très glauques*, avec les folioles les plus grandes vers le sommet ; chez 'Rufus' ('Rosea'), *baies magenta intense*, persistant longtemps.

Sorbier du Cachemire *Sorbus cashmiriana*

O Himalaya. 1932. Rare.
ASPECT – **Silhouette.** Basse, ouverte, jusqu'à 6 m. **Feuilles.** Similaires à celles du sorbier des oiseleurs (p. 300), mais sans la teinte jaunâtre ; jaune pâle à l'automne. **Fleurs.** En grands bouquets *rose* pâle. **Fruits.** *De la taille d'une bille et blanc pur.*

SORBIER DU HUBEI

SORBIER DE VILMORIN

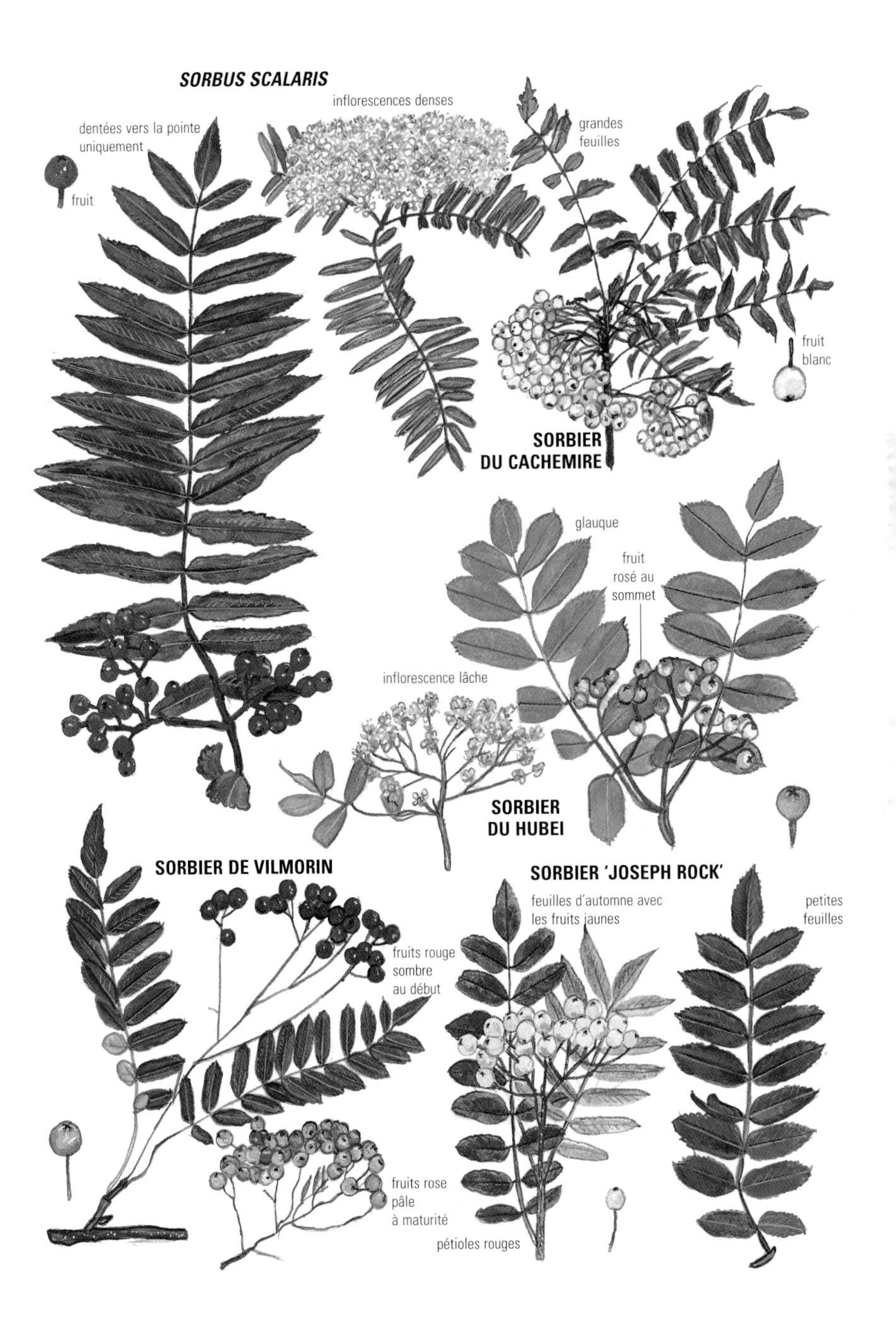
SORBUS SCALARIS
inflorescences denses
dentées vers la pointe uniquement
fruit
grandes feuilles
fruit blanc
SORBIER DU CACHEMIRE
glauque
fruit rosé au sommet
inflorescence lâche
SORBIER DU HUBEI
SORBIER DE VILMORIN
SORBIER 'JOSEPH ROCK'
feuilles d'automne avec les fruits jaunes
petites feuilles
fruits rouge sombre au début
fruits rose pâle à maturité
pétioles rouges

Les pommiers (30 espèces environ et plusieurs centaines de cultivars ; seules les formes ornementales les plus communes sont traitées ici) produisent des fruits charnus, les pommes. Le calice (les sépales) tombe parfois quand les fruits sont mûrs. La plupart des arbres fleurissent ensemble à la fin du printemps : les plus précoces sont généralement le pommier du Japon (p. 308), le Malus × robusta *(p. 312) et le pommier pourpre (p. 314), une semaine avant le pommier cultivé.*

Critères de distinction : pommiers

- Feuilles : Largeur ? Poilues dessous ?
- Fleurs : Doubles ? Couleur ?
- Fruit : Forme ? (arrondi ? conique ? en forme de citron ?) Grosseur ? Calice persistant ?

Clé des espèces

Pommier cultivé (ci-dessous) : grandes feuilles oblongues ; « pommes ». **Pommier du Japon** (p. 308) : feuilles fines ; fruits jaunes de 1 cm. **Pommier du Hubei** (p. 310) : feuilles brillantes plus longues ; écorce écailleuse. **Pommier pourpre** (p. 314) : feuilles pourprées. ***Malus trilobata*** (p. 312) : feuilles profondément lobées.

Pommier cultivé — *Malus domestica*

Arbres cultivés depuis des millénaires, issus d'une souche d'Asie centrale (et non pas du pommier sauvage) ; fréquents dans les jardins et les vergers.

ASPECT – **Silhouette.** Basse et large ; rameaux fructifères courts (dards) ; rameaux à bois longs et vigoureux ; inerme. **Écorce.** Légèrement écailleuse ; gris, bruns, quelques pourpres. **Rameaux.** Vigoureux, gris ; légèrement *poilus*. **Bourgeons.** Plus ou moins *gris laineux*. **Feuilles.** Finement *duveteuses dessous* (*cf.* pommier pyramidal, p. 308) et sur le pétiole ; *oblongues*, grandes (jusqu'à 12 cm), avec des petites dents irrégulières ; foncées, assez mates et plus ou moins froissées. **Fleurs.** Blanc légèrement rosé, rose vif en boutons. **Fruits.** *Au moins 4 cm de large* ; comestibles pour la plupart.

ESPÈCES VOISINES – *M.* 'Dartmouth' (p. 312) ; *M. domestica* 'Elise Rathke' (p. 314) ; pommier sauvage (ci-dessous) ; *Prunus insititia* (p. 340). Beaucoup de pommiers « sauvages » sont sans conteste des hybrides, parfois désignés sous le nom de '*M. pumila*'. Les autres pommiers ont des feuilles moins duveteuses, plus étroites ou plus pointues ; *M. prunifolia* et le pommier de Chine (p. 310) sont les plus proches. Poirier de Bollwiller (p. 292) : feuilles parfois *cordiformes* à la base.

AUTRES ARBRES – *M. dasyphylla* (SE Europe) : feuillage également duveteux ; pommes de 4 cm.

Pommier sauvage — *Malus sylvestris*

Europe ; assez commun sauf dans le Midi. Rarement planté.

ASPECT – **Silhouette.** Irrégulière, jusqu'à 17 m ; jeunes arbres parfois épineux. **Écorce.** Brun pourpré ; crêtes écailleuses serrées. **Rameaux.** *Vite glabres*, brun à vert brillant. **Bourgeons.** Bruns, poilus seulement à leur extrémité pointue. **Feuilles.** Presque *glabres*, assez brillantes ; ovales, jusqu'à 6 cm, assez plissées, avec des petites dents triangulaires à arrondies. **Fleurs.** Blanches, roses en boutons. **Fruits.** Pommes sauvages vert jaune, dures et *très acides*, jusqu'à 4 cm, tombant en hiver et tapissant souvent le sol.

ESPÈCES VOISINES – Pommier cultivé (ci-dessus). Les pommiers « sauvages » à fleurs plus roses, gros fruits ou feuilles duveteuses au revers sont en fait des hybrides. *Amelanchier lamarckii* (p. 320) : feuilles plus planes et plus pâles. Prunier sauvage (p. 340) : feuilles plus froissées. Poirier sauvage (p. 316) : rameaux similaires en hiver ; écorce plus noire ; feuilles plus planes et plus brillantes.

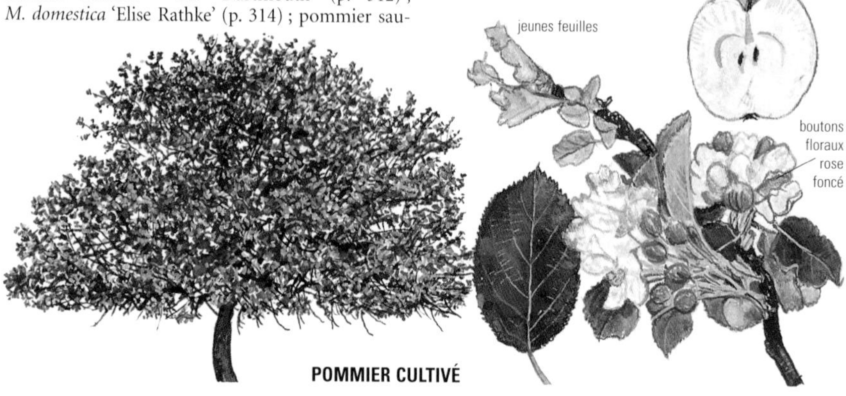

POMMIER CULTIVÉ

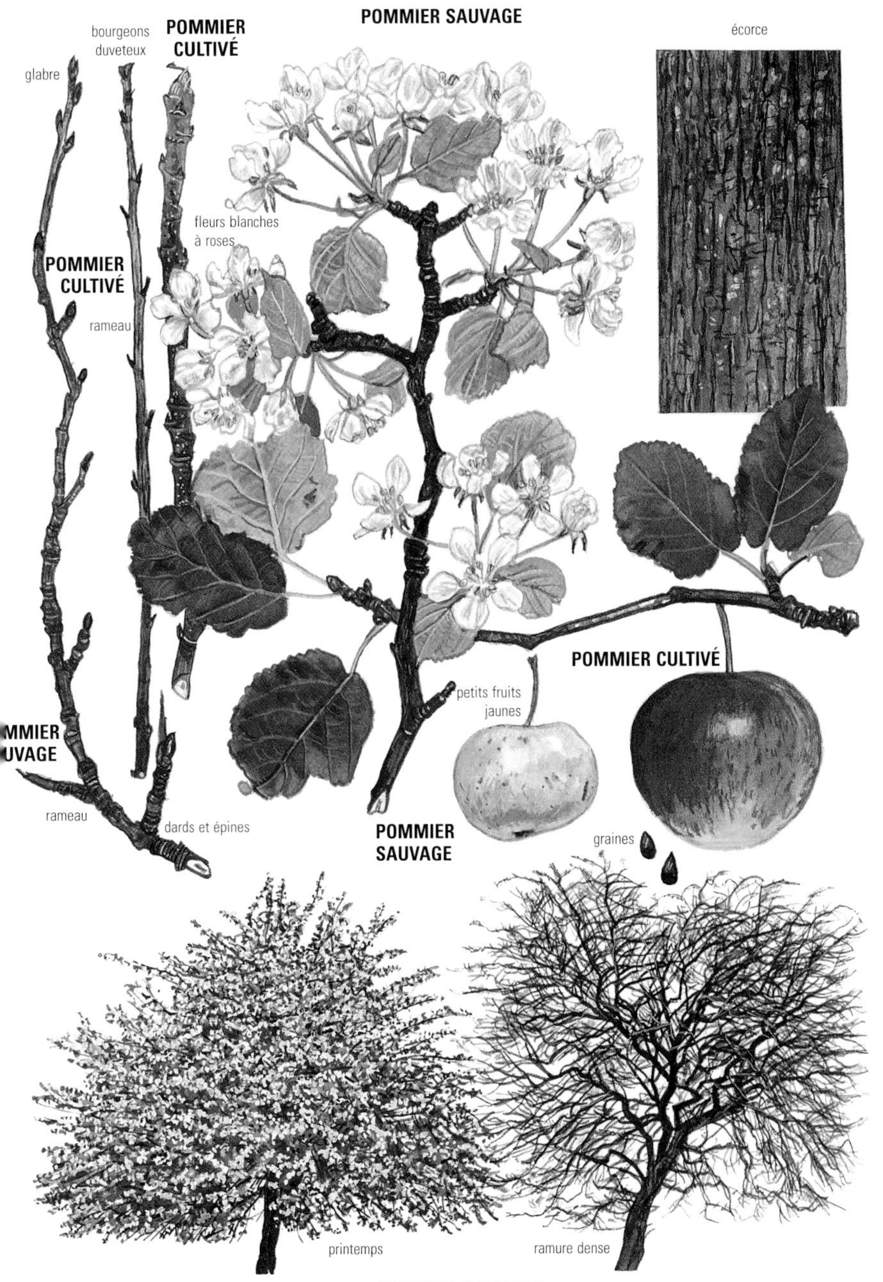

POMMIER SAUVAGE

Pommier du Japon *Malus floribunda*

Jardins japonais. 1862 (probablement un hybride cultivé depuis longtemps). Commun dans les rues et les jardins.
ASPECT – Silhouette. Branches en zigzag, très *emmêlées*, formant un dôme bas, jusqu'à 10 m ; feuillage peu fourni. **Écorce.** Brun foncé terne ; *étroitement fissurée* en plaques oblongues. **Feuilles.** *Petites, assez étroites*, pointues, 7 × 3 cm (*cf.* prunier myrobolan, p. 340), parfois lobées sur les pousses vigoureuses (*cf. M. toringo*) ; vert foncé terne dessus et finement duveteuses dessous ; pétiole finement poilu. **Fleurs.** Blanches, rouge carmin en boutons ; très longuement pédonculées ; *couvrant entièrement la feuillaison très précoce.* **Fruits.** 1 cm, jaune terne ; calice caduc ; discrets.
ESPÈCES VOISINES – Pommier de Sibérie (p. 310) ; pommier de Hall (p. 314) ; *M. × robusta* (p. 312) ; *M. × scheideckeri* 'Excellenz Thiel' (p. 314).

Malus toringo

(*M. sieboldii*) Japon. 1856. Assez rare.
ASPECT – Silhouette. Plus basse et plus hérissée que celle du pommier du Japon. **Feuilles.** Plus souvent *lobées.* **Fleurs.** Deux semaines plus tard ; pétales étroits blancs ou roses, *en étoile*, roses en boutons. **Fruits.** *Très petits* (5 mm ; calice caduc) ; jaunes à rouge brunâtre.
AUTRES ARBRES – *M. bhutanica* (*M. toringoides* ; O Chine, Himalaya ; 1904), rare : plus grand ; feuilles lobées (*prédominantes* ; éparses sur certains arbres adultes) ressemblant à des feuilles d'aubépine (*cf.* épine-néflier de Bronvaux, p. 290) ; floraison tardive, blanc crème ; fruits jaune vif et rouges (10 à 15 mm ; calice caduc).
M. transitoria (NO Chine ; 1911), très rare : feuilles plus poilues que *M. bhutanica, la plupart d'entre elles* profondément lobées ; fruits similaires.

Pommier pyramidal *Malus tschonoskia*

(*Eriolobus tschonoskii*) Japon. 1897. Planté dans les parcs et le long des rues pour ses belles teintes automnales *dorées et écarlates.*
ASPECT – Silhouette. *Conique, avec des branches ascendantes* ; jusqu'à 17 m. **Écorce.** Grise, *lisse.* **Feuilles.** *Grandes*, jusqu'à 12 × 8 cm, coriaces, *feutrées de gris au revers.* **Fleurs.** Blanches, au milieu des jeunes feuilles *argentées.* **Fruits.** 25 mm, jaunâtres et pourprés, à calice persistant ; rarement abondants.
ESPÈCES VOISINES – Poirier de Bollwiller (p. 292) ; aulne blanc (p. 192). Poirier 'Chanticleer' (p. 318) : arbre dressé au jeune feuillage argenté.
AUTRES ARBRES – *M. yunnanensis* (O Chine ; 1908), rare : couronne *large* ; feuilles plus vertes, avec des lobes plus nettement triangulaires (*cf. Malus coronaria*) ; fleurs voyantes, très odorantes ; fruits plus petits (12 mm), *rouge foncé ponctué de blanc.*
M. prattii (O Chine ; 1904) : fruits tachetés comme ceux de *M. yunnanensis* ; grandes feuilles similaires, vite presque *glabres*, parfois plus étroites.

Malus coronaria

E Amérique du Nord. 1724. Très rare.
ASPECT – Silhouette. Très irrégulière. **Feuilles.** Ovales à découpées *en 3 ou 5 lobes ; grandes* (jusqu'à 11 × 9 cm) ; vite *glabres.* **Fleurs.** *En début d'été* ; grosses (4 cm), blanc rosé ; parfum de violette. **Fruits.** *Jusqu'à 4 cm*, vert-jaune.
CULTIVAR – 'Charlottae' : fleurs semi-doubles.
AUTRES ARBRES – *M. ioensis* (centre États-Unis) : rameaux laineux et revers des feuilles duveteux.
M. 'Red Tip', hybride avec le pommier pourpre (1919), rare : *jeunes feuilles brun-rouge*, larges et lobées sur les pousses vigoureuses ; fleurs roses ; fruits verts et rouges, *45 mm.*

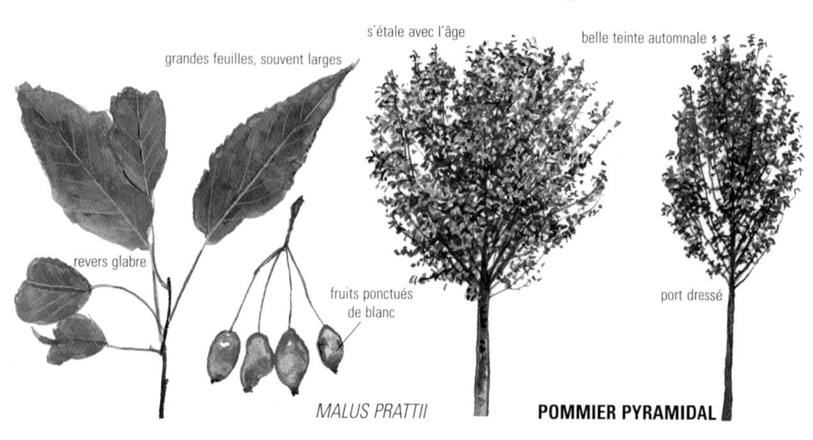

MALUS PRATTII

POMMIER PYRAMIDAL

POMMIER PYRAMIDAL
automne
petits fruits
revers feutré de gris
revers feutré de gris
rameau
MALUS YUNNANENSIS
automne
fruits tachetés de blanc
MALUS TORINGO
certaines feuilles lobées
fleurs
gros fruits
boutons rouges
POMMIER DU JAPON
fleurs
MALUS IOENSIS
gros fruit
fruit
glabre
MALUS CORONARIA
'RED TIP'
feuilles teintées de rouge
petit arbre
feuilles disparaissant sous les fleurs
POMMIER DU JAPON

Pommier du Hubei *Malus hupehensis*

(*M. theifera*) Centre et O Chine. 1900. Peu répandu. Prisé pour son feuillage luxuriant (consommé en tisane en Chine), mais peu florifère.
ASPECT – **Silhouette.** En dôme large et *luxuriant* ; jusqu'à 17 m. **Écorce.** *En longues plaques écailleuses, souvent spiralées ; tons roses et orangés.* **Feuilles.** *Longues* (jusqu'à 10 × 5 cm), ovales ; pourprées quand elles sortent puis d'un *vert vif et brillant* ; duveteuses sous les nervures principales ; pétiole laineux. **Fleurs.** Blanches (roses chez f. *rosea*), roses en boutons, quelques jours après le pommier du Japon ; pétales *chevauchants* ; généralement 3 styles. **Fruits.** 1 cm, rouge à jaune *terne* ; calice caduc.
ESPÈCE VOISINE – Pommier de Sibérie (ci-dessous).

Pommier de Sibérie *Malus baccata*

NE Asie. 1784. Peu répandu.
ASPECT – **Silhouette.** Plus basse, plus rameuse que celle du pommier du Hubei (ci-dessus) ; jusqu'à 15 m. **Écorce.** Généralement plus brune et plus étroitement craquelée. **Feuilles.** Généralement plus petites, plus mates ; souvent vite *glabres* ; pétiole poilu chez var. *mandshurica*. ('Jackii', rare, a des feuilles aussi grandes et brillantes que celles du pommier du Hubei, mais *vert sombre*.) **Fleurs.** Blanc pur, roses en boutons ; pétales *non chevauchants* ; 5 styles en général. **Fruits.** Jaune à rouge *vif*, 1 cm ; calice caduc.
CULTIVAR – 'Lady Northcliffe', rare : fleurs rose plus foncé en boutons ; fruits brunâtres, ternes.
ESPÈCES VOISINES – Pommier du Hubei (ci-dessus) ; *M.* × *robusta* (p. 312).

Malus prunifolia

Origine incertaine, probablement chinoise. Peu répandu.
ASPECT – **Silhouette.** Assez dense et dressée, jusqu'à 10 m ; teinte légèrement grisâtre, terne (comme *Pyrus nivalis*, p. 320). **Écorce.** Brun-gris, souvent assez régulièrement fissurée. **Feuilles.** Plutôt oblongues, 6 cm, duveteuses au revers. **Fleurs.** Blanches, odorantes ; moins spectaculaires que celles du pommier de Sibérie. **Fruits.** Abondants, jaune verdâtre à rougeâtres ; *en forme de citron* (jusqu'à 3 cm ; *cf.* 'John Downie', p. 312) ; calice persistant au sommet du « mamelon ».
ESPÈCES VOISINES – Pommier de Chine (ci-dessous) ; pommier cultivé (p. 306) ; *M.* × *robusta* (p. 312) ; *M.* × *zumi* 'Golden Hornet' (p. 312).

Pommier de Chine *Malus spectabilis*

Inconnu à l'état sauvage. Cultivé en Chine. Peu fréquent.
ASPECT – **Silhouette.** Grande, *ouverte* et irrégulière ; jusqu'à 15 m. **Écorce.** Écailles très superficielles, formant un grand patchwork *gris pâle, brun et pourpré*. **Feuilles.** Ovales *larges*, jusqu'à 8 cm, brillantes dessus et poilues dessous au début. **Fleurs.** *Très grandes* (5 cm), avec quelques pétales supplémentaires ; roses, rouges en boutons ; groupées à l'extrémité des rameaux au milieu du feuillage vert tendre. **Fruits.** 2 cm, jaunes, discrets, à calice persistant.
AUTRES ARBRES – *M.* × *magdeburgensis* : arbre bas et étalé ; fleurs plus petites (25 mm), mais couvrant les branches en fin de printemps ; jusqu'à 12 pétales rose foncé à l'extérieur et plus pâles à l'intérieur.
M. 'Van Eseltine' (1930) : port *évasé* ; fleurs roses *très doubles*.

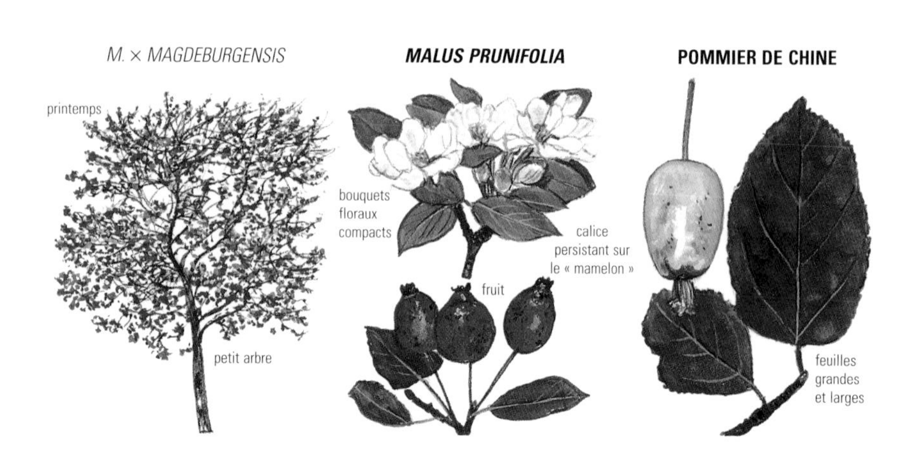

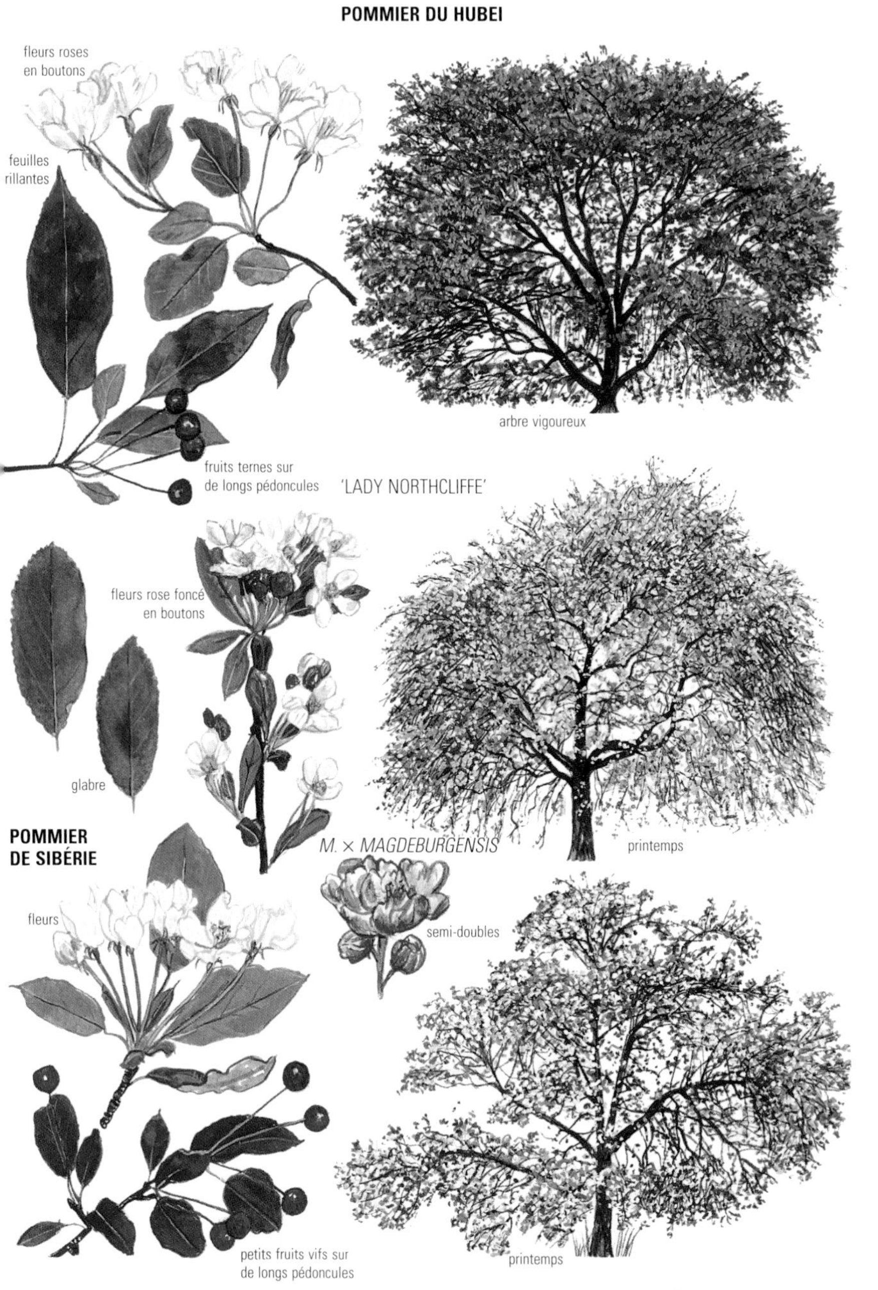
POMMIER DU HUBEI
fleurs roses
en boutons
feuilles
rillantes
fruits ternes sur
de longs pédoncules
arbre vigoureux
'LADY NORTHCLIFFE'
fleurs rose foncé
en boutons
glabre
printemps
POMMIER
DE SIBÉRIE
M. × MAGDEBURGENSIS
fleurs
semi-doubles
petits fruits vifs sur
de longs pédoncules
printemps
POMMIER DE SIBÉRIE

Malus × *robusta*

Groupe d'hybrides entre le pommier de Sibérie et *M. prunifolia*. Fréquents dans les petits jardins.
ASPECT – **Silhouette.** Hérissée, souvent buissonnante. **Feuilles.** Assez grandes, coriaces, oblongues ; duveteuses au revers ; se déployant tôt. **Fleurs.** Blanches, rouges en boutons (rappelant celles du pommier du Japon, p. 308, mais plus ternes et moins nombreuses). **Fruits.** Persistant *jusqu'au printemps suivant ; comme des cerises ; calice souvent persistant, parfois caduc* ; jaunes chez 'Yellow Siberian', cramoisis chez 'Red Siberian' et 'Red Sentinel'.
ESPÈCES VOISINES – Pommier de Sibérie (p. 310) : fruit plus petit ; calice toujours caduc. *M. prunifolia* (p. 310) : fruit en forme de citron, à calice toujours persistant.
AUTRES ARBRES – D'autres pommiers comparables produisent des fruits décoratifs persistant durant l'hiver :
M. 'John Downie' (1891), fréquent : feuilles assez étroites (6 × 3 cm), vert brillant, à pétiole poilu ; fleurs blanches, roses en boutons, en fin de printemps ; fruits rouges à orange vif, jusqu'à 4 cm (*cf.* 'Neville Copeman', p. 314), *effilés* ; très décoratifs, mais aussi excellents en gelée.
M. × *zumi* 'Golden Hornet' (1949), commun, peut-être le plus décoratif : en été, silhouette *grêle et hérissée*, rappelant celle de *M. prunifolia* (p. 310), jusqu'à 9 m ; fleurs blanches, roses en boutons, donnant des *guirlandes de fruits jaunes de 20 mm, en forme de citrons*, à calice persistant.
M. 'Winter Gold' (1947) : feuilles vert brillant, parfois trilobées comme celles du pommier du Japon (p. 308) ; fleurs blanches, roses en boutons ; fruits jaunes de 12 mm, en forme d'oranges, à calice caduc.
M. 'Crittenden' (1921) : arbre bas aux branches tortueuses (*cf.* 'Red Jade', p. 314) ; fleurs rose pâle fruits de 2 cm, légèrement pointus, à calice persistant, rouge foncé luisant.
M. 'Butterball' (1961) : fleurs blanches, roses en boutons ; fruits de 25 mm, jaune orangé.
M. 'Dartmouth' : vieille variété américaine ; ressemblant à un pommier cultivé (p. 306), mais planté pour ses fleurs blanches et ses gros fruits jaunes et rouge pourpré, *de 5 cm de large* (*cf.* 'Wisley Crab', p. 314, aux feuilles pourprées).

Malus trilobata

(*Eriolobus trilobatus*) NE Grèce, Syrie, Liban Israël. 1877. Rare.
ASPECT – **Silhouette.** Vigoureuse, dressée ; jusqu'à 15 m. **Écorce.** Comme celle du poirier, brun-noir, se craquelant en petits carrés rugueux. **Rameaux.** Très duveteux. **Feuilles.** Comme celles de l'érable champêtre (p. 368), mais alternes ; vert sombre brillant dessus et duveteuses dessous ; rouge vif en automne. **Fleurs.** Inflorescences laineuses rappelant l'aubépine. **Fruits.** Solitaires ou par 2 ou 3 ; rouges à jaunes, jusqu'à 2 cm.
ESPÈCE VOISINE – Alisier torminal (p. 296) : allure similaire.
AUTRES ARBRES – *M. florentina* (*Malosorbus florentina* ; de N Italie à N Grèce ; 1877), rare : arbre vigoureux, conique, jusqu'à 10 m ; feuilles découpées comme celles de l'alisier torminal (p. 296), mais plus petites (3 à 8 cm), avec des lobes plus arrondis (*cf. Crataegus nigra*, p. 286) ; écorce s'exfoliant en grandes écailles pâles ; fruits rouges de 12 mm, à calice caduc.

'CRITTENDEN'
fleurs
fruits écarlates
MALUS × ROBUSTA
fruits – certains à calice persistant
MALUS TRILOBATA
fleurs
fleurs
calice persistant
'GOLDEN HORNET'
'JOHN DOWNIE'
fleurs
calice caduc
'WINTER GOLD'
rose pâle en boutons
fruits allongés
devient grand
fruits persistant durant l'hiver
'JOHN DOWNIE'
'GOLDEN HORNET'
MALUS TRILOBATA

Pommier de Hall *Malus halliana*

Cultivé en Chine et au Japon. 1863. Assez rare.
Aspect – Silhouette. Ouverte et rameuse, jusqu'à 9 m. **Rameaux.** Pourpre foncé, vite glabres. **Feuilles.** Étroites, *longuement pointues* (5 × 2 cm), vert sombre brillant, *finement bordées de rouge* ; nervures souvent cramoisies. **Fleurs.** Roses, à pédoncule pourpre ; jusqu'à 8 pétales (jusqu'à 15 chez 'Parkmanii'). **Fruits.** *Très petits* (5 mm), *piriformes, pourpres*, à calice caduc.
Autres arbres – *M.* × *hartwigii*, hybride avec le pommier de Sibérie : feuillage similaire, plus vert ; fleurs blanches, rouges en boutons, avec quelques pétales supplémentaires ; fruits rouge foncé de 12 mm. 'Katherine' (un de ses cultivars, 1928), rare : souvent buissonnant ; fleurs superbes de 55 mm de large, comptant jusqu'à 20 pétales, roses en boutons puis blanches ; petits fruits rouges et jaunes de 6 mm. *M.* 'Snowcloud' (1978) : fleurs doubles (roses en boutons) ; port dressé ; jeunes feuilles bronze.

Pommier pourpre *Malus × purpurea*

Hybride ornemental (1900). Certains cultivars très fréquents.
Aspect – Silhouette. Très désordonnée ; souvent presque défeuillée en fin d'été ; jusqu'à 10 m. **Écorce.** Gris pourpré ; se craquelant en écailles minces. **Rameaux.** Pourpre-noir. **Feuilles.** Pourpre brillant quand elles sortent, puis virant au gris-vert pourpré foncé ; jusqu'à 6 × 3 cm ; rarement trilobées (*cf.* 'Red Tip', p. 308). **Fleurs.** Pourpre-rouge, puis mauves. **Fruits.** Rouge pourpré, arrondis, 2 cm, à calice persistant.
Cultivars – 'Lemoinei' (1922) : couronne plus dense, d'un vert pourpré plus riche en été ; feuilles jusqu'à 10 cm (rarement lobées) ; fleurs de 5 cm avec quelques pétales supplémentaires ; petits fruits pourpre très foncé. 'Aldenhamensis' (1912) : port dressé et ouvert ; floraison tardive, semi-double ; seules les nouvelles feuilles sont marron en été ; écorce plus pâle, finement écailleuse ; fruits pourpres *en forme de clémentines*, à calice caduc. 'Eleyi' (1920), assez rare : fleurs cramoisi foncé ; fruits pourpres de 25 mm, *coniques*, à calice souvent caduc ; arbre vert rougeâtre *beaucoup plus feuillu*. 'Neville Copeman' (1952), peu fréquent : chétif ; fruits *arrondis de 4 cm, d'un orange cramoisi éclatant*, à calice persistant, spectaculaires (*cf.* 'John Downie', p. 312).
Autres arbres – *M.* 'Wisley Crab' (1924) : *gros* (6 cm) fruits rouge pourpré, à calice persistant. *M.* 'Royalty' (1958) : port ouvert et étalé ; *feuillage très foncé* (rendant ses fleurs pourpres presque invisibles) ; écorce aux crêtes verticales grossières ; fruits de 20 mm, pourpre intense, à calice persistant. *M.* × *moerlandsii* 'Profusion' (Hollande, 1938 ; 'Lemoinei' × *M. toringo*) : fleurs cramoisies puis mauve pâle au milieu des feuilles pourprées virant au vert rougeâtre brillant ; fruits *rouge vif, petits* et arrondis (15 mm), à calice caduc. 'Liset' : fleurs plus foncées.

Malus × gloriosa 'Oekonomierat Echtermeyer'

Hybride ornemental (1914). Peu répandu.
Aspect – Silhouette. Rameaux *pendants jusqu'au sol*, sur des branches basses en zigzag ; jeunes feuilles pourprées puis gris-vert. **Fleurs.** Mauve pourpré. **Fruits.** Rouge pourpré, 25 mm.
Autres arbres – *M.* 'Royal Beauty' (1980) : variété améliorée, plus feuillue et plus saine. Autres pommiers à port pleureur : *M.* × *scheideckeri* 'Excellenz Thiel' (1909), en fait un pommier du Japon (p. 308) formant un dôme désordonné ; *M.* × *scheideckeri* 'Red Jade' (1935), avec des fleurs en coupe blanc rosé, des fruits *rouge éclatant* de la taille d'une cerise, à calice caduc ; et *M. domestica* 'Elise Rathke' (1886), largement étalé, donnant de grosses *pommes comestibles* jaunes.

MALUS × HARTWIGII

POMMIER POURPRE

MALUS × MOERLANDSII 'PROFUSION'
printemps
certaines feuilles lobées
fruits rouge vif
POMMIER POURPRE 'LEMOINEI'
fleurs plus grandes
fruit gros comme une cerise
POMMIER POURPRE 'ALDENHAMENSIS'
fleurs semi-doubles
POMMIER POURPRE 'ELEYI'
fruit conique
MALUS × MOERLANDSII 'LISET'
bord rouge
fleurs
POMMIER DE HALL
fleurs
fruits
fleurs
fruits rouge vif
POMMIER 'RED JADE'
petit arbre
MALUS × GLORIOSA 'OEKONOMIERAT ECHTERMEYER'

Les poiriers (30 espèces environ) produisent des fruits graveleux.

Critères de distinction : poiriers

- Écorce : Quel aspect ?
- Feuilles : Forme ? Duveteuses au revers ? Dentées ?
- Fruits : Taille ? Calice caduc ou persistant ?

Poirier commun *Pyrus communis*

Les poiriers à fruits (var. *culta* ; des centaines de clones) sont cultivés depuis des millénaires en Europe et en Asie occidentale et sont issus de l'espèce sauvage. Fréquents dans les parcs, jardins et vergers.

ASPECT – **Silhouette.** Souvent grêle et hérissée ; nombreux rameaux courts (dards) ; rameaux vigoureux, très ascendants ; formant parfois un dôme massif avec l'âge ; certains clones comme 'Pitmaston Duchess' atteignent 20 m et vivent 300 ans. **Écorce.** Brun-noir, se craquelant en *petites plaques carrées.* **Rameaux.** Brun brillant, parfois pubescents ; rarement épineux. **Bourgeons.** Bruns, pointus. **Feuilles.** Variables – souvent *cordiformes* à la base ; arrondies, étroitement oblongues ou légèrement triangulaires, 3-8 cm de long ; *finement dentées* (rarement entières) ; plus coriaces que les feuilles de pommier et d'un *vert sombre* plus brillant dessus ; souvent glabres dessous mais parfois laineuses (surtout au début). **Fleurs.** Blanc crème, 2 semaines après les pommiers. **Fruits.** Piriformes, taille variable, comestibles, calice persistant.

ESPÈCES VOISINES – Poirier sauvage (ci-dessous) ; pommier sauvage (p. 306) ; *Crataegus persimilis* 'Prunifolia' (p. 288). *P. pashia* et *P. calleryana* (p. 318) : fruits semblables à des baies. *P. pyrifolia* (p. 318) : feuilles étroites. *P. nivalis* (p. 320) : argenté laineux.

CULTIVAR – 'Beech Hill' : port évasé avec des *jeunes branches et des rameaux dressés et vigoureux*, mais formant avec l'âge une couronne large (jusqu'à 14 m) – moins régulière que le poirier 'Chanticleer' (p. 318).

AUTRES ARBRES – Poirier sauvage, *P. pyraster* (*P. communis* var. *pyraster*), commun dans presque toute la France, sauf dans le nord et le Midi : couronne en dôme, haute ; jeunes rameaux épineux ; petites feuilles (4 cm de long) ; petits fruits arrondis (jusqu'à 4 cm, à calice persistant), jaune-vert et *durs comme du bois*, même tombés.

P. austriaca (Europe centrale) : feuilles laineuses au revers.

P. salvifolia (Europe continentale), peut être un hybride avec *P. nivalis* (p. 320) : feuilles entières, fines, laineuses dessous et, au début, dessus.

Poirier à feuilles en cœur *Pyrus cordata*

(*P. communis* var. *cordata*) O France, péninsule Ibérique, quelques haies autour de Plymouth et de Truro. Disséminé dans l'ouest.

ASPECT – **Silhouette.** Buissonnante et épineuse. **Écorce.** Comme celle du poirier commun. **Feuilles.** Petites (4 cm), régulières, arrondies ; rarement cordiformes à la base. **Fleurs.** Au milieu des jeunes feuilles vert tendre ; étamines cramoisies donnant un reflet *rosâtre.* **Fruits.** *Comme des billes* ; calice vite *caduc* ; comestibles blets.

ESPÈCES VOISINES – *P. pashia* (p. 318).

AUTRES ARBRES – *P. magyarica* (Hongrie) et *P. rossica* (centre Russie européenne) : espèces locales similaires.

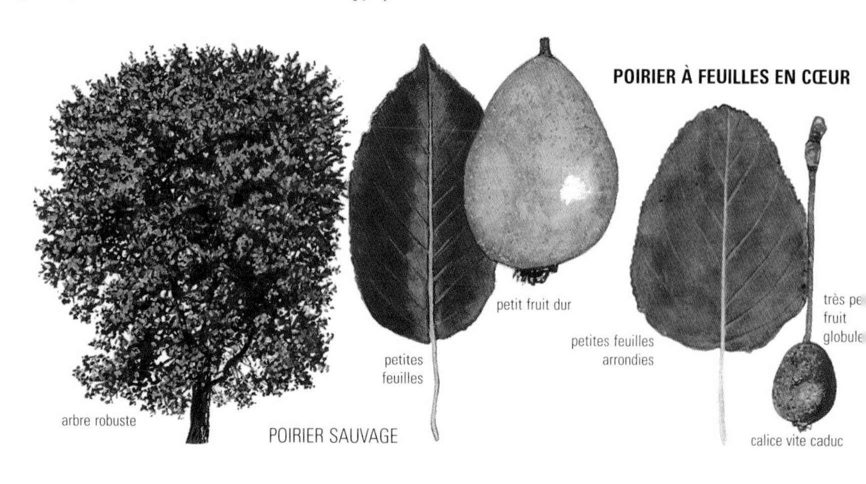

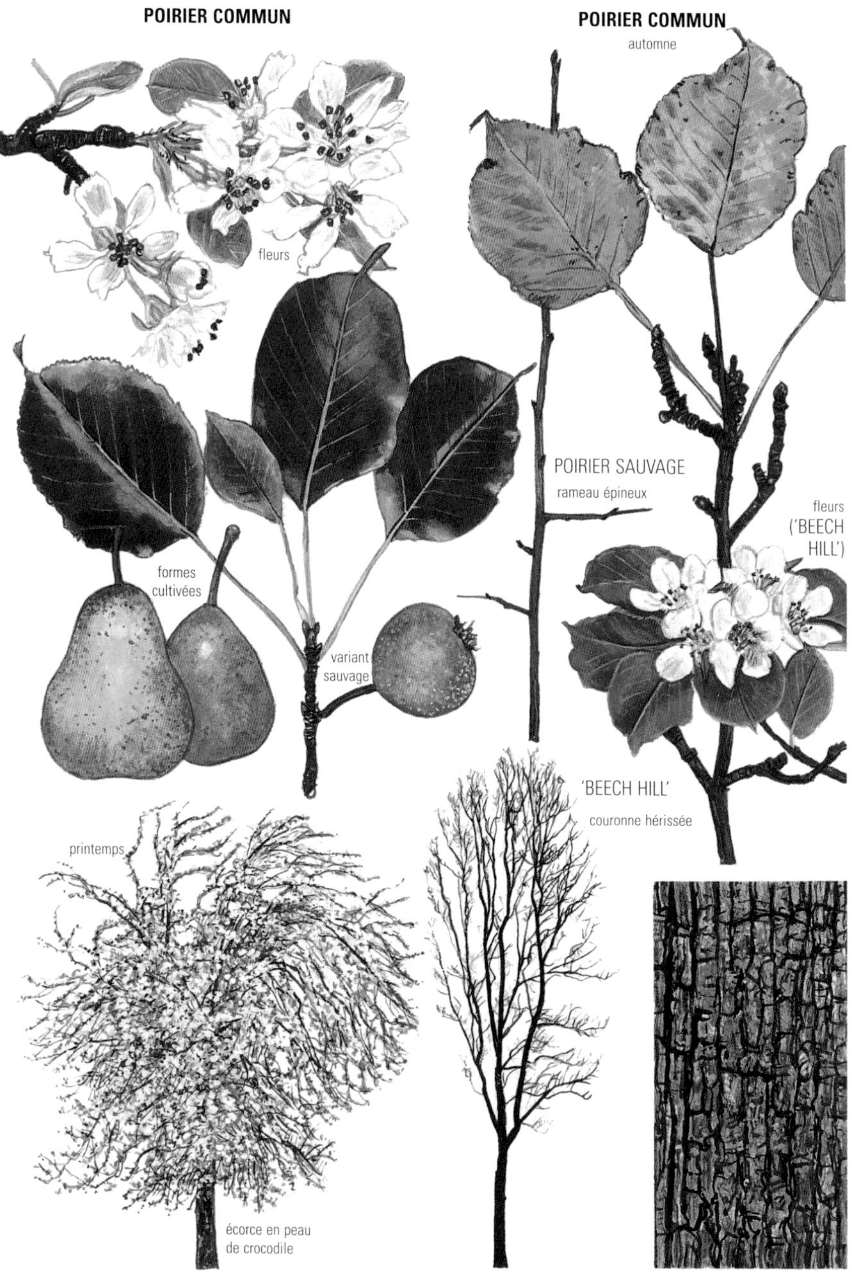
POIRIER COMMUN
fleurs
formes
cultivées
variant
sauvage
POIRIER COMMUN
automne
POIRIER SAUVAGE
rameau épineux
fleurs
('BEECH
HILL')
'BEECH HILL'
couronne hérissée
printemps
écorce en peau
de crocodile
POIRIER COMMUN
POIRIER COMMUN écorce

Pyrus pashia

Afghanistan à O Chine. 1908. Très rare.
Aspect – Silhouette. Haute (jusqu'à 20 m) ; assez *ouverte*. **Écorce.** Comme celle du poirier commun (p. 318). **Feuilles.** Assez petites et souvent plus étroites que celles du poirier commun ; parfois trilobées sur les rameaux vigoureux (parfois épineux). **Fleurs.** À pétales arrondis, en bouquets très denses ; étamines cramoisies donnant un reflet *rose pâle*. **Fruits.** *Comme ceux du poirier à feuilles en cœur* (p. 316).

Pyrus calleryana

Centre et S Chine. 1908. Coloration automnale vive, très *tardive*. Collections.
Aspect – Silhouette. Assez dressée ; jusqu'à 15 m. **Écorce.** Brun-gris *pâle* ; crêtes verticales rugueuses. **Bourgeons.** Rosâtres, laineux. **Feuilles.** *Vert éclatant* et glabres à terme, finement dentées et pointues ; jusqu'à 7 cm. **Fleurs.** *Très précoces*, au milieu des feuilles naissantes argentées. **Fruits.** Très petits : comme ceux du poirier à feuilles en cœur (p. 316).
Cultivars – 'Chanticleer', une sélection nord-américaine largement plantée dans les parcs et le long des rues à la fin du XXe siècle : *silhouette nettement conique* (ovoïde avec l'âge ou si le tronc se divise), avec de courts rameaux étalés ; jusqu'à 15 m (*cf.* pommier pyramidal, p. 308).
'Bradford' (1914), rare : branches ascendantes formant une couronne arrondie à évasée.

Pyrus pyrifolia

O et centre Chine. 1909. Cultivé en Chine pour ses fruits. Rare en Europe.

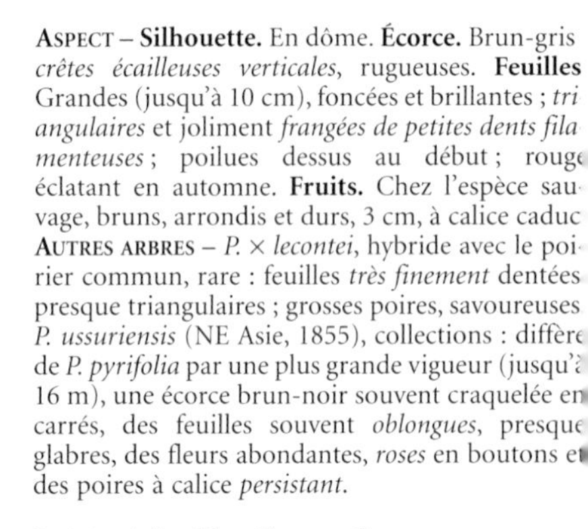

Aspect – Silhouette. En dôme. **Écorce.** Brun-gris *crêtes écailleuses verticales*, rugueuses. **Feuilles.** Grandes (jusqu'à 10 cm), foncées et brillantes ; *triangulaires* et joliment *frangées de petites dents filamenteuses* ; poilues dessus au début ; rouge éclatant en automne. **Fruits.** Chez l'espèce sauvage, bruns, arrondis et durs, 3 cm, à calice caduc.
Autres arbres – *P.* × *lecontei*, hybride avec le poirier commun, rare : feuilles *très finement* dentées presque triangulaires ; grosses poires, savoureuses. *P. ussuriensis* (NE Asie, 1855), collections : diffère de *P. pyrifolia* par une plus grande vigueur (jusqu'à 16 m), une écorce brun-noir souvent craquelée en carrés, des feuilles souvent *oblongues*, presque glabres, des fleurs abondantes, *roses* en boutons et des poires à calice *persistant*.

Poirier à feuilles d'amandier

Pyrus amygdaliformis

(Poirier faux-amandier) Italie à Bulgarie. 1810. Rare.
Aspect – Silhouette. Particulièrement hérissée ; large, souvent légèrement pleureuse, vert grisâtre et parfois épineuse ; jusqu'à 12 m. **Écorce.** Brun-gris foncé, en plaques rugueuses. **Feuilles.** *Oblongues, plus ou moins étroites* (40 × 15 à 70 × 20 mm) ; poilues au début puis glabres dès la mi-été, brillantes dessus ; très petites *dents arrondies et espacées*. **Fruits.** Aplatis, 25 mm, jaune brunâtre, à calice persistant.
Autres arbres – *P.* × *michauxii*, hybride probable avec *P. nivalis* (p. 320), rare : feuilles *entières* conservant des poils argentés dessus ; couronne plus foncée et plus irrégulière que celle de *P. nivalis*.
P. bourgaeana (péninsule Ibérique, Maroc), collections : feuilles régulièrement dentées ; *P. caucasica* (de E Grèce au Caucase), collections : feuilles entières longuement pointues.

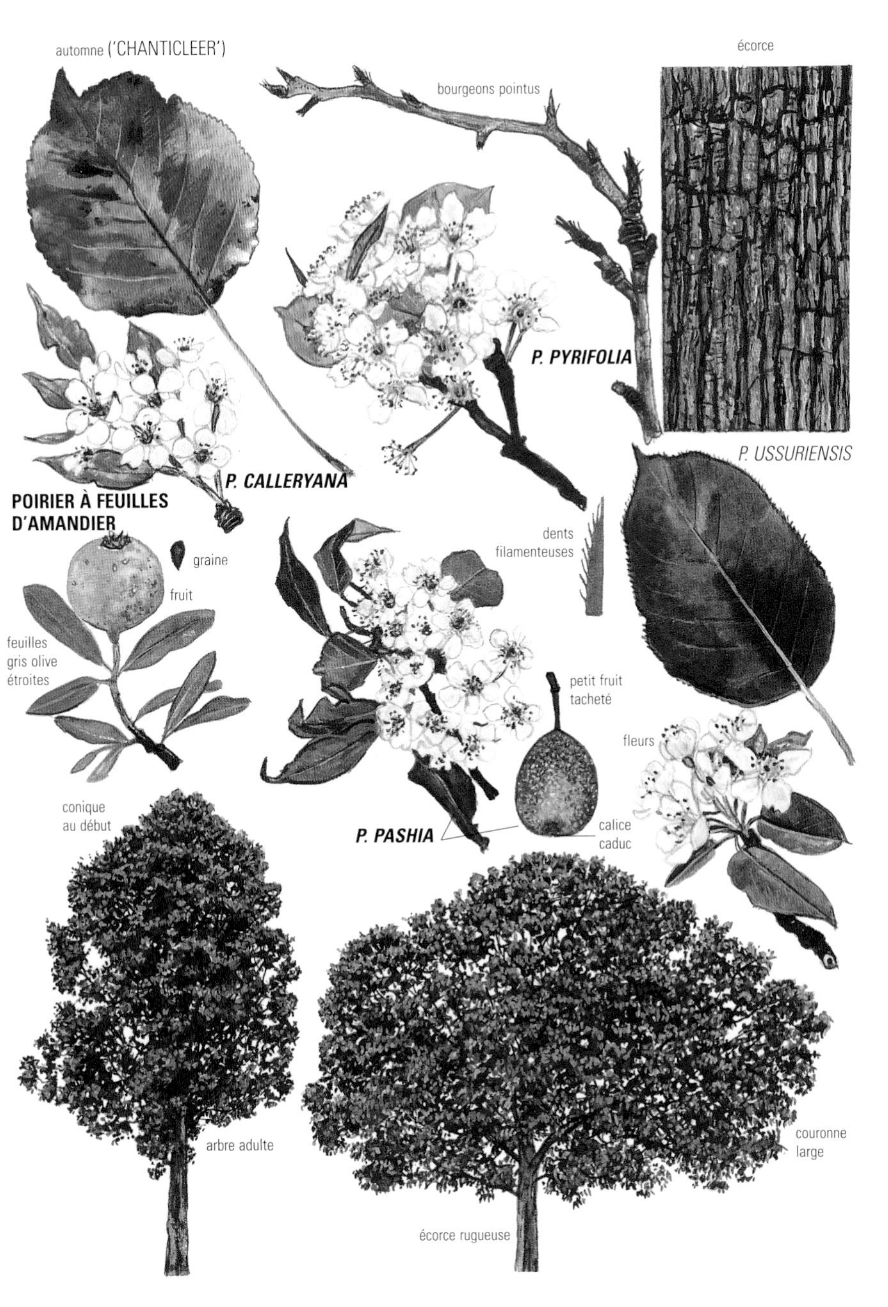

POIRIER 'CHANTICLEER'

P. USSURIENSIS

Poirier à feuilles de saule *Pyrus salicifolia*

Du Caucase à N Iran. 1780. Très fréquent ; c'est généralement le cultivar 'Pendula' qui est planté dans les jardins.
ASPECT – **Silhouette.** En dôme bas, jusqu'à 13 m ; couronne emmêlée, les fines branches externes *pendantes* sauf à l'ombre. **Écorce.** Noire ; fissures rugueuses. **Rameaux, bourgeons.** Blancs soyeux. **Feuilles.** *Entières, couvertes de poils argentés*, face supérieure virant lentement au vert foncé brillant ; 4 × 1 cm à 9 × 2 cm. **Fleurs.** Blanches, en bouquets distants. **Fruits.** Piriformes, 3 cm, calice persistant.
ESPÈCES VOISINES – Olivier de Bohême (p. 412) : *écailles* argentées sous les feuilles. Osier blanc (p. 170).

Pyrus nivalis

De l'Italie à la Roumanie. 1800. Peu commun. Cultivé dans l'ouest de la France pour la production du poiré.
ASPECT – **Silhouette.** Conique à arrondie, hérissée ; jusqu'à 12 m. **Écorce.** Brun-gris foncé, en plaques carrées. **Feuilles.** Poils argentés au début, tombant rapidement sur le dessus et *plus lentement dessous*, la couronne virant finalement au gris olive terne ; jusqu'à 8 × 4 cm, étroitement arrondies et plus ou moins *entières*. **Fleurs.** Blanches, en bouquets denses. **Fruits.** Vert-jaune, 4 cm, à calice persistant ; utilisés pour la production d'un jus fermenté (poiré).
ESPÈCE VOISINE – *P. salvifolia* (p. 316).
AUTRE ARBRE – *P. elaeagrifolia* (SE Europe, Crimée, Tunisie ; 1800), collections : épineux ; feuilles plus fines d'un gris intense en début d'été ; fruits vert pourpré de 1 à 2 cm.

Amelanchier lamarckii

(*A.* × *grandiflora*) Probablement un hybride fixé de l'amélanchier d'Amérique (*A. laevis*, aux *jeunes feuilles glabres*). La nomenclature est confuse et les arbres plantés dans les jardins sont parfois étiquetés *A. laevis* ou *A. canadensis* (une espèce nord-américaine aux pétales plus courts).
ASPECT – **Silhouette.** En dôme bas et rameux, jusqu'à 13 m ; tronc souvent tortueux. **Écorce.** Lisse, plutôt gris argenté ; avec l'âge, crêtes peu saillantes entrecroisées ou spiralées. **Rameaux.** Fins, glabres. **Bourgeons.** Longuement pointus et cuivrés. **Feuilles.** *Plates mais molles*, vert mousse, cuivrées et couvertes de *poils soyeux* au début, mais vite glabres sauf sur le pétiole ; ovales avec des bords dentés *assez parallèles* ; rouges et orangées en automne. **Fleurs.** En petits bouquets au milieu du printemps ; pétales blancs, étroits, en étoile. **Fruits.** Baies de 9 mm, rouges puis noir pourpré en milieu d'été, vite mangées par les oiseaux.
ESPÈCES VOISINES – Pommier sauvage (p. 306) ; *Pyrus calleryana* (p. 318) ; alisier à feuilles d'aulne (p. 294). *Photinia beauverdiana* (p. 282) : feuilles plus brillantes à dents plus fines. *Crataegus persimilis* 'Prunifolia' (p. 288).
AUTRES ARBRES – Amélanchier commun, *A. rotundifolia* (*A. ovalis* ; S Europe, E Asie, N Afrique) : arbuste aux feuilles glabres dès le début et aux fleurs moins gracieuses, à pétales arrondis.

AMELANCHIER LAMARCKII

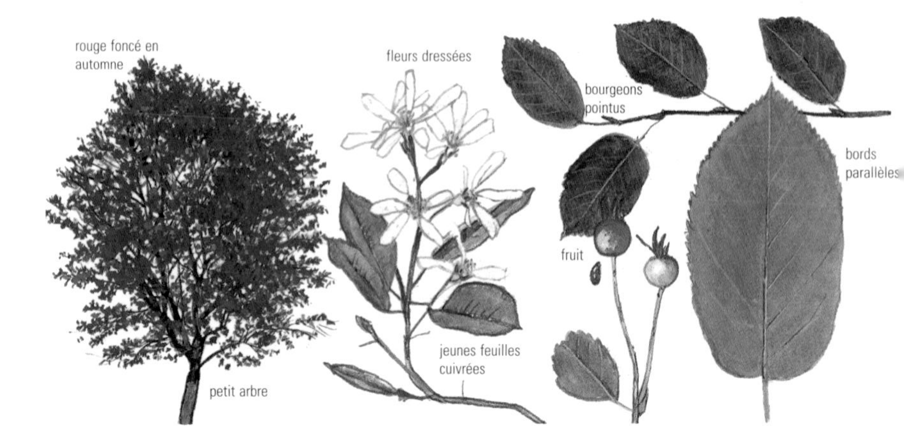

PORIER À FEUILLES DE SAULE

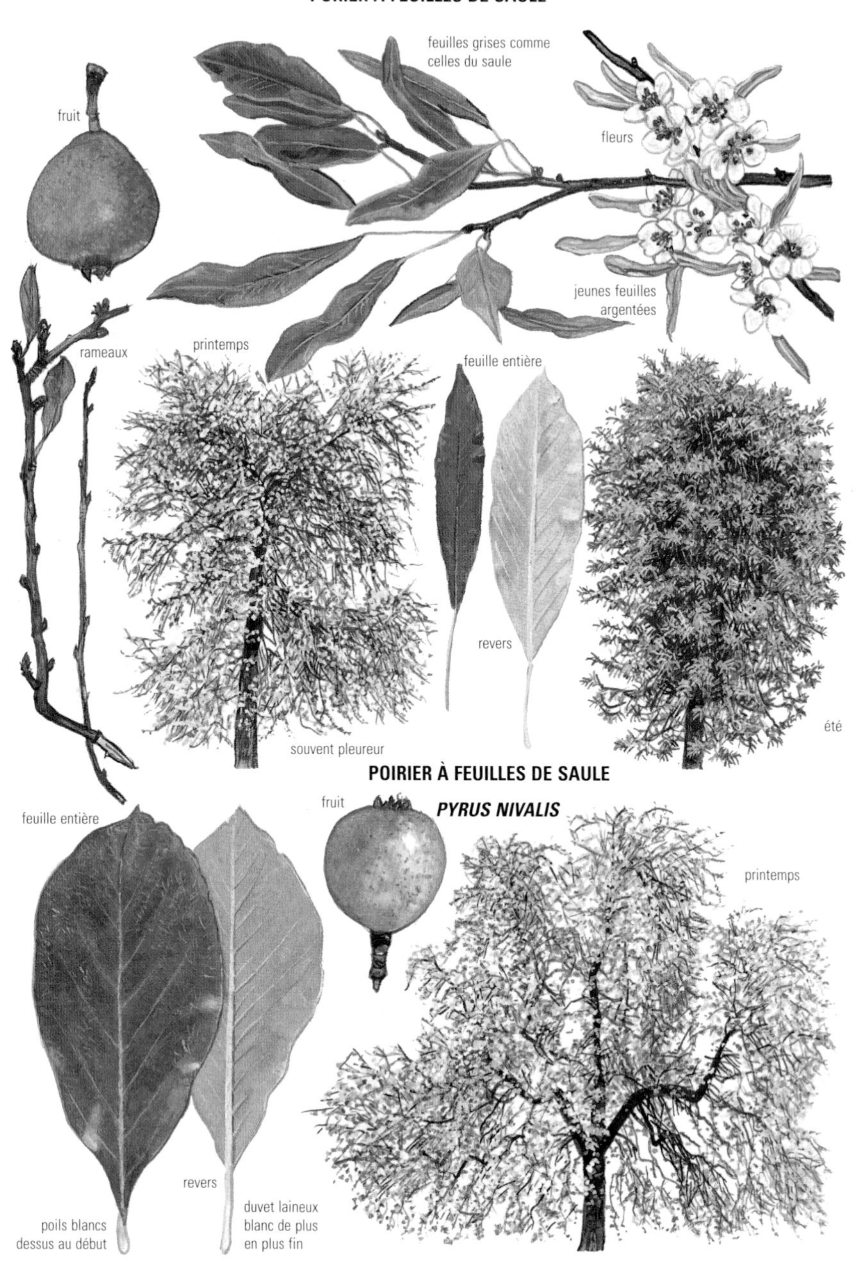

Les Prunus *(400 espèces) comprennent des arbres et des arbustes, dont beaucoup d'espèces fruitières ou ornementales telles que pruniers, cerisiers, abricotiers, etc. Le pétiole porte généralement des glandes vers le sommet (cf. saules, pp. 164-171, peupliers noirs hybrides, p. 156, et idésia, p. 408).*

Critères de distinction : *Prunus*

- Silhouette ? Écorce ? Leur aspect ?
- Feuilles : Longueur ? Poilues dessous ? Dentelure simple ou double (et filamenteuse ?) ? Pétioles poilus ?
- Fleurs : Couleur(s) ? Précocité ? Combien de pétales ? Combien de styles, et de quelle forme ? En même temps que les feuilles (de quelle teinte ?) ou avant ? Sépales (couleur ?) dentés ?

Clé des espèces

Merisier (ci-dessous) : grandes feuilles longues (à dents grossières) et fleurs en bouquets : voir Clé des Cerisiers à fleurs, ci-dessous. **Cerisier à grappes** (p. 342) : grandes feuilles longues (à petites dents) et fleurs en épis. **Amandier** (p. 338) : feuilles longues très étroites. **Cerisier du Tibet** (p. 324) : belle écorce. **Prunier** (p. 340) : feuilles ovales plus petites. **Abricotier** (p. 338) : feuilles presque rondes. **Laurier du Portugal** (p. 344) : grandes feuilles persistantes, longues.

Clé des cerisiers à fleurs

Merisier : feuilles grossièrement dentées (quelques poils dessous). *P.* **'Kiku-shidare-zakura'** (p. 332) : dôme pleureur. **Cerisiers du Japon** (pp. 326-328) : feuilles glabres à dents filamenteuses. **Cerisier de Sargent** (p. 330) : feuilles glabres à dents aiguës mais peu filamenteuses. *P.* × ***yedoensis*** (p. 332) : feuilles similaires sur des pétioles *duveteux*. ***P. incisa*** (p. 332) : feuilles et pétioles nettement duveteux.

Succession des floraisons chez les *Prunus*

Les floraisons étalées tout au long du printemps varient d'une région à l'autre. 'Kanzan', le plus commun, est en pleines fleurs en région parisienne à la mi-avril. Les floraisons précoces sont plus sujettes aux variations entre les années chaudes et les années froides.

P. hirtipes (simple, rose pâle) ; **'Okame'** (simple, rose foncé) ; ***prunier myrobolan*** (simple, blanc pur) ; ***P. cerasifera*** **'Pissardii'** (simple, rose pâle) ; *P.* × ***blireana*** **'Moseri'** (double, rose foncé) ; *'Accolade'* (double, rose clair) ; **'Pandora'** (simple, rose tendre) ; ***P. incisa*** (simple, rose pâle à blanc) ; ***P. pendula*** (simple, rose pâle) ; ***P. pendula*** **var.** ***ascendens*** **'Rosea'** (simple, rose clair) ; **amandier** (simple, rose sombre) ; ***P.*** × ***yedoensis*** (simple, rose pâle) ; **'Spire'** (simple, rose moyen) ; **cerisier de Sargent** (simple, rose clair) ; ***P. jamasakura*** (simple, rose à blanc) ; **'Umineko'** (simple, blanc) ; **prunellier et pruniers** (simple, blanc cassé) ; **'Shirotae'** (semi-double, blanc pur) ; **'Tai Haku'** (simple, blanc pur) ; **merisier** (simple, blanc cassé) ; *P.* × ***sieboldii*** **'Takasago'** (double, rose pâle) ; **'Ichiyo'** (double, rose pâle) ; **'Kiku-shidare-zakura'** (double, rose foncé) ; **'Jo-nioi'** (simple, blanc, odorant) ; **'Ukon'** (semi-double, blanc-jaune) ; ***P. serrulata*** **'Albi-Plena'** (double, blanc pur) ; **'Amanogawa'** (semi-double, rose pâle) ; ***P. avium*** **'Plena'** (double, blanc pur) ; **'Kanzan'** (double, rose foncé) ; **'Pink Perfection'** (double, rose clair) ; **'Fugenzo'** (double, rose clair) ; **'Shirofugen'** (double, rose pâle) ; **'Shogetsu'** (double, blanc pur) ; **cerisier à grappes** (épis blancs) ; ***P. cerasus*** **'Rhexii'** (double, blanc).

Merisier — *Prunus avium*

(Merisier des oiseaux ; *Cerasus avium*) Europe, N Afrique, O Asie. Commun en France sauf en région méditerranéenne.

ASPECT – **Silhouette.** Conique quand la croissance est rapide, avec des verticilles de branches annuels ; vieux arbres en dôme hérissé, *jusqu'à 30 m*. **Écorce.** Gris *pourpré* ; pelant en lanières horizontales, avec des bandes de lenticelles rugueuses (fissures anguleuses avec l'âge ; *cf.* bouleau pubescent, p. 182). **Rameaux.** Bruns, glabres ; pruine grise. **Bourgeons.** Longs, roux (*cf.* chêne pédonculé, p. 216 : les bourgeons de cerisier ne sont groupés *que sur les dards*). **Feuilles.** Grandes (jusqu'à 11 × 6 cm), vert terne ; *dents profondes (2 à 4 mm), émoussées, irrégulières mais simples* (*cf.* 'Okame', p. 336) ; poils fins sous les nervures principales ; jaunes et rose écarlate en automne ; pétioles glabres, avec 2 à 5 glandes rouges vers le sommet. **Fleurs.** Blanc ivoire, en bouquets ronds (pédoncules non ramifiés), juste avant la feuillaison. **Fruits.** Petites cerises (merises) en milieu d'été, amères, mangées par les oiseaux.

ESPÈCES VOISINES – Griottier et *P.* × *schmittii* (p. 324) ; abricotier du Japon (p. 338).

CULTIVARS – Des centaines de cerisiers à fruits, bas et larges, communs dans les jardins et les vergers. (Il existe aussi des hybrides avec le griottier, p. 324, sous le nom de *P.* × *gondouinii.*)

'Plena' (vers 1700), commun : *fleurs doubles*, blanc éclatant, *2 semaines après l'espèce*, sur de longs pédoncules pendants sous les jeunes feuilles vertes (*cf.* 'Shogetsu', p. 328) ; plus grand que les autres « cerisiers à fleurs » (*jusqu'à 20 m*) ; se reconnaît à sa couronne large mais ouverte, au sommet hérissé, et à son tronc *cannelé*, rugueux ; feuilles légèrement pendantes.

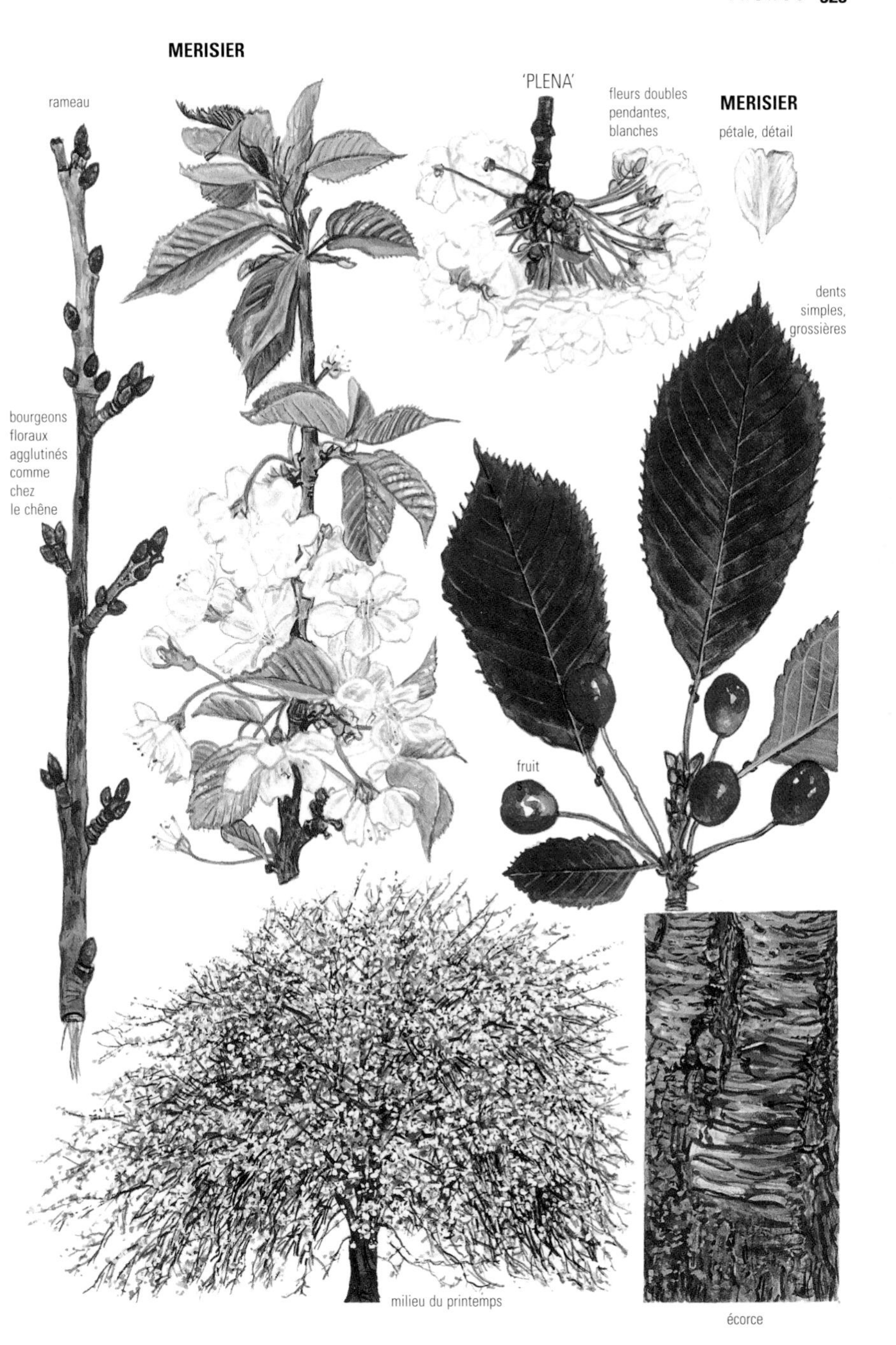
MERISIER
rameau
bourgeons floraux agglutinés comme chez le chêne
'PLENA'
fleurs doubles pendantes, blanches
MERISIER
pétale, détail
dents simples, grossières
fruit
milieu du printemps
écorce

Griottier *Prunus cerasus*

(Cerisier acide ; *Cerasus vulgaris*) Cultivé et parfois subspontané dans toute la France.
ASPECT – **Silhouette.** Buissonnante ; *très drageonnante.* **Écorce.** Brun plus terne que celle du merisier. **Feuilles.** Plus petites (jusqu'à 8 × 4 cm ; *cf.* prunier, p. 340), d'un vert d'eau plus brillant dessus ; généralement *glabres* ; dents *régulières, finement arrondies, et assez doubles.* **Fruits.** Plus acides qu'amers.
CULTIVARS – 'Rhexii' (avant 1600), peu répandu : petites (3 mm) fleurs doubles en pompon, blanches, à la fin du printemps, au milieu du jeune feuillage vert foncé ; feuilles plus petites et foncées que chez les autres petits cerisiers à fleurs similaires, sauf 'Pandora' (p. 336), à dents aiguës. 'Semperflorens' (1623), presque disparu : continue à fleurir faiblement jusqu'à l'automne sur des rameaux en *masses congestionnées.*

Prunus × schmittii

Hybride entre le merisier et *P. canescens* (un arbuste de collection aux feuilles duveteuses étroites et à l'écorce proche de celle du cerisier du Tibet). 1923. Parfois utilisé en alignement.
ASPECT – **Silhouette.** Facilement reconnaissable, avec *de longues branches fines au feuillage compact, dressées,* formant une couronne sphérique étroite ; jusqu'à 20 m ; ne vit pas longtemps. **Écorce.** Pelant en fins *lambeaux horizontaux brun-rouge luisant,* entre des bandes de lenticelles serrées et rugueuses. **Feuilles.** Proches de celles du merisier mais plus courtes ; grossièrement dentées. **Fleurs.** Rose pâle ; petites, discrètes au milieu des jeunes feuilles olive.
ESPÈCES VOISINES – Cerisier du Tibet. Cerisier de Sargent 'Fastigiata' (p. 330) : plus ouvert, écorce brun.
AUTRES ARBRES – *P. × dawyckensis* (1907 ; probablement un autre hybride avec *P. canescens*) : jusqu'à 8 m ; même écorce colorée ; *rameaux pendants grêles,* épars, avec des guirlandes de fleurs rose plus foncé, plus voyantes.

Cerisier du Tibet *Prunus serrula*

O Chine. 1908. Peu répandu. Parcs et jardins.
ASPECT – **Silhouette.** Dôme finement rameux de feuilles pendantes grisâtres sur des branches assez raides ; jusqu'à 15 m. **Écorce.** *Cramoisie, lisse et satinée* entre des bandes brunes rugueuses ; peluchant avec l'âge ; à terme craquelée, terne, avec des rejets. **Rameaux.** Poils courts. **Bourgeons.** Longs, fins, châtains. **Feuilles.** *Étroites,* jusqu'à 11 × 3 cm ; souvent des poils soyeux sous les nervures. **Fleurs.** Blanc-jaune, minuscules et discrètes au milieu du feuillage. **Fruits.** Cerises rouges, ovoïdes, 15 mm de long.
ESPÈCES VOISINES – *P. × schmittii* (ci-dessus). Les vieux arbres à l'écorce terne peuvent rappeler l'amandier (p. 338).

Cerisier de Mandchourie *Prunus maackii*

NE Asie. 1910. Assez rare.
ASPECT – **Silhouette.** Conique vigoureuse, puis en dôme ouvert, désordonné, jusqu'à 18 m. **Écorce.** Lisse, *jaune miel* ; bandes de lenticelles horizontales ; plus grise et fissurée avec l'âge. **Rameaux.** Orange, duveteux. **Bourgeons.** Apprimés. **Feuilles.** *Finement dentées* ; poils sur le pétiole et sous les nervures principales. **Fleurs.** Blanches, parfumées, en courts épis (jusqu'à 7 cm) *sur les rameaux de l'année précédente* (*cf.* cerisier de Sainte-Lucie, p. 342).
ESPÈCE VOISINE – Cerisier à grappes (p. 342) : feuilles presque glabres.

CERISIER DE MANDCHOURIE

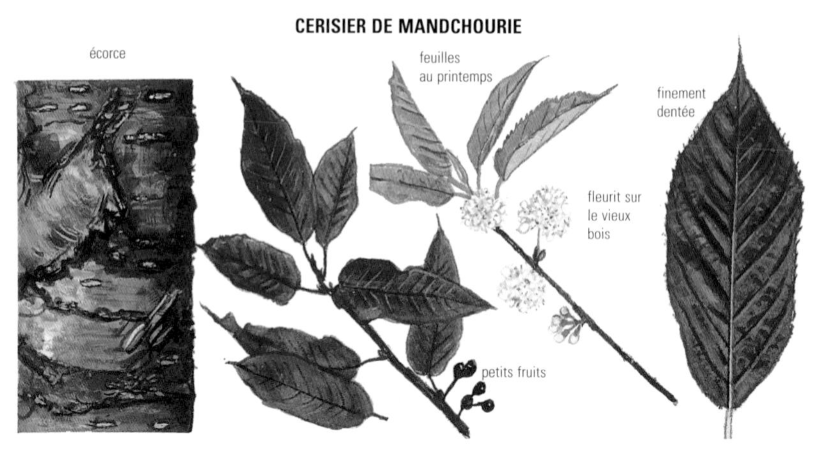

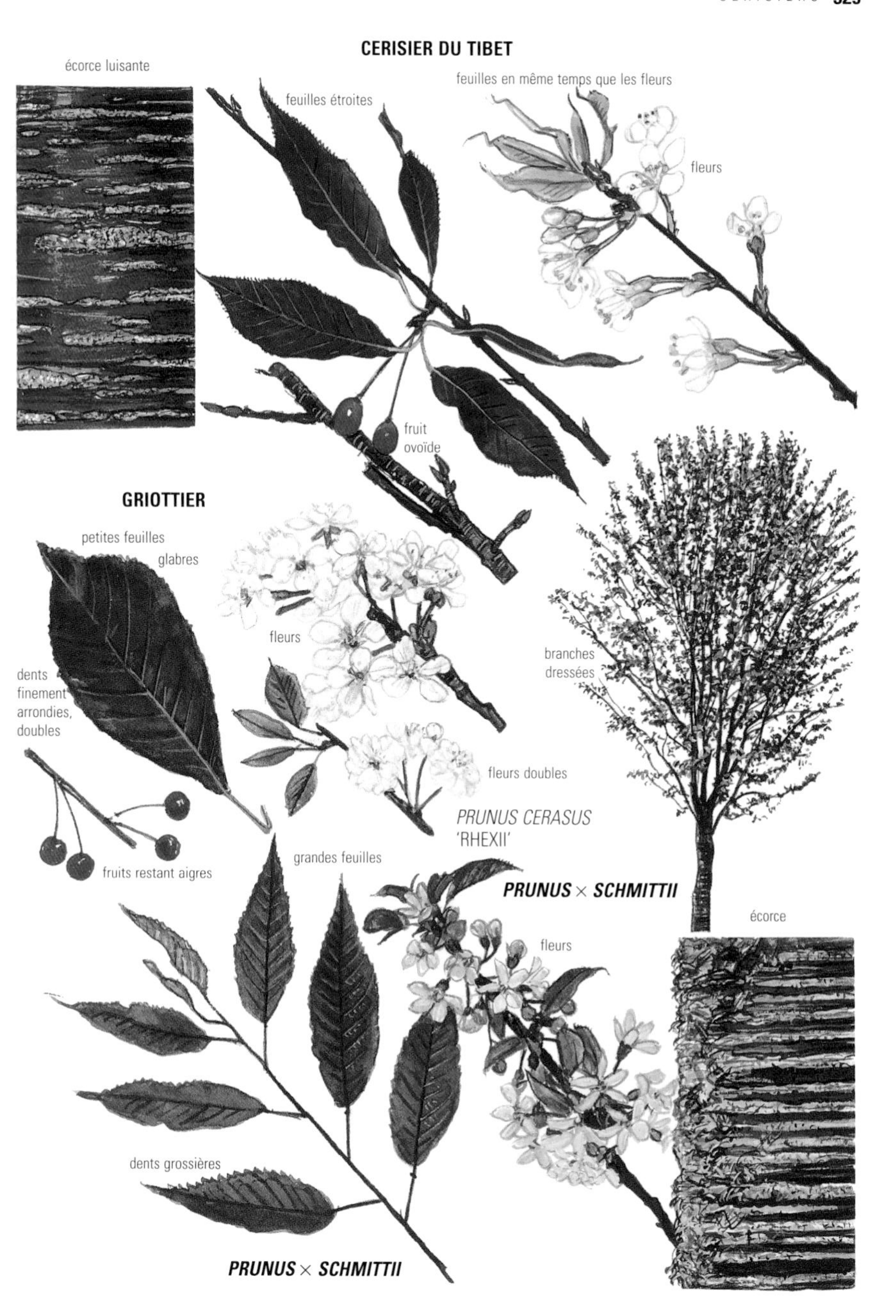
CERISIER DU TIBET
écorce luisante
feuilles étroites
feuilles en même temps que les fleurs
fleurs
fruit ovoïde
GRIOTTIER
petites feuilles glabres
fleurs
dents finement arrondies, doubles
branches dressées
fleurs doubles
PRUNUS CERASUS 'RHEXII'
fruits restant aigres
grandes feuilles
PRUNUS × SCHMITTII
écorce
fleurs
dents grossières
PRUNUS × SCHMITTII

Cerisiers à fleurs du Japon

Les cerisiers du Japon ont été sélectionnés pendant des siècles au Japon (et en Chine) à partir d'espèces sauvages ; ils sont parfois regroupés comme des cultivars de *Prunus serrulata* (p. 330). Ce sont des arbres à durée de vie assez courte dans nos régions.
ASPECT – **Silhouette.** Généralement basse ; parfois greffé en tête sur une tige de merisier. **Écorce.** Typiquement gris étain, avec des bandes de lenticelles brunes. **Feuilles.** Grandes, *éparses ; glabres sur des pétioles glabres ; avec des dents plus ou moins simples mais fortement filamenteuses à leur extrémité* ; teintes automnales dans les tons rose cramoisi et ambre doré. **Fleurs.** Sur des *pédoncules ramifiés* de longueur variable (*cf. P. jamasakura*, p. 330) ; plus grandes et généralement plus tardives que celles des autres cerisiers à fleurs, souvent doubles et s'épanouissant quand les jeunes feuilles (souvent rouges) sont *à moitié sorties.*
Prunus 'Kanzan' (1913), le plus commun : brièvement splendide quand les bourgeons magenta enflent sous la poussée des feuilles naissantes, moins quand les 23 à 28 pétales virent au rose cru et que les feuilles deviennent vert olive ; jeunes arbres évasés ; vigoureux (jusqu'à 14 m) ; branches lourdes se courbant rapidement vers l'horizontale ; grandes feuilles très éparses ; extrémité des pousses rouge tomate au début de l'été.
AUTRES ARBRES – *P.* 'Fugenzo' ('James Veitch' ; 1892), peu répandu : fleurs doubles d'un rose plus pur, une semaine plus tard, créant un contraste plus subtil avec les jeunes feuilles brun orangé ; sépales (comme chez 'Shirofugen', p. 238, dont il est un variant) *dentés dans leur tiers médian* – lisses chez 'Kanzan'.

P. 'Royal Burgundy' (2000) : fleurs comme celles 'Kanzan', au milieu de feuilles plus petites *restant pourpre clair.*

P. 'Pink Perfection' (1935), assez fréquent : fleurs doubles rose vif, marbrées, juste après 'Kanzan', pendantes au milieu de jeunes feuilles *vite vertes* ; en été, arbre assez sphérique avec des *rameaux externes pendants* et des feuilles foncées, *courtes.*

P. 'Hokusai' ('Uzuzakura' ; 1866), peu répandu : fleurs rose tendre, deux semaines avant 'Kanzan', avec *10 à 15 pétales* et un bouquet d'étamines cramoisies (et 1 style ; 2 à 3 chez 'Kanzan'), au milieu des jeunes feuilles brun cuivré (*cf.* 'Taoyame', p. 328 ; *P.* × *sieboldii* 'Takasago', p. 334).

P. 'Ito-kukuri', rare : fleurs rose-mauve tendre avec 15 à 24 pétales en *bouquets denses* au milieu des jeunes feuilles *vert bronze*, dix jours avant 'Kanzan' ; 1 style à collerette foliacée ; arbre arrondi aux feuilles assez brillantes, jaunes en automne ; dents à filaments gaufrés particulièrement longs (*cf.* 'Shirotae', p. 328).
AUTRE ARBRE – *P.* 'Yae-murasaki-zakura', rare : bouquets moins denses, fleurs avec 11 à 14 pétales légèrement plus foncés et 1 style *parfaitement formé.*

P. 'Amanogawa', commun : planté plus pour sa silhouette *verticale* que pour ses fleurs en bouquets arrondis dressés (juste avant 'Kanzan'), les 6 à 15 pétales rose pâle contrastant avec les jeunes feuilles vert bronze ; vieux arbres aussi larges que hauts mais toujours avec des rameaux sinueux, raides et *dressés.*

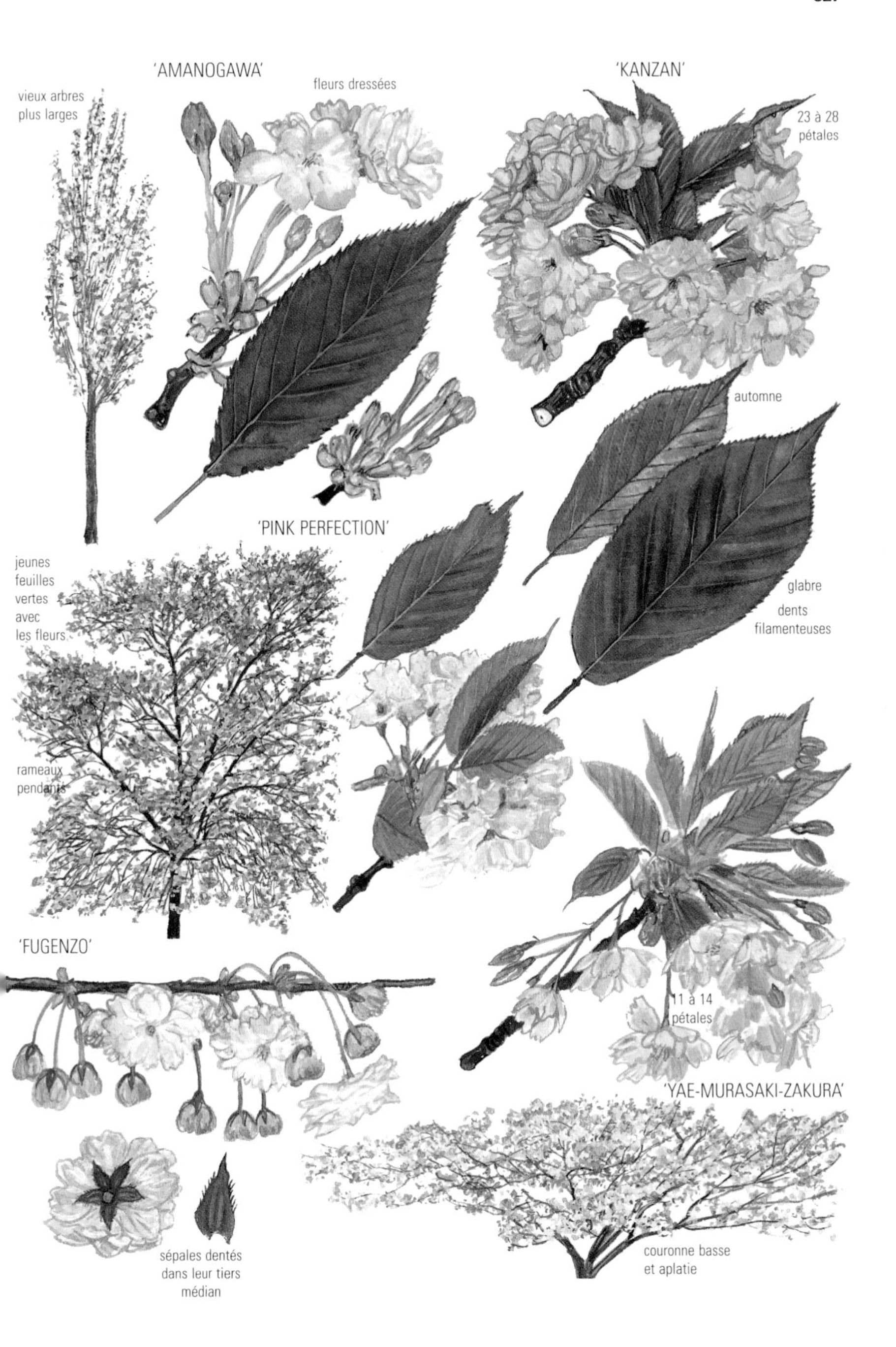
'AMANOGAWA'
fleurs dressées
vieux arbres plus larges
'KANZAN'
23 à 28 pétales
automne
'PINK PERFECTION'
jeunes feuilles vertes avec les fleurs
glabre
dents filamenteuses
rameaux pendants
'FUGENZO'
11 à 14 pétales
'YAE-MURASAKI-ZAKURA'
sépales dentés dans leur tiers médian
couronne basse et aplatie

Prunus 'Ichiyo', peu répandu : fleurit dix jours avant 'Kanzan' ; fleurs roses en boutons, virant au rose *crème* au milieu des jeunes feuilles vite *vert tendre*, avec 16 à 22 pétales formant comme un *tutu de danseuse* autour du centre rouge à vert (à 1 ou 2 styles) ; arbre vigoureux (souvent sur sa propre tige), avec des branches dressées puis étalées et des feuilles relativement *petites*, étroites, ternes ; écorce marquée de *fissures verticales rugueuses*, orange à la base.

P. 'Taoyame', rare : *certaines fleurs simples, d'autres comptant jusqu'à 15 pétales*, avec les *jeunes feuilles marron intense* (*cf.* 'Hokusai', p. 326) ; pédoncules pourpres ; *sépales pourprés courbés vers le haut à leur extrémité* ; feuilles *effilées vers la base et plus larges dans leur moitié supérieure*.

P. 'Tai Haku' (1923), assez fréquent : fleurs blanches simples, *immenses* (6 à 8 cm), quelques jours après 'Shirotae', au milieu des jeunes feuilles *cuivrées, très grandes* et vert foncé en été ; arbre évasé puis *en dôme bas*.

Autres arbres – *P.* 'Ojochin', rare : 5 à 8 grands pétales rose très pâle, s'ouvrant quelques jours plus tard au milieu du jeune feuillage vert bronze ; en été, grandes feuilles vert foncé, grossièrement dentées et assez oblongues ; nombreuses feuilles *à l'extrémité émoussée* (*cf. quelques-unes* chez 'Shirofugen', 'Ichiyo', 'Tai Haku' et 'Hukon').

P. 'Ukon', peu répandu : 9 à 15 pétales *teintés de jaune verdâtre*, une semaine plus tard ; jeunes feuilles brun café ; feuillage estival comme 'Tai Haku' (dont il se distingue par le port – évasé comme 'Kanzan' – et les jeunes pousses plus pâles).

P. 'Shirotae' ('Mount Fuji' ; 1905), assez fréquent, le plus précoce des cerisiers du Japon : fleurs blanches à l'odeur de miel, avec 6 à 11 pétales pendants, au milieu des feuilles naissantes vertes (*cf. P. serrulata* 'Albi-Plena', p. 330) ; se reconnaît en été à ses branches vigoureuses *horizontales* (plus grêles à l'ombre) garnies de feuilles vert vif aux dents filamenteuses *très longues*.

P. 'Jo-Nioi', assez rare : masses ondulées de fleurs blanches simples, assez petites (4 cm), *à odeur d'ajonc*, quelques jours avant 'Kanzan' et précédant légèrement les jeunes feuilles brun doré ; plus tardif et plus lâche que *P.* 'Umineko' (p. 336).

P. 'Shogetsu' ('Shimidsu Zakura', 'Longipes'), peu répandu : boutons roses donnant des fleurs blanc pur une semaine après 'Kanzan' ; 20 à 28 pétales pendants sous les jeunes feuilles vert-jaune ; petite couronne arrondie, légèrement pleureuse, souvent chancreuse et à l'aspect dépérissant.

P. 'Shirofugen', commun, le plus tardif : fleurs doubles presque blanches, roses en boutons sous les jeunes feuilles *marron*, puis virant au *rose tendre pâle* tandis que le feuillage verdit ; en été, similaire à 'Fugenzo' (p. 326) – arbre vigoureux, étalé, aux feuilles foncées, souvent oblongues, avec des dents à l'extrémité filamenteuse généralement apprimée.

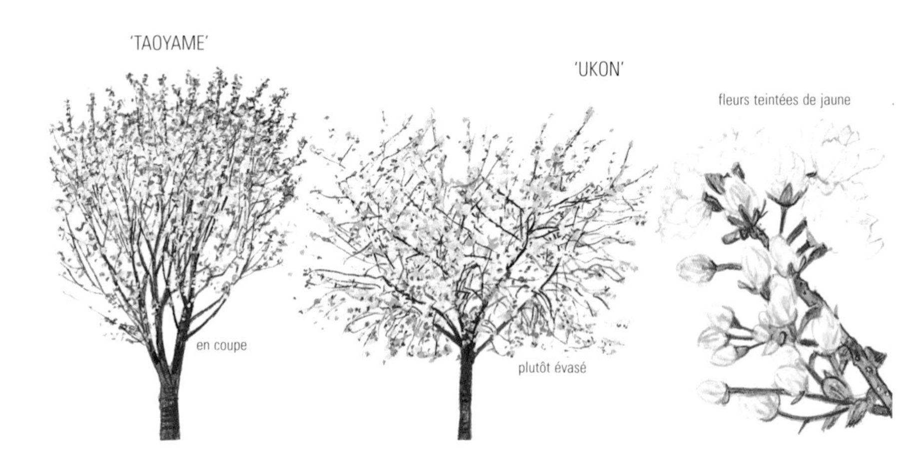

'TAI HAKU'
étalé
jeunes feuilles cuivrées
les plus
grandes fleurs
'ICHIYO'
'OJOCHIN'
'JO-NIOI'
parfumée
gros
boutons
'SHOGETSU'
pétale,
détail
'SHIROFUGEN'
jeunes
feuilles
rouge
foncé
'SHIROTAE'
5 à 15
pétales
port large, horizontal
'TAOYAME'
'SHIROTAE'

Cerisier de Sargent *Prunus sargentii*

Corée, île Sakhaline, N Japon. 1893. Assez commun. ASPECT – **Silhouette.** Arrondie, avec des branches légères, ascendantes ; jusqu'à 15 m ; *densément garni de* feuilles pendantes *jaunâtre foncé*, assez mates. **Écorce.** Brun pourpré, avec des bandes de lenticelles orange ; aspect *plus brun* que les autres cerisiers à fleurs ; plus rugueuse avec l'âge. (Les espèces ornementales sont souvent greffées sur merisier.) **Feuilles.** Glabres, sur des pétioles glabres ; dents aiguës à peine doubles et *peu filamenteuses* ; plutôt oblongues (jusqu'à 14 × 8 cm) et généralement *convexes* (pointe vers le bas) ; revers blanchâtre ; teintes d'automne *précoces, écarlates.* **Fleurs.** Rose-mauve éclatant, simples mais assez grandes (4 cm), *couvrant à peine la moitié de la couronne*, une semaine avant le premier cerisier du Japon, sur des pédoncules non ramifiés, *avec les feuilles naissantes rouge rubis, encore bronze foncé quand les derniers pétales tombent.*
ESPÈCES VOISINES – *P. jamasakura* (ci-dessous). *P.* × *yedoensis* (p. 332) : pétioles poilus. *P. hirtipes* (p. 334) : feuilles plus brillantes. Griottier (p. 324) et 'Spire' (p. 336) : feuilles plus courtes. Feuilles (glabres) des cerisiers du Japon (pp. 326-328) toujours plus éparses (à dents filamenteuses).
CULTIVARS – 'Fastigiata', peu répandu : *branches dressées, grêles* ; jusqu'à 16 m (*cf.* 'Spire', plus compact, rose pâle, p. 336). 'Rancho' (1961), rare : en colonne plus compacte.
AUTRES ARBRES – *P.* × *juddii* (1914), hybride probable avec *P.* × *yedoensis*, rare : fleurs aussi grandes mais beaucoup plus pâles (*cf.* 'Hillieri', p. 336) ; jeunes feuilles (glabres mais *à pétiole duveteux*) moins rougeâtres.

Prunus jamasakura

(*P. serrulata* var. *spontanea*) S Japon. 1914. Rare, malgré sa floraison et son port gracieux.
ASPECT – **Silhouette.** Délicate, avec des branches légères et des masses de feuilles pendantes ; *jusqu'à 18 m*. **Écorce.** Lisse, gris étain, avec des bandes de lenticelles horizontales, saillantes ; finement rugueuse. **Feuilles.** Glabres sur des pétioles glabres ; plus fines que celles de la plupart des cerisiers du Japon et plus blanches dessous ; dents aiguës généralement simples, à peine filamenteuses ; teintes automnales rouges à jaunes. **Fleurs.** Simples, blanc argenté à rose clair, en même temps que le cerisier de Sargent mais sur des *pédoncules ramifiés*, comme les cerisiers du Japon ; disparaissant dans les jeunes feuilles rouges.
AUTRE ARBRE – *P.* × *verecunda* (*P. serrulata* var. *pubescens* ; 1900), rare : feuilles à dents plus grossières, *duveteuses au revers et sur le pétiole* (*cf. P. incisa*, p. 332) ; fleurs roses et jeunes feuilles plus ternes.

Prunus serrulata 'Albi-Plena'

Un cerisier à fleurs de Chine, introduit en Grande-Bretagne dès 1822. Peu répandu.
ASPECT – **Silhouette.** Très aplatie (*cf.* 'Shirotae', p. 328), reconnaissable à ses *rameaux courts (dards) excessivement bosselés.* **Feuilles.** Comme celles des cerisiers du Japon, mais plus blanches dessous. **Fleurs.** Assez petites (38 mm), tardives, à odeur de jacinthe, avec 18 à 21 pétales blancs, rouges en boutons, sur des pédoncules ramifiés au milieu des jeunes feuilles vertes.
ESPÈCE VOISINE – *P. cerasus* 'Rhexii' (p. 324).

***PRUNUS SERRULATA* 'ALBI-PLENA'**

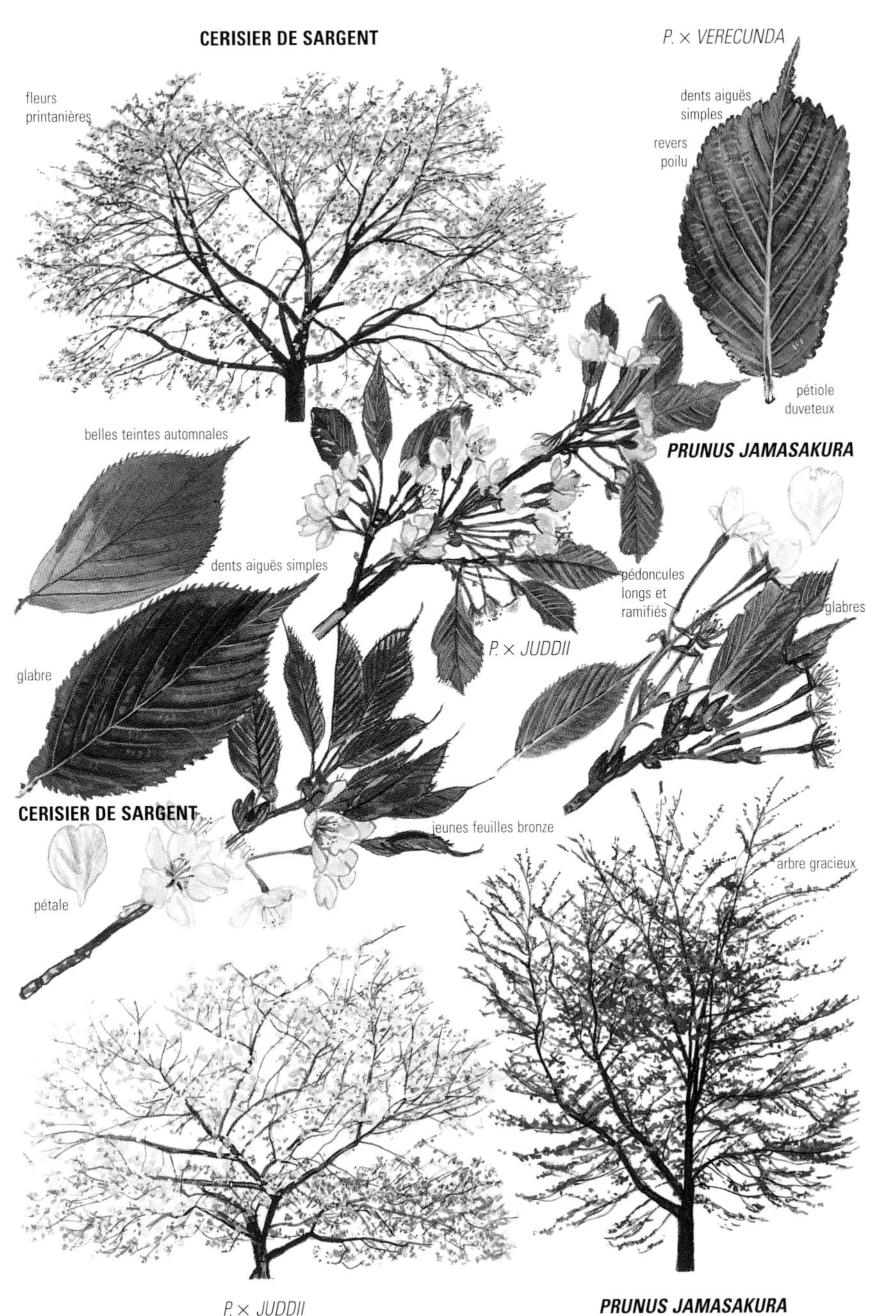

P. × JUDDII

PRUNUS JAMASAKURA

Prunus incisa

Centre Japon. 1910. Rare ; grands jardins.
Aspect – Silhouette. Gracieusement buissonnante ou jusqu'à 10 m ; rameuse, avec des petites feuilles denses. **Écorce.** Lisse, gris pourpré ; bandes de lenticelles brunes. **Feuilles.** *Poilues dessus*, sous les nervures et sur le pétiole (à glandes *pédonculées*), oblongues ; 6 × 3 cm seulement ; *dents doubles, profondes* (*cf.* 'Spire', p. 336). **Fleurs.** Rose argenté à pâle, petites (22 mm) et *inclinées*, avant les feuilles ('Praecox' et 'February Pink' sont parmi les premiers cerisiers à fleurir) ; peu nombreuses mais très délicates.
Espèces voisines – *P.* × *sieboldii* 'Takasago' (p. 334), *P.* × *verecunda* (p. 330) et 'Kursar' (p. 336) : feuilles duveteuses *plus grandes.*
Cultivars – f. *yamadae* ('Midori-zakura') : fleurs à centre *vert pâle* (et non rougeâtre), ivoire, *en masse* ; 'Oshidori-zakura' : fleurs doubles rose clair sur des pédoncules de 4 cm ; 'Kojo-no-mai' : nain ; rameaux *vrillés* à chaque bourgeon.

Prunus × *yedoensis*

Cultivé depuis longtemps au Japon. 1910. Assez fréquent.
Aspect – Silhouette. Généralement basse et dense (légèrement pleureuse sur le bord) ; *branches plus lourdes, plus sinueuses* que chez les autres cerisiers à fleurs ; jusqu'à 15 m. **Écorce.** Gris étain, lisse ; bandes de lenticelles brunes. **Feuilles.** Grandes, vert olive foncé, assez pendantes ; dents filamenteuses ; duveteuses sous les nervures principales *et sur le pétiole.* **Fleurs.** Rose pâle, sur des pédoncules non ramifiés, légèrement parfumées ; *garnissant densément les rameaux gracieux avant les feuilles.*
Espèces voisines – Autres cerisiers à fleurs aux pétioles poilus : *P. pendula* var. *ascendens* 'Rosea' et *P.* × *subhirtella* 'Automnalis' (p. 334) ; 'Pandora', 'Kursar', 'Accolade' et 'Umineko' (p. 336).
Cultivars – 'Tsubame', rare : branches basses longues, *horizontales* puis retombantes ; fleurs presque blanches.
'Shidare Yoshino' ('Perpendens', 'Pendula'), plus fréquent : *petit dôme dense et régulier* de rameaux pendants (*P.* 'Hilling's Weeping' est un variant *blanc*) ; 'Ivensii' (1929), également blanc : *rameaux pendants sur des branches très largement arquées.*
Autres arbres – Les arbres suivants font également partie des cerisiers pleureurs dont les branches s'arquent jusqu'au sol à partir d'un point de greffe élevé.
P. 'Kiku-shidare-zakura' ('Cheal's Weeping'), un cerisier du Japon très commun (voir p. 326) : fleurs très doubles, rose-mauve, une semaine avant 'Kanzan', garnissant les *branches grêles et éparses* de gros pompons au milieu des jeunes feuilles vert olive, fines, devenant *brillantes et plissées*, à peine filamenteuses. 'Asano' ('Geraldinae'), beaucoup plus rare, est l'équivalent en forme évasée.
P. pendula (*P. subhirtella* var. *pendula* ; 1894), dans quelques grands jardins : branches *partant en zigzag vers le haut avant de retomber* ; petites fleurs précoces, rose pâle ; feuilles petites et *étroites* (jusqu'à 8 × 3 cm), pendantes, souvent à dents doubles ; poils sur les pétioles *et au moins sous les nervures principales.* Il existe 3 cultivars bas, *en forme d'igloo*, peu répandus : 'Pendula Rosea' ('Pendula'), à fleurs simples *rose très pâle* ; 'Pendula Rubra' ('Beni-shidare'), à fleurs *simples* rose foncé ; 'Pendula Plena Rosea' ('Yae-beni-shidare'), à fleurs *doubles* rose clair.

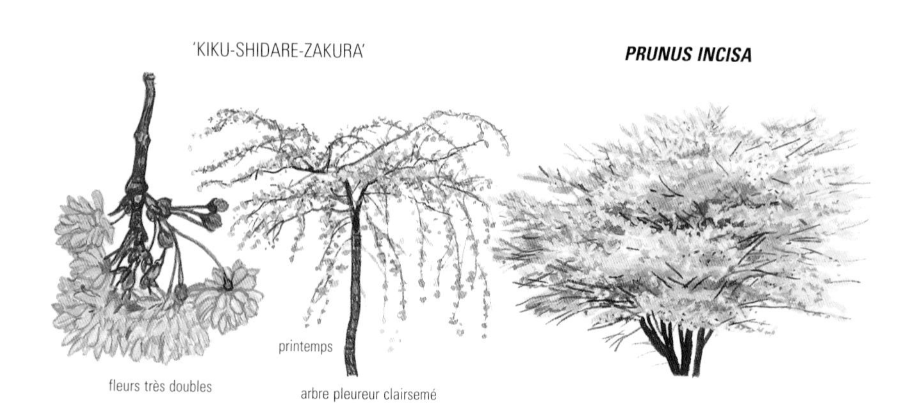

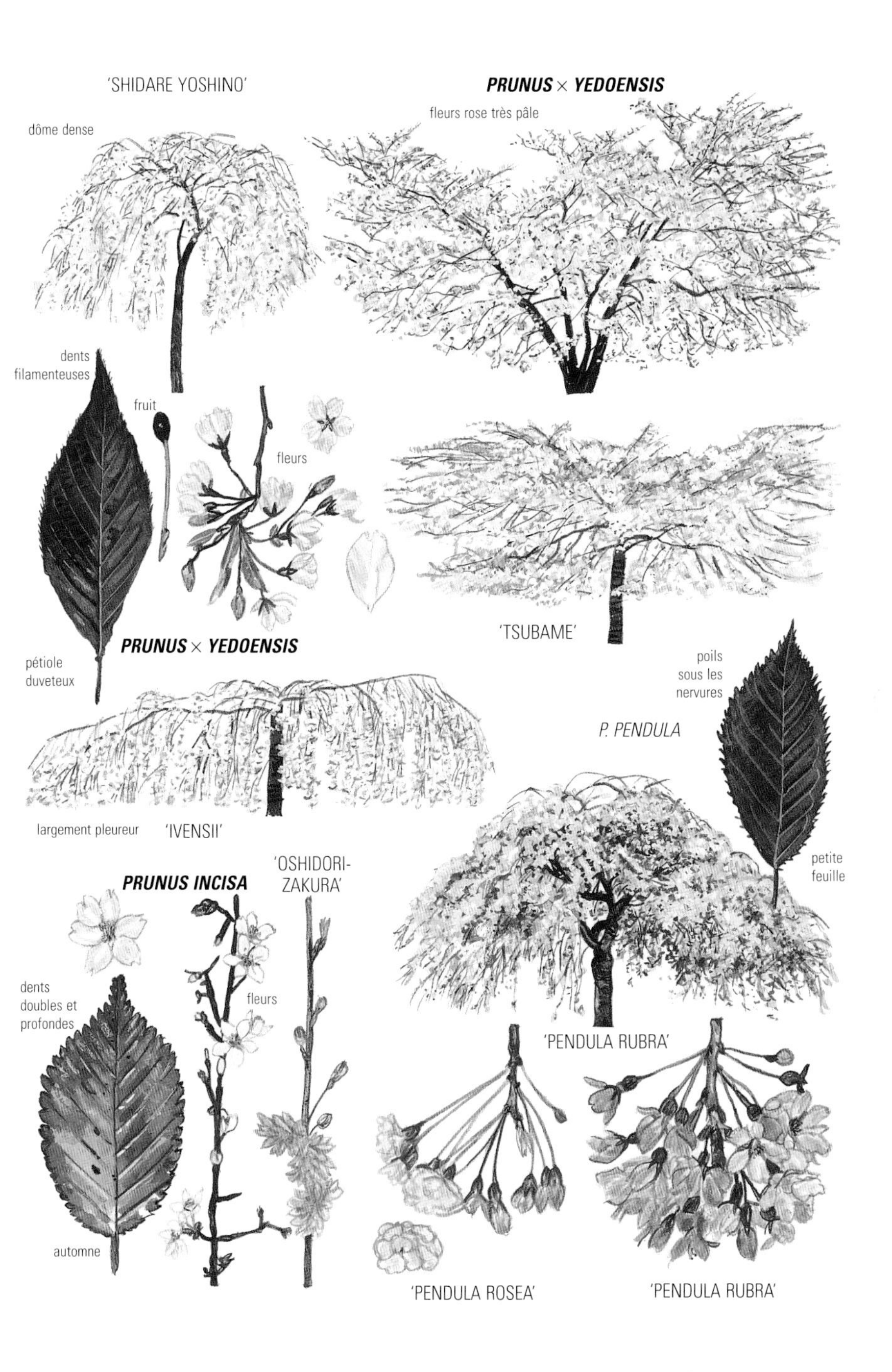
'SHIDARE YOSHINO'
dôme dense
PRUNUS × YEDOENSIS
fleurs rose très pâle
dents
filamenteuses
fruit
fleurs
'TSUBAME'
PRUNUS × YEDOENSIS
pétiole
duveteux
poils
sous les
nervures
P. PENDULA
largement pleureur
'IVENSII'
'OSHIDORI-
ZAKURA'
PRUNUS INCISA
petite
feuille
dents
doubles et
profondes
fleurs
'PENDULA RUBRA'
automne
'PENDULA ROSEA'
'PENDULA RUBRA'

Prunus pendula var. *ascendens* 'Rosea'

('Beni Higan Sakura') Une sélection de l'espèce sauvage *P. pendula* (voir p. 332). 1916. Rare.
ASPECT – **Silhouette.** Onduleuse ; rameuse et désordonnée comme le cerisier à floraison hivernale (ci-dessous). **Feuilles.** Jusqu'à 8 × 4 cm, souvent doublement dentées ; poilues au moins sous les nervures principales et sur le pétiole (*cf. P.* × *yedoensis*, p. 332). **Fleurs.** Rose vif (plus foncées que 'Pandora', p. 336), une semaine avant le cerisier de Sargent et avant les feuilles, *petites* (20 mm) mais très nombreuses.
CULTIVARS – 'Fukubana' (1927), rare : petites fleurs semi-doubles rose clair (*cf.* 'Accolade', p. 336).
'Stellata' ('Pink Star' ; 1955), rare : bas ; fleurs plus grandes, abondantes, *à pétales rose foncé, étroits, disposés en étoile.*

Prunus × *subhirtella* 'Autumnalis'

('Jugatsu-zakura') Jardins japonais. 1900. Très commun.
ASPECT – **Silhouette.** Très rameuse et désordonnée ; étalée, jusqu'à 9 m ; avec des *tronçons dégarnis de fins rameaux tortueux* couronnés de petites feuilles à leur extrémité (*cf.* 'Accolade', p. 336) ; *feuillage couleur vert mousse assez pâle.* **Écorce.** Brun-gris ; bandes de lenticelles brunes. **Feuilles.** Petites (7 × 4 cm), souvent enroulées vers la pointe ; doublement dentées mais moins profondément que celles de *P. incisa* (p. 332) ; poilues sous les nervures principales et sur le pétiole. **Fleurs.** Petites, semi-doubles, *presque blanches* (les étamines cramoisies leur donnent un reflet rosé) ; s'ouvrant par intermittence *à partir d'octobre* jusqu'au printemps – se produit alors une dernière vague de floraison à l'extrémité des branches, au milieu des jeunes feuilles vert pâle.
CULTIVAR – 'Autumnalis Rosea', un peu moins commun : fleurs rose tendre.
AUTRE ARBRE – 'Fudan Zakura', rare : petit cerisier du Japon (avec le feuillage typique ; voir p. 326) ; fleurs simples, blanches, plus grosses (4 cm), sur des pédoncules courts ; floraison spectaculaire au début du printemps (au milieu des jeunes feuilles cuivrées) mais démarrant *en hiver.*

Prunus × *sieboldii* 'Takasago'

('Caespitosa') Une vieille sélection japonaise introduite vers 1864, maintenant assez rare.
ASPECT – **Silhouette.** Assez horizontale, parfois très basse, avec des branches raides. **Feuilles.** Vert *foncé* ; proches de celles de *P.* × *yedoensis* (p. 332) mais à terme *veloutées sur les deux faces* de même que sur le pétiole. **Fleurs.** 4 cm, *à pédoncule poilu* ; 10 à 13 pétales rose pâle, à mi-saison (*cf.* 'Hokusai', p. 326), au milieu des jeunes feuilles bronze.
ESPÈCES VOISINES – *P. incisa* (p. 332) ; *P. verecunda* (p. 330). Les feuilles, de la taille de celles des cerisiers du Japon mais veloutées, sont très distinctes.

Prunus hirtipes

(Incluant *P. conradinae*) O Chine. 1907. Rare.
ASPECT – **Silhouette.** Gracieuse ; même port que *P. jamasakura* (p. 330), mais moins vigoureux (jusqu'à 10 m). **Écorce.** Comme celle de *P. jamasakura.* **Feuilles.** Largement ovales (jusqu'à 12 × 7 cm) ; doublement mais finement dentées ; *plus brillantes* que chez la plupart des cerisiers à fleurs ; quelques poils sous les nervures et parfois dessus. **Fleurs.** Rose très pâle, petites (25 mm), odorantes ; à peine pédonculées ; garnissant les rameaux presque comme *P.* × *yedoensis* (p. 332), mais *en fin d'hiver* – un des premiers grands spectacles de l'année.
CULTIVAR – 'Semi-Plena' (1925), plus répandu : quelques pétales supplémentaires.

***PRUNUS* × *SIEBOLDII* 'TAKASAGO'**

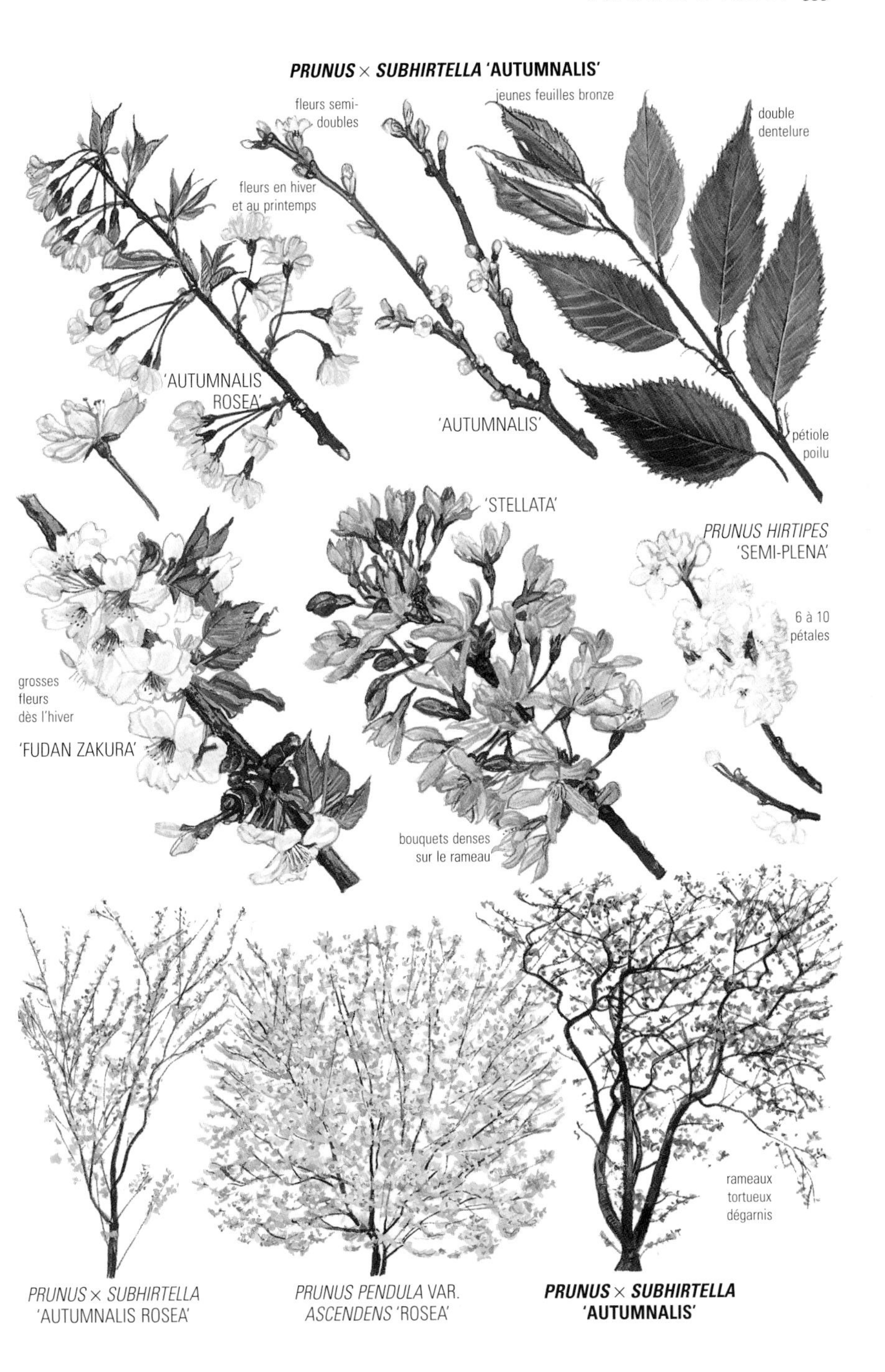

PRUNUS × *SUBHIRTELLA* 'AUTUMNALIS ROSEA'

PRUNUS PENDULA VAR. *ASCENDENS* 'ROSEA'

***PRUNUS* × *SUBHIRTELLA* 'AUTUMNALIS'**

Prunus 'Spire'

(*P. hillieri* 'Spire') Hybride de *P. incisa*. 1930. Assez fréquent en arbre d'alignement.
ASPECT – Silhouette. Branches fines *dressées*, sur un tronc haut ; densément feuillue, *compacte mais irrégulière* ; à terme aussi large que haute (jusqu'à 12 m). **Feuilles.** Jusqu'à 8 × 5 cm, *presque rondes*, avec une pointe longue et soudaine (*cf.* 'Umineko') et des dents doubles, *arrondies et profondes* ; légèrement poilues dessous ; écarlates en automne. **Fleurs.** 4 cm ; rose carmin, au milieu des feuilles naissantes rouges, une semaine après 'Pandora'.
AUTRE ARBRE – *P.* 'Hillieri', rare : port étalé (*cf. P. incisa*, p. 332, et *P.* × *juddii*, p. 330).

Prunus 'Pandora'

Un hybride horticole complexe (vers 1940) ; peu répandu.
ASPECT – Silhouette. Évasée puis large ; assez gracieuse. **Écorce.** Gris-pourpre terne ; rugueuse. **Feuilles.** *Petites* (7 × 3 cm), *brillantes, sombres* ; presque glabres ; assez éparses en fin d'été ; *dents doubles aiguës et régulières*. **Fleurs.** 4 cm ; 5 pétales rose pâle, plus foncés en bordure ; précoces et durant longtemps, puis se perdant dans le jeune feuillage bronze.
ESPÈCES VOISINES – Autres formes à petites feuilles – 'Okame' (ci-dessous) ; *P. incisa* (p. 332) ; griottier et cerisier du Tibet (p. 324).

Prunus 'Umineko'

P. incisa × *P. speciosa*. 1948. Peu répandu.
ASPECT – Silhouette. Dense, nettement dressée au début ; *vert foncé vif* ; orange clair en automne. **Feuilles.** Pétiole duveteux ; *presque rondes* avec une pointe longue brusque ; jusqu'à 9 × 6 cm ; dents doubles, régulières, *profondes* (*cf.* 'Spire', ci-dessus, et *P. incisa*, p. 332). **Fleurs.** Similaires à celles du merisier (p. 322) mais plus blanches et plus précoces, se perdant lentement dans le jeune feuillage vert.
AUTRES ARBRES – 'Snow Goose', rare : port plus large, plus grêle ; feuilles légèrement plus grandes.

Prunus 'Okame'

P. incisa × *P. campanulata*. 1947. Peu répandu.
ASPECT – Silhouette. Généralement petite et globuleuse ; *rameuse et désordonnée*. **Feuilles.** Petites, foncées, *étroites* (6 × 3 cm) ; quelques poils dessus au début ; *fortement et irrégulièrement* dentées (même lobées sur les baliveaux). **Fleurs.** Petites, *foncées, rose magenta (presque cramoisies en boutons), un mois avant* les feuilles.
AUTRES ARBRES – 'Kursar', peu fréquent : plus haut et régulier ; fleurs à pédoncule duveteux ; feuilles (poilues dessous et sur les pétioles) plus grandes et régulièrement dentées. 'Collingwood Ingram' : plus foncé et assez dressé ; 'Shosar' : dressé et presque aussi foncé, deux semaines après.

Prunus 'Accolade'

P. sargentii × *P.* × *subhirtella*. 1952. Commun.
ASPECT – Silhouette. Étalée, avec des *rameaux dégarnis sinueux*, pendants, *en tous sens*, comme ceux de *P.* × *subhirtella* 'Autumnalis' (p. 334). **Feuilles.** Plus grandes (11 × 5 cm) et plus foncées, à pétiole poilu. **Fleurs.** 4 cm ; *environ 12* pétales rose éclatant puis plus pâles ; engainant les rameaux bien avant les feuilles vert tendre, souvent dès la fin de l'hiver.

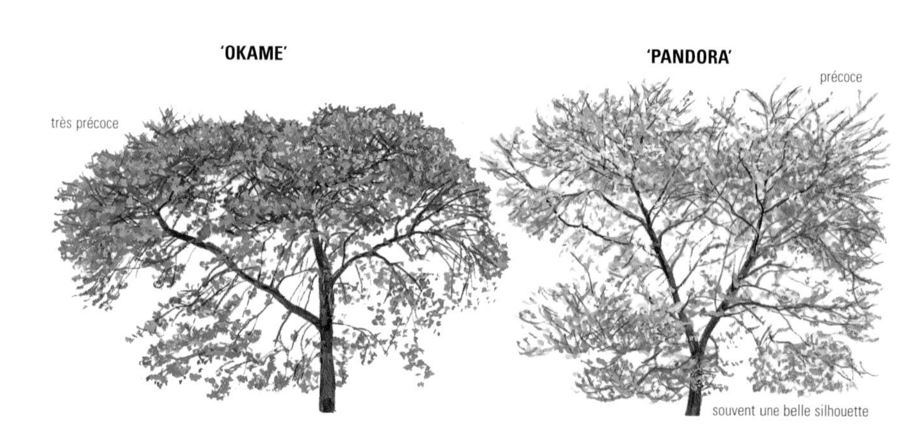

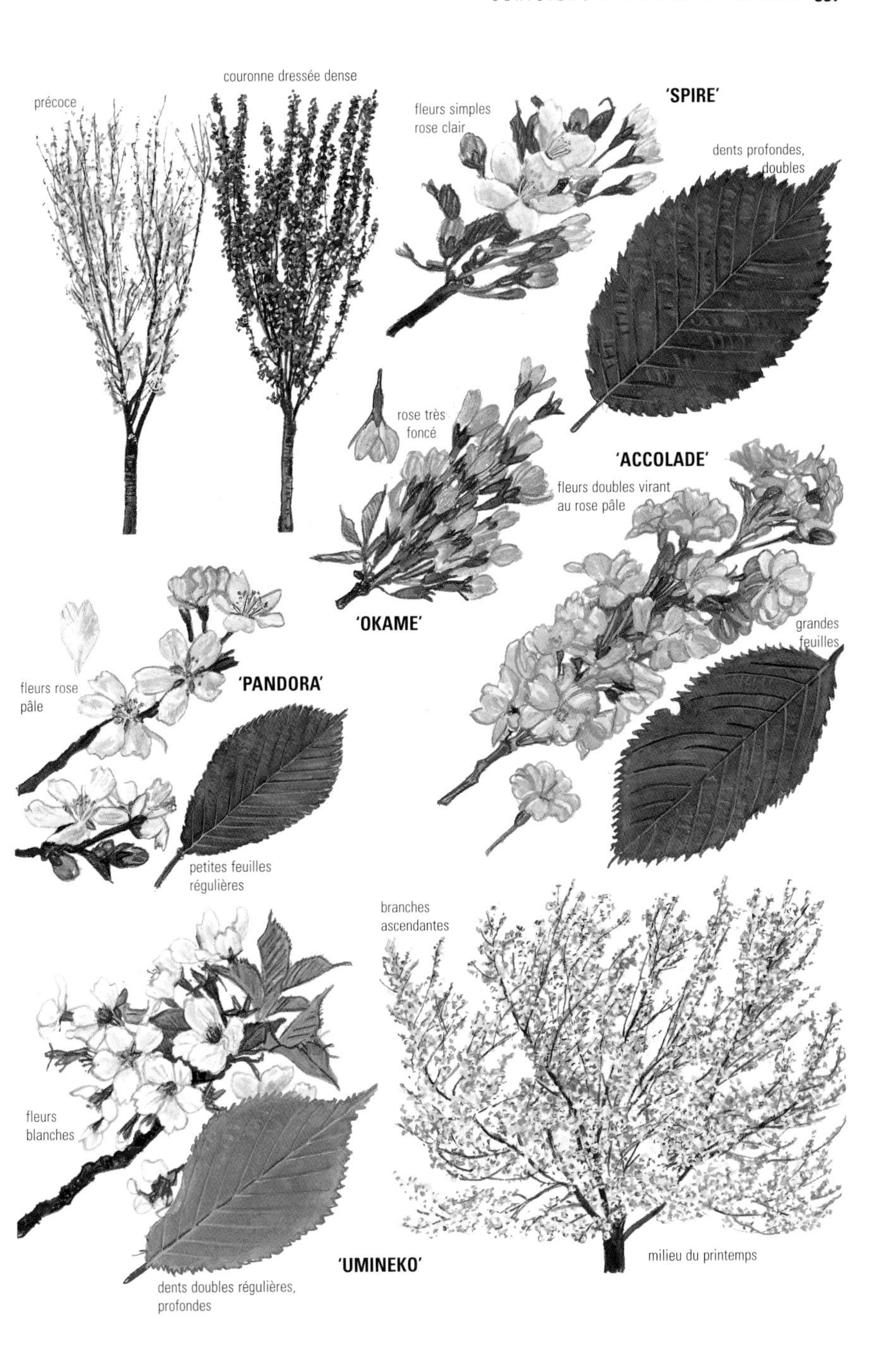
précoce
couronne dressée dense
fleurs simples
rose clair
'SPIRE'
dents profondes,
doubles
rose très
foncé
'ACCOLADE'
fleurs doubles virant
au rose pâle
'OKAME'
grandes
feuilles
fleurs rose
pâle
'PANDORA'
petites feuilles
régulières
branches
ascendantes
fleurs
blanches
milieu du printemps
'UMINEKO'
dents doubles régulières,
profondes

Amandier *Prunus dulcis* 

(*P. communis, P. amygdalus, Amygdalus dulcis*) Région méditerranéenne. Cultivé depuis longtemps ; souvent subspontané dans la région de la vigne.
ASPECT – **Silhouette.** Globuleuse, ouverte, jusqu'à 11 m ; branches assez dressées ; arbres sauvages parfois épineux. **Écorce.** *Noirâtre* ; *vite finement craquelée.* **Rameaux.** Comme ceux du prunier (p. 340), mais avec des bourgeons légèrement duveteux. **Feuilles.** Lancéolées, jusqu'à 12 cm ; foncées et brillantes mais souvent froissées ; glabres ; finement dentées ; pétioles *jusqu'à 25 mm*, glanduleux. **Fleurs.** Grandes (jusqu'à 5 cm), rose-mauve ; solitaires ou par 2 sur des pédoncules très courts ; bien avant les feuilles. **Fruits.** Semblables à des petites pêches verdâtres, jusqu'à 5 cm ; brun foncé à maturité.
ESPÈCES VOISINES – Pêcher (ci-dessous) ; cerisier tardif (p. 344) ; saule-laurier (p. 166).
CULTIVARS – 'Alba', très rare : fleurs blanches.
'Roseoplena', rare : fleurs doubles roses, port assez pleureur. (Cf. *P.* 'Kiku-shidare-zakura', p. 332.)
'Praecox', rare : fleurs roses en fin d'hiver.
'Macrocarpa', rare : amandes comestibles dans des fruits de 8 cm de large.

Pêcher *Prunus persica*

(*Amygdalus persica*) N Chine. Cultivé depuis longtemps dans le sud de l'Europe.
ASPECT – **Silhouette.** Étalée, petite ; parfois buissonnante ou palissée contre un mur. **Feuilles.** Légèrement plus étroites que celles de l'amandier (jusqu'à 15 × 3 cm), sur des *pétioles plus courts* (12 mm). **Fleurs.** Plus petites, plus pâles et plus tardives. **Fruits.** Les pêches ont besoin de beaucoup de chaleur pour bien mûrir.
CULTIVARS – Les cultivars d'ornement, à fleurs doubles ou rouges sont maintenant rares. Le nectarinier, var. *nucupersica* (var. *nectarina*) a des fruits glabres.

Abricotier *Prunus armeniaca*

(*Armeniaca vulgaris*) N Chine. Cultivé et naturalisé dans le sud de l'Europe ; plus rare dans le nord.
ASPECT – **Silhouette.** Assez globuleuse, avec des branches sinueuses. **Écorce.** Vite rugueuse ; d'un gris plus pâle que celle de l'amandier. **Rameaux.** Comme ceux du prunier, *sans gros bourgeon terminal.* **Feuilles.** *Arrondies* avec une pointe brusque tordue (très large chez var. *ansu*) ; dents arrondies ; glabres ou avec quelques touffes dessous à l'angle des nervures. **Fleurs.** Assez petites (25 mm) et précoces, blanc rosé. **Fruits.** Abricots de 3 cm de large sur les variétés non sélectionnées.
ESPÈCES VOISINES – Cerisier de Sainte-Lucie (p. 342) : feuilles plus petites.
AUTRES ARBRES – Abricotier du Japon, *P. mume* (1844), rare : feuilles plus étroites, à dents aiguës souvent doubles, poilues au moins au début ; abricots de 3 cm à peine comestibles ; il existe des cultivars à fleurs parfumées, souvent doubles, roses ou blanches, s'épanouissant en fin d'hiver.
Marmottier ou prunier des Alpes, *P. brigantina* (Alpes maritimes) : feuilles duveteuses dessous, doublement dentées ; le noyau des petits abricots jaunes est utilisé localement pour la fabrication de l'huile de marmotte.

AMANDIER

souvent rose sombre

écorce noire rugueuse

ABRICOTIER

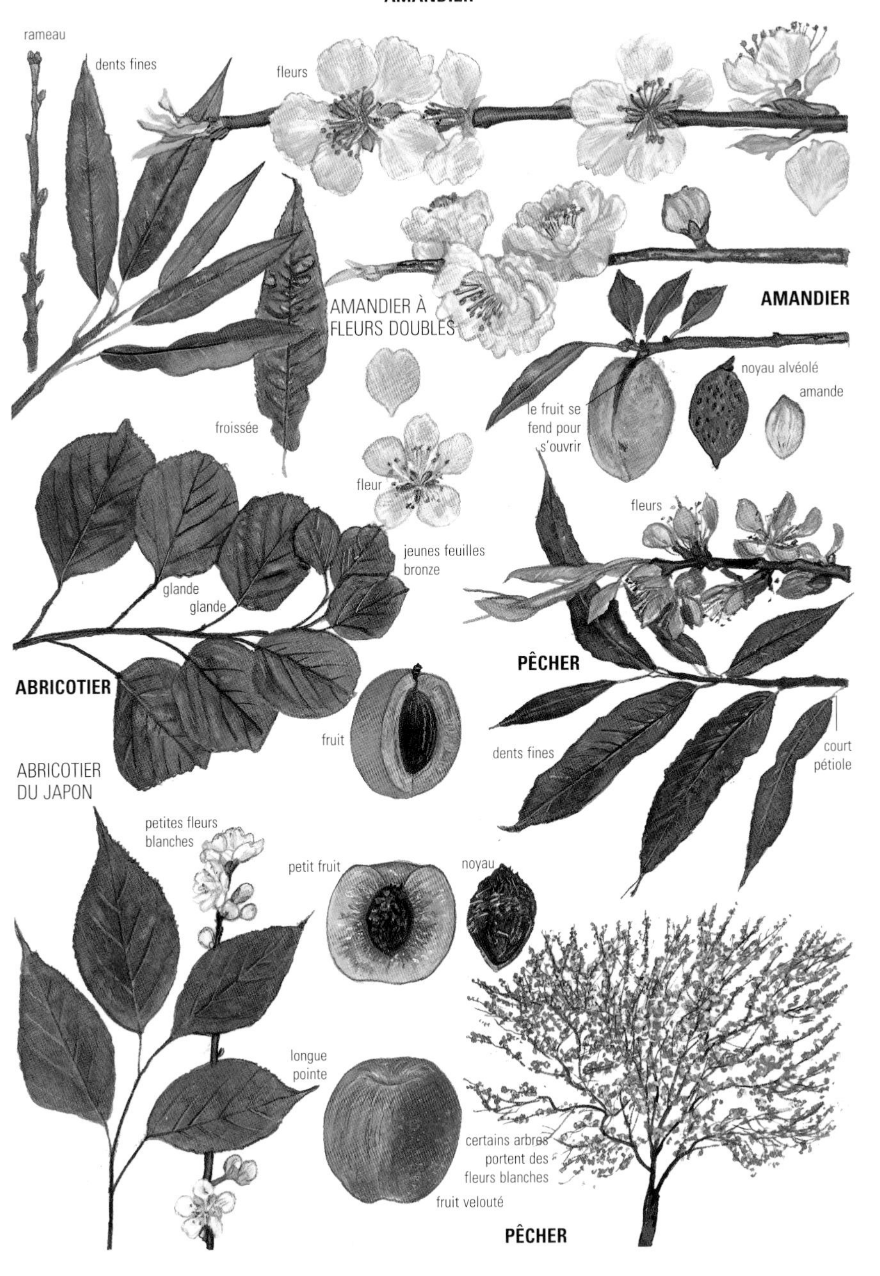
AMANDIER
rameau
dents fines
fleurs
AMANDIER À FLEURS DOUBLES
AMANDIER
noyau alvéolé
amande
le fruit se fend pour s'ouvrir
froissée
fleur
fleurs
jeunes feuilles bronze
glande
glande
PÊCHER
ABRICOTIER
fruit
dents fines
court pétiole
ABRICOTIER DU JAPON
petites fleurs blanches
petit fruit
noyau
longue pointe
certains arbres portent des fleurs blanches
fruit velouté
PÊCHER

Prunier *Prunus domestica*

Probablement un hybride entre le prunellier et le prunier myrobolan, originaire du Caucase. Cultivé depuis longtemps. Jardins et vergers. Drageonnant.
ASPECT – **Silhouette.** Basse, dense ; jusqu'à 10 m ; *non* épineuse. **Écorce.** Pourpre ; finement rugueuse puis largement fissurée. **Rameaux.** Pourpre-rouge, vite *glabres.* **Bourgeons.** Plus longs et pointus que ceux des autres pruniers de cette page (tous *sans gros bourgeon terminal* et avec parfois 2 à 3 bourgeons latéraux à chaque feuille). **Feuilles.** Plissées (*cf.* saule marsault, p. 168) ; jusqu'à 8 cm, plus larges dans leur moitié supérieure ; duveteuses sous les nervures ; glandes sur le pétiole. **Fleurs.** Blanc cassé, au milieu du printemps. **Fruits.** 3 cm de long au moins.
ESPÈCES VOISINES – Griottier (p. 324) ; abricotier (p. 338) ; cerisier de Sainte-Lucie (p. 342) ; pommier cultivé (p. 306).
AUTRES ARBRES – *P. insititia (P. domestica* var. *insititia)* : souvent buissonnant ; rameaux fins, gris pourprés, *duveteux la première année*, parfois épineux ; feuilles plus petites (mais plus larges que celles du prunellier, avec un fin *duvet sur les deux faces* ; fruits arrondis, 2 à 3 cm, pourpres ('Black Bullace') ou jaunes ('Shepherd's Bullace') ; *sucrés.* Les pruniers de Damas (prunes pourpres ovoïdes plus sucrées), les mirabelliers (prunes jaunes arrondies) et les reine-claudiers (prunes ovoïdes vert-jaune) sont diverses sélections.
P. cocomila (Italie, balkans) : prunes jaunes, 4 cm.

Prunellier *Prunus spinosa*

Europe, N Asie. Très commun à basse altitude.
ASPECT – **Silhouette.** *Buisson* drageonnant. **Écorce.** Noir pourpré, finement rugueuse. **Rameaux.** Finement duveteux puis *presque glabres avant l'hiver ; pourpre luisant* ou gris pruineux (verts à l'ombre) ; fortes épines à l'extrémité de *nombreux* rameaux latéraux. **Bourgeons.** 1 à 2 mm. **Feuilles.** Petites, *fines* (jusqu'à 5 × 2 cm), plus larges dans leur moitié supérieure, plissées, poilues au début. (Pétiole souvent *sans* glandes.) **Fleurs.** Blanc cassé, au milieu du printemps mais avant les feuilles ; prunelles pourpres puis noires, 15 mm, encore très *aigres* avant l'hiver.
CULTIVARS – 'Purpurea' : feuilles pourpres (plus petites et pâles que celles de *P. cerasifera* 'Pissardii') et fleurs roses. 'Plena' : fleurs doubles blanches.

Prunier myrobolan *Prunus cerasifera*

(Prunier-cerise) Des Balkans à centre Asie ; cultivé depuis longtemps.
ASPECT – **Silhouette.** Plus grande, *jusqu'à 15 m.* **Écorce.** *Gris* foncé ; largement fissurée avec l'âge. **Rameaux.** Vite *glabres ; verts.* **Feuilles.** Vert tendre ; fines, plus larges *dans leur moitié inférieure* ; poilues sous les nervures. **Fleurs.** Plus blanches que celles du prunellier et *beaucoup plus précoces* (selon le temps). **Fruits.** Sucrés, 4 cm, arrondis, rouges à jaunes, mûrissant *tard en été.*
CULTIVARS – 'Pissardii' ('Atropurpurea' ; Iran, 1880), très commun : silhouette dressée, désordonnée ; fleurs rose très pâle ; rameaux pourpres brillants ; *feuillage pourpre sombre.* 'Nigra' : silhouette plus gracieuse, *fleurs rose foncé.*
'Hessei', rare : bas et rameux ; feuilles tachetées *rouge-bronze* ; fleurs blanches.
'Lindsayae' (Iran, 1937), rare : fleurs roses.
AUTRE ARBRE – *P.* × *blireana* 'Moseri' ('Pissardii' × abricotier du Japon, 1895), assez fréquent : plus bas, avec des feuilles pourpre-rouge plus larges et des fleurs *doubles* de 4 cm, rose clair.

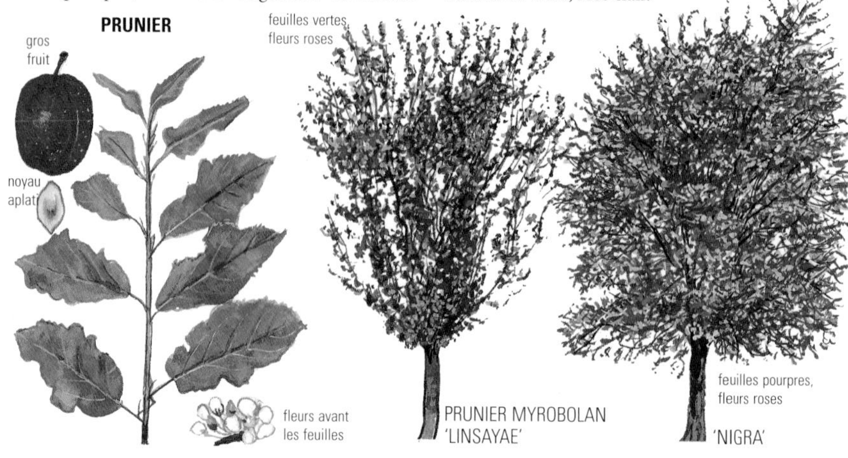

P. INSITITIA
fleurs
nervures en creux
noyau
fruit pourpre ou jaune
'HESSEI'
feuilles brun-rouge
PRUNIER MYROBOLAN
PRUNELLIER
rameaux épineux
fleurs
fruit
noyau
petites fleurs
feuilles rouge foncé
'NIGRA'
fruit jaune à rouge
P. CERASIFERA 'PISSARDII'
fleurs rose très pâle, feuilles pourpres
écorce gris foncé
'ATROPURPUREA'
fleurs avant les feuilles
PRUNIER MYROBOLAN

Cerisier de Sainte-Lucie *Prunus mahaleb*

(Bois de Sainte-Lucie ; *Cerasus mahaleb*) Belgique à Asie centrale. 1714. Indigène et commun un peu partout en France sauf dans l'ouest et le sud-ouest.
Aspect – **Silhouette.** Dôme bas et régulier de rameaux fins, parfois retombants ; jusqu'à 8 m. **Écorce.** Brun foncé ; vite rugueuse. **Feuilles.** Ovales, légèrement *cordiformes* à la base ; petites (5 × 3 cm), brillantes et finement dentées ; poils sous la nervure médiane ; pétiole glanduleux. **Fleurs.** Tardives ; en *petits corymbes* denses ; blanc pur et *odorantes*, de 18 mm de large seulement. **Fruits.** Petites (8 mm) cerises noires.
Espèces voisines – Abricotier (p. 338), griottier (p. 324) et prunier (p. 340) : feuilles plus grandes et/ou plus longues. Poirier sauvage (p. 316) et pommier sauvage (p. 306) : feuilles plus coriaces, sans glandes sur le pétiole.

Cerisier à grappes *Prunus padus*

(Bois puant ; *Padus racemosa*) N Eurasie. Indigène en France : assez commun dans le nord-est et en montagne, rare ou absent ailleurs.
Aspect – **Silhouette.** Conique et verticillée, puis en dôme ouvert (jusqu'à 14 m) ; branches droites ascendantes et rameaux fins pendants. **Écorce.** Gris terne ; très finement rugueuse mais *jamais fissurée ni exfoliée.* **Rameaux.** Vite glabres ; brun-vert foncé terne, avec des lenticelles pâles et des bourgeons pointus de 1 cm – comme ceux du tremble (p. 152), mais sans rameaux latéraux. **Feuilles.** Vert terne et glabres, à l'exception de touffes de poils dessous à l'angle des nervures ; *dentelure plus fine et plus profonde* (1 mm) que chez le merisier (p. 322) ; pétiole glabre et glanduleux. **Fleurs.** *En grappes raides de 8 à 15 cm de long* à l'extrémité des rameaux, en fin de printemps. **Fruits.** Cerises noires de 8 mm, amères.
Espèces voisines – Cerisier tardif (p. 344) ; cerisier de Mandchourie (p. 324).
Cultivars – 'Watereri' (1914), assez fréquent : *jusqu'à 25 m* ; très ouvert avec des branches arquées ; feuilles plus grandes (15 cm), avec des touffes de poils dessous ; fleurs en bouquets étalés beaucoup *plus longs* (jusqu'à 20 cm).
'Albertii', peu répandu : branches étroitement ascendantes donnant une forme conique à ovoïde, au moins les premières années ; fleurit quelques jours plus tôt, en bouquets courts mais denses.
'Colorata', peu répandu : bouquets *rose tendre* au milieu des jeunes feuilles *pourpre bronze* pâle ; en été, rameaux pourpres et feuilles gris-vert terne, légèrement pourprées au revers (*cf.* cerisier de Virginie 'Shubert', ci-dessous).
'Plena', très rare : grandes fleurs doubles durant longtemps.
var. *commutata* (Sibérie, Mandchourie), rare : fleurit et débourre *un mois avant le type.*

Cerisier de Virginie *Prunus virginiana*

N Amérique du Nord. 1724. Collections. Parfois planté et naturalisé en Europe centrale et occidentale.
Aspect – **Silhouette.** Buissonnante, drageonnante. **Feuilles.** Brillantes, 6 × 3 cm (*cf.* cerisier tardif, p. 344). **Écorce.** *Lisse*, gris-brun. **Fruits.** Souvent rouges.
Cultivar – 'Shubert' (1950), peu commun : bouquets raides, blancs, au milieu de jeunes feuilles vert brillant virant au *pourpre brunâtre dès le début de l'été* (*cf.* cerisier à grappes 'Colorata', ci-dessus).

CERISIER À GRAPPES
fleurs
glandes
fleurs du type
noyau
fruit
noir
'WATERERI'
inflorescence
dents
fines
'COLORATA'
CERISIER
À GRAPPES
bourgeons
pointus
'ALBERTII'
feuilles pourpres
dès l'été
grappes
de fleurs
petites
feuilles
fruits
cordiforme
revers
rameau
CERISIER
DE SAINTE-LUCIE
CERISIER DE VIRGINIE 'SHUBERT'

Cerisier tardif *Prunus serotina*

(Cerisier noir) De la Nouvelle-Écosse à la Floride et Arizona. 1629. Planté ou subspontané un peu partout en France, surtout dans le sud-ouest.
ASPECT – **Silhouette.** Assez dense, allure de persistant ; branches externes parfois très pleureuses ; jusqu'à 20 m. **Écorce.** Brun-noir ; vite *fissurée puis s'exfoliant en bandes rêches* ; rugueuse avec l'âge. **Rameaux.** Fins ; brun-rouge brillant ; bourgeons jaunâtres de 4 mm, généralement émoussés. **Feuilles.** Jusqu'à 12 × 4 cm, assez coriaces ; foncées et brillantes dessus ; lisses dessous mais avec *la nervure médiane hérissée de poils orangés ou blancs* ; fines dents *courbées* ; pétiole max. 15 mm, glanduleux. **Fleurs.** Comme le cerisier à grappes, en début d'été. **Fruits.** 8 mm ; cramoisis puis noir pourpré ; utilisés pour parfumer rhum et brandy.
ESPÈCES VOISINES – Laurier du Portugal (ci-dessous) ; cerisier de Virginie (p. 342) ; amandier (p. 338) ; arbre-oseille (p. 430).

Laurier du Portugal *Prunus lusitanica*

Péninsule Ibérique. 1648. Commun dans les jardins comme arbuste ou en haie. Curieusement menacé à l'état sauvage en raison d'une sécheresse croissante du climat.
ASPECT – **Silhouette.** Buissonnante ou sur un tronc robuste, jusqu'à 18 m ; feuillage dense persistant. **Écorce.** Gris foncé, finement rugueuse. **Feuilles.** Très brillantes, finement coriaces, plates et glabres ; finement dentées et plus larges dans la moitié inférieure ; jusqu'à 12 cm. **Fleurs.** Odorantes, en grappes étroites et arquées jusqu'à 25 cm de long, blanc crème, en début d'été. **Fruits.** « Cerises » pourpres de 1 cm, amères.
ESPÈCES VOISINES – Laurier-cerise (ci-dessous) ; *Photinia serratifolia* (p. 282). Rhododendron pontique (p. 428) : écorce rougeâtre écailleuse et feuilles entières.
CULTIVARS – 'Variegata', rare : feuilles étroitement bordées de blanc, jaunes quand elles sortent.

Laurier-cerise *Prunus laurocerasus*

(Laurier-amande) De l'Asie mineure à l'Iran ; Bulgarie, Serbie. 1576. Subspontané en France dans les régions aux hivers doux. Certains cultivars nains sont communs dans les jardins.
ASPECT – **Silhouette.** Buissonnante (exceptionnellement jusqu'à 18 m) ; tiges et branches étalées, garnies de grandes feuilles (jusqu'à 20 cm). **Écorce.** Noirâtre ; très finement rugueuse. **Feuilles.** Vert foncé vif ; brillantes, coriaces et glabres ; plus larges dans la moitié supérieure et légèrement *convexes*, avec des nervures en creux et de minuscules dents *espacées*. **Fleurs.** En grappes blanches dressées, jusqu'à 12 cm de long, au milieu du printemps. **Fruits.** « Cerises » noirâtres de 15 mm (toxiques en nombre).
ESPÈCES VOISINES – Laurier du Portugal (ci-dessus) ; bibacier (p. 282) ; magnolia à grandes fleurs (p. 260) ; houx à grandes feuilles (p. 366).
CULTIVARS – 'Latifolia' ('Magnoliifolia'), rare : feuilles vert intense, *jusqu'à 30 cm de long.* 'Camelliifolia', rare : feuilles curieusement repliées, comme traitées à l'herbicide. Plusieurs cultivars nains, comme 'Otto Luyken', sont fréquemment utilisés comme plantes couvre-sol.

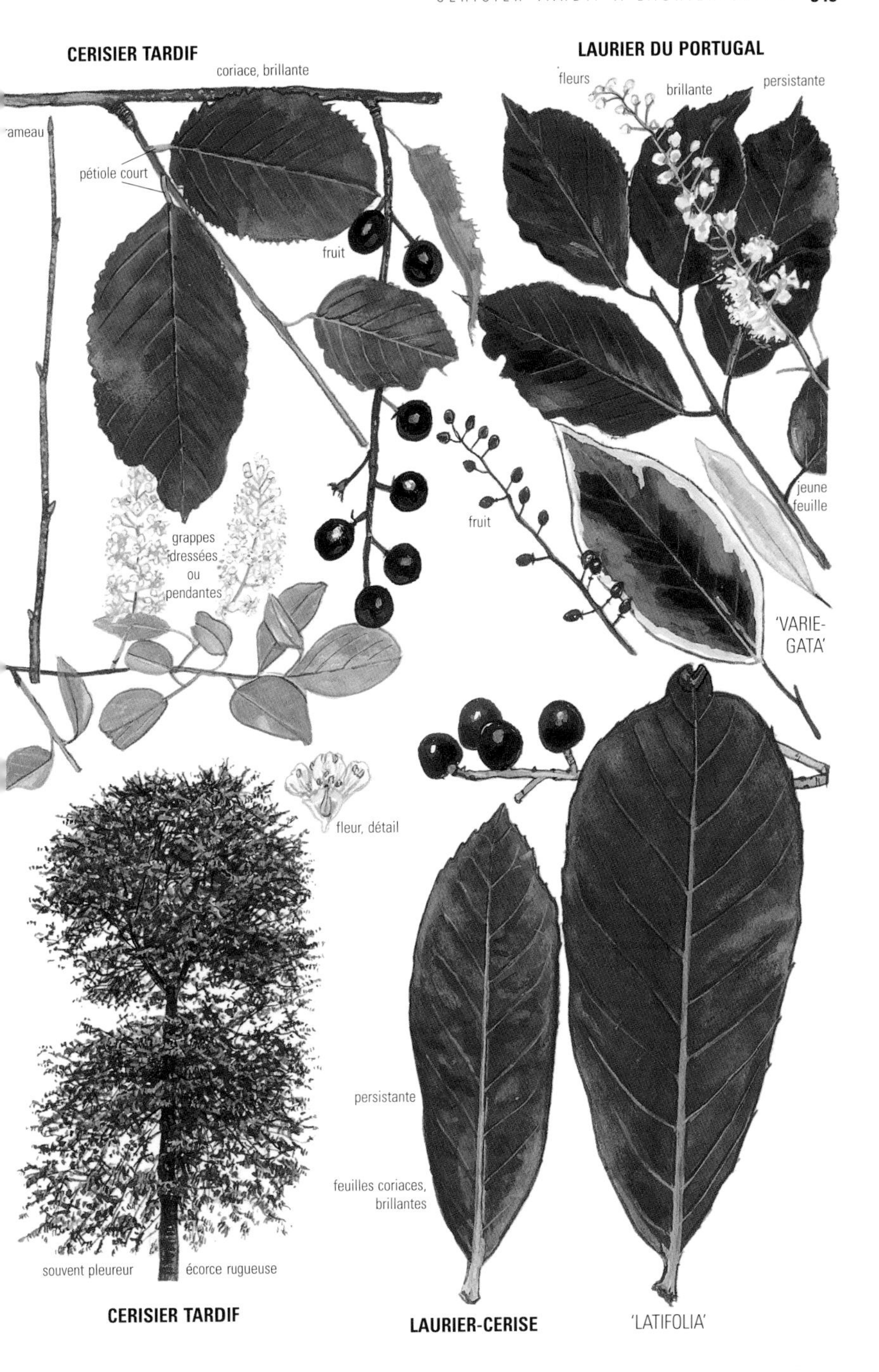
CERISIER TARDIF
coriace, brillante
rameau
pétiole court
fruit
grappes dressées ou pendantes
fleur, détail
souvent pleureur
écorce rugueuse
CERISIER TARDIF
LAURIER DU PORTUGAL
fleurs
brillante
persistante
jeune feuille
fruit
'VARIEGATA'
persistante
feuilles coriaces, brillantes
LAURIER-CERISE
'LATIFOLIA'

L'immense famille des Légumineuses (1 200 espèces rien que dans le genre Acacia*) se compose en majorité d'espèces herbacées. Les feuilles sont généralement composées et rarement dentées ; les bourgeons sont souvent cachés dans la base des pétioles ; les fruits sont des gousses. Les nodosités des racines abritent des bactéries fixatrices d'oxygène permettant aux plantes de coloniser les sols pauvres.*

Mimosa *Acacia dealbata*

(*A. decurrens* var. *dealbata*) SE Australie et Tasmanie. 1820. Fréquent dans le Midi où il est cultivé pour la fleur coupée. Craint le gel mais repart du pied avec vigueur après un rabattage.
ASPECT – **Silhouette.** Souvent conique, avec un sommet incliné et des branches légères, jusqu'à 23 m ; parfois large et penché, avec des branches sinueuses ; les arbres très argentés (var. *alpina*) sont plus rustiques. **Écorce.** Vert glauque au début, puis brun cuivré, lisse et finement plissée ; vieux arbres sombres, à troncs cannelés. **Feuilles.** Bipennées, jusqu'à 15 cm ; persistantes ; folioles de 3,5 × 0,5 mm seulement. **Fleurs.** Boutons crème dressés au-dessus du feuillage dès l'automne ; de la fin de l'hiver au printemps, grandes inflorescences ramifiées de 10 cm, composées de minuscules boules jaunes d'étamines ; gousses de 10 cm, blanc bleuté.
ESPÈCE VOISINE – Arbre à soie, *Albizzia lophantha* (ci-dessous).
AUTRES ARBRES – *A. baileyana* (Australie ; 1888), moins rustique, pour les climats très doux : feuilles plus petites (*jusqu'à 5 cm*), argentées ; fleurs en petits bouquets jaunes. 'Purpurea' est un cultivar à *feuillage brun pourpré.*

Acacia melanoxylon

SE Australie et Tasmanie. 1808. Pour climat doux.
ASPECT – **Silhouette.** Vigoureuse et élancée, jusqu'à 25 m ; parfois plusieurs troncs sinueux. **Écorce.** Brune, se fissurant avec l'âge. **Feuilles.** Bipennées sur les jeunes arbres (folioles moins nombreuses et plus grandes) ; sur les arbres plus âgés, ces vraies feuilles sont remplacées par des *phyllodes* (pétioles modifiés) *pendants, mats*, persistants, en forme de croissant avec une extrémité arrondie, de 14 × 3 cm, avec des nervures parallèles faisant penser aux feuilles de *Eucalyptus pauciflora* ssp. *niphophila* (p. 420). **Fleurs.** Petits globules jaune pâle, épars le long des rameaux.

Arbre à soie *Albizzia julibrissin*

Probablement originaire de Chine, mais cultivé depuis longtemps en Europe occidentale. 1745. Peu commun en France, plus fréquent dans le sud-ouest et en Provence. Malgré tout assez rustique, mais ayant besoin de chaleur pour bien pousser.
ASPECT – **Silhouette.** Grand arbuste ou petit arbre arrondi. **Écorce.** Lisse, grise. **Feuilles.** Bipennées, *caduques*, jusqu'à 45 cm ; folioles jusqu'à *3 mm de large*, vert grisâtre foncé. **Fleurs.** Grands toupets rose et crème (magenta chez 'Rosea') tout l'été.
AUTRE ARBRE – *Albizzia lophantha* (*Paraserianthes lophantha, A. distachya* ; Australie), très rare : dressé, vigoureux ; *feuillage persistant vif mais foncé*, fin ; *rameaux et rachis veloutés* ; quelques toupets de fleurs crème au printemps et en début d'été.

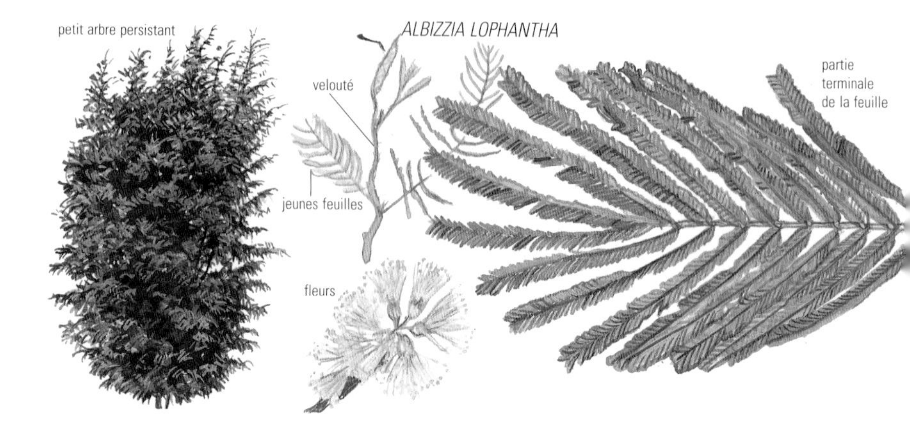

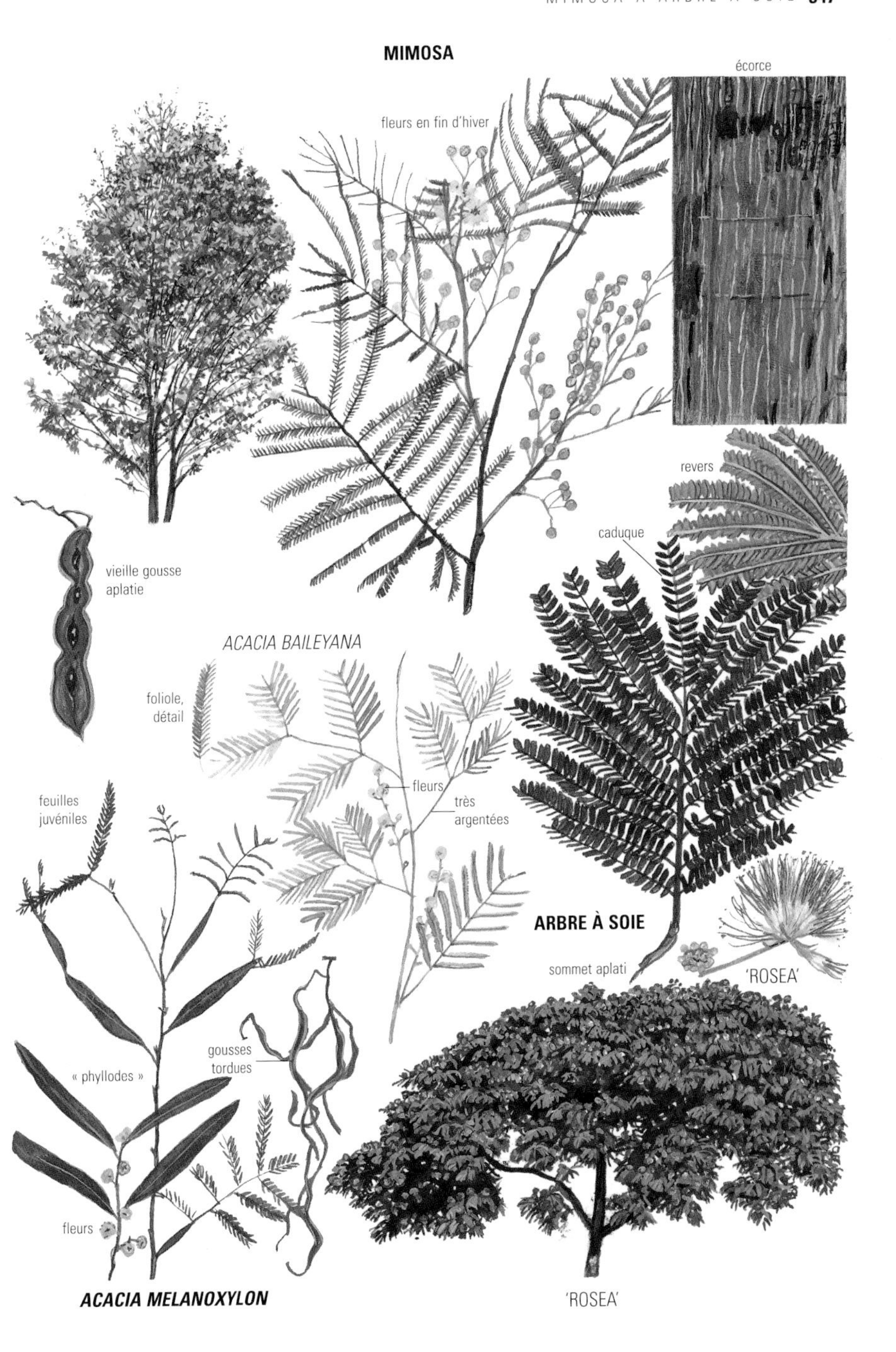
MIMOSA
écorce
fleurs en fin d'hiver
revers
caduque
vieille gousse
aplatie
ACACIA BAILEYANA
foliole,
détail
fleurs
très
argentées
feuilles
juvéniles
ARBRE À SOIE
sommet aplati
'ROSEA'
gousses
tordues
« phyllodes »
fleurs
ACACIA MELANOXYLON
'ROSEA'

Arbre de Judée *Cercis siliquastrum*

E Méditerranée. Commun dans les parcs et jardins. Naturalisé en France où il pousse sur les coteaux calcaires du Midi.

ASPECT – **Silhouette.** Basse (jusqu'à 14 m) ; branches tordues et feuillage dense, teinté de gris ; peut se marcotter. **Écorce.** Gris foncé ; lisse puis avec des *rides verticales serrées* ; petites crêtes rugueuses avec l'âge. **Rameaux.** Brun-rouge. **Bourgeons.** Pointus, rouges ; cachés à la base des pétioles puis cernés de leur cicatrice grise. **Feuilles.** Arrondies, jusqu'à 10 cm de large, *entières et vert bleuté,* glabres. **Fleurs.** Papilionacées, rose magenta, en fin de printemps avec les jeunes feuilles ; sortant de l'écorce des branches et du tronc lui-même ; suivies de gousses brunes de 10 cm, persistant jusqu'en hiver.

ESPÈCE VOISINE – Cercidiphyllum du Japon (p. 274) : feuilles de forme similaire, *opposées* et plus ou moins dentées.

CULTIVARS – 'Alba', très rare : fleurs blanc cassé ; peu attrayant.

AUTRE ARBRE – *C. canadensis* 'Forest Pansy', cultivar du gainier du Canada : feuilles cordiformes *pointues* (parfois duveteuses au revers) ; fleurs petites (12 mm) mais éclatantes ; jeunes feuilles pourpres (virant au bronze ; *cf.* cercidiphyllum du Japon 'Red Fox', p. 274).

Genêt de l'Etna *Genista aetnensis*

Sardaigne, Sicile. Assez peu répandu.

ASPECT – **Silhouette.** Le plus grand des genêts ; branches arquées, *jusqu'à 12 m*, sur un tronc court, penché. **Écorce.** Verte puis brun pâle et légèrement sillonnée. **Feuilles.** Pratiquement aucune ; les fins rameaux verts forment une couronne ouverte. **Fleurs.** Grandes, jaune d'or, en plein été ; gousses de 12 mm.

ESPÈCE VOISINE – Tamaris (p. 410).

Févier d'Amérique *Gleditsia triacanthos*

Centre Amérique du Nord. 1700. Localement fréquent le long des rues et dans les parcs.

ASPECT – **Silhouette.** Élancée et ouverte sur un long tronc sinueux, jusqu'à 27 m ; délicate et vert tendre en été, mais très grêle durant l'hiver, avec d'épais rameaux tordus ; feuillaison tardive. **Écorce.** Gris pourpré ; larges crêtes écailleuses ; portant des *amas d'épines acérées* de 20 cm (il existe des formes inermes, f. *inermis*, recommandées pour l'ornement des espaces publics). **Rameaux.** Chaque bourgeon orange de 1 mm est accompagné de 3 épines dans la forme épineuse. **Feuilles.** Jusqu'à 20 cm, *pennées ou bipennées sur le même arbre* ; petites (2 à 4 cm) folioles brillantes à *bord ondulé* (rarement denté) ; les feuilles bipennées comptent jusqu'à 14 folioles pennées de part et d'autre de leur rachis vert. **Fleurs.** En petites grappes discrètes, suivies (sur les clones fertiles) par d'immenses gousses brun-noir.

ESPÈCE VOISINE – Robinier (p. 354).

CULTIVARS – 'Sunburst' (1954), commun : folioles *jaune tendre* virant au vert tilleul ; inerme ; moins éclatant mais plus raffiné que le robinier 'Frisia' (p. 354).

'Ruby Lace' (1961), peu répandu : jeunes feuilles *brun-pourpre* virant à un curieux brun-gris verdâtre.

'Nana', rare : tronc court, *gris foncé, lisse* (mais épineux) ; *branches tordues, ascendantes et serrées*, formant une couronne *ovoïde* régulière ; jusqu'à 18 m.

AUTRE ARBRE – *G. sinensis*, collections : folioles plus grandes (jusqu'à 8 cm).

GENÊT DE L'ETNA

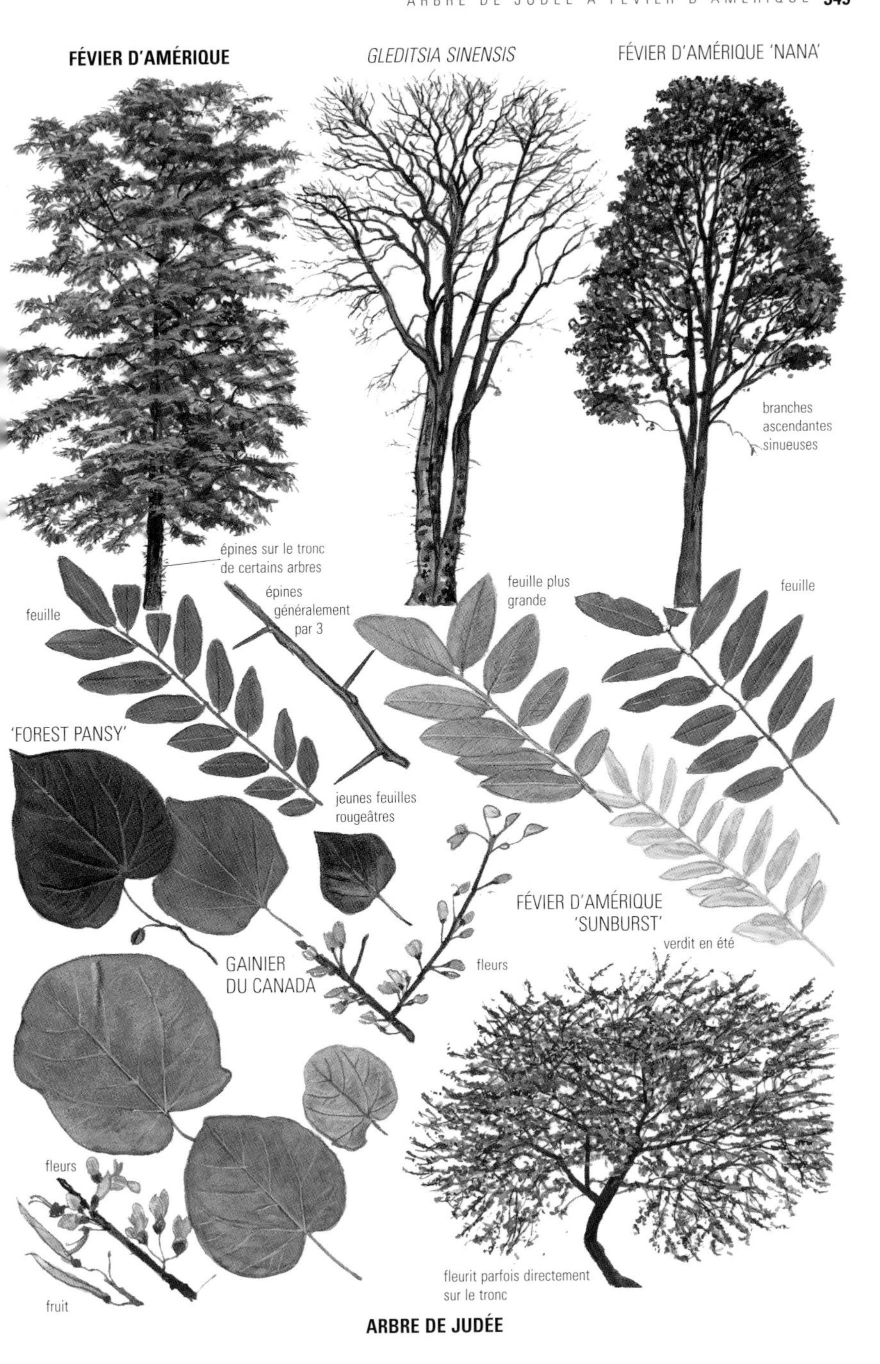
FÉVIER D'AMÉRIQUE
GLEDITSIA SINENSIS
FÉVIER D'AMÉRIQUE 'NANA'
branches ascendantes sinueuses
épines sur le tronc de certains arbres
épines généralement par 3
feuille plus grande
feuille
feuille
'FOREST PANSY'
jeunes feuilles rougeâtres
FÉVIER D'AMÉRIQUE 'SUNBURST'
verdit en été
GAINIER DU CANADA
fleurs
fleurs
fleurit parfois directement sur le tronc
fruit
ARBRE DE JUDÉE

CHICOT DU CANADA & CYTISES

Chicot du Canada *Gymnocladus dioica* ☠

(*G. canadensis*) E et centre États-Unis. 1748. Assez rare ; grands jardins.

ASPECT – **Silhouette.** Dôme ouvert, jusqu'à 17 m ; très grêle en hiver, avec quelques rameaux épais, tortueux et noueux, couverts de pruine rosée. **Écorce.** Brun-gris, rugueuse ; crêtes souvent marquées de *bourrelets* (*cf.* micocoulier de Virginie, p. 254). **Feuilles.** Bipennées et jusqu'à 1 m de long ; vert tendre ; feuillaison tardive, rose ; jaunes en automne ; bord des feuilles (généralement) denté, contrairement à la plupart des légumineuses. (L'illustration montre une feuille, pas un rameau feuillu.) **Fleurs.** (Rares dans nos régions) Espèce dioïque ; gousses jusqu'à 25 cm de long, avec des graines cireuses (donnant une sorte de café une fois grillées).

ESPÈCE VOISINE – Savonnier (p. 398) : même allure.

AUTRE ARBRE – *Aralia elata* (Extrême-Orient), non apparenté (araliacées) mais avec des feuilles similaires, immenses et bipennées (plus foncées et plus brillantes) : généralement un arbuste drageonnant à tige grise, épineuse, avec des fleurs blanchâtres en inflorescences légères et énormes (jusqu'à 60 cm) en fin d'été, suivies de gros bouquets de baies.

Cytise *Laburnum anagyroides* ☠

(Aubour, faux ébénier) Centre et S Europe. Très commun dans les parcs, rues et jardins. Toute la plante est très toxique.

ASPECT – **Silhouette.** Irrégulière ou assez pleureuse ; jusqu'à 10 m. **Écorce.** Brun cuivré à verdâtre ; lisse pendant plusieurs années puis légèrement fissurée ou subéreuse. **Rameaux.** Gris-vert avec *des poils soyeux*. **Bourgeons.** *Couverts de poils argentés.* **Feuilles.** *Éparses* ; 3 folioles entières de 6 cm, argentées au printemps, conservant des *poils soyeux au revers.* **Fleurs.** En grappes pendantes de 25 cm de long, à la fin du printemps, suivies de gousses vrillées.

CULTIVARS – 'Aureum', très rare : feuillage jaune pâle.

'Pendulum', rare : petit dôme de rameaux pendants.

'Quercifolium', très rare : 3 à 5 folioles *à lobes arrondis*, sur des pétioles ailés.

AUTRES ARBRES – Cytise des Alpes, *C. alpinum* (S Europe ; 1596), assez rare : arbre plus haut, dressé, assez évasé, jusqu'à 12 m ; écorce plus brune, se craquelant en *plaques rugueuses* ; rameaux *vite glabres* ; feuilles plus grandes et plus foncées et *presque glabres* ; fleurit deux semaines plus tard, avec des grappes plus longues (jusqu'à 40 cm) mais moins fournies ; gousses marquées *d'épais bourrelets.*

L. × *watereri* 'Vossii', hybride entre ces deux espèces (*et de nos jours le cytise le plus communément planté*) : grappes aussi longues que celles du cytise des Alpes et aussi fournies que celles du cytise ; port et écorce intermédiaires ; jeunes rameaux vite glabres ; feuilles denses très légèrement poilues dessous ; gousses toxiques *rarement développées* (et donc moins susceptibles d'attirer les enfants).

Cytise d'Adam + *Laburnocytisus adamii* ☠

Chimère entre le cytise et le genêt pourpre (*Cytisus purpureus*) – deux plantes apparentées mais très différentes. 1825. Maintenant plus rare.

ASPECT – **Silhouette.** Petit arbre à l'aspect chétif, présentant des morceaux des deux « parents ». **Feuilles.** Plus petites que celles du cytise, presque glabres, et, *çà et là, des amas de feuillage* de genêt (folioles de 2 cm de long). **Fleurs.** Un mélange de fleurs de cytise, de fleurs de genêt et de fleurs intermédiaires – jaune pourpré.

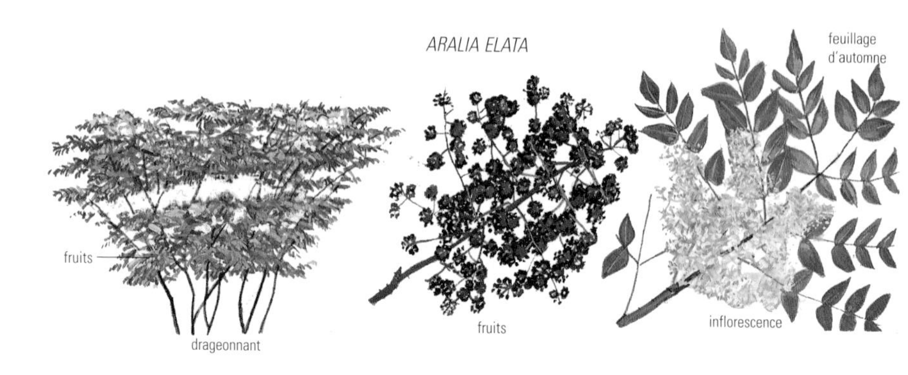

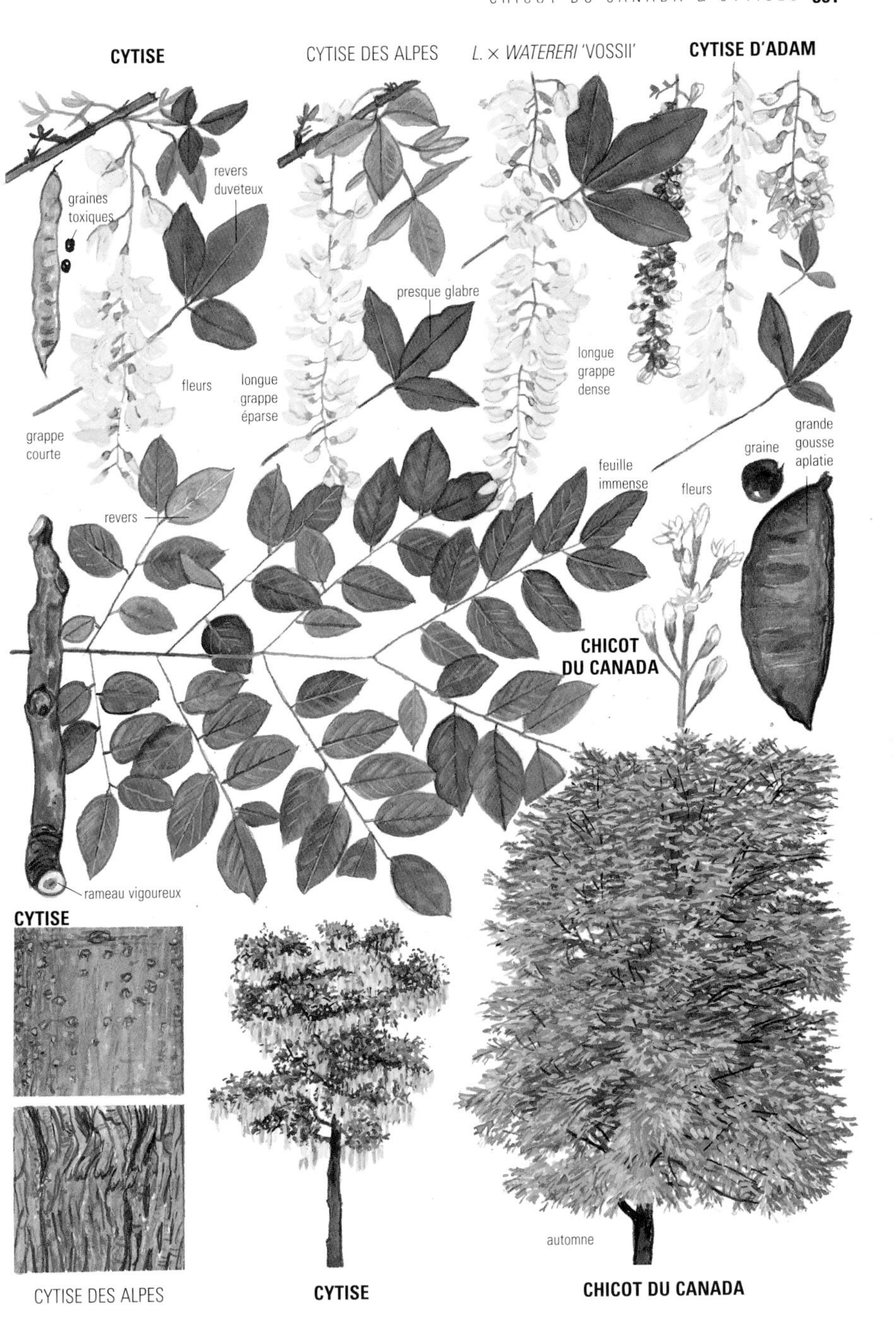

CYTISE DES ALPES

CYTISE

CHICOT DU CANADA

Sophora du Japon — *Sophora japonica*

(*Stryphnolobium japonicum*) Chine, Corée (cultivé depuis longtemps au Japon). Assez commun dans les parcs et grands jardins.

ASPECT – **Silhouette.** Dôme irrégulier, avec des branches lourdes, sinueuses ; jusqu'à 25 m ; rappelant en hiver l'orme hybride 'Vegeta' (p. 246) ; vert intense en été, avec des pousses jaunes à leur extrémité. **Écorce.** Brun-gris ; *crêtes entrecroisées*, moins rugueuses et irrégulières que chez le robinier (p. 354). **Rameaux.** *Vert foncé*. **Bourgeons.** 1 mm, cachés dans la base du pétiole puis cernés par leur cicatrice. **Feuilles.** Jusqu'à 25 cm ; *9 à 15* folioles entières de 3 à 6 cm, *finement pointues*. **Fleurs.** Sur les arbres de 30 ans ou plus, bien visibles après les étés chauds ; *grosses inflorescences ramifiées en début d'automne*, blanches (mauves chez 'Violacea') ; gousses (8 cm) rares dans nos régions.

ESPÈCES VOISINES – Robinier et *Robinia* × *slavinii* (p. 354). *Cladrastis sinensis* (ci-dessous) : folioles plus oblongues.

CULTIVARS – 'Pendula', rare : arbre pleureur, jusqu'à 10 m ; ne fleurit pas.
'Variegata', très rare : feuilles bordées de blanc.

Sophora tetraptera

Nouvelle-Zélande, Chili, Tristan da Cunha : les gousses flottent et permettent la dispersion par l'eau. 1772. Rare ; pour climat doux.

ASPECT – **Silhouette.** Assez raide et grêle ; souvent buissonnante, jusqu'à 12 m. **Écorce.** Noirâtre, lisse. **Feuilles.** Folioles entières de 12 à 35 mm de long, vert foncé, persistantes, à poils soyeux. **Fleurs.** Bouquets jaunes spectaculaires ornant la couronne quand les vieilles feuilles tombent à la fin du printemps.

ESPÈCE VOISINE – *Sorbus scalaris* (p. 304).

Maackia amurensis

NE Asie et (var. *buergeri*) Japon. 1864. Rare.

ASPECT – **Silhouette.** Basse (jusqu'à 10 m) ; gracieusement étalée. **Écorce.** Brune ; *s'écaillant finement et horizontalement* entre des bandes de lenticelles rugueuses. **Feuilles.** Proches de celles du sophora du Japon : folioles plus rondes et plus foncées (duveteuses au revers chez var. *buergeri*) ; bourgeons *pas entièrement cachés* par la base renflée du pétiole. **Fleurs.** Blanc ivoire, en *bouquets raides dressés de 12 cm*, en plein été.

ESPÈCE VOISINE – *Cladrastis sinensis* (ci-dessous) : écorce grise lisse.

Virgilier — *Cladrastis kentukea*

(*C. lutea* ; *C. tinctoria*) De l'Indiana à la Caroline. 1812. Rare : parcs et grands jardins. Le bois produit une teinture jaune.

ASPECT – **Silhouette.** Largement étalée, jusqu'à 15 m. **Écorce.** *Gris foncé* ; *finement* rugueuse. **Bourgeons.** *Sans écailles*, 4 mm ; cachés dans la base du pétiole puis cernés par leur cicatrice. **Feuilles.** Avec de *grandes* (jusqu'à 12 × 7 cm) folioles entières, vert tendre mat, plus ou moins *alternes* le long du rachis ; poils soyeux au revers ; jaunes en automne. **Fleurs.** Parfumées mais rares dans nos régions ; longues grappes pendantes (20 à 40 cm), en début d'été.

ESPÈCE VOISINE – Noyer (p. 178) : feuilles coriaces, foncées.

AUTRE ARBRE – *C. sinensis* (1901), très rare : jusqu'à 17 *folioles étroitement oblongues* (10 × 3 cm), à bords parallèles et *poils roux* sous la nervure médiane ; inflorescences *dressées* (*cf. Maackia amurensis*, ci-dessus, à écorce écailleuse).

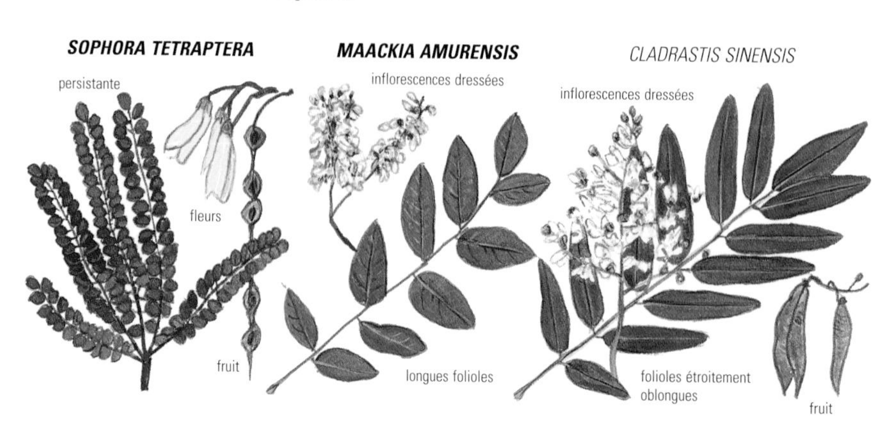

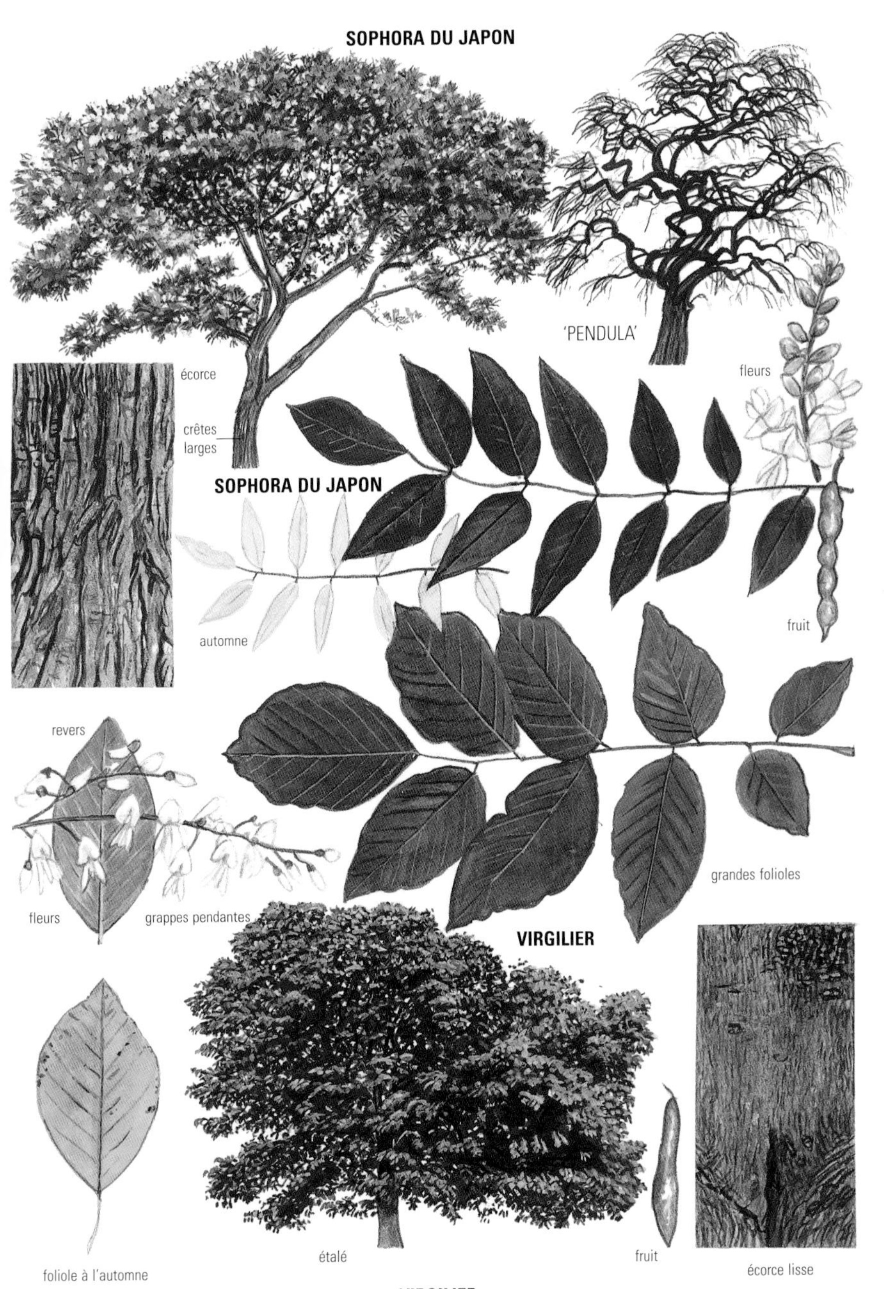
SOPHORA DU JAPON
'PENDULA'
écorce
crêtes larges
fleurs
SOPHORA DU JAPON
automne
fruit
revers
fleurs
grappes pendantes
grandes folioles
VIRGILIER
foliole à l'automne
étalé
fruit
écorce lisse
VIRGILIER

Robinier *Robinia pseudoacacia*

(Faux acacia) E États-Unis. 1630. Commun partout en Europe (cultivé et naturalisé), sauf en altitude.
Aspect – **Silhouette.** Grêle, jusqu'à 28 m ; branches tordues, souvent cassées, sur un tronc souvent double. **Écorce.** Brun-gris ; *très rugueuse*, avec de longues *fissures profondes*. **Rameaux.** Rouge foncé, côtelés ; les plus vigoureux avec *2 épines* à chaque bourgeon (minuscule, sans écaille, caché en été par la base du pétiole, puis cerné par sa cicatrice). **Feuilles.** 9 à 23 folioles entières *ovales* (4 × 2 cm), vert bleuté, avec un petit poil à l'extrémité *arrondie* finement échancrée ; vite glabres. **Fleurs.** Blanches, parfumées, en grappes pendantes au début de l'été, très nombreuses après les années chaudes ; suivies de gousses pendantes brun foncé, 10 cm.
Espèces voisines – Sophora du Japon (p. 352). Févier d'Amérique (p. 348) : feuilles plus petites, souvent bipennées.
Cultivars – 'Frisia' (1935), commun : grandes folioles jaune clair tout l'été, plus foncé en automne (parfois vert pâle les étés très chauds) ; arbre élancé, jusqu'à 18 m. ('Aurea', plus ancien et maintenant plus rare, est plus large, avec des feuilles jaunes virant au vert tilleul.)
'Bessoniana' (1871), commun : tronc *droit* (souvent 5 m), avec une *couronne arrondie* de branches lourdes, tordues ; jusqu'à 14 m ; inerme (sauf sous le point de greffe) et peu florifère.
'Umbraculifera' (1820, souvent nommé à tort 'Inermis'), commun : *fines branches tordues* émergeant du point de greffe et formant un dôme bas, *dense* mais fragile, jusqu'à 9 m ; fleurit très rarement.
'Rozynskiana' (1903), rare : *longues feuilles pendantes, élégantes*, avec des folioles particulièrement *espacées*.
'Pyramidalis' ('Fastigiata' ; 1839), peu répandu : *même forme que le peuplier d'Italie* ; peu florifère.
'Unifolia' ('Monophylla' ; 1855), assez fréquent : grandes (10 × 4 cm) feuilles *simples* mêlées à des feuilles trilobées (folioles latérales petites). 'Monophylla Fastigiata', collections : colonnaire ; feuilles à 5 folioles. 'Monophylla Pendula' : forme semi-pleureuse.
'Tortuosa', peu répandu : branches ascendantes tortueuses (*cf.* 'Umbraculifera') ; feuilles assez *tordues* ; grappes courtes et denses.
Autres arbres – *R. viscosa* (de la Virginie à l'Alabama ; 1797), rare : jusqu'à 15 m ; *poils collants* sur les jeunes rameaux et pétioles ; fleurs *roses*, inodores. Ses hybrides avec le robinier (*R. × ambigua*) sont peu communs : 'Decaisneana' (1863), *rose pâle*, difficile à distinguer du robinier sans les fleurs (rameaux très légèrement collants) ; 'Bella-Rosea' (1860) : rose plus foncé ; moins vigoureux ; jeunes pousses plus collantes.
R. × slavinii (robinier × *R. kelseyi*, une espèce américaine arbustive ; 1914), peu répandu : ses *9 à 11* folioles bien espacées, fines, à *longue pointe effilée*, évoquent (ainsi que *son port délicat*) le sophora du Japon (p. 352), mais elles deviennent vite glabres et portent à leur extrémité le petit poil typique du robinier.

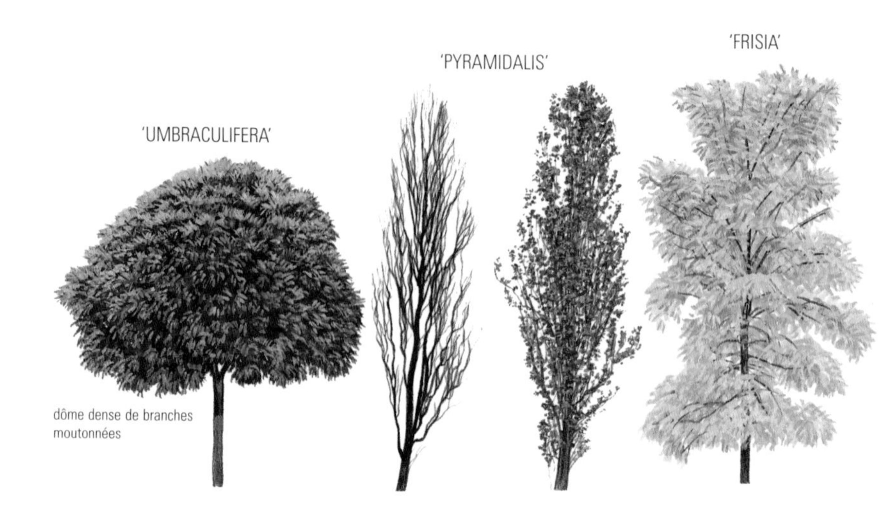

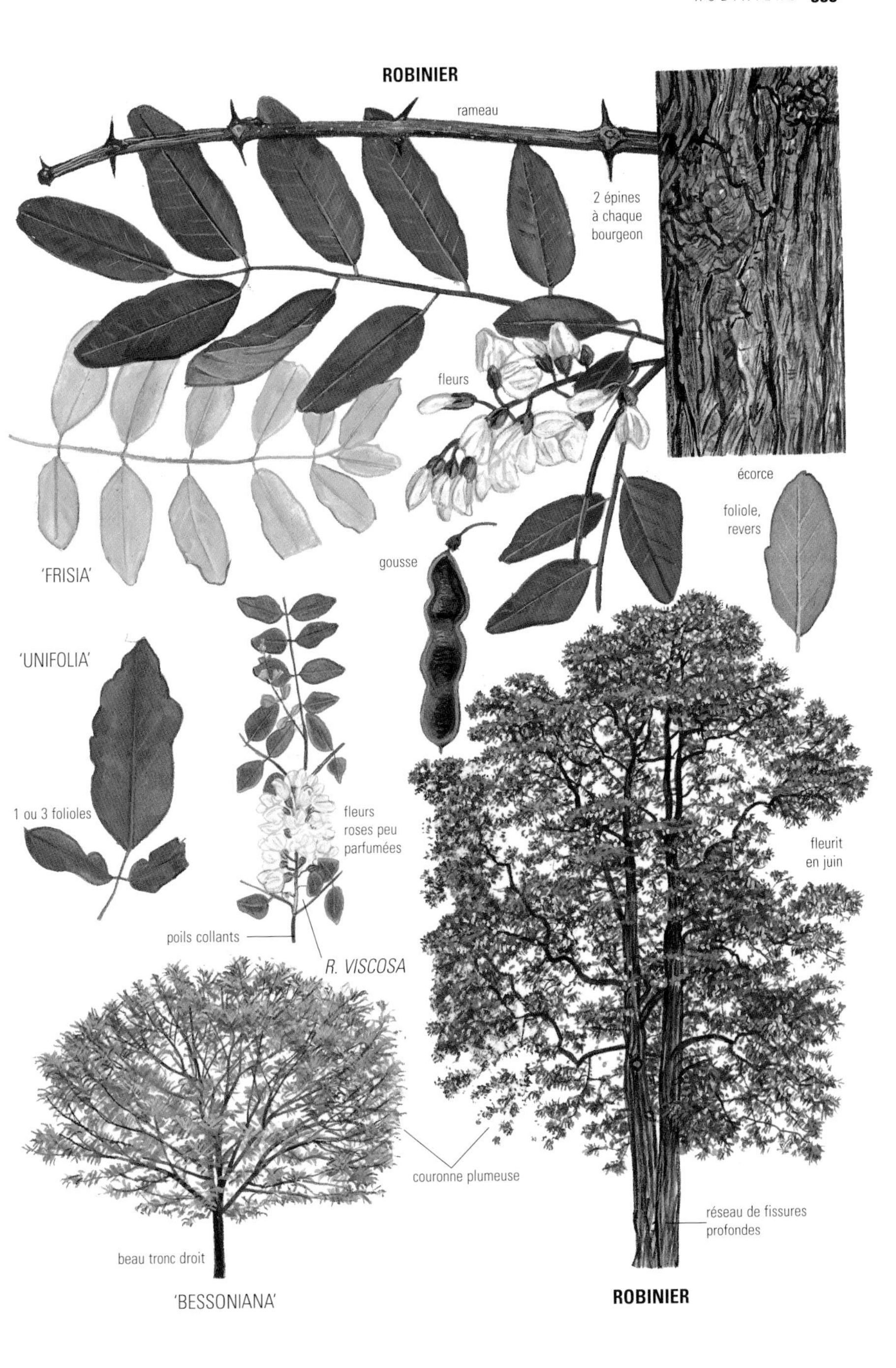
ROBINIER
rameau
2 épines
à chaque
bourgeon
fleurs
écorce
foliole,
revers
'FRISIA'
gousse
'UNIFOLIA'
1 ou 3 folioles
fleurs
roses peu
parfumées
fleurit
en juin
poils collants
R. VISCOSA
couronne plumeuse
réseau de fissures
profondes
beau tronc droit
'BESSONIANA'
ROBINIER

La famille des Rutacées comprend 1700 plantes dont les orangers et les citronniers (Citrus) *originaires du sud-est asiatique, mais maintenant largement cultivés dans les régions non gélives du sud de l'Europe.*

Euodia *Tetradium daniellii*

(*Euodia hupehensis, E. velutina*) Chine, Corée. 1907. Rare. Collections, parcs.
ASPECT – **Silhouette.** Dôme large sur des branches ascendantes légères ; jusqu'à 24 m. **Écorce.** Gris *foncé*, mouchetée de brun, lisse. **Rameaux.** Veloutés, fins pour un arbre au feuillage composé. **Bourgeons.** *Sans écailles*, rouges à argentés, 3 mm. **Feuilles.** Jusqu'à 35 cm, opposées ; 5 à 9 folioles en coupe, presque entières, brillantes dessus, blanchâtres et poilues au revers ; forte odeur de *citron*. **Fleurs.** Espèce dioïque ; inflorescences blanches, jusqu'à 15 cm, en *plein été*. **Fruits.** Pourprés, en bouquets denses.
ESPÈCES VOISINES – Frêne à fleurs (p. 438) : bourgeons avec écailles et floraison plus précoce. Phellodendrons. Vernis de Chine (p. 360) : feuilles alternes.

Le genre Phellodendron *réunit une dizaine d'arbres du nord-est de l'Asie, à l'écorce souvent liégeuse.*

Critères de distinction : *Phellodendron*

- Écorce : Liégeuse ?
- Feuilles : Forme des folioles à la base ? Revers duveteux ?

Phellodendron lavallei

(*P. amurense* var. *lavallei*) Japon. 1865. Collections.
ASPECT – **Silhouette.** Dôme large et dense ou grêle, sur des branches dressées, tordues ; jusqu'à 17 m. **Écorce.** Brun-gris pâle, se fissurant en crêtes *liégeuses* peu épaisses. **Bourgeons.** Larges, *vert pomme*, presque cachés dans la base du pétiole, puis cernés par sa fine cicatrice grise. **Feuilles.** Jusqu'à 40 cm, opposées ; 7 à 13 folioles entières effilées ou arrondies à la base, brillantes dessus et avec des poils blancs *sous les nervures principales* et sur le bord ; jaune roussâtre quand elles sortent. **Fleurs.** Espèce dioïque ; bouquets discrets, vert-jaune, 15 cm de large. **Fruits.** Noirs, brillants.
ESPÈCES VOISINES – Autres phellodendrons ; Euodia. L'écorce, moins épaisse que celle du chêne-liège (p. 224), le distingue des arbres aux feuilles composées *alternes* (cédrela de Chine, p. 358 ; noyer noir d'Amérique, p. 178).
AUTRES ARBRES – Phellodendron de l'amour, *P. amurense* (NE Asie, 1885) : poils *uniquement* sur le bord et dessous *à la base de la nervure médiane.*

Phellodendron du Japon *Phellodendron japonicum*

Japon. 1863. Rare.
ASPECT – **Silhouette.** Petite et large, souvent grêle ; jusqu'à 14 m. **Écorce.** Crêtes brun-gris entrecroisées mais *à peine liégeuses.* **Feuilles.** Folioles plus larges et plus jaunes que celles de *P. lavallei, droites ou cordiformes* à la base, et plus ternes dessus ; *poils blancs sur le rachis et au revers.*
ESPÈCES VOISINES – Autres phellodendrons ; Euodia (ci-dessus). Ses feuilles opposées entières le distinguent du vernis de Chine (p. 360) ou du virgilier (p. 352).
AUTRE ARBRE – *P. chinense* (Chine, 1907), collections : feuilles *à base effilée*, finement duveteuses au revers ; fruits (arbres femelles) en bouquets denses aussi *larges que hauts.*

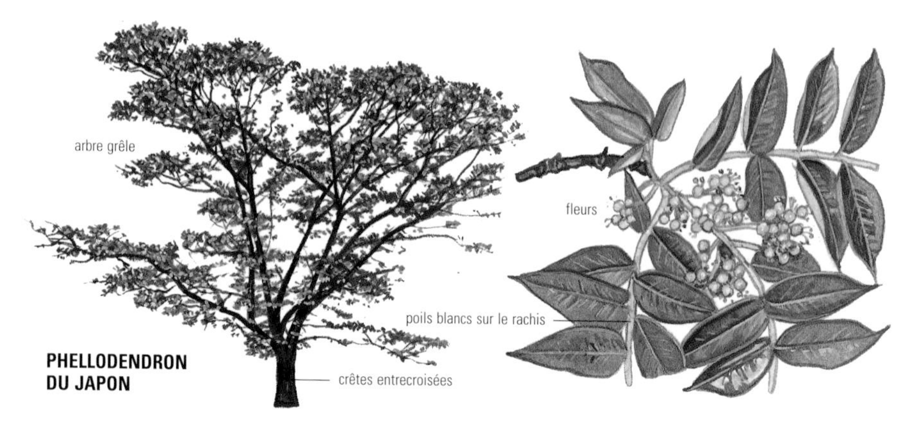

PHELLODENDRON DU JAPON

PHELLODENDRON DE L'AMOUR
* = PHELLODENDRON DU JAPON (VOIR CI-DESSOUS)
poils uniquement sur le bord
pointe courbée
fruits aromatiques
*(VOIR CI-DESSUS)
poils blancs au revers
EUODIA
brillante
base des feuilles inégale
PHELLODENDRON LAVALLEI
automne
écorce lisse
fruits
revers duveteux
EUODIA

Buis *Buxus sempervirens*

Europe, N Afrique, O Asie. Commun dans le Midi, jusqu'en Bourgogne et dans le Jura, rare ou disséminé ailleurs. Très commun dans les jardins. (Famille : Buxacées.)
ASPECT – **Silhouette.** En général un buisson dense aux tiges dressées sinueuses ; jusqu'à 12 m. **Écorce.** Gris roussâtre ; crêtes rugueuses serrées. **Feuilles.** Opposées, petites (2 à 3 cm), convexes, entières, souvent échancrées à leur extrémité ; brillantes, coriaces et persistantes, avec une odeur particulière. **Fleurs.** Jaunes, en bouquets à l'aisselle des feuilles dès la fin de l'hiver.
ESPÈCES VOISINES – Filaria à feuilles larges (p. 442) ; azara à petites feuilles (p. 408).
CULTIVARS – La plupart sont buissonnants. 'Aurea Pendula', peu répandu : jusqu'à 8 m ; feuilles bordées de jaune.
AUTRES ARBRES – Buis de Mahon, *B. balearica* (SO Espagne, Sardaigne, îles Baléares ; 1780), rare : *feuilles plus grandes et plus plates, jaunâtres, mates* (jusqu'à 5 cm) ; fleurs plus voyantes, parfumées.

Ailante *Ailanthus altissima*

(Faux vernis du Japon) N Chine. 1751. Subspontané en France, surtout dans le sud. Commun dans les parcs et grands jardins : un des arbres les plus résistants à l'air sec et pollué des villes. (Famille : Simarubacées.)
ASPECT – **Silhouette.** Haute (jusqu'à 28 m) ; branches robustes, sinueuses, sur un tronc court en colonne. **Écorce.** Lisse, gris foncé ; *fines striures blanches verticales* ; parfois, crêtes légèrement liégeuses avec l'âge. **Rameaux.** Épais et effilés, finement duveteux. **Bourgeons.** Au-dessus de grosses cicatrices arrondies, pâles ; très petits, rougeâtres, arrondis. **Feuilles.** Immenses, à odeur désagréable ; feuillaison tardive et *rouge* (*cf.* noyer commun, p. 178) ; 11 à 21 folioles brillantes, légèrement duveteuses au début dessous et sur le bord ; *1 à 6 grosses dents à la base de chaque foliole*, portant des glandes nectarifères. **Fleurs.** Espèce généralement dioïque ; les mâles en grappes crème en milieu d'été, les femelles suivies de gros bouquets de samares prenant en fin d'été une belle teinte abricot, écarlate ou cramoisie ('Erythrocarpum').
ESPÈCES VOISINES – Cédrela de Chine, vernis vrai (p. 360) : pas de dents à la base des feuilles. Noyer cendré (p. 180) : feuilles entièrement dentées.
AUTRE ARBRE – Ailante de Vilmorin, *A. vilmoriniana* (O Chine, 1897), collections : *quelques épines souples* sur les jeunes rameaux et feuilles *très duveteuses* ; rachis rouge finement poilu ; rejette parfois du tronc.

Cédrela de Chine *Toona sinensis*

(*Cedrela sinensis*) N et O Chine. 1862. Peu répandu dans les jardins ; parfois utilisé en alignement. (Famille : Méliacées.)
ASPECT – **Silhouette.** Grêle, ouverte, jusqu'à 27 m ; drageonnante. **Écorce.** Grise ; longues plaques superficielles devenant *pelucheuses*. **Rameaux.** *Orange pâle* ; bourgeons verts. **Feuilles.** Jusqu'à 70 cm, généralement sans foliole terminale (*cf.* noyer noir d'Amérique, p. 178) ; presque glabres ; quelques dents espacées *ou aucune* ; *forte odeur d'oignon.* **Fleurs.** Parfumées, en grappes blanches légères, pendantes, jusqu'à 50 cm, en milieu d'été.
ESPÈCE VOISINE – Vernis vrai (p. 360).
CULTIVARS – 'Flamingo', rare : *jeunes feuilles rose vif*, virant au crème puis au vert.

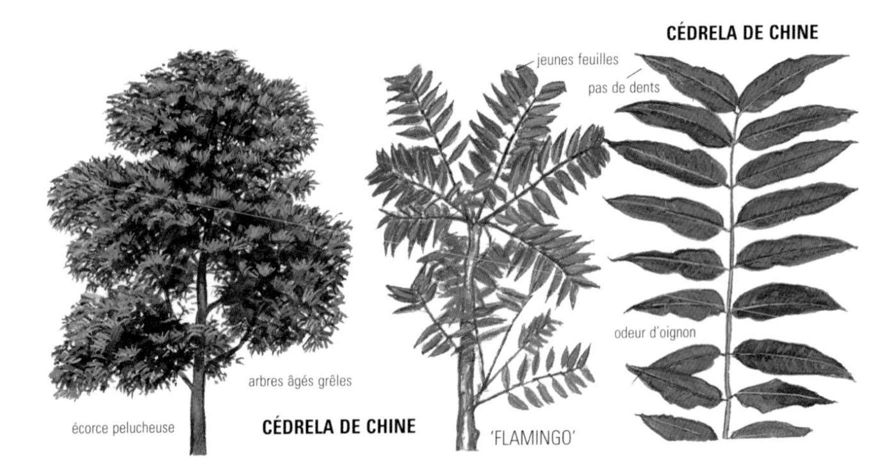

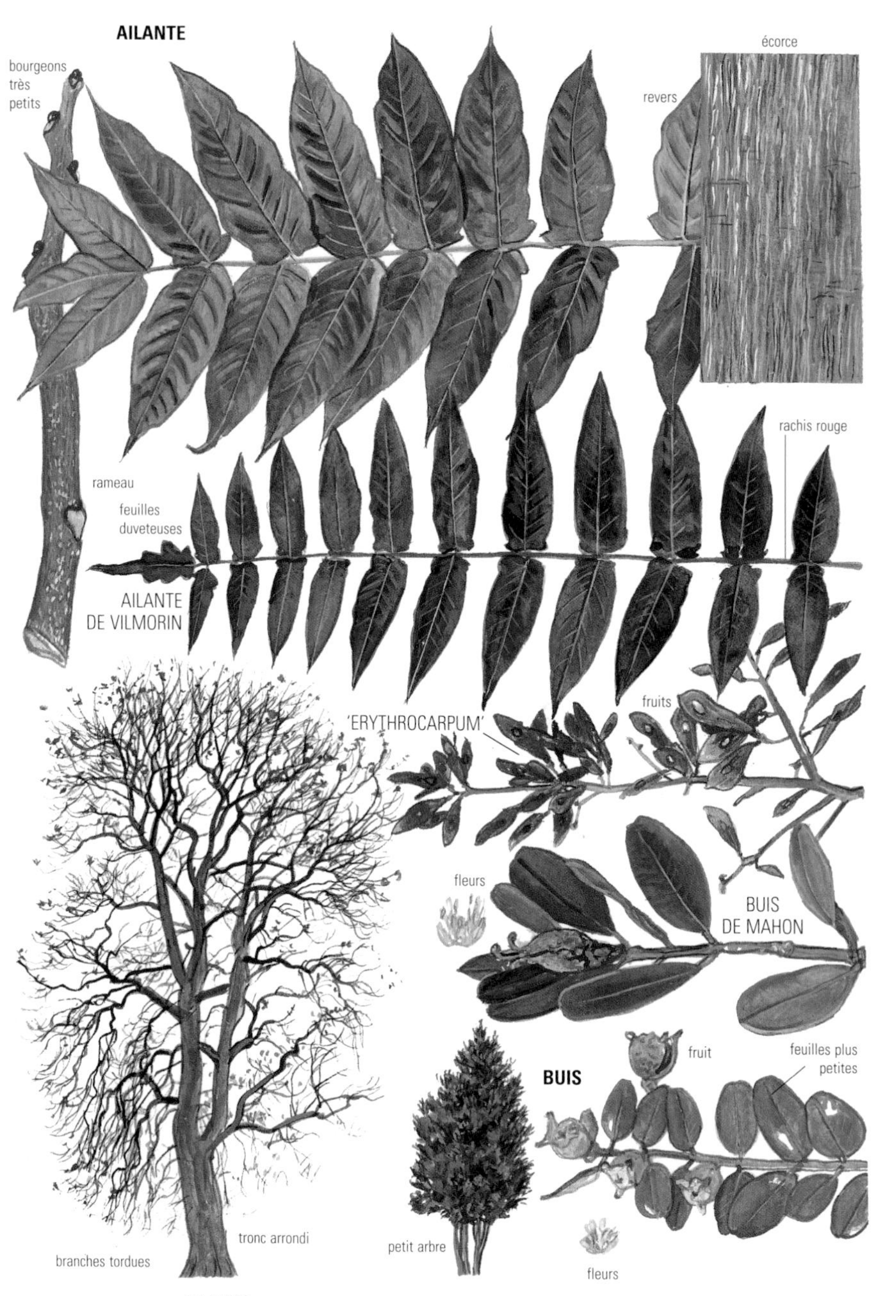
AILANTE
bourgeons très petits
écorce
revers
rachis rouge
rameau
feuilles duveteuses
AILANTE DE VILMORIN
fruits
'ERYTHROCARPUM'
fleurs
BUIS DE MAHON
fruit
feuilles plus petites
BUIS
tronc arrondi
petit arbre
branches tordues
fleurs
AILANTE

La famille des Anacardiacées est essentiellement tropicale. Le genre Rhus *(200 espèces) comprend le sumac grimpant* (R. radicans)*, très toxique – certaines personnes sont allergiques à la sève de ces arbres.*

Sumac de Virginie *Rhus typhina*

(Vinaigrier) E Amérique du Nord. 1610. Commun dans les petits jardins ; très drageonnant.
ASPECT – **Silhouette.** Un *dôme miniature à tronc court* (jusqu'à 7 m). **Écorce.** Brune, finement rugueuse. **Rameaux.** *Très veloutés.* **Bourgeons.** 4 mm, orange, arrondis, sans écailles ; cachés en été dans la base du pétiole. **Feuilles.** Jusqu'à 60 cm ; jusqu'à 25 folioles *dentées* longuement pointues ; pendant puis tombant une à une, souvent cramoisies, mais restant parfois sur l'arbre jusqu'en hiver. **Fleurs.** Espèce dioïque ; la plupart des plantes de jardin sont femelles ; fruits cramoisis en épis denses et veloutés, persistant jusqu'au printemps.
CULTIVAR – 'Dissecta' ('Laciniata'), assez commun : feuillage très découpé (*cf.* noyer commun 'Laciniata', p. 178).

Vernis vrai *Rhus verniciflua*

(Vernis du Japon) Himalaya, Chine. 1874. Rare. Sa sève (toxique) est extraite au Japon pour fabriquer la laque.
ASPECT – **Silhouette.** Grêle, ouverte, max. 21 m ; branches souvent disposées en verticilles. **Écorce.** Gris foncé ; rugueuse, marquée de losanges noirs puis de petites écailles courbées. **Rameaux.** *Gris pâle*, mouchetés d'orange. **Bourgeons.** Brun brillant ; bourgeon terminal *avec un bec, 1 cm.* **Feuilles.** Max. 70 cm ; 7-9 folioles coriaces *entières*, brillantes dessus, veloutées dessous ; faible odeur balsamique ; rouges en automne. **Fleurs.** Espèce souvent dioïque ; grappes éparses blanc cassé, 25 cm, verticillées, en milieu d'été. **Fruits.** Baies brun-jaune, brillantes ; pressées pour l'huile en Chine.
ESPÈCES VOISINES – Cédrela de Chine (p. 358). Ailante (p. 358) : *grandes dents* à la base des folioles.

Vernis de Chine *Rhus potaninii*

N Chine. 1902. Rare ; grands jardins.
ASPECT – **Silhouette.** Large ; jusqu'à 24 m, souvent moins ; rameaux tordus sur des branches horizontales. **Écorce.** Grise, avec des *fissures orange.* **Bourgeons.** Sans écailles, avec des poils blancs ; cachés dans la base du pétiole en été ; pas de bourgeon terminal. **Rameaux.** Verts, souvent finement veloutés au début. **Feuilles.** *7 à 11* folioles brillantes, parfois dentées ; foliole terminale *projetée à l'horizontale* ; roses et rouges en automne. **Fruits.** Baies duveteuses rouge vif.
ESPÈCES VOISINES – *Maackia amurensis* (p. 352). Euodia (p. 356) : feuilles opposées.

Arbre à perruques *Cotinus coggygria*

(Fustet ; *Rhus cotinus*) De S Europe à Chine. 1656. Commun dans le sud-est de la France, largement cultivé ailleurs.
ASPECT – **Silhouette.** Buissonnante, jusqu'à 9 m. **Écorce.** Brun-gris pâle ; crêtes serrées. **Feuilles.** *Entières*, glabres ; 7 × 5 cm ; nervures parallèles marquées ; rouge doré en automne. **Fleurs.** *Inflorescences plumeuses* de pédoncules poilus.
ESPÈCES VOISINES – Bourdaine (p. 398) ; aliboufier du Japon (p. 434).
CULTIVARS – f. *purpureus* : inflorescences rose pourpré ; 'Foliis Purpureis' : inflorescences et feuilles pourpres ; 'Nocutt's Variety' et 'Royal Purple' (très commun) : inflorescences et feuilles pourpres (vertes dessous et cramoisies en automne).
AUTRES ARBRES – Fustet d'Amérique, *C. obovatus* (*C. americanus* ; SE États-Unis, 1882), peu répandu : *arbre en dôme* à l'écorce sillonnée de brun et orange ; feuilles plus étroites que celles de l'arbre à perruques (12 × 7 cm), plus *cunéiformes à la base* ; fruits épars.

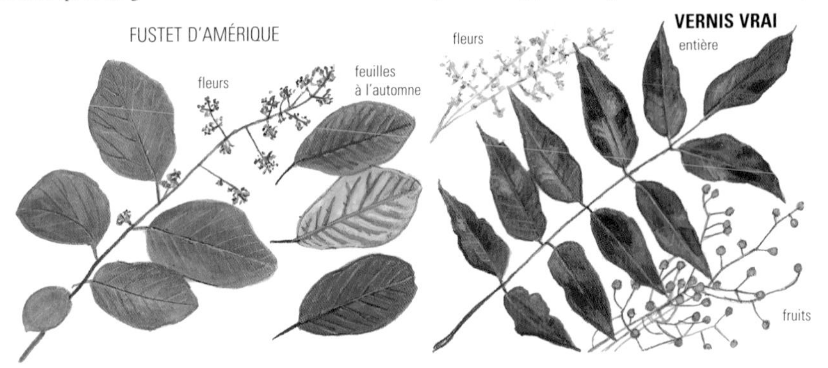

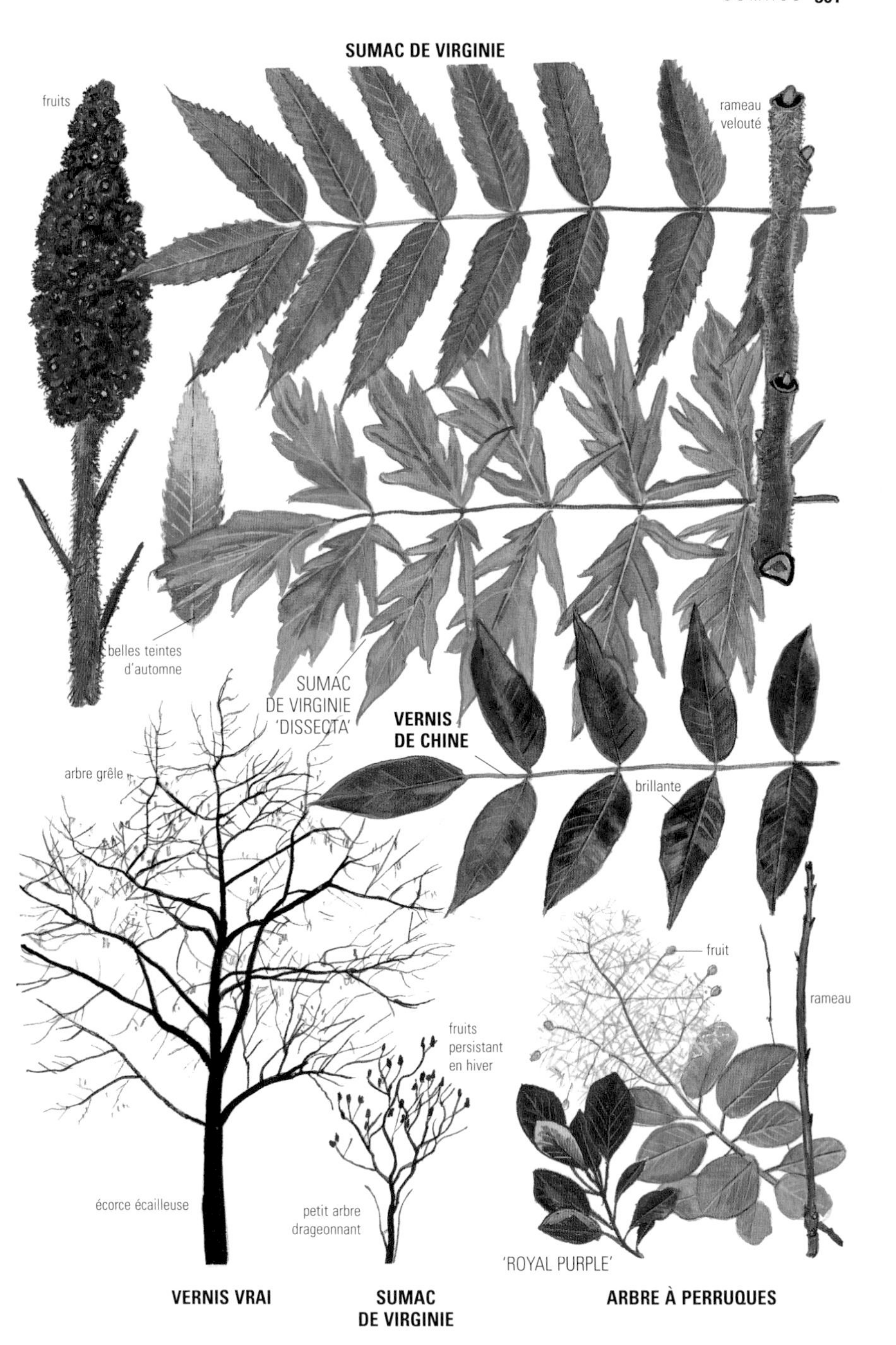
SUMAC DE VIRGINIE
fruits
rameau
velouté
belles teintes
d'automne
SUMAC
DE VIRGINIE
'DISSECTA'
VERNIS
DE CHINE
brillante
arbre grêle
fruit
rameau
fruits
persistant
en hiver
écorce écailleuse
petit arbre
drageonnant
'ROYAL PURPLE'
VERNIS VRAI
SUMAC
DE VIRGINIE
ARBRE À PERRUQUES

Largement répandue, la famille des Aquifoliacées est dominée par les houx.

Houx commun *Ilex aquifolium* 

Europe, O Asie. Assez commun en France – plus rare dans le sud-est. Largement planté dans les jardins. Le seul représentant européen de ce genre qui compte quelque 400 espèces diverses.

ASPECT – **Silhouette.** Conique, puis irrégulièrement dressée, jusqu'à 23 m ; souvent avec les branches basses retombant en cascade ; drageonnante. **Écorce.** Gris brunâtre, finement rugueuse et souvent marquée de petites verrues arrondies. **Feuilles.** Persistantes, très luisantes dessus (pâles et mates au revers) ; très épineuses sur les jeunes plantes ; les grands arbres ont des feuilles planes, pratiquement sans épines. **Fleurs.** En fin de printemps ; fleurs mâles avec 4 étamines jaunes en croix ; les femelles (sur des arbres séparés) avec un style unique dans le milieu. **Fruits.** Baies toxiques cramoisies, plus ou moins abondantes.

ESPÈCES VOISINES – *Ilex* × *altaclarensis* (p. 366). *Osmanthus heterophyllus* (p. 442) et certains filarias (p. 442) : feuilles épineuses mais *opposées.* Chêne vert du Japon (p. 230) et *Ligustrum lucidum* (p. 442) : feuilles brillantes toujours inermes. Chêne de Californie (p. 222), chêne-liège (p. 224) et jeunes chênes verts (p. 222) : épines plus souples et écorces différentes.

AUTRES ARBRES – Houx d'Amérique, *I. opaca*, rare : feuilles très similaires mais *mates* (*cf.* houx de l'Himalaya, p. 366).

Houx de Madère, *I. perado* (des variétés aux Açores et aux Canaries) : peu rustique ; feuilles brillantes *larges*, avec quelques *fines épines pointant vers l'avant*, ou aucune.

CULTIVARS – Les clones de houx commun sont soit mâles soit femelles. On ne peut déterminer leur genre que lorsqu'ils sont en fleur car en l'absence de pollinisation, les sujets femelles ne produisent pas de baies. Certains arbres mis sur le marché avant leur mise à fleur portent des noms qui peuvent induire en erreur.

Le houx doré, f. *aureomarginata*, offre plusieurs clones communs dans les jardins : feuilles de même forme, bordées de jaune foncé (*cf.* p. 364 pour d'autres houx panachés aux feuilles de formes insolites).

'Golden Queen' : mâle ; robuste, avec *une écorce très verruqueuse* et des feuilles larges, *jaune pur sur de nombreuses pousses.*

'Madame Briot' : femelle, rameaux pourpres ; feuilles larges très épineuses, *tachées* et bordées de jaune foncé.

'Heterophylla Aureomarginata' : femelle ; feuilles larges, *sans épines même sur les jeunes plantes* (*cf.* 'Belgica Aurea', p. 366).

'Watereriana' : mâle ; port *dense et régulier* ; feuilles assez larges, généralement *inermes*, étroitement bordées de jaune d'or (*cf.* 'Laurifolia Aurea', p. 364).

'Golden Milkboy' : mâle ; tache jaune foncé *au centre* de chaque feuille (*cf.* 'Ferox Aurea' et 'Crispa Picta', p. 364) ; revient facilement au type à feuilles vertes. 'Golden Milkmaid' : clone femelle équivalent.

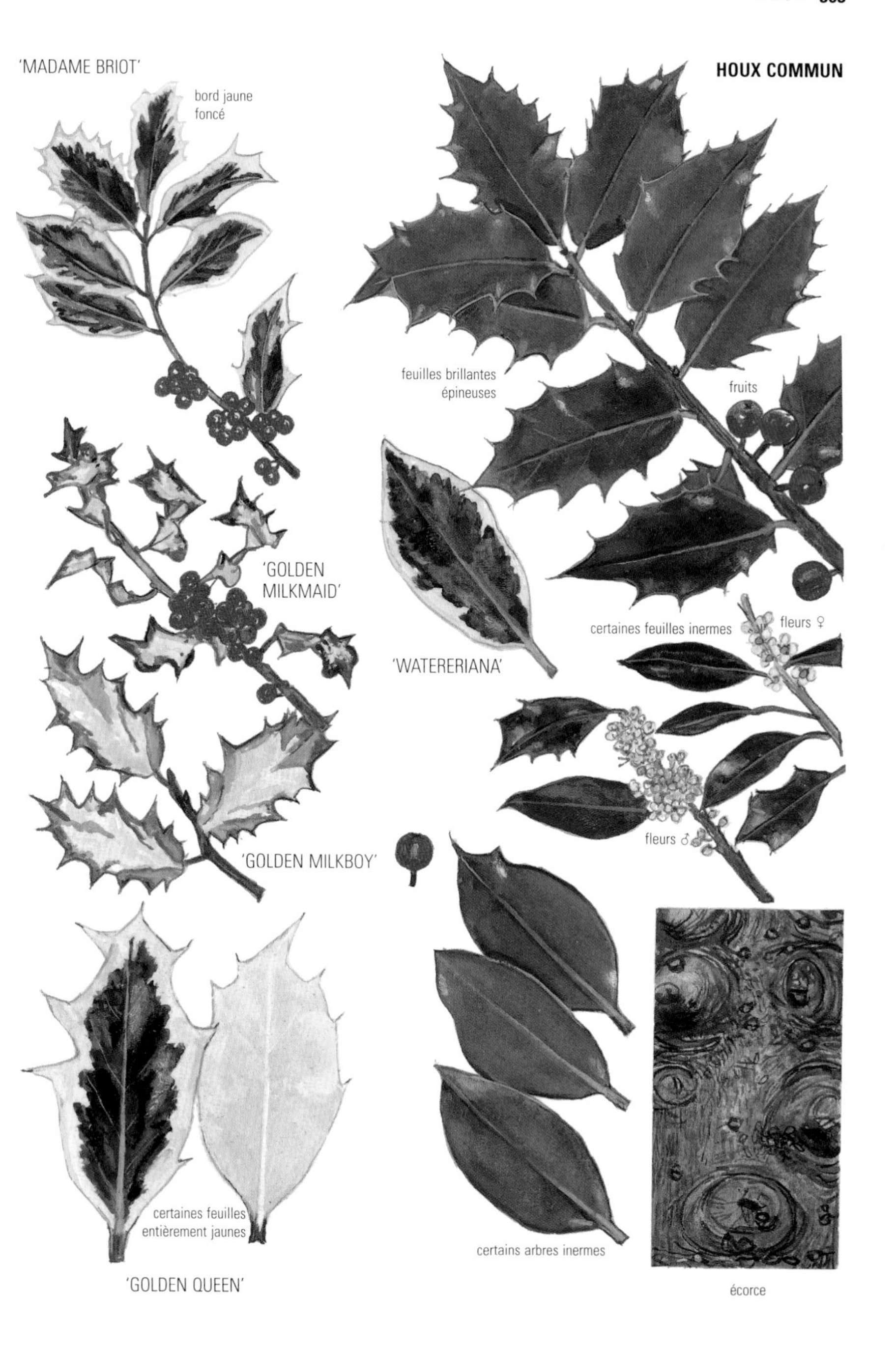
'MADAME BRIOT'
bord jaune foncé
HOUX COMMUN
feuilles brillantes épineuses
fruits
'GOLDEN MILKMAID'
'WATERERIANA'
certaines feuilles inermes
fleurs ♀
fleurs ♂
'GOLDEN MILKBOY'
certaines feuilles entièrement jaunes
certains arbres inermes
'GOLDEN QUEEN'
écorce

CULTIVARS DU HOUX COMMUN

Le houx argenté, *Ilex aquifolium* f. *argenteomarginata*, offre de nombreux clones, comme le houx doré (p. 362) : feuilles de forme normale avec un bord d'un jaune crème pâle ou blanc.
'Argentea Marginata' : élevé ; femelle, très fructifère ; bord des feuilles d'un blanc très vif.
'Handsworth New Silver' : femelle ; rameaux *pourpres* ; feuilles assez fines avec des épines curieusement massives, *planes*, tachées de gris au centre et bordées de crème argenté.
'Silver Queen' : mâle ; rameaux *pourpres* ; bord des feuilles vivement argenté.
'Silver Milkboy' : mâle ; tache crème *au centre* des feuilles ; revient facilement au type (*cf.* 'Golden Milkboy' et 'Golden Milkmaid', p. 362).

Certains houx ont des feuilles aux formes originales, comme 'Ferox', dont les petites feuilles portent des épines *sur la face supérieure* ; un arbre mâle assez grêle (12 m seulement), surtout intéressant de près.
'Ferox Argentea' : feuilles pareillement agressives, *bordées* de crème pâle jaunâtre (pas vraiment argenté) ; plus vigoureux que 'Ferox'. 'Ferox Aurea' : feuilles avec *une tache vieil or au centre* ; buissonnant.
'Crispa', très curieux : feuilles coriaces, épaisses, sur des rameaux pourpres, tordues, avec peu ou pas d'épines sauf une au sommet, courbée vers le bas.
'Crispa Picta' : variant aux feuilles tachées de jaune au centre.
'Crassifolia', encore plus insolite : feuilles étroites, *aussi épaisses que du cuir*, avec de petites épines plates ; femelle.

'Myrtifolia' : *feuilles étroites et minuscules* (50 × 15 mm), plates, avec des petites épines régulières ; mâle ; assez conique, jusqu'à 12 m. 'Myrtifolia Aurea' ; feuilles légèrement plus larges, bordées de jaune.
'Laurifolia' : vigoureux ; mâle ; rameaux pourpres ; feuilles *étroites* pratiquement inermes (8 × 3 cm).
'Laurifolia Aurea' : feuilles étroitement bordées de jaune (*cf.* feuilles plus larges de 'Watereriana', p. 362).
'Pyramidalis' : femelle ; silhouette conique régulière ; feuilles généralement *inermes* ; très fructifère. On trouve parfois des arbres presque aussi attrayants dans la nature (f. *heterophylla*).

Autres formes insolites :
'Flavescens', rare : *jeunes feuilles entièrement jaunes*, virant lentement au vert foncé – les jeunes pousses contrastent joliment sur la couronne.
'Fructu-Luteo' (f. *bacciflava*) : identifiable seulement quand il porte ses *baies jaune vif*.
'Pendula', assez rare : dôme de feuillage retombant en *rideau dense* (sauf à l'ombre épaisse) à partir d'un point de greffe élevé ; femelle.
'Argenteomarginata Pendula', très fructifère et très décoratif : dôme bas au feuillage bordé de gris argenté vif. L'équivalent à feuillage doré, 'Aurea Pendula', est curieusement très rare.

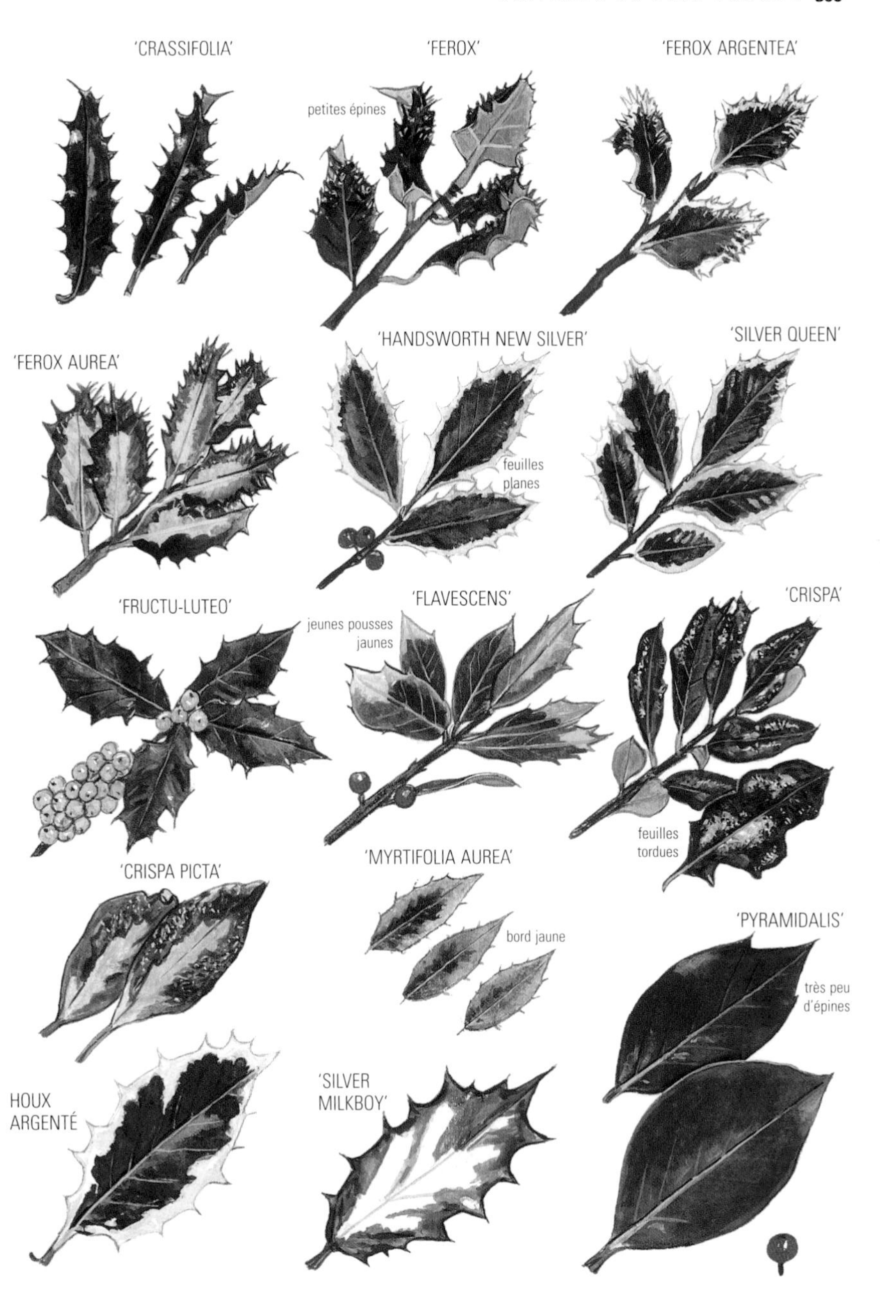
'CRASSIFOLIA'
'FEROX'
petites épines
'FEROX ARGENTEA'
'FEROX AUREA'
'HANDSWORTH NEW SILVER'
feuilles planes
'SILVER QUEEN'
'FRUCTU-LUTEO'
'FLAVESCENS'
jeunes pousses jaunes
'CRISPA'
feuilles tordues
'CRISPA PICTA'
'MYRTIFOLIA AUREA'
bord jaune
'PYRAMIDALIS'
très peu d'épines
HOUX ARGENTÉ
'SILVER MILKBOY'

Houx à grandes feuilles *Ilex latifolia*

Japon. 1840. Rare ; grands jardins en climat doux. ASPECT – **Silhouette.** Élancée, jusqu'à 12 m, avec d'immenses feuilles. **Écorce.** Assez argentée. **Rameaux.** Laineux. **Feuilles.** *Très coriaces* et brillantes (glabres) ; convexes et longuement pointues, jusqu'à *20 cm* ; parfois dentées mais sans épines. **Fleurs, fruits.** Comme ceux du houx commun.
ESPÈCES VOISINES – *Osmanthus yunnanensis* (p. 442) ; *Photinia serratifolia* (p. 282) ; magnolia à grandes fleurs (p. 260) ; laurier-cerise (p. 344).

Ilex × *altaclarensis*

Le houx de Madère (p. 362), peu rustique, était fréquent dans les jardins d'hiver ; au printemps, les pots étaient transférés à l'extérieur et les houx communs fertilisaient parfois les pieds femelles. Leurs descendants sont des plantes particulièrement robustes, tolérant la pollution, avec des rameaux aplatis et des feuilles plus larges que celles du houx commun, mais avec une écorce et un port similaires. Beaucoup de cultivars, pas toujours faciles à identifier.
'Hodginsii' (1836), maintenant peu répandu : feuilles jusqu'à 10 × 8 cm, épaisses et brillantes, avec de petites épines irrégulières ; mâle ; rameaux pourpres au soleil ; jusqu'à 22 m ; un tronc vigoureux ou plusieurs troncs renflés au point d'insertion des branches. 'Wilsonii' (un variant femelle ; rare) : feuilles plus pâles à petites épines plus ou moins régulières.
'Camelliifolia', peu répandu : feuilles très vernissées, finement pointues, plus longues et plus fines (jusqu'à 13 × 6 cm) ; femelle ; base des pétales violette ; arbre étroit (jusqu'à 20 m), au feuillage dense et légèrement pleureur ; les feuilles rappellent vaguement le chêne vert du Japon (p. 230) et même celles de *Ilex latifolia*.
'Hendersonii', peu répandu : femelle ; feuilles *mates*, aussi larges que celles de 'Hodginsii' et souvent inermes. 'Mundyi', rare : similaire mais mâle, avec des feuilles assez plissées.
'Golden King' (1870), assez fréquent : sport de 'Hendersonii', forme vers laquelle il revient malheureusement assez souvent ; femelle ; souvent densément buissonnant ; feuilles avec quelques petites épines, mates, mais *vivement bordées de jaune* ; 'Lawsoniana' (1865), peu répandu : femelle ; feuilles *marbrées de jaune et de vert pâle au centre*.
'Belgica Aurea' (1908), rare : plus vigoureux que 'Golden King' ; feuilles larges, *brillantes*, bordées de jaune crème pâle ; femelle ; revient facilement au type.

Houx de l'Himalaya *Ilex dipyrena*

De E Himalaya à O Chine. 1840. Rare : grands jardins. ASPECT – **Silhouette.** Jusqu'à 16 m, mais souvent buissonnante. **Écorce.** Gris-*brun*, finement rugueuse. **Feuilles.** *Étroites*, jusqu'à 12 × 3 cm ; vert bleuté foncé et *mates* dessus, vert plus brillant dessous ; entières ou avec de fines épines jaunes *apprimées*. **Fruits.** Baies rouge *terne*, éparses.
ESPÈCES VOISINES – *I.* × *altaclarensis* 'Hendersonii' (ci-dessus) ; *Osmanthus yunnanensis* (p. 442).
AUTRES ARBRES – L'hybride avec le houx commun, *I.* × *beanii*, est très rare : feuilles ternes plus larges et plus courtes.

Ilex pernyi

De centre Chine à E Inde. 1900. Rare.
ASPECT – **Silhouette.** Petite plante grêle et hérissée (jusqu'à 9 m). **Feuilles.** Plus ou moins sessiles, presque *triangulaires*, très denses le long des rameaux (plus petites et plus courtes que les feuilles *opposées* de *Osmanthus heterophyllus*, p. 442).

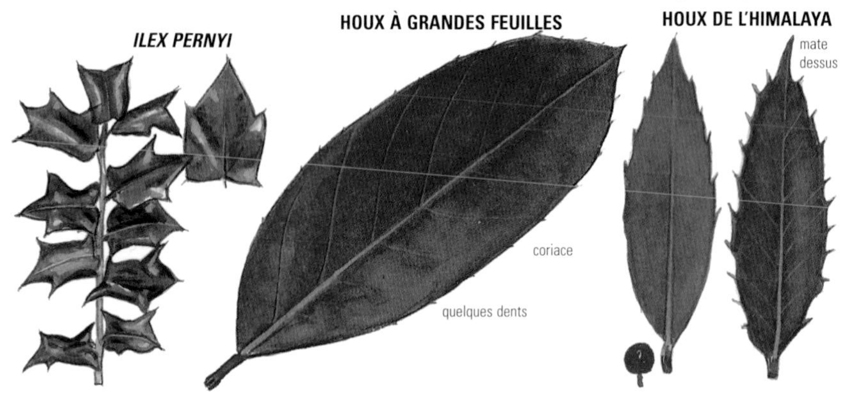

ILEX × ALTACLARENSIS 'WILSONII'
feuilles très larges
'HODGINSII'
'CAMELLIIFOLIA'
'LAWSONIANA'
revient
parfois
au type vert
mate
'HENDERSONII'
bord jaune
pâle
brillante
'GOLDEN KING'
'BELGICA AUREA'
ILEX × ALTACLARENSIS ('HODGINSII')

La famille des Acéracées comprend des arbres et des arbustes originaires de l'hémisphère Nord, presque tous des érables. Les érables (150 espèces) ont des feuilles opposées aux formes très variables – la plupart présentent 5 nervures partant de la base des 5 lobes, à des angles réguliers de 45°. (Autres grands arbres rustiques « à feuilles d'érable » – platanes, p. 280, copalmes, p. 278, et Kalopanax, *p. 424 – feuilles alternes.) L'érable trifide (p. 374), l'érable à feuilles de tilleul (p. 382), l'érable de Tartarie (p. 376) et l'érable à feuilles de charme (p. 384) portent généralement des feuilles non lobées de forme non commune. Les fleurs ont parfois de grands pétales ; les fruits sont des doubles samares.*

Critères de distinction : érables

- Silhouette : Forme de l'arbre ?
- Écorce : Quel aspect ?
- Rameaux : Couleur ?
- Bourgeons : Couleur ? Pédonculés ?
- Feuilles : Forme ? Poilues ou glauques au revers ? Dents filamenteuses ?
- Fleurs : Couleur ? Fleurs/fruits en bouquets (dressés, pendants ?) ou en grappes ?

Clé des espèces

Érable champêtre (ci-dessous) : feuilles à 5 lobes ; quelques dents arrondies. **Érable plane** (p. 372) : feuilles à 5 lobes ; quelques dents longuement pointues. **Érable sycomore** (p. 370) : feuilles à 5 lobes ; nombreuses dents grossières. **Érable du Japon** (p. 384) : feuilles à 5 ou 7 lobes ; nombreuses dents fines. **Érable de Cappadoce** (p. 374) : feuilles à 5 ou 7 lobes ; plus ou moins entières. ***A. japonicum*** (p. 386) : feuilles comptant jusqu'à 11 lobes. **Érable argenté** (p. 378) : feuilles très glauques dessous. ***A. davidii*** (p. 380) : conserve une écorce verte striée de blanc. ***A. griseum*** (p. 388) : feuilles trifoliées ; écorce rouge. **Érable negundo** (p. 390) : 3 à 7 folioles ; écorce grise. ***A. obtusifolium*** (p. 376) : feuilles brillantes semi-persistantes.

Érable champêtre *Acer campestre*

(Acéraille) Europe, SO Asie, N Afrique. Très commun en France, mais rare en région méditerranéenne et dans les Landes.

ASPECT – **Silhouette.** Densément rameuse (assez opaque en hiver) ; généralement en dôme ; jusqu'à 25 m. **Écorce.** Brun pâle, avec des crêtes denses dès le début ; légèrement liégeuse (se craquelant en petits carrés avec l'âge). **Rameaux.** Fins, brun pâle, avec des petits bourgeons gris poilus ; plissés la deuxième année puis développant parfois des ailes subéreuses (*cf.* orme d'Angleterre, p. 244 ; liquidambar, p. 278). **Feuilles.** *Petites* (jusqu'à 10 cm de large) ; très foncées et légèrement brillantes ; 5 (3) lobes avec quelques grandes dents *arrondies* ; jaunes en automne (rarement rouges) ; sève *laiteuse.* **Fleurs.** En petits bouquets arrondis vert-jaune, dressés, en même temps que les feuilles ; samares vertes à cramoisies, à ailes *horizontales.*

ESPÈCES VOISINES – Érable de Montpellier et *A. hyrcanum* (p. 376) : proches mais avec des feuilles aux formes sensiblement différentes. *Acer miyabei* (p. 386). Érable à grandes feuilles (p. 378) : feuilles bien plus grandes. *Malus trilobata* (p. 312) : feuilles alternes.

CULTIVARS – f. *fastigiatum* : plusieurs clones à port fastigié parfois plantés en alignement et dans les parcs, comme 'Elsrijk' ; aucun ne reste étroit très longtemps, tous s'élargissant avec l'âge.
'Compactum', rare : petite couronne globuleuse aux feuilles très petites.
'Pulverulentum', peu répandu : feuilles densément ponctuées de blanc ; revient facilement au type.
'Carnival', récent : feuilles rose-rouge quand elles sortent puis avec une épaisse bordure d'un blanc éclatant.
'Postelense' (1896), rare : jeunes feuilles jaunes ; vertes en été sauf sur les pousses tardives.
'Schwerinii' (1899), rare : feuilles marron puis vert rougeâtre. Chez 'Red Shine', une amélioration récente, les jeunes feuilles (et rameaux) sont d'un rouge cuivré brillant.

AUTRES ARBRES – *A. granatense* (SE Espagne, N Afrique), rarement planté : petit arbre à l'écorce grise lisse et aux feuilles moins planes et plus dentées (*cf.* érable des Balkans, p. 376) ; sève *claire.*

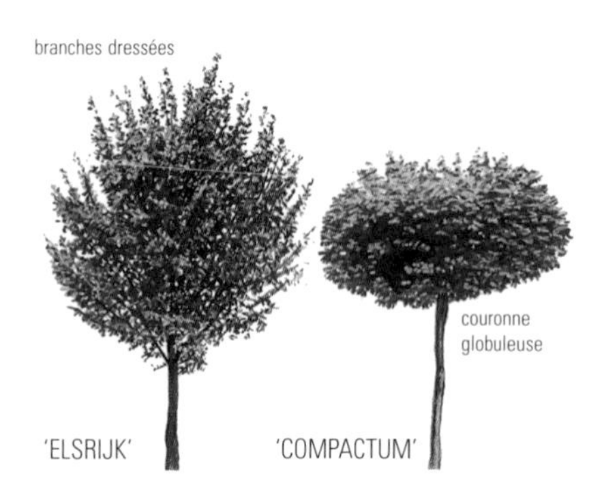

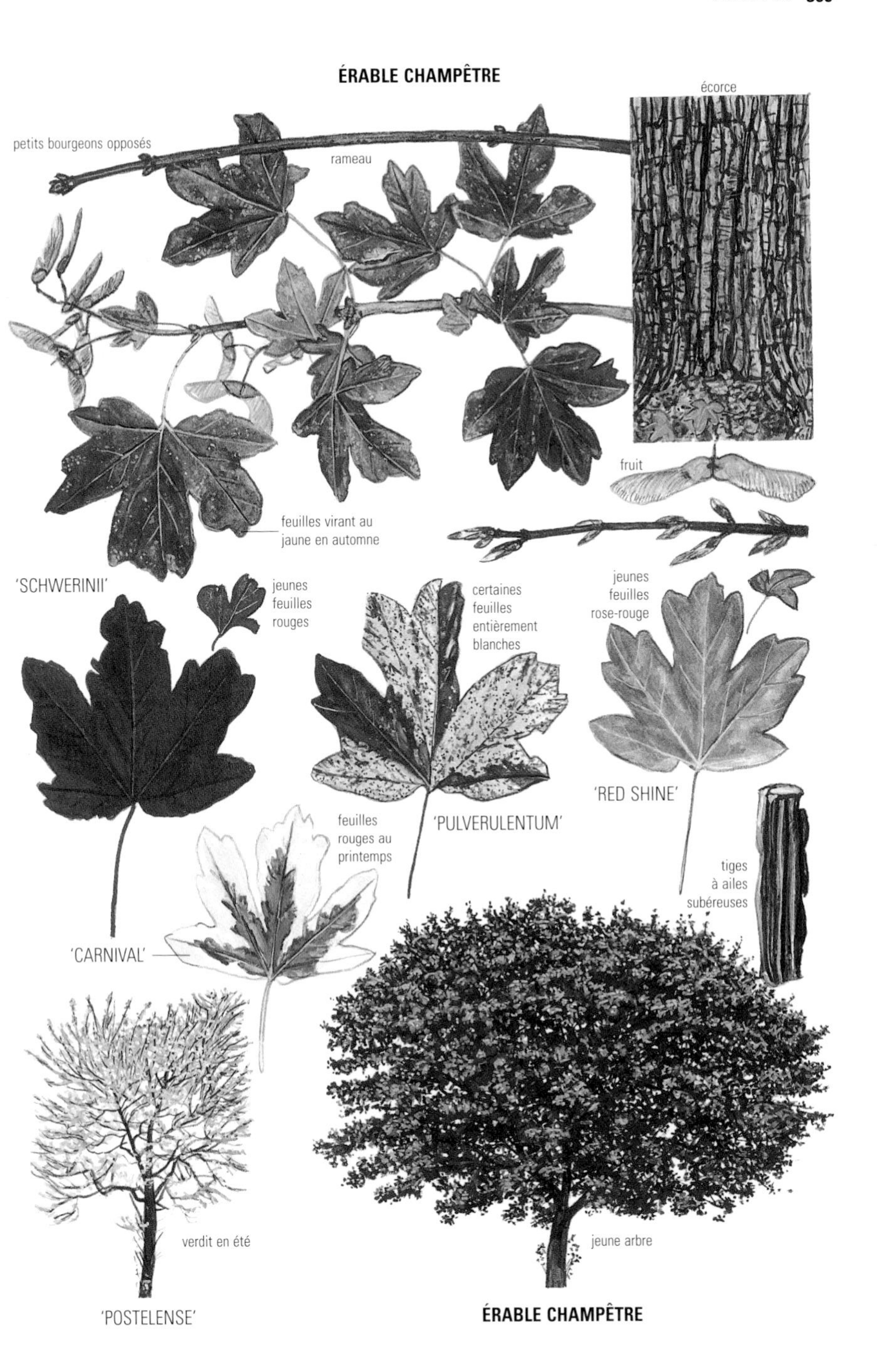
ÉRABLE CHAMPÊTRE
écorce
petits bourgeons opposés
rameau
fruit
feuilles virant au
jaune en automne
'SCHWERINII'
jeunes
feuilles
rouges
certaines
feuilles
entièrement
blanches
jeunes
feuilles
rose-rouge
'RED SHINE'
feuilles
rouges au
printemps
'PULVERULENTUM'
tiges
à ailes
subéreuses
'CARNIVAL'
verdit en été
jeune arbre
'POSTELENSE'
ÉRABLE CHAMPÊTRE

Érable sycomore *Acer pseudoplatanus*

(Faux platane) Europe. Commun en France, surtout dans l'est ; rare ou disséminé dans l'ouest et le Midi. Largement planté dans les parcs et le long des rues.

ASPECT – **Silhouette.** Un dôme immense, *jusqu'à 38 m* en situation favorable ; rameaux courts, tordus, sur des branches droites. **Écorce.** Gris rosâtre ; lisse, puis se craquelant en petites plaques *pelucheuses* gris pâle avec l'âge. **Rameaux.** Gris-rose verdâtre, vigoureux. **Bourgeons.** Gros, *verts.* **Feuilles.** Grandes (jusqu'à 18 × 26 cm sur les jeunes arbres) et *grossièrement* dentées – *dents arrondies au sommet* ; vert pâle terne ; léger duvet roussâtre au revers ; brun orangé quand elles sortent ; parfois affectées par un champignon (*Rhytisma acerinum*) qui provoque l'apparition de taches noires. **Fleurs.** Vert-jaune, en *grappes terminales pendantes* de 6 à 12 cm ; fruits verts (rouges chez f. *erythrocarpum*).

ESPÈCES VOISINES – *A. velutinum* (p. 388) et *A. diabolicum* (ci-dessous) : feuillage similaire. *A. heldreichii* (p. 388) ; érable d'Italie (p. 376) ; *A. argutum* (p. 386).

CULTIVARS – (À feuillage pourpre) f. *purpureum*, fréquent en forêt et dans les jardins ('Purpurascens') ; écorce teintée de rose ; feuilles *vertes dessus mais pourpre-mauve dessous.* 'Atropurpureum', plus foncé, est un clone greffé.
'Brilliantissimum', assez fréquent : dôme bas et dense (15 m à terme) ; petites feuilles à lobes pointus, *blanc rosé* quand elles sortent, puis *virant au vert-jaune* jusqu'à l'été.
'Prinz Handjery' (1883), peu répandu : feuilles plus foncées restant *mauves* dessous (*cf.* 'Nizetii', ci-dessous).
(À feuillage panaché) f. *variegatum* : feuilles *éclaboussées* de blanc-jaune, donnant à l'arbre vu de loin une teinte vive ; écorce généralement gris pâle. 'Nizetii', peu commun : feuilles également *mauves dessous.* 'Leopoldii' (1860) : feuilles éclaboussées de pourpre ou rose jaunâtre au printemps. 'Simon-Louis Frères' : feuilles plus foncées teintées de rose et restant vert crème rosâtre dessous.
(À feuillage doré) 'Worleei' : petites feuilles à lobes triangulaires, *jaune vif*, virant lentement au vert tilleul sauf à l'extrémité des pousses. 'Corstorphinense' (1600), rare : feuilles virant *du jaune d'or au vert foncé en 6 semaines.*

Acer diabolicum

Japon. 1880. Collections.

ASPECT – **Silhouette.** Arrondie, sur des branches droites, fines ; jusqu'à 15 m. **Écorce.** Grise ; assez lisse. **Rameaux.** Verts ; pruine pourpre. **Bourgeons.** *Bruns.* **Feuilles.** Légèrement plus vives, plus lisses et *plus dures* que celles de l'érable sycomore ; *frangées de poils* (*cf.* érable à grandes feuilles, p. 378) et poilues sous les nervures ; rarement très colorées à l'automne. **Fleurs.** Clochettes jaunes en bouquets pendants sous les feuilles naissantes, évoquant des *parachutes ouverts* ; *rouge sombre* et contrastant sur le feuillage vert tendre chez f. *purpurascens.* **Fruits.** Avec des poils piquants ; styles persistants rappelant les cornes du diable.

ESPÈCES VOISINES – *A. velutinum* (p. 388) : similaire avec des fleurs plus discrètes.

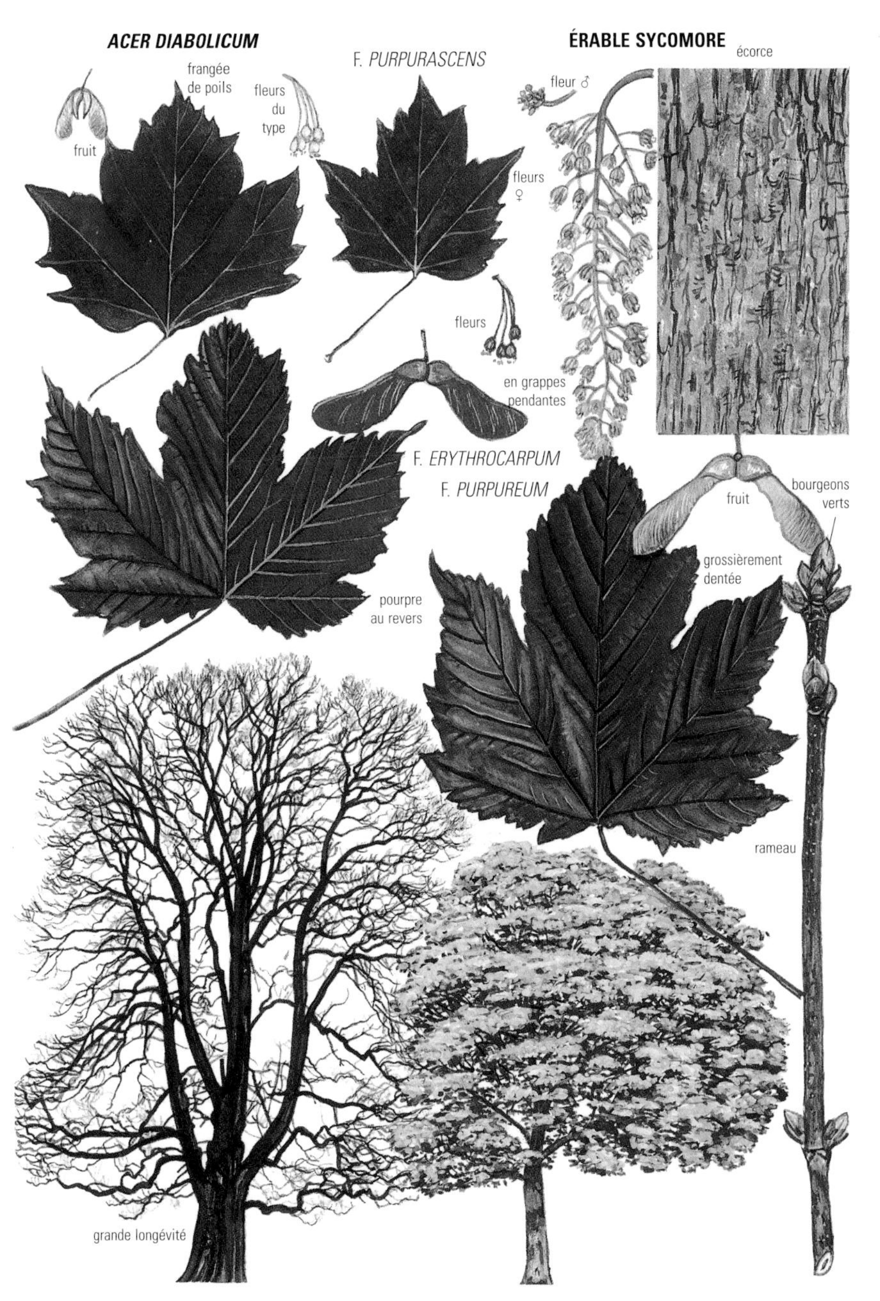

ÉRABLE SYCOMORE

F. VARIEGATUM

Érable plane *Acer platanoides* 

(Érable blanc) Europe, Caucase. Disséminé des Pyrénées au nord-est, mais communément planté dans les parcs et jardins.

Aspect – Silhouette. Dôme régulier, dense ; jusqu'à 30 m. **Écorce.** Gris pâle ; *finement sillonnée* de petites crêtes régulières, vieux arbres plus rugueux. **Rameaux.** Brun brillant ; gros bourgeons brun-rouge. **Feuilles.** Élégantes, planes ; *glabres* (à l'exception de touffes dessous à l'angle des nervures) ; *quelques longues dents à pointe filamenteuse* ; jaunes en automne (rarement pourprées puis rouges) ; sève *laiteuse*. **Fleurs.** *Bouquets ronds dressés et ramifiés*, jaune acidulé, avant la feuillaison (*cf.* érable d'Italie, p. 376).

Espèces voisines – Érable à sucre (ci-dessous). *A. lobelii* (p. 374) ; *A. miyabei* (p. 386).

Cultivars – 'Drummondii' (1903), commun : l'un des arbres à feuillage panaché argenté le plus fréquent et le plus vif (jaune quand il débourre) ; assez globulaire et à croissance lente.

'Goldsworth Purple' (1936), commun : feuillage *pourpre sombre* (plus vert dessous) ; jusqu'à 17 m ; bourgeons très pourpres en hiver ; fleurs à bractées et pédoncules *pourpres*. 'Crimson King' (1946 ; actuellement assimilé à 'Goldsworth Purple') et 'Faassen's Black' (1936) sont très proches ; 'Crimson Column' est plus récent et dressé.

'Schwedleri' (1870), assez fréquent : *grand* (jusqu'à 28 m) ; feuilles d'abord *rouge* pourpré (bractées et pédoncules floraux *rouges*), puis *gris-vert* violacé en été et pourpres en automne.

'Reitenbachii', rare : *plus petit* ; *broussins fréquents* ; feuilles plus fines, d'un vert plus *rougeâtre* en été.

'Palmatifidum' ('Lobergii', 'Dissectum') : plusieurs clones assez rares aux feuilles *découpées presque jusqu'au centre*.

'Laciniatum', rare : *élancé*, dressé ; lobes profonds à l'extrémité *courbée vers le bas*.

'Cucullatum' (1880), rare : dressé, avec des branches ascendantes, mesure jusqu'à 25 m ; feuilles arrondies et *frangées de nombreux lobes déchirés*.

'Columnare', assez commun : feuilles à lobes courts ; branches ascendantes formant une couronne *dense* et étroite, *évasée à colonnaire*, jusqu'à 25 m (*cf.* érable noir 'Temple's Upright', ci-dessous). 'Olmsted' (1952) et 'Almira', rares : plus larges.

'Globosum', assez commun : cime dense arrondie.

Érable à sucre *Acer saccharum*

(*A. barbatum*) De E Canada à la Géorgie. 1735. L'érable du drapeau canadien ; sa sève donne le sirop d'érable. Peu planté.

Aspect – Silhouette. Semblable à celle de l'érable plane ; jusqu'à 25 m. **Écorce.** Crêtes légèrement plus épaisses et *pelucheuses*. **Rameaux.** Olive, souvent marqués d'une raie rouge-pourpre à chaque paire de bourgeons (*finement duveteux*). **Feuilles.** Fragiles, plus ou moins *duveteuses au revers* ; lobes principaux filamenteux à leur extrémité (*mais pas les dents*) ; jaune d'or et écarlates à l'automne ; sève *claire*. **Fleurs.** Jaunes ; pendant sur des bouquets de fins pédoncules.

Autres arbres – Érable noir, ssp. *nigrum* (*A. nigrum* ; mêmes habitats ; 1812), très rare : feuilles foncées *ternes* à 3 (5) lobes peu profonds ; écorce pourprée ; rameaux orangés. 'Temple's Upright' : fastigié (*cf.* érable plane 'Columnare', ci-dessus, et érable rouge 'Scanlon', p. 378).

ÉRABLE À SUCRE

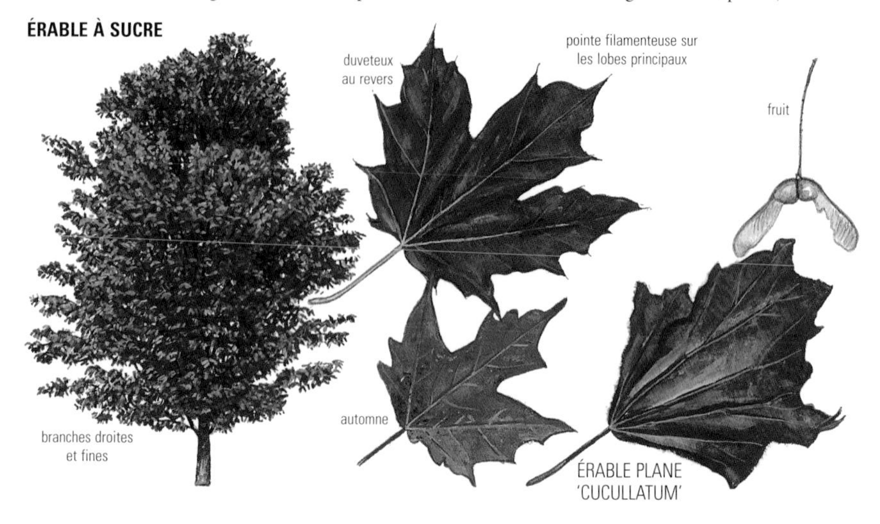

ÉRABLE PLANE

Érable de Cappadoce

Acer cappadocicum

(*A. laetum*) Caucase, jusqu'en Chine (ssp. *sinicum*). 1838. Assez fréquent dans les parcs et en alignement ; proche en apparence de l'érable plane (p. 372) mais feuilles à lobes *non dentés*. Rejette de souche.
ASPECT – **Silhouette.** Dôme large et dense, sur un tronc court, souvent bosselé ; jusqu'à 25 m. **Écorce.** Gris pâle ; *lisse* puis finement fissurée. **Rameaux.** Cramoisis sur les pousses vigoureuses et les rejets, gris pruineux ; puis lisses et *verts durant plusieurs années* ; finalement rayés de blanc (*cf.* érables jaspés, p. 380, et *A. lobelii*, ci-dessous). **Feuilles.** À 5 (7) lobes filamenteux ; touffes de poils dessous à l'angle des nervures ; brièvement cramoisies au printemps, jaunes en automne. **Fleurs.** Jaunes, en bouquets ramifiés dressés en fin de printemps.
ESPÈCE VOISINE – *A. lobelii* (ci-dessous).
CULTIVARS – 'Aureum', peu répandu : jeunes feuilles jaune blanchâtre, virant au vert olive foncé, de nouveau jaunes à l'automne ; jusqu'à 22 m.
'Rubrum', commun : feuilles rouge vif quand elles sortent et conservant une marge rosâtre.
ssp. *sinicum*, collections : feuilles plus petites, plus profondément et étroitement lobées ; écorce un peu plus rugueuse ; fruits rouge vif.
AUTRES ARBRES – *A. mono* (*A. pictum* ; E Asie, 1881), collections : jusqu'à 18 m ; diffère par son écorce blanchâtre souvent *pelucheuse* et ses rameaux *brun-gris se fissurant la 2e année* ; feuilles duveteuses au revers chez f. *ambiguum* (rare).
A. truncatum (NE Chine, 1881), collections : diffère de *A. mono* par ses petites feuilles délicates, en éventail, avec *une découpe droite à la base*, glabres à l'exception de quelques touffes au revers ; pétioles très longs.

Acer lobelii

S Italie. 1838. Peu répandu.
ASPECT – **Silhouette.** Diffère de l'érable de Cappadoce (ci-dessus) par son *port naturellement colonnaire*, non drageonnant ; jusqu'à 28 m ; vieux sujets plus larges, en dôme irrégulier. **Écorce.** Gris roussâtre, légèrement sillonnée avec l'âge. **Rameaux.** *Verts pendant plusieurs années*, légèrement striés de blanc (comme ceux de l'érable de Cappadoce), mais couverts d'une *pruine pourpre* la première année. **Feuilles.** Vert foncé ; parfois *quelques grandes dents* sur les bords ondulés (mais moins nombreuses que chez l'érable à sucre, p. 372) ; pointe des 5 (3) lobes *tordue vers le haut ou les côtés* (*cf.* érable plane 'Laciniatum', p. 372).
ESPÈCES VOISINES – Érable plane 'Columnare' et érable noir 'Temple's Upright' (p. 372).

Érable trifide

Acer buergerianum

Chine. 1896. Rare.
ASPECT – **Silhouette.** Dôme souvent dense mais irrégulier ; jusqu'à 16 m. **Écorce.** Brun vif ; vite *très pelucheuse*. **Feuilles.** Avec *3 nervures principales à angle aigu*, menant à 3 lobes non dentés ; oblongues sur certains arbres ou avec quelques dents arrondies ; brillantes et coriaces, glauques dessous ; cramoisies en automne.
ESPÈCE VOISINE – *A. pycnanthum* (p. 378) : lobes dentés.

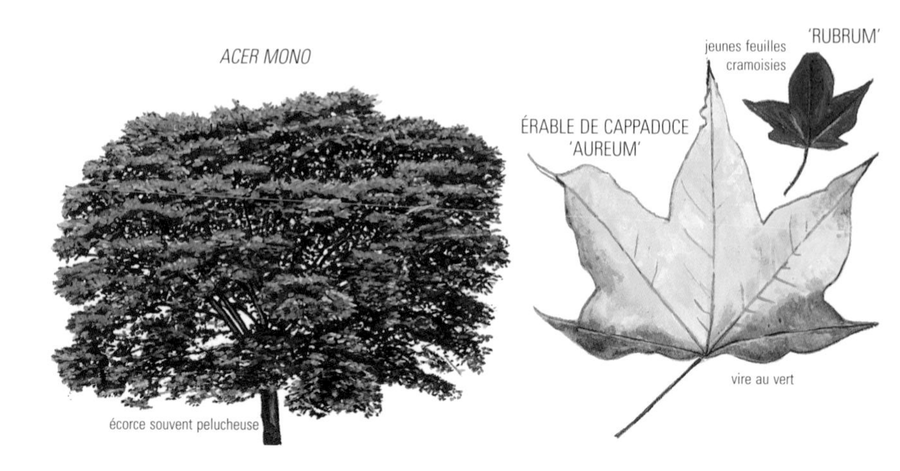

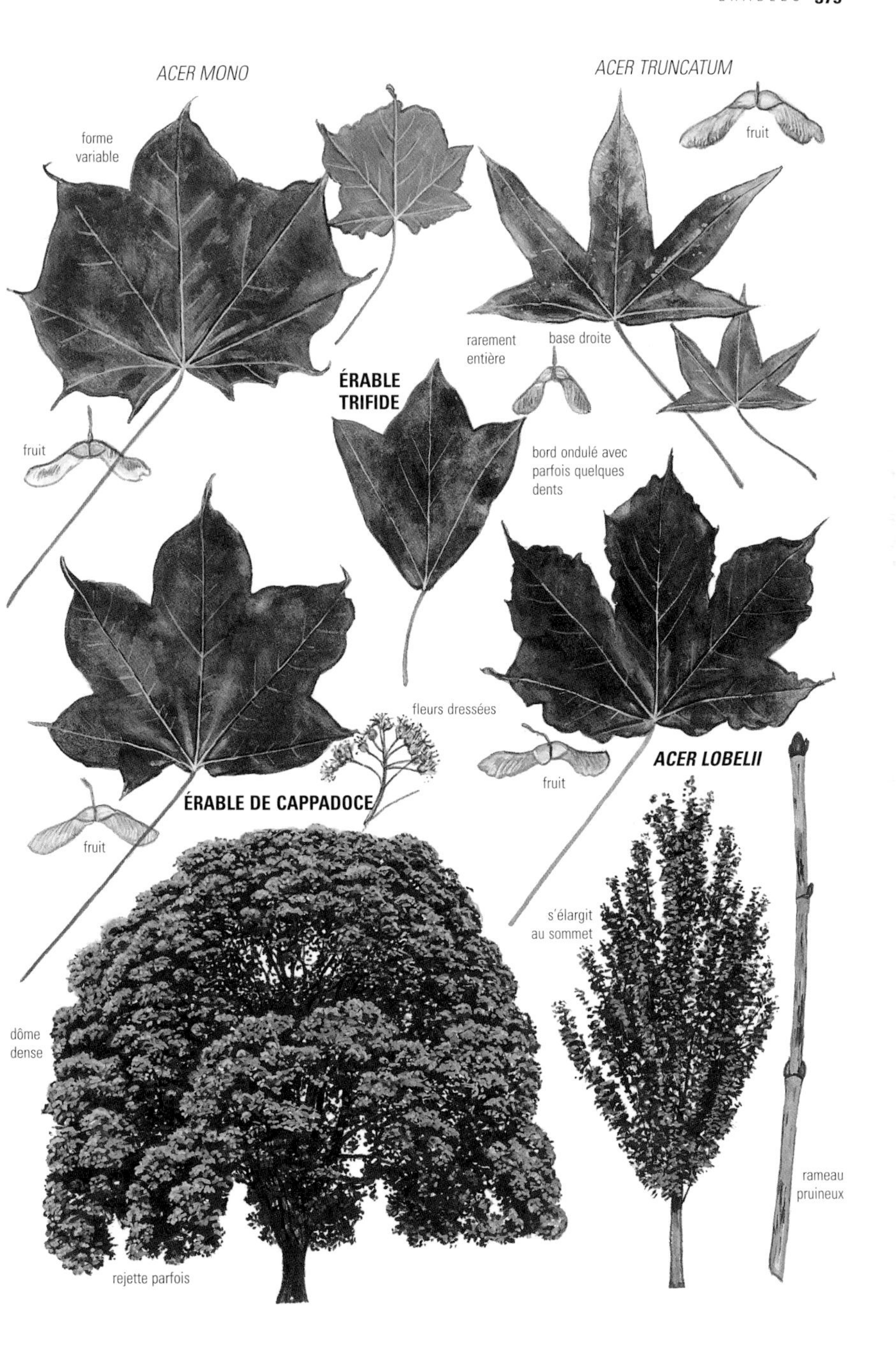
ACER MONO
forme variable
fruit
ACER TRUNCATUM
fruit
rarement entière
base droite
ÉRABLE TRIFIDE
bord ondulé avec parfois quelques dents
fleurs dressées
ACER LOBELII
fruit
ÉRABLE DE CAPPADOCE
fruit
s'élargit au sommet
dôme dense
rameau pruineux
rejette parfois

Acer × *zoeschense*

Érable de Cappadoce × érable champêtre. 1870. Rare.
Aspect – Silhouette. Dôme dense, jusqu'à 24 m. **Écorce.** Brun-gris, légèrement sillonnée. **Feuilles.** Lobes triangulaires plus étroits que chez l'érable de Cappadoce (p. 374) ; quelques dents sur les côtés ; poilues dessous au début ; pétioles et nervures principales *pourpre-rouge*, donnant un reflet marron (*cf.* érable plane 'Reitenbachii', p. 372 – dents plus nombreuses).

Érable de Tartarie *Acer tataricum*

De l'Autriche au Caucase. 1759. Assez rare.
Aspect – Silhouette. Dôme bas, max. 8 m. **Écorce.** Brun-gris, lisse puis pelucheuse. **Feuilles.** Vert vif, souvent ovales (lobes triangulaires sur certaines pousses vigoureuses) ; poils le long des nervures en creux. **Fleurs.** En *bouquets sphériques crème*, au milieu des feuilles vert tendre ; fruits rouge foncé à maturité.
Espèce voisine – *Crataegus persimilis* 'Prunifolia' (p. 288).
Cultivar – var. *ginnala* (*A. ginnala* ; NE Asie, Japon ; 1860), plus répandu : plus ouvert, jusqu'à 12 m ; feuilles plus foncées, *lobes irréguliers et dentés*, brièvement cramoisies en début d'automne.

Érable de Montpellier *Acer monspessulanum*

S et centre Europe, SO Asie, N Afrique. 1739. Commun dans le Midi.
Aspect – Silhouette. Similaire à celle de l'érable champêtre (p. 368) : dôme irrégulier mais très rameux ; jusqu'à 15 m. **Écorce.** *Gris foncé*, avec des fissures verticales et des broussins. **Feuilles.** Foncées et assez brillantes ; *3 lobes jamais dentés* (sauf sur les jeunes plants). **Fleurs.** Jaunes, pendantes, en bouquets, avant les feuilles ; fruits à ailes *convergentes*.

Acer obtusifolium

(*A. syriacum*) E Méditerranée. 1752. Très rare.
Aspect – Silhouette. Rameuse, généralement buissonnante, jusqu'à 12 m. **Écorce.** Grise, assez *lisse*. **Feuilles.** *Persistantes*, dures ; brillantes sur les deux faces ; entières ou trilobées (dentées sur les jeunes plants) ; 4 à 6 cm.
Autre arbre – *A. sempervirens* (*A. creticum* ; *A. orientale* ; E Méditerranée), rare : *petites* feuilles semi-persistantes (*1 à 4 cm*) ; quelques dents ou lobes ; rameux et souvent buissonnant, à écorce brune *rugueuse*.

Érable d'Italie *Acer opalus*

Forêts montagneuses des Pyrénées au Caucase, et N Afrique. 1752. Peu répandu.
Aspect – Silhouette. Dôme robuste comme l'érable sycomore (p. 370) ; jusqu'à 22 m. **Écorce.** Grise, puis avec des écailles teintées de rose, jaune et orange. **Rameaux.** *Brun foncé* ; bourgeons un peu plus bruns que ceux de l'érable sycomore. **Feuilles.** Avec 3 à 5 *lobes arrondis peu profonds*, irrégulièrement ou *pas dentées* (*cf.* érable de Montpellier, ci-dessus) ; vert foncé ; revers gris ou blanc laineux (*cf. A. velutinum*, p. 388). **Fleurs.** Jaunes, *pendant* en grappes avant les feuilles – plus attrayantes que celles de l'érable plane (p. 372).

Acer hyrcanum

De SE Europe à l'Iran. 1865. Collections.
Aspect – Silhouette. Dôme bas, rameux. **Écorce.** Brune ; écailleuse, teintée de jaunes et de gris. **Feuilles.** Petites (5 × 7 cm) ; pétioles jaunes ou rosés, *longs* (jusqu'à 9 cm) ; léger duvet au revers ; 5 (3) lobes à bords *parallèles* ; dents arrondies, peu nombreuses (*cf. A. granatense*, p. 368). **Fleurs.** Vert jaunâtre, en bouquets pendants.

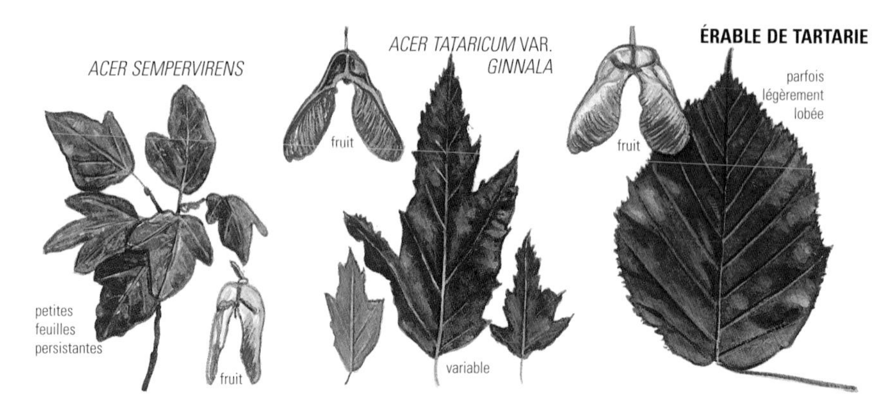

ACER × ZOESCHENSE

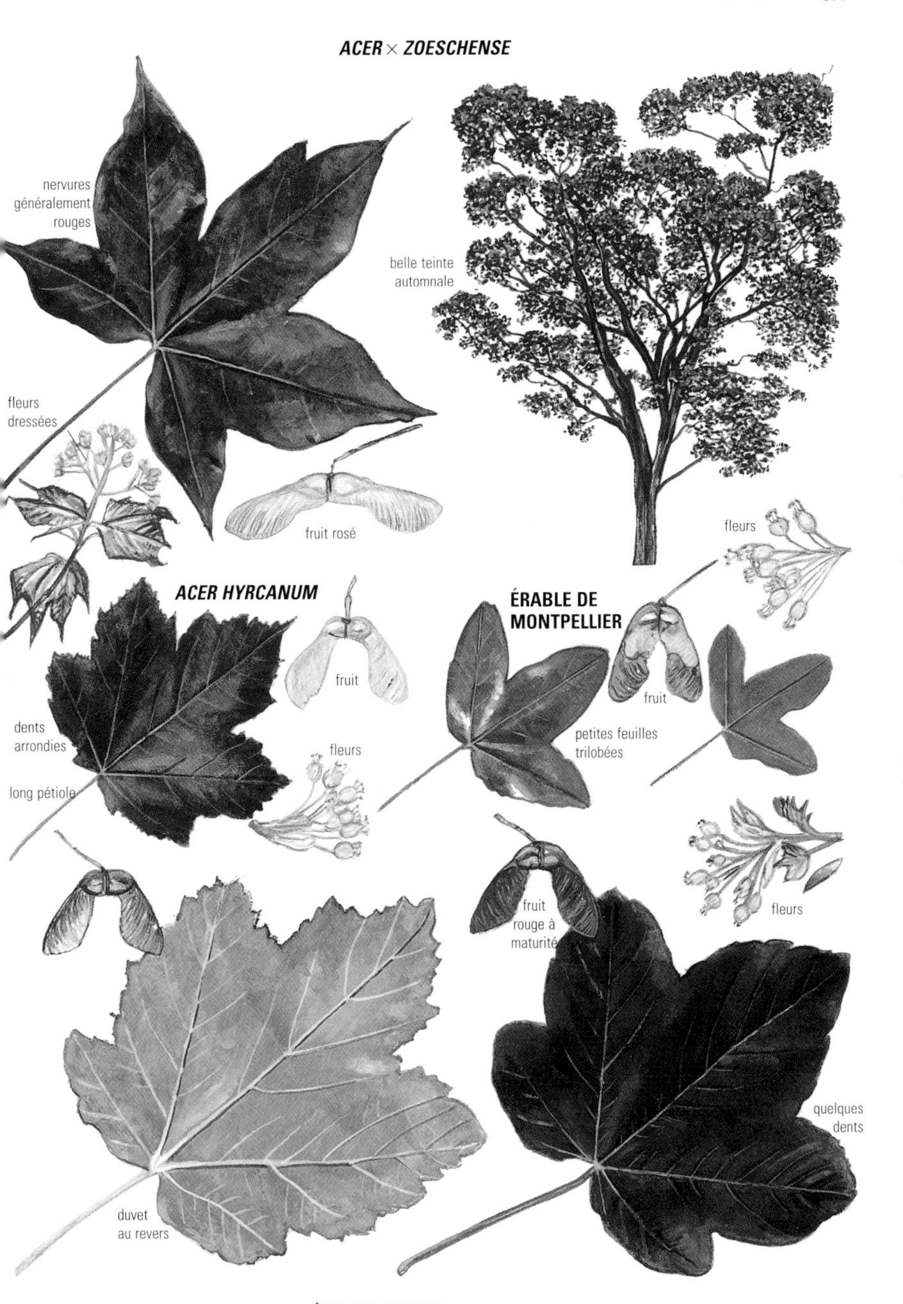

ÉRABLE D'ITALIE

Érable argenté *Acer saccharinum*

(Plaine blanche ; *A. dasycarpum*) Du Québec à la Floride. 1725. Très commun dans les parcs publics.
ASPECT – **Silhouette.** Dôme irrégulier, *onduleux et léger* ; branches ascendantes avec des rameaux souvent retombants à l'extérieur de la couronne ; jusqu'à 30 m. **Écorce.** Grise, lisse ; puis après 60 ans, avec des plaques *pelucheuses* gris crème ; rejets fréquents. **Rameaux.** Verts puis brun-rouge ; bourgeons de 8 mm, verts à rouge clair. **Feuilles.** *5 lobes* très dentelés ; *revers gris argenté vif* finement duveteux ; brun orangé quand elles sortent ; jaune pâle et rouge rosé en automne. **Fleurs.** Engainant les rameaux avant la feuillaison, ocre ou rougeâtre *terne.*
ESPÈCES VOISINES – Érable rouge (ci-dessous). Parfois confondu avec *A. saccharum* (p. 372) du fait de la similitude des deux noms.
CULTIVARS – f. *laciniatum* (incluant le clone 'Wieri', 1873), la forme la plus courante de nos jours : feuilles *profondément découpées.*
'Lutescens', rare : feuillage jaunâtre (comme certains arbres maladifs ou souffrant de chlorose).

Érable rouge *Acer rubrum*

(Plaine rouge) De Terre-Neuve au Texas. 1656. Commun dans les parcs et jardins, et le long des routes.
ASPECT – **Silhouette.** Plus dense, avec des branches tordues sur un tronc droit ; jusqu'à 26 m. **Écorce.** Souvent plus foncée et plus finement craquelée. **Rameaux.** Fins, rougeâtres. **Bourgeons.** *Petits* (2 à 4 mm), rouges. **Feuilles.** Revers gris argenté, finement feutré ; *3 (5) lobes* pointant vers l'avant, *moins profonds* que ceux de l'érable argenté ; jaunes et rouges en automne. **Fleurs.** En bouquets *cramoisi brillant* avant la feuillaison.
ESPÈCE VOISINE – Érable trifide (p. 374) : lobes entiers.
CULTIVARS – 'Scanlon', rare : silhouette colonnaire à conique, dense et *régulière*, jusqu'à 17 m (*cf.* érable noir 'Temple's Upright', p. 372).
'Fastigiatum', rare : *longs rameaux dressés* sur des branches ascendantes sinueuses.
'October Glory', assez fréquent : belle silhouette ovoïde, très colorée en automne.
AUTRES ARBRES – *A. pycnanthum* (Japon), collections : feuilles fines à lobes peu profonds (voire pas lobées, mais dentées), glauques dessous mais *glabres* sauf le long des nervures principales.

Érable à grandes feuilles *Acer macrophyllum*

(Érable de l'Oregon) O Amérique du Nord. 1826. Peu répandu : parcs et jardins.
ASPECT – **Silhouette.** Dôme dressé et robuste, branches arquées ; jusqu'à 27 m ; rejette parfois. **Écorce.** Brun foncé ; crêtes entrecroisées assez anguleuses. **Rameaux.** Verts à pourprés plusieurs années ; bourgeons verts à rouges, cachés en été dans la *base renflée* du pétiole. **Feuilles.** Foncées, parfois immenses (jusqu'à 30 cm) ; *lobes rétrécis à la base* ; frangées de poils (*cf. A. diabolicum*, p. 370) ; touffes dessous à l'angle des nervures. **Fleurs.** *Grappes pendantes comme chez l'érable sycomore*, mais plus longues (15 cm) ; fruits avec des ailes de 5 cm, à poils piquants.
ESPÈCES VOISINES – Érable plane (p. 372) : même allure mais lobes filamenteux. *A. miyabei* (p. 386) : petit ; feuilles plus petites, duveteuses dessous. *A. velutinum* var. *vanvolxemii* (p. 388).

ÉRABLE À GRANDES FEUILLES

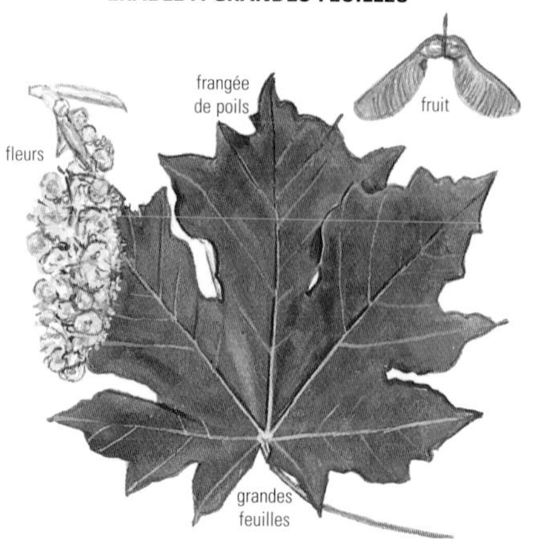

ÉRABLE ROUGE

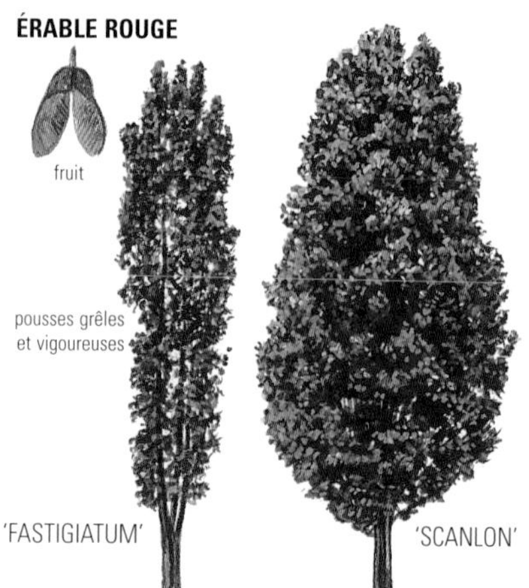

ÉRABLE ARGENTÉ

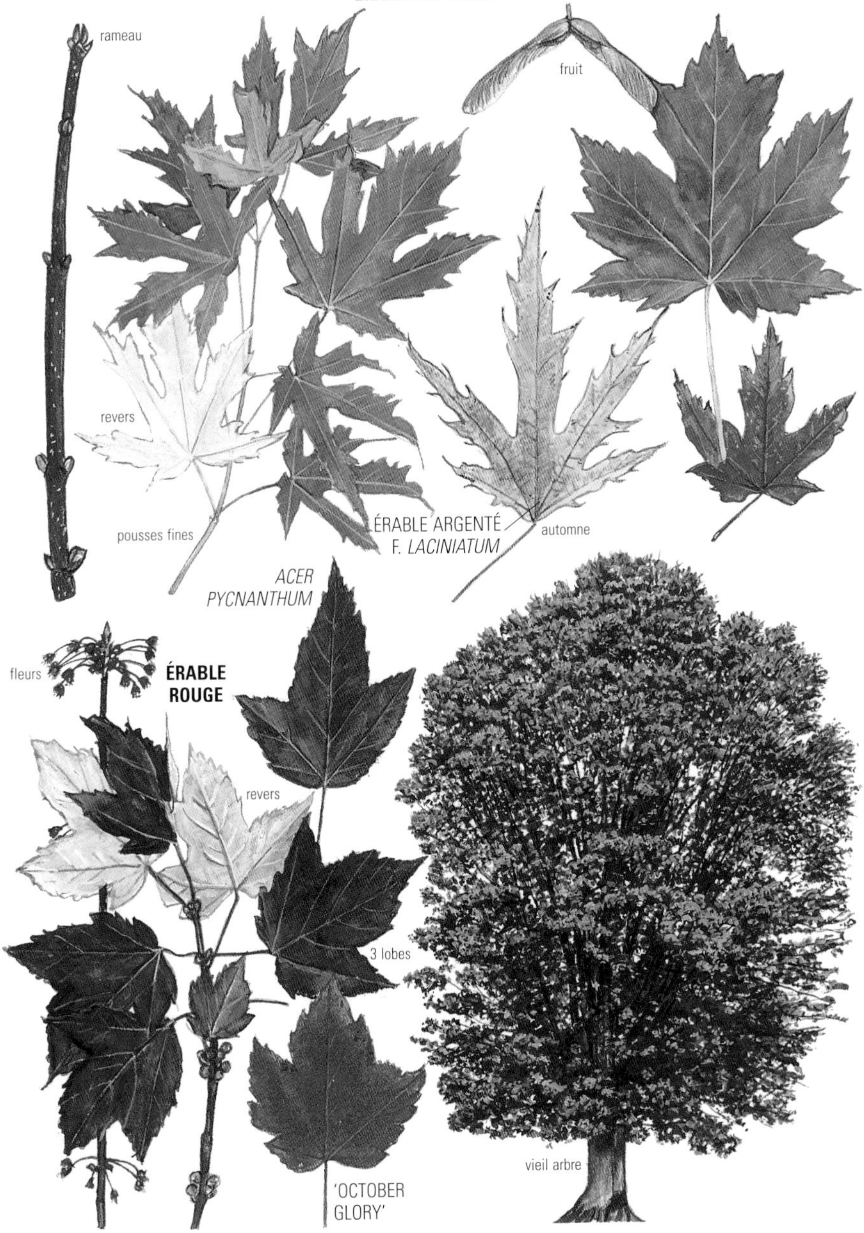

rameau

fruit

revers

pousses fines

ÉRABLE ARGENTÉ
F. *LACINIATUM*

automne

ACER PYCNANTHUM

fleurs

ÉRABLE ROUGE

revers

3 lobes

vieil arbre

'OCTOBER GLORY'

ÉRABLE ROUGE

Les érables jaspés (ou à peau de serpent) ont des bourgeons vaguement *pédonculés* ; ils perdent parfois avec l'âge leur *écorce verte marquée de rayures verticales.*

Acer capillipes

S Japon. 1894. Peu répandu.
ASPECT – **Silhouette.** Évasée, des branches légères et arquées ; max. 16 m. **Écorce.** Vive, persistant longtemps. **Bourgeons.** Rouge-pourpre. **Feuilles.** *Longues, petits lobes latéraux réguliers* et *nervures parallèles en creux* ; vite presque glabres ; « picots » de 1 mm dessous à l'angle des nervures ; beaux mélanges de teintes à l'automne. **Fleurs.** Vert-jaune.
ESPÈCES VOISINES – *A. rufinerve* (ci-dessous) ; *A. grosseri* var. *hersii* (p. 382).
AUTRES ARBRES – *A. forrestii* (Chine ; 1906), peu répandu : jusqu'à 15 m ; branches arquées puis *retombant en cascade*, garnies de feuilles vert tendre au *pétiole rouge*, avec *des lobes latéraux longs et pointus* ; peu colorées en automne ; fleurs jaune terne à centre rouge.

Acer davidii

Chine. Fréquent dans les parcs et jardins. La forme décrite correspond à 'George Forrest' (Yunnan, 1921-1922).
ASPECT – **Silhouette.** Branches légères émergeant sur un tronc court et formant un dôme large ; *feuillage pendant joliment étagé* ; jusqu'à 17 m. **Écorce.** Vive (mais à terme gris-brun et finement fissurée). **Feuilles.** Assez grandes (15 cm) ; *non lobées* ou avec des lobes latéraux à peine esquissés ; *vert sombre brillant* entre les nervures rouges, sur un pétiole rouge foncé ; revers pâle avec des poils roussâtres sous les nervures au début et de curieux petits « picots » (1 mm) persistant à l'angle des nervures ; orange foncé quand elles sortent mais *aucune teinte automnale.* **Fleurs.** Vert-jaune, en grappes arquées de 6 cm.
ESPÈCES VOISINES – *A. grosseri* var. *hersii* et érable à feuilles de tilleul (p. 382). *A. capillipes* (ci-dessus) et *A. rufinerve* (ci-dessous) : lobes latéraux réguliers.
CULTIVARS – 'Ernest Wilson' (1879), rare : feuilles pliées plus étroites, grises dessous, non pendantes (*cf.* érable à feuilles d'aubépine, p. 382), vertes ; rouges en automne.
'Madeline Spitta', collections : haut, ouvert, jusqu'à 20 m ; écorce vert vif bien persistante ; feuilles comme celles de 'George Forrest', mais orange en automne.
AUTRE ARBRE – *A.* × *conspicuum* 'Silver Vein' (1961 ; hybride entre 'George Forrest' et l'érable jaspé 'Erythrocladum', p. 382) : *jeune écorce jaune et rouge*, lobes latéraux plus vigoureux.

Acer rufinerve

Japon. 1879. Assez rare.
ASPECT – **Silhouette.** Ouverte, jusqu'à 14 m ; branches ascendantes arquées. **Écorce.** Vert rayé de blanc ou *gris rayé de rose* ; terne et craquelée avec l'âge. **Rameaux.** Verts ; *pruine blanc-lilas.* **Bourgeons.** 2 écailles externes vertes à pruine *grise.* **Feuilles.** Mates, *aussi larges que longues*, avec des lobes latéraux *étalés* ; poils roux dessous tombant *lentement* (*pas* de « picots » à l'angle des nervures) ; rouges en automne.
ESPÈCES VOISINES – *A. capillipes.* Érable jaspé (p. 382) : lobes latéraux massifs. *A. grosseri* var. *hersii* (p. 382).
CULTIVARS – 'Hatsuyuki' (f. *albolimbatum*), rare : feuilles finement tachées de blanc ; bourgeons et pousses plus blanches. *A.* 'Silver Cardinal' : feuilles larges *vivement tachées* de blanc ou rose ; assez pleureur ; rameaux rouges.

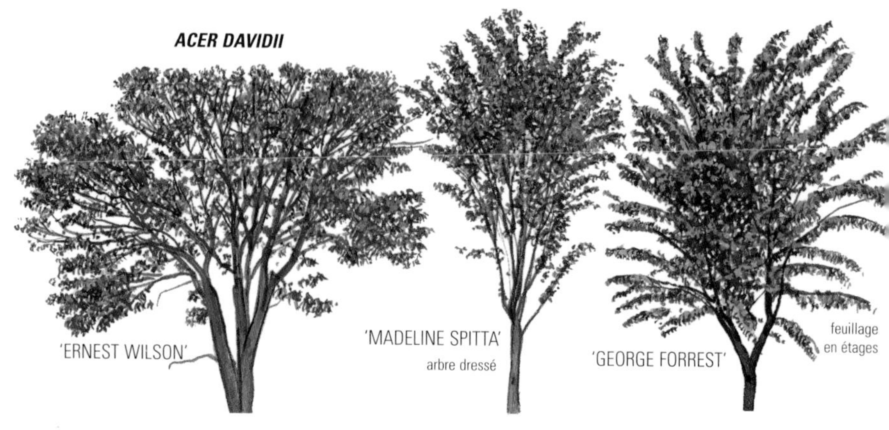

ACER RUFINERVE

écorce

jeunes feuilles

automne

fleurs

fruit

ACER × CONSPICUUM
'SILVER VEIN'

ACER RUFINERVE
'HATSUYUKI'

fleurs

ACER CAPILLIPES

nervures
en creux

fruit

fruit

pli en V à la base

'MADELINE
SPITTA'

fleurs

printemps

'ERNEST
WILSON'

automne

écorce

forme à
petites
feuilles

'GEORGE
FORREST'

grandes
feuilles brillantes

ACER DAVIDII

Acer grosseri var. *hersii*

(*A. hersii*) Chine. 1924. Assez fréquent dans les parcs et jardins.
Aspect – **Silhouette.** Ouverte ; branches dressées puis arquées ; jusqu'à 15 m. **Écorce.** Olive ; fortement rayée de blanc, au moins les premières années. **Rameaux.** Vert olive (rose pâle sur les pousses vigoureuses). **Bourgeons.** *Verts* (sans pruine). **Feuilles.** Pétiole vert ; épaisses et élastiques, assez petites (10 cm) et *assez arrondies* ; lobes latéraux trapus (peu marqués chez le type) ; dents fines assez émoussées ; poils roux éphémères au revers ; « picots » blancs de 1 mm persistant à l'angle des nervures ; plus jaunes que rouges en automne. **Fleurs.** *Vert*-jaune, en grappes arquées de 12 cm.
Espèces voisines – *A. davidii* (p. 380) : feuilles plus brillantes, à dents plus fines. Érable à feuilles de bouleau (ci-dessous).

Érable jaspé *Acer pensylvanicum*

(Érable de Pennsylvanie) De la Nouvelle-Écosse à la Géorgie. 1775. Peu répandu. (Le « n » manquant est dû à Linné.)
Aspect – **Silhouette.** Branches légères, dressées et arquées ; jusqu'à 17 m. **Rameaux.** Verts. **Bourgeons.** Rouges et bruns. **Feuilles.** *Grandes* (jusqu'à 22 cm), mates ; *grands lobes latéraux pointant vers l'avant* ; poils roux au revers, tombant *lentement* (*pas* de « picots » à l'angle des nervures) ; jaunes en automne. **Fruits.** Abondants, à graines *aplaties.*
Espèce voisine – *A. rufinerve* (p. 380) : lobes souvent plus petits, étalés ; graines arrondies.
Cultivar – 'Erythrocladum', rare : rameaux hivernaux *rouge clair* ; jeune écorce dorée rayée de *rouge et de blanc* (*cf.* son hybride 'Silver Vein', p. 380).

Érable à feuilles d'aubépine *Acer crataegifolium*

Japon. 1879. Rare : grands jardins.
Aspect – **Silhouette.** Élancée ; feuillage en étages sur des rameaux *tordus, marrons* et verts. **Écorce.** Vert rayé de blanc ; vite brun-gris. **Bourgeons.** Verts et pourpres. **Feuilles.** Petites (7 cm), foncées mais *teintées de rose* ; *fines* et plus ou moins lobées ; poils roux mais pas de « picots » dessous à l'angle des nervures. **Fleurs.** Blanc-jaune, en bouquets *dressés* de 4 cm.
Espèces voisines – Érable à feuilles de bouleau (ci-dessous) ; *A. davidii* 'Ernest Wilson' (p. 380).

Érable à feuilles de bouleau *Acer stachyophyllum*

(Incluant *A. tetramerum*) E Himalaya et O Chine. 1901. Assez rare.
Aspect – **Silhouette.** Branches frêles mais dressées et rameaux arqués ; jusqu'à 15 m ; parfois un buisson drageonnant. **Écorce.** Légèrement rayée puis ocre verdâtre, avec des lenticelles pâles. **Rameaux.** Verts. **Feuilles.** Fragiles ; assez triangulaires, *arrondies* à la base ; *pétiole rouge*, long (6 cm) ; fin *duvet blanc sur les revers brillants.* **Fleurs.** Espèce dioïque ; courtes grappes pendantes, parfois ramifiées.
Espèce voisine – *A. grosseri* var. *hersii* (ci-dessus).

Érable à feuilles de tilleul *Acer distylum*

Japon. 1879. Collections en sol acide.
Aspect – **Silhouette.** Large, sur des branches arquées ; jusqu'à 9 m. **Écorce.** Vert rayé d'orange ; vite brune et rugueuse. **Bourgeons.** Rouges, duveteux, pointus (1 cm) ; *jamais pédonculés.* **Feuilles.** Grandes (jusqu'à 17 cm), vert pâle et vite glabres, nettement *cordiformes* ; roses quand elles sortent ; dorées en automne. **Fleurs.** En *grappes dressées*, jusqu'à 10 cm de long.
Espèces voisines – *A. davidii* (p. 380). Tilleuls : feuilles alternes.

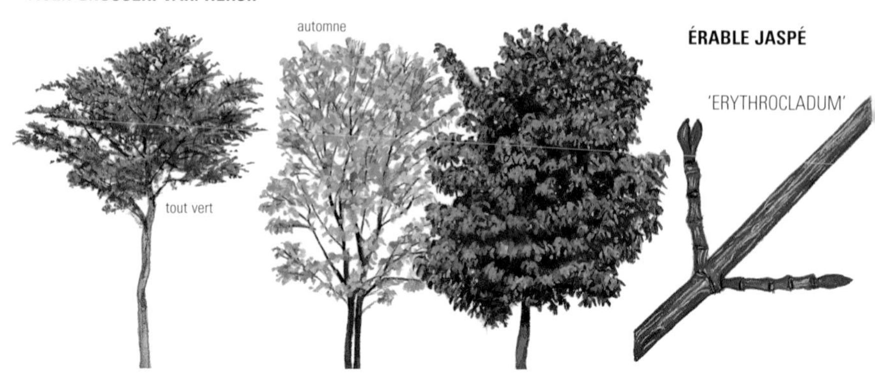

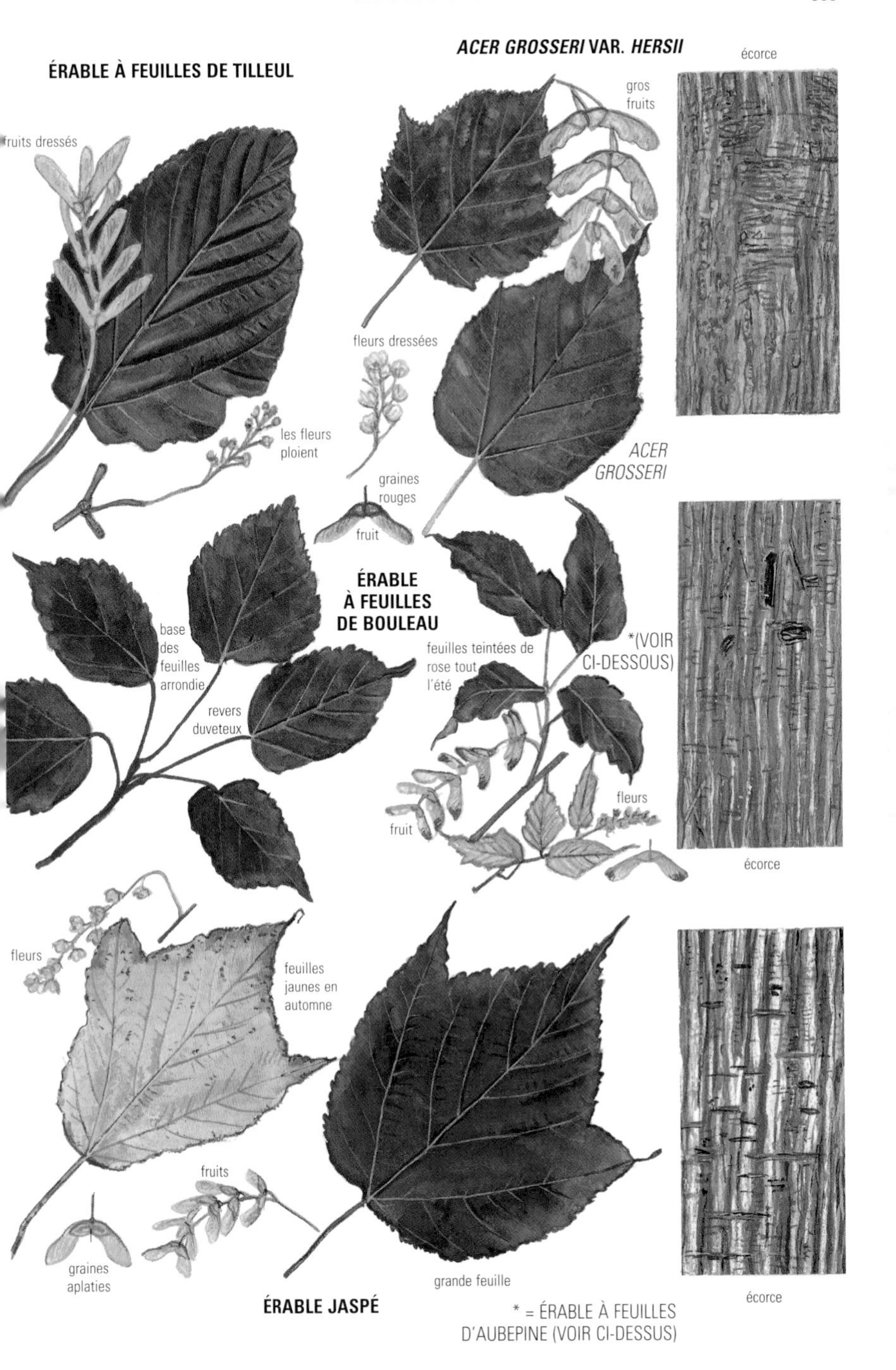
ÉRABLE À FEUILLES DE TILLEUL
fruits dressés
les fleurs ploient
ACER GROSSERI VAR. HERSII
gros fruits
écorce
fleurs dressées
graines rouges
fruit
ACER GROSSERI
ÉRABLE À FEUILLES DE BOULEAU
base des feuilles arrondie
revers duveteux
feuilles teintées de rose tout l'été
*(VOIR CI-DESSOUS)
fleurs
fruit
écorce
fleurs
feuilles jaunes en automne
fruits
graines aplaties
grande feuille
écorce
ÉRABLE JASPÉ
* = ÉRABLE À FEUILLES D'AUBEPINE (VOIR CI-DESSUS)

Érable du Japon *Acer palmatum*

Chine, Corée et Japon (où de nombreux cultivars, généralement nains, sont cultivés depuis longtemps). 1820. Commun dans les jardins.
ASPECT – **Silhouette.** Arrondie, jusqu'à 15 m ; branches légères sur un tronc court ; feuillage dense vert mousse, en ramilles horizontales. **Écorce.** Lisse, brun-gris ; légèrement rayée au début puis ridée. **Rameaux.** Fins, rouge ou vert vif, *couronnés par 2* bourgeons verts ou cramoisis (*cf. A. japonicum*, p. 386). **Feuilles.** 4 à 7 cm (mais jusqu'à 12 cm chez ssp. *amoenum* et var. *heptalobum*) ; glabres mais touffes de poils dessous à l'angle des nervures ; 5 ou 7 (rarement 9) lobes profonds *finement et fortement* dentés ; dents rarement doubles. **Fleurs.** Rouge foncé, en petits bouquets étalés, en même temps que les jeunes feuilles vertes. **Fruits.** Rouge pâle ; bouquets dressés ou pendants.
ESPÈCE VOISINE – *A. argutum* (p. 386).
CULTIVARS – 'Osakazuki' (une sélection japonaise de var. *heptalobum* ; 1861), assez fréquent : feuilles plus grandes (rarement à 5 lobes), sortant rose foncé – la couronne est teintée de marron durant l'été ; *rouge vif en automne* (les arbres du type virent généralement à l'orange pâle) ; fruits rouge *écarlate.*
Érable du japon à feuillage pourpre, f. *atropurpureum*, commun : feuilles bronze, pourprées ou d'un beau cramoisi foncé chez certains clones comme 'Bloodgood', virant au rouge pâle à l'automne.
'Sango-kaku' ('Senkaki') : rameaux hivernaux dressés, *rouge éclatant* ; petites feuilles légèrement jaunâtres, virant au doré en automne.
Érable du Japon à feuillage découpé, f. *dissectum* (plusieurs clones très communs ; *cf.* érables planes à feuillage découpé, p. 372, et *A. japonicum* 'Aconitifoliu', p. 386) : feuillage très fin ; forme souvent un petit dôme. 'Dissectum Atropurpureum' : feuillage doux pourpre argenté.
'Hagoromo' ('Sessifolium' ; autrefois considéré comme une espèce distincte), rare : feuilles *à pétiole très court*, avec *3 ou 5 folioles découpées en lobes pointus* ; arbre élancé, assez dressé, jusqu'à 14 m.
'Linearilobum', rare : lobes profonds *et très étroits* (mais non découpés) ; 'Linearilobum Atropurpureum' ('Atrolineare') : le même en pourpre.
'Shishigashira' ('Ribesifolium'), rare : *étroit, raide et très dense* ; *feuilles foncées tordues et découpées.*
'Aureum', rare : feuilles jaune tendre (dorées en automne).
'Albomarginatum', rare : feuilles délicatement bordées de blanc ; 'Kagiri-Nishiki' ('Roseomarginatum') : feuilles à 5 lobes finement bordés de rose (virant au blanc crème) ; revient facilement au type.
AUTRES ARBRES – *A. oliverianum* (Chine), collections : aspect similaire ; feuilles à 3 ou 5 lobes peu dentés, plus raides et plus foncées, poilues sur les deux faces le long des nervures.
A. ukurunduense (Japon, NE Asie), collections : bourgeons duveteux *pétiolés* (comme les érables jaspés, pp. 380-382) ; grandes feuilles à 5 ou 7 lobes peu profonds *doublement dentés* ; nervures toutes poilues dessous (*cf. A. argutum*, p. 386).

Érable à feuilles de charme *Acer carpinifolium*

Japon. 1879. Rare.
ASPECT – **Silhouette.** Buissonnante, large (jusqu'à 12 m) ; différente des autres érables. **Écorce.** Lisse, grise. **Feuilles.** Vert tendre, pendantes, à *nervures parallèles (18 à 23 paires)*, doublement dentées ; poilues sous les nervures ; dorées en automne. **Fleurs.** Espèce dioïque ; vert vif, en fines grappes pendantes de 10 cm.
ESPÈCES VOISINES – Charmes (pp. 194-196) : feuilles *alternes.*

ÉRABLE DU JAPON **ÉRABLE À FEUILLES DE CHARME**

ÉRABLE À FEUILLES DE CHARME

* = 'LINEARILOBUM ATROPURPUREUM' (*VOIR* CI-DESSUS)

Acer argutum

Japon. 1881. Collections.
Aspect – Silhouette. Souvent buissonnante ; branches frêles dressées, pourprées. **Écorce.** Vert foncé puis brune, lisse. **Rameaux.** Verts, finement poilus. **Bourgeons.** Verts ou roses, *pétiolés* (*cf.* érables jaspés, pp. 380-382). **Feuilles.** Foncées et dures ; duveteuses sous les nervures saillantes ; 5 lobes *doublement* dentés (*cf. A. ukurunduense*, p. 384), *longue pointe très dentelée* ; jaune vif en automne. **Fleurs.** Espèce dioïque ; fines grappes pendantes.
Espèce voisine – Érable du japon (p. 384) : dents simples.
Autres arbres – *A. acuminatum* (O Himalaya) : 3 lobes à angle aigu, avec le même type de pointe longue et dentelée.
A. spicatum (E Amérique du Nord), très rare : assez buissonnant ; 3 ou 5 lobes étalés, doublement dentés, avec des pointes moins acuminées ; fleurs en grappes dressées de 15 cm.

Acer japonicum

Japon. 1864. Peu répandu.
Aspect – Silhouette. Généralement buissonnante ; branches sinueuses et étalées ; jusqu'à 13 m. **Écorce.** Grise, lisse. **Rameaux.** Verts et rouges, vite glabres, *couronnés par* 2 bourgeons (*cf.* érable du Japon, p. 384 ; cachés en été par la base du pétiole). **Feuilles.** Larges (jusqu'à 15 cm), foncées, avec 7 à 11 lobes peu profonds ; poilues au début (puis seulement sur les nervures). **Fleurs.** Pourpres, en bouquets longuement pédonculés.
Cultivars – 'Vitifolium' : jaune puis rouge foncé en automne.
'Aconitifolium' : assez buissonnant ; lobes très profonds et très divisés.
Autres arbres – *A. shirasawanum* 'Aureum' (parfois dénommé *A. japonicum* 'Aureum', mais n'ayant *que des touffes de duvet* sous les feuilles), peu répandu : buissonnant, jusqu'à 8 m ; feuilles dorées puis *vert-jaune tendre*, en amas crispés.
Érable de Corée, *A. pseudosieboldianum* (E Asie, 1903), collections : buissonnant ; *9 ou 11* lobes légèrement plus profonds ; dents *très finement pointues* ; teinte automnale *cramoisie avec des nuances de pourpre et orangé* ; fleurs pourpres.
A. sieboldianum (Japon, 1880), très rare : fleurs et teinte automnale *jaunes* ; *duvet gris* sur les rameaux et les pétioles.
A. circinatum (O Amérique du Nord, 1826), rare : souvent buissonnant ; petites feuilles (10 × 13 cm) avec seulement *7 ou 9 lobes, orange* et rouges en automne ; pétales blancs et sépales pourpres.

Acer miyabei

Japon. 1895. Très rare.
Aspect – Silhouette. Dôme large et assez onduleux ; jusqu'à 16 m. **Écorce.** Brune à écailles grises et orange. **Bourgeons.** Brun-rouge, cachés en été par la base des pétioles. **Feuilles.** *Duveteuses sur les deux faces*, au moins près des nervures, mais pas frangées de poils ; souvent très cordées à la base ; jaunes en automne ; sève laiteuse.
Espèces voisines – *A. diabolicum* (p. 370) ; érable à sucre (p. 372) ; érable à grandes feuilles (p. 378).

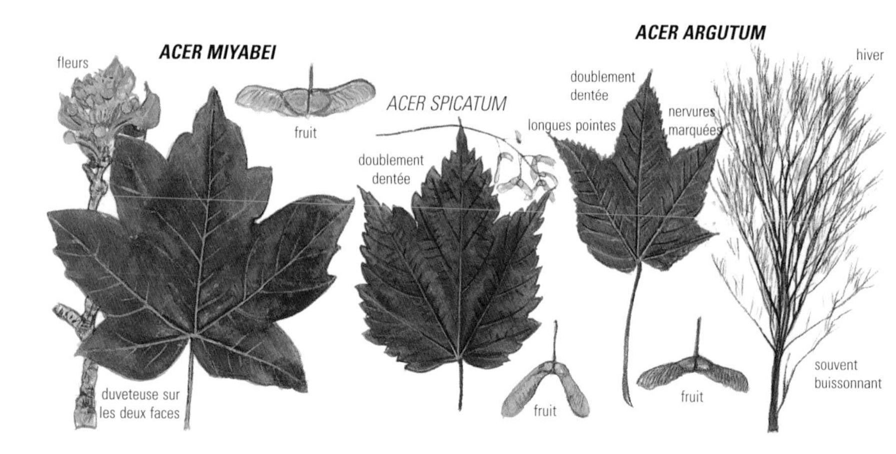

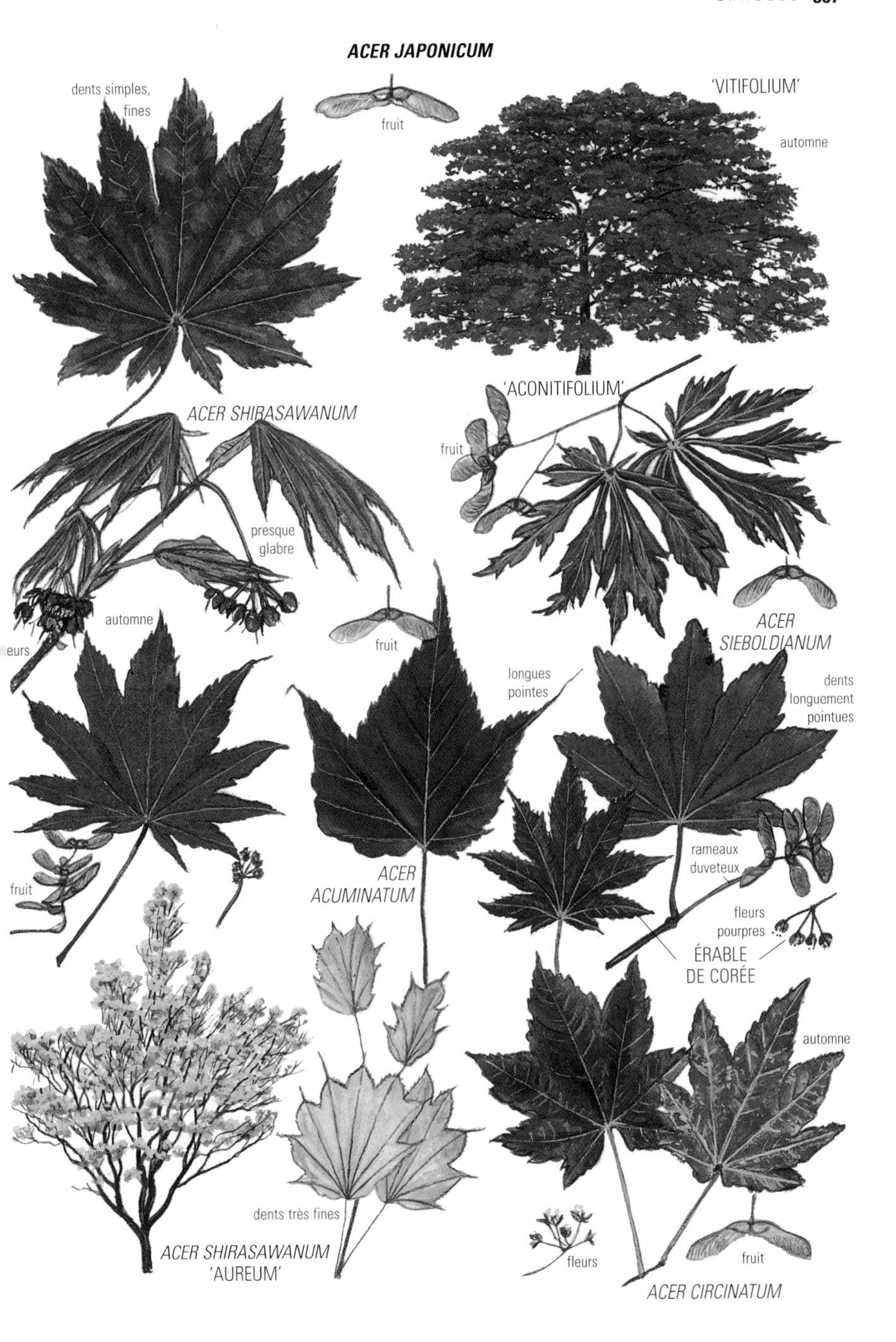
ACER JAPONICUM
dents simples, fines
fruit
'VITIFOLIUM'
automne
'ACONITIFOLIUM'
ACER SHIRASAWANUM
fruit
presque glabre
automne
eurs
fruit
ACER SIEBOLDIANUM
longues pointes
dents longuement pointues
fruit
ACER ACUMINATUM
rameaux duveteux
fleurs pourpres
ÉRABLE DE CORÉE
automne
dents très fines
ACER SHIRASAWANUM 'AUREUM'
fleurs
fruit
ACER CIRCINATUM

Acer velutinum

Caucase, Iran. 1873. Rare. Peut facilement être confondu avec un érable sycomore (p. 370) ; plus facile à identifier avec les fleurs ou les fruits.
ASPECT – **Silhouette.** Dôme dense, jusqu'à 20 m ; *vert tendre*, souvent intense. **Écorce.** *Lisse, gris foncé*, même sur les vieux arbres ; anneaux saillants autour des branches. **Rameaux, bourgeons.** *Plus bruns* que l'érable sycomore. **Feuilles.** Feuillaison tardive ; semblables à celles de l'érable sycomore sur un pétiole souvent rouge ; duvet brunâtre au revers, plus ou moins abondant. **Fleurs.** Vert pâle, en gros *bouquets dressés* ; fruits *en bouquets*, pas en grappes, aux ailes largement étalées.
ESPÈCES VOISINES – *A. trautvetteri* (ci-dessous) ; *A. diabolicum* (p. 370).
CULTIVARS – var. *vanvolxemii* (Caucase), rare : *grandes* feuilles (jusqu'à 25 cm) à long pétiole *rose-jaune* ; duvet au revers vite *confiné aux nervures.*

Acer trautvetteri

(*A. heldreichii* ssp. *trautvetteri*) Du Caucase à l'Iran. 1866. Rare.
ASPECT – **Silhouette.** Dôme étroit, jusqu'à 19 m. **Rameaux, bourgeons.** Brun-rouge *vif* (surtout en hiver). **Feuilles.** Plus brillantes, avec des lobes plus étroits que chez l'érable sycomore (mais moins profondément divisées que chez *A. heldreichii*, ci-dessous ; plus grises dessous, avec des poils orange plus denses sous les nervures). **Fleurs.** Jaunes, en bouquets dressés. **Fruits.** Ailes courbées *roses.*
ESPÈCES VOISINES – Érable sycomore (p. 370). *A. velutinum* (ci-dessus) : dentelure plus vers l'avant ; ailes des fruits largement étalées.

Acer heldreichii

Grèce, Balkans. 1879. Très rare.
ASPECT – **Silhouette.** Dôme étroit, ouvert, avec des branches dressées ; jusqu'à 23 m. **Écorce.** Lisse, gris rosé. **Rameaux.** Bruns. **Bourgeons.** *Très pointus*, brun-rouge, à nombreuses écailles. **Feuilles.** Assez semblables à celles de l'érable sycomore mais vertes quand elles sortent, plus brillantes et moins dentées ; lobes étroits et profonds, *jusqu'à 15 mm de la base* (sur laquelle se trouve 1 touffe de poils) ; jaunes et rouges en automne. **Fleurs.** Jaunes, en bouquets dressés. **Fruits.** Ailes courbées vers le centre et parfois chevauchantes.
ESPÈCE VOISINE – *A. trautvetteri* (ci-dessus).

Acer griseum

Centre Chine. 1901. Planté dans les parcs et jardins pour son écorce décorative ; difficile à multiplier et de ce fait pas très fréquent.
ASPECT – **Silhouette.** Dôme bas et régulier, finement rameux, jusqu'à 15 m. **Écorce.** Rouleaux *papyracés* dès le début ; *rouge cannelle* et brun chocolat, quelquefois bleutée ; sur les vieux arbres, parfois, écailles plus dures, d'un brun orangé terne. **Feuilles.** *3 folioles* lobées ou à dents arrondies ; gris-vert foncé et poilues dessus ; duvet blanc bleuté au revers et sur le pétiole rouge rosé ; feuillaison tardive, orange pâle ; généralement cramoisies et orangées en automne. **Fleurs.** Généralement par 3.
ESPÈCES VOISINES – Autres érables à feuilles trifoliées (p. 390) : écorce différente. Bouleau de Chine à écorce rouge (p. 188) et stewartia de Chine (p. 408) : même type d'écorce papyracée.

ACER GRISEUM

ACER TRAUTVETTERI
ACER VELUTINUM VAR. VANVOLXEMII
écorce
grandes feuilles
bourgeons rouges
fruit rose
quelques dents
ACER HELDREICHII
jeunes feuilles
fleurs dressées
fruit
fruit
couronne rameuse peu fournie
vert vif
écorce restant lisse
ACER HELDREICHII
ACER VELUTINUM VAR. VANVOLXEMII

Acer triflorum

N Chine, Corée. 1923. Très rare.
ASPECT – **Silhouette.** Dôme bas et dense, comme *A. griseum* (p. 388). **Écorce.** Brun-gris pâle, *rugueuse et très squameuse.* **Feuilles.** Comme celles de *A. griseum* – mais dents et lobes moins nombreux et moins profonds ; cramoisies en automne. **Fleurs.** Par 3.

Érable de Nikko *Acer maximowiczianum*

(*A. nikoense*) Centre Chine, Japon. 1881. Assez rare. (À ne pas confondre avec *A. maximowiczii*, un érable jaspé très rare.)
ASPECT – **Silhouette.** En dôme ; feuillage en ramilles horizontales ; jusqu'à 15 m. **Écorce.** Gris foncé, très lisse. **Feuilles.** Plus grandes et foncées que celles de *A. griseum* (p. 388) ; pétioles poilus verts et roses ; rouges et jaunes en automne. **Fleurs.** Par 3, au milieu des jeunes feuilles.

Acer cissifolium

Japon. 1875. Rare.
ASPECT – **Silhouette.** Dôme *large, aplati*, jusqu'à 15 m. **Écorce.** Gris *pâle*, assez lisse puis sillonnée. **Feuilles.** Dents et lobes *dentelés* ; *pétioles rouges très minces* ; 3 folioles, avec pétiole rouge ; poils *épars* sur les deux faces ; jaune pâle en automne. **Fleurs.** Longues *grappes pendantes* (10 à 16 cm).
AUTRE ARBRE – *A. henryi* (Chine, 1903), collections : plus buissonnant ; feuilles *brillantes*, souvent entières ; pédoncules floraux *de 1 mm de long seulement* (3 à 6 mm chez *A. cissifolium*) ; fruits rouges.

Érable negundo *Acer negundo*

(*Negundo aceroides*) Amérique du Nord ; parfois utilisé pour la production de sirop d'érable. 1688. Commun.
ASPECT – **Silhouette.** Large, *irrégulière* ; grosses branches penchées, jeunes branches dressées ; jusqu'à 18 m. **Écorce.** Gris pâle, avec des broussins et des rejets ; *sillons en réseau irrégulier.* **Rameaux.** *Verts*, plus ou moins pruineux. **Bourgeons.** Blanc soyeux. **Feuilles.** Avec *3 à 5* (rarement 7 ou 9) *folioles* irrégulièrement lobées ; veloutées sur des rameaux duveteux chez var. *californicum* ; peu colorées en automne. **Fleurs.** Espèce dioïque ; en grappes plumeuses pendantes, avant les feuilles.
ESPÈCES VOISINES – *A. cissifolium* (ci-dessus) ; érable du Japon 'Hagomoro' (p. 384). Plus grand et plus grossier que les érables à feuilles trifoliolées.
CULTIVARS – var. *violaceum*, peu répandu : rameaux à *forte pruine pourpre* mais glabres ; feuillage *plus foncé* et plus lourd ; fleurs mâles rose saumoné.
'Variegatum' (1845), assez commun, femelle : feuilles vivement panachées de blanc ; fruits à ailes blanches. Largement planté au milieu du XXe siècle, mais revenant facilement au type : formes actuelles greffées, avec des *rameaux à pruine blanche*, un feuillage jaunâtre, *légèrement tacheté de vert* et quelques rejets blanc laiteux.
'Elegans' : feuilles brillantes, bordées de jaune ; rameaux à pruine bleue.
'Flamingo', assez commun : feuilles panachées de blanc, roses quand elles sortent.
'Auratum' (1891), rare : feuilles dorées puis vert pâle ; clone *femelle*, revenant facilement au type.
'Kelly's Gold' : petit clone *mâle* récent, vivement coloré.

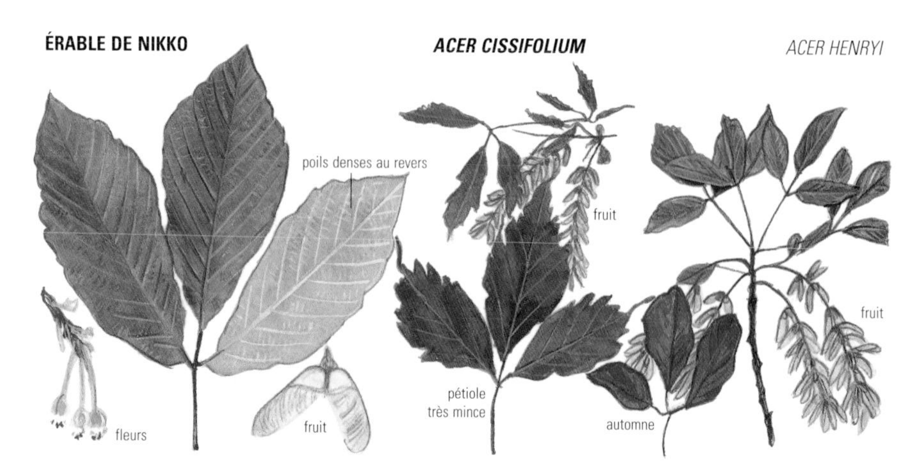

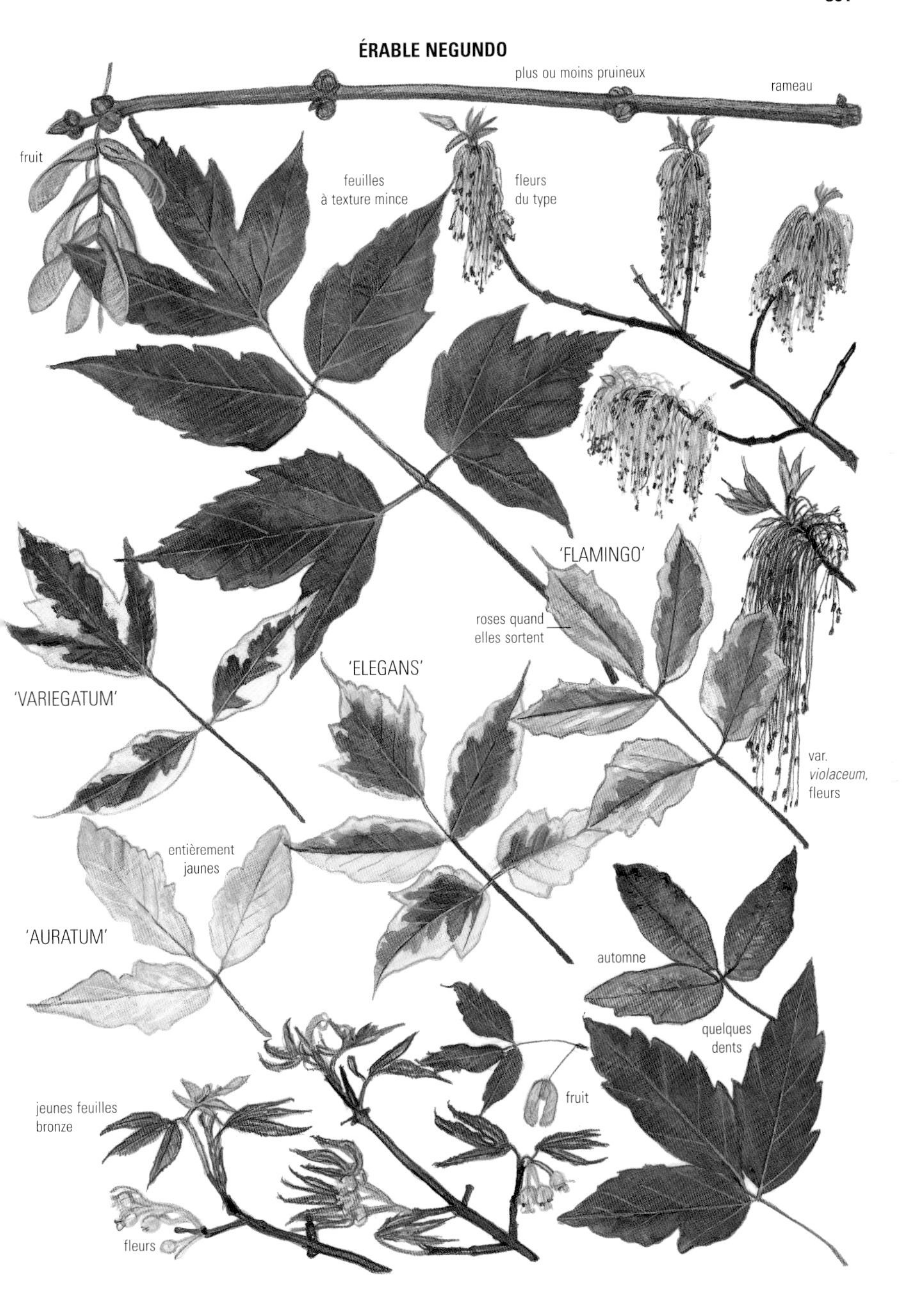

ACER TRIFLORUM

Les Hippocastanacées forment une petite famille dominée par 25 marronniers.

Critères de distinction : marronniers

- Écorce : Reste-t-elle lisse ?
- Feuilles : Combien de folioles ? Pétiolées ou non ? Poilues dessous ? Doublement dentées ?
- Fleurs : Couleur ? Pétales poilus ? Collantes ?
- Fruits : À bogues épineuses ?

Clé des espèces

Marronnier d'Inde (ci-dessous) : généralement 7 folioles sessiles. ***A. indica*** (p. 394) : généralement 7 folioles pétiolées. **Marronnier rouge** (p. 394) : 5 folioles à peine pétiolées. **Marronnier jaune** (p. 396) : 5 folioles nettement pétiolées.

Marronnier d'Inde

Aesculus hippocastanum

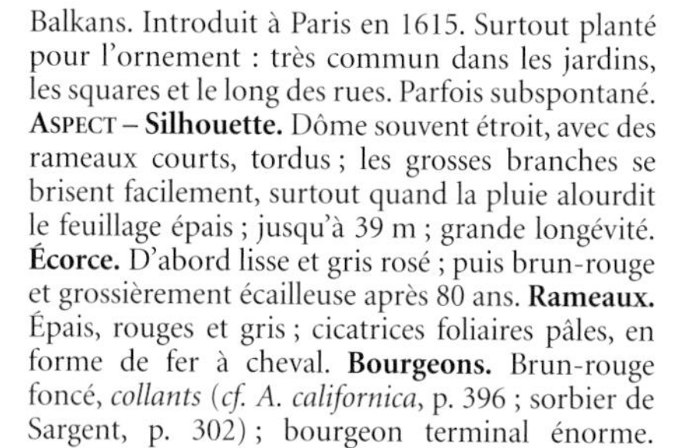

Balkans. Introduit à Paris en 1615. Surtout planté pour l'ornement : très commun dans les jardins, les squares et le long des rues. Parfois subspontané. ASPECT – **Silhouette.** Dôme souvent étroit, avec des rameaux courts, tordus ; les grosses branches se brisent facilement, surtout quand la pluie alourdit le feuillage épais ; jusqu'à 39 m ; grande longévité. **Écorce.** D'abord lisse et gris rosé ; puis brun-rouge et grossièrement écailleuse après 80 ans. **Rameaux.** Épais, rouges et gris ; cicatrices foliaires pâles, en forme de fer à cheval. **Bourgeons.** Brun-rouge foncé, *collants* (*cf. A. californica*, p. 396 ; sorbier de Sargent, p. 302) ; bourgeon terminal énorme. **Feuilles.** Avec 7 (5 ou 6) folioles *sessiles*, doublement dentées ; feuillaison précoce ; souvent brunies en fin d'été par des attaques de rouille. **Fleurs.** Les plus belles de tous les grands arbres ; les taches jaunes de la base virent parfois au rouge après la pollinisation. **Fruits.** Abondants, à bogue *épineuse*.
ESPÈCES VOISINES – Marronnier du Japon (ci-dessous) ; *A.* + *dallimorei* (p. 394) ; marronnier de l'Ohio (p. 396).
CULTIVARS – 'Baumanii' (1820), commun : grappes plus blanches et plus trapues de fleurs *doubles* (et donc pas de fruits) ; branches centrales presque droites, *densément garnies* de feuilles en coupe assez petites.
'Pyramidalis', peu répandu : branches *dressées raides* formant une couronne étroite à la cime pointue.
'Hampton Court Gold' : feuilles uniformément vert-jaune ; 'Honiton Gold' : plus grand. Tous deux très rares.
'Digitata', rare : folioles très *étroites* (souvent 3) sur un pétiole aplati ; f. *laciniata* : feuilles découpées, *plumeuses*. Tous deux chétifs et très rares.

Marronnier du Japon *Aesculus turbinata*

Japon. 1880. Rare.
ASPECT – **Silhouette.** En dôme, jusqu'à 25 m. **Écorce.** Gris rosé ; *rayée de blanc* chez les jeunes arbres, puis avec *quelques* fissures. **Rameaux.** Roses. **Bourgeons.** Orangés, collants. **Feuilles.** Comme celles du marronnier d'Inde mais souvent encore plus grandes ; légèrement argentées dessous, avec des *touffes de poils orange* à l'angle des nervures (brunes chez le marronnier d'Inde) ; *petites dents régulières (pas doubles)* sur les bords. **Fleurs.** Blanches, tachées de rouge ; deux semaines après le marronnier d'Inde. **Fruits.** Bogue *sans aucune épine*.

MARRONNIER D'INDE

Aesculus indica

NO Himalaya. 1851. Peu répandu.
ASPECT – **Silhouette.** Dôme fin aux branches assez droites, jusqu'à 26 m, parfois à troncs multiples. **Écorce.** Lisse, gris rosé, s'écaillant avec l'âge. **Bourgeons.** Verts et rouge rosé, collants : par 2 au sommet des rameaux grêles. **Feuilles.** Avec 5 à 9 (généralement 7) folioles *fines*, chacune sur *un pétiole rouge de 1 cm* ; brillantes et *très foncées* dessus ; gris pâle dessous mais *glabres* ; brièvement *rouges* quand elles sortent (*cf. A.* × *neglecta* 'Erythroblastos', p. 396), mais peu colorées à l'automne. **Fleurs.** Rose pâle (taches jaunes devenant rouges), en longues grappes dressées, de la fin du printemps au *début de l'été*. 'Sidney Pearce' (1928) a de nombreuses taches rouges et *pourpres*. **Fruits.** Marrons brun-noir dans des bogues coriaces, sans épines.
ESPÈCES VOISINES – *A. californica* (p. 396). Marronnier du Japon (p. 396) : folioles sessiles.

Marronnier rouge *Aesculus* × *carnea*

Hybride entre le pavier rouge (p. 396) et le marronnier d'Inde. 1818. Commun dans les parcs et jardins, et le long des rues.
ASPECT – **Silhouette.** Basse (rarement 20 m) ; branches très tordues, souvent retombantes. **Écorce.** Lisse (avec des lenticelles saillantes) puis fissurée mais moins écailleuse que celle du marronnier d'Inde ; chancres fréquents. **Bourgeons.** Grisâtres, *à peine collants* ; par 2 au sommet des rameaux grêles. **Feuilles.** Foncées, *froissées* mais légèrement brillantes ; 5 (6 ou 7) folioles, chacune *fortement* dentelée et à peine pétiolée ; généralement plus petites que celles du marronnier d'Inde. **Fleurs.** *Cramoisi terne*, en grappes dressées trapues assez rayonnantes. **Fruits.** Bogues peu ou pas épineuses.
ESPÈCE VOISINE – Marronnier de l'Ohio (p. 396) : feuillage beaucoup plus élégant.
CULTIVARS – 'Briotii' (1858), le plus commun : dôme régulier, jusqu'à 25 m ; feuilles *plus brillantes* et moins froissées ; grappes plus ou moins rouge rosé *vif*.
'Plantierensis' (*A.* × *planteriensis*), peu répandu : dôme bas ; longues folioles de la forme de celles du marronnier d'Inde, mais froissées et brillantes, et généralement par 5 ; fleurs *abricot et rose saumoné* en immenses grappes dressées, lâches ; *ne fructifie pas*.

Aesculus + *dallimorei*

Chimère découverte en 1955 dans le Kent par William Dallimore, un ancien directeur des jardins botaniques de Kew : une branche de marronnier jaune avait fusionné avec les tissus du marronnier d'Inde sur lequel il était greffé. Il existe maintenant trois sports indépendants. Collections.
ASPECT – **Silhouette.** Dôme dense et vigoureux. **Feuilles.** 7 folioles froissées évoquant celles du marronnier d'Inde (p. 392), mais *longuement pointues* et avec des poils blancs au revers (et quelques poils brunâtres comme chez le marronnier d'Inde le long de la nervure médiane). **Fleurs.** *Jaune crème* (ou plus blanches et tachées de rouge), en grandes grappes dressées, deux semaines après le marronnier d'Inde.

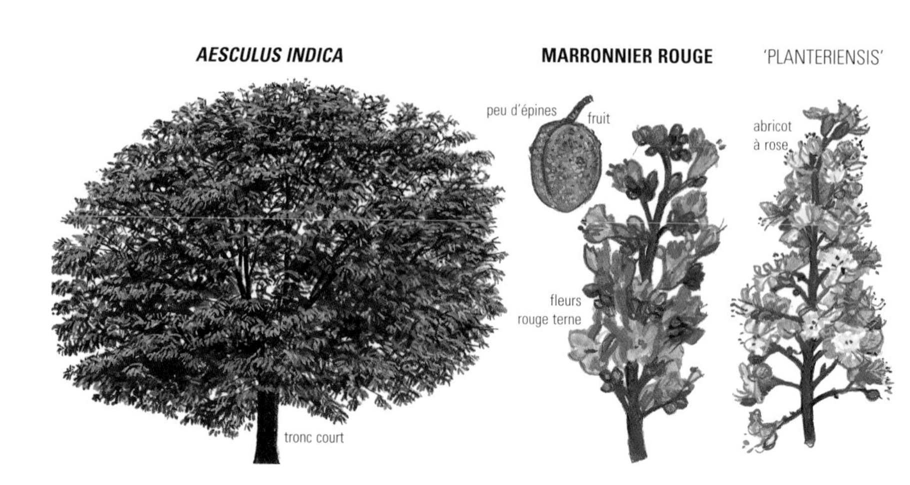

AESCULUS INDICA
vieille écorce
fleurs
5 à 9 folioles
au revers gris
mais glabre
fruit
pétioles
fleurs rouges à roses
AESCULUS
+ DALLIMOREI
feuille vert
foncé, froissée
'BRIOTII'
5 à 7 folioles
froissées
MARRONNIER
ROUGE
écorce
tronc souvent chancreux
greffé
'PLANTERIENSIS'

Aesculus californica

Californie. 1850. Rare.

Aspect – **Silhouette.** Dôme large et bas, jusqu'à 14 m ; ou buissonnante. **Écorce.** Lisse et gris rosé, finement écailleuse avec l'âge. **Bourgeons.** Collants. **Feuilles.** *Petites* ; 5 à 7 folioles foncées, brillantes, de 5 à 10 cm de long, poilues au début seulement ; souvent *disposées en cercle.* **Fleurs.** Odorantes, en grappes dressées rayonnantes, trapues, rose tendre ou blanches, en *début d'été.* **Fruits.** Bogues rugueuses mais sans épines pointues.

Espèce voisine – *A. indica* (p. 394).

Marronnier jaune *Aesculus flava*

(*A. octandra*) E États-Unis. 1764. Peu répandu.

Aspect – **Silhouette.** En dôme étroit, jusqu'à 26 m, ou irrégulière ; branches souvent *tordues.* **Écorce.** Gris rosé ; lisse (lenticelles saillantes), puis généralement avec des grandes écailles courbées. **Bourgeons.** Brun-rose pâle, non collants ; par 2 au sommet des rameaux grêles. **Feuilles.** Avec 5 (3 ou 4) folioles vert tendre légèrement brillantes, lisses, *élégantes*, chacune sur un *pétiole de 1 cm*, et restant *plus ou moins duveteuses au revers* ; rouge orangé vif en automne. **Fleurs.** Grappes dressées jaunes, fines – peu spectaculaires (rouges chez f. *virginica*, rare) ; pétales tubulaires *à longs poils*, sans glandes collantes, assez longs pour dissimuler les étamines. **Fruits.** Bogues coriaces *jamais épineuses.*

Autres arbres – Pavier rouge, *A. pavia* (SE États-Unis, 1711), rare : généralement *buissonnant* avec des branches rayonnantes, droites, ou avec des branches retombantes partant d'un point de greffe ; écorce typique *restant* lisse et grise ; petites feuilles foncées, brillantes, souvent à pétiole rouge, moins duveteuses au revers ; pétales rouge vif (rarement jaunes) en corolle très étroite, *glabres, mais glanduleux et collants.*

A. × *hybrida* (1815), hybride avec le marronnier jaune, rare : étroitement colonnaire, jusqu'à 22 m, avec des branches dressées, droites, à écorce grise et lisse ; feuillage plus foncé que celui du marronnier jaune ; pétales rouges et jaunes à la fois *poilus et collants (glandes minuscules).*

Marronnier de l'Ohio *Aesculus glabra*

E États-Unis. 1809. Très rare.

Aspect – **Silhouette.** Souvent basse et irrégulière, avec des branches tordues ; jusqu'à 18 m. **Écorce.** Brun pâle, à odeur forte ; se fissurant en *crêtes liégeuses, rugueuses* ; plus lisse mais *presque blanche* chez var. *leucodermis*, S Missouri, Arkansas. **Feuilles.** Avec 5 à 7 folioles élégantes, légèrement pétiolées ; plus foncées que celles du marronnier jaune ; poils au revers vite *confinés aux nervures principales.* **Fleurs.** En grappes dressées trapues, jaune-vert ; pétales *plus courts que les étamines.* **Fruits.** Bogues avec quelques *courts piquants* ou *verrues pointues.*

Aesculus × *neglecta* 'Erythroblastos'

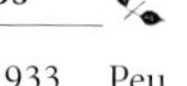

Sport d'une espèce américaine. 1933. Peu répandu ; apprécié pour la couleur de ses jeunes feuilles.

Aspect – **Silhouette.** Dôme irrégulier, chétif ; jusqu'à 10 m. **Bourgeons.** *Extrémité des écailles étalée.* **Feuilles.** *Rose crevette* quand elles sortent, virant en deux semaines à un vert-jaune vif (*cf.* les jeunes feuilles rouges de *A. indica*, p. 394), puis devenant vert terne, avec du *jaune près de la nervure médiane.* **Fleurs.** Comme celles du marronnier jaune (ci-dessus).

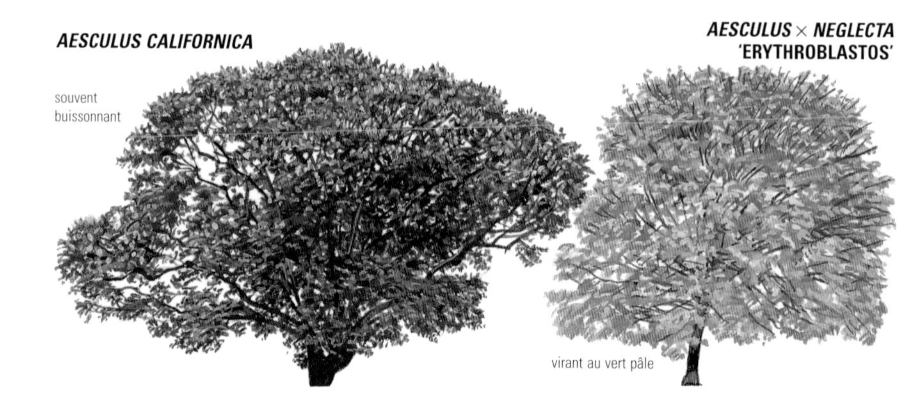

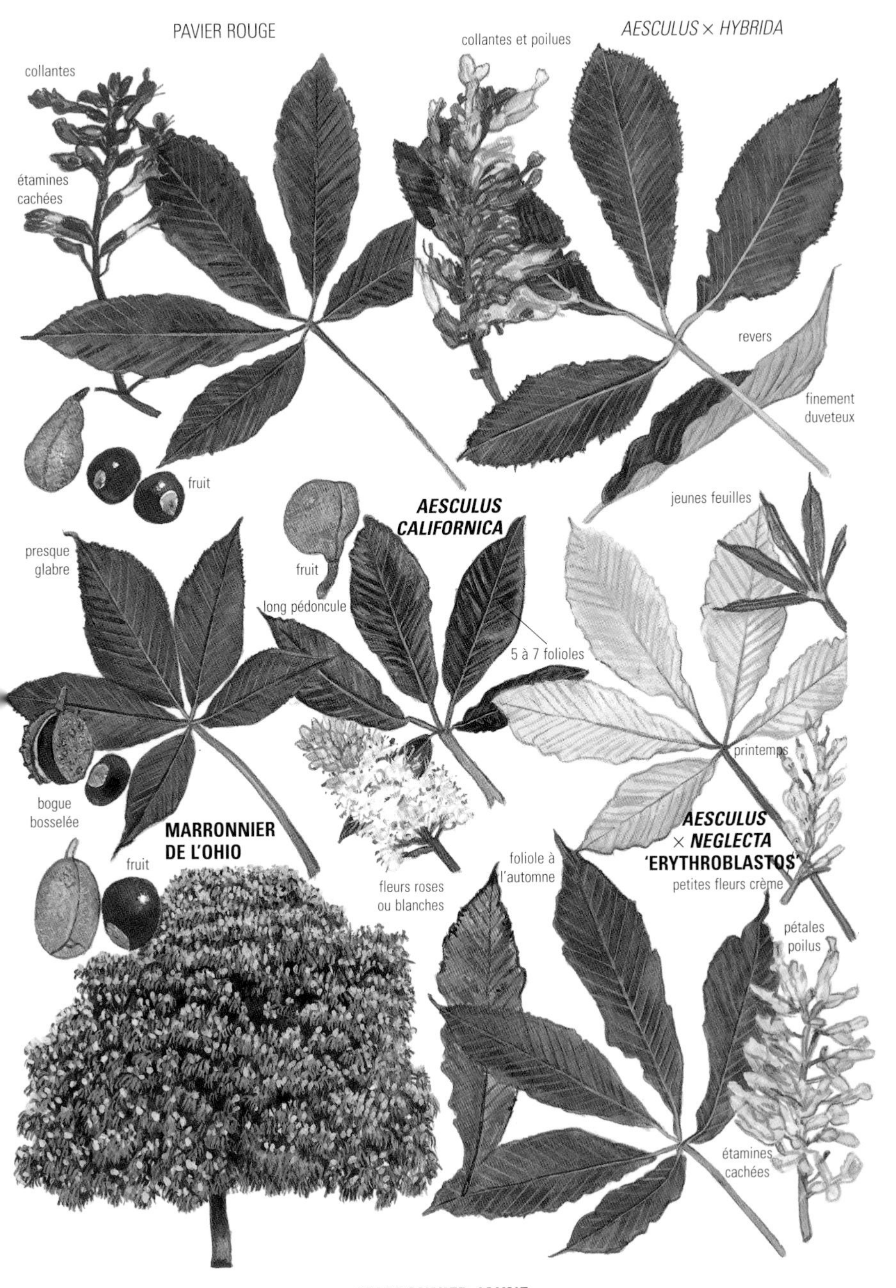

MARRONNIER JAUNE

Savonnier *Koelreuteria paniculata*

Chine, Corée, Japon. 1763. Peu répandu. (Famille : Sapindacées.)
ASPECT – **Silhouette.** En dôme dense ; branches épaisses, dressées et tordues ; jusqu'à 15 m. **Écorce.** Brune ; crêtes serrées entrelacées, rugueuses à terme. **Rameaux.** Brun cuivré pâle ; bourgeons courts et pointus, au-dessus *des cicatrices foliaires cernées de noir.* **Feuilles.** Plus ou moins divisées, typiques ; rouge cru quand elles sortent puis rose ambré. **Fleurs.** Grandes panicules (30 cm) jaune moutarde en été ; capsules vésiculeuses rosâtres, contenant chacune 3 graines.
ESPÈCE VOISINE – Chicot du Canada (p. 350) : globalement similaire, du moins en hiver.
CULTIVAR – 'Fastigiata', très rare : branches *verticales* formant une silhouette très étroite, jusqu'à 14 m.

Nerprun purgatif *Rhamnus cathartica*

Europe, O et N Asie. Indigène en France, assez commun, mais plus rare dans le Midi et dans le nord-ouest. Pousse *sur les sols calcaires.* Source de nourriture (avec la bourdaine) du citron (un papillon) : c'est souvent la présence des mâles jaune soufre qui révèle la proximité de la plante. Fruits et écorce fournissaient autrefois une teinture jaune. (Famille : Rhamnacées.)
ASPECT – **Silhouette.** Souvent buissonnante, rameuse, sur un tronc court mais robuste ; jusqu'à 15 m (rare) ; rameaux latéraux souvent épineux. **Écorce.** Brun foncé ; vite *écailleuse.* **Rameaux.** Fins, droits, brun-gris. **Bourgeons.** Coniques, brun-noir, *apprimés ; généralement opposés mais parfois décalés.* **Feuilles.** Foncées, de 6 cm environ, avec des nervures courbées comme chez le cornouiller sanguin (p. 424), mais *à fines dents arrondies* ; généralement glabres ; jaunes en automne. **Fleurs.** Petites étoiles vert-jaune, groupées à l'aisselle des jeunes pousses. **Fruits.** Baies noires de 6 mm ; fortement purgatifs.
ESPÈCES VOISINES – Fusain d'Europe (p. 448) : feuilles plus étroites. Pommier sauvage (p. 306) : même allure mais feuilles nettement alternes.

Bourdaine *Frangula alnus*

(*Rhamnus frangula*) Europe, jusqu'en Sibérie ; N Afrique. Commune partout en France sauf dans le Midi. Pousse en sol *acide.* Apparentée au nerprun purgatif, mais d'allure très différente. Son bois servait autrefois à la fabrication de poudre à fusil. La sève est très amère et irritante.
ASPECT – **Silhouette.** Conique au début, avec des branches légères et droites ; atteint rarement la taille d'un arbre. **Écorce.** Lisse, gris foncé. **Rameaux.** Droits, très fins, brun-pourpre ; lenticelles allongées formant *de fines raies blanches.* **Bourgeons.** Alternes, *sans écailles* – touffes de poils orange, 3 mm. **Feuilles.** Petites (5 cm environ), plates, vert tendre mat, *entières* ; effilées à la base mais à *pointe émoussée* (sauf sur les pousses vigoureuses), comme celles de l'aulne glutineux (p. 190), qui pousse souvent à proximité. **Fleurs.** Minuscules bouquets verts. **Fruits.** Baies rouges, pourpres à maturité ; toxiques.
ESPÈCE VOISINE – Arbre à perruques (p. 360) : feuillage similaire.

NERPRUN PURGATIF

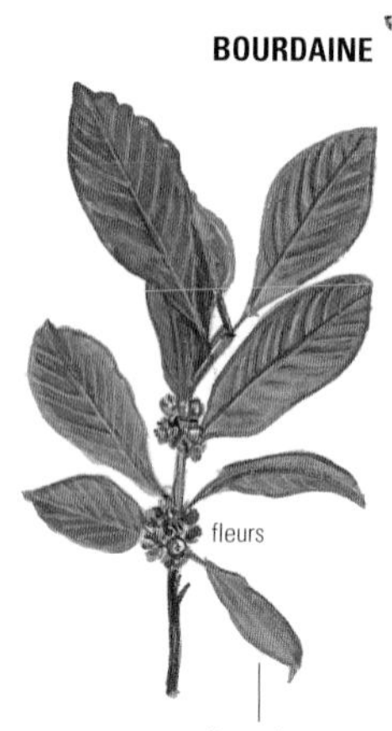

BOURDAINE

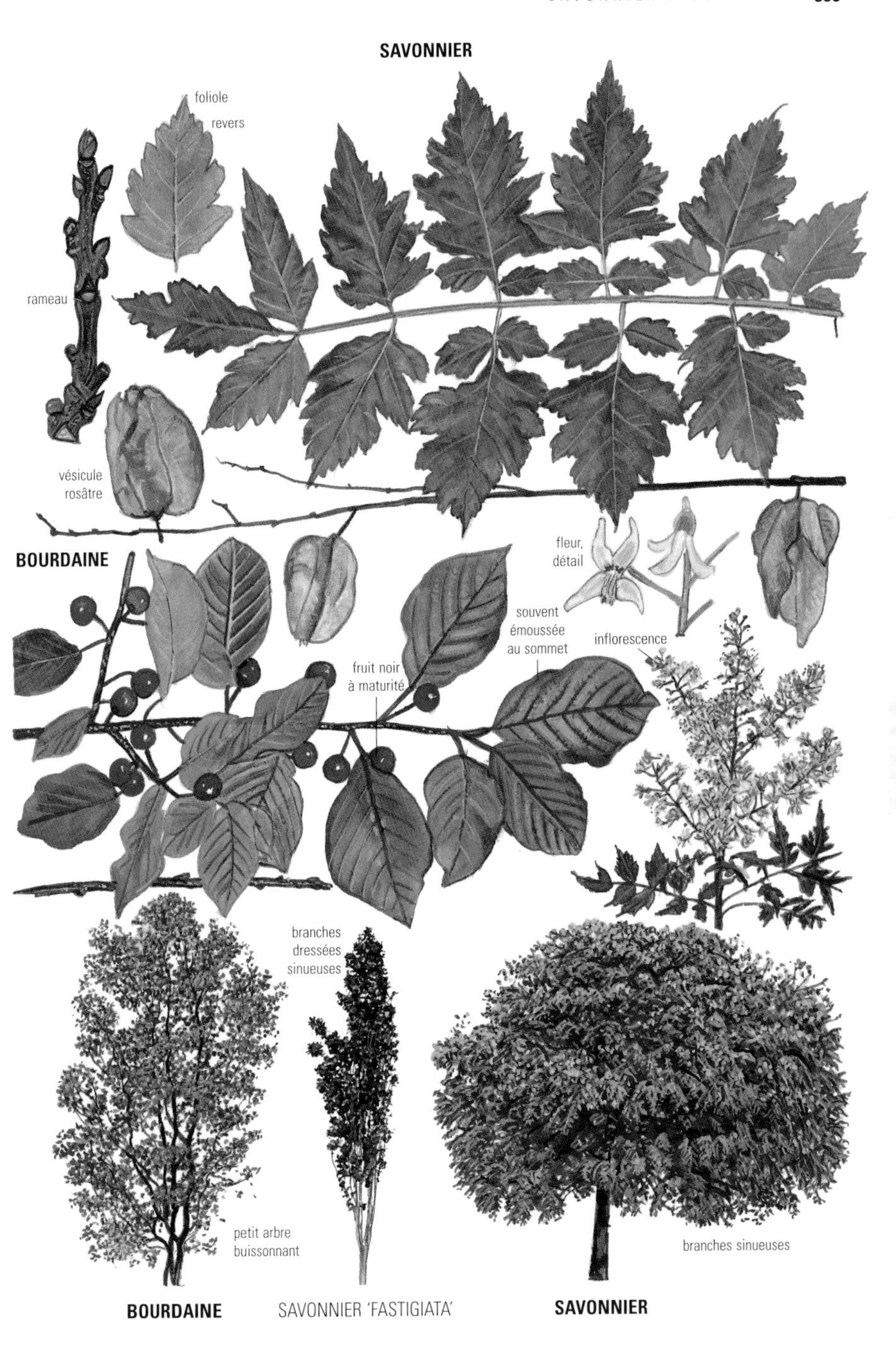
SAVONNIER
foliole
revers
rameau
vésicule
rosâtre
BOURDAINE
fleur,
détail
souvent
émoussée
au sommet
inflorescence
fruit noir
à maturité
branches
dressées
sinueuses
petit arbre
buissonnant
branches sinueuses
BOURDAINE
SAVONNIER 'FASTIGIATA'
SAVONNIER

Au sein des Tiliacées, une famille diverse, les tilleuls (30 espèces) constituent le principal groupe d'arbres. Leurs feuilles cordiformes sont asymétriques à la base ; ils ne possèdent pas de gros bourgeon terminal. Leurs fleurs pourvues de grandes bractées sont délicieusement parfumées. En été, les pucerons déposent souvent leur miellat poisseux sur les feuilles.

Critères de distinction : tilleuls

- Rameaux : Poilus ou feutrés ? Rouge plus ou moins intense ?
- Feuilles : Brillantes ? Duveteuses ou feutrées au revers ? Touffes de poils (couleur ?) sous les nervures ? Pétiole (longueur ?) duveteux ?

Tilleul à grandes feuilles *Tilia platyphyllos*

Europe, SO Asie. En France, assez commun dans l'est, rare dans l'ouest ; absent du littoral méditerranéen. Abondamment planté dans les parcs et jardins, et en alignement.

ASPECT – **Silhouette.** Dôme élevé, jusqu'à 42 m. **Écorce.** Grisâtre, avec de nombreuses crêtes entrecroisées ; rejette rarement. **Rameaux.** Gris-vert – plus rouges au soleil ; rouge clair chez 'Rubra' ('Corallina'), au feuillage dense, vif – ; *poils fins* tombant durant l'hiver. **Bourgeons.** Gros, avec *3 écailles* grises à rouge terne et des poils épars. **Feuilles.** Souvent vert *foncé terne* et *légèrement velues* ; *pétioles poilus* chez ssp. *cordifolia* (N Europe) ; poils seulement sous les nervures chez ssp. *platyphyllos* (Europe centrale) ; presque glabres chez ssp. *pseudorubra* (E Europe) ; jusqu'à 15 × 15 cm ; bords parfois pendants. **Fleurs.** Pendantes, en milieu d'été ; 3 à 6 par bractée. **Fruits.** *Souvent marqués de 5 côtes saillantes*, duveteux.

ESPÈCE VOISINES – Tilleul commun (p. 402). Tilleul argenté (p. 404) : bourgeons *velus* en hiver.

CULTIVARS – 'Laciniata' ('Aspleniifolia') : petites feuilles très variablement lobées ; arbre étroit, jusqu'à 22 m, très florifère.
'Fastigiata' : branches ascendantes serrées formant un dôme étroit et pointu ; 'Orebro' (1935), rare : conique, plus gracieux.

Tilleul à petites feuilles *Tilia cordata*

Europe, Caucase. En France, commun dans les Pyrénées et dans l'est, plus rare ailleurs. Fréquent dans les parcs et jardins. Apprécie la fraîcheur et la mi-ombre ; perd précocement ses feuilles en situation trop chaude.

ASPECT – **Silhouette.** En dôme, jusqu'à 38 m. **Écorce.** Gris chamois ; plus anguleuse que celle du tilleul à grandes feuilles ; souvent des rejets fréquents. **Rameaux.** Vite *glabres* et (au soleil) rouge brillant. **Bourgeons.** Gros, glabres, avec une grande et une petite écaille. **Feuilles.** Petites (8 × 8 cm), *bien planes* ; glabres excepté quelques touffes de poils *roussâtres* dessous à l'angle des nervures ; revers mat et légèrement argenté (parfois plus brillant à l'ombre ainsi que sur les jeunes arbres). **Fleurs.** Abondantes et *étalées dans tous les sens* en milieu d'été, faisant virer la couronne au jaune crème ; 5 à 11 par bractée. **Fruits.** *Glabres, à peine côtelés.*

ESPÈCES VOISINES – Tilleul commun (p. 402) : touffes jaune chamois sous les feuilles ; fleurs pendantes. Tilleul de Mongolie (p. 404).

CULTIVARS – 'Rancho' et 'Greenspire' (1961), peu répandus : branches très ascendantes.

TILLEUL À PETITES FEUILLES 'GREENSPIRE'

TILLEUL À GRANDES FEUILLES 'FASTIGIATA'

TILLEUL À GRANDES FEUILLES 'LACINIATA'

TILLEUL À PETITES FEUILLES

TILLEUL À GRANDES FEUILLES

Tilleul commun *Tilia × europaea*

(Tilleul de Hollande ; *T. × vulgaris*) Hybride entre les tilleuls à grandes feuilles et à petites feuilles, très commun le long des routes, dans les parcs et les grands jardins. Souvent abîmé par des élagages excessifs.

ASPECT – **Silhouette.** En dôme ou, chez un clone commun, *en colonne avec des branches verticales serrées* ; très grand, jusqu'à 46 m. **Écorce.** Brun-gris pâle ; crêtes irrégulières ; enveloppée de rejets chez certains clones. **Rameaux.** Rouges au soleil ; vite glabres. **Bourgeons.** Gros ; 2 écailles rougeâtres *frangées* de poils fins, 1 grosse et 1 petite. **Feuilles.** 10 × 10 cm, *fragiles*, vite plus ou moins glabres sauf quelques touffes *jaune chamois* dessous à l'angle des nervures (*cf.* tilleul à petites feuilles : touffes plus *roussâtres*) ; revers généralement vert pâle brillant, mais, chez un clone, mat et légèrement argenté sur les pousses au soleil ; pétioles vite glabres. **Fleurs.** Pendantes, en plein été ; 4 à 10 par bractée. **Fruits.** *Duveteux, mais peu côtelés.*

ESPÈCES VOISINES – Les parents (p. 400) ; tilleuls d'Amérique et du Caucase (ci-dessous).

CULTIVAR – 'Wratislaviensis' (1890), rare : feuilles vertes quand elles sortent puis *dorées* ; couronne plus foncée par la suite, mais toujours constellée des jeunes pousses tardives jaunes.

Tilleul d'Amérique *Tilia americana*

États-Unis à E Canada. 1752. Peu répandu en France.

ASPECT – **Silhouette.** En dôme étroit, jusqu'à 24 m, ou grêle, ou assez pleureuse ; vert *jaunâtre* foncé. **Écorce.** Gris foncé ; crêtes verticales. **Rameaux, bourgeons.** Brun-vert rougeâtre, glabres. **Feuilles.** De la taille de celles du tilleul commun (mais jusqu'à 30 cm de long sur certains arbres grêles) ; assez *oblongues*, avec une base asymétrique en oblique ; *grandes dents jaunes à leur extrémité* (allongées chez 'Dentata') ; revers d'un gris-vert légèrement *plus foncé* que chez le tilleul commun, avec de minuscules touffes blanchâtres à l'angle des nervures (duvet épars chez var. *vestita*) ; pétiole glabre. **Fleurs.** Souvent *10 à 12* par bractée. **Fruits.** *Lisses, glabres.*

Tilleul du Caucase *Tilia × euchlora*

Hybride probable entre *T. cordata* et *T. dasystyla* (Crimée ; 1860). Assez commun dans les parcs et jardins – les pucerons délaissent son *feuillage brillant.*

ASPECT – **Silhouette.** En dôme dense et *étroit*, jusqu'à 20 m ; *tronc droit* se divisant à mi-hauteur en *grosses branches courbées et entremêlées* sur lesquelles se développent des branches plus fines. **Écorce.** Gris foncé, lisse ; largement fissurée avec l'âge. **Rameaux.** *Vert tilleul* (rouge *ambré* au soleil en hiver), finement duveteux. **Bourgeons.** Vert rougeâtre. **Feuilles.** Planes ; pâles et dentées au bord ; pétioles glabres ; *grosses touffes de poils bruns* dessous à l'angle des nervures ; jaunissant une par une à l'automne. **Fleurs.** Tardives, jaune d'or, très odorantes. **Fruits.** Duveteux, à 5 côtes peu saillantes.

ESPÈCES VOISINES – Tilleul commun (ci-dessus). Tilleul argenté 'Petiolaris' (p. 404) : ramure assez proche.

AUTRES ARBRES – *T. dasystyla* et sa sous-espèce ssp. *caucasica*, collections : feuilles élégantes, duveteuses sous les nervures principales (*cf.* ssp. *pseudorubra* du tilleul à grandes feuilles, p. 400).

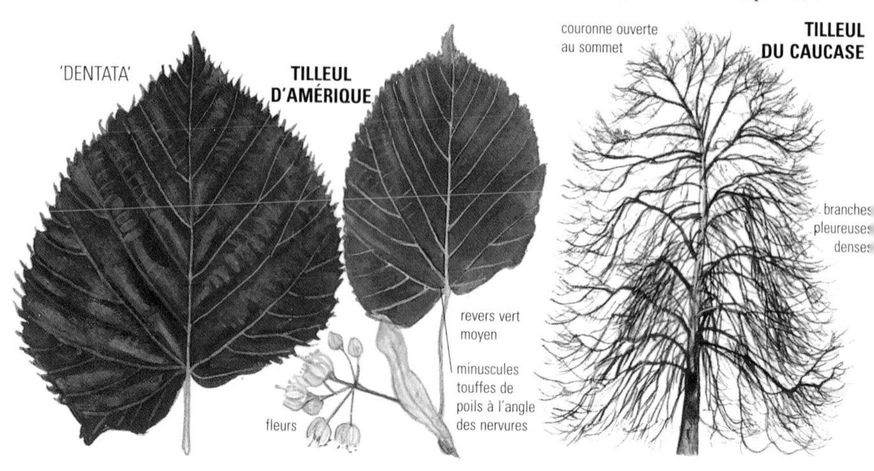

TILLEUL COMMUN
assez brillant
écorce
revers
très grand
fruit
fleur, détail
rameau
TILIA DASYSTYLA
verdit en été
TILLEUL COMMUN 'WRATISLAVIENSIS'
fruit
rameaux verts à l'ombre
bourgeons allongés
fruit
brillante
revers
nombreux rejets
grosses touffes de poils bruns
fleurs
TILLEUL DU CAUCASE
TILLEUL COMMUN

Tilleul argenté *Tilia tomentosa*

De la Hongrie à SO Russie et NO Turquie. 1767. Assez fréquent dans les parcs publics.
ASPECT – **Silhouette.** En dôme net, avec des branches ascendantes rayonnantes, droites ; jusqu'à 32 m ; feuillage sombre en masses aplaties, illuminé par le revers argenté des feuilles. **Écorce.** Brun-gris foncé ; crêtes entrecroisées épaisses mais peu saillantes. **Rameaux, bourgeons.** *Finement mais densément feutrés de gris.* **Feuilles.** Avec de grandes dents (et parfois des lobes pointus sur les côtés) ; revers *blanc laineux* ; pétiole argenté couvert de poils courts, mesurant *moins de la moitié de la longueur du limbe.* **Fleurs.** Tardives ; 7 à 10 par bractée ; très odorantes. **Fruits.** À 5 côtes, couverts de poils blancs.
CULTIVARS – 'Petiolaris' (*T.* × *petiolaris*), hybride d'origine obscure (vers 1842), assez fréquent : couronne en fontaine, avec des *branches charpentières tortueuses, lourdes, d'où partent des branches latérales retombantes* ; pétioles mesurant (largement) *plus de la moitié de la longueur du limbe* ; toujours greffé (généralement sur tilleul commun) ; jaune en automne.
AUTRES ARBRES – *T.* 'Moltkei' (Allemagne ; 1880), peut être un hybride entre 'Petiolaris' et le tilleul d'Amérique, rare : couronne légèrement pleureuse ; jusqu'à 25 m ; rameaux et bourgeons *glabres* ; *grandes* feuilles (jusqu'à 25 cm), souvent finement duveteuses dessus et *très finement feutrées* au revers (pas de touffes distinctes à l'angle des nervures).
T. 'Spectabilis' (hybride probable entre le tilleul argenté et le tilleul d'Amérique), très rare : feuilles similaires mais plus petites ; rameaux et bourgeons finement duveteux.
T. heterophylla (E États-Unis), collections : feuilles comme celles du tilleul d'Amérique (p. 402), mais avec des dents plus petites ; *touffes de poils chamois* dessous à l'angle des nervures, parfois dissimulées par le feutrage gris argenté du revers ; rameaux et pétioles très finement laineux.

Tilia oliveri

Centre Chine. 1900. Très beau tilleul mais encore rare.
ASPECT – **Silhouette.** En dôme, avec des branches peu fournies ; jusqu'à 25 m. **Écorce.** *Lisse*, grise ; cicatrices entourées de plis sombres. **Rameaux.** *Glabres*, verts ou rosâtres ; bourgeons glabres sauf à leur extrémité. **Feuilles.** *Planes* et très élégantes ; vert tendre mat ; feutrage argenté brillant au revers ; petites dents à pointe blanche, assez espacées ; pétioles vert pomme, *glabres* à l'exception d'un petit duvet à chaque bout. **Fleurs.** Petites, mais jusqu'à 20 par bractée.
ESPÈCES VOISINES – Tilleul argenté (ci-dessus) et ses apparentés : rameaux *ou* feuilles laineux ; feutrage terne et épars.

Tilleul de Mongolie *Tilia mongolica*

N Chine, E Russie. 1904. Collections ; maintenant un peu plus fréquent dans les parcs publics.
ASPECT – **Silhouette.** En dôme régulier ; jusqu'à 20 m. **Écorce.** Grise ; fissures verticales. **Rameaux, bourgeons.** Brillants et vite glabres ; cramoisis au soleil. **Feuilles.** Petites et planes, comme celles du tilleul à petites feuilles (p. 400 ; souvent blanchâtres au revers mais pas duveteuses) mais avec *des dents grossières et peu nombreuses* ; *lobes pointus*, au moins sur les jeunes arbres. **Fleurs.** Voyantes, parfois jusqu'à 30 par bractée.
ESPÈCES VOISINES – Tilleul argenté (ci-dessus) : feuilles parfois lobées, à revers argenté laineux. Bouleau verruqueux 'Laciniata' (p. 182) ; érable à feuilles de bouleau (p. 382).

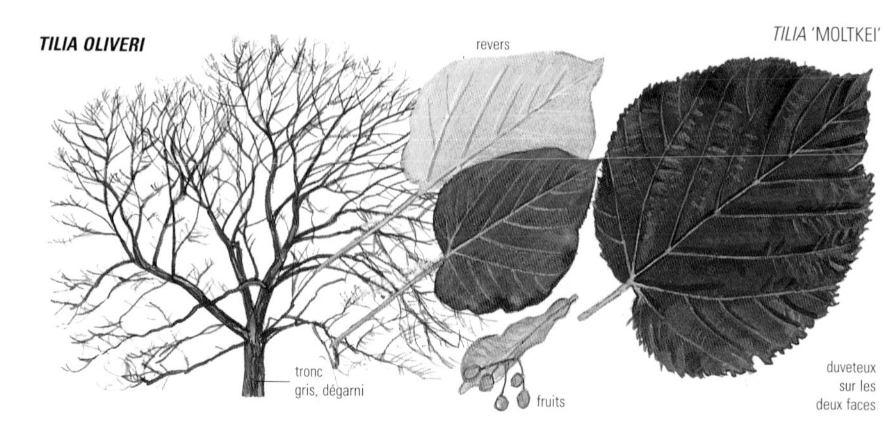

TILLEUL ARGENTÉ 'PETIOLARIS'

TILIA HETEROPHYLLA

Les 5 ou 6 Eucryphias *(seul genre de la famille des Eucryphiacées) portent des feuilles opposées et des fleurs à 4 pétales semblables à celles des seringats* (Philadelphus), *en fin d'été. Les eucryphias sont peu cultivés en France : collections en climat doux, ou sous serre.*

Eucryphia glutinosa

(*E. pinnatifolia*) Centre Chili. 1859. L'espèce la plus rustique ; pousse en sol acide.
ASPECT – **Silhouette.** En dôme hérissé, jusqu'à 13 m, mais souvent buissonnante ; feuillage luisant. **Rameaux.** Brun pâle, avec des poils épars. **Bourgeons.** Verts, pointus, 1 cm. **Feuilles.** Brillantes ; *3 à 7 folioles finement dentées* ; *caduques* ; rouges et orangées en automne. **Fleurs.** Plus précoces que celles des autres espèces.
CULTIVAR – 'Plena' : fleurs doubles.

Eucryphia cordifolia

Centre Chili. 1851. Rare.
ASPECT – **Silhouette.** *Naturellement fastigiée*, jusqu'à 22 m ; vert sombre. **Feuilles.** Denses ; *simples*, assez oblongues (jusqu'à 8 × 4 cm) ; foncées et légèrement brillantes mais rugueuses dessus et *très duveteuses au revers* ; épaisses ; bord enroulé, denté chez les jeunes plantes, puis ondulé.
AUTRES ARBRES – Deux espèces de Tasmanie, rares : *E. lucida* (beaucoup moins de poils ; feuilles plus fines – 1 à 2 cm de large – très brillantes, souvent pointues, *argentées dessous*) et *E. milliganii* (buissonnante ; petites feuilles parfois échancrées ; fleurs de 18 mm de large seulement).
E. 'Penwith' (hybride intermédiaire entre *E. cordifolia et E. lucida*), rare : feuilles pointues légèrement argentées au revers.
Pittosporum tobira (E Asie) est un grand arbuste vaguement similaire, avec des feuilles *alternes* persistantes, également planté dans les grands jardins en climat doux.

Eucryphia de Nymans
Eucryphia × nymansensis 'Nymansay'

Hybride entre *E. cordifolia* et *E. glutinosa* obtenu à Nymans (Sussex) en 1914. Peu répandu.
ASPECT – **Silhouette.** Naturellement *fastigiée*, avec de nombreuses tiges serrées, souvent basales, garnies d'un feuillage persistant sombre ; jusqu'à 23 m. **Écorce.** Lisse, gris foncé. **Rameaux.** Verts, très poilus. **Feuilles.** Les plus grandes trifoliolées, les plus petites simples (*cf. E. × intermedia* 'Rostrevor') ; oblongues, finement dentées et légèrement duveteuses sur les deux faces ; pétioles densément velus.

Eucryphia × intermedia 'Rostrevor'

Hybride entre *E. glutinosa* et *E. lucida*, obtenu à Rostrevor (Irlande), au début du XXe siècle. Peu répandu.
ASPECT – **Silhouette.** En *dôme* dense et étroit, onduleux ; jusqu'à 17 m. **Feuilles.** Trifoliolées *ou* (les plus petites) simples (*cf.* eucryphia de Nymans) ; légèrement poilues *seulement sur le pétiole et le bord* ; dents très petites, irrégulières ; d'un *vert intense* mais moins brillantes que celles de l'eucryphia de Nymans ; légèrement glauques dessous.

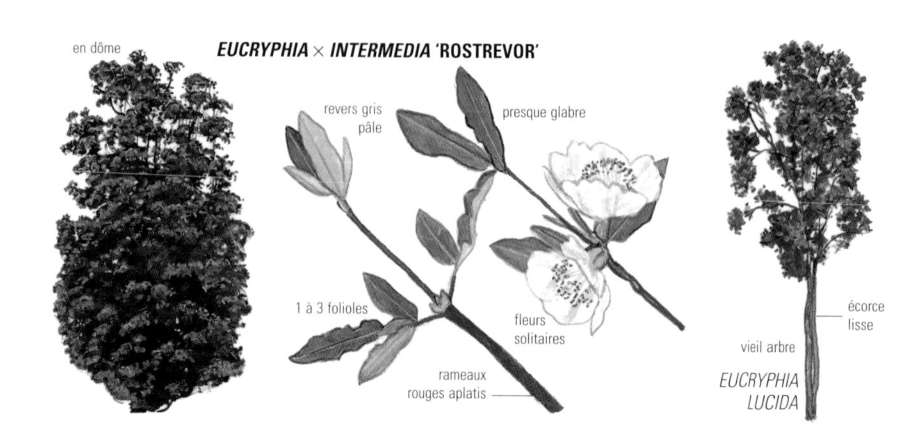

EUCRYPHIA DE NYMANS

EUCRYPHIA LUCIDA

Stewartia pseudocamellia

(*S. koreana*) Japon, Corée. 1874. Peu répandu : grands jardins en sol acide et climat doux. Un arbre de la famille des théiers (Théacées).
ASPECT – **Silhouette.** Élégante, fine et ouverte ; jusqu'à 15 m. **Écorce.** *S'exfolie en fines plaques laissant apparaître des taches orange, crème et gris pourpré* (*cf.* arbre de fer, p. 278, et *Cornus kousa*, p. 426). **Rameaux.** Plus ou moins *glabres*. **Bourgeons.** Aplatis, vert ou rouge brillant. **Feuilles.** Souvent plus brillantes dessous que dessus ; légèrement froissées, frangées de poils et avec des petites dents espacées ; jaunes à rouge foncé en automne. **Fleurs.** Semblables à celles des camélias, en milieu d'été, de 6 cm de large, mais un peu plus perdues dans le feuillage ; 2 bractées vertes *plus courtes* que les sépales densément couverts de poils gris. **Fruits.** 22 mm de long environ.
AUTRE ARBRE – *S. monadelpha* (S Japon, Cheju-do ; 1903), plus rare : petit arbre élancé, avec une écorce souvent plus orange, en lambeaux plus fins ; jeunes rameaux *poilus* ; 2 bractées florales beaucoup *plus longues* que les sépales soyeux ; fleurs de 3 cm de large et fruits de 1 cm de long.

Stewartia sinensis

Centre et E Chine. 1901. Rare : collections.
ASPECT – **Silhouette.** Élégante, légèrement en dôme, jusqu'à 15 m. **Écorce.** Très lisse ; la surface passe du crème au beige rosé puis au pourpre terne avant de peler durant l'automne comme une peau brûlée par le soleil ; certains arbres ont une écorce finement écailleuse, plus orangée (*cf. S. monadelpha*). **Rameaux.** Rouge foncé, duveteux au début. **Feuilles.** Quelques dents ; légèrement poilues, surtout dessus ; rouges et écarlates en automne. **Fleurs.** 4 à 5 cm de large, parfumées ; bractées vertes *à peu près aussi longues* que les sépales soyeux. **Fruits.** 2 cm.

Idésia *Idesia polycarpa*

E Asie. 1864. Rare. (Famille : Flacourtiacées.)
ASPECT – **Silhouette.** Ouverte ; branches largement horizontales ; jusqu'à 20 m. **Écorce.** *Rose-jaune* ; finement rugueuse, avec des lenticelles saillantes. **Feuilles.** Opposées, jusqu'à 30 cm ; similaires à celles du catalpa (p. 444), mais avec de nombreuses *dents crochues* ; glauques au revers, et duveteuses chez var. *vestita* ; *pétioles écarlates* portant 2 glandes nectarifères près du sommet (*cf.* peupliers noirs hybrides, p. 156 ; les peupliers ont des feuilles *alternes*). **Fleurs.** Espèce dioïque ; jaunes, parfumées, en plumets de 25 cm en milieu d'été. **Fruits.** Rouge foncé, 8 mm ; en grappes pendantes les années chaudes sur les arbres femelles.
ESPÈCE VOISINE – Peuplier baumier de Chine (p. 162).

Azara à petites feuilles *Azara microphylla*

S Andes centrales. 1861. Le plus rustique des membres de ce genre. Peu répandu ; jardins en climat doux.
ASPECT – **Silhouette.** Souvent buissonnante (jusqu'à 11 m) ; branches délicatement ascendantes puis retombantes, densément garnies de feuilles persistantes sombres. **Écorce.** Chamois, finement écailleuse. **Feuilles.** 2 cm ; alternes mais avec *une stipule de 6 mm opposée à chaque pétiole* (parfois 2) ; quelques dents très petites. **Fleurs.** Petits bouquets jaunes en fin d'hiver, à odeur de chocolat. **Fruits.** Baies rouges.
ESPÈCE VOISINE – *Nothofagus solanderi* (p. 202) ; buis (p. 358).

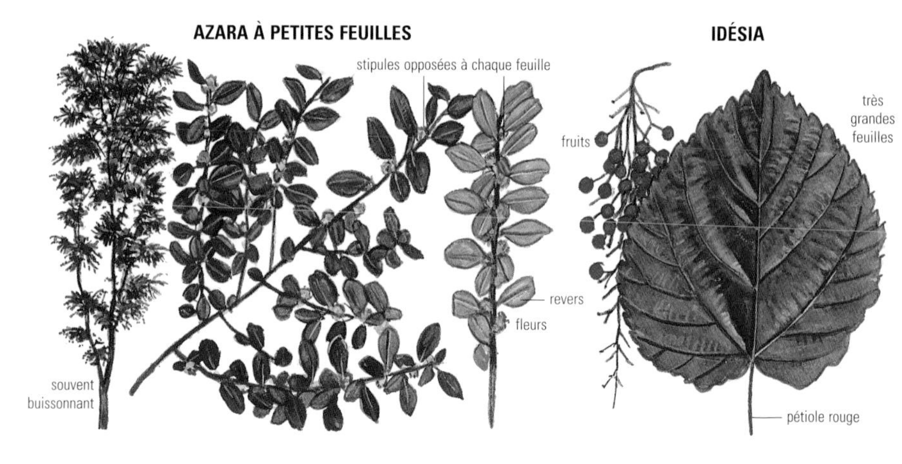

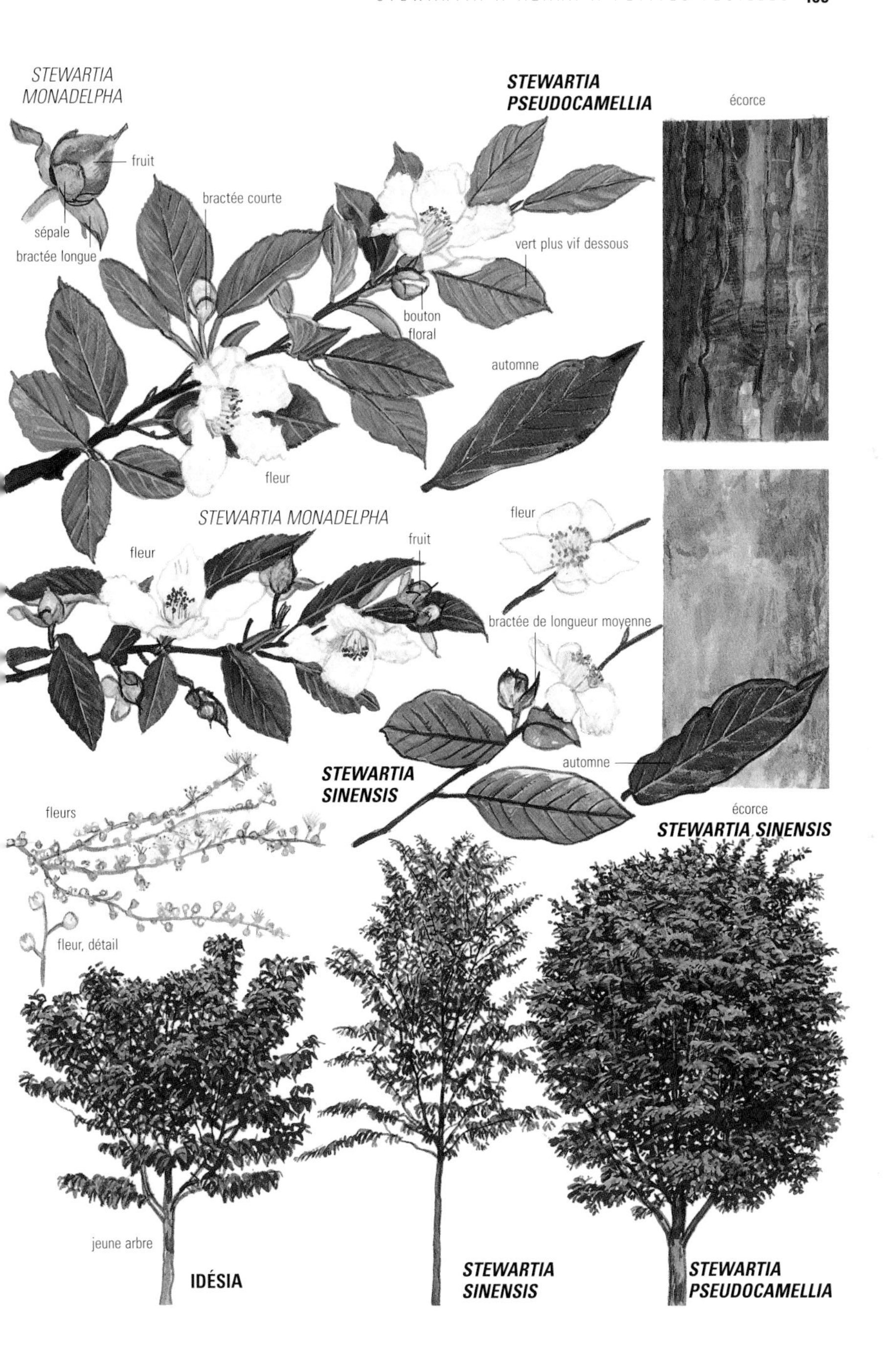
STEWARTIA MONADELPHA
fruit
sépale
bractée longue
bractée courte
fleur
STEWARTIA PSEUDOCAMELLIA
vert plus vif dessous
bouton floral
automne
écorce
STEWARTIA MONADELPHA
fleur
fruit
fleur
bractée de longueur moyenne
automne
STEWARTIA SINENSIS
écorce
STEWARTIA SINENSIS
fleurs
fleur, détail
jeune arbre
IDÉSIA
STEWARTIA SINENSIS
STEWARTIA PSEUDOCAMELLIA

Pittosporum *Pittosporum tenuifolium*

Nouvelle-Zélande. 1850. Assez fréquent en climat doux. (Famille : Pittosporacées.)

ASPECT – **Silhouette.** Jusqu'à 17 m mais buissonnante dans les régions plus froides, sur de nombreuses branches fines et dressées. **Écorce.** Brun-gris foncé, lisse. **Feuilles.** Persistantes, vert d'eau, minces et très ondulées (*cf.* houx 'Crispa', p. 364), 5 cm, sur des rameaux brun pourpré ; utilisées en art floral. **Fleurs.** Clochettes brun pourpré de 7 mm, à odeur de miel, en fin de printemps.

CULTIVARS – 'Silver Queen', rare : feuilles gris-vert finement bordées d'argent. 'Warnham Gold', rare : feuillage jaune tendre. 'Purpureum', rare : jeunes feuilles vertes virant au pourpre sombre.

AUTRES ARBRES – *Olearia paniculata* (Nouvelle-Zélande) : arbuste étalé de la famille des Composées, également à feuilles persistantes ondulées ; écorce brune *très fibreuse* ; bouquets de capitules blanc cassé parfumés en fin d'automne ; pour climat doux.

Tamaris de France *Tamarix gallica*

(*T. anglica*) De N France à N Afrique, sur la côte atlantique. Commun dans les jardins en bord de mer ; plus rare à l'intérieur. (Famille : Tamaricacées.)

ASPECT – **Silhouette.** Large et buissonnante, sur un tronc noueux portant des rejets ; jusqu'à 8 m. **Écorce.** Brune, fibreuse avec des crêtes verticales serrées. **Rameaux.** Rouges ; comme les saules mais noueux, avec des bourgeons pointus, serrés. **Feuilles.** En légères ramilles vertes de 1 mm d'épaisseur – comme celles du cyprès mais avec des écailles en spirale et caduques. **Fleurs.** Roses (rarement blanches), jaillissant *des jeunes rameaux en été.*

ESPÈCE VOISINE – Genêt de l'Etna (p. 348).

AUTRES ARBRES – *T. africana* (littoral atlantique) : fleurit *à partir du printemps sur les rameaux de l'année précédente.* 6 autres espèces plus méridionales sont difficiles à distinguer : *T. ramosissima* (S Russie, Asie mineure), *T. canariensis* (O Méditerranée et littoral portugais), *T. smyrnensis* (SE Europe), *T. dalmatica* (E Méditerranée, dans les marais), *T. parviflora* (Balkans, Égée), *T. tetrandra* (SE Europe, montagnes).

La famille des Éléagnacées comprend une cinquantaine d'arbres et arbustes à feuilles écailleuses. Leurs racines portent des nodosités fixatrices d'azote, comme celles des Légumineuses, leur permettant de pousser en sol pauvre.

Argousier *Hippophae rhamnoides*

Eurasie. Localement abondant. Une plante de jardin *intensément argentée.*

ASPECT – **Silhouette.** Très hérissée et épineuse ; jusqu'à 10 m, mais souvent buissonnante. **Écorce.** Brun-gris foncé ; crêtes pelucheuses. **Rameaux.** *Écailleux et argentés*, densément garnis de bourgeons orange bien visibles. **Feuilles.** Jusqu'à 70 × 7 mm ; vert terne dessus, avec de minuscules écailles grises qui *tapissent aussi entièrement le revers.* **Fleurs.** Espèce dioïque ; en petits bouquets au printemps ; *baies orange* engainant les rameaux de septembre à février sur les pieds femelles (aux longs bourgeons pointus) plantés à proximité d'un pied mâle.

ESPÈCES VOISINES – Olivier de Bohême (p. 412) ; saule argenté (p. 164).

AUTRE ARBRE – *H. salicifolia* (Himalaya) : feuilles de 70 × 12 mm, avec un revers blanc plus *feutré* qu'écailleux ; arbre robuste, jusqu'à 12 m, avec des baies *jaune pâle.*

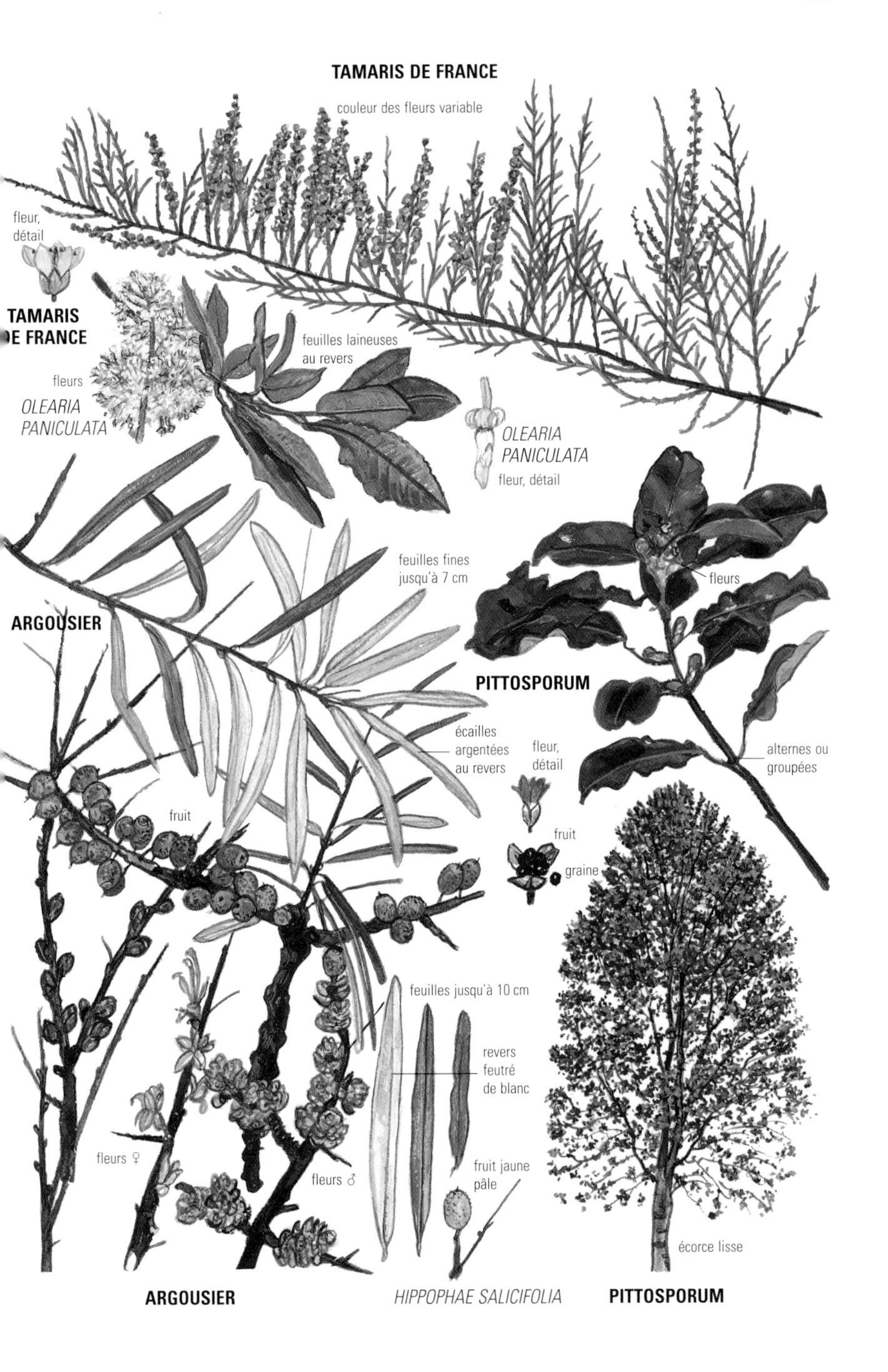
TAMARIS DE FRANCE
couleur des fleurs variable
fleur, détail
TAMARIS DE FRANCE
fleurs
OLEARIA PANICULATA
feuilles laineuses au revers
OLEARIA PANICULATA
fleur, détail
feuilles fines jusqu'à 7 cm
fleurs
ARGOUSIER
PITTOSPORUM
écailles argentées au revers
fleur, détail
alternes ou groupées
fruit
fruit
graine
feuilles jusqu'à 10 cm
revers feutré de blanc
fleurs ♀
fleurs ♂
fruit jaune pâle
écorce lisse
ARGOUSIER
HIPPOPHAE SALICIFOLIA
PITTOSPORUM

Olivier de Bohême *Elaeagnus angustifolia*

O Asie ; naturalisé dans le sud de l'Europe et cultivé depuis longtemps plus au nord. Fréquent dans les parcs et jardins.

ASPECT – **Silhouette.** Large et rameuse, sur un tronc court, penché ; jusqu'à 11 m ; parfois épineux. **Écorce.** Gris-noir ; pelucheuse, avec des crêtes entrecroisées. **Rameaux.** Écailleux, argentés ; bourgeons discrets. **Feuilles.** Plus grandes que celles de l'argousier (p. 410) – jusqu'à 80 × 18 mm, mais avec les mêmes écailles argentées. **Fleurs.** Clochettes blanches et jaunes, en début d'été ; odeur de jacinthe. **Fruits.** 12 mm, jaunes, à écailles argentées ; sucrés.

ESPÈCE VOISINE – Olivier (p. 442) : feuilles *persistantes opposées* ; fruits plus gros, non comestibles crus.

AUTRES ARBRES – *E. umbellata* (Himalaya, Chine, Japon ; 1830) : feuilles *oblongues arrondies*, jusqu'à 10 × 4 cm, *vert tendre dessus*, mais avec les écailles argentées typiques dessous ; fruits argentés, rouges à maturité, 1 cm.

Nyssa des forêts *Nyssa sylvatica*

De l'Ontario à NE Mexique. Assez rare. (Famille : Nyssacées.)

ASPECT – **Silhouette.** Largement conique, jusqu'à 22 m ; très feuillue, avec des *rameaux latéraux épineux*, légèrement *courbés*, horizontaux. **Écorce.** Grise ; crêtes triangulaires rugueuses. **Rameaux.** Brun verdâtre, vite glabres ; bourgeons pointus brun-rouge. **Feuilles.** Plus ou moins *entières* ; ovales à lancéolées, vert jaunâtre ou foncé (vert pâle dessous) ; généralement *glabres* et *brillantes* ; feuillaison tardive ; rouges et jaunes en automne. **Fleurs.** Espèce dioïque ; petits bouquets verdâtres *longuement pédonculés*.

ESPÈCES VOISINES – Arbre-oseille (p. 430) : aucune parenté mais remarquablement similaire en dehors de la floraison – feuilles *finement dentées*. Sassafras (p. 276) ; magnolia à feuilles de saule (p. 268). Arbre aux cloches d'argent (p. 434) : écorce similaire aussi. Plaqueminier du Japon (p. 432) : feuilles longuement pointues, plus brillantes. Liquidambar (p. 278) : écorce plus brune et moins rugueuse en hiver.

AUTRES ARBRES – *N. aquatica* (SE États-Unis ; marais), rare : feuilles souvent grossièrement dentées et plus duveteuses dessous ; bourgeons très petits et *arrondis*.

N. sinensis : buissonnant ; rameaux plus poilus ; feuilles (souvent plus longues) foncées, rouges quand elles sortent et jamais très brillantes, poilues sur les bords ; poils brun-rouge persistants sous la nervure médiane ; écorce lisse pendant quelques années puis plus finement fissurée.

Arbre aux pochettes *Davidia involucrata*

(Arbre aux mouchoirs) O Chine. 1901. Peu répandu. Seul représentant de sa famille, les Davidiacées.

ASPECT – **Silhouette.** Conique, puis en dôme large, max. 24 m ; parfois à troncs multiples. **Écorce.** Brun orangé, écailleuse. **Rameaux.** Brun foncé, comme mûrier noir (p. 258), mais avec bourgeons *vert/rouge brillant*. **Feuilles.** Cordiformes ; nervures en creux et *grandes dents pointues* ; souvent brunies par le gel ou pendantes par manque d'eau ; *duvet blanc* au revers chez var. *involucrata* ; glauques mais *glabres* chez var. *vilmoriana* (*D. vilmoriana*) ; plus rare dans la nature plus rustique et plus commun en Europe. **Fleurs.** Grandes bractées pendantes, vert jaunâtre au printemps puis blanches.

ESPÈCE VOISINE – Idésia (p. 408) : feuilles opposées, plus grandes.

ARBRE AUX POCHETTES

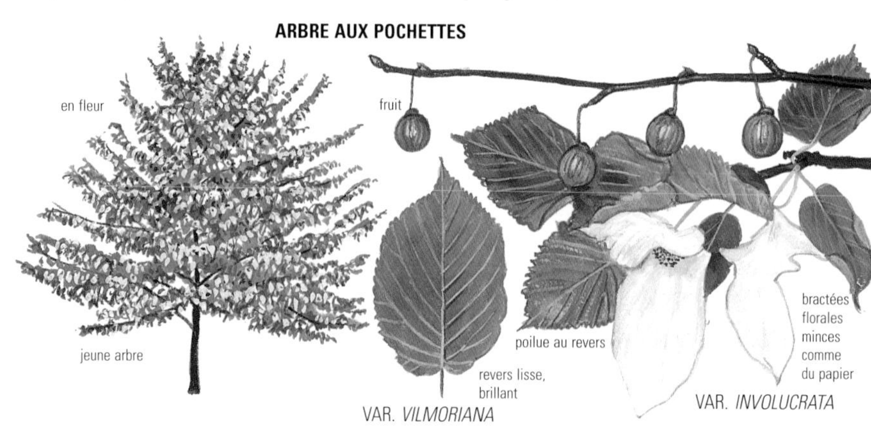

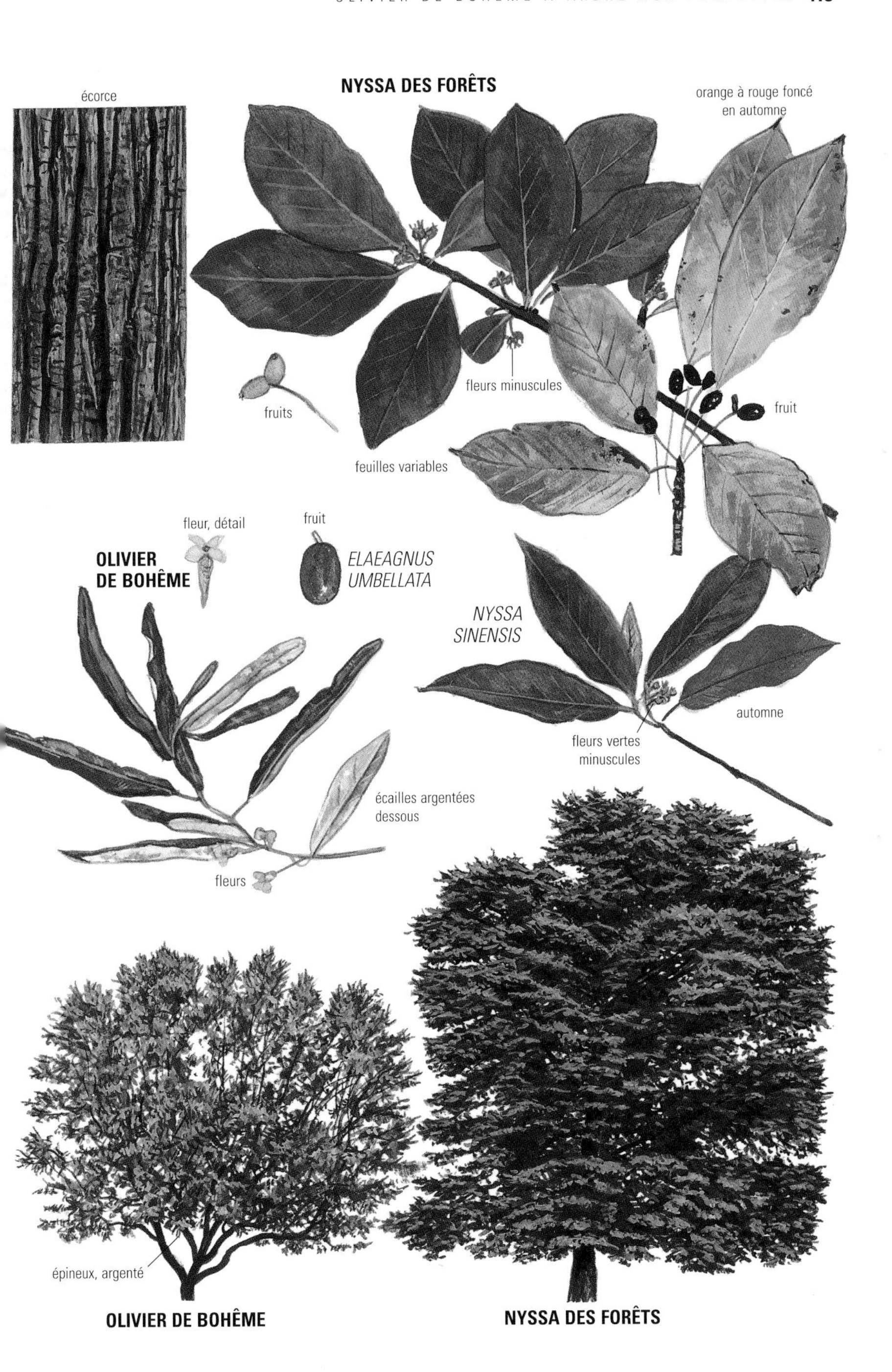
NYSSA DES FORÊTS
écorce
orange à rouge foncé
en automne
fleurs minuscules
fruits
fruit
feuilles variables
fleur, détail
fruit
OLIVIER
DE BOHÊME
ELAEAGNUS
UMBELLATA
NYSSA
SINENSIS
automne
fleurs vertes
minuscules
écailles argentées
dessous
fleurs
épineux, argenté
OLIVIER DE BOHÊME
NYSSA DES FORÊTS

La famille des Myrtacées constitue un vaste groupe d'arbres et arbustes persistants à feuillage aromatique.

Myrte à écorce orange *Luma apiculata*

(*Myrtus luma*) S Andes centrales. 1843. Assez commun en climat maritime et doux.
ASPECT – **Silhouette.** Conique puis en dôme, rameuse, jusqu'à 20 m ; *feuillage persistant presque noir.* **Écorce.** Décorative, avec de minces écailles *blanches et orange vif.* **Feuilles.** Opposées, entières jusqu'à 25 × 15 mm ; poilues sous la nervure médiane saillante ; odeur épicée. **Fleurs.** Masses blanches au milieu des feuilles sombres en fin d'été. **Fruits.** Petites baies pourpre foncé à maturité.

Parmi les eucalyptus (500 espèces australiennes) se trouvent les feuillus les plus hauts du monde ; leur croissance est l'une des plus rapides. De nombreux essais sont en cours en Europe du Nord pour acclimater des espèces venues des montagnes ; il est donc possible de trouver localement une espèce qui n'est pas citée dans ce livre. Les huiles aromatiques sont parfois irritantes. Les feuilles sont généralement asymétriques (courbées), entières et pendantes (une façon de limiter l'évaporation). Comme chez de nombreuses plantes australiennes, leur feuillage évolue avec l'âge : les feuilles juvéniles sont relativement larges, opposées et rarement pétiolées ; certaines espèces conservent ce feuillage, d'autres le perdent rapidement ; beaucoup en gardent quelques pousses. Les feuilles adultes sont plus étroites, pétiolées et alternes. Toutes sont persistantes ; la croissance est continue tout au long de l'année. Les bourgeons floraux sont groupés en amas bien visibles toute l'année ; les fleurs consistent en un groupe d'étamines recouvert d'un opercule. Le fruit est une capsule ligneuse renfermant des graines fines qui sont dispersées au travers de valves dans l'opercule. L'identification est parfois difficile : les bourgeons floraux restent l'un des meilleurs critères de détermination. (Famille : Myrtacées.)

Critères de distinction : eucalyptus

- Écorce : Rugueuse (à la base) ?
- Feuilles juvéniles : Forme ? Glauques ? Dentées ?
- Feuilles adultes (alternes) : Présentes ? Nervures principales parallèles à la nervure médiane ? Dentées ? Longueur ?
- Bourgeons floraux : Par groupe de combien ? Forme ? Pédonculés ? En bouquets solitaires ou par 2 ? À opercule distinct (forme ?) ? Verts ou glauques ?

Clé des espèces

Gommier bleu (p. 418) : fleurs en général solitaires. **Gommier à cidre** (ci-dessous) : feuilles courtes ; fleurs par 3. ***E. dalrympleana*** (p. 416) : feuilles longues ; fleurs par 3. ***E. nitens*** (p. 418) : feuilles longues ; fleurs par 4 à 7. ***E. pauciflora* ssp. *niphophila*** (p. 420) : nervures principales parallèles à la nervure médiane ; fleurs par 7 à 12. ***E. vernicosa* ssp. *johnstonii*** (p. 418) : feuilles adultes à fines dents arrondies. ***E. pulverulenta*** (p. 422) : conserve des feuilles juvéniles opposées.

Gommier à cidre *Eucalyptus gunnii*

SE Australie, Tasmanie (sa sève servait autrefois à fabriquer une boisson rappelant le cidre). 1846. L'espèce la plus répandue au nord.
ASPECT – **Silhouette.** Onduleuse, en dôme élevé, avec des branches irrégulières sur un tronc long mais *sinueux* ; parfois plusieurs troncs ; jusqu'à 35 m. **Écorce** *Gris orangé* ou rose saumoné, parfois gris blanchâtre ; fins lambeaux verticaux à la base ; sur les branches, lisse entre de longs rouleaux pendants. **Rameaux.** Vert pâle puis argentés. **Feuilles juvéniles.** Rondes, argentées, 3 à 6 cm, *à fines dents arrondies* (*cf. E. cordata*, p. 422). **Feuilles adultes.** (vite prédominantes) *Ovales*, 4 à 15 cm, gris terne foncé, *rarement pendantes ; moins aromatiques* que chez la plupart des eucalyptus ; plus étroites (12 × 3 cm) chez 'Whittingehamensis'. **Bourgeons floraux.** Par 3 ; *pruine argentée* variable ; coniques, avec un opercule bosselé au centre ; fruits généralement couverts d'une pruine argentée.
ESPÈCES VOISINES – Autres eucalyptus à feuilles ovales gris foncé assez courtes : *E. coccifera* (p. 422) et *E. parvifolia* (p. 420). *E. nicholii* (p. 420), *E. perriniana* (p. 416), et *E. vernicosa* ssp. *johnstonii* (p. 418) : écorce parfois rose orangé. *E. glaucescens* (p. 416) : feuilles généralement plus longues et plus foncées. *E. pulverulenta* (p. 422) : même allure.
AUTRES ARBRES – *E. archeri* : feuilles fines plus vertes ; rameaux, fruits *et bourgeons floraux vert pomme, sans pruine.*

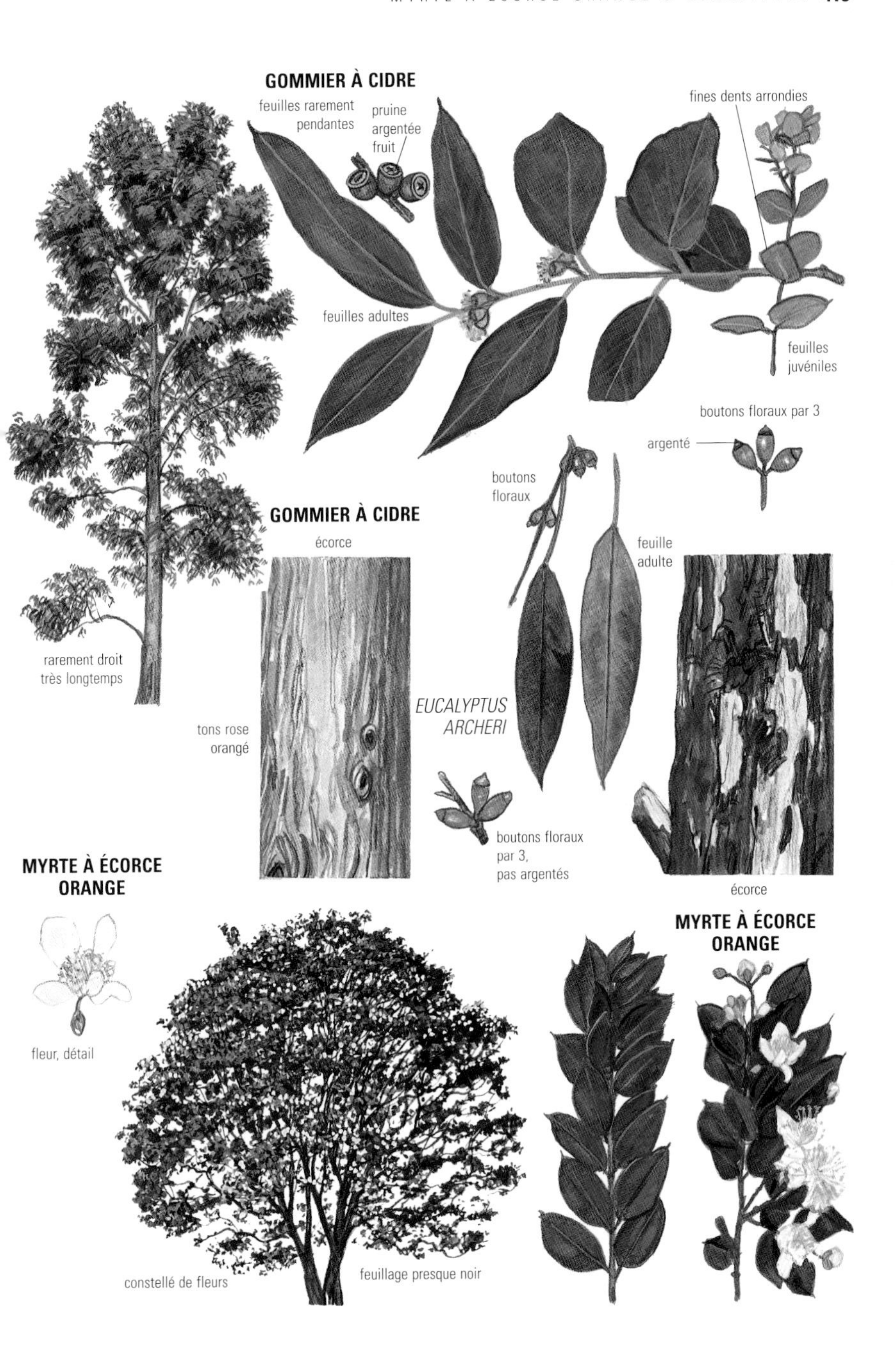
GOMMIER À CIDRE
feuilles rarement pendantes
pruine argentée
fruit
fines dents arrondies
feuilles adultes
feuilles juvéniles
boutons floraux par 3
argenté
boutons floraux
GOMMIER À CIDRE
écorce
feuille adulte
rarement droit très longtemps
EUCALYPTUS ARCHERI
tons rose orangé
boutons floraux par 3, pas argentés
MYRTE À ÉCORCE ORANGE
écorce
MYRTE À ÉCORCE ORANGE
fleur, détail
constellé de fleurs
feuillage presque noir

Eucalyptus glaucescens

Nouvelle-Galles-du-Sud, Victoria ; montagnes.
Aspect – Silhouette. En général trapue dans la nature ; pousse vite et droit en Europe. **Écorce.** Normalement lisse, gris bleuté ou blanche, avec de longs lambeaux ; plus rugueuse à la base. **Rameaux.** Rouges ; pruine blanche. **Feuilles juvéniles.** Comme celles du gommier à cidre (p. 414) mais *entières* ; très argentées. **Feuilles adultes.** Gris-vert sombre, pendantes ; assez longues (jusqu'à 20 × 4 cm) ; pétioles roses. **Bourgeons floraux.** Par 3, glauques ; opercule *très aplati* mais avec une pointe au centre.
Espèces voisines – Autres eucalyptus à longues feuilles pendantes foncées : *E. pauciflora* ssp. *niphophila* (p. 420), *E. nitens* (p. 418) et *E. delegatensis* (p. 422) : fleurs par 4 ou plus. Gommier bleu (p. 418) : fleurs solitaires. *E. perriniana* (ci-dessous) se distingue uniquement par ses feuilles juvéniles fusionnées, et *E. urnigera* et *E. viminalis* par leurs fruits et leurs bourgeons floraux.

Eucalyptus perriniana

Tasmanie, Victoria, Nouvelle-Galles-du-Sud ; montagnes. Peu répandu.
Aspect – Silhouette. Conique au début, puis s'arrondissant vers 16 m, avec des branches légères, ascendantes. **Écorce.** Brun orangé, ou grise à blanche ; longs lambeaux écailleux. **Feuilles juvéniles.** Vivement argentées et entières ; paires souvent fusionnées, formant un *disque traversé par le rameau.* **Feuilles adultes.** Pourprées quand elles sortent, puis gris-vert foncé, pendantes ; étroites (12 × 2 cm). **Bourgeons floraux.** Par 3, argentés ; opercule *pointu.*
Espèces voisines – *E. nicholii* (p. 420) : feuilles encore plus fines. *E. dalrympleana* (ci-dessous) : feuilles ondulées, plus grandes. Gommier à cidre (p. 414) ; *E. glaucescens* (ci-dessus). Dans no[s] régions, certains eucalyptus à feuilles étroites e[t] pendantes sans fleurs ni feuillage juvénile peuven[t] faire penser à cette espèce.

Eucalyptus urnigera

Tasmanie. 1860. Rare ; climats doux.
Aspect – Silhouette. Très haute, jusqu'à 38 m. **Écorce.** Lisse, blanche et rose, avec de longues bandelettes. **Feuilles juvéniles.** Rondes, glauques, entières. **Feuilles adultes.** Pendantes, gris foncé à *vert vif*, jusqu'à 15 × 3 cm. **Bourgeons floraux.** Par 3, *sur des pédoncules individuels de 8 mm* ; *en forme d'urne.* **Fruits.** Tapissant le sol ; également *en forme d'urne.*
Espèces voisines – *E. perriniana* et *E. glaucescens* (ci-dessus). Bourgeons floraux et fruits bien typiques.

Eucalyptus dalrympleana

Tasmanie, Victoria et Nouvelle-Galles-du-Sud. Localement assez fréquent.
Aspect – Silhouette. En dôme élevé, souvent sur un tronc droit ; plus rarement buissonnante, à tiges sinueuses. **Écorce.** Brun orangé pâle (rarement crème) ; grands lambeaux dans le creux des branches. **Feuilles juvéniles.** *Vert pâle*, entières assez *cordiformes*, jusqu'à 6 cm. **Feuilles adultes.** Longues (jusqu'à 20 × 4 cm), *ondulées* et pendantes ; pourprées quand elles sortent, puis gris mat foncé. **Bourgeons floraux.** Par 3, verts ; opercule assez longuement pointu. **Fruits.** Jusqu'à 9 mm.
Espèces voisines – *E. nicholii* (p. 420) ; *E. nitens* et gommier bleu (p. 418).
Autres arbres – *E. viminalis*, plus rare : feuilles juvéniles *lancéolées* (10 × 2 cm) ; écorce souvent *plus blanche*, avec de fines bandelettes pendantes, mais rugueuse à la base des vieux arbres ; feuilles souvent plus fines et d'un gris-vert plus foncé.

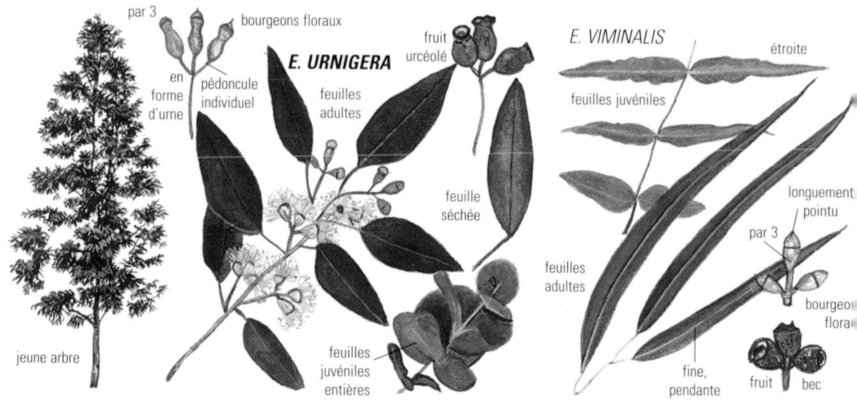

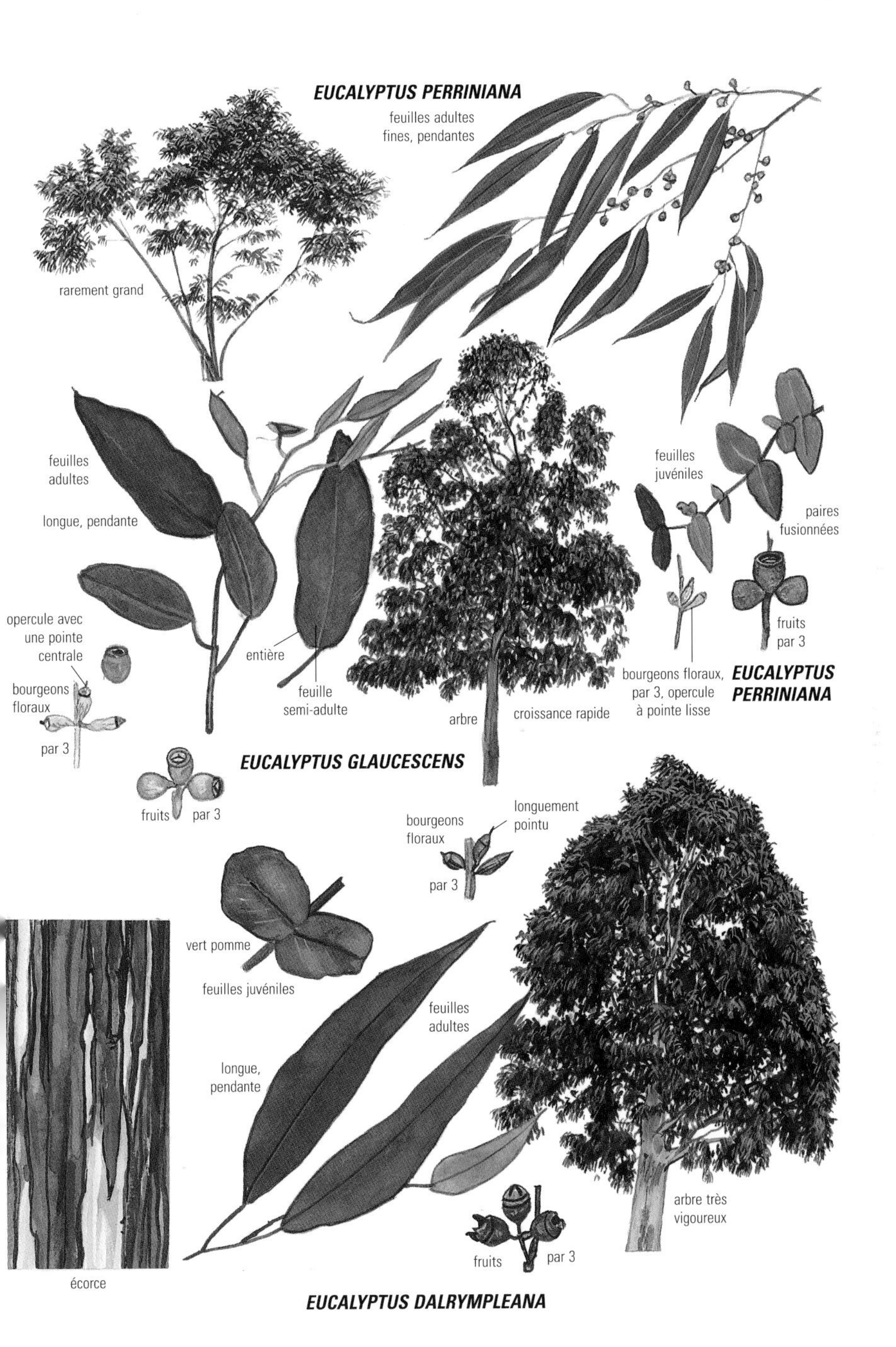
EUCALYPTUS PERRINIANA
feuilles adultes fines, pendantes
rarement grand
feuilles adultes
longue, pendante
opercule avec une pointe centrale
bourgeons floraux
par 3
entière
feuille semi-adulte
arbre
croissance rapide
feuilles juvéniles
paires fusionnées
fruits par 3
bourgeons floraux, par 3, opercule à pointe lisse
EUCALYPTUS PERRINIANA
EUCALYPTUS GLAUCESCENS
fruits
par 3
bourgeons floraux
longuement pointu
par 3
vert pomme
feuilles juvéniles
feuilles adultes
longue, pendante
arbre très vigoureux
fruits
par 3
écorce
EUCALYPTUS DALRYMPLEANA

Eucalyptus vernicosa

Tasmanie (hautes montagnes). Rare.

ASPECT – **Silhouette.** *Buisson vert brillant* densément arrondi, avec des tiges brun-rouge tordues, lisses. **Feuilles.** Coriaces, ovales, jusqu'à *5 cm seulement* ; restant largement *opposées* (*cf.* le feuillage très glauque de *E. pulverulenta*, p. 422). **Bourgeons floraux.** Non pédonculés et souvent *solitaires* (*cf.* gommier bleu) ; opercule à bec pointu.

Eucalyptus vernicosa ssp. johnstonii

(*E. johnstonii* ; *E. muelleri*) Tasmanie, à plus basse altitude que *E. vernicosa*, avec un port très différent et un feuillage « plus adulte ». Rare.

ASPECT – **Silhouette.** *Conique dense, vert vif*, jusqu'à 40 m, presque toujours sur un tronc droit. **Écorce.** Gris *rosâtre* ; lisse sauf à la base. **Feuilles juvéniles.** *Vert brillant*, rondes (6 cm) et épaisses ; légèrement dentées. **Feuilles adultes.** Similaires mais plus longues, plus fines (jusqu'à 12 cm) et alternes ; toujours avec des *petites dents arrondies* (*cf. E. cordata*, p. 422). **Bourgeons floraux.** Par 3 ; *opercule aplati, à bec.* **Fruits.** *Gros* (jusqu'à 13 × 8 mm).

AUTRES ARBRES – *E. subcrenulata*, plus rare : similaire (généralement moins haut et moins droit) mais opercules coniques et fruits plus petits (jusqu'à 9 × 6 mm).

Gommier bleu *Eucalyptus globulus*

(Arbre à fièvre) Tasmanie. 1829. Assez fréquent sur le littoral méditerranéen.

ASPECT – **Silhouette.** Conique, sur un tronc souvent droit, puis en dôme très élevé, dense ; jusqu'à 44 m. **Écorce.** Lisse, blanche et grise ; longs lambeaux spiralés. **Feuilles juvéniles.** *Grandes* (jusqu'à 15 × 4 cm), serrées et *souples* ; blanc argenté intense ; dominantes sur les arbres jusqu'à 5 ans et 10 m de haut (*cf. E. pulverulenta*, p. 422). **Feuilles adultes.** Très longues (jusqu'à 30 × 5 cm), pendantes et gris-vert *foncé*. **Bourgeons floraux.** En général *solitaires* ; *énormes*, verruqueux, argentés. **Fruits.** Grands, *jusqu'à 3 cm de long* ; tapissant le sol sous les vieux arbres.

ESPÈCES VOISINES – *E. dalrympleana* (p. 416), *E. nitens* (ci-dessous) ; *E. delegatensis* (p. 422).

Eucalyptus nitens

Nouvelle-Galles-du-Sud, Victoria (montagnes). Encore rare, mais l'un des plus beaux eucalyptus rustiques – a poussé de 20 m en 9 ans à Argyll (Écosse).

ASPECT – **Silhouette.** Conique, assez *dense* ; peut atteindre jusqu'à 40 m. **Écorce.** Lisse, blanche et grise ; lambeaux pendants au creux des branches. **Feuilles juvéniles.** Grandes et souples (comme celles du gommier bleu ; jusqu'à 17 × 8 cm) ; assez glauques. **Feuilles adultes.** Pendantes, longues (jusqu'à 25 × 4 cm), nettement *falciformes* ; vert tendre à sombre. **Bourgeons floraux.** Par groupes de 4 à 7 ; petits, en *bouquets denses* ; opercule conique, long. **Fruits.** Petits (6 mm), sessiles et brillants.

ESPÈCES VOISINES – Gommier bleu (ci-dessus). *E. parvifolia* (p. 420) : bourgeons floraux similaires ; feuilles bien plus petites. *E. delegatensis* (p. 422) : bourgeons floraux sans opercule nettement délimité. *E. regnans* (p. 422) : inflorescences par 2. *E. pauciflora* ssp. *niphophila* (p. 420).

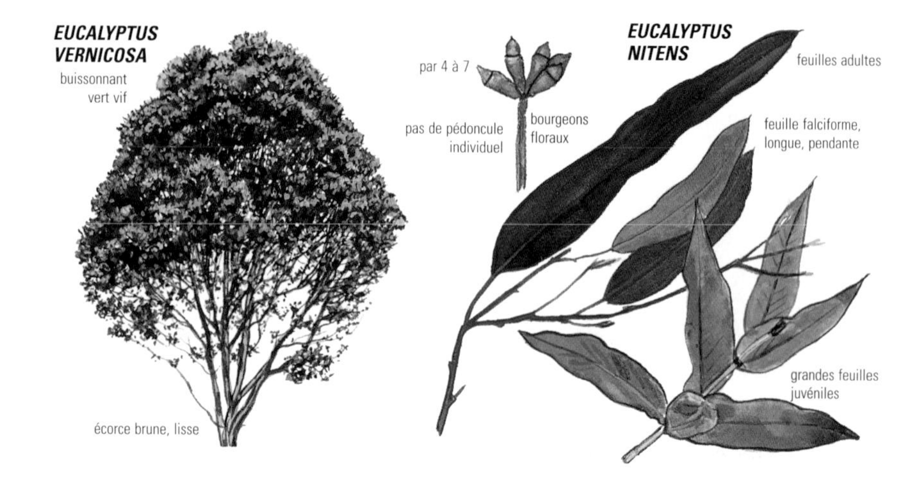

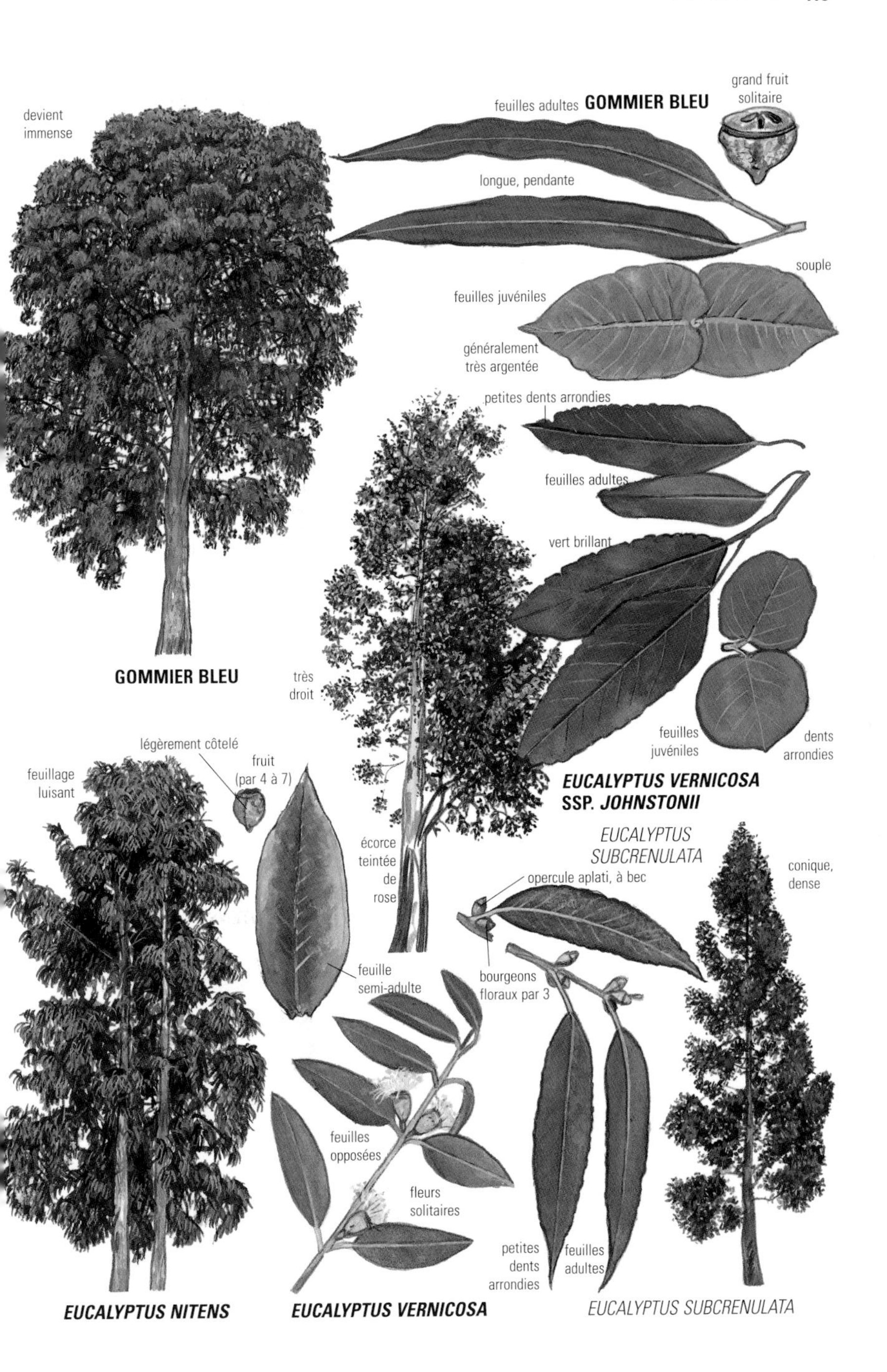
devient
immense
feuilles adultes
GOMMIER BLEU
grand fruit
solitaire
longue, pendante
souple
feuilles juvéniles
généralement
très argentée
petites dents arrondies
feuilles adultes
vert brillant
GOMMIER BLEU
très
droit
feuilles
juvéniles
dents
arrondies
EUCALYPTUS VERNICOSA
SSP. JOHNSTONII
légèrement côtelé
fruit
(par 4 à 7)
feuillage
luisant
écorce
teintée
de
rose
EUCALYPTUS
SUBCRENULATA
opercule aplati, à bec
conique,
dense
bourgeons
floraux par 3
feuille
semi-adulte
feuilles
opposées
fleurs
solitaires
petites
dents
arrondies
feuilles
adultes
EUCALYPTUS NITENS
EUCALYPTUS VERNICOSA
EUCALYPTUS SUBCRENULATA

Eucalyptus pauciflora ssp. *niphophila*

(*E. niphophila*) Victoria et Nouvelle-Galles-du-Sud (hautes montagnes). Assez fréquent depuis peu sur le littoral atlantique.

ASPECT – **Silhouette.** *Dôme brillant, foncé* (*cf. E. nitens*, p. 418), avec de fines branches dressées sur un tronc *court* ; jusqu'à 25 m, souvent moins. **Écorce.** Parfois blanche et satinée, s'exfoliant en plaques grises, *serrées.* **Rameaux.** Rouges ; pruine argentée. **Feuilles juvéniles.** Rares ; ovales, *pas glauques.* **Feuilles adultes.** Sur les plantules après 4 paires ; brun-rouge quand elles sortent, puis gris-vert foncé brillant ; 7 à 14 cm, oblongues (larges ou étroites) ; *planes et à peine courbées*, avec *des nervures parallèles aux côtés* (*cf. Acacia melanoxylon*, p. 346) ; pointe abrupte. **Fleurs.** En *gros bouquets* (7 à 12) ; bourgeons glauques *en forme de massue*, courbés vers le haut.

AUTRES ARBRES – Formes apparentées également à nervures *longitudinales parallèles* :

ssp. *debeuzevillei*, rare : bourgeons floraux *anguleux* ; écorce blanche formant parfois des lambeaux spiralés plus lâches.

ssp. *pauciflora* (*E. coriacea*), rare : souvent buissonnant ; feuilles juvéniles *glauques* ; feuilles adultes plus courbées ; bourgeons floraux pas *toujours* glauques.

E. mitchelliana (Victoria), très rare : écorce lisse blanche ; branches *pleureuses* ; feuilles toujours étroites (15 × 2 cm) ; bourgeons floraux étroits, lisses et *longuement pointus*, en *bouquets étoilés, denses.*

E. stellulata, très rare : diffère du précédent par ses *feuilles ovales plus courtes* (8 × 3 cm), son écorce rugueuse à la base et son port plus buissonnant.

Eucalyptus parvifolia

Nouvelle-Galles-du-Sud (rare à l'état sauvage). Peu répandu en Europe.

ASPECT – **Silhouette.** En général basse (jusqu'à 20 m), étalée et plutôt *dense*, avec des branches assez tordues. **Écorce.** Lisse et grise ; parfois plus orangée. **Feuilles juvéniles.** Minuscules (3 × 1 cm ; parfois plus longues et plus étroites) et *parfois opposées* (*cf. E. vernicosa*, p. 418) ; gris-vert foncé ; souvent *raides et étalées* dans toutes les directions. **Bourgeons floraux.** Minuscules (4 mm) ; en bouquets *sessiles* de 4 à 7 (*cf. E. nicholii*, ci-dessous). **Fruits.** 5 × 4 mm seulement.

ESPÈCES VOISINES – *E. coccifera* (p. 422) : écorce en spirale ; fleurs par 3. Gommier à cidre (p. 414).

Eucalyptus nicholii

Nouvelle-Galles-du-Sud. Rare.

ASPECT – **Silhouette.** Dôme étroit et gracieux. **Écorce.** Brun orangé ; vite marquée de *crêtes fibreuses* serrées. **Rameaux.** Pruine pourpre. **Feuilles juvéniles.** *Très étroites* (12 × 1 cm), pendantes ; pourpre-rouge quand elles sortent (*cf. E. perrriniana* et *E. dalrympleana*, p. 416), puis gris-vert foncé. **Bourgeons floraux, fruits.** Comme ceux de *E. parvifolia* (ci-dessus).

AUTRE ARBRE – *E. aggregata* (Nouvelle-Galles du Sud, marais), très rare : feuilles légèrement plus larges, plus ternes.

EUCALYPTUS STELLULATA

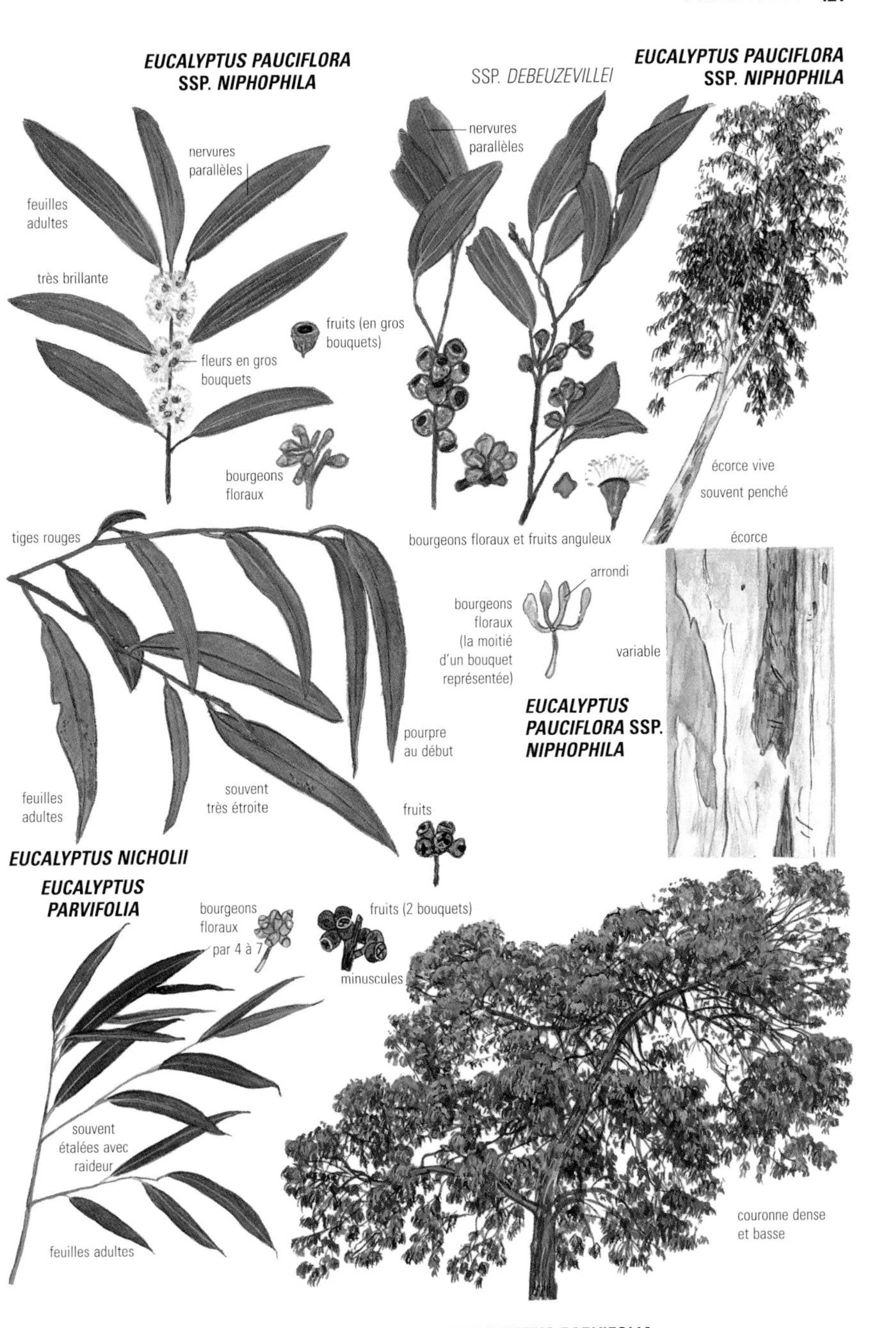
EUCALYPTUS PAUCIFLORA SSP. NIPHOPHILA
nervures parallèles
feuilles adultes
très brillante
fruits (en gros bouquets)
fleurs en gros bouquets
bourgeons floraux
SSP. DEBEUZEVILLEI
nervures parallèles
bourgeons floraux et fruits anguleux
EUCALYPTUS PAUCIFLORA SSP. NIPHOPHILA
écorce vive
souvent penché
écorce
tiges rouges
arrondi
bourgeons floraux (la moitié d'un bouquet représentée)
variable
EUCALYPTUS PAUCIFLORA SSP. NIPHOPHILA
pourpre au début
feuilles adultes
souvent très étroite
fruits
EUCALYPTUS NICHOLII
EUCALYPTUS PARVIFOLIA
bourgeons floraux
par 4 à 7
fruits (2 bouquets)
minuscules
souvent étalées avec raideur
feuilles adultes
couronne dense et basse
EUCALYPTUS PARVIFOLIA

Eucalyptus delegatensis

(*E. gigantea*) Tasmanie, Victoria (montagnes). 1905. Rare.
ASPECT – **Silhouette.** Très élevée, sur un tronc droit (*cf. E. vernicosa* ssp. *johnstonii*, p. 418) ; jusqu'à 42 m. **Écorce.** Lisse, blanche et grise sur les grosses branches et le haut du tronc ; *brusquement brune et fibreuse près de la base.* **Rameaux.** Rouges. **Feuilles juvéniles.** (*Alternes* après 4 paires) Rouges au début puis gris-vert foncé ; étroitement *oblongues* (jusqu'à 20 × 10 cm), pendantes, *pétiolées* ; *se transforment imperceptiblement* en feuilles adultes, similaires mais plus étroites (gris-vert *terne*, à nervures saillantes). **Bourgeons floraux.** Par 7 à 15, en forme de massue ; *pas de ligne* pour délimiter l'opercule typique.
ESPÈCE VOISINE – *E. dalrympleana* (p. 416).

Eucalyptus coccifera

Tasmanie. 1840. Rare.
ASPECT – **Silhouette.** En dôme large sur des branches tordues ; jusqu'à 28 m. **Écorce.** Grise et blanche ; bandelettes étroites, *spiralées.* **Feuilles juvéniles.** Cordiformes, vert argenté pâle. **Feuilles adultes.** *Petites* (10 × 2 cm), vertes ou souvent très argentées, disposées *sous tous les angles* ; odeur mentholée. **Bourgeons floraux.** Par 3 sur certains arbres, ou par 4 à 7 sur d'autres ; *opercule aplati, verruqueux.* **Fruits.** Gros (jusqu'à 11 × 13 mm), en général argentés.
ESPÈCES VOISINES – *E. parvifolia* (p. 420) : bourgeons floraux petits, pointus. Gommier à cidre (p. 414) : opercules lisses ; écorce différente. *E. perriniana* et *E. urnigera* (p. 416) : feuilles pendantes ; forme des bourgeons floraux différente.

Eucalyptus regnans

Le plus grand eucalyptus à l'état sauvage (Victoria). Rare en Europe – l'un des moins rustiques.
ASPECT – **Silhouette.** Dôme très élevé. **Écorce.** Lisse, blanche et grise ; brune et fibreuse dans le bas. **Feuilles juvéniles.** Vertes. **Feuilles adultes.** *Vert terne*, longues (20 cm), *démarrant plus haut sur un des côtés du pétiole.* **Bourgeons floraux.** Fins, longuement pointus ; par 4 à 10 en bouquets souvent disposés par 2 sur de longs pédoncules axillaires.

Eucalyptus pulverulenta

Nouvelle-Galles-du-Sud (montagnes). Rare.
ASPECT – **Silhouette.** Souvent penchée, hérissée ; jusqu'à 35 m ; ne portant normalement *que des feuilles juvéniles.* **Écorce.** Lisse, blanche et orange. **Rameaux.** Arrondis. **Feuilles.** Sessiles, cordiformes, blanc rosé puis grises ; jusqu'à 5 cm de long. **Bourgeons floraux.** Par 3 ; opercule longuement conique.
ESPÈCES VOISINES – Gommiers bleus juvéniles (p. 418).
AUTRES ARBRES – *E. cinerea* (*E. pulverulenta* var. *lanceolata*), très rare : écorce vite *fibreuse et brun-rouge* ; feuilles plus « adultes », plus étroites et plus longues (jusqu'à 10 cm).
E. cordata (SE Tasmanie, 1850), très rare : diffère de *E. pulverulenta* par ses feuilles plus longues bordées de minuscules *dents arrondies* (*cf. E. vernicosa* ssp. *johnstonii*, p. 418, et feuilles juvéniles du gommier à cidre, p. 414) ; rameaux *quadrangulaires.*

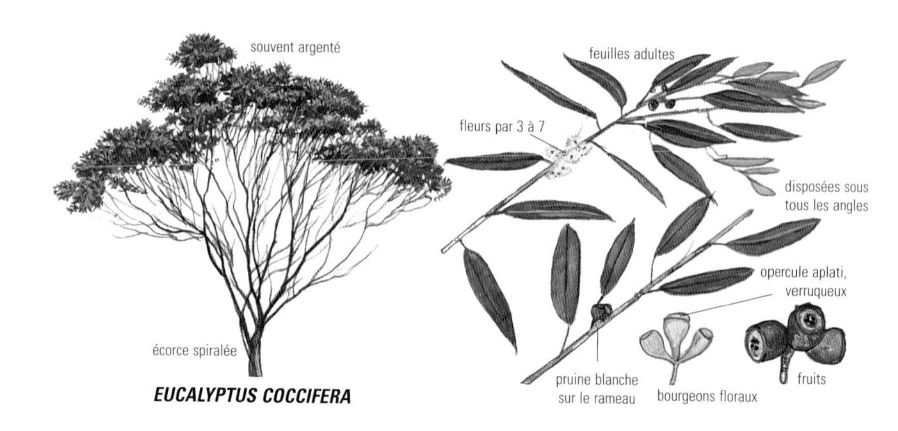

EUCALYPTUS COCCIFERA

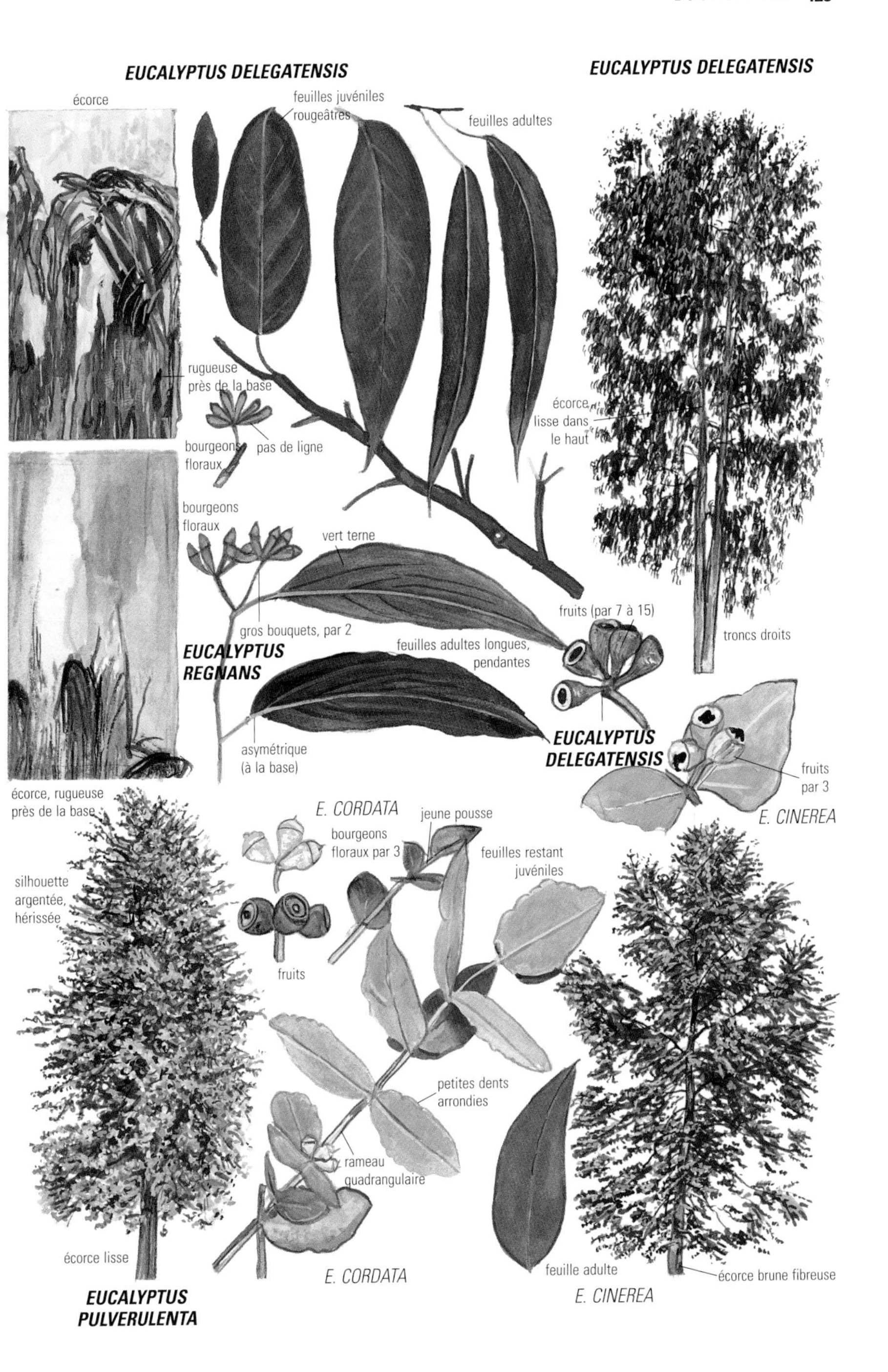
EUCALYPTUS DELEGATENSIS
écorce
feuilles juvéniles rougeâtres
feuilles adultes
EUCALYPTUS DELEGATENSIS
rugueuse près de la base
bourgeons floraux
pas de ligne
écorce lisse dans le haut
bourgeons floraux
vert terne
fruits (par 7 à 15)
gros bouquets, par 2
troncs droits
EUCALYPTUS REGNANS
feuilles adultes longues, pendantes
asymétrique (à la base)
EUCALYPTUS DELEGATENSIS
fruits par 3
écorce, rugueuse près de la base
E. CORDATA
jeune pousse
E. CINEREA
bourgeons floraux par 3
feuilles restant juvéniles
silhouette argentée, hérissée
fruits
petites dents arrondies
rameau quadrangulaire
écorce lisse
feuille adulte
écorce brune fibreuse
E. CORDATA
E. CINEREA
EUCALYPTUS PULVERULENTA

Kalopanax septemlobus

(*K. pictus*) E Asie. 1864. Rare. (Famille : Araliacées.)
Aspect – Silhouette. Souvent grêle ; jusqu'à 20 m. **Écorce.** Gris foncé ; *verrues épineuses* puis crêtes rugueuses entrecroisées. **Rameaux.** Épais, verts (épineux après la 3e année). **Bourgeons.** Coniques, *jusqu'à 4 cm.* **Feuilles.** Comme l'érable (mais alternes), jusqu'à 20 cm ; dures, épaisses et brillantes ; fines dents crochues ; rouge foncé au début, peu colorées en automne ; lobes triangulaires (*cf.* liquidambar, p. 278) chez le type, mais *profonds et étrécis à la base* chez var. *maximowiczii* ; il existe des formes intermédiaires. **Fleurs.** Comme le lierre ; immenses inflorescences (50 cm) en fin d'été. **Fruits.** Baies noires en cercle, persistant jusqu'en hiver.

Griselinia littoralis

Nouvelle-Zélande. 1850. Assez fréquent sous les climats doux. (Famille : Griséliniacées.)
Aspect – Silhouette. Buissonnante, dense (mais pouvant atteindre 20 m) ; branches tordues, avec des rejets. **Écorce.** Brun foncé ; peluchant en *écailles courbées.* **Feuilles.** Larges, *émoussées*, jusqu'à 11 × 8 cm ; glabres, coriaces ; mates, *vert pomme pâle* ; il existe des formes panachées. **Fleurs.** Espèce dioïque ; grappes pendantes jaunâtres au printemps. **Fruits.** Baies noir bleuté.
Espèce voisine – *Eucryphia Cordifolia* (p. 406) : feuilles opposées.

Les cornouillers (40 espèces) ont des fleurs et des fruits très divers. Leurs feuilles aux nervures principales élégamment courbées sont entières et généralement opposées ; quand on les déchire doucement, les deux moitiés restent parfois reliées par des filaments (cf. arbre à gutta-percha, p. 278). (Famille : Cornacées.)

Critères de distinction : cornouillers

- Écorce : Quel aspect ?
- Feuilles : Alternes ? Persistantes ? Combien de paires de nervures ? Duveteuses ?
- Fleurs, Fruits : Quel aspect ?

Cornouiller sanguin *Cornus sanguinea*

(*Thelycrania sanguinea* ; *Swida sanguinea*) Europe. Très commun à basse altitude.
Aspect – Silhouette. Largement buissonnante, jusqu'à 10 m ; feuillage pendant, parfois en étages. **Écorce.** Grise ; lisse puis avec de légères crêtes arrondies. **Rameaux.** Fins, droits et brillants (légèrement poilus au début) ; rouge clair au soleil, vert tilleul à l'ombre. **Bourgeons.** Sans écailles ; comme des *gros poils raides noirs.* **Feuilles.** Opposées, 6 × 3 cm environ, avec des poils raides épars sur les deux faces ; 3 ou 4 paires de nervures ; *pourpre* intense en automne. **Fleurs.** En début d'été ; blanc terne, très parfumées. **Fruits.** Baies noir pourpré de 7 mm (leur huile était autrefois utilisée pour la fabrication de savons et dans les lampes à huile).
Espèces voisines – Cornouiller mâle (ci-dessous) ; cornouiller à fleurs (p. 426). Nerprun purgatif (p. 398) : feuilles dentées, écorce écailleuse.

Cornouiller mâle *Cornus mas*

S Europe, O Asie. Commun dans l'E de la France.
Aspect – Silhouette. En général buissonnante, raide ; jusqu'à 13 m. **Écorce.** *Brun orangé, finement écailleuse.* **Rameaux.** Brun verdâtre, à poils gris. **Feuilles.** Ternes dessus, plus brillantes dessous, avec des poils aplatis ; 3 à 5 paires de nervures. **Fleurs.** En *bouquets jaune moutarde en fin d'hiver.* **Fruits.** Rouges, *semblables à des cerises* (comestibles, mais voir ci-dessous).
Autres arbres – *Lonicera maackii* (un chèvrefeuille à l'aspect d'arbre), peu répandu : très proche d'allure (feuilles également *opposées*, mais plus duveteuses) ; fruits (légèrement plus petits mais voyants ; toxiques) groupés *par 2* ; branches garnies de petites fleurs de chèvrefeuille (blanches puis jaunes) à la fin du printemps.

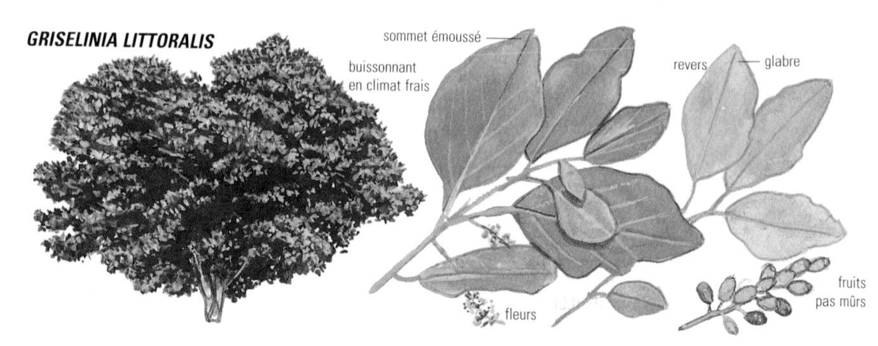

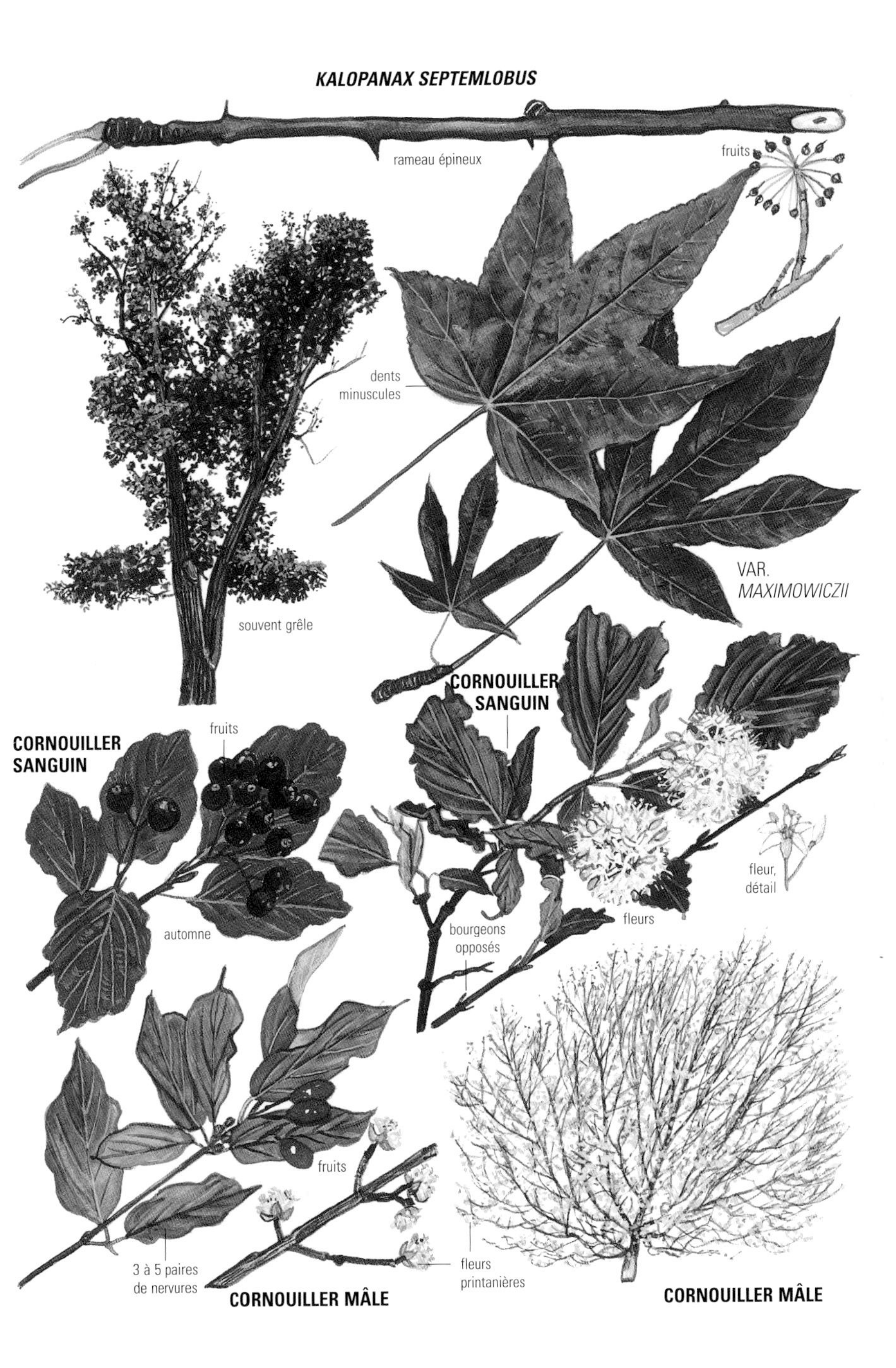
KALOPANAX SEPTEMLOBUS
rameau épineux
fruits
dents
minuscules
VAR.
MAXIMOWICZII
souvent grêle
CORNOUILLER
SANGUIN
fruits
CORNOUILLER
SANGUIN
automne
bourgeons
opposés
fleurs
fleur,
détail
fruits
3 à 5 paires
de nervures
CORNOUILLER MÂLE
fleurs
printanières
CORNOUILLER MÂLE

Cornus controversa

(*Swida controversa*) Japon, Chine, Himalaya. 1880. Assez rare.
ASPECT – **Silhouette.** Branches *étagées*, avec *rameaux courts rouges* et grandes feuilles pendantes (*cf. Emmenopterys henryi*, p. 448) ; jusqu'à 18 m. **Écorce.** Gris pâle ; crêtes légères entrecroisées. **Feuilles.** Brillantes, *alternes sur les pousses terminales*, jusqu'à 15 cm ; *6 à 9 paires de nervures*. **Fleurs.** En début d'été, *blanches, en cymes aplaties* jusqu'à 18 cm de large. **Fruits.** Noir *bleuté*, 6 mm.
CULTIVAR – 'Variegata', assez fréquent : feuilles plus petites, tordues, bordées de blanc – un très bel arbre à feuillage panaché.
AUTRE ARBRE – *C. macrophylla* (*Swida macrophylla*), plus rare : feuilles *opposées*.

Cornouiller à fleurs *Cornus florida*

(*Benthamidia florida*) De l'Ontario à NE Mexique. 1730. Assez fréquent ; a besoin de chaleur en été.
ASPECT – **Silhouette.** Buissonnante, jusqu'à 8 m. **Écorce.** Brun-gris ; *crêtes écailleuses, rugueuses*. **Feuilles.** Pendantes, 7 à 13 cm, avec 5 à 7 paires de nervures ; glauques au revers ; dentelure vraiment minuscule ; vivement colorées en automne. **Fleurs.** *Avant les feuilles*, en glomérules verts compacts mais accompagnés de *4 grandes bractées* blanches ou striées de rose foncé (f. *rubra*).

Cornus nuttallii

(*Benthamidia nuttallii*) O Amérique du Nord. 1835. Assez rare.
ASPECT – **Silhouette.** *Haute et ouverte*, jusqu'à 17 m ; branches légères, assez horizontales. **Écorce.** Brun-pourpre, craquelée en *plaques carrées*. **Feuilles.** Longues (jusqu'à 18 cm), pendantes ; 5 ou 6 paires de nervures ; vivement colorées en automne. **Fleurs.** En fin de printemps et parfois en automne, avec *4 à 8 grandes bractées voyantes* (crème puis teintées de rose).
AUTRE ARBRE – *C.* 'Eddie's White Wonder', peu répandu : fleurs avec 4 bractées chevauchantes blanc crème de 5 cm, presque *rondes*.

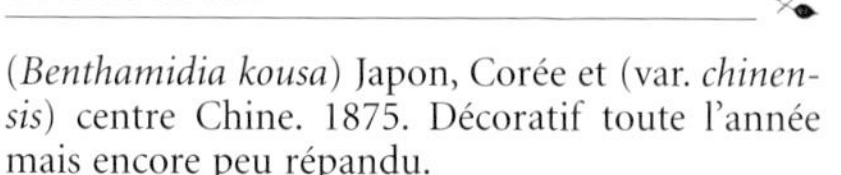

Cornus kousa

(*Benthamidia kousa*) Japon, Corée et (var. *chinensis*) centre Chine. 1875. Décoratif toute l'année mais encore peu répandu.
ASPECT – **Silhouette.** Large ; branches assez étagées ; jusqu'à 10 m. **Écorce.** Minces *plaques aux tons crème, orange et gris* (*cf.* arbre de fer, p. 278, et *Stewartia pseudocamellia*, p. 408). **Feuilles.** Pendantes, 4 à 8 cm, avec 3 ou 4 paires de nervures ; vivement colorées en automne. **Fleurs.** En début d'été, avec 4 grandes bractées blanc crème. **Fruits.** Comestibles ; semblables à *des fraises, rouge magenta* (*cf. C. capitata*).
CULTIVARS – 'Snowboy' : feuilles bordées de blanc. 'Gold Star' : tache jaune au centre des feuilles (rouges en automne).

Cornus capitata

(*Benthamidia capitata*) SO Chine, Himalaya. 1825. Assez rare ; peu rustique.
ASPECT – **Silhouette.** Conique puis arrondie ; jusqu'à 18 m. **Écorce.** Brun-gris, légèrement écailleuse. **Feuilles.** Coriaces et plus ou moins *persistantes* ; jusqu'à 12 cm ; poils denses sur les deux faces. **Fleurs.** Avec 4 à 6 grandes bractées *jaune soufre*, en milieu d'été. **Fruits.** Comestibles ; *grosses « fraises » magenta* (*cf. C. kousa*).

'EDDIE'S WHITE WONDER'
CORNUS NUTTALLII
5 à 6 paires de nervures
longues feuilles
automne
fleur
fruits
fleur
CORNUS CONTROVERSA
6 à 9 paires de nervures
5 à 7 paires de nervures
inflorescence
fruits
généralement rose
fleur
long pétiole
fleur
revers
CORNOUILLER À FLEURS
nervures peu nombreuses
fleur
fruits
CORNUS KOUSA
persistante
fruits
CORNUS CAPITATA
CORNUS CONTROVERSA 'VARIEGATA'

Parmi les quelque 1 000 rhododendrons, peu atteignent la taille d'un arbre. Ils ont besoin d'un sol acide ; leurs feuilles sont entières. (Famille : Éricacées.)

Rhododendron arboreum

De l'Himalaya à SO Chine ; S Inde ; Sri Lanka. 1810. Peu répandu ; climats doux.
ASPECT – **Silhouette.** En dôme dense, avec des branches tordues, et creuse au centre ; souvent à troncs multiples ; jusqu'à 16 m. **Écorce.** Crêtes écailleuses serrées ; grise et rouge terne. **Feuilles.** Coriaces, jusqu'à 20 cm ; mates, sombres et vite lisses dessus ; *feutre brunâtre* (rarement argenté) au revers. **Fleurs.** Campanulées, cireuses, par 10 à 20 en gros bouquets arrondis au milieu du printemps ; normalement rouges ; magenta, roses ou blanches chez certaines formes de haute altitude, plus rustiques (ssp. *campbelliae* – feutre brun épais ; ssp. *cinnamomeum* – feutre roussâtre).
ESPÈCES VOISINES – Magnolia à grandes fleurs et michelia (p. 260).
AUTRES ARBRES – *R. protistum* (et sa variété var. *giganteum*) – peut-être le plus grand rhododendron, atteignant 25 m à la frontière Chine/Myanmar – 1930, rare : feuilles jusqu'à 35 × 12 cm, avec de légères *auricules* ; feutre brun chamois au revers ; fleurs pourpre magenta.
De nombreux hybrides ont été sélectionnés au cours du XIXe siècle à partir de *R. ponticum, R. arboreum* et des espèces américaines : plus buissonnants ; feuilles souvent glabres ; fleurs aux coloris divers, plus résistantes aux gelées en fin de printemps ; généralement greffés sur *R. ponticum* et pas toujours faciles à identifier.

Rhododendron falconeri

Himalaya. 1850. Collections en climat doux et humide.
ASPECT – **Silhouette.** En dôme dense, jusqu'à 11 m. **Écorce.** Un puzzle de plaques minces : pourpres, mauves et jaunes. **Feuilles.** Coriaces, fortement *nervurées et plissées* ; *jusqu'à 35 cm* ; feutre roux au revers. **Fleurs.** Campanulées, jaune crème (ou rose pâle), par 15 à 20 en gros bouquets, au milieu du printemps.
ESPÈCES VOISINES – Bibacier (p. 282) ; magnolia de Chine (p. 260).
AUTRE ARBRE – *R. sinogrande* : *feuilles immenses* (jusqu'à 50 × 30 cm), brillantes mais plissées dessus ; *feutre argenté* dense au revers ; fleurs énormes, crème pâle.

Rhododendron fortunei

E Chine. 1859. Rare.
ASPECT – **Silhouette.** Souvent irrégulière, sur un tronc penché. **Écorce.** Finement écailleuse, gris orangé. **Feuilles.** Assez oblongues, effilées à la base, avec une pointe brusque au sommet ; jusqu'à 20 × 8 cm ; revers *glabre* et argenté entre un réseau de nervures vertes. **Fleurs.** Campanulées et frangées, 7 cm, rose tendre, très parfumées ; 8 à 12 par bouquets, en fin de printemps.
ESPÈCES VOISINES – *Ilex latifolia* (p. 366) ; arbre à écorce de Winter (p. 274). Les grandes feuilles glabres des autres persistants communs (laurier-cerise, p. 344, par exemple) sont dentées.
AUTRES ARBRES – Hybrides 'Loderi' – issus de croisements avec *R. griffithianum*, une espèce himalayenne à fleurs immenses, moins rustique : arbres ou arbustes jusqu'à 12 m ; inflorescences roses ou blanches, plus grandes, très parfumées ; le clone 'King George' a des fleurs rose pâle.
Rhododendron pontique, *R. ponticum* (1763), naturalisé et devenu très envahissant en Grande-Bretagne : arbuste étalé, jusqu'à 10 m ; feuilles glabres plus étroites, finement effilées ; fleurs plus petites, mauve teinté de jaune, à la fin du printemps.

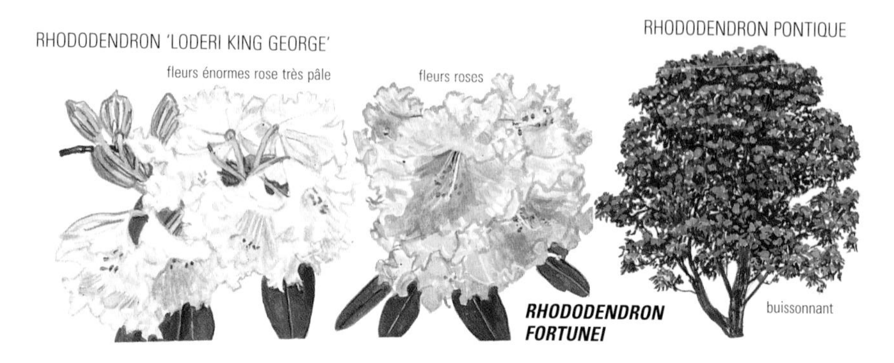

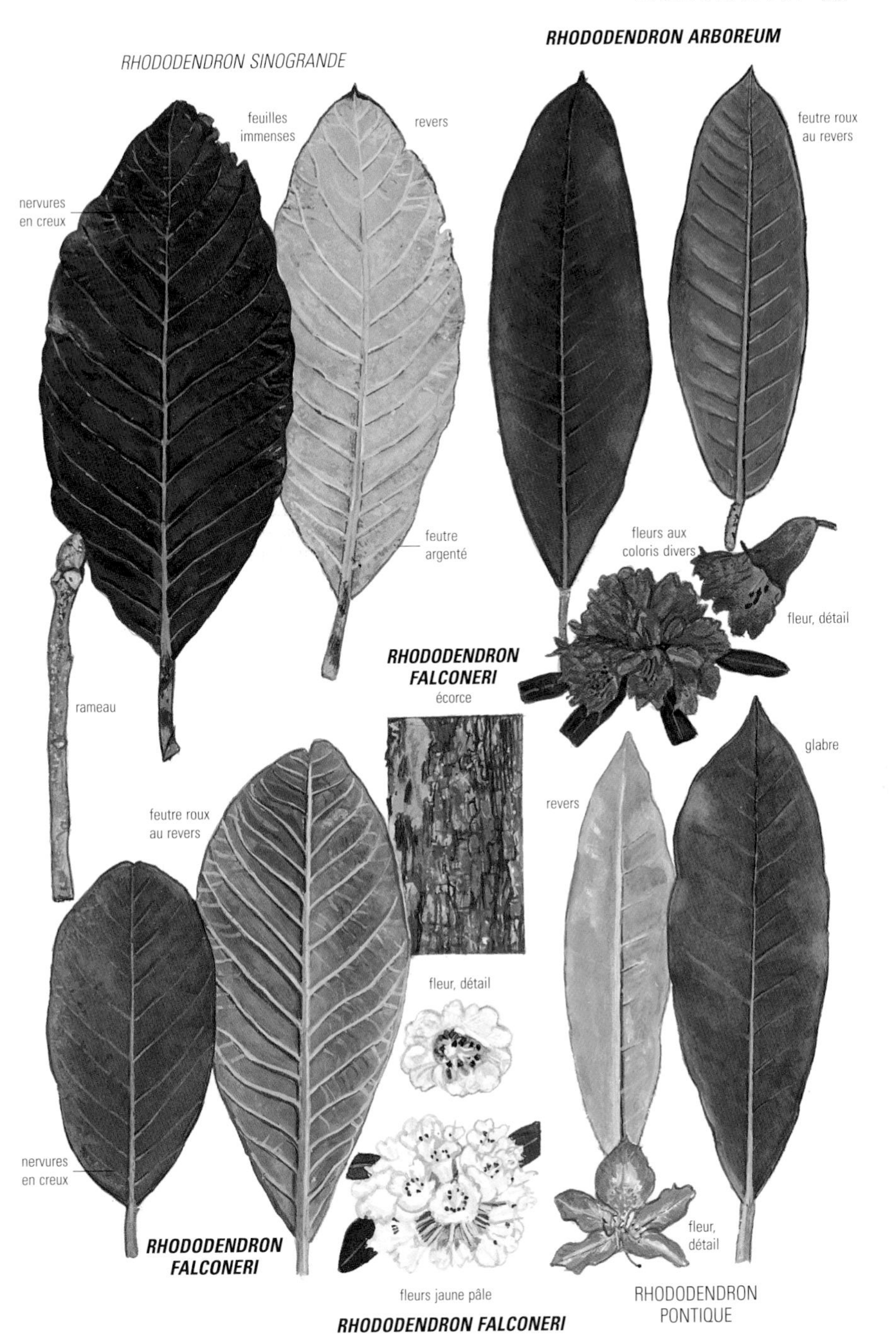
RHODODENDRON ARBOREUM
RHODODENDRON SINOGRANDE
feuilles immenses
revers
feutre roux au revers
nervures en creux
feutre argenté
fleurs aux coloris divers
fleur, détail
RHODODENDRON FALCONERI
écorce
rameau
glabre
revers
feutre roux au revers
fleur, détail
nervures en creux
fleur, détail
RHODODENDRON FALCONERI
fleurs jaune pâle
RHODODENDRON FALCONERI
RHODODENDRON PONTIQUE

Arbre-oseille *Oxydendrum arboreum*

(*Andromeda arborea*) E États-Unis. 1752. Assez rare ; pour climat doux et sol acide.
ASPECT – **Silhouette.** Dôme élevé et mince, avec des branches sinueuses ; mesure jusqu'à 20 m. **Écorce.** Grise ; crêtes entrecroisées très rugueuses. **Feuilles.** Vert foncé assez brillant ; de 10 à 20 cm, normalement *finement dentées* ; presque glabres (*nervure médiane blanche saillante* parfois poilue) ; goût acidulé d'oseille ; rouge vif en automne. **Fleurs.** *Grandes panicules retombantes* de petites clochettes couleur *blanc cassé*, de la mi-été à l'automne.
ESPÈCES VOISINES – Nyssa des forêts (p. 412) : aucune parenté mais remarquablement similaire en dehors de la période de floraison (feuilles *entières*). Cerisier tardif (p. 344) ; arbre à gutta-percha (p. 278).

Arbousier commun *Arbutus unedo*

(Arbre aux fraises) Région méditerranéenne, SO Irlande. Fréquent dans le Midi et l'ouest de la France.
ASPECT – **Silhouette.** Dense, basse et arrondie, jusqu'à 15 m ; branches tordues ; d'un *vert plus vif* que la plupart des persistants. **Écorce.** Gris-rouge *terne* ; écailles serrées. **Feuilles.** Petites (8 × 3 cm), *dentées*, glabres ; pétioles et jeunes rameaux duveteux. **Fleurs, fruits.** Clochettes blanc ivoire en bouquets, *en automne*, pendant que les « fraises » jaunes de l'année précédente mûrissent (rouges à maturité) ; comestibles mais peu savoureux – donnent une bonne confiture et (au Portugal) une boisson alcoolisée, le *medronho*.
ESPÈCES VOISINES – Arbousier hybride (ci-dessous) ; filaria (p. 442).
CULTIVAR – f. *rubra*, rare : fleurs roses.

Arbutus menziesii

O Amérique du Nord. 1827. Assez rare.
ASPECT – **Silhouette.** Dôme élevé, ouvert ; *jusqu'à 26 m*. **Écorce.** Lisse, *rouge brique*, jaune rosé ou verdâtre ; puis grise et craquelée en carrés à la base ; **Feuilles.** *Grandes* (14 × 7 cm), *assez oblongues* et (sauf sur les jeunes arbres) plus ou moins *entières* ; revers glauque. **Fleurs.** *À la fin du printemps*, en panicules *dressées*. **Fruits.** Petites « fraises » orange ; 1 cm.
ESPÈCES VOISINES – Arbousier de Chypre (ci-dessous) : plus bas ; feuilles plus petites.

Arbousier de Chypre *Arbutus andrachne*

De l'Albanie au Caucase et Palestine. 1724. Très rare ; climat doux.
ASPECT – **Silhouette.** Trapue, jusqu'à 10 m. **Écorce.** Lisse, jaune crème ; ou écailleuse, rouge et verte. **Feuilles.** *Petites* (8 × 4 cm) et (sauf sur les jeunes arbres) *entières*. **Fleurs.** Panicules blanches *au printemps*. **Fruits.** Plus petits (12 mm) et plus lisses que ceux de l'arbousier commun.

Arbousier hybride *Arbutus × andrachnoides*

Hybride spontané (Grèce, Chypre) entre l'arbousier commun et l'arbousier de Chypre. Peu répandu.
ASPECT – **Silhouette.** Dôme irrégulier plus haut que chez les 2 parents ; branches tordues. **Écorce.** Lisse ou finement écailleuse, dans des tons *rouge rubis* et crème ; parfois terne. **Feuilles.** *dentées* ; légèrement plus grandes et plus pâles au revers que celles de l'arbousier commun. **Fleurs.** Panicules blanches en automne *ou au début du printemps*.
ESPÈCE VOISINE – Arbousier commun : diffère par l'écorce *et/ou* la floraison printanière.

ARBRE-OSEILLE

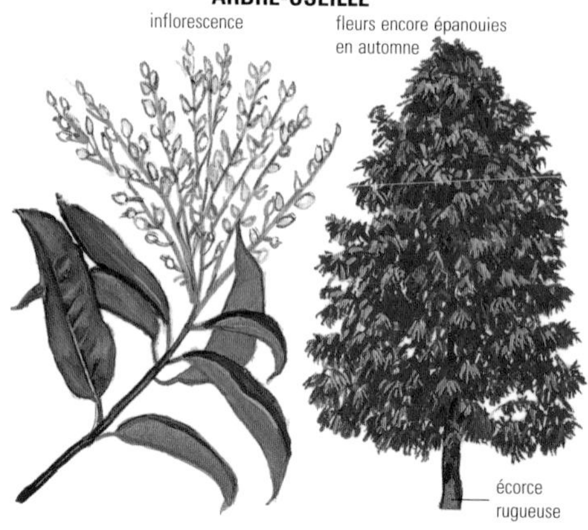

ARBOUSIER HYBRIDE

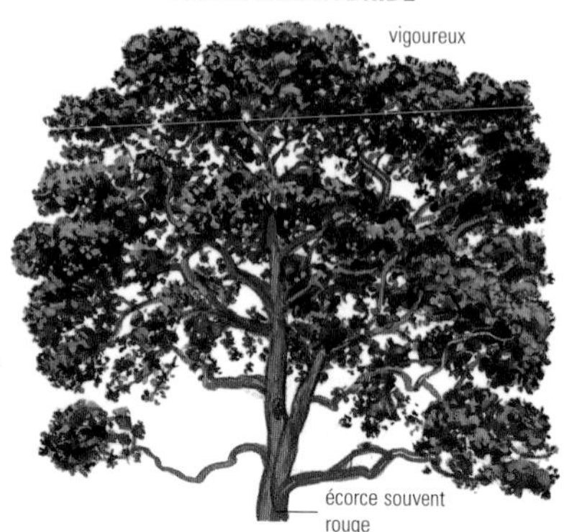

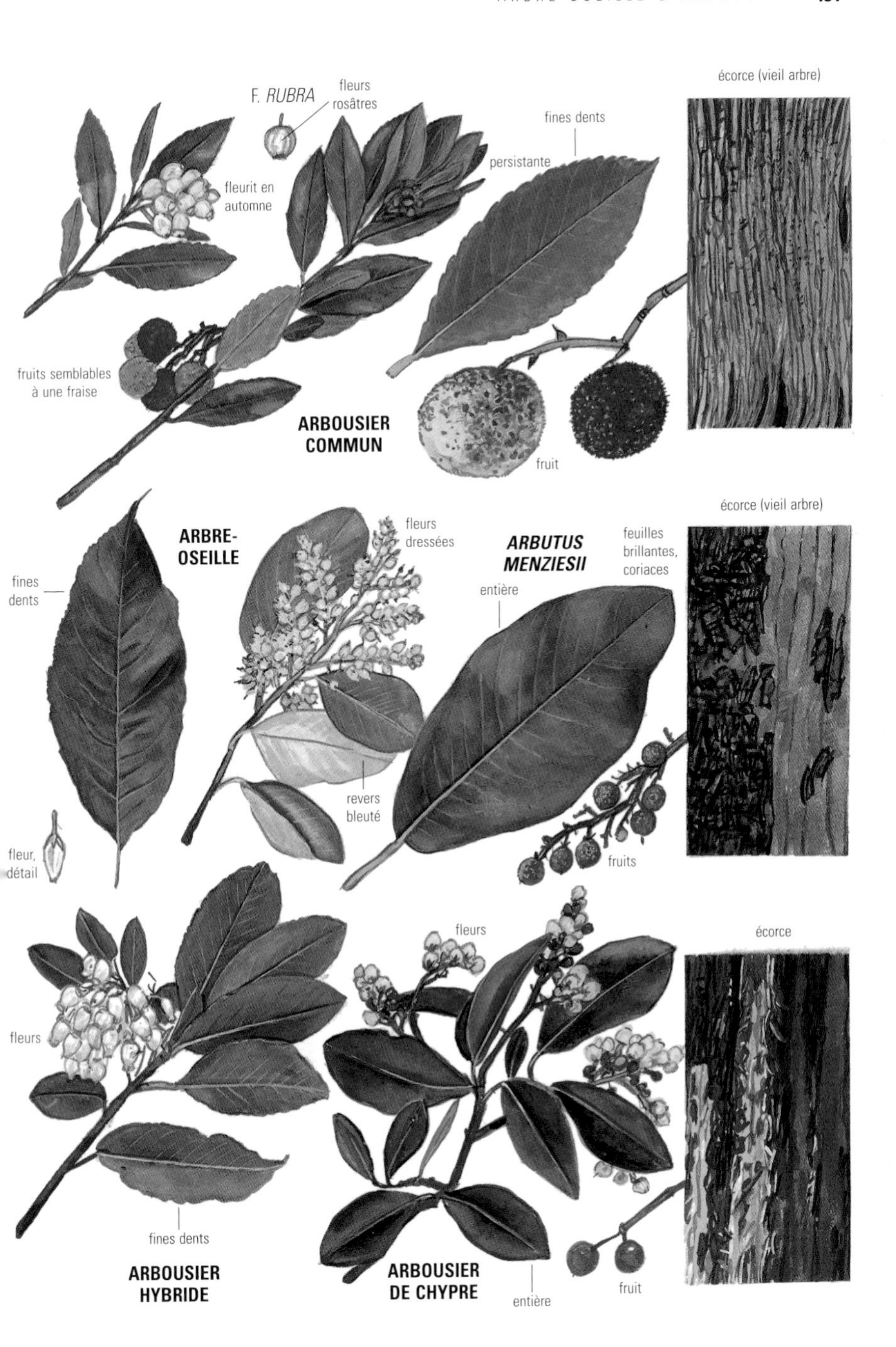

F. RUBRA
fleurs rosâtres
fleurit en automne
fines dents
persistante
écorce (vieil arbre)
fruits semblables à une fraise
ARBOUSIER COMMUN
fruit
écorce (vieil arbre)
ARBRE-OSEILLE
fleurs dressées
ARBUTUS MENZIESII
feuilles brillantes, coriaces
fines dents
entière
revers bleuté
fleur, détail
fruits
fleurs
écorce
fleurs
fines dents
ARBOUSIER HYBRIDE
ARBOUSIER DE CHYPRE
entière
fruit

Plaqueminier d'Europe *Diospyros lotus*

(Plaqueminier d'Italie) Cultivé dans toute l'Asie et largement naturalisé. Peu répandu dans les jardins. (Famille : Ébénacées.)

ASPECT – **Silhouette.** En dôme étroit et élégant, jusqu'à 16 m, ou avec plusieurs troncs ; *feuillage pendant très brillant.* **Écorce.** *Noirâtre, en damier* (*cf.* poirier commun, p. 316). **Rameaux.** Verts ou bruns, duveteux au début ; bourgeons coniques, 6 mm ; pas de gros bourgeon terminal. **Feuilles.** Caduques et minces mais paraissant persistantes, jusqu'à 18 × 5 cm (certaines bien plus petites), entières ; odeur forte par temps humide ; poils dorés *sur la nervure médiane*, épars dessous, et sur les pétioles (*6 à 12 mm*). **Fleurs.** Espèce dioïque ; urcéolées, vertes ou rouges, 5 à 8 mm, en milieu d'été (solitaires sur les arbres femelles ; groupées par 2 ou 3 sur les mâles). **Fruits.** Globuleux (1 à 2 cm), pourpres ou jaunes ; comestibles.

ESPÈCES VOISINES – Nyssa des forêts (p. 412) ; saule-laurier (p. 166) ; *Emmenopterys henryi* (p. 448). Chêne glauque (p. 230) : persistant. Cerisier tardif (p. 344), arbre à gutta-percha (p. 278) et amandier (p. 338) : feuilles dentées.

AUTRES ARBRES – Plaqueminier de Virginie, *D. virginiana* (SE États-Unis), plus rare : *pétioles plus longs* (10 à 25 mm) ; fleurs légèrement plus longues (10 à 15 mm) ; fruits comestibles (4 cm, jaune teinté de rouge).

Kaki *Diospyros kaki*

(Plaqueminier du Japon) Chine ; cultivé depuis longtemps au Japon pour ses fruits. 1796. Cultivé dans le Midi. Peu répandu ailleurs.

ASPECT – **Silhouette.** Basse, étalée. **Écorce.** Parfois plus pâle et plus anguleuse que celle du plaqueminier du Japon. **Feuilles.** *Grandes et ovales*, jusqu'à 20 × 9 cm ; glabres dessus, duveteuses au revers. **Fruits.** Jusqu'à 8 cm, jaune orangé, ayant besoin de chaleur pour bien mûrir.

Pterostyrax hispida

Chine, Japon. 1875. Rare. (Famille : Styracacées.)

ASPECT – **Silhouette.** Élégante et assez conique, jusqu'à 22 m, ou buissonnante, sur des branches sinueuses ; parfois très drageonnante. **Écorce.** Gris-brun ; crêtes entrelacées aplaties ou finement écailleuses. **Rameaux.** *Glabres.* **Bourgeons.** Fins, pourpres ; souvent groupés par 2 ou 3. **Feuilles.** Grandes (20 × 10 cm) et mates ; petites dents espacées ; longs poils sous les nervures. **Fleurs.** En panicules pendantes très poilues, en milieu d'été ; blanches et à odeur citronnée. **Fruits.** 1 cm, très fins et couverts de longs poils brun pâle – *plumets pendants décoratifs* jusqu'à l'automne.

ESPÈCES VOISINES – Arbre aux cloches d'argent (p. 434) : fleurs et fruits différents ; écorce un peu plus anguleuse. Kaki (ci-dessus) : feuilles entières. *Styrax hemsleyanus* (p. 434) : écorce lisse. Magnolia à feuilles acuminées (p. 260) : feuilles entières.

AUTRE ARBRE – *P. corymbosa* (mêmes habitats), très rare : buissonnant ; feuilles plus petites, vite glabres ; fruits légèrement plus grands, avec *5 ailes peu saillantes.*

PTEROSTYRAX HISPIDA

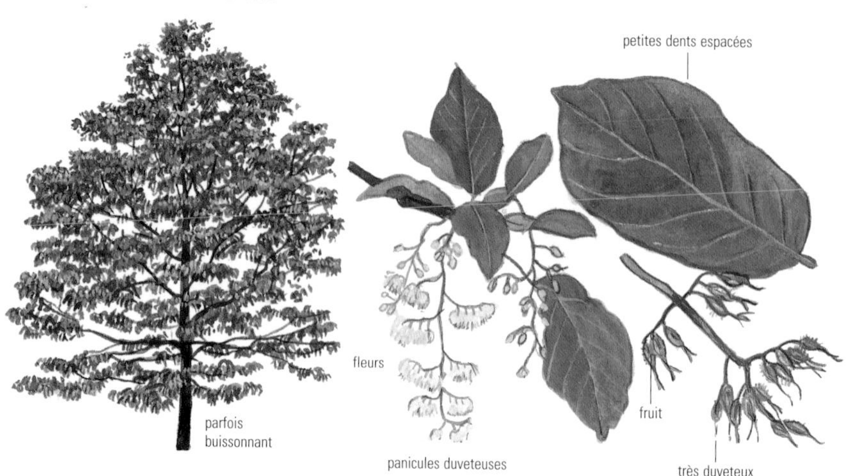

PLAQUEMINIER D'EUROPE
couronne sombre, dense
PLAQUEMINIER DE VIRGINIE
entière
QUEMINIER
UROPE
entière
feuilles jaune pâle au début
fleurs ♀
long pétiole
feuilles brillantes
fleurs ♀
fruit
PLAQUEMINIER DE VIRGINIE
écorce
entière
revers
feuilles larges, brillantes
fruit
fruit
KAKI

ARBRE AUX CLOCHES D'ARGENT & ALIBOUFIERS

Arbre aux cloches d'argent *Halesia monticola*

SE États-Unis. 1897. Assez rare.

ASPECT – **Silhouette.** Conique ouverte, assez irrégulière ; jusqu'à 16 m. **Écorce.** Gris foncé ; crêtes aplaties, *profondes* et entrecroisées. **Rameaux.** Duveteux au début ; à moelle cloisonnée (comme les ptérocaryas, p. 172). **Feuilles.** Grandes (12 à 22 cm), vert terne ; nervures en creux ; *dents espacées, très petites* ; poils épars au revers (duvet blanc dense chez var. *vestita*). **Fleurs.** *Nombreuses clochettes ivoire* en fin de printemps, pendant sous les jeunes feuilles (rosâtres chez f. *rosea*). **Fruits.** 5 cm, ligneux ; verts puis bruns à maturité, *munis de 4 ailes saillantes* (*cf.* les petits fruits à 5 ailes de *Pterostyrax corymbosa*, p. 432).

ESPÈCES VOISINES – *Pterostyrax hispida* (p. 432) ; nyssa des forêts (p. 421). Aliboufier du Japon (ci-dessous) : fleurs similaires mais plus voyantes et plus tardives ; feuilles beaucoup plus petites.

AUTRES ARBRES – *H. carolina* (1756) : buissonnant et étalé ; écorce écailleuse à fissures peu profondes ; feuilles plus petites (5 à 12 cm) au revers toujours gris duveteux ; fleurs un peu plus petites ; fruits de 35 à 40 mm.

Aliboufier du Japon *Styrax japonica*

Japon, Corée, centre Chine. 1862. Peu répandu.

ASPECT – **Silhouette.** Délicate, avec un feuillage dense plus ou moins étagé et un tronc court ; jusqu'à 12 m. **Écorce.** Brun-gris ; crêtes écailleuses séparées par des fissures orange. **Rameaux.** Fins, pourpres ou orangés. **Bourgeons.** 2 écailles principales brun pâle, *poilues.* **Feuilles.** *Petites (2 à 12 cm)* ; planes, légèrement brillantes ; assez losangiques, avec de *très petites écailles espacées* et des poils épars. **Fleurs.** *Blanc pur*, pendantes, en début d'été. **Fruits.** *Globuleux*, lisses, 14 mm.

ESPÈCES VOISINES – *Celtis laevigata* (p. 254) ; mûrier des Osages (p. 256). Arbre aux cloches d'argent (ci-dessus) : fleurs similaires mais printanières ; plante plus terne et moins délicate.

AUTRES ARBRES – *Storax officinalis* (de E Méditerranée à O Asie, Californie et O Mexique), cultivée pour sa résine parfumée : feuilles *entières* couvertes de duvet blanc, surtout au revers ; écorce grise, lisse.

Aliboufier à grandes feuilles *Styrax obassia*

NE Chine, Japon, Corée. 1879. Rare.

ASPECT – **Silhouette.** Élancée et gracieuse, avec un feuillage étagé ; jusqu'à 14 m. **Écorce.** Grise, *lisse.* **Bourgeons.** Laineux, orangés, 1 cm, mais *cachés* par la base des pétioles en été. **Feuilles.** Grandes (jusqu'à 20 cm) et pendantes, vert foncé ; presque *rondes*, brusquement acuminées au sommet ; quelques *grosses* dents ; *revers velouté* (*cf.* cognassier, p. 290). **Fleurs.** Blanc pur mais discrètes ; *en grappes pendantes de 15 cm* en début d'été ; odeur de jacinthe. **Fruits.** Verts, veloutés, ovoïdes, 2 cm.

AUTRES ARBRES – *S. hemsleyanus* (centre et O Chine, 1900), rare : bourgeons laineux *orange vif* visibles en été ; feuilles plus fines (16 × 9 cm), *effilées à la base*, avec des dents espacées et des *touffes de duvet éparses* au revers – plus foncées et plus épaisses que celles de *Pterostyrax hispida* (p. 432) ou de l'arbre aux cloches d'argent (ci-dessus).

ALIBOUFIER DU JAPON

en fleur

ALIBOUFIER À GRANDES FEUILLES

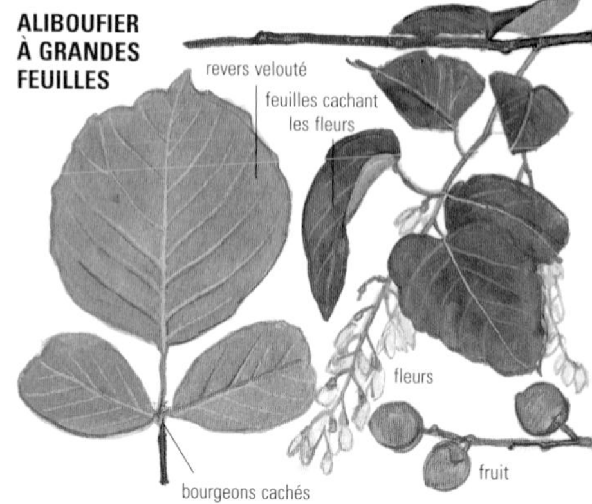

ARBRE AUX CLOCHES D'ARGENT

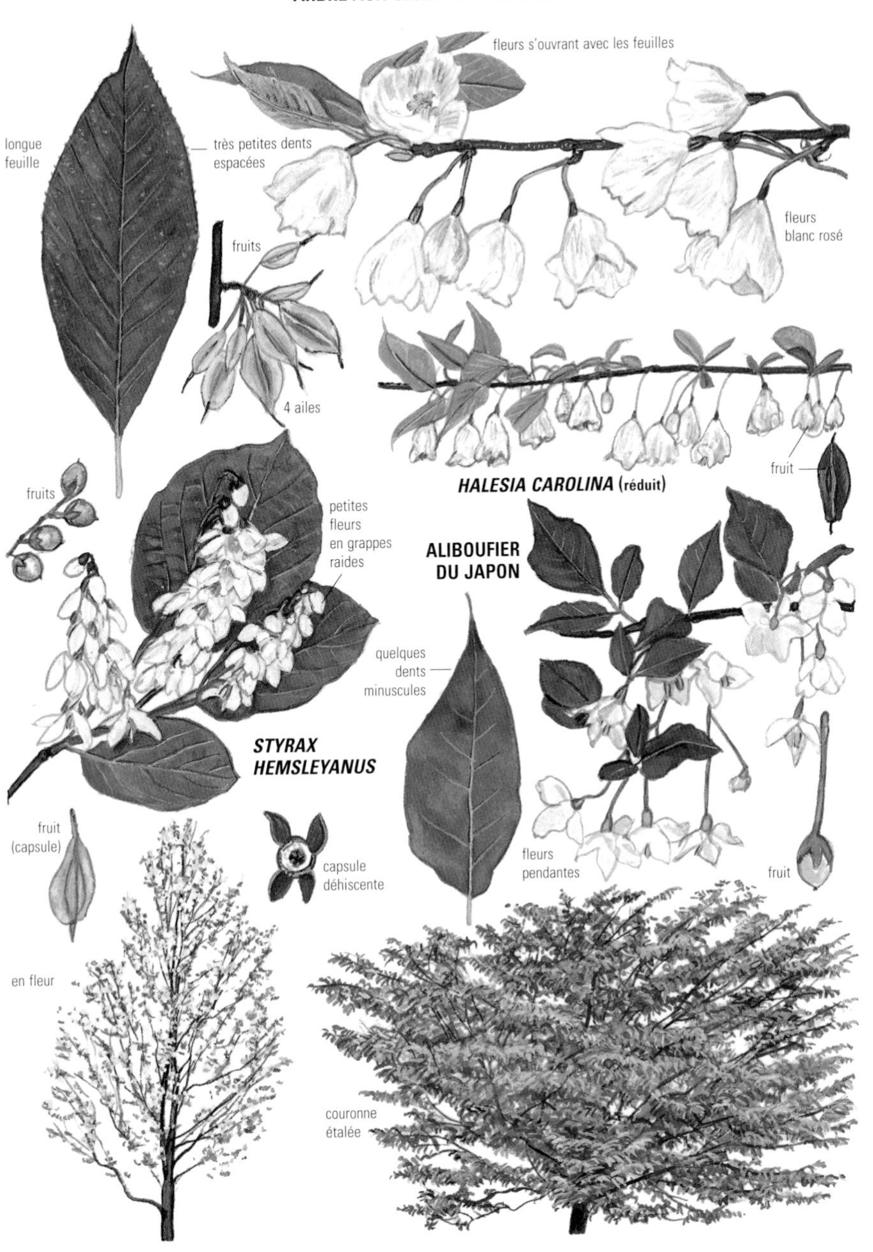

ARBRE AUX CLOCHES D'ARGENT

ALIBOUFIER DU JAPON

Appartenant à la même famille que le lilas, le jasmin et le forsythia, les frênes (60 espèces) produisent des samares comme les érables (mais symétriques et solitaires) et des feuilles opposées, généralement composées (par 3 sur certains rameaux vigoureux) ; ils apprécient les sols riches. (Famille : Oléacées.)

Critères de distinction : frênes

- Écorce : Quel aspect ?
- Bourgeons : Noirs à maturité ?
- Feuilles : Pétiole poilu ? Combien de folioles (poilues ? pétiolées ?) ?

Frêne commun *Fraxinus excelsior* 

Europe, Caucase. Commun partout sauf en région méditerranéenne et en Corse.
Aspect – Silhouette. *Très ouverte* ; fines branches courbées sur un tronc souvent long ; rameaux argentés parfois pendants puis redressés, comme *les branches d'un chandelier* ; nécroses fréquentes ; jusqu'à 30 m. **Écorce.** Gris pâle ; réseau *régulier* de crêtes fines entrelacées. **Rameaux.** Gris. **Bourgeons.** Coniques, vite *noirs* – bruns chez les autres frênes. **Feuilles.** Opposées ; *9 à 13* folioles irrégulièrement dentées (les latérales *sessiles*), ternes dessus, avec un *duvet blanc sous la nervure médiane*, sur un rachis légèrement *duveteux* ; feuillaison tardive ; très brièvement jaune pâle à l'automne. **Fleurs.** Espèce normalement dioïque. Certains arbres sont femelles une année puis mâles la suivante, certains portent des rameaux du sexe opposé, certains sont hermaphrodites et certains portent des fleurs bisexuées. **Fruits.** Bouquets de samares, bruns à maturité.
Espèces voisines – Frêne oxyphylle (p. 438) : folioles *glabres*, fines. Frêne oxyphylle 'Raywood' (p. 438) : folioles fines sur un *rachis glabre*. Frêne à fleurs (p. 438) : écorce lisse ; 5 à 9 folioles. Frêne rouge (p. 440) : 7 à 9 folioles brillantes. *F. latifolia* (p. 440) : 5 à 9 folioles souvent laineuses. Sureau noir (p. 448) : 5 à 7 folioles.
Cultivars – Frêne pleureur, 'Pendula', commun : rameaux droits pendant vers le sol ; jusqu'à 17 m. 'Pendula Wentworthii', rare : longs rameaux pendants *recourbés vers le haut à leur extrémité.*
'Jaspidea' : rameaux *dorés* pendant 5 ans ; jaune plus vif en automne ; dôme très légèrement jaunâtre, *densément feuillu* en été. 'Aurea', bien plus rare : *rameux et rabougri* ; petites feuilles vertes en été.
'Aurea Pendula', rare : plante grêle et aplatie, à croissance lente, avec des rameaux dorés raides et pendants.
'Diversifolia', peu répandu : *1 grande feuille simple* (rarement 3 folioles ; *cf.* 'Veltheimii', p. 438, et érable negundo, p. 390), *dentelée ou lobée*, de 20 cm ; greffé, mais avec l'écorce typique et *les bourgeons noirs*. La forme pleureuse 'Diversifolia Pendula' est très rare.

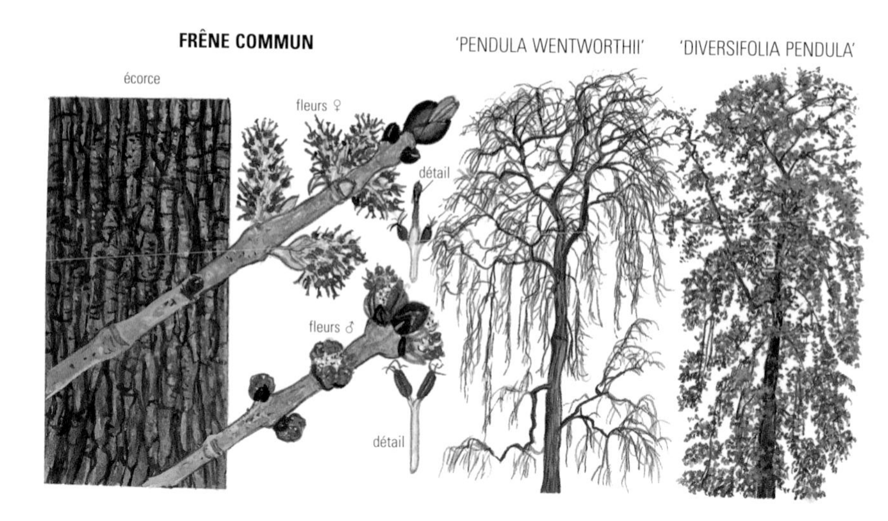

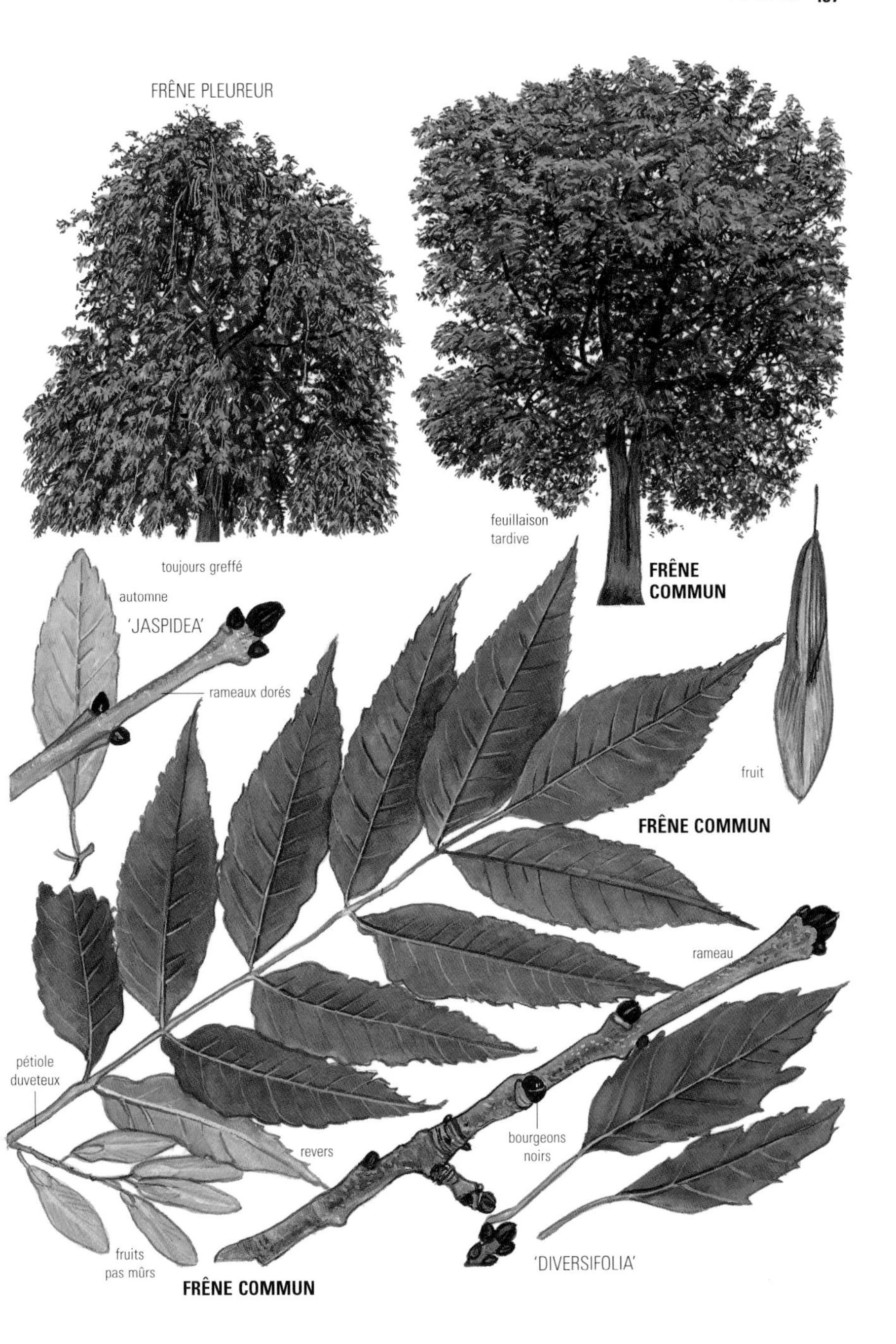
FRÊNE PLEUREUR
toujours greffé
feuillaison
tardive
FRÊNE
COMMUN
automne
'JASPIDEA'
rameaux dorés
fruit
FRÊNE COMMUN
rameau
pétiole
duveteux
bourgeons
noirs
revers
fruits
pas mûrs
FRÊNE COMMUN
'DIVERSIFOLIA'

Frêne oxyphylle *Fraxinus angustifolia*

(Frêne à feuilles étroites) O Méditerranée, N Afrique. 1800. Très commun dans le Midi et en Corse, commun dans le sud-ouest.

ASPECT – Silhouette. Plus dense que celle du frêne commun (p. 436), jusqu'à 30 m ; branches tournées vers le haut ou légèrement retombantes ; *feuillage léger.* **Écorce.** Gris foncé, vite *profondément fissurée en crêtes rugueuses.* **Bourgeons.** Bruns, laineux. **Feuilles.** 7 à 13 folioles fines (60 × 15 mm), brillantes, sessiles et *entièrement glabres*, sur un rachis *glabre.* **Fleurs.** Comme celles du frêne commun.

ESPÈCES VOISINES – Frêne rouge (p. 440) ; frêne oxyphylle 'Raywood' (ci-dessous).

CULTIVARS – 'Veltheimii', très rare : 1 foliole unique (comme chez 'Diversifolia', p. 436), *glabre*, dentelée, jusqu'à 12 cm de long ; rameaux fortement dressés.

'Pendula' (moins spectaculaire que le frêne pleureur, p. 436), très rare : *rameaux longuement pendants.*

Frêne oxyphylle 'Raywood'

Fraxinus angustifolia ssp. *oxycarpa* 'Raywood'

Sélection australienne. 1925. Assez fréquent dans les parcs et le long des rues. Superbe en automne : l'extérieur vire au *pourpre* puis l'intérieur prend des tons orange, roses et dorés.

ASPECT – Silhouette. Globuleuse, ouverte, jusqu'à 25 m. **Écorce.** Gris foncé ; *lisse pendant plusieurs années* puis finement sillonnée. **Feuilles.** 7 folioles sessiles, *fines*, brillantes, vert clair, avec une *bande de poils* à la base sous la nervure médiane ; rachis *glabre.*

AUTRES ARBRES – ssp. *oxycarpa* (*F. oxycarpa* ; de la Roumanie à l'Iran), rare : parfois seulement 3 folioles (rarement dentelées ; *cf.* frêne rouge, p. 440), *jaune d'or* en automne.

F. pallisiae (SE Europe), collections : similaire mais *rameaux duveteux* et 5 à 13 folioles presque sessiles, avec des poils raides dessus et un *duvet dense dessous* (*cf. F. latifolia*, p. 440) ; *F. holotricha* (mêmes habitats) : folioles moins duveteuses, sur des pétioles individuels de 8 mm (*cf.* frêne rouge, p. 440).

Frêne à fleurs *Fraxinus ornus*

(Orne, manne) S Europe, Asie mineure. Très commun dans les parcs et le long des rues.

ASPECT – Silhouette. Dôme *dense et feuillu* ; branches assez tordues ; jusqu'à 27 m, souvent moins. **Écorce.** Gris foncé, *très lisse.* **Bourgeons.** Brun-gris, laineux. **Feuilles.** 5 à 7 folioles assez brillantes, larges, foncées, poilues à la base sous la nervure médiane, sur un *pétiole poilu de 1 cm* ; rachis *tortillé*, avec des touffes de poils à chaque angle ; jaunes et *rose foncé* en automne. (Folioles de 3 cm de long seulement chez var. *rotundifolia*, S Italie et Balkans.) **Fleurs.** *Inflorescences plumeuses, denses*, avec des pétales crème très étroits (1 cm) ; très *voyantes* en fin de printemps.

ESPÈCE VOISINE – Euodia (p. 356) : similaire mais fleurit plus tard ; feuilles un peu plus grandes, plus brillantes.

AUTRES ARBRES – *F. mariesii* (centre Chine ; 1878), très rare : jusqu'à 10 m ; fleurs parfumées ; *3 à 7* folioles à peine pétiolées.

F. chinensis var. *rhyncophylla* (Corée ; 1892), collections : *5 folioles assez ovales* presque sessiles ; inflorescences voyantes mais *sans pétales.*

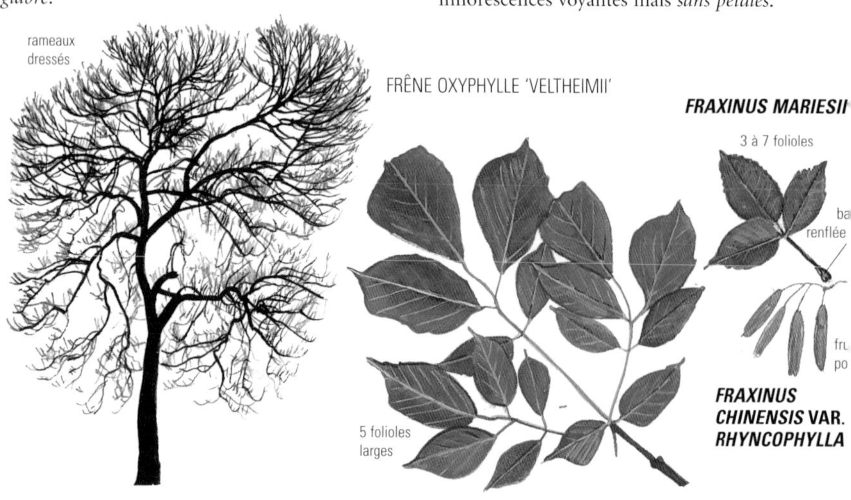

FRÊNE OXYPHYLLE
couronne dense et légère
fleurs
folioles fines, glabres
écorce noueuse et rugueuse
'VELTHEIMII'
FRÊNE
À FLEURS
dôme
dense
ÊNE
FLEURS
fleurs
rachis
tortillé
fruit
écorce lisse
FRAXINUS
ANGUSTIFOLIA
SSP.
OXYCARPA
FRÊNE OXYPHYLLE
'RAYWOOD'
belle teinte d'automne
folioles
duveteuses
sous la base

Frêne blanc *Fraxinus americana*

E Amérique du Nord. 1724. Peu répandu.
ASPECT – **Silhouette.** Souvent grêle ; branches dressées, rameaux droits ; jusqu'à 30 m. **Écorce.** Gris pâle ; crêtes *peu saillantes.* **Rameaux.** Glabres ; bord supérieur des cicatrices foliaires *concave.* **Bourgeons.** Bruns, laineux ; bourgeons terminaux *émoussés.* **Feuilles.** 7 ou 9 *grandes* (15 × 7 cm) folioles avec des dents espacées et des *pétioles individuels de 5 à 10 mm* ; souvent glabres mais *blanchâtres au revers* (minuscules *papilles*) ; rachis *glabre* ; jaunes en automne. **Fleurs, fruits.** Comme ceux du frêne commun (p. 436).
ESPÈCES VOISINES – Frêne rouge (ci-dessous). Hickory amer (p. 176) : feuilles *alternes.*

Frêne rouge *Fraxinus pennsylvanica*

E Amérique du Nord. 1783. Peu répandu.
ASPECT – **Silhouette.** Souvent en dôme (jusqu'à 23 m) ; comme un frêne commun bien entretenu, *brillant* (rameaux plus droits, jaune plus vif en automne). **Écorce.** *Brun*-gris ; *crêtes pointues et serrées* (comme chez l'érable plane, p. 372), devenant parfois pelucheuses comme chez certains hickorys (pp. 174-176). **Rameaux.** Parfois légèrement veloutés au début ; bord supérieur des cicatrices *horizontal.* **Bourgeons.** Bruns, laineux ; bourgeons terminaux *pointus.* **Feuilles.** 3 à 9 folioles, grandes (14 × 6 cm) ou fines et pointues, avec quelques dents ou aucune ; *pétioles individuels de 5 à 8 mm* mini. sur les folioles inférieures ; revers gris-vert *sans papilles* mais avec des poils (réduits à quelques touffes à l'angle des nervures inférieures chez var. *lanceolata*) ; rachis parfois duveteux.
ESPÈCES VOISINES – Frêne blanc (ci-dessus). *F. angustifolia* ssp. *oxycarpa* (p. 438) ; *F. latifolia* (ci-dessous).
CULTIVAR – 'Variegata', très rare : panaché de blanc ; revient facilement au type.

Fraxinus latifolia

(*F. oregona*) O États-Unis. 1870. Très rare.
ASPECT – **Silhouette.** En dôme, jusqu'à 20 m ; rameaux courts et épais, dressés, *informes.* **Écorce.** Comme celle du frêne rouge (ci-dessus). **Rameaux.** Finement poilus. **Bourgeons.** Bruns, laineux. **Feuilles.** 5 à 9 folioles *sessiles*, souvent grandes (jusqu'à 12 × 6 cm) et entières, finement duveteuses dessus et *densément* au revers (parfois blanchâtres) ; rachis poilu.
ESPÈCES VOISINES – Formes (rares) très duveteuses du frêne rouge : pétioles de 2 à 8 mm. *F. pallisiae* (p. 438).
AUTRES ARBRES – *F. velutina* (SO États-Unis, N Mexique), très rare : feuillage velouté mais avec *3 à 5 folioles assez épaisses* (parfois pétiolées ; parfois 1 seule foliole).

Fraxinus spaethiana

Japon. 1873. Collections.
ASPECT – **Silhouette.** En dôme, jusqu'à 15 m. **Écorce.** Grise ; crêtes assez pelucheuses. **Feuilles.** Feuillaison précoce ; vert vif, avec 7 ou 9 folioles *oblongues* (*cf.* sorbier de Sargent, p. 302), jusqu'à 20 cm et *serrées* de telle sorte que la feuille peut être *aussi large que longue* ; rachis à *base renflée.*

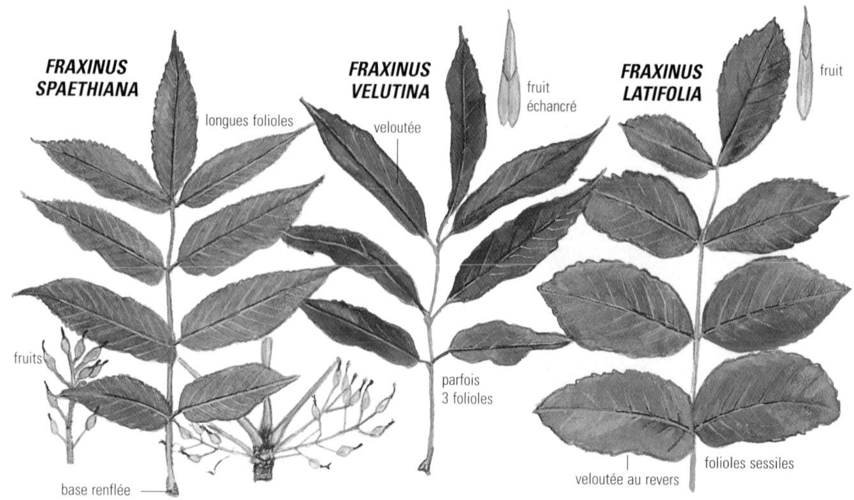

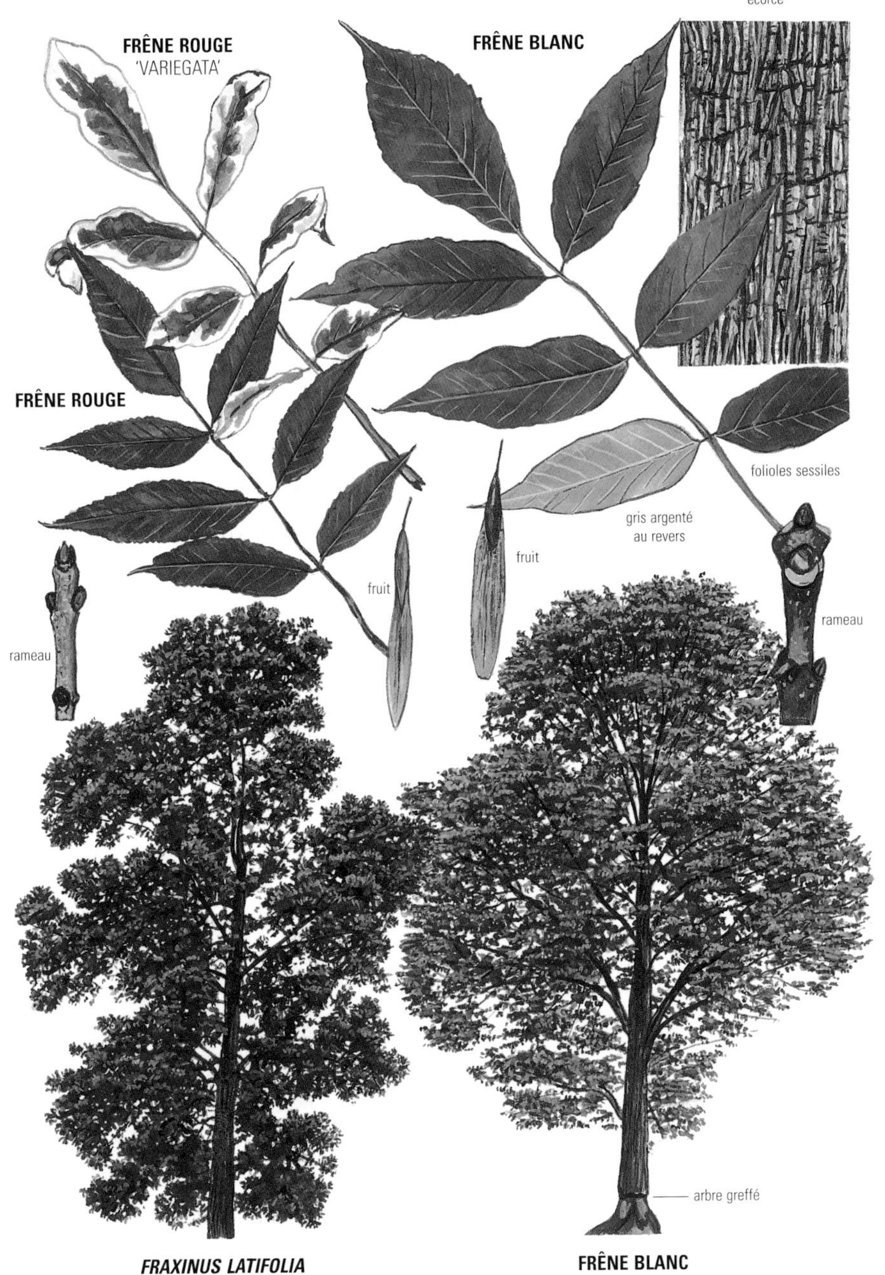

FRAXINUS LATIFOLIA

FRÊNE BLANC

Ligustrum lucidum

Chine, Corée, Japon. 1794. Peu répandu. Ce troène persistant est parfois appelé troène de Chine (à ne pas confondre avec *L. sinense*).

ASPECT – **Silhouette.** En dôme régulier, souvent sur plusieurs troncs serrés ; jusqu'à 18 m. **Écorce.** Gris chamois ; cannelée, avec des rejets ; fissures espacées. **Feuilles.** Opposées, jusqu'à 15 cm ; épaisses, pointues, glabres et *vernissées* (mates dessous). **Fleurs.** Panicules jaune-blanc couvrant l'arbre du milieu de l'été à l'hiver, quand apparaissent les panicules vertes de l'année suivante. **Fruits.** Baies noir bleuté, 1 cm (toxiques à usage médicinal).

ESPÈCES VOISINES – *Laurelia sempervirens* (p. 376) ; chêne vert du Japon (p. 230). Laurier-sauce (p. 276) : feuilles alternes plus ternes.

CULTIVARS – 'Excelsum Superbum', rare : feuillage panaché de *jaune et de crème*, donnant un reflet jaune pâle à la couronne. 'Tricolor', rare : fine bordure gris argenté (*rose* au début). 'Aureovariegatum', très rare : panachure *jaune verdâtre, terne.*

Olivier commun

Olea europaea

Probablement originaire du SO de l'Asie et d'Arabie saoudite ; cultivé depuis longtemps autour de la Méditerranée.

ASPECT – **Silhouette.** Basse et hérissée, sur un tronc court, penché ; gris acier ; arbres sauvages épineux (var. *sylvestris*). **Écorce.** Grise ; crêtes très noueuses. **Rameaux** À écailles argentées. **Feuilles.** Opposées, jusqu'à 8 × 2 cm ; coriaces et persistantes ; écailles argentées au revers (cf. olivier de Bohême, p. 412). **Fleurs.** Blanches, parfumées, en courtes grappes pendantes. *Fruits* Olives, 10 à 35 mm, vertes puis noires ou brunes le deuxième été.

Filaria à feuilles larges

Phillyrea latifolia

(Filaire à feuilles larges ; incluant *P. media*) Bassin méditerranéen. Peu répandu.

ASPECT – **Silhouette.** En dôme bas et dense, persistant, *sombre* ; jusqu'à 11 m. **Écorce.** Gris-noir ; craquelée en petits carrés rugueux. **Rameaux.** Finement poilus au début. **Feuilles.** Opposées ; glabres et brillantes dessus, à petites dents arrondies ; 5 × 2 cm. **Fleurs.** Espèce dioïque ; petits bouquets blanc-vert au début d'été. **Fruits.** Baies noir bleuté, 1 cm.

ESPÈCES VOISINES – Chêne vert (p. 222) : très ressemblant. Arbousier (p. 430) ; *Maytenus boaria* (p. 448).

CULTIVARS – f. *spinosa*, très rare : feuilles fortement dentées (cf. houx 'Myrtifolia', p. 364).
f. *buxifolia*, très rare : petites feuilles entières, très proches de celles du buis (p. 358), mais avec l'écorce foncée du type.

Osmanthus yunnanensis

Centre Chine. 1923. Rare.

ASPECT – **Silhouette.** En dôme large ; *feuillage pendant pâle, mat* ; jusqu'à 16 m. **Écorce.** Grise, finement rugueuse. **Feuilles.** *Jusqu'à 20 cm*, parfois à dents épineuses ; coriaces, ondulées ; petites taches noires éparses sur les deux faces. **Fleurs.** Petits bouquets compacts au printemps, délicieusement parfumés. **Fruits.** Baies à pruine pourpre.

ESPÈCES VOISINES – Houx à grandes feuilles (p. 366) : feuilles *alternes*.

AUTRES ARBRES – *O. heterophyllus* (1856) : généralement buissonnant ; fleurit en automne ; feuilles *très semblables à celles du houx*, inermes avec l'âge – mais *opposées*.

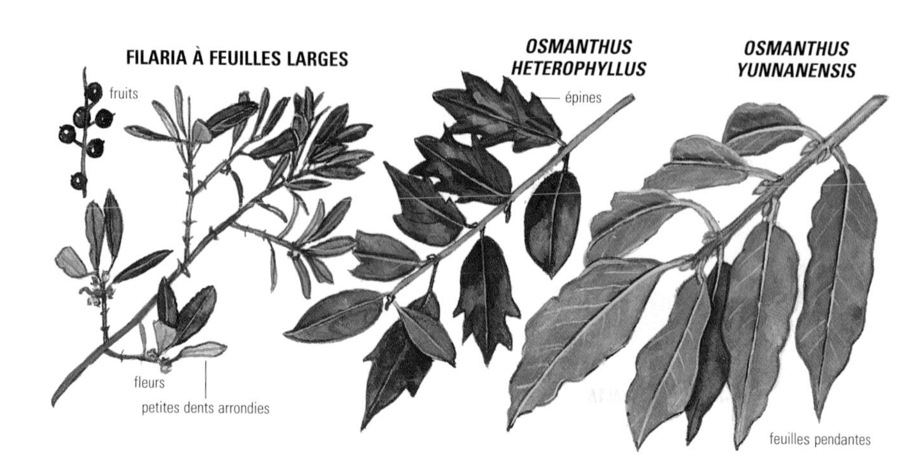

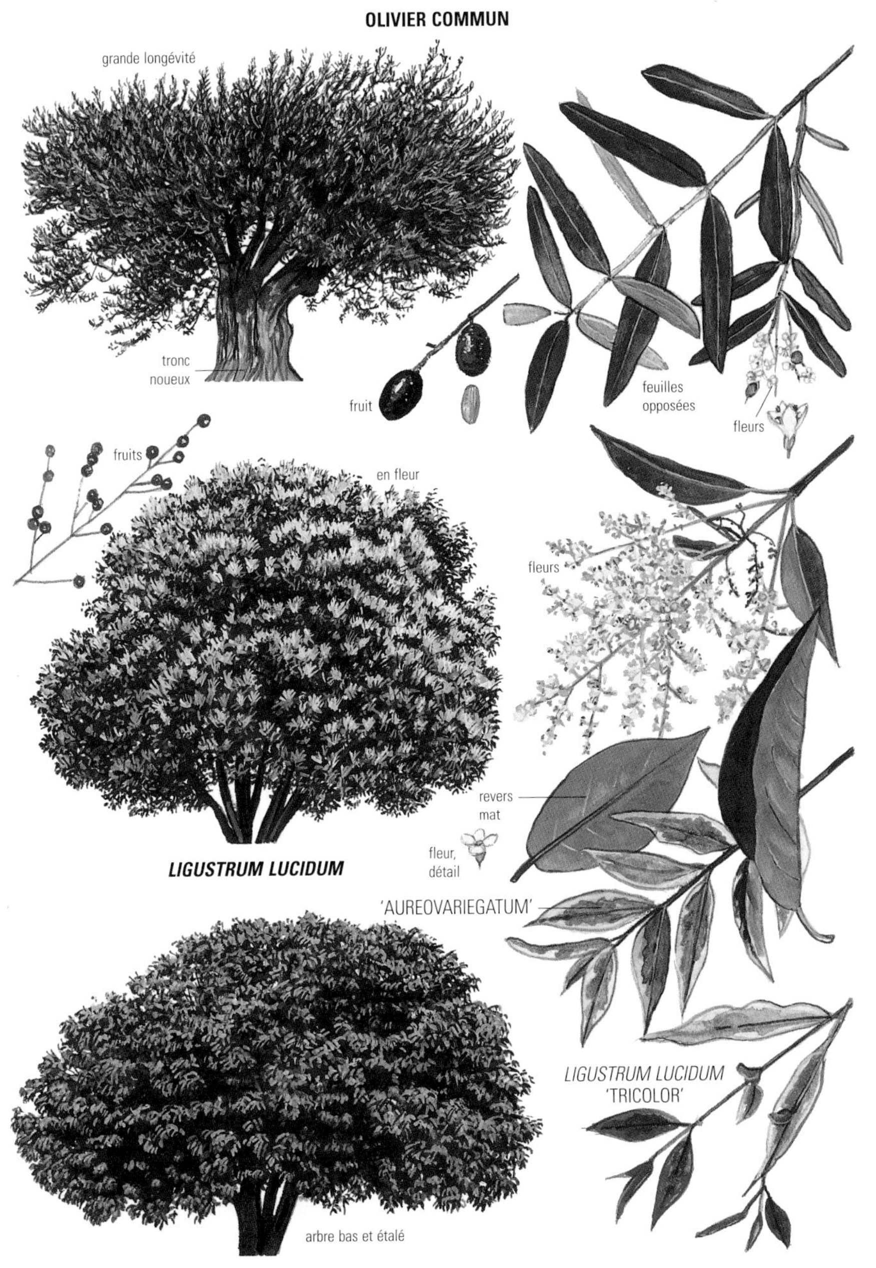

OSMANTHUS YUNNANENSIS

Critères de distinction : Paulownia et Catalpas

- Écorce : Plus ou moins fissurée ?
- Feuilles : Forme (en particulier au sommet et à la base ? Poilues dessous ? Pétiole duveteux ? Couleur ?

Paulownia *Paulownia tomentosa*

(*P. imperialis*) N Chine. 1838. Fréquent dans les parcs publics. Parfois cultivé en cépée – les pousses annuelles de 3 m portent alors des feuilles gigantesques. (Famille : scrophulariacées.)
ASPECT – **Silhouette.** Branches largement étalées puis redressées, sur un tronc droit ; jusqu'à 26 m, mais souvent moins ; arbre fragile, ne vivant pas très longtemps ; rejette parfois de souche. **Écorce.** *Grise*, finement rugueuse ; crêtes *peu saillantes larges et arrondies* avec l'âge. **Rameaux.** Vigoureux, brun rosé et finement velus ; sommet des rameaux hivernaux avec 3 minuscules bourgeons pourprés entourant une extrémité morte ou – chez les vieux sujets – d'immenses bourgeons floraux bruns laineux. **Feuilles.** Gigantesques (jusqu'à 35 cm) et molles, cordiformes et parfois lobées ou grossièrement dentées ; *laineuses sur les deux faces*, sur un pétiole très *laineux*. **Fleurs.** À la fin du printemps mais avant les feuilles ; grandes inflorescences de clochettes mauve foncé, très parfumées ; boutons sensibles au froid hivernal et aux gelées tardives.
ESPÈCES VOISINES – Catalpa hybride (p. 446) ; peuplier baumier de Chine (p. 162) : feuilles *alternes*.
AUTRES ARBRES – *P. fargesii* (O Chine, 1896), très rare : *feuilles presque glabres* (cf. catalpas, aux écorces rugueuses) et fleurs légèrement plus pâles. *P. fortunei* (S Chine, Taïwan, E Himalaya ; 1940), très rare : feuilles plus foncées et plus fines, jamais lobées ; fleurs lilas à l'extérieur et *crème à l'intérieur* avec des taches pourpres.

Catalpa commun *Catalpa bignonioides*

SE États-Unis. 1726. Fréquent dans les parcs et jardins, et le long des rues. (Famille : bignoniacées.)
ASPECT – **Silhouette.** Typiquement très large et ouverte ; branches tordues horizontales sur un tronc court, penché ; jusqu'à 18 m. **Écorce.** *S'écaillant en fines plaquettes carrées* ; *orange à brun rosé* (rarement grisâtre). **Rameaux.** Vigoureux, brun-gris, vite glabres ; bourgeons orangés de 1,5 mm – souvent par 3 ; bourgeons terminaux entourant la cicatrice d'une extrémité de rameau morte (cf. paulownia). **Feuilles.** Grandes (15 à 30 cm), *vert clair, arrondies* ou très légèrement cordiformes à la base et *effilées et brusquement acuminées au sommet* ; petits lobes latéraux fréquents sur les jeunes arbres mais *rares* sur les sujets adultes ; revers poilu ; pétiole vert et *glabre* ; brièvement pourprées quand elles sortent ; pas de teinte d'automne. **Fleurs.** Grandes grappes dressées à l'extrémité des rameaux en fin d'été ; blanc taché de jaune et de pourpre. **Fruits.** Longues gousses pendantes, jusqu'à 40 cm.
ESPÈCES VOISINES – Autres catalpas (p. 446) ; idésia (p. 408).
CULTIVARS – 'Aurea', peu répandu : feuillage *jaune clair*, virant au vert tendre en fin de saison ; le point de greffe est souvent bien visible ; peu florifère.
'Nana', rare : greffé sur le type ; produit un « chignon » de branches courtes et chétives, avec des petites feuilles. (Ramure hivernale rappelant celle du robinier 'Umbraculifera', p. 354.)

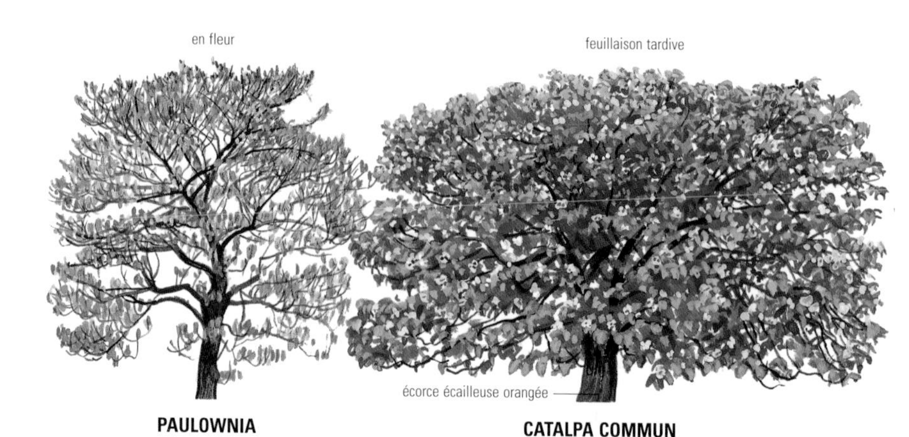

CATALPA COMMUN

CATALPA 'AUREA'

'NANA'

Catalpa à feuilles cordées *Catalpa speciosa*

Centre États-Unis. 1880. Rare ; moins sensible au froid que le catalpa commun mais a besoin de chaleur en été pour l'aoûtement du bois.
Aspect – **Silhouette.** Dôme *élevé* au sommet étroit, *densément feuillu*, jusqu'à 20 m ; branches courtes et tordues ; tronc souvent droit. **Écorce.** *Grise* ; crêtes verticales écailleuses assez *saillantes.* **Feuilles.** Plus longues et foncées que celles du catalpa commun ; généralement *profondément cordiformes à la base* et s'effilant *en longue pointe* au sommet ; petits lobes latéraux *rares* chez les sujets adultes ; poils bruns denses au revers ; pétiole finement poilu au début. **Fleurs.** Un peu avant celles du catalpa commun, en grandes panicules *lâches.*
Espèces voisines – Catalpa commun ; catalpa hybride (ci-dessous).

Catalpa hybride *Catalpa × erubescens* 'J.C. Teas'

(Catalpa commun × catalpa jaune ; obtenu en 1874 et introduit en 1891). Rare.
Aspect – **Silhouette.** Large, haute (jusqu'à 20 m) et assez *ouverte* ; tronc souvent sinueux. **Écorce.** Brun-gris ; crêtes écailleuses assez saillantes (comme chez le catalpa à feuilles cordées, ci-dessus – mais moins nettement verticales). **Feuilles.** Très grandes (jusqu'à 35 cm), vert foncé ; cordiformes à la base, *souvent aussi larges que longues* ; *20 à 50 %* (sur les vieux arbres) avec des petits lobes latéraux. **Fleurs.** Un peu plus tard que le catalpa commun ; en panicules légèrement moins denses mais très parfumées. **Fruits.** Gousses pendantes de 40 cm, abondantes en climat chaud.
Epèces voisines – Catalpa à feuilles cordées (ci-dessus) ; catalpa jaune (ci-dessous).

Cultivars – 'Purpurea', rare : fleurs fortement tachées de pourpre (donnant une nuance *lilas*) ; feuilles plus petites, plus ternes, plus foncées, *d'un pourpre sombre plus intense quand elles sortent* – en conservant quelques nervures pourprées et des *pétioles pourpres.*

Catalpa jaune *Catalpa ovata*

Chine (et Japon ?). Rare.
Aspect – **Silhouette.** Arrondie, ou élancée ; tronc *long* et sinueux ; jusqu'à 22 m. **Écorce.** Brun-gris ; crêtes écailleuses. **Feuilles.** *Vert jaunâtre foncé, mates,* plus petites que celles du catalpa commun (jusqu'à 25 cm) ; avec de *grands lobes* et au moins aussi larges que longues ; pétioles *rouge foncé* avec des poils courts, raides ; glandes pourpres dessous à la base du limbe (cf. idésia, p. 408). **Fleurs.** En même temps que celles du catalpa commun ; blanc teinté de jaune et de rouge – apparaissant *jaune crème* terne à distance ; en petits bouquets épars mais délicieusement parfumées.

Catalpa fargesii

O Chine. 1900. Rare.
Aspect – **Silhouette.** *Dressée* ; ramure assez grêle ; jusqu'à 20 m. **Écorce.** Brun-gris ; crêtes larges, *peu saillantes mais pelucheuses.* **Rameaux.** Veloutés au début (mais glabres chez f. *duclouxii*). **Feuilles.** Relativement *petites* (12 × 10 cm) et assez brillantes dessus ; poils blancs denses au revers chez le type ; pétioles veloutés. **Fleurs.** Rosâtres, au *milieu de l'été.*
Autres arbres – *C. bungei* (Chine ; 1905), collections : petites feuilles presque glabres, avec *1 à 6 dents découpées* de chaque côté ; fleurs plus petites, plus voyantes.

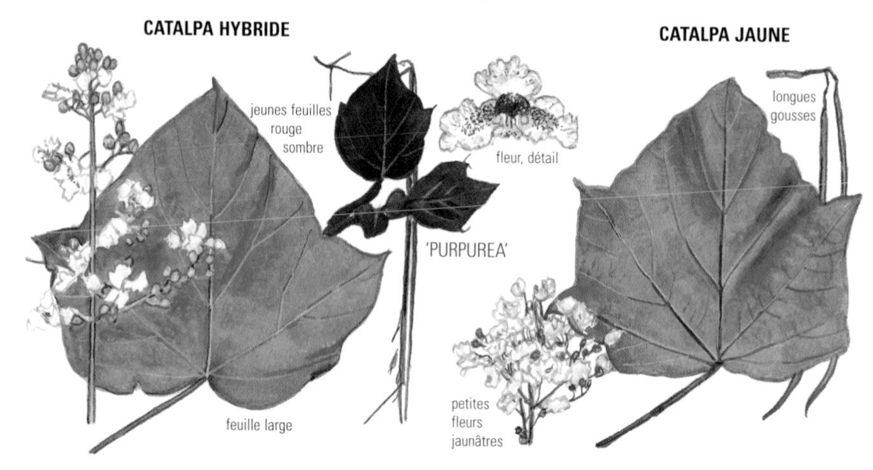

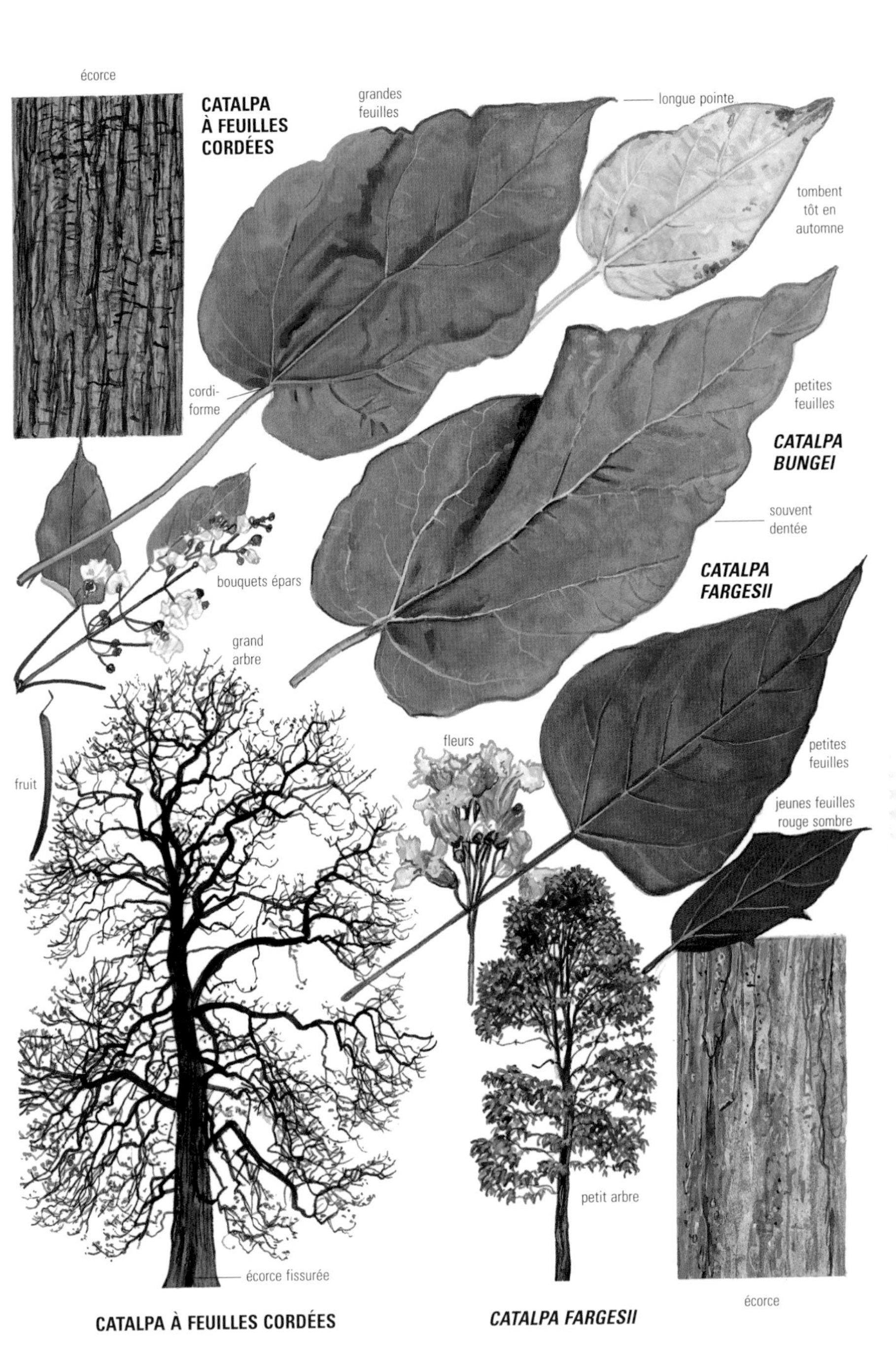

CATALPA À FEUILLES CORDÉES

CATALPA FARGESII

Sureau noir *Sambucus nigra*

Europe, N Afrique, SO Asie. Commun un peu partout, assez rare en région méditerranéenne. (Famille : caprifoliacées.)
ASPECT – **Silhouette.** Branches arquées portant des rameaux dressés vigoureux ; jusqu'à 10 m. **Écorce.** *Gris crème* ; crêtes liégeuses entrelacées. **Rameaux.** Gris crème, avec *des lenticelles saillantes et des extrémités partant en tous sens.* **Bourgeons.** Pourprés ; *à écailles saillantes*, s'allongeant en milieu d'hiver, après la chute des dernières feuilles jaunes ou rosées. **Feuilles.** Opposées ; *5 ou 7* (rarement 3 ou 9) folioles ternes, avec quelques poils raides. **Fleurs.** En *corymbes crème* en début d'été, très odorantes. **Fruits.** Petites baies noires, mûres en début d'automne – toxiques crues (comme les feuilles), mais à nombreuses propriétés médicinales.
CULTIVARS – f. *laciniata*, peu répandu : feuillage très découpé ; il existe des clones à feuilles moins découpées. 'Aurea', plus commun : feuillage doré. ('Plumosa Aurea', au feuillage doré très découpé, appartient à *S. racemosa*, un arbuste indigène à baies rouges.)

Fusain d'Europe *Euonymus europaeus*

Europe à Caucase. Commun presque partout sauf en région méditerranéenne. (Famille : célastracées.)
ASPECT – **Silhouette.** Généralement buissonnante ; jusqu'à 9 m. **Écorce.** Vert foncé, avec de légères rayures roussâtres ; puis brun-gris, finement sillonnée. **Rameaux.** Fins, droits, légèrement quadrangulaires et *vert foncé.* **Bourgeons.** Verdâtres, coniques, courts. **Feuilles.** Même forme que les feuilles du prunellier (p. 340) mais *opposées*, jusqu'à 8 cm ; *minuscules dents pointues* ; glabres, légèrement cireuses. **Fleurs.** En petits bouquets crème en début d'été. **Fruits.** Toxiques ; *capsule magenta à 4 lobes s'ouvrant sur 4 baies orangées.*
ESPÈCES VOISINES – Nerprun purgatif (p. 398) ; aliboufier du Japon (p. 434).
AUTRES ARBRES – *E. bungeanus* (NE Asie, 1883), très rare : un très beau fusain *arborescent* (en dôme, jusqu'à 10 m) ; feuilles glabres plus larges (10 × 6 cm), pendantes ; fruits rose crème pâle.

Maytenus boaria

S Andes à Brésil. 1822. Rare ; climats doux.
ASPECT – **Silhouette.** Dôme persistant ouvert ; rameaux externes *en cascade.* **Écorce.** Grise ; courts sillons entrelacés. **Feuilles.** 1 à 6 cm, foncées, brillantes, glabres ; finement dentées ; pétioles de 3 à 5 mm.
ESPÈCES VOISINES – Filaria (p. 442) : feuilles opposées. *Nothofagus dombeyi* (p. 202) ; azara à petites feuilles (p. 408).

Emmenopterys henryi

Centre et SO Chine. 1907. Rare. (Famille : rubiacées.)
ASPECT – **Silhouette.** Étroite, sur des branches droites ; jusqu'à 17 m ; feuillage pendant étagé (cf. *Cornus controversa*, p. 426). **Écorce.** Gris foncé, finement rugueuse. **Rameaux.** Lisses, brillants. **Bourgeons.** Avec *2 écailles rouges de 2 cm finement pointues.* **Feuilles.** Opposées ; jusqu'à 22 cm, douces et épaisses ; quelques petites dents ; ternes mais souvent *teintées de rouge* ; pétiole cramoisi ; duvet sous les nervures en creux. **Fleurs.** Blanches, 3 cm, en panicules légères accompagnées de 2 ou 3 bractées blanc verdâtre de 8 cm.

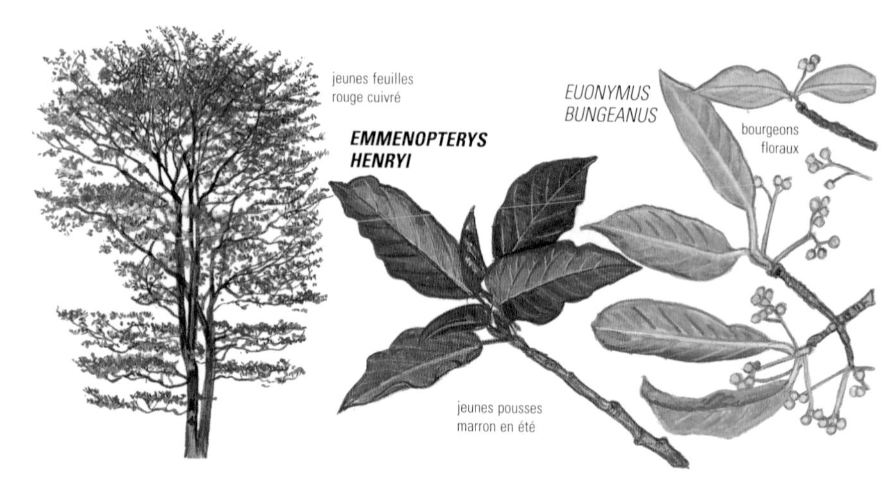

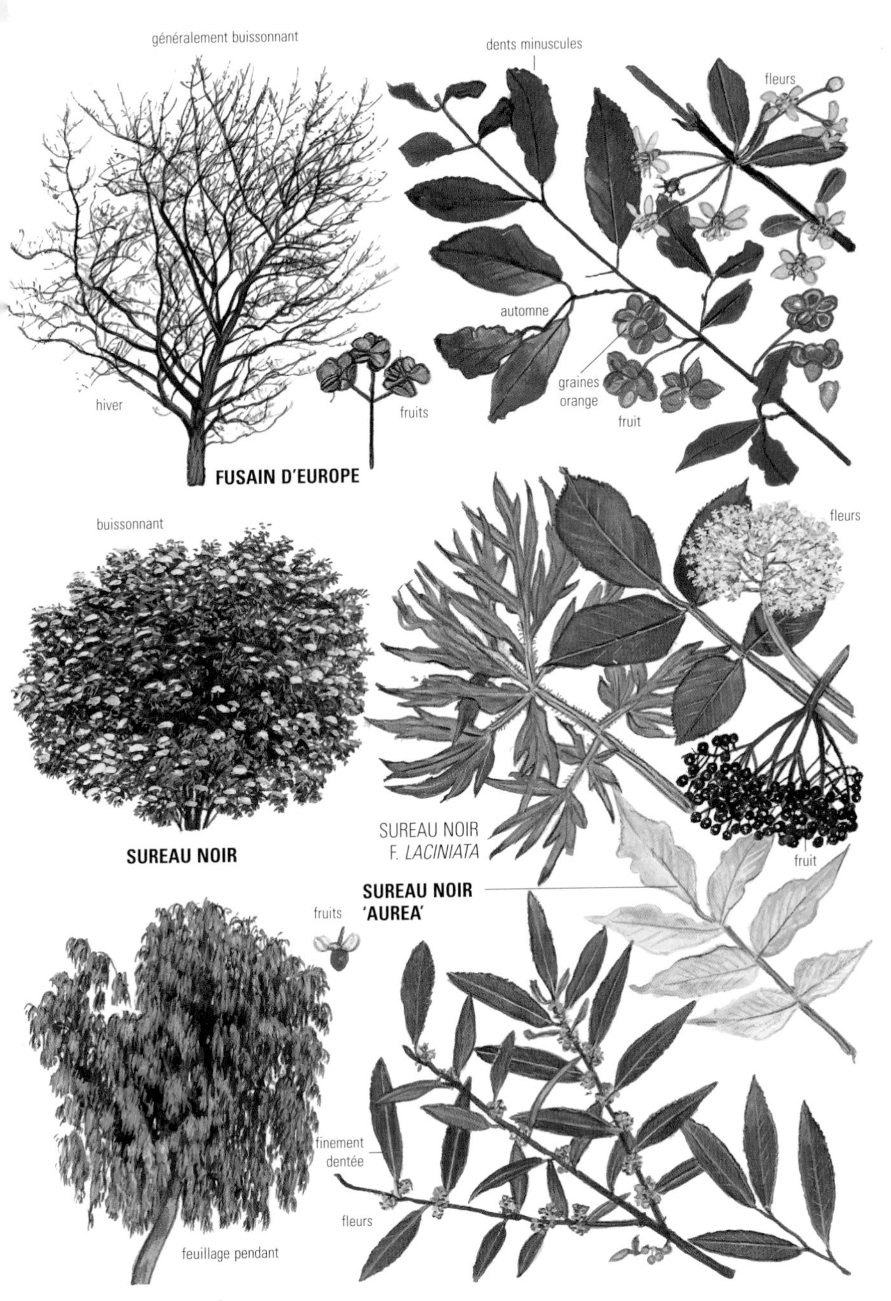
généralement buissonnant
dents minuscules
fleurs
automne
hiver
fruits
graines orange
fruit
FUSAIN D'EUROPE
buissonnant
fleurs
SUREAU NOIR
SUREAU NOIR F. *LACINIATA*
fruit
SUREAU NOIR 'AUREA'
fruits
finement dentée
fleurs
feuillage pendant
MAYTENUS BOARIA

Cordyline *Cordyline australis*

(*Dracaena australis*) Nouvelle-Zélande. 1823. Fréquent dans le Midi et sur le littoral atlantique. Se ressème spontanément. (Famille : liliacées.)
ASPECT – **Silhouette.** Se ramifiant après la floraison (atteint 5 m de haut au bout de 8 ans) ; à terme, dense et évasée, jusqu'à 16 m ; une des rares 'monocotylédones' (comme les graminées et les lis) à former un tronc épais et ramifié. **Écorce.** Gris crème ; craquelée en carrés de texture assez liégeuse. **Feuilles.** Linéaires, jusqu'à 90 × 8 cm ; très résistantes (bien que les jeunes pousses soient consommées en Nouvelle-Zélande). (Cf. yuccas – arbustes aux grandes inflorescences de grosses fleurs campanulées blanc crème – avec des feuilles plus grises, plus courtes et plus épaisses.) **Fleurs.** Parfumées, en immenses panicules blanches, légères, au début de l'été. **Fruits.** Baies blanc bleuté, 6 mm.
CULTIVARS – Nombreux clones à feuillage pourpre, brunâtre et joliment panaché.

La famille des palmacées compte près de 3 000 espèces. Les feuilles et les fleurs des palmiers se forment habituellement à partir d'un bourgeon solitaire au sommet d'une tige (stipe) qui s'accroît en hauteur mais pas en largeur.

Palmier des Canaries *Phoenix canariensis*

Îles Canaries. Largement planté sur la côte d'Azur.
ASPECT – **Silhouette.** Une belle couronne rayonnante de feuilles arquées et pendantes, vert bleuté, sur un stipe plus robuste que celui du palmier à chanvre (ci-dessous). **Stipe.** Recouvert de la base coupée des anciennes feuilles. **Feuilles.** Jusqu'à 7 m ; *folioles parallèles* repliées sur les bords à la base.
AUTRES ARBRES – Palmier dattier, *P. dactylifera* : feuilles similaires (moins pendantes) ; redoute les hivers dans le nord de l'Europe.
P. theophrastii (Crète) : drageonnant comme le palmier dattier. Cocotier du Chili, *Jubaea chilensis* : devenu rare au Chili du fait de son abattage pour en extraire la sève sucrée ; stipe *gris pâle, lisse et ridé*, jusqu'à 1 m d'épaisseur ; feuilles très proches de celles du palmier des Canaries mais sur des rachis plus épais et plus gris.

Palmier à chanvre *Trachycarpus fortunei*

Chine, N Vietnam, Haute-Birmanie. 1836. Le palmier le plus rustique, assez fréquent sous les climats doux.
ASPECT – **Silhouette.** Jusqu'à 15 m. **Stipe.** Recouvert de fibres brun foncé persistantes ; rarement lisse et vert près de la base. **Feuilles.** *En éventail*, les pointes généralement déchirées et pendantes ; pétiole de 1 m, avec de petites épines. **Fleurs.** En immenses (jusqu'à 60 cm) panicules pendantes jaunes. **Fruits.** Baies noir bleuté, 1 cm ; rares sur les sujets isolés.
AUTRES ARBRES – *Chamaerops humilis* (O Méditerranée ; 1731), rare : jusqu'à 5 m, drageonnant et généralement sur *plusieurs stipes* ; feuilles plus petites, plus raides et plus grises, à pétioles *très épineux* ; inflorescences de 15 cm de haut seulement (espèces dioïques).

PALMIER DATTIER
PALMIER DES CANARIES
fruits
foliole, détail
noyau
feuille
cicatrices foliaires
foliole, détail
stipe
feuille
PALMIER DES CANARIES
stipe
PALMIER DATTIER
feuille
extrémité parfois effilochée
vieilles feuilles pendantes
PALMIER À CHANVRE
stipe

Acuminé : terminé en pointe effilée.

Aiguille : feuille linéaire d'un conifère.

Aile : membrane mince bordant un organe.

Alternes : disposés à des hauteurs différentes.

Anthère : partie terminale d'une étamine, contenant les grains de pollen.

Apprimé : appliqué presque à plat, contre un rameau par exemple.

Auricule : lobe en forme d'oreillette à la base du limbe (ou d'un pétale).

Bifide : fendu en deux sur une partie de la longueur.

Bipennée : se dit d'une feuille composée dont les folioles sont elles-mêmes divisées.

Bourgeon : embryon de feuille, de fleur et/ou de pousse, plus toute couche protectrice.

Bractée : organe foliacé situé à la base d'une fleur ou d'une inflorescence.

Chancre : infection bactérienne ou fongique provoquant des lésions dans l'écorce.

Chaton : inflorescence compacte avec des fleurs sessiles unisexuées et des bractées écailleuses.

Chimère : plante obtenue à partir de la fusion des tissus de deux espèces.

Chlorose : trouble de la nutrition dû à une carence en fer sur les sols alcalins et provoquant le jaunissement du feuillage.

Clone : toutes les plantes obtenues par multiplication végétative à partir d'un individu.

Colonnaire : étroit, dressé, à bords parallèles.

Composé : divisé en plusieurs parties (folioles par exemple).

Conique : large à la base et étroit au sommet.

Couronne : l'ensemble de la ramure d'un arbre située au-dessus du tronc.

Cultivar : une variété cultivée ou un clone mutant commercialisé par les pépiniéristes.

Dard : rameau latéral court, poussant très lentement chaque année.

Dent : saillie généralement petite et pointue au bord d'une feuille ou d'un pétale.

Dioïque : qui porte les fleurs mâles et les fleurs femelles sur des plantes différentes.

Doublement denté : dont les dents sont elles-mêmes dentées.

Doubles (fleurs) : avec quelques ou toutes les étamines modifiées en pétales supplémentaires.

Drageon : rejet naissant à partir d'une racine ou d'une tige souterraine (voir **Rejet**).

Duvet : couche de poils minuscules et doux.

Écaille : appendice aplati, ni foliacé, ni pétaloïde.

Endémique : que l'on ne rencontre que dans une région donnée.

Entier : se dit d'un organe dont le bord ne présente aucune découpure.

Étamine : organe mâle de la fleur (l'anthère et son filet).

Étêtage : technique consistant à couper un arbre à 2 ou 3 m au-dessus du sol de manière à provoquer l'apparition de nouvelles branches.

Famille : unité de classification systémique venant après l'ordre et divisée en genres.

Fastigié : produisant des branches presque verticales.

Feuillaison : apparition des nouvelles feuilles au printemps.

Flèche : partie haute de l'arbre provoquant son accroissement en hauteur.

Foliole : partie du limbe d'une feuille composée.

Forme : terme scientifique désignant un variant mineur d'une espèce.

Genre : unité de classification systémique venant après la famille et divisée en espèces.

Glande : organe produisant une sécrétion ; souvent un minuscule renflement collant.

Glauque : gris bleuté pâle (souvent lié à la présence de pruine).

Greffage : technique de multiplication végétative consistant à faire fusionner un rameau d'une sorte d'arbre (greffon) sur le système racinaire d'un autre (porte-greffe).

Hybride : descendance issue de parents appartenant à différentes espèces, variétés ou sous-espèces.

Laineux : couvert de poils longs et souples.

Lenticelle : petit organe respiratoire en saillie sur un rameau, un tronc ou un fruit.

Libre : pas attaché ; saillant.

Lobe : division d'une feuille (ou d'un pétale, etc.) plus large qu'une dent.

Marcotte : branche touchant le sol et s'enracinant ; le tronc secondaire qui en résulte.

Mucroné : terminé par une pointe courte et raide (mucron).

Opposés : disposés par paire, en face de chaque côté d'un rameau.

Panaché : feuillage présentant des zones décolorées.

Pétale : une des pièces composant la corolle de la fleur.

Port : définit une façon de pousser.

Pousse : jeune rameau feuillu.

Pruine : substance très finement pulvérulente, que l'on enlève facilement par frottement.

Rejet : pousse issue d'une racine, apparaissant au pied d'un arbre (voir **Drageon**) ; pousse issue de bourgeons dormants et se développant sur le tronc ou les grosses branches.

Scion : jeune arbre greffé.

Semi-doubles (fleurs) : avec quelques étamines (mais pas toutes) modifiées en pétales supplémentaires.

Sépale : une des pièces composant le calice de la fleur (et parfois persistant au sommet de certains fruits).

Simple : pas double (fleur) ; pas composée (feuille).

Sinus : échancrure séparant deux lobes.

Sous-espèce : variant scientifiquement reconnu (souvent local) d'une espèce.

Sport : variant issu d'une mutation spontanée.

Stipule : appendice généralement foliacé à la base du pétiole d'une feuille ou du pédoncule d'une fleur.

Style : partie rétrécie entre l'ovaire et les stigmates de la fleur.

Taxon : terme général pour désigner une unité quelconque de la classification systémique.

Tépale : pétale ou sépale indifférencié chez certaines fleurs (magnolias, tulipes, par exemple).

Trifoliolée : feuille divisée en trois folioles.

Type : la forme habituelle d'une espèce (par opposition à une variété ou un clone).

Variété : unité de classification systémique venant après l'espèce.

Verticille : ensemble d'organes insérés en cercle sur un même point.

Les sous-espèces, variétés et cultivars d'une même espèce ne sont répertoriés dans l'index que lorsqu'ils occupent au moins deux pages.

Ce guide richement illustré est l'ouvrage le plus complet en son genre, avec plus de 1 500 espèces présentées. Pour chacune d'elles, une description précise les caractéristiques des différentes parties de l'arbre (silhouette, écorce, rameaux, bourgeons, fleurs, fruits, feuilles…) pour une identification en toute saison.

De superbes planches illustrent toutes les espèces et présentent non seulement les silhouettes, mais aussi plusieurs éléments de détails (notamment les feuilles, systématiquement reproduites). Sous-espèces, variations et espèces proches sont décrites elles aussi, et pour la plupart illustrées. La clé de détermination, précise et efficace, comprend des centaines de croquis.

+

Plus de 1 500 espèces décrites et illustrées, avec leurs sous-espèces et variations majeures.

Des descriptions précises incluant tous les détails morphologiques de chaque arbre.

De superbes planches originales pour chaque espèce.

39,90 € TTC (PRIX FRANCE)
ISBN : 978-2-603-02771-4
9 782603 027714

GUIDE DELACHAUX

DELA ET NI